S.M.Sze
SEMICONDUCTOR DEVICES
Physics and Technology
2nd Edition

半導体デバイス
基礎理論とプロセス技術
第2版

S.M.ジィー

南日康夫　川辺光央　長谷川文夫　訳

産業図書

SEMICONDUCTOR DEVICES : Physics and Technology, 2 nd Edition

by S. M. SZE

Copyright © 1985, 2002 by John Wiley & Sons, Inc.
Japanese translation rights arranged with John Wiley & Sons International Rights, Inc.
through Japan UNI Agency, Inc., Tokyo

私のよき指導者
Dr. L. J. Chu　　（Academia Sinica）　と
Dr. R. M. Ryder　（Bell Laboratories）
へ献ずる．

まえがき

　本書は半導体デバイスの基礎物理およびその最新技術の入門書であり，応用物理，電気・電子工学，材料科学専攻の学部生を対象としている．また，新しいデバイスや技術開発の情報を知る必要がある現場の技術者や研究者の参考書としても利用できる．

第2版で新しくなった点
- 内容の50%が改訂され更新された．最近注目されているフラッシュメモリ，ペンティアムチップ，銅配線，エキシマーレーザリソグラフィ等については，新しく書き加えた．一方，ページ数の制限で，縮小または削除した部分もある．
- 理解を助けるために大幅な変更をした．重要な式はすべて囲み線をつけた．
- デバイスおよび材料の数値データは更新または変更した．たとえば，300 KにおけるSiの真性キャリア密度は旧版で使用した値 $1.45 \times 10^{10}\,\mathrm{cm}^{-3}$ に代えて $9.65 \times 10^{9}\,\mathrm{cm}^{-3}$ を採用した．この変更だけで問題の解の少なくとも30%に影響を与える．
- それぞれの主題の展開を明快にするために大学院レベルの数学や物理の概念を必要とする部分は削除または巻末の付録に移した．

各章の内容
- 第1章では，主要半導体デバイスおよびキーテクノロジー発展の簡単な歴史を述べる．あとの各章は，三部構成となっている．
- 第I部（第2章—第3章）は，半導体の基本特性と電気伝導機構について，特に重要な半導体であるSiとGaAsを中心に述べる．ここで述べられていることは，本書の全体を通して必要であり，それを理解するためには物理の基礎知識が必要である．
- 第II部（第4章—第9章）では，主要な半導体デバイスの物理と特性について述べる．まず，ほとんどのデバイスの構成要素になっている p-n 接合から始めて，バイポーラおよび電界効果デバイス，マイクロ波デバイス，量子効果デバイス，ホットエレクトロンデバイス，フォトニックデバイスと話を進める．
- 第III部（第10章—第14章）では，プロセス技術について述べる．結晶成長から不純物ドーピングまでカバーする．主に，集積回路に重点を置いて，デバイス製作の主要技術の理論面および実際面について述べる．

本書の特徴
　各章は以下の特徴を持って構成されている．
- 内容の概観から始まり，習得目標がリストアップされている．

- 旧版に比べて3倍の精選された例題を載せ，基本概念の応用例を示している．
- 各章末にその章の重要な概念をまとめ，演習問題に取り掛かる前に学習者の助けとした．
- 約250題の演習問題を掲げた．そのうち半分以上は第2版で新しく追加したものである．
- 奇数番号の問題は計算問題であり，その解答を巻末の付録Lに掲載した．

いくつかの学習コースの設定

　第2版では，学習のコースを決める上で柔軟に対応できるようにした．本書は，デバイス物理およびプロセス技術を1年で学習するための十分な内容を持っている．週3回の講義の場合，2-セメスター制では，最初のセメスターで第1章から第7章まで，第2セメスターで第8章から第14章までを学習する．3クオーター制では，1—5，6—9，10—14で分けると切りがよい．

　2クオーター制では，第1クオーターで1—5章までを学び，第2クオーターでは，教える側の判断で，たとえばMOSFETと関連技術を重視するならば，6，11，12，13，14章を選び，主要デバイスをカバーしたければ6—9章を選べばよい．半導体デバイス技術だけの1クオーターコースでは，1.2節と10—14章を選べばよい．

　基本的な半導体物理とデバイスを学習する1セメスターコースでは，1—7章を選び，マイクロ波とフォトニックデバイスの1セメスターコースでは1—4と7—9章を学習するとよい．学習者が，いくらかの半導体の基礎知識を持っていれば，1，6，10—14章の学習でサブミクロンMOSFETの物理と技術の1セメスターコースとなる．学習計画や教官のテーマの選び方により他にも多くのコース設定が考えられる．

謝辞

　本書の改訂にあたって多くのかたがたのご協力を得た．まず，National Nano Device Laboratoriesの同僚のかたがたに最新の図表の提案および演習問題と解答を提供していただいたことを深く感謝します．第2章についてはS. F. Hu博士，第3章についてはW. F. Wu博士，第4章についてはS. H. Chan博士，第5章についてはT. B. Chiou博士，第6章についてはH. C. Lin博士，第7章についてはJ. S. Tsang博士，第8章についてはG. W. Huang博士，第9章についてはJ. D. Guo博士，第10章についてはS. C. Wu博士，第11章についてはT. C. Chang博士，第12章についてはM. C. Liaw博士およびM. C. Chiang博士，第13章についてはF. H. Ko博士，第14章についてはT. S. Chao博士のご協力を得た．また，次に示すレビューアーの方々からも大変貴重なご意見をいただいた．National Chiao Tung UniversityのC. Y. Chang教授，T. Y. Huang教授，B. Y. Tsui教授およびT. J. Yang教授．National Sun Yet-sen UniversityのY. C. Cheng教授およびM. K. Lee教授．Chang Gun UniversityのC. S. Lai教授．University of CambridgeのW. Y. Liang教授．Bell Laboratory, Lucent TechnologiesのK. K. Ng博士．National Cheng Kung UniversityのW. J. Tseng教授．Chung Yuan UniversityのT. C. Wei教授．National Tsing Hwa University Y. S. G. Wu教授．National Nano Device LaboratoriesのC. C. Yang博士．Feng Chia UniversityのW. L. Yang教授，Taiwan Semiconductor Manufacturing CompanyのA. Yen博士．

　また，次のかたがたにも大変お世話になった．原稿の編集作業については，N. Erdos氏，図の変更および最終原稿のタイピングについては，Iris Lin氏に，またNational Chiao Tung University, Semiconductor Laboratory の Y. G. Yang 氏には，本書で使用した数多くの図を提供していただいた．他の出版物から引用した図は，その版権の所有者の許可を得た．図はすべて描き直したが，使用許可に対して感謝いたします．Macronics International Company の George T. T. Sheng 氏には，表紙（本訳書ではカバーの右下）に使用したフラッシュメモリの透過電子顕微鏡写真の提供を受けた．ここに感謝いたします．また，最初のマイクロプロセッサ（Intel 4004）およびその最新版（Pentium 4）の写真を提供してくださった Intel Corporation の A. Mutlu 氏，S. Short 氏，R. Steward 氏に感謝いたします．

John Wiley and Sons 社の G. Telecki 氏，および W. Zobrist 氏には改訂版を出すにあたって激励をしていただいたことに感謝します．また，National Chiao Tung University の Spring Foundation の経済的支援に感謝します．特に，この本を出す仕事の環境を整えるのに役立った UMC Chair Professorship Grant をご提供いただいた United Microelectronics Corporation (UMC), Taiwan, ROC に感謝いたします．

最後に，本書およびこれまでに出した数々の本を出版するにあたって，たゆまぬ支持と援助を続けてくれた妻の Therese に感謝します．また，息子の Reymond (Doctor of Medicine), 義理の娘 Karen (Doctor of Medicine), 娘の Julia (Certified Financial Analyst) および義理の息子 Bob (President, Cameron Global Investment, LLC) には私の健康管理および財務管理についてできる限りの事をしてくれたことに感謝します．

                                                            S. M. Sze
                                                             Hsinchu, Taiwan
                                                             March 2001

目次

まえがき

第1章 序 1
  1.1 半導体デバイス 1
    1.1.1 デバイス構成要素 2
    1.1.2 主要半導体デバイス 3
  1.2 半導体技術 6
    1.2.1 半導体キーテクノロジー 6
    1.2.2 技術動向 10
  まとめ 11
  参考文献 13

第I部　半導体物理

第2章 エネルギーバンドと熱平衡状態におけるキャリア密度 17
  2.1 半導体材料 17
    2.1.1 元素半導体 18
    2.1.2 化合物半導体 19
  2.2 基本的結晶構造 20
    2.2.1 単位胞 20
    2.2.2 ダイアモンド構造 21
    2.2.3 結晶面とミラー指数 22
  2.3 主な結晶成長技術 23
  2.4 価電子結合 25
  2.5 エネルギーバンド 26
    2.5.1 孤立原子のエネルギー準位 26
    2.5.2 エネルギーと運動量の関係 28
    2.5.3 金属, 半導体, 絶縁体における電気伝導 30
  2.6 真性キャリア密度 31
  2.7 ドナーとアクセプタ 34
    2.7.1 非縮退半導体 35
    2.7.2 縮退半導体 39
  まとめ 40

参考文献 ··40
　　問　題 ··40

第3章　キャリアの輸送現象 ··43
　3.1　キャリアのドリフト ···43
　　3.1.1　移動度 ··43
　　3.1.2　比抵抗 ··47
　　3.1.3　ホール効果 ··49
　3.2　キャリアの拡散 ···51
　　3.2.1　拡散過程 ··51
　　3.2.2　アインシュタインの関係式 ··52
　　3.2.3　電流密度の式 ··53
　3.3　キャリアの生成と再結合過程 ···53
　　3.3.1　直接再結合 ··54
　　3.3.2　間接再結合 ··56
　　3.3.3　表面再結合 ··57
　　3.3.4　オージェ再結合 ··58
　3.4　連続の式 ···59
　　3.4.1　片側からの定常的キャリア注入 ····································60
　　3.4.2　表面少数キャリア ··61
　　3.4.3　ヘインズ-ショックレイの実験 ·····································62
　3.5　熱電子放射 ···63
　3.6　トンネル過程 ···64
　3.7　高電界効果 ···66
　まとめ ··71
　参考文献 ··71
　問　題 ··72

第II部　半導体デバイス

第4章　p-n接合 ··77
　4.1　基本的形成過程 ···78
　　4.1.1　酸化 ··78
　　4.1.2　リソグラフィ ··79
　　4.1.3　拡散とイオン注入 ··80
　　4.1.4　金属配線 ··80
　4.2　熱平衡状態 ···80
　　4.2.1　バンド図 ··81
　　4.2.2　熱平衡フェルミ準位 ··81

目次

- 4.2.3 空間電荷 ··· 83
- 4.3 空乏領域 ·· 84
  - 4.3.1 階段接合 ·· 84
  - 4.3.2 傾斜接合 ·· 88
- 4.4 空乏層容量 ·· 90
  - 4.4.1 容量-電圧特性 ·· 91
  - 4.4.2 不純物分布の求め方 ······································ 92
  - 4.4.3 バラクター ··· 93
- 4.5 電流-電圧特性 ·· 94
  - 4.5.1 理想特性 ·· 94
  - 4.5.2 生成-再結合および高注入効果 ··························· 98
  - 4.5.3 温度効果 ··· 101
- 4.6 電荷の蓄積と過渡特性 ······································· 102
  - 4.6.1 少数キャリアの蓄積 ····································· 103
  - 4.6.2 拡散容量 ··· 103
  - 4.6.3 過渡応答 ··· 104
- 4.7 接合の降伏 ··· 105
  - 4.7.1 トンネル効果 ·· 105
  - 4.7.2 なだれ増倍 ·· 106
- 4.8 ヘテロ接合 ··· 111
- まとめ ·· 113
- 参考文献 ··· 114
- 問題 ·· 114

第5章 バイポーラ・トランジスタとその関連デバイス ········· 117

- 5.1 トランジスタ動作 ·· 118
  - 5.1.1 活性モードにおける動作 ································ 119
  - 5.1.2 電流利得 ··· 120
- 5.2 バイポーラ・トランジスタの静特性 ························ 123
  - 5.2.1 各領域におけるキャリア分布 ··························· 123
  - 5.2.2 活性モード動作時の理想トランジスタ電流 ············· 125
  - 5.2.3 動作モード ·· 126
  - 5.2.4 ベース接地およびエミッタ接地における電流-電圧特性 ·· 128
- 5.3 バイポーラ・トランジスタの周波数応答とスイッチング特性 ·· 131
  - 5.3.1 周波数応答 ·· 131
  - 5.3.2 スイッチング過渡特性 ·································· 133
- 5.4 ヘテロ接合バイポーラ・トランジスタ ····················· 135
  - 5.4.1 HBTの電流利得 ··· 135
  - 5.4.2 HBTの基本的構造 ······································ 136

5.4.3　高度な HBT ·· 137
　5.5　サイリスタおよび関連の電力用デバイス ································ 139
　　　5.5.1　基礎特性 ·· 140
　　　5.5.2　双方向サイリスタ ·· 145
　　　5.5.3　他の形のサイリスタとその応用 ······························· 146
　まとめ ·· 148
　参考文献 ·· 149
　問　題 ·· 149

第6章　MOSFETと関連デバイス ·· 153
　6.1　MOS ダイオード ··· 153
　　　6.1.1　理想的な MOS ダイオード ····································· 154
　　　6.1.2　SiO_2-Si MOS ダイオード ···································· 161
　　　6.1.3　電荷結合デバイス（CCD） ···································· 166
　6.2　MOSFET の基本特性 ··· 167
　　　6.2.1　基本的特性 ·· 168
　　　6.2.2　MOSFET のいろいろ ·· 174
　　　6.2.3　しきい値電圧の制御 ·· 175
　6.3　MOSFET 縮小則 ·· 179
　　　6.3.1　短チャンネル効果 ··· 179
　　　6.3.2　縮小則 ·· 182
　6.4　CMOS と BiCMOS
　　　6.4.1　CMOS インバータ ·· 184
　　　6.4.2　ラッチアップ ··· 186
　　　6.4.3　BiCMOS ··· 188
　6.5　絶縁物上の MOSFET ·· 188
　　　6.5.1　薄膜トランジスタ（TFT） ····································· 188
　　　6.5.2　SOI デバイス ··· 190
　6.6　MOS メモリ構造 ··· 192
　　　6.6.1　DRAM ·· 192
　　　6.6.2　SRAM ·· 193
　　　6.6.3　不揮発性メモリ ·· 194
　6.7　パワー MOSFET ·· 196
　まとめ ·· 198
　参考文献 ·· 199
　問　題 ·· 199

第7章　MESFETと関連デバイス ·· 203
　7.1　金属-半導体接触 ·· 204

	7.1.1 基本的特性	204
	7.1.2 ショットキー障壁	209
	7.1.3 オーミック接触	212
7.2	MESFET	214
	7.2.1 デバイス構造	214
	7.2.2 動作原理	215
	7.2.3 電流-電圧特性	217
	7.2.4 高周波特性	220
7.3	MODFET	222
	7.3.1 MODFET の基本	222
	7.3.2 電流-電圧特性	224
	7.3.3 しゃ断周波数	225
まとめ		226
参考文献		227
問　題		228

第8章　マイクロ波ダイオード，量子効果およびホットエレクトロンデバイス　230

8.1	マイクロ波の基礎技術	231
8.2	トンネルダイオード	234
8.3	IMPATT ダイオード	236
	8.3.1 静特性	236
	8.3.2 動特性	238
8.4	バルク効果デバイス（TED)	240
	8.4.1 負性微分抵抗	240
	8.4.2 デバイスの動作	241
8.5	量子効果デバイス	244
	8.5.1 共鳴トンネルダイオード	245
	8.5.2 ユニポーラ共鳴トンネルトランジスタ	248
8.6	ホットエレクトロンデバイス	249
	8.6.1 ホットエレクトロン HBT	250
	8.6.2 実空間遷移	250
まとめ		253
参考文献		254
問　題		254

第9章　フォトニックデバイス　257

9.1	発光遷移と光吸収	257
	9.1.1 発光遷移	258
	9.1.2 光吸収	259

9.2 発光ダイオード（LED）·····················262
9.2.1 可視 LED ·····················262
9.2.2 赤外 LED ·····················268
9.3 半導体レーザ·····················270
9.3.1 半導体材料·····················270
9.3.2 レーザ動作·····················271
9.3.3 半導体レーザの基本構造·····················274
9.3.4 分布帰還型レーザ·····················278
9.3.5 量子井戸レーザ·····················279
9.4 光検出器·····················281
9.4.1 光伝導体（光抵抗）·····················281
9.4.2 フォトダイオード·····················282
9.4.3 アバランシ・フォトダイオード（APD）·····················285
9.5 太陽電池·····················287
9.5.1 太陽光·····················287
9.5.2 p-n 接合太陽電池·····················287
9.5.3 変換効率·····················290
9.5.4 シリコンと化合物半導体太陽電池·····················292
9.5.5 集光·····················293
まとめ·····················294
参考文献·····················295
問題·····················296

第 III 部　半導体技術

第 10 章　結晶成長とエピタキシィ·····················301
10.1 融液からの結晶成長·····················302
10.1.1 原料·····················302
10.1.2 CZ 法·····················302
10.1.3 添加不純物の分布·····················304
10.1.4 有効偏析係数·····················305
10.2 Si の浮遊ゾーン法（FZ 法）·····················306
10.3 GaAs 結晶成長·····················310
10.3.1 原料·····················310
10.3.2 結晶成長技術·····················311
10.4 材料評価·····················313
10.4.1 成形加工·····················313
10.4.2 結晶評価·····················314
10.5 エピタキシャル結晶成長·····················318

		10.5.1	CVD	318
		10.5.2	分子線エピタキシィ（MBE）	322
	10.6	エピタキシャル結晶の構造と欠陥		324
		10.6.1	格子整合と歪み層エピタキシィ	324
		10.6.2	エピ層の欠陥	326
	まとめ			327
	参考文献			328
	問題			328

第11章　薄膜の形成 ··········331

- 11.1 熱酸化 ··········332
  - 11.1.1 酸化の機構 ··········332
  - 11.1.2 薄い酸化膜の成長 ··········337
- 11.2 誘導体膜の堆積 ··········339
  - 11.2.1 SiO_2（二酸化シリコン）膜 ··········340
  - 11.2.2 Si_3N_4（窒化シリコン）膜 ··········344
  - 11.2.3 低誘導率（low-k）材料 ··········345
  - 11.2.4 高誘電率（high-k）材料 ··········347
- 11.3 ポリSiの堆積 ··········348
- 11.4 メタライゼーション ··········350
  - 11.4.1 物理気相堆積法 ··········350
  - 11.4.2 CVD（化学気相堆積法） ··········351
  - 11.4.3 Al電極形成 ··········352
  - 11.4.4 銅のメタライゼーション ··········355
  - 11.4.5 化学機械研磨（CMP）法 ··········357
  - 11.4.6 シリサイド ··········358
- まとめ ··········359
- 参考文献 ··········360
- 問題 ··········360

第12章　リソグラフィとエッチング ··········363

- 12.1 光学的リソグラフィ ··········363
  - 12.1.1 クリーンルーム（無塵室） ··········364
  - 12.1.2 露光法 ··········365
  - 12.1.3 マスク ··········368
  - 12.1.4 フォトレジスト ··········369
  - 12.1.5 パターン転写 ··········371
  - 12.1.6 解像度増強手法 ··········372
- 12.2 次世代のリソグラフィ ··········374

- 12.2.1 電子線リソグラフィ ……………………………… 374
- 12.2.2 極端紫外線リソグラフィ …………………………… 377
- 12.2.3 X線リソグラフィ ……………………………… 379
- 12.2.4 イオンビームリソグラフィ ………………………… 379
- 12.2.5 種々のリソグラフィの比較 ………………………… 381
- 12.3 湿式化学エッチング ………………………………… 381
  - 12.3.1 Siエッチング ………………………………… 382
  - 12.3.2 SiO_2 エッチング ……………………………… 383
  - 12.3.3 窒化SiとポリSiのエッチング …………………… 383
  - 12.3.4 Alのエッチング ……………………………… 383
  - 12.3.5 GaAsのエッチング …………………………… 384
- 12.4 乾式エッチング ……………………………………… 385
  - 12.4.1 プラズマの基本 ………………………………… 386
  - 12.4.2 エッチング機構・プラズマ診断・終止制御 ……… 386
  - 12.4.3 反応性プラズマエッチ技術および装置 …………… 388
  - 12.4.4 反応性プラズマエッチの応用 ……………………… 391
- 12.5 マイクロエレクトロメカニカルシステム（MEMS）…… 395
  - 12.5.1 立体マイクロマシニング ………………………… 395
  - 12.5.2 表面マイクロマシニング ………………………… 395
  - 12.5.3 LIGAプロセス ………………………………… 397
- まとめ …………………………………………………………… 397
- 参考文献 ………………………………………………………… 399
- 問題 ……………………………………………………………… 400

第13章 不純物ドーピング …………………………………… 402

- 13.1 基本拡散過程 ………………………………………… 403
  - 13.1.1 拡散方程式 …………………………………… 404
  - 13.1.2 拡散分布 ……………………………………… 406
  - 13.1.3 拡散層の評価 ………………………………… 409
- 13.2 外因性拡散 …………………………………………… 410
  - 13.2.1 拡散係数の濃度依存性 ……………………… 411
  - 13.2.2 拡散分布 ……………………………………… 412
- 13.3 拡散関連過程 ………………………………………… 414
  - 13.3.1 横方向の拡散 ………………………………… 414
  - 13.3.2 酸化膜形成中の不純物の再分布 …………… 415
- 13.4 注入イオンの飛程 …………………………………… 416
  - 13.4.1 イオンの分布 ………………………………… 417
  - 13.4.2 イオンの減速過程 …………………………… 418
  - 13.4.3 チャンネリング効果 ………………………… 421

13.5 注入による損傷とアニール ································ 423
　13.5.1 注入による損傷 ····································· 423
　13.5.2 アニール ··· 425
13.6 イオン注入に関連したプロセス ······························· 427
　13.6.1 多重注入とマスキング ································· 427
　13.6.2 傾斜イオン注入 ······································ 429
　13.6.3 高エネルギー，高電流注入 ···························· 430
まとめ ·· 431
参考文献 ·· 432
問　題 ·· 433

第14章 集積デバイス ·· 435

14.1 受動素子 ··· 437
　14.1.1 IC用抵抗 ·· 437
　14.1.2 集積回路キャパシタ ·································· 438
　14.1.3 ICインダクタ ······································· 439
14.2 バイポーラ技術 ··· 440
　14.2.1 基本的な製造プロセス ································ 441
　14.2.2 絶縁体分離 ·· 443
　14.2.3 自己整合二重ポリSiバイポーラ構造 ··················· 445
14.3 MOSFET技術 ·· 446
　14.3.1 製作の基本プロセス ·································· 447
　14.3.2 メモリデバイス ······································ 450
　14.3.3 CMOS技術 ··· 453
　14.3.4 BiCMOS技術 ··· 458
14.4 MESFET技術 ·· 460
14.5 マイクロエレクトロニクスへの挑戦 ··························· 461
　14.5.1 集積への挑戦 ·· 463
　14.5.2 1チップシステム ····································· 465
まとめ ·· 466
参考文献 ·· 467
問　題 ·· 467

付　録

　A 記号表 ·· 471
　B 国際単位系（SI単位系）······································ 473
　C 単位の接頭辞 ·· 473
　D ギリシャ語アルファベット ···································· 474
　E 物理定数 ·· 474

F 主要元素半導体および化合物半導体の 300 K における特性 ………………… 475
G 300 K における Si および GaAs の特性 ……………………………………… 476
H 半導体中の状態密度の導出 …………………………………………………… 477
I 間接再結合における再結合速度の導出 ……………………………………… 478
J 対称共鳴トンネルダイオードにおける透過係数の計算 …………………… 479
K 気体運動論の基礎 ……………………………………………………………… 480
L 数値解を有する問題（奇数番号）の解答 …………………………………… 481

訳者あとがき ……………………………………………………………………………… 485
索　引 ……………………………………………………………………………………… 487
欧文索引 …………………………………………………………………………………… 497

第1章　序

1.1　半導体デバイス
1.2　半導体技術
まとめ

　応用物理，電気・電子工学，物質科学専攻の学生諸君は，是非とも半導体デバイスの勉強をしておいたほうがよい．なぜならば，半導体デバイスは世界でもっとも大きな産業である電子産業の基礎であり，世界での売上金額は，1998年から年1兆ドルを超えている．半導体デバイスの基礎的な知識は，高度な電子工学を理解するためにも不可欠であり，この知識があれば，電子技術を基礎としている情報化時代にも対応できる．
　本章では，特に以下の項目を取り上げる．
・半導体デバイスにおける四つの構成要素
・18種類の重要な半導体デバイスとエレクトロニクスにおける役割
・20の重要な半導体技術と製造過程における役割
・高密度，高速，低消費電力，不揮発性に向けての技術動向

1.1　半導体デバイス

　図1に，過去20年間の，半導体デバイスが関連する電子産業の売上高と2010年の予測を示

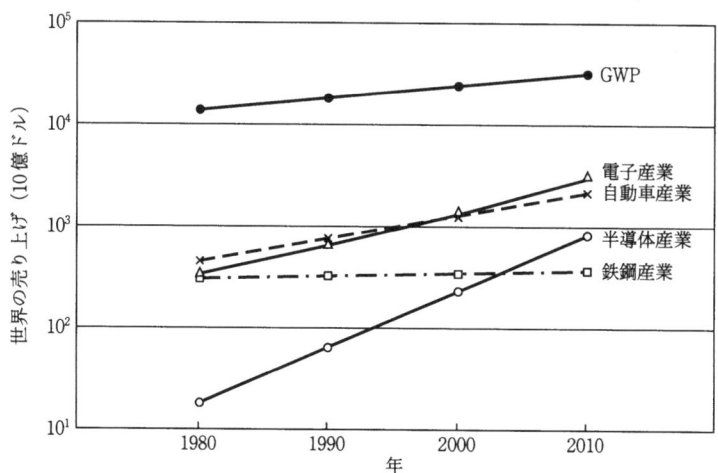

図1　世界総生産（gross world product, GWP）とエレクトロニクス，自動車，鉄鋼の年間売上高．1980年から2000年までと2010年の予測値．[1,2]

す.参考までに,世界総生産(GWP),自動車産業,鉄鋼産業,半導体産業のそれぞれの売上高を併記した.1998年に電子産業が自動車産業を上回っていることが解る.このままで行くと2010年には電子産業の売上は3兆ドルに達し,GWPの10%になる.電子産業の一部である半導体産業は,さらに速い速度で21世紀のはじめに鉄鋼産業を追い越し,2010には電子産業の25%を占めるであろう.

1.1.1 デバイス構成要素

半導体デバイスは,125年以上にわたって研究されてきた[3].現在,我々は60種類ほどの主要なデバイスを使用しており,さらに,関連デバイスは100以上ある[4].しかし,これらのデバイスはすべて,限られた種類の構成要素デバイスで組み立てられている.

図2(a)は金属と半導体の界面で,その境界では金属と半導体は密着している.この第一の構成要素は1874年に研究されたもので,整流器として利用された最初の半導体デバイスである.すなわち,一方向にのみ電気は容易に流れ,その方向ではオーミック接触となる.オーミック接触とは,電流が流れても電圧降下がほとんどない接触のことである.この界面を使ってさまざまな有用なデバイスが作られる.たとえば,整流性のある接触を**ゲート**にし,二つのオーミック接触で**ソース**と**ドレイン**を構成して,重要なマイクロ波素子 **MESFET** (metal-semiconductor field-effect transistor) を作ることができる.

二番目の構成要素は p-n **接合**である(図2(b)).これは,正電荷のキャリアを有する p 形半導体と負電荷のキャリアを持った n 形半導体で構成される.p-n 接合は,ほとんどの半導体デバイスの鍵となる構成要素であり,p-n 接合の理論は半導体デバイス物理の基本となる.p-n 接合を二つ合わせる,すなわち,p-n 接合の n 側に p 形半導体を付けると p-n-p **バイポーラ・トランジスタ**ができる.これは1947年に発明され,電子産業に,かつてないほどの影響を与えた.p-n 接合を三つ合わせると p-n-p-n 構造ができる.これは**サイリスタ**と呼ばれるスイッチングデバイスとなる.

第三の構成要素はヘテロ接合界面(図2(c)),すなわち,異種半導体の接合界面である.たとえば,**GaAs** と **AlAs** を用いてヘテロ接合を作ることができる.ヘテロ接合は高速デバイスおよび光デバイスの鍵となる構成要素である.

図2(d)は金属-酸化物-半導体(metal-oxide-semiconductor, MOS)構造を示す.この構造は,金属-酸化物界面と酸化物-半導体界面で構成されている.MOS構造をゲートとし,二つの p-n 接合をソースとドレインとするとMOSFET(MOS field-effect transistor)を作ることが

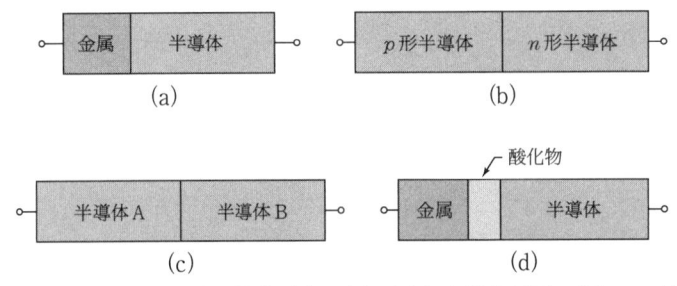

図2 デバイスの基本構成要素.(a) 金属-半導体界面,(b) p-n 接合,(c) ヘテロ接合界面,(d) 金属-酸化物-半導体構造.

できる．MOSFET は高度な**集積回路**にとって最も重要なデバイスであり，一個の集積回路チップの中に何万，何百万個の MOSFET が組み込まれている．

1.1.2 主要半導体デバイス

いくつかの主な半導体デバイスを時代順に，表1に示す．上付き文字 b は，2端子デバイスを示し，それ以外は3端子または4端子デバイスである．初期の半導体デバイスの系統的な研究は Braun によってなされた[5]．彼は，1874年に金属と金属硫化物（たとえば copper pyrite）の接合の抵抗が印加電圧の大きさと方向に依存することを発見した．エレクトロルミネッセンス（**発光ダイオードに応用**）は1907年に Round によって発見された[6]．彼はカーボランダムの結晶に10 V の電圧をかけると，黄色っぽい光が発生するのを見つけた．

表 1　主要半導体デバイス

年	半導体デバイス	著者/発明者	参考文献
1874	金属-半導体接触[b]	Braun	5
1907	発光ダイオード[b]	Round	6
1947	バイポーラ・トランジスタ	Bardeen, Brattain, Shockley	7
1949	p-n 接合[b]	Shockley	8
1952	サイリスタ	Ebers	9
1954	太陽電池[b]	Chapin, Fuller, Pearson	10
1957	ヘテロ接合バイポーラ・トランジスタ	Kroemer	11
1958	トンネルダイオード[b]	Esaki	12
1960	MOSFET[a]	Kahng, and Atalla	13
1962	レーザ[b]	Hall et al	15
1963	ヘテロ構造レーザ[b]	Kroemer, Alferov, Kazarinov	16, 17
1963	バルク効果デバイス[b]	Gunn	18
1965	IMPATT ダイオード	Johnston, Deloach, Cohen	19
1966	MESFET[a]	Mead	20
1967	不揮発性半導体メモリ	Kahng and Sze	21
1970	CCD	Boyle and Smith	23
1974	共鳴トンネルダイオード	Chang, Esaki, Tsu	24
1980	MODFET[a]	Mimura et al.	25
1994	室温 SEMC	Yano et al.	22
2000	30 nm MOSFET	Chau et al.	14

a MOSFET, metal-oxide-semiconductor field-effect transistor. MESFET, metal-semiconductor field-effect transistor. MODFET, modulation-doped field-effect transistor.
b は2端子デバイス．それ以外は3端子または4端子デバイス．

1947年には，点接触トランジスタが Bardeen と Brattain によって発明された．これは，1948年に，Shockley[8] の p-n 接合およびバイポーラ・トランジスタに関する古典的な論文へと引き継がれていった．図3は最初のトランジスタである．三角形の石英結晶の下部にある二つの点接触は約 50 μm（1 μm = 10^{-4} cm）離れた金箔の細線からできており，半導体である Ge の表面に押し付けられている．金接触の一方を順方向バイアス，すなわち第三の端子 Ge に対して正

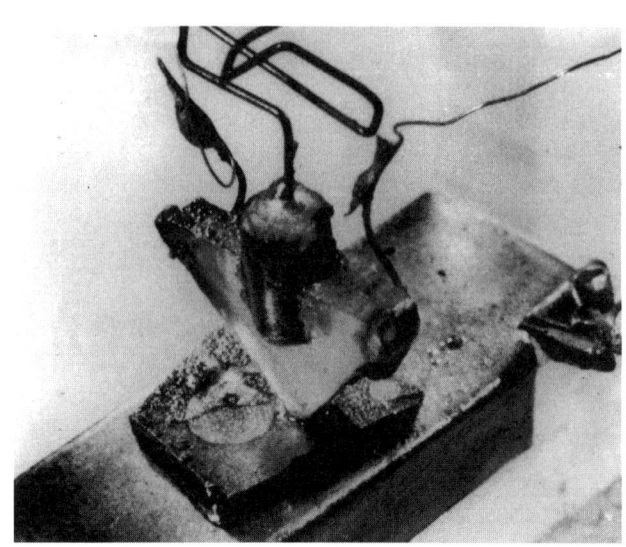

図 3 世界で最初のトランジスタ.[7] (写真はベル研究所のご好意による)

の電圧を印加し,他の端子を逆バイアスにすると**トランジスタ動作**,すなわち入力信号の増幅が観測された.バイポーラ・トランジスタは半導体のキーデバイスであり,現代のエレクトロニクス時代への導き役となった.

1952年,Ebers[9]は,サイリスタの基本的なモデルを開発した.これは,きわめて有用なスイッチングデバイスである.Si p-n 接合を使った**太陽電池**は1954年にChapin[10]らによって開発された.太陽電池は,太陽光を直接電気に変換し,環境的にも穏やかであるため,太陽エネルギー利用機器の重要な候補となっている.1957年 Kroemer[11] は,トランジスタの性能を改善するためにヘテロ接合バイポーラ・トランジスタを提案した.このデバイスは,もっとも高速の半導体デバイスとなるポテンシャルを有している.1958年,Esaki[12]は,不純物濃度の多い p-n 接合において負性抵抗特性を観測し,これがトンネルダイオードの発見につながった.**トンネルダイオード**および関連のトンネル現象はオーミック接触や薄膜中のキャリアー輸送においても重要な働きをしている.

高密度集積回路における最も重要なデバイスは,MOSFET である.これは,1960年 Kahng と Atalla[13] により報告されている.図4に熱酸化 Si 基板を使った最初のデバイスを示す.ゲート長は 20 μm, ゲート酸化膜の厚さは 100 nm(1 nm = 10^{-7} cm)である.二つの鍵穴形状はソースとドレインの電極であり,表面の広いところは金属マスクを通して蒸着した Al ゲートである.今日の MOSFET は,サブミクロンのかなり短いところまで縮小されているが,最初の MOSFET に使われた Si とその熱酸化膜の組み合わせは,今も最も重要な材料の組み合わせとして使用されている.MOSFET および関連の集積回路は今日の半導体市場の 90% を占めている.最小の MOSFET としてチャンネル長 15 nm のものが報告されており[14],これはチップ当り 1兆個以上($> 10^{12}$)のデバイスを集積した最先端の集積回路を構成している.

1962年,Hall[15]らは,最初に半導体でレーザを実現している.1962年,Kroemer[16] と Alferov および Kazarinov[17] は**ヘテロ接合レーザ**を提案し,この提案によって現在の室温連続発振レーザダイオードが実現した.レーザダイオードは DVD (digital video disk),光ファイバー通信,レーザプリンター,大気汚染モニターなど,広範囲の応用に主要な働きをしている.

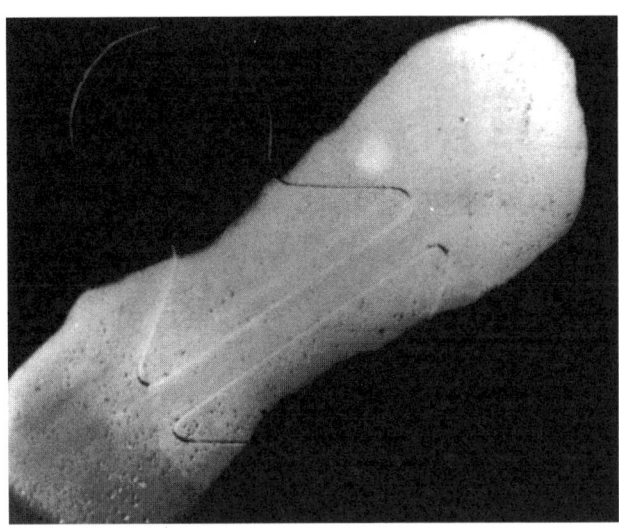

図 4　世界最初の金属–酸化物–半導体構造電界効果トランジスタ.[13]（写真はベル研究所のご好意による）

その後3年間で3種類の重要なマイクロ波デバイスが発明された．最初のものは，1963年，Gunn[18]によるtransferred-electron diode（TED，いわゆる**ガンダイオード**）である．これは，ミリ波領域における検出システム，遠隔操作やマイクロ波テスト機器に広く使われている．二番目のデバイスはIMPATTダイオードである．最初の動作確認は1965年Johnstonら[19]により行われた．これは，ミリ波領域では，半導体デバイスの中で最大出力の連続発振を実現し，レーダシステムや警報システムで使用されている．三番目のデバイスは，1966年にMead[20]によって発明されたMESFETである．これは，モノリシックマイクロ波集積回路（MMIC）のキーデバイスとなっている．

重要な半導体メモリデバイスが1967年にKahngとSzeによって発明された[21]．それは**不揮発性半導体メモリ**（nonvolatile semiconductor memory, NVSM）で，記憶された情報が電源を切っても保持される．最初のNVSMの模式図を図5(a)に示す．これは，通常のMOSFETに似ているが，主な相違点は，**浮遊ゲート**が追加されていることである．これによって半永久的に電荷の保持ができる．NVSMが持つ不揮発性，高いデバイス密度，低消費電力，電気的再書き込み（制御電極に電圧をかけることによって蓄積電荷を消せる）の特徴により携帯電話，ノートパソコン，デジタルカメラ，スマートカードなど携帯式電子システムの主要メモリになっている．

浮遊ゲート不揮発性メモリの極限は，図5(b)に示す**単電子メモリセル**（single electron memory cell, SEMC）である．浮遊ゲートの長さを短く（10 nm）すると，SEMCとなる．この寸法では，電子が浮遊ゲートに入るとゲートのポテンシャルが上がり，次の電子がゲートに入れなくなる．したがって，情報の蓄積にただ一個の電子しか必要としないため，SEMCは，究極の浮遊ゲートメモリとなる．室温におけるSEMCは，1994年Yano等[22]によって初めて実現された．SEMCは，1兆ビット以上の最先端半導体メモリの基礎になる．

電荷結合デバイス（charge coupled device, CCD）は，1970年にBoyleとSmith[23]によって発明された．CCDは，ビデオカメラや光検出器の分野で広く使われている．共鳴トンネルダイ

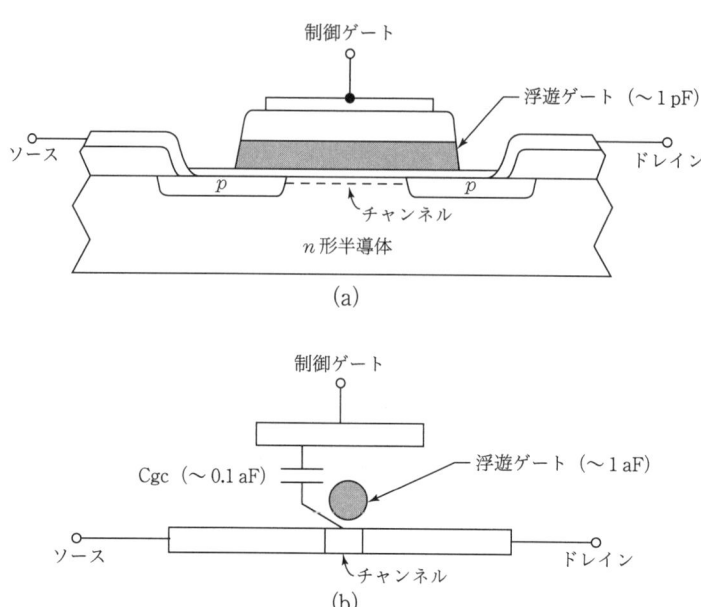

図 5 (a) 浮遊ゲートをつけた最初の不揮発性半導体メモリ (nonvolatile semiconductor memory, NVSM).[21] (b) 浮遊ゲート NVSM の極限—単電子メモリセル.[22]

オード (resonant tunneling diode, RTD) は，1974 年に Chang 等[24] により初めて研究された．RTD はほとんどの量子効果デバイスの基本になるものである．このデバイスは，特定の機能を実現するために必要とされるデバイスの数を大幅に削減することができるため，超高密度，超高速，高機能を有するデバイスを作ることができる．1980 年に Mimura 等[25] は，MODFET (modulation-doped field-effect transistor) を開発した．これにより，適当なヘテロ接合材料の選択により，最高速の電界効果トランジスタが期待できる．

1947 年バイポーラ・トランジスタが発明されて以来，高度な技術や新材料の開発に伴って半導体デバイスの数と種類は急上昇してきた．また，理解が深まるにつれて，新しいデバイスが作られてきた．第 II 部では，表 1 に上げたすべてのデバイスについて述べる．さらに，ここで取り扱われていないデバイスや，今後，考え出されるデバイスについても理解の助けになるように配慮した内容になっている．

1.2 半導体技術

1.2.1 半導体キーテクノロジー

多くの重要な半導体技術は，何世紀も前に発明された技術が発展したものである．たとえば，リソグラフィは 1798 年に発明されている．当初，図形もしくはイメージは，石版 (litho) から転写されていた[26]．この節では，半導体プロセスに応用されるか，または特別にデバイス作製のために開発された重要な技術の歴史を概観する．

表 2 に，いくつかの半導体キーテクノロジーを年代順に上げた．1918 年 Czochralski[27] は単元素系の融液成長法を開発した．チョクラルスキ法はシリコンウェーハの基になる結晶を成長するのに通常使われる方法である．1925 年に別の成長方法が Bridgman[28] によって開発された．ブリ

表 2 基本的半導体技術

年	半導体技術[a]	著者／発明者	参考文献
1918	チョクラルスキ法	Czochralski	27
1925	ブリッジマン法	Bridgman	28
1952	III-V 化合物	Welker	29
1952	拡散	Pfann	31
1957	フォトレジスト	Andrus	32
1957	酸化物マスク法	Frosch and Derrick	33
1957	CVD	Sheftal, Kokorish, Krasilov	34
1958	イオン注入	Shockley	35
1959	混成集積回路	Killby	36
1959	モノリシック IC	Noyce	37
1960	プレーナ技術	Hoerni	38
1963	CMOS	Wanlass and Sah	39
1967	DRAM	Dennard	40
1969	ポリシリコン自己整合ゲート	Kerwin, Klein, Sarace	41
1969	MOCVD	Manasevit and Simpson	42
1971	ドライエッチング	Irving, Lemons, Bobos	43
1971	分子線エピタキシィ	Cho	44
1971	マイクロプロセッサ (4004)	Hoff et al.	45
1982	トレンチ素子分離	Rung, Momose, Ngakubo	46
1989	CMP	Davari et al.	47
1993	銅配線	Paraszczak et al.	48

a CVD, chemical vapor deposition. CMOS, complementary Metal-oxide-semiconductor field-effect transistor. DRAM, dynamic random access memory. MOCVD, metalorganic CVD.

ッジマン法は GaAs および関連の化合物半導体の成長に広く使われている．Si の半導体としての性質は 1940 年以来，広く研究されてきたが，化合物半導体は長い間無視されてきた．1952 年 Welker[29] は，GaAs および関連の III-V 属化合物は半導体であることを示した．彼は，その性質を予測するだけでなく実験的にも証明した．それ以来化合物半導体の技術とデバイスは活発に研究されてきた．

半導体中の不純物原子の拡散は，デバイスプロセスにおいて重要である．基本的な拡散理論は，1855 年に Fick[30] によって研究された．Si の伝導形を変える方法として，拡散を利用する考えが 1952 年 Pfann[31] の特許によって示された．1957 年 Andrus[32] は，古来のリソグラフの技術を半導体デバイス作製に応用した．彼は図形の転写に，光感度のある耐食性のポリマー（フォトレジスト）を使用した．リソグラフィは半導体産業におけるキーテクノロジーである．この産業のたゆみない成長は，リソグラフィ技術の改良の直接的成果である．リソグラフィは，また主要なコスト要因にもなっており，今日の集積回路製造コストの 35% 以上を占めている．

酸化膜によるマスク法は 1957 年 Frosch と Derrick[33] によって開発された．彼等は，酸化膜がたいていの不純物原子の拡散を妨げることを見出した．同じ年に，化学気相成長に基づくエピタキシャル成長法が Sheftal 等[34] によって開発された．エピタキシィ（epitaxy）という単語は，

ギリシャ語の"上に"を意味する epi と"配列"を意味する taxis からきており，半導体薄膜を，それと同じ結晶構造を有する基板の表面に成長させる技術を意味する．この方法はデバイスの性能改善および新規なデバイス構造を形成するために重要な技術である．

1958年，Shockley は半導体への不純物導入法としてイオン注入法を提案した．この方法は，注入するドーパント原子の数を正確に制御できる．拡散法とイオン注入法は相補的である．たとえば，拡散法は，高温で深い接合形成の技術であり，イオン注入法は低温で浅い接合を形成するのに使われる．

1959年初期的な集積回路（integrated circuit, IC）が Kilby[36] によって作製された．それは，1個のバイポーラ・トランジスタと3個の抵抗および1個の容量からなっており，Ge で形成され，ワイヤーで接続された混成回路であった．また，同じ年に Noyce[37] はモノリシック IC を提案した．これは，すべてのデバイスが1個の半導体基板上に形成され，すべてのデバイスは Al の金属配線で形成されていた．図6は最初のモノリシック IC で6個のデバイスで形成されたフリップフロップである．Al の配線は，表面酸化膜全域にわたって蒸着した Al 膜をリソグラフィによってエッチングしたものである．これらの発明は，その後のマイクロエレクトロニクスの急速な発展の基礎となった．

プレーナプロセスは，1960年 Hoerni[38] によって開発された．このプロセスでは，半導体表面に酸化膜を形成し，その一部をリソグラフィで取り除いて窓を開ける．不純物原子は，この露出した半導体表面から拡散し，p-n 接合が窓の下部に形成される．

IC が複雑化するにつれて，**NMOS**（n-チャンネル MOSFET）から **CMOS**（complementary MOSFET）へと変遷してきた．これは，ロジック回路を形成するために NMOS と **PMOS**（p-チャンネル MOSFET）を組み合わせたものである．CMOS の概念は，1963年 Wanlass と Sah[39] によって提案されたものである．CMOS の利点は，ロジック回路で，ある状態から別の状

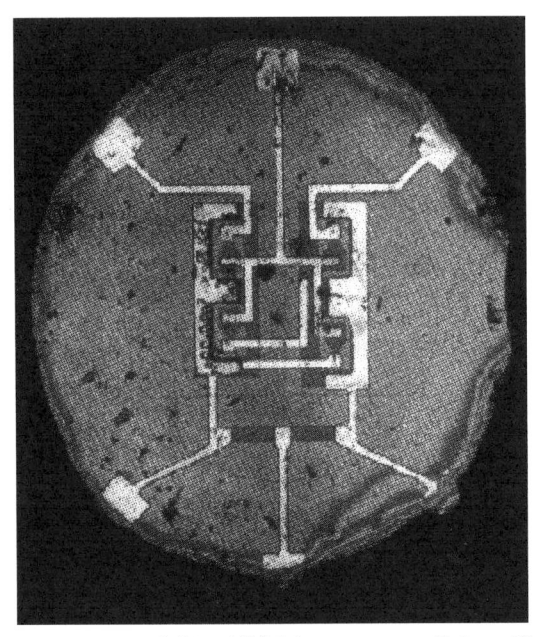

図6　最初のモノリシック集積回路[37]（写真は G. Moore 博士のご好意による）．

態へスイッチする時（たとえば 0 から 1 へのスイッチ）のみ電流が流れ，それ以外の時にはほとんど流れないため消費電力が最小となることである．CMOS 技術は，高度な IC の主要技術である．

1967 年には重要な 2 素子回路が，Dennard[40] によって発明された．それはダイナミックランダムアクセスメモリ（dynamic random access memory, DRAM）で，1 個の MOSFET と 1 個の電荷蓄積容量から成る．MOSFET は容量の充放電用スイッチとして働く．DRAM は揮発性であり，消費電力は大きいが，当分の間は据え置き型の電子機器用メモリとしては，いくつかの選択肢のなかで第一番目の地位を保ちつづけるであろう．

デバイスの性能を向上するために，ポリシリコンによる自己整合ゲートプロセスが 1969 年に Kerwin 等[41] によって提案された．これによって，デバイスの信頼性の向上のみならず寄生容量の低減もできた．さらに，1969 年には有機金属熱分解法（metalorganic chemical vapor deposition, MOCVD）が Manasevit と Simpson[42] によって開発された．この方法は，たとえば GaAs のような化合物半導体のエピタキシィ法として大変重要である．

デバイスの寸法が縮小されるにつれて，高精度のパターン転写のためにウエットな化学エッチングに代わってドライエッチング技術が開発された．最初は，Irving 等[43] により 1971 年，CF_4-O_2 混合ガスで Si ウェーハのエッチングが行われた．同じ年に開発された別の重要な技術は Cho[44] による分子線エピタキシィである．この技術は，成長方向に沿ってほぼ完全に原子レベルの精度で組成制御とドーピングの制御ができるという特徴を有する．この技術によって多くのフォトニックデバイスや量子効果デバイスの実現が期待できる．

1971 年最初のマイクロプロセッサが Hoff 等[45] によって製作された．それは，簡単なコンピュータの中央処理ユニット（central processing unit, CPU）すべてを一つのチップに搭載したも

図 7　最初のマイクロプロセッサ.[45]（写真は Intel. Corp. のご好意による）．

のであり，図7に示すように4ビットマイクロプロセッサ（Intel 4004）では，寸法が3 mm×4 mm，2300個のMOSFETが含まれていた．p-チャンネルでポリシリコンゲート8ミクロンのデザインルールで作られた．このマイクロプロセッサの性能は，1960年台の初期に作られた大きな机ほどのCPUを必要とした30万ドルもするIBMコンピュータに匹敵した．これは半導体産業の大きなブレークスルーであった．今日では，マイクロプロセッサは半導体産業の大きな一翼を担っている．

　1980年の初めには，微小化に向けての絶え間ない要求に応えるために多くの新しい技術が開発されてきた．ここでは，トレンチ素子分離，ケミカル―メカニカル研磨および銅配線の三つのキーテクノロジーを述べる．トレンチ素子分離はCMOSデバイスの素子分離のためにRung等[46]によって1982年に導入された．この方法は最終的には他のすべての素子分離法に取って代わった．ケミカル―メカニカル研磨は，中間層の誘電体全体を平坦化するために1989年にDavari等[47]によって開発された．これは，多層金属配線のためのキープロセスとなっている．サブミクロンの寸法におけるデバイスの劣化機構としてエレクトロマイグレーションがよく知られている．これは，電流によって金属イオンが移動することによる．1960年台の初期から配線材料としてAlが使用されていたが，大きな電流を流すとエレクトロマイグレーションの影響を受ける．1993年Paraszczak等[48]によって導入された銅配線は100 nmに近づいている最小線幅に対応するためにAlに代わって使用されるようになった．本書の第Ⅲ部では表2に掲載した技術について述べる．

1.2.2 技術動向

　マイクロエレクトロニクスの幕開け以来，集積回路の最小線幅は年13％の割合で縮小されて

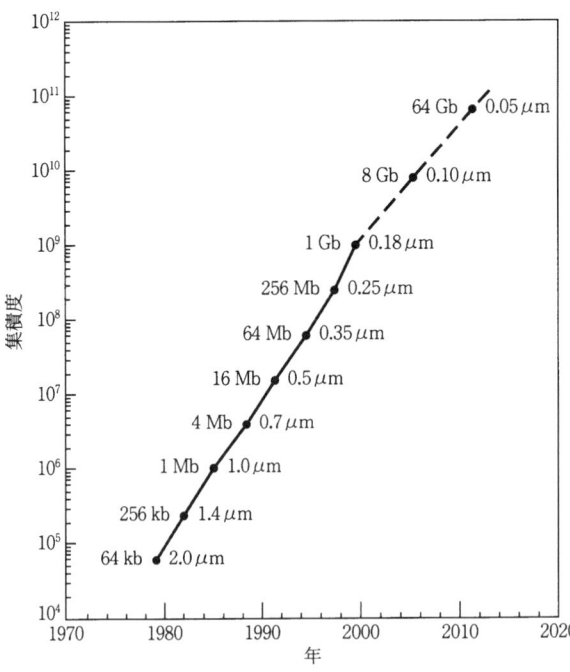

図8　DRAM記憶密度の年に対する指数関数的な増加．SIA（Semiconductor Industry Association）のロードマップから．[49]

きた[49]．この割合で行くと 2010 年には 50 nm になるであろう．

デバイスの微小化は機能当りの単価を下げる．たとえば，DRAM の各世代で見ると，ビット当りのコストは2年毎に半分になってきた．デバイス寸法が小さくなると，スイッチング時間も短くなり，その速度は 1959 年以来 4 桁も向上してきた．高速になればなるほど IC の機能速度は向上する．将来，デジタル IC は毎秒テラビットの速さでデータ処理や計算ができるようになるであろう．デバイスが小さくなると消費電力が減少する．したがって，デバイスの縮小はスイッチング動作の消費電力を少なくする．1959 年以来，論理ゲート当りの消費電力は 100 万分の 1 以下に減少してきた．

図 8 は，1978 年から 2000 年にかけて，DRAM の集積度が年とともに指数関数的に増加してきたことを示す．18 ヶ月ごとに 2 倍になっている．この傾向が続けば，DRAM の集積度は 2005 年には 8 Gb，2012 年頃には 64 Gb になるであろう．図 9 はマイクロプロセッサの計算能力の指数関数的増加を示す．計算能力も 18 ヶ月ごとに 2 倍の割合で増えている．最近，ペンティアムを使ったパソコンは，1960 年代終わりごろに出てきたスーパーコンピュータ CRAY 1 と同等の計算能力を持っている．しかし，その大きさは 3 桁も小さい．もしこの傾向が続けば，2010 年には 100 BIPS（billion instructions per second）に到達するであろう．

図 10 は，技術牽引力となったいくつかの半導体デバイスの成長曲線である[50]．近代電子時代（1950-1970）の幕開け時には，バイポーラ・トランジスタが技術向上の牽引力であった．1970 年から 1990 年にかけては，パソコンと高度な電子システムの進歩が駆動力となって，MOS を基礎にした DRAM とマイクロプロセッサが技術向上の牽引力となった．1990 年以降は，不揮発性メモリが技術牽引力となってきている．それは，主に携帯電子機器の急速な発達による．

ま と め

半導体デバイス分野は比較的新しい研究分野であるが[†]，それが我々の社会と世界経済に与えた影響は絶大なものがある．その理由は，半導体デバイスは電子産業という世界最大の産業の基礎になっているためである．

この序章では，主要半導体デバイスを 1874 年における初期の金属半導体接触の研究から 2001 年の 15 nm 極微細 MOSFET まで，歴史的に振り返った．特に重要なことは，1947 年のバイポーラ・トランジスタの発明で，これは近代電子時代への道を拓いた．さらに，1960 年の MOSFET の開発で，これは IC においてもっとも重要デバイスとなっている．また，1967 年の不揮発性メモリの発明も重要であり，これは 1990 年以降，電子産業の技術牽引力となっている．

また，半導体キーテクノロジーについて述べ，これらの技術の源は，多くは 18 世紀末や 19 世紀初頭に遡ることができることを示した．特に重要なことは，まず 1957 年のリソグラフィ用フォトレジストの開発である．これによって半導体デバイスに必要な転写プロセスの基礎が確立した．また，1959 年の集積回路の発明も重要である．これは，マイクロエレクトロニクス産業の基になった．1967 年の DRAM の発明と 1971 年のマイクロプロセッサの発明も重要である．この二つは半導体産業の 2 大分野を形成している．

半導体デバイスの物理や技術に関する文献は山ほどある[51]．この分野では，今日まで 30 万編

[†] 半導体デバイスと材料は 19 世紀の初期から研究されてきたが，多くの伝統的なデバイスや材料はもっと長い期間研究されている．たとえば，鉄鋼は 3000 年以上前の BC 1200 年にすでに研究されている．

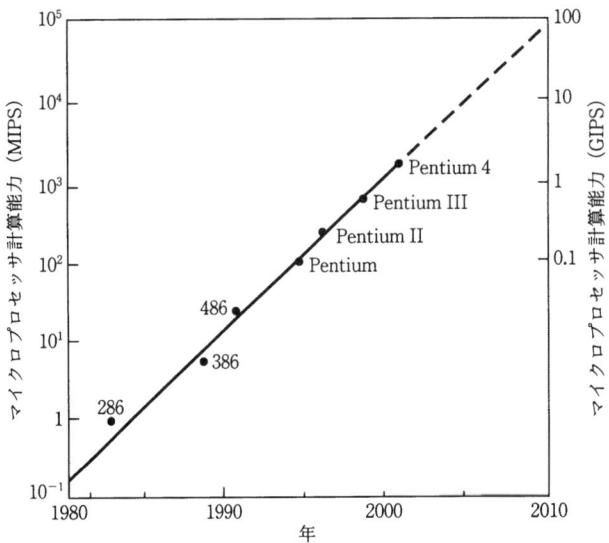

図 9 マイクロプロセッサ計算能力の年に対する指数関数的な増加

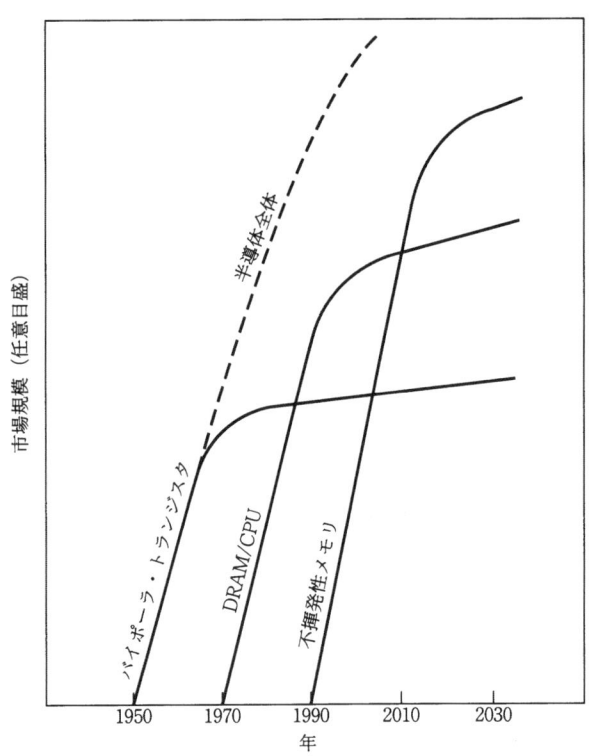

図 10 技術牽引力となった半導体デバイスの成長曲線.[50]

以上の論文が公表され，2012年までには100万編に達すると考えられる．本書では，各章で主要デバイスまたはキーテクノロジーについて述べ，それぞれを明確に，また必ずしも原典に遡らなくとも理解できるように書かれている．しかし，数編の重要な論文は，各章末に参考文献として載せ，より深い理解のために供した．

参 考 文 献

1. *2000 Electronic Market Data Book*, Electron. Ind. Assoc., Washington, D.C., 2000.
2. *2000 Semiconductor Industry Report*, Ind. Technol. Res. Inst., Hsinchu, Taiwan, 2000.
3. Most of the classic device papers are collected in S. M. Sze, Ed., *Semiconductor Devices: Pioneering Papers*, World Sci., Singapore, 1991.
4. K. K. Ng, *Complete Guide to Semiconductor Devices,* McGraw-Hill, New York, 1995.
5. F. Braun, "Uber die Stromleitung durch Schwefelmetalle," *Ann. Phys. Chem.*, **153**, 556 (1874).
6. H. J. Round, "A Note On Carborundum," *Electron. World,* **19**, 309 (1907).
7. J. Bardeen and W. H. Brattain, "The Transistor, a Semiconductor Triode," *Phys. Rev.*, **71**, 230 (1948).
8. W. Shockley, "The Theory of p–n Junction in Semiconductors and p–n Junction Transistors," *Bell Syst. Tech. J.*, **28**, 435 (1949).
9. J. J. Ebers, "Four Terminal p–n–p–n Transistors," *Proc. IRE,* **40**, 1361 (1952).
10. D. M. Chapin, C. S. Fuller, and G. L. Pearson, "A New Silicon p–n Junction Photocell for Converting Solar Radiation into Electrical Power," *J. Appl. Phys.*, **25**, 676 (1954).
11. H. Kroemer, "Theory of a Wide-Gap Emitter for Transistors," *Proc. IRE,* **45**, 1535 (1957).
12. L. Esaki, "New Phenomenon in Narrow Germanium p–n Junctions," *Phys. Rev.*, **109**, 603 (1958).
13. D. Kahng and M. M. Atalla, "Silicon-Silicon Dioxide Surface Device," in *IRE Device Research Conference*, Pittsburgh, 1960. (The paper can be found in Ref. 3.)
14. R. Chau, "30 nm and 20 nm Physical Gate Length CMOS Transistors", 2001 Silicon Nanoelectronics Workshop, Kyoto, p. 2 (2001).
15. R. N. Hall, et al., "Coherent Light Emission from GaAs Junctions," *Phys. Rev. Lett.*, **9**, 366 (1962).
16. H. Kroemer, "A Proposed Class of Heterojunction Injection Lasers," *Proc. IEEE,* **51**, 1782 (1963).
17. I. Alferov and R. F. Kazarinov, "Semiconductor Laser with Electrical Pumping," U.S.S.R. Patent 181, 737 (1963).
18. J. B. Gunn, "Microwave Oscillations of Current in III–V Semiconductors," *Solid State Commun.*, **1**, 88 (1963).
19. R. L. Johnston, B. C. DeLoach, Jr., and B. G. Cohen, "A Silicon Diode Microwave Oscillator," *Bell Syst. Tech. J.*, **44**, 369 (1965).
20. C. A. Mead, "Schottky Barrier Gate Field Effect Transistor," *Proc. IEEE,* **54**, 307 (1966).
21. D. Kahng and S. M. Sze, "A Floating Gate and Its Application to Memory Devices," *Bell Syst. Tech. J.*, **46**, 1283 (1967).
22. K. Yano, et al. "Room Temperature Single-Electron Memory," *IEEE Trans. Electron Devices,* **41**, 1628 (1994).
23. W. S. Boyle and G. E. Smith, "Charge Coupled Semiconductor Devices," *Bell Syst. Tech. J.*, **49**, 587 (1970).
24. L. L. Chang, L. Esaki, and R. Tsu, "Resonant Tunneling in Semiconductor Double Barriers," *Appl. Phys. Lett,* **24**, 593 (1974).
25. T. Mimura, et al., "A New Field-Effect Transistor with Selectively Doped GaAs/n–Al$_x$Ga$_{1-x}$as Heterojunction," *Jpn. J. Appl. Phys.*, **19**, L225 (1980).
26. M. Hepher, "The Photoresist Story," *J. Photo. Sci.*, **12**, 181 (1964).
27. J. Czochralski, "Ein neues Verfahren zur Messung der Kristallisationsgeschwindigkeit der Metalle," *Z. Phys. Chem.*, **92**, 219 (1918).
28. P. W. Bridgman, "Certain Physical Properties of Single Crystals of Tungsten, Antimony, Bismuth, Tellurium, Cadmium, Zinc, and Tin," *Proc. Am. Acad. Arts Sci.,* **60**, 303 (1925).
29. H. Welker, "Über Neue Halbleitende Verbindungen," *Z. Naturforsch.,* **7a**, 744 (1952).
30. A. Fick, "Ueber Diffusion," *Ann. Phys. Lpz.*, **170**, 59 (1855).
31. W. G. Pfann, "Semiconductor Signal Translating Device," U.S. Patent 2, 597,028 (1952).

32. J. Andrus, "Fabrication of Semiconductor Devices," U.S. Patent 3,122,817 (filed 1957; granted 1964).
33. C. J. Frosch and L. Derrick, "Surface Protection and Selective Masking During Diffusion in Silicon," *J. Electrochem. Soc.*, **104**, 547 (1957).
34. N. N. Sheftal, N. P. Kokorish, and A. V. Krasilov, "Growth of Single-Crystal Layers of Silicon and Germanium from the Vapor Phase," *Bull. Acad. Sci U.S.S.R., Phys. Ser.*, **21**, 140 (1957).
35. W. Shockley, "Forming Semiconductor Device by Ionic Bombardment," U.S. Patent 2,787,564 (1958).
36. J. S. Kilby, "Invention of the Integrated Circuit," *IEEE Trans. Electron Devices,* **ED-23**, 648 (1976), U.S. Patent 3,138,743 (filed 1959, granted 1964).
37. R. N. Noyce, "Semiconductor Device-and-Lead Structure," U.S. Patent 2,981,877 (filed 1959, granted 1961).
38. J. A. Hoerni, "Planar Silicon Transistors and Diodes," *IRE Int. Electron Devices Meet.*, Washington D.C. (1960).
39. F. M. Wanlass and C. T. Sah, "Nanowatt Logics Using Field-Effect Metal-Oxide Semiconductor Triodes," *Tech. Dig. IEEE Int. Solid-State Circuit Conf.*, p.32, (1963).
40. R. M. Dennard, "Field Effect Transistor Memory," U.S. Patent 3,387,286 (filed 1967, granted 1968).
41. R. E. Kerwin, D. L. Klein, and J. C. Sarace, "Method for Making MIS Structure," U.S. Patent 3,475,234 (1969).
42. H. M. Manasevit and W. I. Simpson, "The Use of Metal–Organic in the Preparation of Semiconductor Materials. I. Epitaxial Gallium-V Compounds," *J. Electrochem. Soc.*, **116**, 1725 (1969).
43. S. M. Irving, K. E. Lemons, and G. E. Bobos, "Gas Plasma Vapor Etching Process," U.S. Patent 3,615,956 (1971).
44. A. Y. Cho, "Film Deposition by Molecular Beam Technique," *J. Vac. Sci. Technol.*, **8**, S 31 (1971).
45. The inventors of the microprocessor are M. E. Hoff, F. Faggin, S. Mazor, and M. Shima. For a profile of M. E. Hoff, see *Portraits in Silicon* by R. Slater, p. 175, MIT Press, Cambridge, 1987.
46. R. Rung, H. Momose, and Y. Nagakubo, "Deep Trench Isolated CMOS Devices," *Tech. Dig. IEEE Int. Electron Devices Meet.*, p.237 (1982).
47. B. Davari, et al., "A New Planarization Technique, Using a Combination of RIE and Chemical Mechanical Polish (CMP)," *Tech. Dig. IEEE Int. Electron Devices Meet.*, p. 61 (1989).
48. J. Paraszczak, et al., "High Performance Dielectrics and Processes for ULSI Interconnection Technologies," *Tech. Dig. IEEE Int. Electron Devices Meet.*, p.261 (1993).
49. *The International Technology Roadmap for Semiconductor*, Semiconductor Ind. Assoc., San Jose, 1999.
50. F. Masuoka, "Flash Memory Technology," *Proc. Int. Electron Devices Mater. Symp.*, 83, Hsinchu, Taiwan (1996).
51. From INSPEC database, National Chaio Tung University, Hsinchu, Taiwan, 2000.

第Ⅰ部　半導体物理

第2章　エネルギーバンドと熱平衡状態における キャリア密度

2.1　半導体材料
2.2　基本的結晶構造
2.3　主な結晶成長技術
2.4　価電子結合
2.5　エネルギーバンド
2.6　真性キャリア密度
2.7　ドナーとアクセプタ
ま と め

　この章では，半導体の基本的特性について述べる．まず結晶構造，すなわち半導体の原子配列について述べ，続いて結晶成長技術について簡単に述べる．引き続き半導体の電気伝導に関する価電子結合およびエネルギーバンドの概念を説明する．最後に，熱平衡状態でのキャリア密度について述べる．これらの概念は，本書の全域にわたって必要である．
　本章では，特に以下の項目を取り上げる．
・元素半導体および化合物半導体とその基本的特徴
・ダイアモンド構造と結晶面
・バンドギャップと電気伝導度
・真性キャリア密度とその温度依存性
・フェルミ準位とそのキャリア密度依存性

2.1　半導体材料

　固体材料は，絶縁体，半導体，および導体の三つに大別できる．図1はこれらのうち代表的な物質の電気伝導度 σ（比抵抗 $\rho=1/\sigma$）[†] を示す．溶融石英やガラスのような絶縁体は非常に低い電気伝導度（$10^{-18}-10^{-8}$ S/cm）を有し，Al(アルミニウム)やAg(銀)のような導体は高い電気伝導度（典型的なものでは，10^4 から 10^6 S/cm）を持つ．半導体の電気伝導度は，これらの中間の値をとり，温度，光，磁界および微量の不純物に対し非常に敏感である（典型的には1 kgの半導体に対して1 μgから1 gの不純物を使う）．この特徴のために半導体はエレクトロニクス

[†]　記号の一覧は，付録A参照

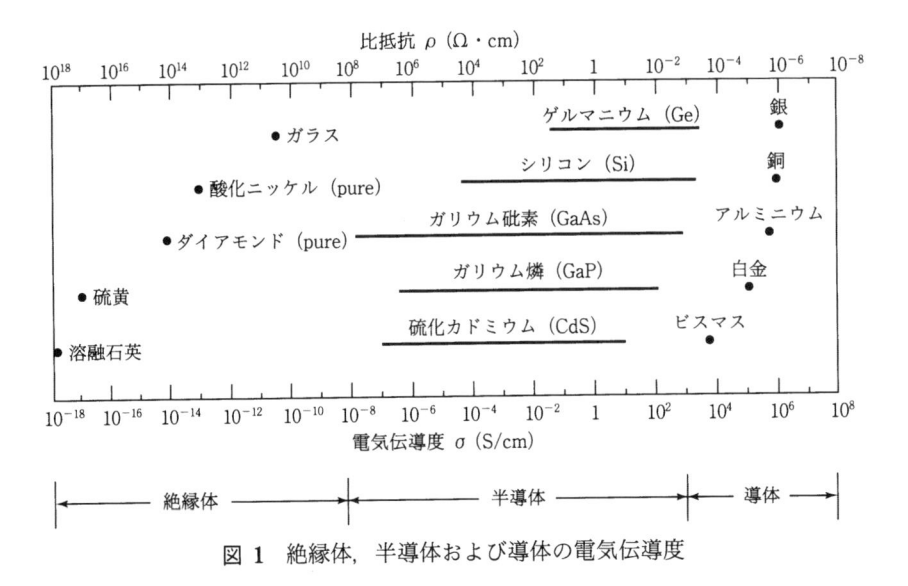

図 1 絶縁体，半導体および導体の電気伝導度

における最も重要な材料の一つになっている．

2.1.1 元素半導体

半導体物質の研究は19世紀の初期に始められており，[1] これまで長年にわたって多くの種類の半導体が研究されてきた．表1に周期表の半導体に関連する部分を示す．Si（シリコン），Ge（ゲルマニウム）のように1種類の元素からなる元素半導体はIV族に属する．1950年代の初めにはGeが主要な半導体であったが，1960年代の初めからはSiが実用的な材料となり，今では実質的にGeにとって代わっている．Siが使われる主な理由は，Siデバイスは室温動作に優れており，高品質のSiO_2が熱酸化で形成できることである．経済的な理由もある．Siはシリカやシリケートの形で地殻の25%を形成しており，量において酸素の次に多い．現在，Siは周期表で最もよく研究されている元素の一つであり，シリコン技術は半導体技術の中で突出して進歩している．

表 1 半導体が属する周期表の一部

Period	Column II	III	IV	V	VI
2		B ボロン	C 炭素	N 窒素	O 酸素
3	Mg マグネシウム	Al アリミニウム	Si シリコン	P リン	S 硫黄
4	Zn 亜鉛	Ga ガリウム	Ge ゲルアニウム	As ひ素	Se セレン
5	Cd カドミウム	In インジウム	Sn スズ	Sb アンチモン	Te テルル
6	Hg 水銀		Pb 鉛		

2.1.2 化合物半導体

近年,各種のデバイスにおいて多数の化合物半導体が利用されている.表2に,重要な化合物半導体を示す.二元化合物半導体は周期表の2種類の元素の組み合わせである.たとえば,GaAs(ヒ化ガリウム,またはガリウムヒ素)はIII-V族化合物であり,III族のGa(ガリウム)とV族のAs(ヒ素)からなっている.

二元化合物半導体の他に,三元および四元の化合物も特定のデバイスの材料として合成され

表 2 半導体材料[2]

分類	半導体	
	化学記号	名称
元素	Si	Silicon
	Ge	Germanium
二元化合物		
IV-IV ----------------	SiC	Silicon carbide
III-V ----------------	AlP	Aluminum phosphide
	AlAs	Aluminum arsenide
	AlSb	Aluminum antinomide
	GaN	Gallium nitride
	GaP	Gallium phosphide
	GaAs	Gallium arsenide
	GaSb	Gallium antimonide
	InP	Indium phosphide
	InAs	Indium arsenide
	InSb	Indium antimonide
II-VI ----------------	ZnO	Zinc oxide
	ZnS	Zinc sulfide
	ZnSe	Zinc selenide
	ZnTe	Zinc telluride
	CdS	Cadmium sulfide
	CdSe	Cadmium selenide
	CdTe	Cadmium telluride
	HgS	Mercury sulfide
IV-VI ----------------	PbS	Lead sulfide
	PbSe	Lead selenide
	PbTe	Lead telluride
三元化合物	$Al_xGa_{1-x}As$	Aluminum gallium arsenide
	$Al_xIn_{1-x}As$	Aluminum indium arsenide
	$GaAs_{1-x}P_x$	Gallium arsenic phosphide
	$Ga_xIn_{1-x}As$	Gallium indium arsenide
	$Ga_xIn_{1-x}P$	Gallium indium phosphide
四元化合物	$Al_xGa_{1-x}As_ySb_{1-y}$	Aluminum gallium arsenic antimonide
	$Ga_xIn_{1-x}As_{1-y}P_y$	Gallium indium arsenic phosphide

る．混晶半導体 $Al_xGa_{1-x}As$ は，三元化合物の一例であり，III族のAlとGaおよびV族のAsから構成されている．また，$A_xB_{1-x}C_yD_{1-y}$ の構成を持つ四元化合物は，二元および三元化合物の組み合わせによって合成される．たとえば，$Ga_xIn_{1-x}As_yP_{1-y}$ は，GaP，InP，InAsおよびGaAsの組み合わせで作られる．通常，元素半導体に比べ化合物半導体の単結晶の成長は，ずっと複雑なプロセスを必要とする．

多くの化合物半導体はSiにない電気的，光学的性質を持っており，これらの半導体，特にGaAsは高速デバイスや光デバイスに応用されている．化合物半導体の技術はSiほど進んでいないが，Si技術に影響されて発展している面もある．本書では主としてSiとGaAsのデバイスおよびプロセス技術について述べる．

2.2 基本的結晶構造

ここで扱う半導体はすべて単結晶である．すなわち構成原子は三次元方向に周期的に配列している．この周期的配列を**格子**と呼ぶ．結晶中の原子は決して一点に固定されてはおらず，この格子点を中心に熱振動している．それぞれの半導体には固有の**単位胞**があり，その単位胞の繰返しによって結晶全体ができ上がっている．

2.2.1 単 位 胞

図2に，一般化した三次元の単純単位胞を示す．この単位胞と格子は三つのベクトル $\boldsymbol{a}$, $\boldsymbol{b}$, $\boldsymbol{c}$ によって関係付けられる．この3ベクトルは，必ずしも直交している必要はなく，また長さが等しい必要もない．三次元結晶における等価な格子点は次式で表される．

$$\boldsymbol{R} = m\boldsymbol{a} + n\boldsymbol{b} + p\boldsymbol{c} \tag{1}$$

ただし，m, n, p は，整数である．

図3にいくつかの立方晶系の単位胞を示す．図3(a)は，単純立方晶（simple cubic, sc）で，立方格子の隅に原子が配列している．それぞれの原子は，等距離の位置に6個の最近接原子を持っている．長さ a は格子定数と呼ばれる．周期表の中ではPo（ポロニウム）だけがこの単純立方格子を形成する．図3(b)は体心立方結晶（body-centered cubic, bcc）で，隅の8個の原子に加えて立方体の中心に原子が1個存在する．体心立方格子では，1個の原子は8個の最近接原子を持つ．Na（ナトリウム）やW（タングステン）がこれに属する．図3(c)は面心立方結晶（face-centered cubic, fcc）で，隅の8個の原子に加えて6個の面の中心に1個ずつ原子がある．面心立方格子では，1個の原子は12個の最近接原子をもつ．Al（アルミニウム），Cu（銅），Au（金），Pt（プラチナ）など多くの元素は面心立方格子の形をとる．

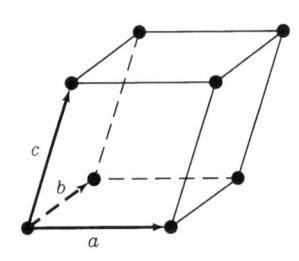

図 2 基本的な単位胞

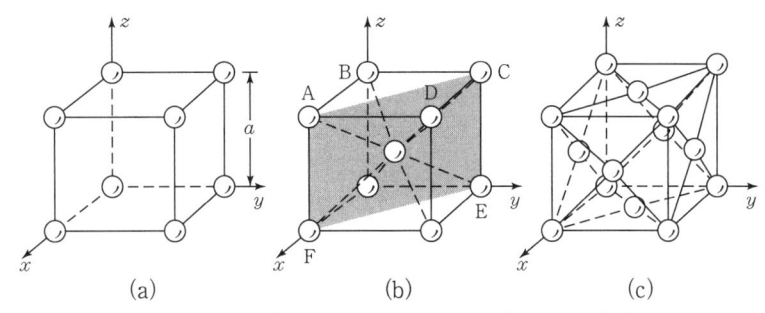

図 3　3種類の立方晶系単位胞　(a) 単純立方結晶，(b) 体心立方結晶，(c) 面心立方結晶．

例題 1　剛体球で体心立方格子を作り，中心の原子と隅の原子を接触させるようにすれば，単位胞中剛体球が空間を占める割合はいくらか．

解答　単位胞の隅の原子は 8 個の単位胞で共有されている．したがって，球の 1/8 が 8 個の隅にあり，足し合わせると 1 個の球となる．これ以外に中心に 1 個の球がある．したがって，

単位胞当りの球（原子）の数＝1（隅の球）＋1（中心）＝2

最近接距離（図 3(b) の対角線 AE に沿って）＝$a\sqrt{3}/2$

球の半径＝$a\sqrt{3}/4$

球の体積＝$4\pi/3 \times (a\sqrt{3}/4)^3 = \pi a^3 \sqrt{3}/16$

最大充填率＝球の数×球 1 個の体積/単位胞の体積＝$2\pi a^3 \sqrt{3}/16a^3 = \pi\sqrt{3}/8 = 0.68$．

したがって，bcc 単位胞の約 68% が剛球で充填されており，32% が空間である．

2.2.2　ダイアモンド構造

Si，Ge といった元素半導体は図 4(a) に示すようにダイアモンド格子構造を形成する．この構造も面心立方系に属し，2 個の面心立方の副格子が，お互いに重なった状態から単位胞の対角線に沿って，その長さの 1/4（すなわち $a\sqrt{3}/4$）だけ移動した状態になっている．ダイアモンド構造では，すべての原子は化学的には等価であるが，二つの副格子に属する二つの原子のセットは結晶構造の点から見ると異なっている．図 4(a) に示すように隅の原子が対角線上に最近接原子を持つとその反対側には最近接原子はいない．したがって，単位胞内にそのような原子が 2 種類ある．ダイアモンド構造の単位胞では中心原子が 4 個の最近接原子（図 4(a) の灰色の棒で結合している球）にかこまれた正四面体が基本構造である．

III-V 族化合物半導体の大部分（GaAs など）は，図 4(b) のような**せん亜鉛鉱構造**（zincblende lattice）からなっている．ダイアモンド構造との相違点は，この場合同一原子の面心立方副格子ではなく，III 族原子（Ga）の副格子と V 族原子（As）の副格子からなっている点である．巻末の付録 F に元素半導体と二元化合物半導体の格子定数と特徴をまとめておく．

例題 2　300 K における Si の格子定数は 5.43 Å である．室温における 1cm³ 当りの Si 原子数と密度を求めよ．

解答　単位胞当りの原子数は 8 個である．したがって，

$$8/a^3 = 8/(5.43 \times 10^{-8})^3 = 5 \times 10^{22}（原子/cm^3）$$

密度＝原子数/cm³×原子量/アボガドロ数＝5×10^{22}（原子数/cm³）×28.09（g/mol）/6.02×

10^{23}（原子数/mol）$= 2.33$ g/cm^3．

2.2.3 結晶面とミラー指数

図 3(b) で気づくように，面 ABCD 内には 4 個の原子があり，ACEF 内には 5 個の原子がある（隅に 4 個と中心に 1 個）．またこの二つの面内の原子間距離は異なる．したがって結晶の面内の性質は，異なった面間で差があり，またデバイス特性にも方向依存性が出てくる．結晶中の異なる面を指定する都合の良い方法は**ミラー指数**[3]の利用である．この指数は次のようにして求められる．

1. 結晶の単位胞の適当な軸（通常は 3 軸）を座標軸とし，特定の面とこの座標軸の交点を，格子定数を単位として求める．
2. その逆数をとり，3 組の数の比を一定にして最小の整数の組合せとして求める．
3. その組合せを h, k, l とすると (hkl) が一つの面に対するミラー指数となる．

例題 3 図 5 に示すように，座標軸と a, $3a$, $2a$ の点で交わっている面がある．逆数は 1, 1/3, 1/2 となり，最小の整数の組合せは 6, 2, 3 となる（逆数をそれぞれ 6 倍すればよい）．したがってこの面は (623) と表される

図 6 に立方晶の主要な面のミラー指数を示す[†]．この他のいくつかの決まりを次に記す．

1. ($\bar{h}kl$)：x 軸の負側で交差している面，たとえば ($\bar{1}00$)．

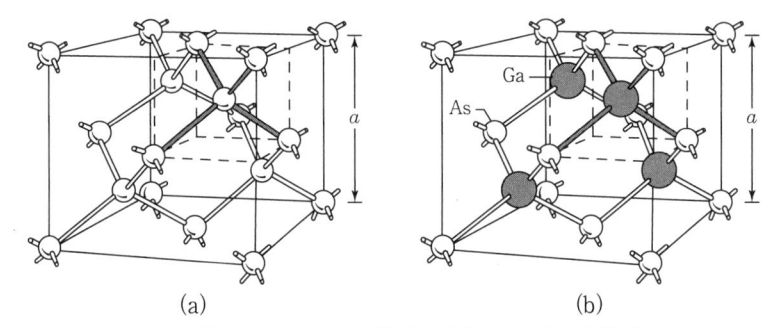

図 4 (a) ダイアモンド構造，(b) せん亜鉛鉱構造．

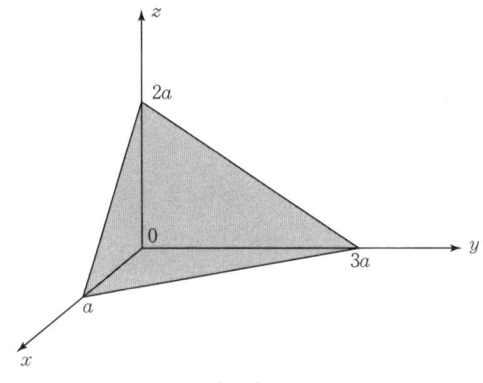

図 5 (623) 結晶面

---

† 第 6 章で，Si MOSFET には {100} が望ましいことを示す．

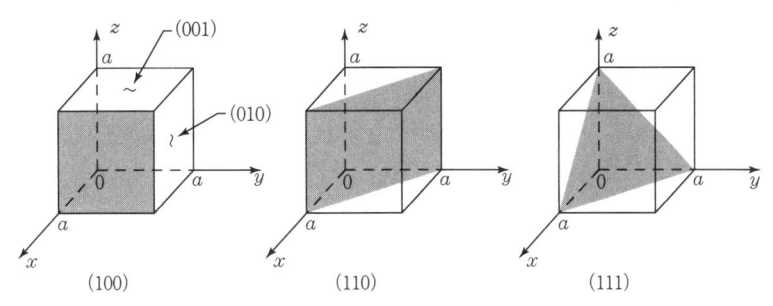

図 6 立方晶における重要な面のミラー指数.

2. $\{hkl\}$：等価な対称性を持つ面，たとえば立方対称では $\{100\}$ は (100), (010), (001), $(\bar{1}00)$, $(0\bar{1}0)$, $(00\bar{1})$ すべてを表す．
3. $[hkl]$：結晶の方向を示す．たとえば $[100]$ は x 軸方向を表す．$[100]$ 方向は (100) 面に垂直であり，$[111]$ 方向は (111) 面に垂直である．
4. $\langle hkl \rangle$：等価な方向すべてを示す．たとえば $\langle 100 \rangle$ は $[100]$, $[010]$, $[001]$, $[\bar{1}00]$, $[0\bar{1}0]$, $[00\bar{1}]$ を表す．

2.3 主な結晶成長技術

本節では，半導体結晶の成長方法について簡単に述べる．特に，電子産業に使われている半導体の 95% は Si であるのでこれについて述べる．

Si の原料は，コルツァイトと呼ばれる純度の高い砂（SiO_2）である．各種の炭素化合物と一緒に炉に入れ加熱すると，次の反応により純度 98% の Si が得られる．

$$SiC + SiO_2 \longrightarrow Si(固体) + SiO(気体) + CO(気体). \quad (2)$$

これを HCl で処理すると，三塩化シランが得られる．

$$Si(固体) + 3\,HCl(気体) \longrightarrow SiHCl_3(気体) + H_2(気体). \quad (3)$$

棒状 Si を良く制御された雰囲気中で，通電加熱することにより三塩化シランを熱分解し，棒の周りに超高純度の多結晶 Si を析出させる．

$$SiHCl_3(気体) + H_2(気体) \longrightarrow Si(固体) + 3\,HCl(気体). \quad (4)$$

この多結晶半導体用 Si から，単結晶半導体 Si が作られる．図 7 は石英るつぼ内の多結晶 Si 粒

図 7 石英るつぼ内の多結晶 Si の写真.

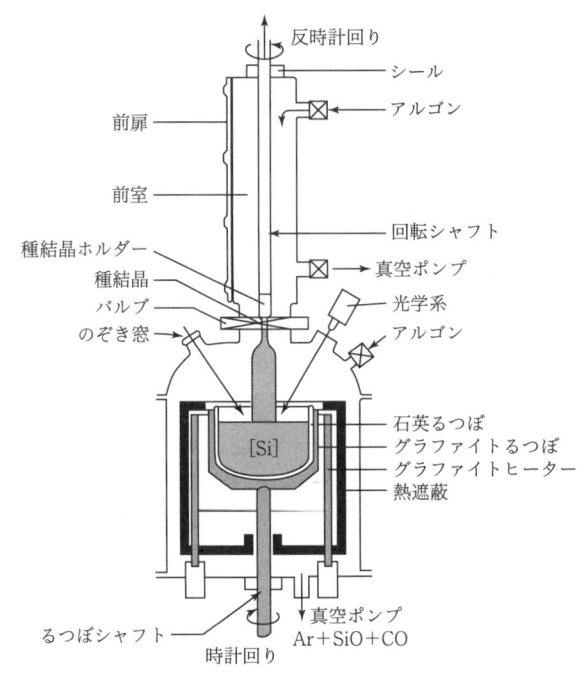

図 8 チョクラルスキ引き上げ装置の模式図.

図 9 CZ 法による直径 200 mm, 〈111〉方位 Si 単結晶（写真は Taisil Electronic Materials Corp., Taiwan のご好意による）.

である．

　最も一般的な結晶成長法はチョクラルスキ（Czochralski, CZ）法である．CZ 単結晶引き上げ機の原理図を図 8 に示す．多結晶 Si を入れたるつぼを高周波誘導加熱または抵抗加熱により Si の融点（1412℃）まで加熱する．るつぼは，局所加熱または局所冷却を避けるために常に回転している．

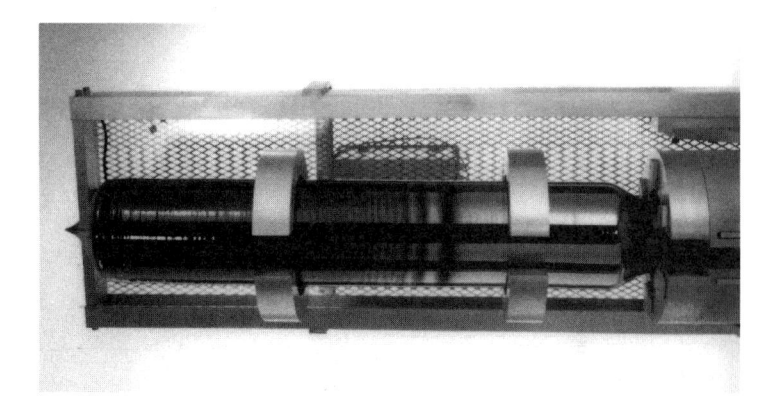

第 2 章　エネルギーバンドと熱平衡状態におけるキャリア密度

図 10　Czochralski 法により成長した直径 200 mm の Si 単結晶インゴット．

溶融 Si が汚染されないように，成長部分あるいは引き上げ部分の雰囲気は注意深く制御されており，Ar ガスがしばしば使われる．Si の温度が安定化すると，種結晶と呼ばれる特定の方位を持った (<111>) Si 片を融液に浸け，大きな結晶へと成長させる．種結晶の端が溶融 Si 中で溶け始めると，種を保持している棒の運動の向きが逆になり上昇する．種結晶を融液から徐々に引き上げると（図 9），結晶に付着した融液 Si が種結晶の結晶構造を保って固化し始める．したがって，種結晶は，インゴットが正しい方位で成長するきっかけを与えている．ロッドは上方向に移動し続け，るつぼの Si がなくなるまでさらに大きな結晶へと成長し続ける．るつぼの温度と回転速度を慎重に制御することにより，結晶の直径が正確に制御される．図 10 は直径 200 mm の Si 単結晶を示す．所望の不純物濃度を得るためには，結晶成長の前に不純物を融液に溶かし込んでおく．Si および他の半導体のより詳しい結晶成長については第 10 章で述べる．

2.4　価電子結合

2.2 節で述べたように，ダイアモンド構造では，1 個の原子は，4 個の最近接原子に囲まれている．図 11(a) は，ダイアモンド構造の正四面体配位を示す．これを簡単に二次元的に表すと図 11(b) のようになる．各原子は，最外殻軌道に 4 個の電子を持ち，この価電子は隣接の 4 個の原子に共有される．この電子の共有は，**共有結合**として知られ，**電子対**が共有結合を構成す

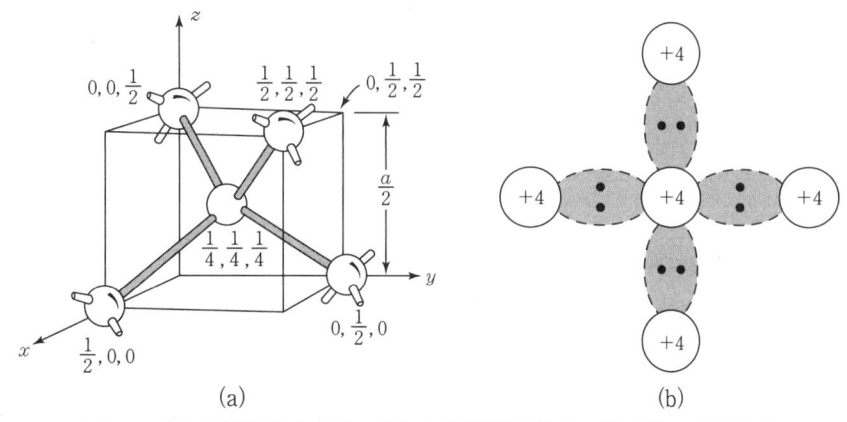

図 11　(a) 四面体配位結合．(b) 四面体配位結合の模式的二次元表示

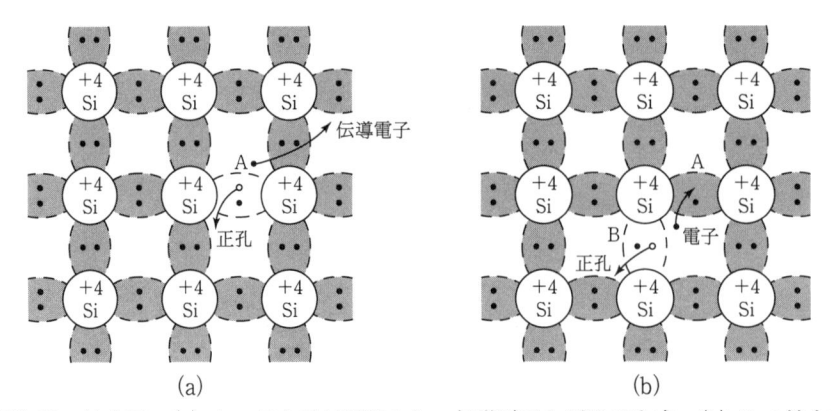

図 12 真性 Si の結合図. (a) A の結合手が切断され,伝導電子と正孔が生成. (b) B の結合手が切断.

る.共有結合は同一元素間,または,外殻電子の配置が類似の元素間で生じる.それぞれの電子は各原子上に同じ時間だけ滞在するが,対として2個の原子の間にいる時間の方がずっと長い.電子と原子核の引力が2個の原子をつなぎとめている.

GaAs は,せん亜鉛鉱格子の結晶であり,正四面体配位を持つ.結合力は主として共有結合であるが,わずかにイオン結合も入っている.Ga^+ イオンは周囲の四つの As^- イオンに静電力で引かれている.もしくは,As^- イオンが周囲の四つの Ga^+ イオンに引かれている.このことは,電子的には,結合電子は Ga 原子よりも As 原子に滞在している時間が長いことを意味する.

低温では,電子はそれぞれの格子位置に束縛されており,電気伝導には寄与できないが,高温になると熱振動により,一部の共有結合が切れる.結合が切れると,電気伝導に寄与する自由電子が発生する.図 12(a) は,Si の価電子が自由電子となる状況を示す.共有結合の所に電子の空席が発生する.この空席が隣の電子によって埋められると,図 12(b) に示すように電子の空席が A から B に移動する.この空席は電子と類似の粒子と考えることができ,これを **正孔**(hole) と呼ぶ.正孔は正電荷を運び外部電界によって電子と反対方向に移動する.したがって,電流は電子と正孔によって運ばれる.正孔の概念は液体中の泡に似ている.泡の運動は液体の運動として議論するよりも,液体と反対方向に動く泡の運動で議論する方がずっとわかり易い.

2.5 エネルギーバンド

2.5.1 孤立原子のエネルギー準位

孤立した原子では,電子は不連続のエネルギー準位を持つ.たとえば,孤立水素原子のエネルギー準位は,次のようなボーアモデルで与えられる[4].

$$E_H = -m_0 q^4 / 8\varepsilon_0^2 h^2 n^2 = -13.6/n^2 \text{ eV}, \tag{5}$$

ただし,m_0 は自由電子の質量,q は素電荷,ε_0 は真空の誘電率,h はプランク定数,n は主量子数と呼ばれる正の整数である.エレクトロンボルト (eV) の単位は,一個の電子のポテンシャルエネルギーを1ボルト上昇させるのに必要なエネルギーであり,q(1.6×10^{-19} C) と1ボルトの積,1.6×10^{-19} J である.基底状態 ($n=1$) では -13.6 eV,第一励起状態 ($n=2$) では -3.4 eV,…のように固有の値をとる.詳細な研究の結果,大きな主量子数では ($n \geq 2$),角運動量量子数 ($l = 0, 1, 2, \cdots, n-1$) によってさらに分裂する.

次に同一原子を 2 個考える．2 個の原子が十分離れていれば，ある量子数（たとえば $n=1$）に対応するエネルギー準位は二重に縮退した準位となる．すなわち，それぞれの原子は同一のエネルギー（$-13.6\,\mathrm{eV}$）を持つ．お互いに接近してくると原子間の相互作用により縮退した準位は二つに分離する．N 個の原子を集めて結晶を作れば，個々の原子の最外殻電子が重なり合って相互作用する．引力と斥力の混ざり合ったこの相互作用によって 2 原子の場合のようにエネルギー準位に変化を生じる．しかしながら，2 準位の場合と異なり，N 個のごく接近した準位が生じる．N が大きいと，これらは非常に接近しているためほとんど連続したバンドとみなせる．N 個の準位からなるこのバンドはエレクトロンボルト程度の広がりを持ち，その大きさは，結晶の原子間距離に依存する．図 13 にその様子を示す．パラメータ a は結晶の原子間距離である．

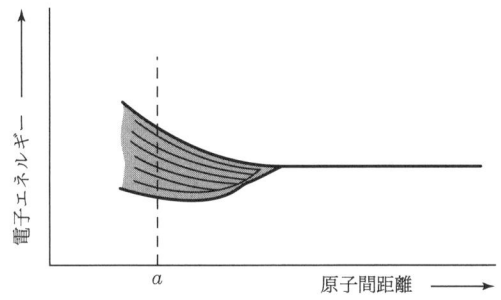

図 13 縮退状態が分裂してバンドが形成される．

半導体における実際のバンド分裂はずっと複雑である．図 14 に 14 個の電子を持つ孤立 Si 原子を示す．14 個の電子のうち 10 個は深い準位を占め，その軌道半径は結晶の原子間距離よりずっと小さい．残り 4 個の価電子は比較的弱く結合しており，化学反応に寄与する．したがって，外殻の電子（$n=3$）だけを価電子として考えればよい．二つの内殻（$n=1, 2$）は，完全に満たされており，原子核に強く結合している．3s 殻（$n=3, l=0$）は 1 原子あたり 2 個の準位を持っており，$T=0\,\mathrm{K}$ で Si 原子の 4 個の価電子のうち 2 個を収容する．3p 殻（$n=3, l=1$）は，1 原子あたり 6 個の許容準位を持ち，残りの 2 電子を収容する．

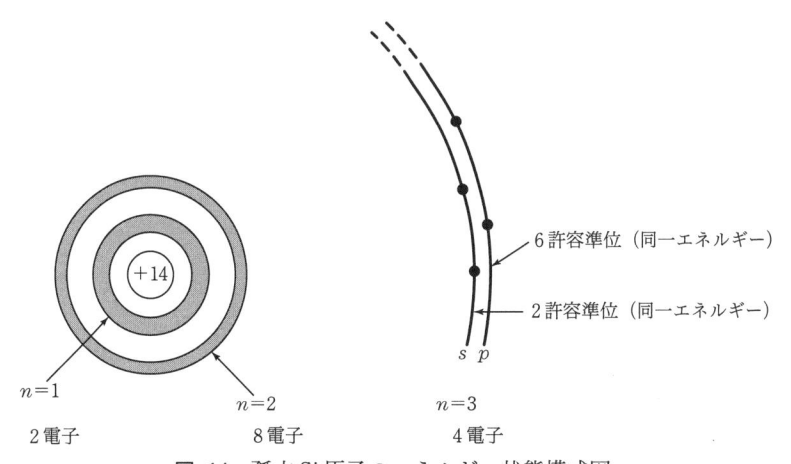

図 14 孤立 Si 原子のエネルギー状態模式図．

図 15 は，孤立した N 個のシリコン原子を接近させて結晶を構成したときにできるエネルギーバンドを模式的に示したものである．原子が接近するにつれて，N 個の Si の 3s および 3p 殻

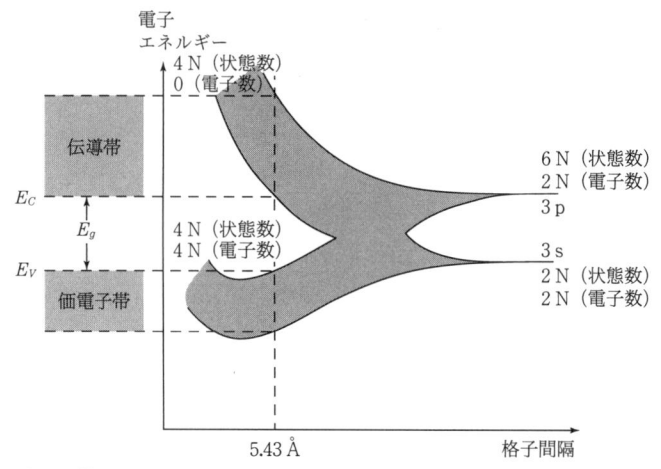

図 15 Si原子を接近させ，ダイアモンド格子を形成したときのエネルギーバンド図．

が重なり，相互作用する．結晶の原子間距離では，バンドが再び分裂し，低いバンドに1原子あたり4準位，高いバンドに1原子あたり4準位となる．$T=0\,\mathrm{K}$ では，電子は低いエネルギー状態を占め，その結果低いバンド（**価電子帯**）の準位は充満し，高いバンド（**伝導帯**）は空になる．伝導帯の下端を E_c，価電子帯の上端を E_v とすると，図15の左端に示すように，伝導帯下端と価電子帯上端のエネルギー差 (E_c-E_v) は，**バンドギャップエネルギー E_g** で，禁制帯の幅である．物理的には E_g は，半導体中で結合手を切断し，伝導帯に電子を，価電子帯に正孔を生成するために必要なエネルギーである．

2.5.2 エネルギーと運動量の関係

自由電子のエネルギーは，

$$E=\frac{p^2}{2m_0}, \tag{6}$$

で与えられる．ただし，p は運動量，m_0 は自由電子の質量である．p に対する E を図示すると，図16に示すように放物線が得られる．半導体結晶では，伝導帯の電子は自由電子に類似しており，結晶中で比較的自由に動き回るが，原子核による周期的ポテンシャルのため，式(6)は成り立たない．しかしながら，式(6)の自由電子の質量を**有効質量 m_n**（n は電子の負電荷，negative charge を意味する）で置き換えると式(6)を使うことができる．すなわち，

$$E=\frac{p^2}{2m_n}. \tag{7}$$

電子の有効質量の大きさは，半導体に依存する．もし，エネルギー―運動量の関係が式(7)で表

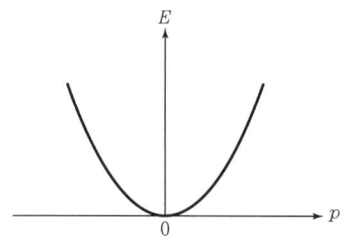

図 16 自由電子に対するエネルギー E と運動量 p の放物線曲線．

されるとすると，有効質量は，E の p による二階微分から求められ，次式で表される．

$$m_n \equiv \left(\frac{d^2E}{dp^2}\right)^{-1}. \qquad (8)$$

したがって，放物線の開きが狭くなると2階微分が大きくなり有効質量が小さくなる．正孔の有効質量 m_p（p は正孔の正電荷を意味する）についても同様な式が書ける．有効質量の概念は非常に便利であり，これによって，電子および正孔を古典的な荷電粒子として取り扱える．

図17は，伝導帯（上の放物線）における電子の有効質量が $m_n = 0.25 m_0$ で，価電子帯（下の放物線）の正孔の有効質量 $m_p = m_0$ の場合のエネルギーと運動量の関係である．電子のエネルギーは上方向に，正孔のエネルギーは下方向に大きくなる．$p=0$ での放物線の間隔は図15に示したバンドギャップ E_g である．

エネルギーバンド図と呼ばれる Si や GaAs における実際のエネルギー－運動量の関係図は，ずっと複雑である．図18に，それらのうち二つの結晶軸に対するものを示す．図18に示す一般

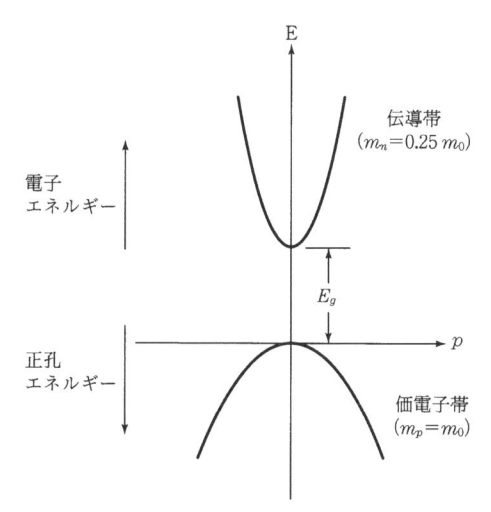

図 17　$m_n = 0.25 m_0$, $m_p = m_0$ の場合のエネルギー-運動量曲線．

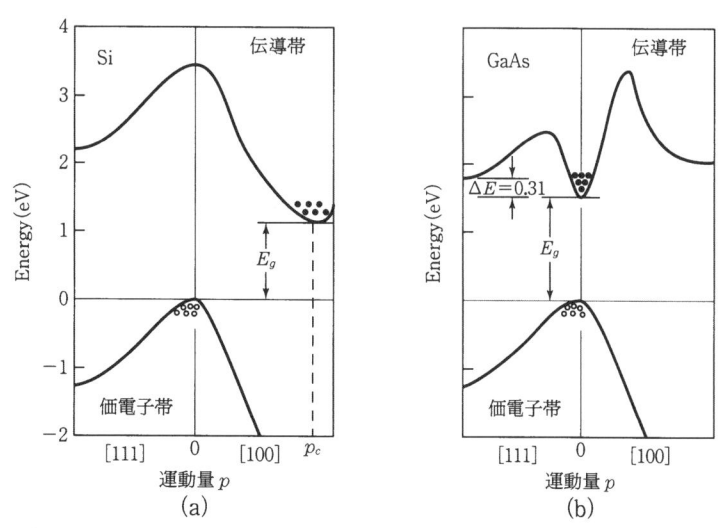

図 18　Si および GaAs のエネルギーバンド構造．（○）は価電子帯の正孔を，（●）は伝導帯の電子を示す．

的な特徴は図17と共通する．まず，伝導帯の下端と価電子帯の上端のエネルギー差，バンドギャップ E_g が存在する．次に，伝導帯の下端近傍および価電子帯の上端近傍における E-p 曲線は放物線状である．Siについては，図18(a)に示すように価電子帯の上端は $p=0$ の位置にある．しかし，伝導帯の下端は[100]方向の $p=p_c$ の位置にある．したがって，Siにおいては電子が価電子帯の上端から伝導帯の下端に遷移するときエネルギー変化（$\geqq E_g$）だけでなく運動量の変化（$\geqq p_c$）も必要である．図18(b)のGaAsでは，価電子帯上端と伝導帯の底が同じ運動量の所（$p=0$）にあり，電子の遷移は運動量の変化なしに起こる．

GaAsはこの遷移に運動量変化を伴わないので**直接遷移型半導体**と呼ばれ，Siでは運動量変化を伴うので**間接遷移型半導体**と呼ばれている．この直接型か間接型かの差は発光ダイオードやレーザダイオードを作る際に非常に重要である．光を効率よく発生させるには，直接型の半導体であることが必要である（第9章参照）．

有効質量は図18から式(8)を使って得られる．たとえば，GaAsの伝導帯は先端のするどい放物線状であり，したがって有効質量は $0.063m_0$ と小さく，Siではゆるやかな放物線状であるため電子の有効質量は $0.19m_0$ である．

2.5.3 金属，半導体，絶縁体における電気伝導

図1に示す金属（導体），半導体，絶縁体の広範囲における電気伝導度はエネルギーバンド図によって定性的に説明できる．エネルギーバンドの電子占有状態が固体の電気伝導度を決める．図19は，3種類の固体すなわち，金属，半導体，絶縁体のエネルギーバンド図を示す．

金　属

金属の特徴は，比抵抗が低いことで，それは伝導帯が部分的に電子に占有されているか（たとえばCu）または価電子帯と重なっている（たとえばZnやPb）ために図19(a)に示すようにバンドギャップがないことによる．その結果，部分的に占められたバンドの最上位の電子または価電子帯の上位の電子は，運動のエネルギーを外部電界からもらってより高いエネルギー状態に遷移する．金属中では，占有されていないエネルギー状態が占有状態のすぐ近くに多数あるため電子はわずかな外部電界によって自由に移動できる．したがって，導体中では電流は容易に流れる．

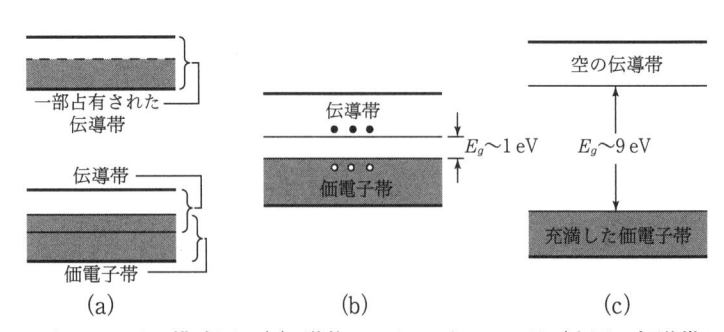

図19 エネルギーバンドの模式図．(a) 導体のエネルギーバンド（上図；伝導帯が部分的に満たされた場合．下図；バンドが重なった場合），(b) 半導体のエネルギーバンド，(c) 絶縁体のエネルギーバンド．

絶縁体

　二酸化シリコン（SiO_2）のような絶縁体中では，価電子は隣接原子間の強い結合を担っている．これらの結合手は容易に切断できないため室温近傍では電気伝導に寄与する自由電子は存在しない．図 19(c) に示すように，絶縁体の特徴はその大きなバンドギャップである．価電子帯のエネルギー準位はすべて電子により占有されており，伝導帯は空である．熱エネルギー[†]や外部電界によるエネルギーは価電子帯の電子を伝導帯に上げるには十分でない．ゆえに，絶縁体では伝導帯に多くの空席がありながら，伝導帯にいる電子の数は非常に少なく，その結果比抵抗が高い．したがって，二酸化シリコンは絶縁体であり電流は流れない．

半導体

　次に，エネルギーギャップが 1 eV 程度と，ずっと小さい材料を考える（図 19(b)）．そのような材料は半導体と呼ばれる．$T=0$ K では，すべての電子は価電子帯にあり，伝導帯には電子は存在しない．したがって，半導体は，低温では不良導体である．室温かつ通常の圧力下では，E_g は Si で 1.12 eV，GaAs で 1.42 eV である．E_g は室温の熱エネルギー kT の数 10 倍であり，かなりの数の電子が価電子帯から伝導帯へ熱的に励起されている．伝導帯には多くの空の電子状態があるのでわずかの電界でこれらの電子を移動させることができ，電流が流れる．

2.6　真性キャリア密度

　次に，熱平衡状態，すなわち外部からの光，圧力，電界などがなく，一定温度における定常状態のキャリア密度を求める．一定の温度では，熱擾乱によって電子が価電子帯から伝導帯に励起され，それと同数の正孔が価電子帯に残る．**真性半導体**とは，不純物の数が熱的に励起された電子と正孔の数より少ない半導体をさす．

　真性半導体における電子密度（単位体積あたりの電子数）を求めるために，まずエネルギー幅 dE の中にある電子密度から計算しなければならない．この密度 $n(E)$ は，状態密度 $N(E)$[††]，すなわちスピンまで含めて単位エネルギー，単位体積あたりの状態密度と電子がそのエネルギーを占める確率 $F(E)$ の積である．したがって伝導帯中の電子密度は $N(E)F(E)dE$ を伝導帯の下端 E（簡単のためここを $E=0$ とする）から上端 E_{top} まで積分することによって得られる．

$$n = \int_0^{E_{\text{top}}} n(E)\,dE = \int_0^{E_{\text{top}}} N(E)F(E)\,dE, \tag{9}$$

ここで，n および $N(E)$ の単位は，それぞれ，cm^{-3}，$(cm^3 eV)^{-1}$ である．

　エネルギー E の状態を電子が占める確率は，次のフェルミ・ディラック分布関数（フェルミ分布関数ともいう）で与えられる．

$$\boxed{F(E) = \frac{1}{1 + e^{(E-E_F)/kT}},} \tag{10}$$

ただし，k はボルツマン定数，T は絶対温度，E_F はフェルミ準位である．フェルミ準位とは電

[†] 熱エネルギーは kT の程度であり，室温では 0.026 eV である．この値は絶縁体のバンドギャップよりずっと小さい．
[††] 状態密度 $N(E)$ の導出については付録 H 参照

子の存在確率がちょうど1/2になるエネルギーである．図20に各種の温度に対するフェルミ分布を示す．分布の形は，フェルミ準位 E_F の上下で対称になっている．フェルミ準位より $3kT$ 以上，またはそれ以下のエネルギーでは，式(10)の指数関数項が，それぞれ20以上または0.05以下となる．したがってフェルミ分布関数は次の簡単な式で近似できる．

$$(E-E_F) > 3kT \text{ の場合,} \quad F(E) \cong e^{-(E-E_F)/kT} \tag{11a}$$

$$(E-E_F) < 3kT \text{ の場合,} \quad F(E) \cong 1 - e^{-(E-E_F)/kT} \tag{11b}$$

式(11b)はエネルギー E における正孔の存在確率を表す．

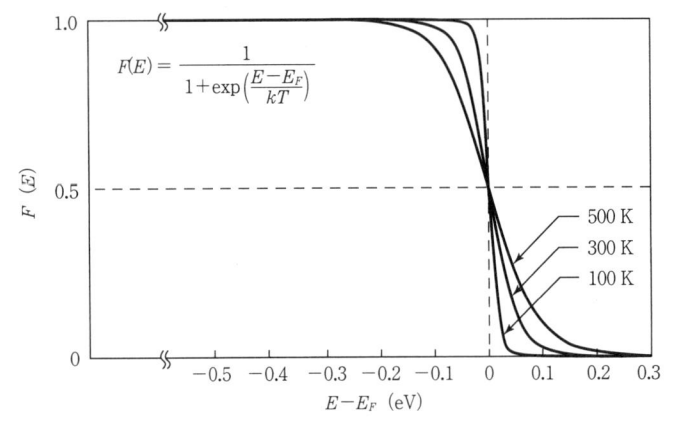

図 20 各種の温度におけるフェルミ分布関数とエネルギーの関係．

図21は，左から右に向かって，バンド図，状態密度 $N(E)$（電子の有効質量が一定ならば $\sqrt{E}$ に比例して変化），フェルミ分布関数および真性半導体のキャリア密度を示したものである．キャリア密度は式(9)と図21から得られる．すなわち，$N(E)$（図21(b)）と $F(E)$（図21(c)）の積から $n(E)$, $p(E)$ と E の関係（図21(d)）が得られる．影付部分は電子，正孔の密度に対応する．

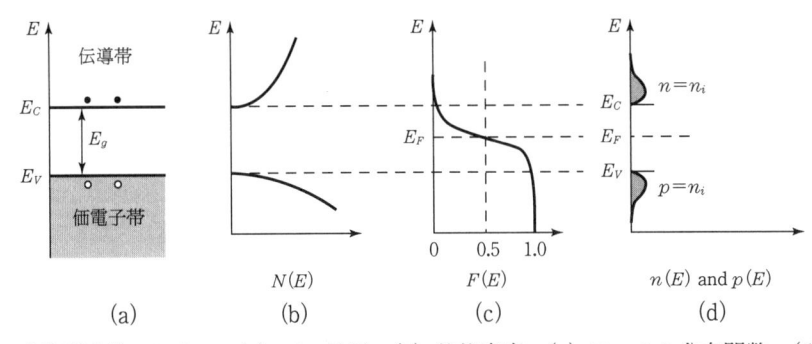

図 21 真性半導体における，(a) バンド図，(b) 状態密度，(c) フェルミ分布関数，(d) キャリア密度．

伝導帯には多くの許容状態があるが，真性半導体の伝導電子数は非常に少なく，電子が一つの状態を占める確率は小さい．価電子帯の状態密度は大きいが，この場合はほとんどが電子によって埋められている．しかし，わずかではあるが電子が入っていない状態がある．これが価電子帯の正孔である．図からわかるように，フェルミ準位はバンドギャップのほぼ中央にある（E_F は

E_c より kT の何倍も下にある). 付録 H の最後の式と式(11a)を式(9)に代入すると,†

$$n = \frac{2}{\sqrt{\pi}} N_c (kT)^{-3/2} \int_0^\infty E^{1/2} \exp[-(E-E_F)/kT] dE \tag{12}$$

となる. ただし,

$$N_c \equiv 12(2\pi m_n kT/h^2)^{3/2} \quad \text{for} \quad \text{Si} \tag{13a}$$
$$\equiv 2(2\pi m_n kT/h^2)^{3/2} \quad \text{for} \quad \text{GaAs}. \tag{13b}$$

$x \equiv E/kT$ とすれば式(12)は

$$n = \frac{2}{\sqrt{\pi}} N_c \exp(E_F/kT) \int_0^\infty x^{1/2} e^{-x} dx \tag{14}$$

となり, その積分項は標準形式で, $\sqrt{\pi}/2$ になる. ゆえに

$$n = N_c \exp(E_F/kT). \tag{15}$$

となる. 伝導帯の下端 $E=0$ を E_c とすれば, 伝導帯の電子密度として,

$$\boxed{n = N_c \exp[-(E_c - E_F)/kT]} \tag{16}$$

が得られる. ただし, 式(13)で定義される N_c は, **伝導帯における有効状態密度**であり, 室温 (300 K) における値は, Si で $2.86\times10^{19}\,\text{cm}^{-3}$, GaAs で $4.7\times10^{17}\,\text{cm}^{-3}$ である.

同様に価電子帯の正孔密度は次のように表される.

$$\boxed{p = N_v \exp[-(E_F - E_v)/kT],} \tag{17}$$

$$N_v \equiv 2(2\pi m_p kT/h^2)^{3/2}. \tag{18}$$

N_v は**価電子帯の有効状態密度**であり, 室温における値は, Si で $2.66\times10^{19}\,\text{cm}^{-3}$, GaAs で $7.0\times10^{18}\,\text{cm}^{-3}$ となる.

真性半導体では, 伝導帯の電子密度と価電子帯の正孔密度は等しい. すなわち $n=p=n_i$ となる. n_i は**真性キャリア密度**と呼ばれる. この電子と正孔の関係は図21(d)に示されており, 伝導帯の影付部分と価電子帯の影付部分の面積は等しい.

式(16)と式(17)を等しいと置けば, 真性半導体のフェルミ準位が次のように求まる.

$$E_F = E_i = (E_c + E_v)/2 + (kT/2)\ln(N_v/N_c). \tag{19}$$

室温では, 第2項はバンドギャップに比べずっと小さい. したがって, 真性フェルミ準位 E_i, すなわち真性半導体のフェルミ準位は, バンドギャップ中央に非常に近い所にある.

真性キャリア密度は式(16), (17), (19) から次のように求められる.

$$\boxed{np = n_i^2,} \tag{20}$$

$$\boxed{n_i^2 = N_c N_v \exp(-E_g/kT),} \tag{21}$$

$$\boxed{n_i = \sqrt{N_c N_v} \exp(-E_g/2kT),} \tag{22}$$

ただし, $E_g \equiv (E_c - E_v)$ である. 図22はSiおよびGaAsにおける n_i の温度依存性を示す[5]. 室温 (300 K) における n_i は Si で $9.65\times10^9\,\text{cm}^{-3}$ [6], GaAs で $2.25\times10^6\,\text{cm}^{-3}$ であり[7], バンドギャップが大きくなると真性キャリア密度は小さくなる.

---

† E の上端を無限大とした. なぜならば, $(E-E_c) \gg kT$ に対して $F(E)$ は非常に小さい.

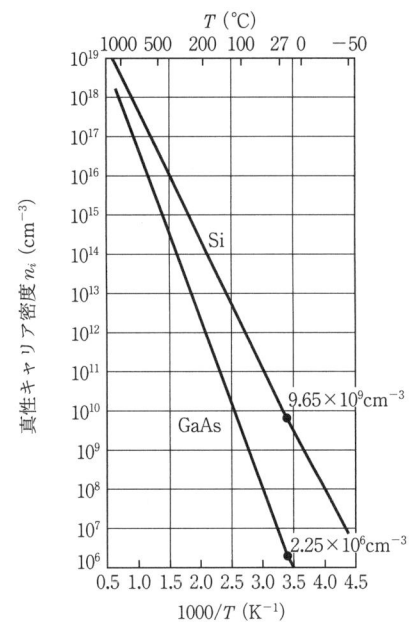

図 22 温度の逆数に対する Si および GaAs の真性キャリア密度[5-7]

2.7 ドナーとアクセプタ

半導体に不純物をドープすると，**外因性**となり，不純物準位が生じる．図 23(a) は，Si 原子が 5 個の価電子を有する As に置換された状況を模式的に示す．As 原子は隣接する 4 個の Si 原子と共有結合を形成し，残った電子は As 原子と弱く結合し，適度な温度で"イオン化"されて伝導電子になる．この電子は伝導帯に供与されたことになり，As 原子は供与体（**ドナー** donor）と呼ばれる．Si は負電荷を持ったキャリアの付加により n 形になる．同様に，図 23(b) は 3 個の価電子を持つ B(ホウ素) が Si と置換した場合を示す．4 個の共有結合が B の周囲にできるため電子が 1 個取り込まれ，価電子帯に，正に帯電した"正孔"が生じる．これが p 形半導体であり B は**アクセプタ**となる．

不純物のエネルギー準位を計算するために使われる最も簡単な手法は水素原子模型である．ド

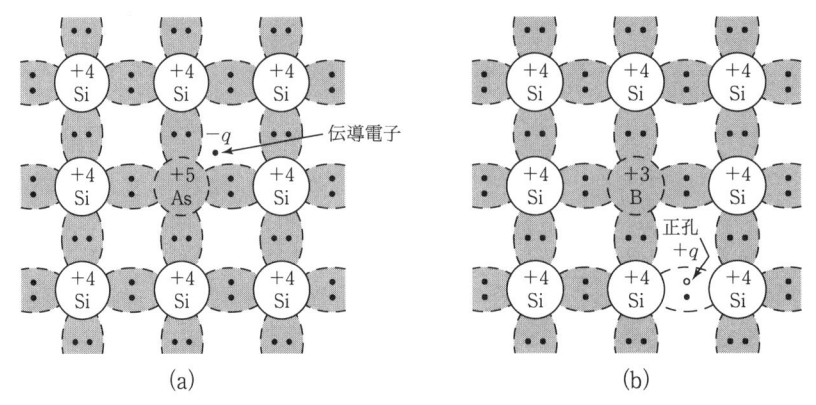

図 23 (a) ドナー（As）をドープした n 形 Si, (b) アクセプタ（B）をドープした p 形 Si

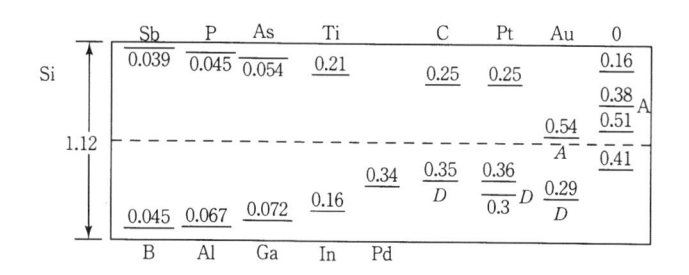

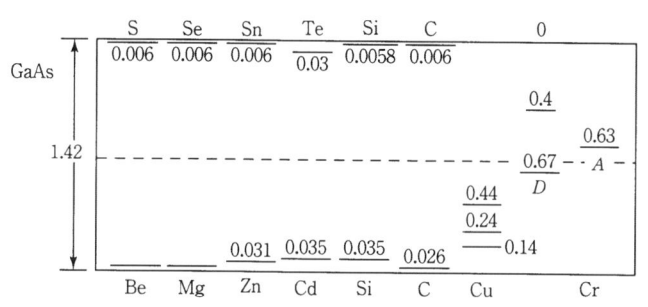

図 24 Si および GaAs における各種の不純物に対するイオン化エネルギーの実測値 (eV). バンドギャップの中央より下の準位のエネルギーは価電子帯上端からの数値であり, D と記されているもの以外はアクセプタ準位である. 中央より上の準位のエネルギーは, 伝導帯の底からの値であり, A と記されているもの以外はドナー準位である[8].

ナーのイオン化エネルギー E_D は式(5)において, m_0 を電子の有効質量 m_n に, ε_0 を半導体の誘電率 ε_s に置き換えることで次のように表される.

$$E_D = \left(\frac{\varepsilon_0}{\varepsilon_s}\right)^2 \left(\frac{m_n}{m_0}\right) E_H. \tag{23}$$

Si および GaAs の E_D は伝導帯の下端を基準にして式 (23) から, それぞれ 0.025 eV および 0.007 eV と計算される. 水素原子モデルによるアクセプタの計算も同じである. 価電子帯の電子が抜けている状態を, 負に帯電したアクセプタによる中心力場にいる1個の正孔と考える. イオン化エネルギーの計算値は価電子帯の上端を基準にして, Si, GaAs 両者とも 0.05 eV となる. この簡単な水素原子モデルでは, イオン化エネルギーの詳細, 特に $3kT$ 以上の深い不純物準位を説明することはできないが, 浅い不純物準位については, 計算によってイオン化エネルギーのおよその値を予測することができる. 図 24 に Si および GaAs における不純物のイオン化エネルギーの実測値を示す[8]. 特定の原子がいくつもの準位を持つことがある. たとえば Si 中の酸素は, 二つのドナー準位と二つのアクセプタ準位をエネルギーギャップの中に作る.

2.7.1 非縮退半導体

これまでは, 電子や正孔の密度はそれぞれ伝導帯および価電子帯の有効状態密度に比べ, ずっと小さい仮定して議論してきた. すなわち, フェルミ準位 E_F は E_v の少なくとも $3kT$ 以上上にあるか, あるいは E_c の $3kT$ 以上下にある場合について考えた. これらの半導体は, **非縮退半導体**と呼ばれる.

Si や GaAs 中の浅いドナーは室温の熱エネルギーでほとんどすべてイオン化されており, ド

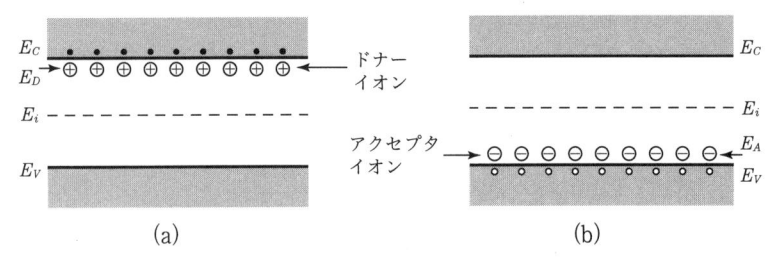

図 25 ドナーイオン（a）およびアクセプタイオン，(b)を有する外因性半導体のエネルギーバンド図．

ナー数と等しい数の電子が伝導帯に供給されている．この状態は完全なイオン化と呼ばれて，このとき電子密度は

$$n = N_D \tag{24}$$

と表される．ただし N_D はドナー濃度である．図 25(a) は完全イオン化の状態を示す．E_D は伝導帯の下端から測った値であり，電子数（移動可）とドナーイオン数（移動不可）は等しい．式 (16) と式 (24) より，有効状態密度 N_C とドナー濃度 N_D の関数としてフェルミ準位が得られる．

$$E_C - E_F = kT \ln(N_C/N_D). \tag{25}$$

同様に，浅いアクセプタの場合，図 25(b) に示すように，完全イオン化状態では正孔密度は

$$p = N_A \tag{26}$$

となる．N_A はアクセプタ濃度である．フェルミ準位は式 (17) と式 (26) から

$$E_F - E_V = kT \ln(N_V/N_A) \tag{27}$$

が得られる．

式 (25) から明らかなように，ドナー濃度が高いほど $(E_C - E_F)$ は小さくなる．すなわち，フェルミ準位は伝導帯の下端に接近する．同様に，アクセプタ濃度が高いほどフェルミ準位は価電子帯上端に近づく．キャリア密度の求め方を図 26 に示す．図 21 に示した方法と同じである．ただし，この場合は，フェルミ準位が伝導帯の下端に接近しており，電子密度（上の影付部分）は正孔密度（下の影付部分）よりずっと多い．

電子密度および正孔密度を，真性キャリア密度 n_i と真性フェルミ準位 E_i を使って表しておくと便利である．というのは，外因性半導体を議論するとき，E_i はよくエネルギーの基準に使われるからである．式 (16) から次の式が得られる．

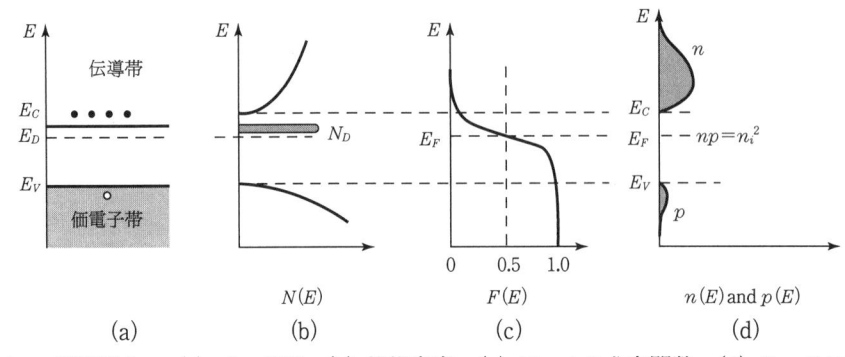

図 26 n 形半導体の (a) バンド図，(b) 状態密度，(c) フェルミ分布関数，(d) キャリア密度．$np = n_i^2$ であることに注意．

$$n = N_C \exp[-(E_c - E_F)/kT],$$
$$= N_C \exp[-(E_c - E_i)/kT] \exp[(E_F - E_i)/kT],$$

すなわち
$$n = n_i \exp[(E_F - E_i)/kT] \tag{28}$$

同様に，
$$p = n_i \exp[(E_i - E_F)/kT]. \tag{29}$$

式(28)および式(29)から，n と p の積は n_i^2 になることが解る．この結果は，式(20)の真性半導体の場合と同じである．式(20)は**質量作用則**と呼ばれており，熱平衡状態では，真性および外因性半導体両者について成り立つ．外因性の場合，フェルミ準位は，n 形では伝導帯の下端へ，p 形では価電子帯の上端へ移動する．一定の温度では，n 形では電子，p 形では正孔が支配的になるが，電子と正孔の積は一定である．

例題 4 As が $10^{16}/\mathrm{cm}^3$ ドープされた Si 結晶がある．室温（300 K）におけるキャリア密度とフェルミ準位を求めよ．

解答 300 K では，不純物は完全にイオン化していると考えられる．したがって，$n \cong N_D = 10^{16}\,\mathrm{cm}^{-3}$．式(20)から，$p = n_i^2/N_D = (9.65 \times 10^9)^2/10^{16} = 9.3 \times 10^3\,\mathrm{cm}^{-3}$．

伝導帯下端から測ったフェルミ準位は式(25)で与えられ
$$E_C - E_F = kT \ln(N_C/N_D)$$
$$= 0.0259 \times \ln(2.86 \times 10^{19}/10^{10}) = 0.205\,\mathrm{eV}.$$

真性フェルミ準位から測ったフェルミ準位は式(28)から得られ
$$E_F - E_i = kT \ln(n/n_i) \cong kT \ln(N_D/n_i)$$
$$= 0.0259 \times \ln(10^{16}/9.65 \times 10^9) = 0.358\,\mathrm{eV}.$$

これらの結果は図 27 に示されている．

もしドナーとアクセプタが同時に存在すると，濃度の高い方が伝導のタイプを決める．フェルミ準位は，電荷の中性を保つように，すなわち全負電荷（電子とイオン化したアクセプタ）と全正電荷（正孔とイオン化したドナー）が等しくなる位置にくる．完全イオン化の下では，

$$n + N_A = p + N_D \tag{30}$$

である．式(20)と式(30)から n 形半導体における熱平衡状態の電子および正孔密度は次式で表される．

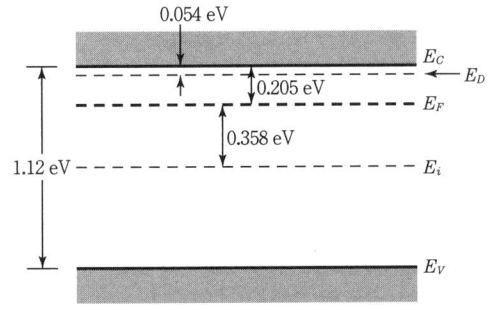

図 27 フェルミ準位 E_F および真性フェルミ準位 E_i の位置

$$n = 1/2 \left[N_D - N_A + \sqrt{(N_D - N_A)^2 + 4n_i^2} \right], \tag{31}$$

$$p_n = n_i^2 / n_n. \tag{32}$$

式(32)における添字の n は n 形半導体を意味する.主たるキャリアである電子は**多数キャリア**と呼ばれ,正孔はこの場合**少数キャリア**と呼ばれる.同様に p 形半導体では,多数キャリアの正孔と少数キャリアの電子は,それぞれ次式で表される.

$$p_p = 1/2 \left[N_A - N_D + \sqrt{(N_D - N_A)^2 + 4n_i^2} \right], \tag{33}$$

$$n_p = n_i^2 / p_p. \tag{34}$$

添え字の p は p 形を意味する.

一般に,実効的な不純物濃度 $|N_D - N_A|$ は真性キャリア密度 n_i より十分大きい.したがって,前述の関係式は次のように単純化される.

$$n_n \cong N_D \quad N_A \quad N_D > N_A \text{ の場合} \tag{35}$$

$$p_p \cong N_A - N_D \quad N_A > N_D \text{ の場合} \tag{36}$$

式(31)から式(34)までと式(16)および式(17)を用いて,与えられたアクセプタまたはド-

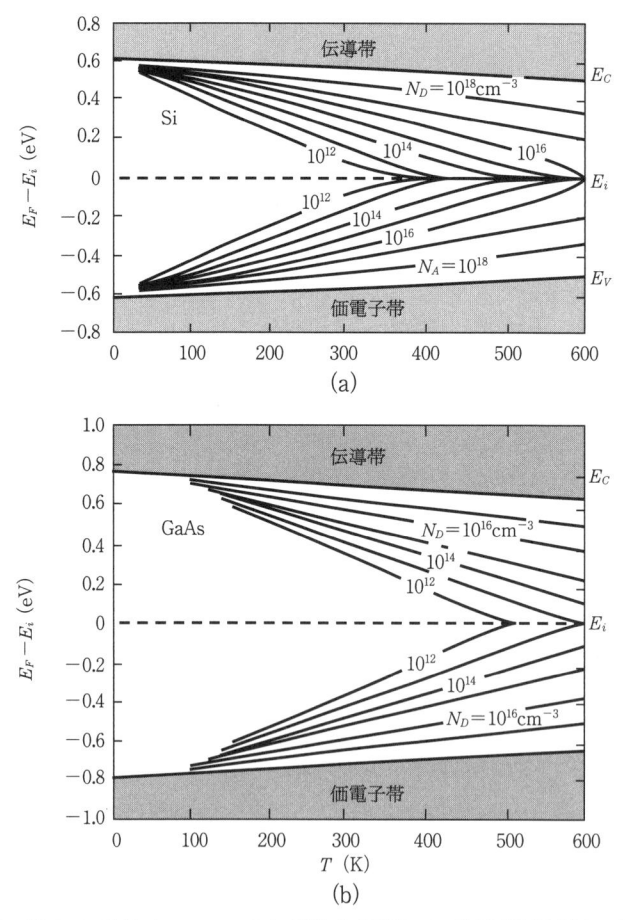

図 28 Si および GaAs のフェルミ準位と温度および不純物濃度との関係.バンドギャップの温度変化も示す.[9]

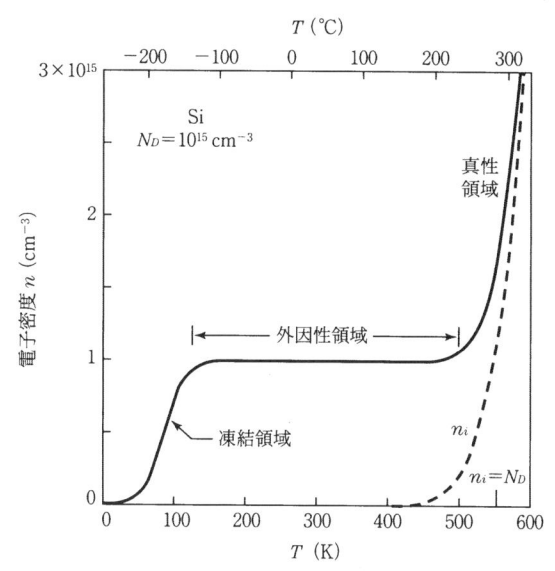

図 29　ドナー濃度 $10^{15}\,\mathrm{cm^{-3}}$ の Si における電子密度の温度変化

一濃度に対するフェルミ準位の位置を温度の関数として計算することができる．図 28 に Si および GaAs の結果を示す[9]．図ではバンドギャップの温度変化も示されている．温度の上昇につれて，フェルミ準位は真性状態に近づく．すなわち真性半導体に接近する．

図 29 はドナー濃度 $N_D = 10^{15}\,\mathrm{cm^{-3}}$ のときの電子密度を温度の関数として示したものである．低い温度では，結晶中のすべてのドナーをイオン化するほど熱エネルギーは大きくない．いくつかの電子はドナー準位に"凍結"されており，電子密度はドナー濃度より少ない．温度が上昇すると完全イオン化 ($n_n = N_D$) の状態となる．これから上の広い温度範囲にわたって電子密度は，ほとんど変わらない．これが外因性領域である．しかし，さらに温度を上げると真性キャリア密度がドナー濃度に等しくなる温度がある．この温度より上では，半導体は真性となる．半導体が真性となる温度は，不純物濃度に依存し不純物濃度を n_i と等しく置くことにより図 22 から求めることができる．

2.7.2　縮退半導体

不純物濃度が有効状態密度以上になると，式(11)の近似式は使えず式(9)は数値積分しなければならない．高濃度にドープした n 形または p 形半導体では E_F は E_c 以上または E_v 以下になる．このような半導体は縮退半導体と呼ばれる．

高い不純物濃度で重要な効果は，バンド狭化現象である．すなわち高不純物濃度はバンドギャップの減少を引き起こす．室温 Si における減少量 ΔE_g は，

$$\Delta E_g = 22 \left(\frac{N}{10^{18}} \right)^{1/2} \mathrm{meV}, \tag{37}$$

である．ただし，不純物濃度の単位は $\mathrm{cm^{-3}}$ である．たとえば，$N_D \leq 10^{18}\,\mathrm{cm^{-3}}$ のとき，$\Delta E_g \leq 0.022\,\mathrm{eV}$ となり，バンドギャップの 2% 以下である．しかし，$N_D \geq N_c = 2.86 \times 10^{19}\,\mathrm{cm^{-3}}$ のときは $\Delta E_g \geq 0.12\,\mathrm{eV}$ となり E_g の 10% 程度になる．

まとめ

本章の初めに主要半導体をリストアップした．半導体の特徴はかなりの部分その結晶構造によって決まる．結晶面および方位を規定するためにミラー指数を定義し，半導体結晶の成長法につき簡単に述べた．より詳しい説明は第10章で述べる．

原子の結合および電子のエネルギーと運動量の関係から電気的特性を考えた．エネルギーバンド図はある材料が電気の良導体であるか不良導体であるかを判断するのに使われる．さらに，温度や不純物濃度を変えることで半導体の電気伝導度が大きく変わることを示した．

参考文献

1. R. A. Smith, *Semiconductors*, 2nd ed., Cambridge Univ. Press, London, 1979.
2. R. F. Pierret, *Semiconductor Device Fundamentals*, Addison Wesley, Boston, MA, 1996.
3. C. Kittel, *Introduction to Solid State Physics*, 6th ed., Wiley, New York, 1986.
4. D. Halliday and R. Resnick, *Fundamentals of Physics*, 2nd ed., Wiley, New York, 1981.
5. C. D. Thurmond, "The Standard Thermodynamic Function of the Formation of Electrons and Holes in Ge, Si, GaAs, and GaP," *J. Electrochem. Soc.*, **122**, 1133 (1975).
6. P. P. Altermatt, et al., "The Influence of a New Bandgap Narrowing Model on Measurement of the Intrinsic Carrier Density in Crystalline Silicon," *Tech. Dig.*, *11th Int. Photovolatic Sci. Eng. Conf.*, Sapporo, p. 719 (1999).
7. J. S. Blackmore, "Semiconducting and Other Major Properties of Gallium Arsenide," *J. Appl. Phys.*, **53**, 123–181 (1982).
8. S. M. Sze, *Physics of Semiconductors Devices*, 2nd ed., Wiley, New York, 1981.
9. A. S. Grove, *Physics and Technology of Semiconductor Devices*, Wiley, New York, 1967.

問題（＊印は高度な問題を示す）

2.2節 基本的な結晶構造に関する問題

1. （a）Si結晶での最近接原子間距離はいくらか．
   （b）Siの(100)，(110)，(111)面における $1\,\mathrm{cm}^2$ 当りの原子数を求めよ．
2. ダイアモンド構造の各原子を，その底面に投影すると図のようになる．数字は格子定数を単位とした高さである．X，Y，Zにある3個の原子の高さを求めよ．

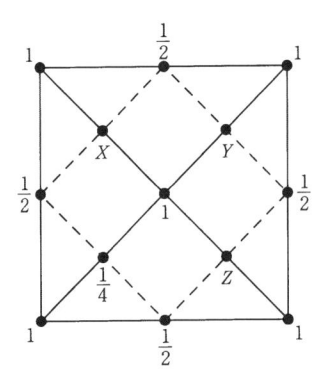

3. 剛体球で，単純立方格子，面心立方格子，ダイアモンド格子を作ったとき，それぞれの単位胞において剛体球が占める体積率の最大値を求めよ．
4. 正四面体結合において，結合手間の角度，すなわちダイアモンド構造における4本の結

合手の内，任意の結合手間の角度を求めよ．（ヒント：4本の結合手を同じ長さのベクトルで表したとき，4本のベクトルの和はどうなるか．ベクトル方程式のうち，一つのベクトル方向の成分を考える）

5. 三次元の直交座標において，一つの面が $2a$, $3a$, $4a$ の点で座標軸を切るとき，この面のミラー指数を求めよ．ただし a は格子定数である．

6. （a）GaAs の密度を求めよ（GaAs の格子定数は 5.65 Å，Ga および As の原子量は，それぞれ 69.72, 74.92 g/mol）．
　　（b）Sn をドープした GaAs がある．Sn が Ga と置換しているならドナー，アクセプタいずれが形成されているか．その理由を述べ，n 形，p 形いずれになるかを答えよ．

2.3節　主な結晶成長法に関する問題

7. （a）Si と SiO_2 で，どちらの融点が高いか．その理由は何か．
　　（b）結晶成長で種結晶が使われる理由は何か．
　　（c）基盤の結晶方位が重要な理由は何か．
　　（d）Si ロッドの直径制御に使われる二つのパラメータは何か．

2.5節　エネルギーバンドに関する問題

8. Si および GaAs のバンドギャップの温度変化は次式で表される．$E_g(T) = E_g(0) - aT^2/(T+\beta)$，ただし，Si については，$E_g(0) = 1.17$ eV，$a = 4.73 \times 10^{-4}$ eV/K，$\beta = 636$ K．GaAs については，$E_g(0) = 1.519$ eV，$a = 5.405 \times 10^{-4}$ eV/K，$\beta = 204$ K である．100 K，600 K における Si および GaAs のバンドギャップを求めよ．

2.6節　真性キャリア密度に関する問題

*9. 式(17) を導出せよ．（ヒント：価電子帯における正孔の占有確率は $[1-F(E)]$ である．）

10. 室温 (300 K) における価電子帯の実効状態密度は Si で 2.66×10^{19} cm^{-3}，GaAs で 7×10^{18} cm^{-3} である．正孔の有効質量を求め自由電子の質量と比較せよ．

11. Si の E_i を，液体チッ素温度 (77 K)，室温 (300 K) および 100°C において求めよ（$m_p = 0.5 m_0$, $m_n = 0.19 m_0$ とせよ）．E_i が禁制帯の中心にあると考えることは合理的か．

12. 非縮退 n 形半導体の 300 K における伝導帯電子の運動のエネルギーを求めよ．

13. （a）速度が 10^7 cm/s の自由電子のドブロイ波長を求めよ．
　　（b）GaAs における伝導帯の電子の有効質量は，$0.063 m_0$ である．同じ速度であるならば，この場合のドブロイ波長はいくらか．

14. 半導体の真性温度とは，真性キャリア密度が不純物濃度と等しくなる温度である．P を 10^{15} cm^{-3} ドープした Si の真性温度はいくらか．

2.7節　ドナーとアクセプタに関する問題

15. アクセプタ濃度が $10^{16}\,\text{cm}^{-3}$ の Si がある（$T=300\,\text{K}$）．この Si が n 形になり，フェルミ準位が伝導帯下端の $0.20\,\text{eV}$ 下になるためには，添加するべきドナー濃度をいくらにすればよいか．

16. As を $10^{16}\,\text{cm}^{-3}$ ドープした Si について，$77\,\text{K}$，$300\,\text{K}$，$600\,\text{K}$ における簡単なエネルギーバンド図を描け．真性フェルミ準位をエネルギーの基準としてフェルミ準位の位置を示せ．

17. 次の場合につき，電子密度，正孔密度およびフェルミ準位を求めよ．いずれも，$300\,\text{K}$ における Si である．(a) $1\times10^{15}\,\text{B/cm}^3$，(b) $3\times10^{16}\,\text{B/cm}^3$ および $2.9\times10^{16}\,\text{As/cm}^3$ ドープした場合．

18. As を $10^{17}\,\text{cm}^{-3}$ ドープされた Si がある．$300\,\text{K}$ における熱平衡時の正孔密度 p_0 を求めよ．E_i から測って E_F の位置はどこか．

19. Si に P を 10^{15}，10^{17}，$10^{19}\,\text{cm}^{-3}$ ドープした場合，完全イオン化を仮定して室温におけるフェルミ準位を求めよ．得られたフェルミ準位から，完全イオン化の仮定が正しいかどうかを判断せよ．イオン化したドナー濃度は次式で与えられるものとする．
$$n = N_D[1-F(E_D)] = N_D/\{1+\exp[(E_F-E_D)/kT]\}$$

20. P を $10^{16}\,\text{cm}^{-3}$ ドープし，ドナー準位が $E_D=0.045\,\text{eV}$ の n 形 Si がある．$77\,\text{K}$ において，イオン化したドナー濃度に対する中性ドナー濃度の比を求めよ．フェルミ準位は伝導帯の下端より $0.0459\,\text{eV}$ 下にあるものとせよ．イオン化ドナーの式は問題19に与えてある．

第3章　キャリアの輸送現象

3.1　キャリアのドリフト
3.2　キャリアの拡散
3.3　キャリアの生成と再結合過程
3.4　連続の式
3.5　熱電子放射
3.6　トンネル過程
3.7　高電界効果
ま と め

　この章では，半導体デバイスにおける各種のキャリア輸送現象を取り扱う．輸送過程には，ドリフト，拡散，再結合，生成，熱電子放射，トンネリングおよび衝突イオン化がある．まず，半導体中の電界またはキャリアの濃度勾配によって移動する電子および正孔の運動を考察する．また，非熱平衡状態，すなわちキャリア密度の積 pn が熱平衡時の値 n_i^2 と異なる場合について考える．続いて，生成-再結合過程を介した熱平衡状態への復帰について考える．これらを基に，半導体デバイスの動作を支配している電流密度の式と連続の式を含む基礎方程式を導く．さらに，熱電子放射とトンネリング過程について述べ，キャリア速度の飽和と衝突イオン化に関係する高電界効果について簡単に述べる．

　本章では，特に以下の項目を取り上げる．
・電流密度の式とその中におけるドリフト成分および拡散成分
・連続の式とその中における生成成分および再結合成分
・他の輸送現象，すなわち，熱電子放射，トンネリング，二谷間遷移，および衝突イオン化
・半導体の重要パラメータ，たとえば，比抵抗，移動度，多数キャリア密度，少数キャリア寿命等の測定法

3.1　キャリアのドリフト

3.1.1　移 動 度

　ドナーを一様にドープした熱平衡状態にある n 形半導体を考える．第1章で述べたように，伝導帯の電子は自由電子と見なすことができ，特定の格子位置やドナーの位置に止まっていない．結晶格子の影響は伝導電子の有効質量に現れ，その値は自由電子の値とは異なったものにな

る．熱平衡状態における伝導電子の熱エネルギーは，エネルギー等配則から求められる．すなわち，k をボルツマン定数，T を絶対温度とすると，自由運動する粒子は，1自由度当り $1/2 \cdot kT$ のエネルギーを持つ．半導体中の電子は，三次元空間を運動しているため自由度は3である．したがって電子の運動のエネルギーは，

$$\frac{1}{2}m_n v_{th}^2 = \frac{3}{2}kT \tag{1}$$

となる．ただし m_n は電子の有効質量 v_{th} は熱速度の平均値である．室温（300 K）におけるSi, GaAs の電子の熱速度は，約 10^7 cm/s である．

半導体中の電子は，あらゆる方向に高速度で動いている．個々の電子の熱運動は図1(a) に示すように，格子原子，不純物原子あるいは他の散乱体との衝突，散乱の繰返しと考えられる．十分長い時間にわたって平均すると，電子の不規則運動による移動量はゼロである．衝突から衝突までに移動する距離は**平均自由行程**と呼ばれ，この間の時間は**平均緩和時間** τ_c と呼ばれる．平均自由行程は 10^{-5} cm ぐらいであり，τ_c は 1 ps 程度である（$10^{-5}/v_{th}=10^{-12}$ s）．

半導体に弱い電界 $\mathcal{E}$ が印加されると，電子は $-q\mathcal{E}$ の力を受け，衝突から衝突までの間，電界と反対方向に加速される．したがって，この速度成分が熱運動に重畳される．この電界による速度成分を**ドリフト速度**と呼ぶ．熱による不規則運動とドリフトによる合成運動を図1(b) に示す．この場合，正味の電子の移動は電界と反対方向である．

ドリフト速度 v_n は，緩和時間の間に電子に与えられた力積（力×時間）をその時間内に電子が得た運動量と等しく置くことによって得られる．このことは，定常状態では，衝突によってその直前まで電子が持っていた運動量がすべて格子原子に与えられゼロになると考えられるからである．電子に与えられる運動量は $-q\mathcal{E}\tau_c$ であり，電子が得た運動量は $m_n v_n$ である．したがって

$$-q\mathcal{E}\tau_c = m_n v_n \tag{2}$$

または

$$v_n = -(q\tau_c/m_n)\mathcal{E} \tag{2a}$$

となる．式(2a)は，電子のドリフト速度は加えられた電界に比例することを示す．比例定数は平均緩和時間と有効質量の関数である．この比例定数は，cm^2/V·s の単位で表され**電子移動度** μ_n と呼ばれる．すなわち

$$\mu_n \equiv \frac{q\tau_c}{m_n} \tag{3}$$

である．したがって

$$\boxed{v_n = -\mu_n \mathcal{E}} \tag{4}$$

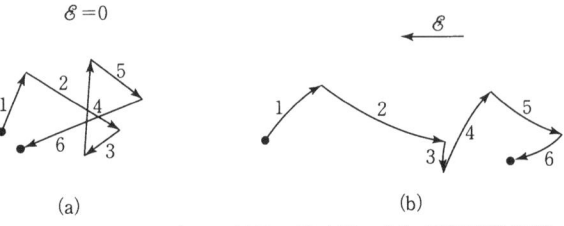

図1 半導体中の電子の行程の模式図．(a) 不規則熱運動，(b) 熱運動と電界による運動の合成

となる．

　キャリアの移動では，移動度は重要なパラメータである．なぜならば，移動度から電子の運動が外部電界によりどのように影響されるかが解るからである．同様に価電子帯の正孔についても

$$\boxed{v_p = \mu_p \mathcal{E},} \tag{5}$$

と書ける．v_p は正孔のドリフト速度，μ_p は正孔の移動度である．式(5)で − が消えているのは，正孔は電界方向にドリフトするためである．

　式(3)に示すように，移動度に直接影響する平均緩和時間は，各種の散乱機構によって決まる．重要な機構として，格子散乱と不純物散乱がある．格子散乱は，絶対零度以上で存在する格子原子の熱振動が原因である．格子振動によって格子による周期ポテンシャルが乱され，キャリアと格子の間でエネルギーのやりとりが行われる．格子振動は温度とともに大きくなるので，格子散乱は温度が上がると顕著になり，移動度が減少する．理論的には[1]，格子振動による移動度 μ_L は $T^{-3/2}$ で減少するとされている．

　不純物散乱は，キャリアがイオン化した不純物（ドナーまたはアクセプタ）の側を通り抜けるときのクーロン力によって起きる．不純物散乱が起きる確率はイオン化不純物の総量，すなわち正イオンと負イオンの和に依存する．これは格子散乱と異なり温度が高いと影響が小さくなる．高温では，キャリアは速く動き，不純物の側を通り抜ける時間が短くなりそれだけ散乱されにくくなる．不純物散乱による移動度 μ_I は，理論的には $T^{3/2}/N_T$ に比例するとされている．ここで N_T は全不純物濃度である[2]．

　単位時間中に起きる衝突回数 $1/\tau_c$ は，異なる散乱機構による衝突回数の和で表され，

$$\frac{1}{\tau_c} = \frac{1}{\tau_{c,L}} + \frac{1}{\tau_{c,I}}, \tag{6}$$

または

$$\frac{1}{\mu} = \frac{1}{\mu_L} + \frac{1}{\mu_I} \tag{6a}$$

となる．

　図2は，Si の電子移動度の測定値を5種類のドナー濃度について，温度に対して示したものである[3]．挿入図は，格子および不純物散乱による移動度の理論的な温度変化を示したものである．不純物濃度が低い場合（〜10^{14} cm^{-3}）は格子散乱が支配的であり，移動度は温度上昇に伴って低下する．高い不純物濃度の試料（〜10^{19} cm^{-3}）では，不純物散乱は低温で顕著になり，移動度は温度上昇とともに増加する．一定の温度では，不純物散乱のため不純物濃度が増加すると移動度は減少する．

　図3は室温における Si と GaAs の移動度を不純物濃度に対してプロットしたものである[3]．移動度は低不純物濃度で最大値に近づく．この値は格子振動のみを考えた極限値である．電子，正孔とも不純物の増加によって移動度は下がり，最小値に接近する．また電子移動度は正孔移動度より大きく，これは主として電子の有効質量が小さいことによる．

例題1 移動度が 1000 cm^2/V·s の場合 300 K における平均緩和時間を求めよ．また，平均自由行程はいくらか．$m_n = 0.26 m_0$ とせよ．

解答 式(3)から，平均緩和時間は

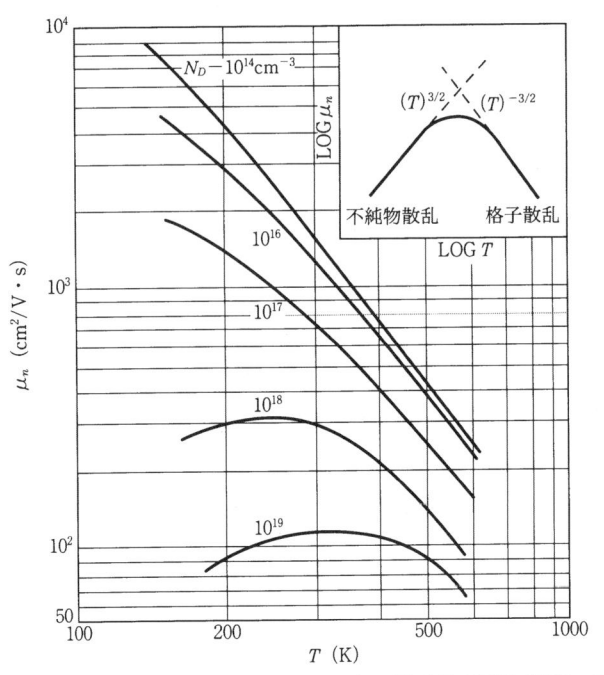

図2 各種ドナー濃度における Si 中の電子移動度と温度の関係．挿入図は，理論的な電子移動度の温度依存性[3]．

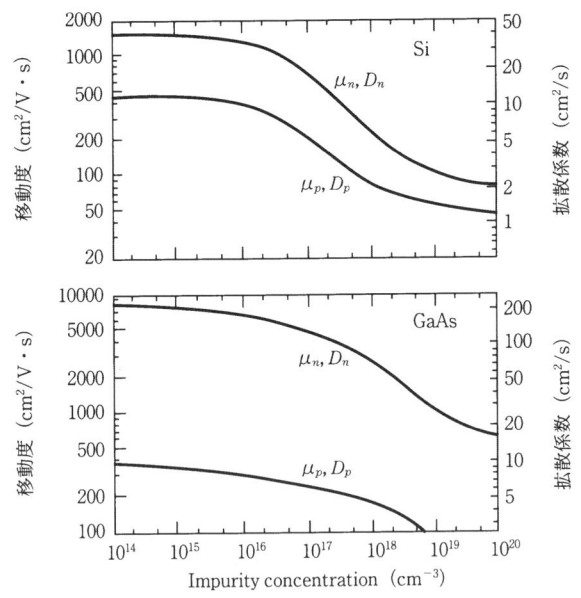

図3 Si および GaAs におけるキャリアの移動度と拡散係数の不純物濃度依存性（300 K）．[3]

$$\tau_c = \frac{m_n \mu_n}{q} = \frac{(0.26 \times 0.91 \times 10^{-30}\,\text{kg}) \times (1000 \times 10^{-4}\,\text{m}^2/\text{V·s})}{1.6 \times 10^{-19}\,\text{C}}$$

$$= 1.48 \times 10^{-13}\,\text{s} = 0.148\,\text{ps}.$$

平均自由行程は

$$l = v_{th}\tau_c = (10^7\,\text{cm/s})(1.48 \times 10^{-13}\,\text{s}) = 1.48 \times 10^{-6}\,\text{cm} = 14.8\,\text{nm}$$

3.1.2 比抵抗

次に均一な半導体中における電気伝導を考える．図4(a) と (b) は，それぞれ，n形半導体の熱平衡状態および電圧印加状態におけるバンド図である．両電極ともオーミック，すなわち電極における電圧降下は無視できるものとする．オーミック電極については第7章で述べる．前述したように，電界 $\mathcal{E}$ があると電子は $-q\mathcal{E}$ という力を受ける．これは負のポテンシャル勾配に等しい．すなわち

$$-q\mathcal{E} = -(\text{電子のポテンシャルエネルギーの勾配}) = -\frac{dE_c}{dx} \tag{7}$$

となる．第2章で示したように，伝導帯の底 E_c が電子のポテンシャルエネルギーに対応する．ポテンシャル勾配を考える場合，E_c に平行ならバンドのどの部分を考えてもよい（図4(b) における E_F, E_i, E_V）．第4章で p–n 接合を考える時は，真性フェルミ準位 E_i を使うので，ここでも E_i を使う．(7)式から，

$$\mathcal{E} = \frac{1}{q}\frac{dE_c}{dx} = \frac{1}{q}\frac{dE_i}{dx}. \tag{8}$$

ここで**静電ポテンシャル Ψ** を定義する．その勾配に負号をつけたものが電界である．すなわち

$$\mathcal{E} \equiv -\frac{d\Psi}{dx}. \tag{9}$$

式(8) と (9) から

$$\Psi = -\frac{E_i}{q} \tag{10}$$

となり，これは静電ポテンシャルと電子のポテンシャルエネルギーの関係を与える．図4(b) のような均一な半導体では，E_i は距離に比例して低下し，電界の向きは x の負の方向で，一定の値をとる．その大きさは，印加電圧を試料の長さで割ったものである．

伝導電子は，図4(b) に示すように右に動く．運動のエネルギーは，バンド端（電子の場合は E_c）からの隔たりに対応する．衝突すると運動エネルギーを格子に与え熱平衡状態に近づく．運動エネルギーを失った後再び右に動き，幾度も同じ過程を繰り返す．正孔による伝導も同じであるが運動方向は逆である．

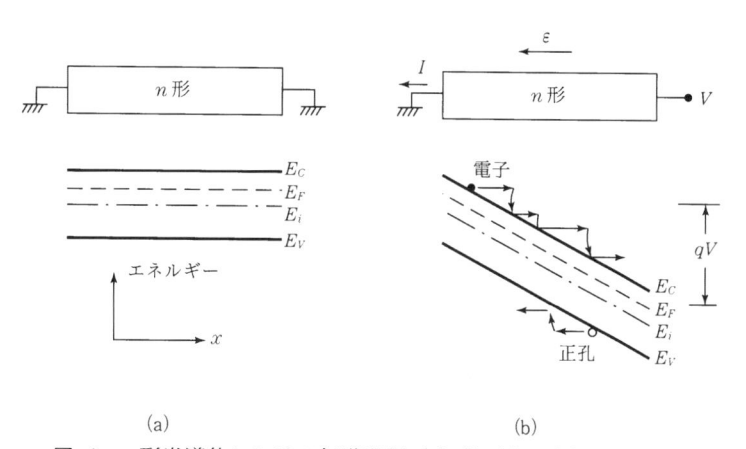

図 4 n 形半導体における伝導過程 (a) 熱平衡, (b) 電圧印加

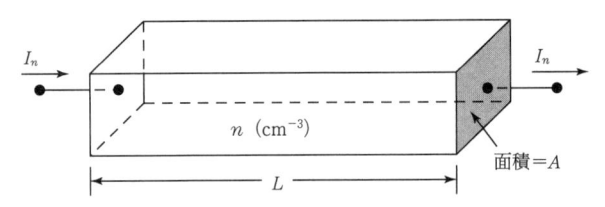

図5 一様にドープされた長さL，断面積Aの棒状半導体における電気伝導．

外部から印加された電界によるキャリアの移動は**ドリフト電流**と呼ばれる電流となる．図5に示すような，断面積A，長さL，キャリア密度n/cm³の半導体を考える．電界$\mathscr{E}$を与えて電流を流した場合，電流密度J_n，は，電子の電荷$-q$と速度の積を単位体積中の全電子について加え合わせると求められる．すなわち，

$$J_n = \frac{I_n}{A} = \sum_{i=1}^{n}(-qv_i) = -qnv_n = qn\mu_n\mathscr{E} \tag{11}$$

となる．ただしI_nは電子電流である．ここで，v_nと$\mathscr{E}$の関係については，式(4)を用いた．

同じことが正孔についてもいえる．正孔の電荷は正であるから

$$J_p = qpv_p = qp\mu_p\mathscr{E} \tag{12}$$

となる．全電流は電子電流，正孔電流の和であるから

$$J = J_n + J_p = (qn\mu_n + qp\mu_p)\mathscr{E} \tag{13}$$

となる．式(13)の括弧の中は**導電率**（伝導度），

$$\sigma = q(n\mu_n + p\mu_p) \tag{14}$$

であり，電子と正孔の単純加算である．

比抵抗は，σの逆数で，

$$\boxed{\rho \equiv \frac{1}{\sigma} = \frac{1}{q(n\mu_n + p\mu_p)}} \tag{15}$$

となる．一般に外因性半導体では，2種のキャリア密度の差は桁違いであるため，式(13)，(14)ではいずれか一方の成分のみを考えればよい．したがって式(15)は，n形に対しては（$n \gg p$なので）

$$\rho = \frac{1}{qn\mu_n} \tag{15 a}$$

p形に対しては（$p \gg n$なので）

$$\rho = \frac{1}{qp\mu_p} \tag{15 b}$$

となる．

比抵抗の測定は通常図6に示すように4探針法で行われる．探針は等間隔に置かれ，外側の2探針に定電流源から微少電流を流し，内側の2探針間の電圧を測定する．薄い半導体試料において，直径dに比べ厚さWがずっと小さければ，比抵抗は

$$\rho = \frac{V}{I} \cdot W \cdot CF \quad \Omega\cdot\text{cm} \tag{16}$$

で与えられる．CFはよく知られている補正係数である．補正係数は，sを探針間距離とするとd/sに依存し，$d/s > 20$では，この値は4.54に近づく．

図7に，実験で求めたSiおよびGaAsの室温における比抵抗と不純物濃度の関係を示す．室

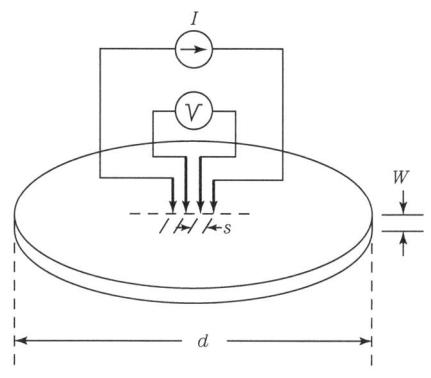

図 6　4探針法による比抵抗測定.[3]

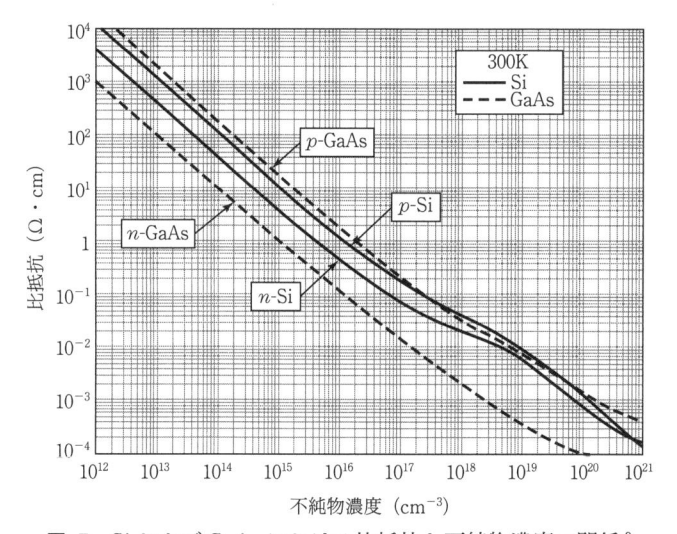

図 7　Si および GaAs における比抵抗と不純物濃度の関係[3]

温で低い不純物濃度の場合，浅い準位のドナー（Si では P や As）やアクセプタ（Si では B）は，すべてイオン化している．したがってキャリア密度は不純物濃度に等しい．この曲線から，比抵抗がわかっていれば，キャリア密度が，また，キャア密度がわかっていれば比抵抗がわかる．

例題 2　P を $10^{16}\,\mathrm{cm^{-3}}$ ドープした n 形 Si の室温における比抵抗を求めよ．

解答　すべてのドナーがイオン化しているとすると

$$n \cong N_D = 10^{16}\,\mathrm{cm^{-3}}.$$

図 7 より比抵抗は $\rho \cong 0.5\,\Omega\cdot\mathrm{cm}$ と求められる．また，式 (15 a) より

$$\rho = \frac{1}{qn\mu_n} = \frac{1}{1.6\times 10^{-19}\times 10^{16}\times 1300} = 0.48\,\Omega\cdot\mathrm{cm}$$

となる．移動度 μ_n は図 3 より求めた．

3.1.3　ホール効果

半導体中のキャリア密度は，一般的には不純物濃度とは異なる．なぜなら，イオン化した不純物濃度は温度および不純物準位に依存するからである．キャリア密度は通常ホール効果を利用し

て測定する．また，ホール測定によってキャリアの種類も知ることができるため，キャリアとしての正孔の存在を実験的に確認できる．図8にホール効果測定の概略を示す．電界はx軸方向に，磁界はz軸方向に印加されている．いまp形半導体を考える．磁界による上向きのローレンツ力$q\bm{v}\times\bm{B}(=qv_xB_z)$が$x$方向に流れている正孔に作用する．上向きの正孔の流れによって試料上端に正孔の蓄積が起こり，それが下向きの電界$\mathcal{E}_y$を作る．定常状態ではy方向には実効的な正孔の流れはないので，y方向の電界による力とローレンツ力は均衡している．

すなわち
$$q\mathcal{E}_y = qv_xB_z \tag{17}$$
となり，
$$\mathcal{E}_y = v_xB_z \tag{18}$$
となる．$\mathcal{E}_y$がv_xB_zと等しくなると，y方向に働く力はなくなり，正孔はx方向にドリフトする．

この電界の発生が**ホール効果**である．式(18)は**ホール電界**，端子間電圧$V_H=\mathcal{E}_yW$（図8）は**ホール電圧**と呼ばれている．式(12)のドリフト速度を使うと，ホール電界は，
$$\mathcal{E}_y = \left(\frac{J_p}{qp}\right)B_z = R_HJ_pB_z \tag{19}$$
となる．ここに
$$R_H \equiv \frac{1}{qp} \tag{20}$$
である．

ホール電界$\mathcal{E}_y$は，電流密度と磁界の積に比例し，比例係数R_Hは**ホール係数**と呼ばれる．同様の結果がn形半導体でも得られる．ただしこの場合，ホール係数は負となる．
$$R_H = -\frac{1}{qn}. \tag{21}$$
ある電流および磁界におけるホール電圧の測定によりキャリア密度が得られる．
$$p = \frac{1}{qR_H} = \frac{J_pB_z}{q\mathcal{E}_y} = \frac{(I/A)B_z}{q(V_H/W)} = \frac{IB_zW}{qV_HA}. \tag{22}$$
式(22)の右辺はすべて測定できる値である．このようにしてキャリアの密度と種類がホール測定から直接求められる．

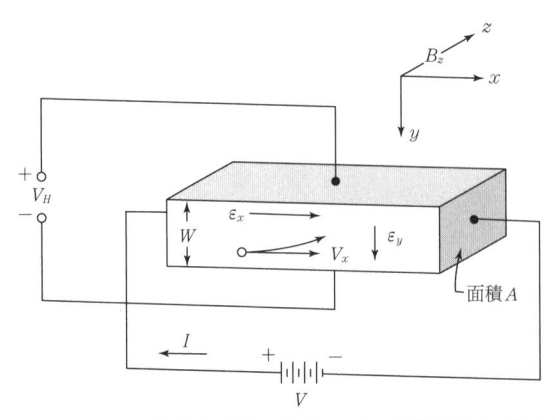

図 8 ホール効果を利用したキャリア密度測定の基本回路

例題 3 P を $10^{16}\,\mathrm{cm}^{-3}$ ドープした Si がある．$W = 500\,\mu\mathrm{m}$，$A = 2.5 \times 10^{-3}\,\mathrm{cm}^2$，$I = 1\,\mathrm{mA}$，$B_z = 10^{-4}\,\mathrm{Wb/cm}^2$ の場合ホール電圧はいくらか．

解答 ホール係数は

$$R_H = -\frac{1}{qn} = -\frac{1}{1.6 \times 10^{-19} \times 10^{16}} = -625\,\mathrm{cm}^3/\mathrm{C}.$$

ホール電圧は

$$V_H = \mathcal{E}_y W = \left(R_H \frac{I}{A} B_z\right) W$$

$$= \left(-625 \cdot \frac{10^{-3}}{2.5 \times 10^{-3}} \cdot 10^{-4}\right) 500 \times 10^{-4}$$

$$= -1.25\,\mathrm{mV}.$$

3.2 キャリアの拡散

3.2.1 拡散過程

前節では電界が加えられたときのキャリアの移動，すなわちドリフト電流について考えた．もう一つの重要な電流成分は，半導体中のキャリア密度に勾配があるときに現れる．すなわち密度の高い所から低い所に流れる**拡散電流**である．

この過程を理解するために，図 9 に示すような電子密度分布を考える．温度は一様，すなわち電子の熱エネルギーは x に依存せず密度 $n(x)$ のみが x によって変化するものとする．$x = 0$ において単位時間当り単位面積を通過する電子数を考える．電子は有限の温度を持っているので，熱速度 v_{th} と，平均自由行程 l で熱運動している．（平均緩和時間を τ_c とすると $l = v_{th}\tau_c$）$x = -l$ に存在している電子が右に動く確率と左に動く確率は等しい．したがって τ_c 後にはその半数が $x = 0$ を横切ることになる．左側からこの面を横切る電子の単位時間，単位面積当りの数 F_1 は

$$F_1 = \frac{\frac{1}{2} n(-l) \cdot l}{\tau_c} = \frac{1}{2} n(-l) \cdot v_{th} \tag{23}$$

となり，同様に $x = l$ にある電子が右側から $x = 0$ の面を横切る数 F_2 は，

$$F_2 = \frac{1}{2} n(l) \cdot v_{th} \tag{24}$$

となる．したがって，左から右に流れる実効的なキャリアの流れは次式で表される．

$$F = F_1 - F_2 = \frac{1}{2} v_{th} [n(-l) - n(l)]. \tag{25}$$

$x = \pm l$ における密度を，テーラー展開して第 2 項までをとると，

$$F = \frac{1}{2} v_{th} \left\{ \left[n(0) - l\frac{dn}{dx}\right] - \left[n(0) + l\frac{dn}{dx}\right] \right\}$$

$$= -v_{th} l \frac{dn}{dx} \equiv -D_n \frac{dn}{dx} \tag{26}$$

が得られる．$D_n \equiv v_{th} l$ は**拡散係数**と呼ばれる．1 個の電子は電荷 $-q$ を運ぶのでこの流れは電流となり，次式で表される．

$$J_n = -qF = qD_n \frac{dn}{dx}. \tag{27}$$

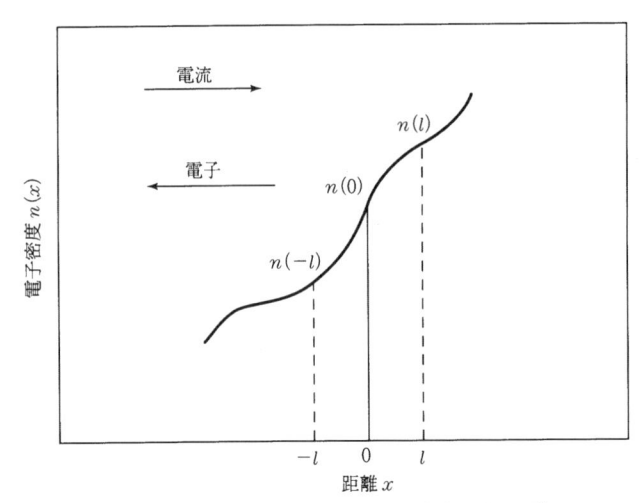

図 9 電子密度の距離依存性. l は平均自由行程. 電子および電流の方向を矢印で示す.

拡散電流は電子密度の空間微分に比例する. それは, 密度勾配のある中で, キャリアの熱運動によって引き起こされるからである. x 方向に電子密度が増加してゆく場合は, 勾配は正であり, 電子は $-x$ 方向に拡散する. 図9に示すように電流は正であり, 電子流と逆方向である.

例題 4 $T=300\,\mathrm{K}$ における n 形半導体において, 電子密度が $0.1\,\mathrm{cm}$ の間で 1×10^{18} から $7\times10^{17}\,\mathrm{cm}^{-3}$ へと直線的に変化している場合, 拡散電流を計算せよ. ただし拡散係数 $D_n=22.5\,\mathrm{cm^2/s}$ とする.

解答 拡散電流密度は次のようになる.

$$J_{n,\mathrm{diff}} = qD_n\frac{dn}{dx} \approx qD_n\frac{\Delta n}{\Delta x}$$

$$= (1.6\times10^{-19})(22.5)\left(\frac{1\times10^{18}-7\times10^{17}}{0.1}\right) = 10.8\,\mathrm{A/cm^2}.$$

3.2.2 アインシュタインの関係式

式(27)は, エネルギー等配則を用いて, より有用な形に書き換えられる. 運動が一次元の場合,

$$\frac{1}{2}m_n v_{th}^2 = \frac{1}{2}kT \tag{28}$$

となる. 式(3), (26), (28) と $l=v_{th}\tau_c$ を使うと

$$D_n = v_{th}l = v_{th}(v_{th}\tau_c) = v_{th}^2\left(\frac{\mu_n m_n}{q}\right) = \left(\frac{kT}{m_n}\right)\left(\frac{\mu_n m_n}{q}\right) \tag{29}$$

が得られる. したがって,

$$\boxed{D_n = \left(\frac{kT}{q}\right)\mu_n} \tag{30}$$

となる. 式(30)はアインシュタインの関係式として知られている. この式は, 半導体中のキャリアのドリフトと拡散を特徴づける重要な定数である移動度と拡散係数の関係を示す. この関係

式は D_p と μ_p にも適用できる．Si および GaAs における拡散係数を図3に示す．

例題5 少数キャリア（正孔）が，均一な n 形半導体の一点に注入されている．試料に $50\,\mathrm{V/cm}$ の電界をかけ，この電界によって少数キャリアが $100\,\mu\mathrm{s}$ の間に $1\,\mathrm{cm}$ 移動したとすると，この少数キャリアのドリフト速度と拡散係数はいくらか．

解答

$$v_p = \frac{1\,\mathrm{cm}}{100 \times 10^{-6}\,\mathrm{s}} = 10^4\,\mathrm{cm/s}$$

$$\mu_p = \frac{v_p}{\mathcal{E}} = \frac{10^4}{50} = 200\,\mathrm{cm^2/V \cdot s}$$

$$D_p = \frac{kT}{q}\mu_p = 0.0259 \times 200 = 5.18\,\mathrm{cm^2/s}.$$

3.2.3 電流密度の式

キャリアの密度勾配に加えて電界が存在すれば，拡散電流とドリフト電流が流れる．したがって任意の点における全電子電流は次式で表される．

$$\boxed{J_n = q\mu_n n \mathcal{E} + qD_n \frac{dn}{dx}}, \tag{31}$$

ただし $\mathcal{E}$ は x 方向の電界である．

正孔電流についても

$$\boxed{J_p = q\mu_p p \mathcal{E} - qD_p \frac{dp}{dx}} \tag{32}$$

と書ける．式(32)の負号は，正の密度勾配に対し正孔は負方向に流れるためである．全電流は式(31)，(32) の和であり

$$\boxed{J_{cond} = J_n + J_p} \tag{33}$$

となる．式(31)，(32)，(33) は電流密度式を構成しており，低電界におけるデバイス動作を解析するときに使う重要な式である．高電界では，$\mu_n\mathcal{E}$，$\mu_p\mathcal{E}$ の代りに 3.7 節で述べる飽和速度を使わねばならない．

3.3 キャリアの生成と再結合過程

熱平衡では $pn = n_i^2$ が成り立つ．過剰キャリアが半導体中に生じると $pn > n_i^2$ となり，熱平衡がやぶれる．この過程を**キャリア注入**という．多くの半導体デバイスは，熱平衡値を超えてキャリアを生成し動作させる．キャリア注入の方法は光励起や p-n 接合の順方向バイアスがある（第4章参照）．

熱平衡状態からずれると（$pn \neq n_i^2$），必ず平衡状態（$pn = n_i^2$）に戻る過程が生じる．過剰キャリアを注入した場合は，注入された少数キャリアと多数キャリアの再結合によって熱平衡状態に戻ろうとする．このとき，光が放射されたり熱が発生したりするが，それは再結合過程の機構で決まる．光が放射される場合を輻射再結合，そうでない場合を非輻射再結合という．

再結合現象は，直接過程と間接過程に分けられる．直接再結合は，バンド間再結合とも呼ば

れ，GaAsのような直接遷移型半導体で起こる．間接再結合は，バンドギャップ中の再結合中心を介する過程で，Siのような間接遷移型半導体で起こる．

3.3.1 直接再結合

熱平衡状態にある直接遷移型半導体を考える．熱振動により隣接原子間の結合が切れることがある．このとき電子–正孔対が生じる．バンド図でいえば，熱エネルギーによって価電子が1個伝導帯に励起され，価電子帯には正孔が残ることに対応する．この過程はキャリア生成と呼ばれ，図10(a)に示すように生成割合 G_{th}（1秒間で1 cm³内に生成される電子–正孔対の数）で表される．電子が伝導帯から価電子帯に遷移すると，電子–正孔対は消滅する．この過程は，再結合と呼ばれ，図10(b)に示すように再結合割合 R_{th} で表される．熱平衡下では，G_{th} と R_{th} は等しく，キャリア密度は一定で $pn = n_i^2$ が成り立っている．

直接遷移型半導体では，伝導帯の下端と価電子帯の上端が，運動量空間では同一運動量の点にあり伝導帯–価電子帯の遷移では運動量変化を必要としない．したがって，この場合過剰キャリアが注入されると電子–正孔の直接再結合はすみやかに起こる．直接再結合の割合 R は，伝導帯中の電子数と価電子帯中の正孔密度に比例し，β を比例定数とすれば，

$$R = \beta n p, \tag{34}$$

と表される．前述したように，熱平衡状態では，再結合の割合は生成の割合と釣り合っていなければならない．したがって，n 形半導体では，

$$G_{th} = R_{th} = \beta n_{no} p_{no}. \tag{35}$$

となる．このキャリア密度の表記においては，下付き文字の最初が半導体の形を示し，次の o は熱平衡値であることを示す．したがって，n_{no} および p_{no} は，それぞれ，熱平衡状態の n 形半導体における電子と正孔の密度を表す．図10(b)に示すように，G_L の割合で電子–正孔対が生成されるように光を照射した場合，キャリア密度は熱平衡時の値より多くなる．再結合と生成の割合は

$$R = \beta n_n p_n = \beta (n_{no} + \Delta n)(p_{no} + \Delta p), \tag{36}$$

$$G = G_L + G_{th}, \tag{37}$$

となる．Δn と Δp は過剰キャリア密度で

$$\Delta n = n_n - n_{no} \tag{38 a}$$

$$\Delta p = p_n - p_{no}, \tag{38 b}$$

で表される．また中性条件より $\Delta n = \Delta p$ である．

正孔密度の時間変化は，

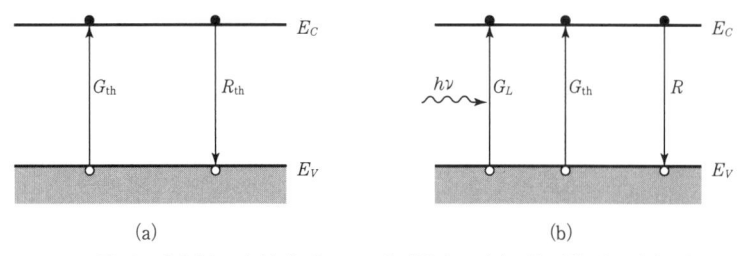

図10 電子–正孔対の直接生成および再結合．(a) 熱平衡時，(b) 光照射時．

$$\frac{dp_n}{dt} = G - R = G_L + G_{th} - R \tag{39}$$

で表される．定常状態では $dp_n/dt=0$ であるから，式(39) より

$$G_L = R - G_{th} \equiv U \tag{40}$$

が得られる．ここに U は実効再結合割合である．式(35), (36) を式(40) に代入すると

$$U = \beta(n_{no} + p_{no} + \Delta p)\Delta p \tag{41}$$

が得られる．低注入 ($\Delta p, p_{no} \ll n_{no}$) では，式(41) は

$$U \cong \beta n_{no} \Delta p = \frac{p_n - p_{no}}{\dfrac{1}{\beta n_{no}}} \tag{42}$$

と簡単になる．したがって，実効再結合割合は，過剰少数キャリア密度に比例する．熱平衡状態では明らかに $U=0$ である．比例係数 $1/\beta n_{no}$ は**過剰少数キャリアの寿命** τ_p と呼ばれる．すなわち，

$$\boxed{U \equiv \frac{p_n - p_{no}}{\tau_p},} \tag{43}$$

ここで

$$\tau_p \equiv \frac{1}{\beta n_{no}} \tag{44}$$

である．

寿命は物理的には，照射している光源を突然切ったときのデバイス応答時間のことである．図11(a) に示すように，n 形半導体に，光照射によって一様に G_L の割合で電子-正孔対を作る場

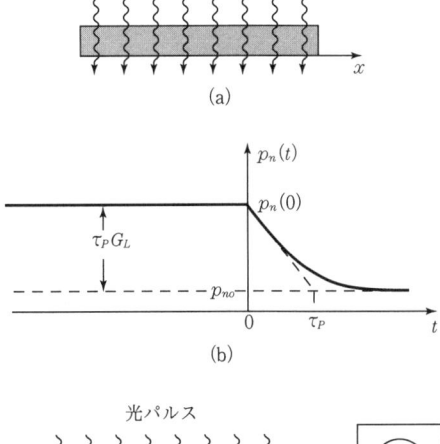

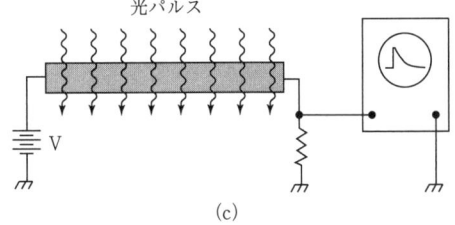

図 11 光励起キャリアの減衰．(a) 定常的光照射下のn形試料，(b) 少数キャリア（正孔）の減衰，(c) 少数キャリア寿命測定回路

合を考える．時間変化は式(39)で与えられる．定常状態では式(40),(43)から

$$G_L = U = \frac{p_n - p_{no}}{\tau_p} \tag{45}$$

または

$$p_n = p_{no} + \tau_p G_L \tag{45 a}$$

が得られる．$t=0$ で光を切ったとき，境界条件としては，式(45 a)から $p_n(t=0) = p_{no} + \tau_p G_L$ および $p_n(t \to \infty) = p_{no}$ である．式(39)から

$$\frac{dp_n}{dt} = G_{th} - R = -U = -\frac{p_n - p_{po}}{\tau_p} \tag{46}$$

となり，解は

$$p_n(t) = p_{no} + \tau_p G_L \exp(-t/\tau_p) \tag{47}$$

となる．図11(b)は p_n の時間変化を示す．少数キャリアは多数キャリアと再結合し，時定数 τ_p で指数関数的に減衰する．この時定数は式(44)の寿命に対応する．

いままで述べたことは，光電導法によってキャリア寿命の測定ができることを示している．図11(c)は測定法の模式図である．光パルスによって一様に生成したキャリアは一時的に導電率を増加する．導電率の増加は，負荷抵抗両端の電位差の上昇から知ることができる．オッシロスコープ上で観測できる導電率の減衰が過剰少数キャリアの寿命に対応している．

例題6 $n_{no} = 10^{14}$ cm^{-3} の Si を光照射し，毎秒 10^{13}/cm^3 個の電子-正孔対が発生している．$\tau_n = \tau_p = 2$ μs とすると，少数キャリアの変化はいくらになるか．

解答 光照射前

$$p_{no} = n_i^2 / n_{no} = (9.65 \times 10^9)^2 / 10^{14} \approx 9.31 \times 10^5 \text{ cm}^{-3}.$$

光照射後

$$p_n = p_{no} + \tau_p G_L = 9.31 \times 10^5 + 2 \times 10^{-6} \times 10^{13} \approx 2 \times 10^7 \text{ cm}^{-3}.$$

3.3.2 間接再結合

Si のような間接遷移型半導体では，直接再結合はほとんど起こらない．なぜなら伝導帯の下端の電子は価電子帯上端の正孔と異なり運動量がゼロでないためである（第2章参照）．すなわち，エネルギーと運動量を保存した遷移は，格子との相互作用がなければ不可能である．したがって，そのような半導体では，バンドギャップ中の局在したエネルギー準位を仲介とした間接遷移が主要な再結合過程となる．この局在エネルギー準位は伝導帯と価電子帯間の中継点の働きをする．[4]

図12は中間準位（再結合中心とも呼ばれる）を介して起こるいくつかの遷移を示す．4種類の基本的な遷移の前後の荷電状態が示されている．図中の矢印は電子の遷移を示す．図は，単一のエネルギー準位で，電子が捕えられていなければ中性，捕えられていれば負に帯電する再結合中心の場合を示している．間接遷移における再結合割合は複雑である．この割合を示す式の導出は，付録Iに示されており，次式で与えられる．[4]

$$U = \frac{v_{th} \sigma_n \sigma_p N_t (p_n n_n - n_i^2)}{\sigma_p [p_n + n_i e^{(E_i - E_t)/kT}] + \sigma_n [n_n + n_i e^{(E_t - E_i)/kT}]}, \tag{48}$$

第 3 章 キャリアの輸送現象

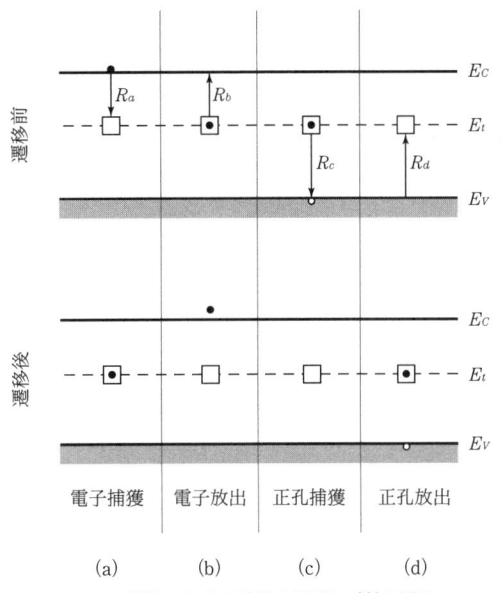

図 12 間接生成-再結合過程（熱平衡）．

ここで，v_{th} は，式(1)で与えられるキャリアの熱速度，N_t は，半導体中の再結合中心の密度，σ_n は，電子の捕獲断面積である．σ_n は，電子が再結合中心に捕獲される効率を示し，どこまで接近すれば捕獲されるかの目安を与える．σ_p は，正孔の捕獲断面積である．

U の E_t に対する依存性を示す式は，捕獲断面積を等しいとすると，$(\sigma_n = \sigma_p = \sigma_o)$ もっと簡単になり，式(48)は，

$$U = v_{th}\sigma_o N_t \frac{(p_n n_n - n_i^2)}{p_n + n_n + 2n_i \cosh\left(\frac{E_t - E_i}{kT}\right)} \tag{49}$$

となる．

低注入 n 形半導体では $n_n \gg p_n$ であるから，再結合割合は次式のようになる．

$$U \approx v_{th}\sigma_o N_t \frac{p_n - p_{no}}{1 + \left(\frac{2n_i}{n_{no}}\right)\cosh\left(\frac{E_t - E_i}{kT}\right)} = \frac{p_n - p_{no}}{\tau_p}. \tag{50}$$

間接再結合の再結合割合は式(43)と同じ形で書けるが，τ_p は再結合中心の位置に依存する．

3.3.3 表面再結合

図 13 は，Si 表面の結合手を模式的に示したものである[5]．表面では格子構造が不連続となり，ダングリングボンドのため多数の局在準位または生成-再結合中心が存在する．これらのエネルギー準位は**表面準位**と呼ばれ，これによって表面の再結合が大幅に増速される．表面再結合によるキャリア密度の変化は，結晶中の再結合中心の場合と類似している．表面において，単位面積当り，単位時間に再結合するキャリア数は式(48)と類似の形となる．低注入で，さらに表面電子密度が内部の多数キャリア密度に等しい場合，単位面積当り単位時間内に表面で再結合するキャリア数は簡単に，

$$U_s \cong v_{th}\sigma_p N_{st}(p_s - p_{no}) \tag{51}$$

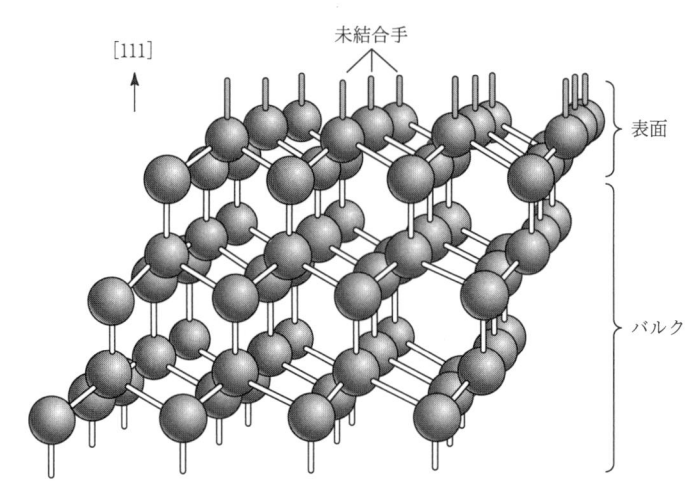

図 13 清浄な Si 表面の結合手の模式図．結合手は非対称であり，バルクの中とは異なっている．[5]

図 14 オージェ再結合

となる．ただし，p_s は表面における正孔密度，N_{st} は表面の再結合中心の面密度である．$v_{th}\sigma_p N_{st}$ は，cm/s の次元を持っているので，**低注入表面再結合速度（S_{lr}）** と呼ばれ，次式で表される．

$$S_{lr} \equiv v_{th}\sigma_p N_{st}. \tag{52}$$

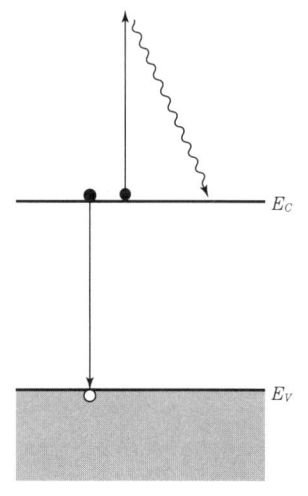

3.3.4 オージェ再結合

オージェ再結合過程は，電子-正孔対の再結合により放出されたエネルギーと運動量が第三の粒子（電子または正孔）に移されることにより起こる．図14に一例を示す．電子-正孔の直接再結合により放出されたエネルギーを伝導帯にいる2番目の電子が吸収する．オージェ過程の後，この電子は，そのエネルギーを格子との衝突により失う．通常，オージェ再結合は，高ドーピングまたは高注入によりキャリア密度が高い場合に起きやすい過程である．なぜなら，オージェ過程は3個の粒子を必要とするので発生頻度は次のように書ける．

第 3 章　キャリアの輸送現象

$$R_{Aug}=Bn^2p \quad \text{または} \quad Bnp^2. \tag{53}$$

比例係数 B は温度に強く依存する．

3.4　連続の式

前節では，キャリア輸送に関連する現象，すなわち電界によるドリフト，濃度勾配による拡散，再結合中心を介してのキャリアの再結合を個別に取り扱ってきた．ここでは半導体中でドリフト，拡散，再結合が同時に起こったときの全体としての効果を考えよう．これを記述する方程式は**連続の式**と呼ばれる．

電子に対する一次元の連続の式を導くために，図 15 に示すように点 x における微小部分 dx を考える．この微小部分における電子数の増加は，ここに入ってくる実効的電流と，ここで生じる実効的キャリア生成による．全体としての電子の増加割合は，次の 4 成分の和と差である．すなわち x において微小部分に流れ込む電子数，$x+dx$ において微小部分から流出する電子数，および微小部分における電子の生成割合と再結合割合である．

最初の 2 成分は，微小部分の両側における電流を電子の電荷で割れば得られる．生成および再結合割合を，それぞれ G_n, R_n と表すと微小部分における電子数の変化割合は，

$$\frac{\partial n}{\partial t}Adx=\left[\frac{J_n(x)A}{-q}-\frac{J_n(x+dx)A}{-q}\right]+(G_n-R_n)Adx, \tag{54}$$

となる．ただし A は断面積，Adx は微小部分の体積である．$x+dx$ における電流の式をテーラー展開すると，

$$J_n(x+dx)=J_n(x)+\frac{\partial J_n}{\partial x}dx+\cdots \tag{55}$$

となるから，電子に対する基本的な連続の式は近似的に，

$$\frac{\partial n}{\partial t}=\frac{1}{q}\frac{\partial J_n}{\partial x}+(G_n-R_n) \tag{56}$$

となる．同様な連続の式が正孔に対しても得られる．ただしこの場合は正孔が正電荷を持つため式(56) の右辺第 1 項の符合が変わる．

$$\frac{\partial p}{\partial t}=-\frac{1}{q}\frac{\partial J_p}{\partial x}+(G_p-R_p). \tag{57}$$

式(56), (57) において，電流に対しては式(31), (32)，また，再結合については式(43) を代入すると，少数キャリアに対する連続の式として（すなわち p 形半導体中での電子密度 n_p および n

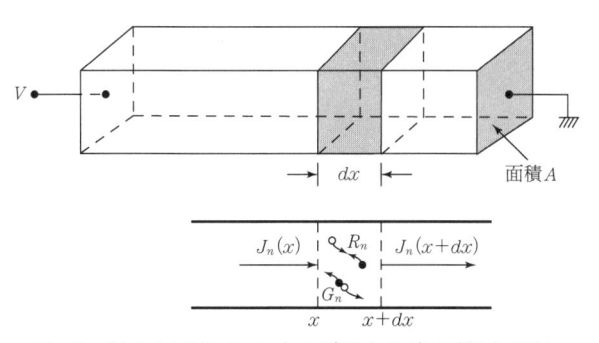

図 15　微小な厚さ dx の中の電流と生成-再結合過程．

形中での正孔密度 p_n に対して)

$$\frac{\partial n_p}{\partial t} = n_p \mu_n \frac{\partial \mathcal{E}}{\partial x} + \mu_n \mathcal{E} \frac{\partial n_p}{\partial x} + D_n \frac{\partial^2 n_p}{\partial x^2} + G_n - \frac{n_p - n_{po}}{\tau_n}, \tag{58}$$

$$\frac{\partial p_n}{\partial t} = -p_n \mu_p \frac{\partial \mathcal{E}}{\partial x} - \mu_p \mathcal{E} \frac{\partial p_n}{\partial x} + D_p \frac{\partial^2 p_n}{\partial x^2} + G_p - \frac{p_n - p_{no}}{\tau_p} \tag{59}$$

が得られる．ただし，この式は一次元，低注入の場合である．

この連続の式に加えて，半導体中ではポアソンの方程式

$$\frac{d\mathcal{E}}{dx} = \frac{\rho_s}{\varepsilon_s} \tag{60}$$

も満足されねばならない．ただし，ε_s は半導体の誘電率，ρ_s は空間電荷密度でキャリア密度とイオン化した不純物濃度の和，$q(p - n + N_D^+ - N_A^-)$ である．

式(58)，(59)，(60) を適当な境界条件の下で解けば，原理的には唯一解を有する．しかし，複雑な代数式となるため通常，近似によって式を簡略化して解く．次の三つの重要な例について連続の式を解いてみよう．

3.4.1 片側からの定常的キャリア注入

図16(a) は，n 形半導体の片側に光照射し過剰キャリアを注入している図である．光の侵入する深さは無視できるとする（すなわち $x>0$ では，電界およびキャリア生成はゼロ）．定常状態で表面近傍にキャリアの濃度勾配がある．式(59) より，少数キャリアに対する微分方程式は

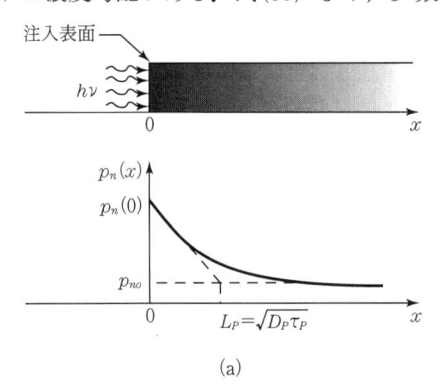

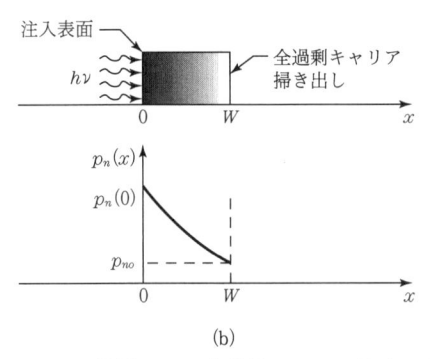

図 16 片側からの定常的キャリア注入．(a) 片側無限大の試料，(b) 長さ W の試料

第3章 キャリアの輸送現象

$$\frac{\partial p_n}{\partial t} = 0 = D_p \frac{\partial^2 p_n}{\partial x^2} - \frac{p_n - p_{no}}{\tau_p} \tag{61}$$

となる．境界条件を，$p_n(x=0) = p_n(0) =$ 定数，$p_n(x \to \infty) = p_{no}$ とすると，解 $p_n(x)$ は

$$p_n(x) = p_{no} + [p_n(0) - p_{no}] e^{-x/L_p} \tag{62}$$

となる．長さ L_p は $\sqrt{D_p \tau_p}$ に等しく，**拡散長**と呼ばれる．図 16(a) に少数キャリアの分布を示す．長さ L_p のところでキャリア密度が減衰して $1/e$ になることを示している．

図 16(b) に示すように，第 2 の境界条件として，$x = W$ で全過剰キャリアが掃き出されるとすると，$p_n(W) = p_{no}$ となり，式 (61) の解は

$$p_n(x) = p_{no} + [p_n(0) - p_{no}] \left[\frac{\sinh\left(\frac{W-x}{L_p}\right)}{\sinh(W/L_p)} \right] \tag{63}$$

となる．$x = W$ における電流密度は，拡散電流の式 (32) で $\mathscr{E} = 0$ とすると，

$$J_p = -qD_p \frac{\partial p_n}{\partial x}\bigg|_w = q[p_n(0) - p_{no}] \frac{D_p}{L_p} \frac{1}{\sinh(W/L_p)} \tag{64}$$

が得られる．

3.4.2 表面少数キャリア

一様に光照射し一様にキャリアが生成している半導体の一端だけで表面再結合が起こる場合を考える（図 17）．バルクから表面側に流れる正孔電流密度は qU_s となる．表面再結合によって表面のキャリア密度が低下し密度に勾配ができる．この正孔の密度勾配による拡散電流は，表面再結合電流と等しい．したがって，$x = 0$ における境界条件は，

$$qD_p \frac{dp_n}{dx}\bigg|_{x=0} = qU_s = qS_{lr}[p_n(0) - p_{no}] \tag{65}$$

となり，$x = \infty$ における境界条件は式 (45a) で与えられる．定常状態における微分方程式は，

$$\frac{\partial p_n}{\partial t} = 0 = D_p \frac{\partial^2 p_n}{\partial x^2} + G_L - \frac{p_n - p_{no}}{\tau_p} \tag{66}$$

となり，上記境界条件の下に解くと，

$$p_n(x) = p_{no} + \tau_p G_L \left(1 - \frac{\tau_p S_{lr} e^{-x/L_p}}{L_p + \tau_p S_{lr}}\right) \tag{67}$$

が得られる[6]．有限の S_{lr} についてこの式を図示したのが図 17 である．$S_{lr} \to 0$ のときは，既に

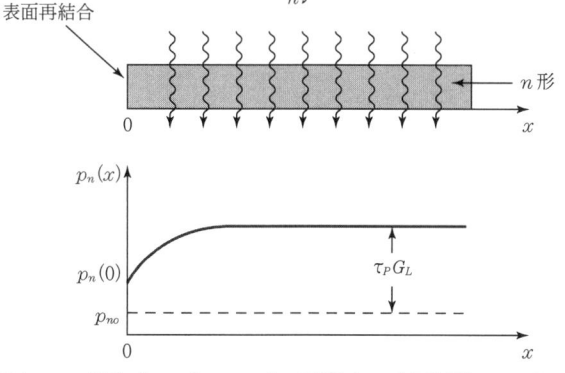

図 17 表面（$x=0$）における再結合．表面近傍における少数キャリア分布は表面再結合速度に影響される．[6]

述べたように（式(45 a)），$p_n(x) \to p_{no} + \tau_p G_L$ となり，$S_{lr} \to \infty$ のときは，
$$p_n(x) = p_{no} + \tau_p G_L(1 - e^{-x/L_p}) \tag{68}$$
となる．式(68)から，表面に近いほど少数キャリア密度は熱平衡時の値 p_{no} に近づくことが解る．

3.4.3 ヘインズ-ショックレイの実験

半導体物理の古典的な実験の一つに少数キャリアのドリフトと拡散を明らかにしたものがある．J. R. Haynes と W. Shockley が最初に行った実験で，基本構成を図18(a)に示す[7]．この実験では，少数キャリアの移動度 μ と拡散係数 D は独立に測定できる．n形の棒状半導体に外部電圧 V_1 によって x 方向に電界を発生させる．電極(1)によって過剰キャリアを注入する．過剰キャリアは半導体中をドリフトし，電極(2)によってその一部を収集する．パルス印加後の輸送方程式は，$G_p = 0$ および $\partial \mathcal{E}/\partial x = 0$（半導体試料中電界が一定）とすると，式(69)で与えられる．

$$\frac{\partial p_n}{\partial t} = -\mu_p \mathcal{E} \frac{\partial p_n}{\partial x} + D_p \frac{\partial^2 p_n}{\partial x^2} - \frac{p_n - p_{no}}{\tau_p}. \tag{69}$$

試料に電界がかかっていなければ，解は

$$p_n(x, t) = \frac{N}{\sqrt{4\pi D_p t}} \exp\left(-\frac{x^2}{4D_p t} - \frac{t}{\tau_p}\right) + p_{no} \tag{70}$$

となる．ただし N は，単位面積当りに生成した電子または正孔である．図18(b)はこの解，すなわちキャリアが注入された点から拡散，再結合してゆく様子を示す．

試料に電界がかかっている場合の解は，式(70)において，x の代りに $(x - \mu_p \mathcal{E} t)$ と置けばよい（図18(c)）．すべての過剰キャリアは，試料の負電極側にドリフト速度 $\mu_p \mathcal{E}$ で移動する．同時に，電界のない場合と同様に，外側に向かって拡散し再結合する．

例題7 ヘインズ-ショックレイの実験において，少数キャリアの最大値が，$t_1 = 100\ \mu s$ と $t_2 = 200\ \mu s$ で，5倍違っていたとする．このときの少数キャリアの寿命を求めよ．

解答 電界がかかっていると少数キャリアの分布は次式で与えられる．

$$\Delta p \equiv p_n - p_{no} = \frac{N}{\sqrt{4\pi D_p t}} \exp\left(-\frac{(x - \mu_p \mathcal{E} t)^2}{4 D_p t} - \frac{t}{\tau_p}\right).$$

最大値は

$$\Delta p = \frac{N}{\sqrt{4\pi D_p t}} \exp\left(-\frac{t}{\tau_p}\right).$$

したがって

$$\frac{\Delta p(t_1)}{\Delta p(t_2)} = \frac{\sqrt{t_2}}{\sqrt{t_1}} \frac{\exp(-t_1/\tau_p)}{\exp(-t_2/\tau_p)} = \sqrt{\frac{200}{100}} \exp\left(\frac{200 - 100}{\tau_p(\mu s)}\right) = 5$$

ゆえに，

$$\tau_p = \frac{200 - 100}{\ln(5/\sqrt{2})} = 79\ \mu s.$$

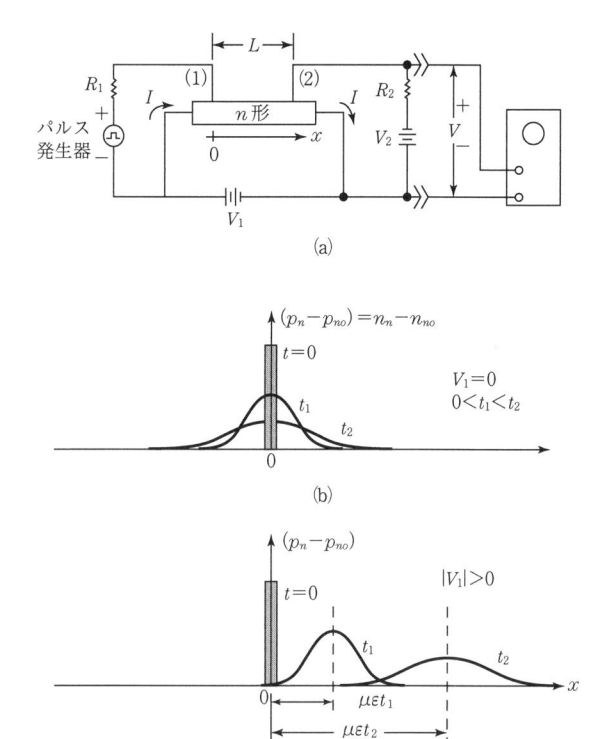

図 18 ヘインズ-ショックレイの実験．(a) 実験方法の模式図，(b) 電界のない場合のキャリア分布，(c) 電界印加時のキャリア分布．[7]

3.5 熱電子放射

前節では，半導体内部のキャリア輸送現象について考えた．半導体表面では，未結合手により生じた再結合中心の存在によりキャリアは再結合する．さらに，もしキャリアが十分なエネルギーを持っていれば熱電子として真空中に放出される．これを**熱電子放射**という．

図 19(a) は孤立した n 形半導体である．電子親和力 $q\chi$ は，伝導体の下端と真空準位のエネルギー差であり，仕事関数 $q\phi_s$ はフェルミ準位と真空準位の差である．図 19(a) で明らかなように，もし電子のエネルギーが $q\chi$ 以上であれば，熱電子放出が起きる．

$q\chi$ 以上のエネルギーを持った電子の密度は，伝導帯中の電子密度と類似の式となる（第 2 章式 (9) および (16)）．ただし，この場合積分の下限は E_c の代わりに $q\chi$ を使う．

$$n_{th} = \int_{q\chi}^{\infty} n(E)\,dE = N_C \exp\left[-\frac{q(\chi + V_n)}{kT}\right], \tag{71}$$

ここで，N_C は伝導帯の有効状態密度，V_n は伝導帯の下端とフェルミ準位のエネルギー差である．

例題 8 n 形の Si が室温にあるとき，熱電子放出された電子密度 n_{th} を求めよ．ただし，$q\chi = 4.05\,\mathrm{eV}$, $qV_n = 0.2\,\mathrm{eV}$ とせよ．もし，有効 $q\chi$ を 0.6 eV に減少すると n_{th} はどうなる

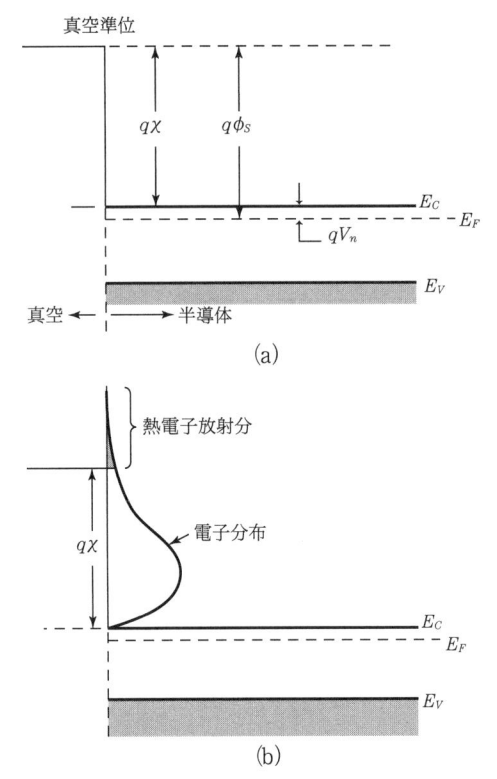

図 19 (a) 孤立した n 形半導体のバンド図.
(b) 熱電子放出過程.

解答

$$n_{th}(4.05\,\text{eV}) = 2.86 \times 10^{19} \exp\left(-\frac{4.05+0.2}{0.0259}\right) = 2.86 \times 10^{19} \exp(-164)$$

$$\cong 10^{-52} \approx 0$$

$$n_{th}(0.6\,\text{eV}) = 2.86 \times 10^{19} \exp\left(-\frac{0.8}{0.0259}\right) = 2.86 \times 10^{19} \exp(-30.9)$$

$$= 1 \times 10^6\,\text{cm}^{-3}.$$

上の例から，$q\chi = 4.05\,\text{eV}$ の場合，室温では真空中に電子は放出されない．しかしながら，電子親和力が，$0.6\,\text{eV}$ に下がるとかなりの量の電子が熱電子放出される．熱電子放出過程は第7章で述べる金属-半導体接触において特に重要である．

3.6 トンネル過程

図 20 に，近接して置かれた2個の半導体のエネルギーバンド図を示す．ポテンシャル障壁の高さ qV_0 は電子親和力 $q\chi$ に等しいとする．距離 d が十分短いと，電子のエネルギーが障壁の高さよりずっと小さくとも，電子は障壁を通り抜けて左側の半導体から右側の半導体に移動する．この過程は**量子トンネル現象**である．

図20(b)は，一次元のポテンシャル障壁である．まず，この障壁を透過する粒子（電子）の透過係数（トンネル係数）を求める．古典的には粒子のエネルギーが障壁の高さ qV_0 より低ければ必ず跳ね返される．量子の世界では，障壁を透過してトンネルする確率がゼロではない．

$qV(x)=0$ にいる粒子（伝導電子）の挙動は，シュレーディンガー方程式によって次のように表される．

$$-\frac{\hbar^2}{2m_n}\frac{d^2\Psi}{dx^2}=E\Psi \tag{72}$$

または

$$\frac{d^2\Psi}{dx^2}=-\frac{2m_nE}{\hbar^2}\Psi, \tag{73}$$

ここで m_n は有効質量，$\hbar$ は還元プランク定数，E は運動エネルギー，Ψ は粒子の波動関数である．解は次のようになる．

$$\Psi(x)=Ae^{jkx}+Be^{-jkx} \qquad x\leq 0, \tag{74}$$
$$\Psi(x)=Ce^{jkx} \qquad\qquad x\geq d, \tag{75}$$

ここで $k\equiv\sqrt{2m_nE/\hbar^2}$ である．$x\leq 0$ においては，粒子の入射波（振幅 A）および反射波（振幅

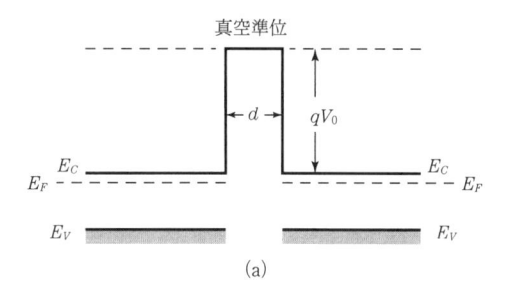

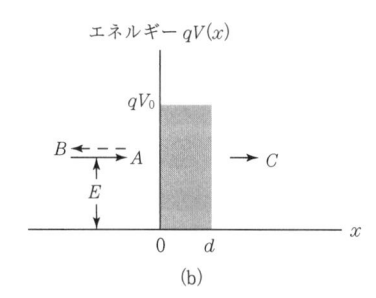

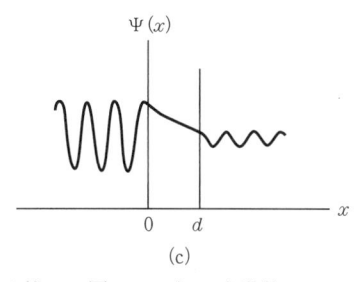

図 20 (a) 距離 d だけ離して置いた2個の半導体のバンド図，(b) 一次元のポテンシャル障壁，(c) ポテンシャル障壁を透過する波動関数の概念図．

B) が存在し，$x \geq d$ では透過波（振幅 C）が存在する．

ポテンシャル障壁内では波動方程式は次のように与えられる．

$$-\frac{\hbar^2}{2m_n}\frac{d^2\Psi}{dx^2}+qV_0\Psi=E\Psi \tag{76}$$

または

$$\frac{d^2\Psi}{dx^2}=\frac{2m_n(qV_0-E)}{\hbar^2}\Psi \tag{77}$$

$E<qV_0$ での解は，

$$\Psi(x)=Fe^{\beta x}+Ge^{-\beta x}, \tag{78}$$

ここで $\beta \equiv \sqrt{2m_n(qV_0-E)/\hbar^2}$ である．障壁を透過している波動関数の概念図が図20(c)に示されている．$x=0$ および $x=d$ における Ψ および $d\Psi/dx$ の連続性が境界条件として要求され，これらの連続性から五つの係数（A，B，C，F および G）の間の四つの関係式が得られる．したがって**透過係数** $(C/A)^2$ は次のように求められる．

$$\left(\frac{C}{A}\right)^2=\left[1+\frac{(qV_0\sinh\beta d)^2}{4E(qV_0-E)}\right]^{-1}. \tag{79}$$

透過係数は，E が減少すると単調に減少する．βd が1より十分大きい場合，透過係数は非常に小さくなり次のように変化する．

$$\boxed{\left(\frac{C}{A}\right)^2\sim\exp(-2\beta d)=\exp[-2d\sqrt{2m_n(qV_0-E)/\hbar^2}].} \tag{80}$$

有限の透過係数を得るためには，トンネル距離 d が非常に小さく，ポテンシャルの障壁 qV_0 が低く，有効質量が小さなことが必要である．これらの結果は，第8章のトンネルダイオードのところで使う．

3.7 高電界効果

低電界では，ドリフト速度は電界に比例する．キャリアの衝突時間 τ_c は印加した電界に依存しないとしてきた．この仮定は，ドリフト速度が熱速度（Siの場合，室温で 10^7 cm/s）に比べ小さい場合は正しい．

ドリフト速度が熱速度に近づくと，電界への依存性が，3.1節で述べた直線的な関係からずれてくる．図21は，Siにおける電子と正孔のドリフト速度と電界の関係を示す実験結果である．図で明らかなように，最初は，ドリフト速度の電界依存性は直線的であり，したがって移動度は一定である．電界がさらに強くなると，ドリフト速度の増加割合が小さくなる．十分高い電界では，ドリフト速度は飽和値に近づく．実験結果は次の経験則で近似できる[8]．

$$v_n, v_p=\frac{v_s}{[1+(\mathscr{E}_0/\mathscr{E})^\gamma]^{1/\gamma}}, \tag{81}$$

ただし，v_s は飽和速度（室温Siで 10^7 cm/s），$\mathscr{E}_0$ は定数で，高純度Si電子の場合 7×10^3 V/cm，正孔の場合 2×10^4 V/cm である．γ は電子の場合2，正孔の場合1である．高電界による速度飽和は特に短チャンネルの電界効果トランジスタでよく起きる．普通の電圧でもチャンネルに沿って高電界が発生する．この効果については第6章で述べる．

n 形 GaAs における高電界効果はSiの場合と全く異なる[9]．図22は n 形および p 形 GaAs に

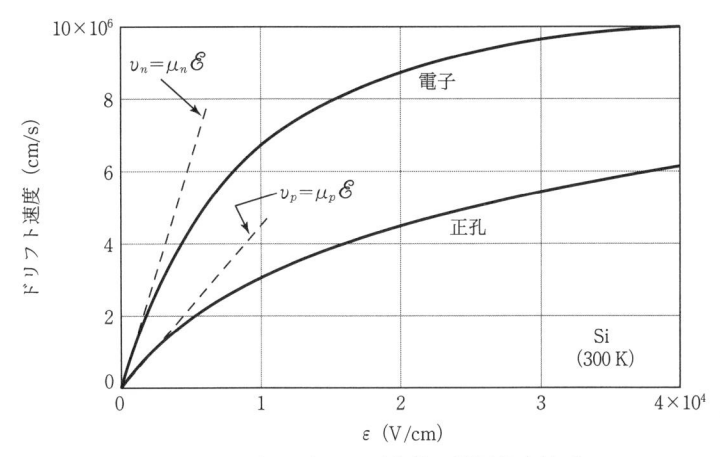

図 21 Si 中のドリフト速度の電界依存性.[8]

おけるドリフト速度と電界の関係を対数グラフで示す（実験結果）. 比較のため Si の結果も示してある. n 形 GaAs では, ドリフト速度が最大となる電界があり, その電界を超えると減少する. この現象は GaAs のエネルギーバンド構造に因っている. すなわち伝導電子はエネルギー上昇に伴って高移動度の伝導帯の底［谷（バレイ）と呼ばれる］から, 低移動度のサテライトの谷に移動する. つまり第 2 章図 18(b) に示したように運動量ゼロの中心の谷から［111］方向のサテライト谷に電子の移動が起こる.

この現象を理解するために, 図 23 に示すような n 形 GaAs の簡単な二谷モデルを考える. 谷と谷のエネルギー差は, $\Delta E = 0.31$ eV である. 低い谷の電子の有効質量を m_1, 移動度を μ_1, 電子密度を n_1 とし, 高い谷のそれぞれの値を m_2, μ_2, n_2 とする. 全自由電子密度は $n = n_1 + n_2$ となる. 定常状態における n 形 GaAs の伝導度は,

$$\sigma = q(\mu_1 n_1 + \mu_2 n_2) = qn\bar{\mu}, \tag{82}$$

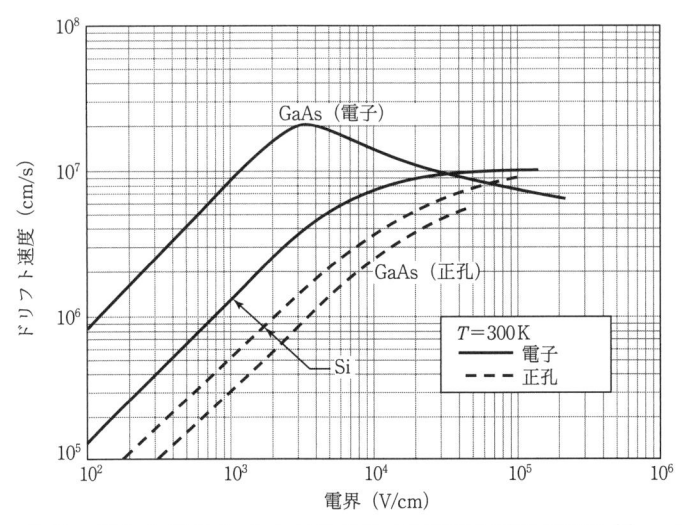

図 22 Si および GaAs におけるドリフト速度と電界の関係.[8,9] n 形 GaAs では, 負の微分移動度領域があることに注意.

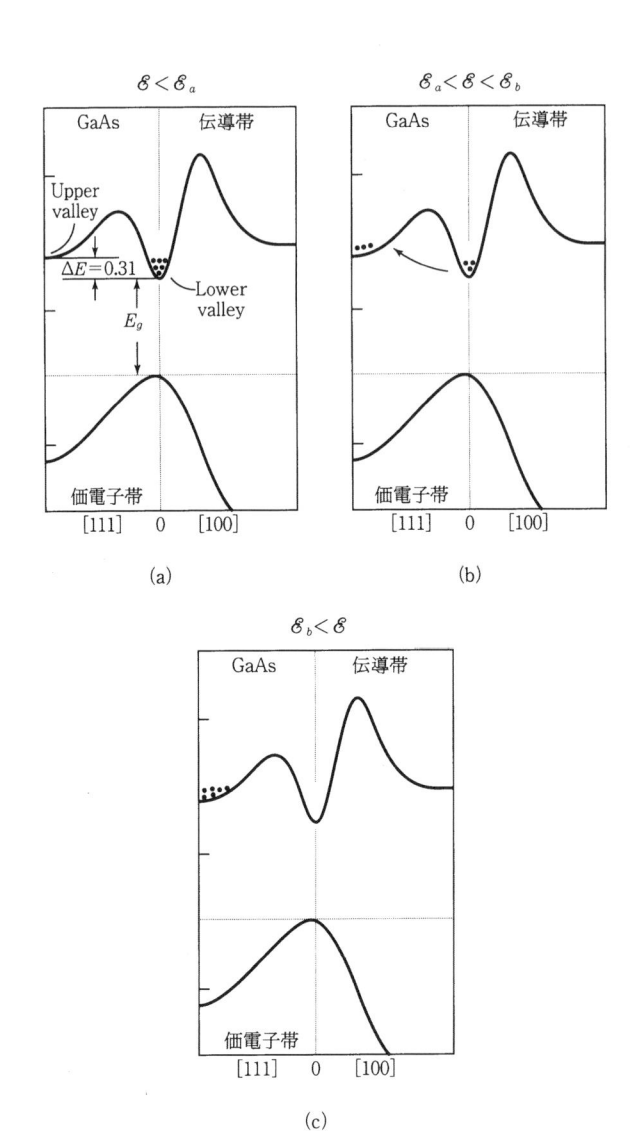

図 23 二谷構造半導体における，各種電界条件と電子分布の関係．

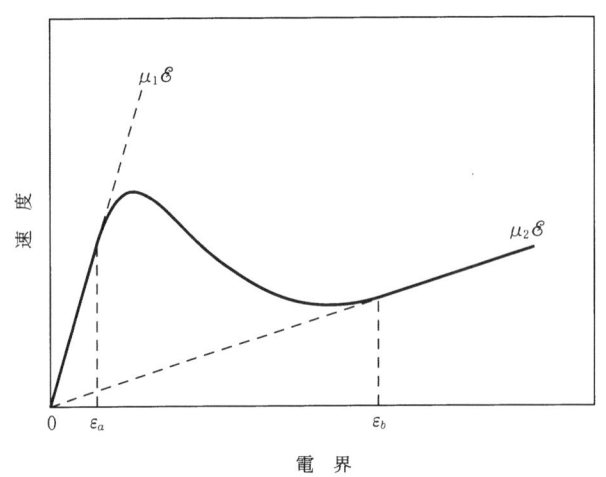

図 24 二谷構造半導体における速度−電界関係の例．

と書ける．ここに平均移動度 $\bar{\mu}$ は

$$\bar{\mu} \equiv (\mu_1 n_1 + \mu_2 n_2)/(n_1 + n_2). \tag{83}$$

である．ドリフト速度は，

$$v_n = \bar{\mu}\mathcal{E}. \tag{84}$$

となる．

　簡単のため図 23 に示したように，三つの電界領域にそれぞれの電子密度を割り当てる．図 23(a) では，低電界であり全電子が低い谷にいる．図 23(b) では，電界が少し高くなっており，電子の一部は電界からエネルギーを得て高い谷に励起されている．図 23(c) では，電界が十分高いためすべての電子が高い谷に上がっている．まとめると

$$\begin{aligned} &n_1 \cong n, \quad n_2 \cong 0 \quad (0 < \mathcal{E} < \mathcal{E}_a), \\ &n_1 + n_2 \cong n \quad (\mathcal{E}_a < \mathcal{E} < \mathcal{E}_b), \\ &n_1 \cong 0, \quad n_2 \cong n \quad (\mathcal{E} > \mathcal{E}_b) \end{aligned} \tag{85}$$

となっている．以上の関係より，実効ドリフト速度は次の漸近値をとる．

$$\begin{aligned} v_n &\cong \mu_1 \mathcal{E} \quad (0 < \mathcal{E} < \mathcal{E}_a) \\ v_n &\cong \mu_2 \mathcal{E} \quad (\mathcal{E} > \mathcal{E}_b). \end{aligned} \tag{86}$$

もし $\mu_1 \mathcal{E}_a$ が $\mu_2 \mathcal{E}_b$ より大きければ，図 24 に示すように $\mathcal{E}_a$ と $\mathcal{E}_b$ の間で電界の増加に対してドリフト速度が減少する領域がある．n 形 GaAs におけるこのドリフト速度の特性は，第 8 章で述べるように，マイクロ波バルク効果デバイス（transferred-electron device, TED）に応用されている．

　電界の大きさがある値より大きくなると，キャリアの運動エネルギーが大きくなり電子-正孔対を発生させて，図 25 に示すような，**なだれ過程**が起こる．いま伝導帯上の 1 個の電子を考える（1 の番号）．もし電界が十分高いと，電界により加速されて運動のエネルギーが上がり，格子と衝突するとき，運動エネルギーの大部分は結合手を切断するのに使われる．すなわち，価電子帯から伝導帯へ電子が励起され，電子-正孔対（2 と 2'）が発生する．同様に，この電子-正孔対がそれぞれ電界中で加速され，図のように格子と衝突する．次には，これらが電子-正孔対を

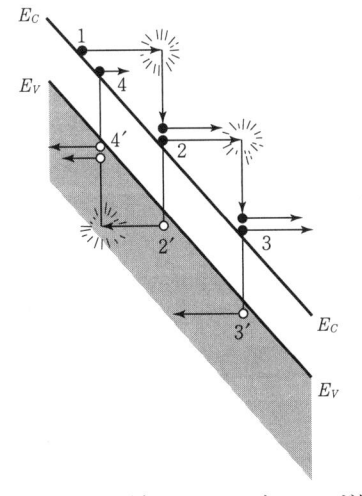

図 25　なだれ過程のエネルギーバンド図．

作り（3と3'および4と4'）この過程が繰り返される．これはなだれ過程と呼ばれる．あるいは**衝突電離過程**と呼ばれることもある．この過程は，p-n接合のブレークダウンにもつながる．これについては，第4章で述べる．

この過程におけるイオン化エネルギーについて理解するために，図25で2-2'の過程を考えよう．衝突の直前では，電子（No.1）は運動エネルギー$1/2 \cdot m_1 v_s^2$と運動量$m_1 v_s$を持っている．m_1は有効質量，v_sは飽和速度である．衝突後はキャリアが3個になっている．最初の電子と電子-正孔対である（No.2とNo.2'）．3個のキャリアの有効質量，運動エネルギー，運動量が等しいと仮定すれば，全運動エネルギーは$3/2 \cdot m_1 v_f^2$全運動量は$3m_1 v_f$となる．ただし，v_fは衝突後の速度である．衝突の前後で，エネルギーと運動量の保存を考慮すると

$$\frac{1}{2} m_1 v_s^2 = E_g + \frac{3}{2} m_1 v_f^2 \tag{87}$$

および

$$m_1 v_s = 3 m_1 v_f, \tag{88}$$

が得られる．ただし式(87)のE_gはバンドギャップで電子-正孔対を作るために必要な最小エネルギーである．式(87)を(88)に代入すると，イオン化過程に必要な運動エネルギーが次のように求められる．

$$E_0 = \frac{1}{2} m_1 v_s^2 = 1.5 E_g. \tag{89}$$

イオン化が発生するためには，E_0はバンドギャップより大きくなければならないことは明らかである．実際には，必要なエネルギーはバンド構造に依存する．Siの場合，電子に対すE_0は$3.6\,\mathrm{eV}$ $(3.2 E_g)$，正孔では$5.0\,\mathrm{eV}$ $(4.4 E_g)$である．

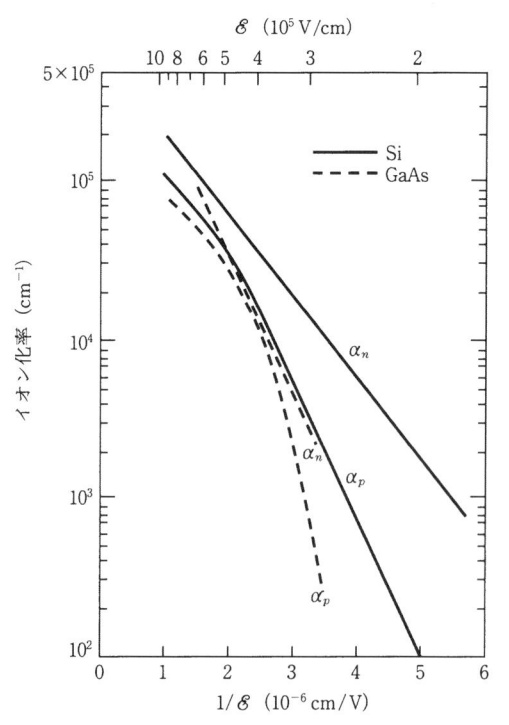

図 26 SiおよびGaAsにおけるイオン化率（測定値）と電界の逆数の関係．[9]

第3章 キャリアの輸送現象

電子が単位距離進む間に生成される電子-正孔対の数を電子の**イオン化率** $α_n$ と呼ぶ．同様に $α_p$ は正孔のイオン化率である．SiおよびGaAsにおけるイオン化率の実測値を図26に示す．$α_n$, $α_p$ ともに電界強度に強く依存していることが解る．十分大きなイオン化率（たとえば 10^4 cm^{-1} 以上）を得るためには，Siでは $3×10^5$ V/cm 以上，GaAsでは $4×10^5$ V/cm 以上の電界が必要である．なだれ過程による電子-正孔対の生成割合 G_A は，

$$G_A = \frac{1}{q}(α_n|J_n| + α_p|J_p|), \tag{90}$$

となる．ただし，J_n, J_p はそれぞれ電子および正孔による電流密度である．この式は，なだれ過程によって作動しているデバイスに対する連続の式で使用される．

ま と め

動作中の半導体デバイスでは，ドリフト，拡散，生成，再結合，熱電子放射，トンネリング，衝突イオン化など，各種の輸送現象が起きている．

この内，最も重要な一つは電界によるキャリアのドリフトである．低電界では，ドリフト速度は電界に比例し，その比例係数は移動度と呼ばれる．もう一つの重要な過程は，キャリアの密度勾配による拡散である．電流はドリフト成分と拡散成分の和である．

半導体中では，過剰キャリアの注入によって非熱平衡状態となる．大半の半導体デバイスは，この非熱平衡状態下で動作する．過剰キャリアは，p-n 接合の順バイアス，光照射，衝突イオン化などさまざまな方法で発生させる．熱平衡状態に戻る機構は，過剰キャリアが，直接再結合または再結合中心を介して多数キャリアと再結合することによる．キャリア密度の変化は連続の式により記述される．

熱電子放射は，表面近傍のキャリアが真空準位へ放出されるために必要なエネルギーを獲得したときに発生する．トンネル過程は量子トンネル過程に基づいており，電子のエネルギーが障壁の高さより小さくともこの障壁を通過する現象である．

電子のドリフト速度は，電界が強くなるにつれて電界に比例しなくなり飽和速度に近づく．この効果は，第6章で述べる短チャンネル電界効果トランジスタにおいて重要である．電界がある値を超えると，キャリアの運動エネルギーが大きくなり，格子との衝突の際に結合手を切断し電子-正孔対を発生する．この効果は，p-n 接合において重要である．高電界によって新しくできた電子-正孔対が加速され，新たな電子-正孔対を発生する．衝突イオン化またはなだれ過程と呼ばれるこの過程が連続すると，p-n 接合はブレークダウンを起こし，大きな電流が流れる．接合のブレークダウンは第4章で述べる．

参 考 文 献

1. R. A. Smith, *Semiconductors*, 2nd ed., Cambridge Univ. Press, London, 1978.
2. J. L. Moll, *Physics of Semiconductors*, McGraw-Hill, New York, 1964.
3. W. F. Beadle, J. C. C. Tsai, and R. D. Plummer, Eds., *Quick Reference Manual for Semiconductor Engineers*, Wiley, New York, 1985.
4. (a) R. N. Hall, "Electron–Hole Recombination in Germanium," *Phys. Rev.*, **87**, 387 (1952); (b) W. Shockley and W. T. Read, "Statistics of Recombination of Holes and Electrons," *Phys. Rev.*, **87**, 835(1952).

5. M. Prutton, *Surface Physics*, 2nd ed., Clarendon, Oxford, 1983.
6. A. S. Grove, *Physics and Technology of Semiconductor Devices*, Wiley, New York, 1967.
7. J. R. Haynes and W. Shockley, "The Mobility and Life of Injected Holes and Electrons in Germanium," *Phys. Rev.*, **81**, 835 (1951).
8. D. M. Caughey and R. E. Thomas, "Carrier Mobilities in Silicon Empirically Related to Doping and Field," *Proc. IEEE*, **55**, 2192 (1967).
9. S. M. Sze, *Physics of Semiconductor Devices*, 2nd ed., Wiley, New York, 1981.

問題（＊は高度な問題を示す）

3.1節　キャリアドリフトに関する問題

1. 300 K における真性 Si および真性 GaAs の比抵抗を求めよ．

2. 300 K における移動度が，1300 cm^2/V·s である電子の (a) 200 K および (b) 400 K における移動度を求めよ．ただし，移動度は格子散乱によって決まるものとせよ．

3. ある半導体に 2 種類の散乱機構が存在するとせよ．最初の機構のみが存在するとき移動度は 250 cm^2/V·s となり，二番目の機構のみが存在するときは 500 cm^2/V·s となるとせよ．この機構が同時に存在するとき，移動度はいくらになるか．

4. 次の試料の電子密度，正孔密度，移動度および比抵抗を求めよ．いずれも 300 K における Si で，(a) B が 5×10^{15}/cm^3，(b) B が 2×10^{16}/cm^3，As が 1.5×10^{16}/cm^3，(c) B が 5×10^{15}/cm^3，As が 10^{17}/cm^3，Ga が 10^{17}/cm^3 それぞれドープされている．

＊5. 導電率が 16 (Ω·cm)$^{-1}$，アクセプタ濃度が 10^{17} cm^{-3} の補償半導体である n 形 Si を考える．ドナー濃度および電子移動度を求めよ．（補償半導体とは，同じ領域にドナーとアクセプタの両者が含まれている半導体である）

6. 移動度の比 b が，不純物濃度に関係なく $b \equiv \mu_n/\mu_p > 1$ である場合，比抵抗の最大値 ρ_m を，真性比抵抗 ρ_i と b で表せ．

7. 4 探針法（探針間距離 0.5 mm）で，直径 200 mm 厚さ 50 μm の p 形 Si の比抵抗を測定したとき，定電流 1 mA で，内側の 2 探針間の電圧は 10 mV であった．この試料の比抵抗を求めよ．

8. ドープ量不明の Si のホール測定をして次の結果が得られた．$W=0.05$ cm，$A=1.6\times10^{-3}$ cm^2（図 8 参照），$I=2.5$ mA，磁界の強さ 30 nT（1 T $=10^4$ Wb/cm^2）．ホール電圧が $+10$ mV のとき，ホール係数，伝導の形，多数キャリア密度，比抵抗および移動度を求めよ．

9. ドナー濃度 N_D ($N_D \gg n_i$) で抵抗が R_1 の半導体がある．これにアクセプタを濃度 N_A ($N_A \gg N_D$) だけドープすると抵抗が $0.5R_1$ となった．$D_n/D_p=50$ のとき N_A を N_D で表せ．

＊10. 不純物が不均一にドープされ，濃度が $N_D(x)$ で表される半導体がある．熱平衡状態における内部電界は次式で表されることを示せ．
$$\mathcal{E}(x) = -\left(\frac{kT}{q}\right)\frac{1}{N_D(x)}\frac{dN_D(x)}{dx}.$$

3.2節　キャリア拡散に関する問題

11. 真性 Si の片側から $N_D=N_0\exp(-ax)$ となるようドナーをドープする．(a) $N_D \gg n_i$ の

領域について，熱平衡状態における内蔵電界 $\mathcal{E}(x)$ を求めよ．(b) $a=1\,\mu\text{m}^{-1}$ のとき $\mathcal{E}(x)$ を計算せよ．

12. 厚さが L の n 形 Si で，次式で表されるように P が不均一にドープされているとする．$N_D(x)=N_0+(N_L-N_0)(x/L)$．位置による移動度と拡散係数の変動に無関係に，試料の前面と背面におけるポテンシャルの差を表す表式を求めよ．また，拡散係数と移動度が一定のとき，x における平衡電界はどのような式で表されるか．

3.3節　キャリアの生成と再結合過程に関する問題

13. n 形 Si に定常的に光照射をしたとき電子密度および正孔密度を求めよ．ただし，次の値を用いよ．$G_L=10^{16}\,\text{cm}^{-3}\text{s}^{-1}$，$N_D=10^{15}\,\text{cm}^{-3}$，$\tau_n=\tau_p=10\,\mu\text{s}$．

14. As を $2\times 10^{16}/\text{cm}^3$ ドープし，バルクの再結合中心が $2\times 10^{15}/\text{cm}^3$，表面再結合中心が $10^{10}/\text{cm}^2$ ある試料を考える．(a) 低水準注入のとき，バルクの少数キャリア寿命，拡散長および表面再結合速度を計算せよ．σ_p，σ_n をそれぞれ $5\times 10^{-15}\,\text{cm}^2$，$2\times 10^{-16}\,\text{cm}^2$ とする．(b) 試料全体を一様に光照射し，$10^{17}/\text{cm}^2\text{-s}$ の電子-正孔対を発生したとする．表面における正孔密度はいくらか．

3.4節　連続の式に関する問題

15. 試料全体を生成割合 G で一様に光照射する．定常状態における電気伝導度の変化は $\Delta\sigma=q(\mu_n+\mu_p)\tau_p G$ となることを示せ．

16. 半導体中の電流が一定でその成分は，ドリフトによる電子電流と拡散による正孔電流であるとする．電子密度は一定で，$10^{16}\,\text{cm}^{-3}$ であるとする．また，正孔密度は，
$$p(x)=10^{15}\exp\left(\frac{-x}{L}\right)\text{cm}^{-3} \quad (x\geq 0),$$
で与えられるとする．ただし，$L=12\,\mu\text{m}$ である．正孔の拡散係数 $D_p=12\,\text{cm}^2/\text{s}$，電子移動度 $\mu_n=1000\,\text{cm}^2/\text{V-s}$，全電流密度 $J=4.8\,\text{A/cm}^2$ としたとき，(a) 正孔の拡散電流密度と x の関係式，(b) 電子電流密度と x の関係式，(c) 電界と x の関係を計算せよ．

17. 厚さが W の n 形 Si 薄片がある．一方の面から過剰キャリアを注入し，反対側からこれを引き出し，$p_n(W)=p_{no}$ となっているとする．$0<x<W$ の範囲では電界はないものとする．それぞれの面における電流密度の式を求めよ．

18. 問題 17 において，キャリア寿命が $50\,\mu\text{s}$，$W=0.1\,\text{mm}$ の場合，反対側に到達するキャリアの注入したキャリアに対する割合を求めよ（$D=50\,\text{cm}^2/\text{s}$）．

19. バルクの少数キャリア寿命が $10^{-6}\,\text{s}$，表面再結合速度が $10^{-7}\,\text{s}$ の n 形半導体において，過剰正孔を $10^{14}\,\text{cm}^{-3}$ 発生したとする．外部電界がゼロ，$D_p=10\,\text{cm}^2/\text{s}$ としたとき，定常状態におけるキャリア密度を表面（$x=0$）からの距離の関数として求めよ．

3.5節　熱電子放射に関する問題

20. 仕事関数 $q\phi_m=4.2\,\text{eV}$ の金属を n 形 Si 上に蒸着した．Si の電子親和力 $q\chi=4.0\,\text{eV}$，$E_g=1.12\,\text{eV}$ としたとき，金属から半導体に入ろうとする電子が感じるポテンシャル障壁の高さはいくらか．

21. 仕事関数 $q\phi_m$ の W フィラメントが真空中にある．これに電流を流して温度を上げたとき，十分な熱エネルギーを持った電子が真空中に放出され，その結果，次式で表される熱電子放出電流が流れることを示せ．

$$J = A°T^2 \exp\left(\frac{-q\phi_m}{kT}\right)$$

ただし，$A°$ は $4\pi qmk^2/h^3$，m は自由電子の質量である．定積分

$$\int_{-\infty}^{\infty} e^{-ax^2} dx = \left(\frac{\pi}{a}\right)^{1/2}$$

を利用せよ．

3.6節　トンネリング過程に関する問題

22. 障壁高さが 20 eV，幅が 3 Å の障壁に 2 eV のエネルギーを持った電子が衝突した場合，トンネル確率はいくらになるか．

23. 2.2 eV のエネルギーを持った電子が，高さ 6 eV，幅 10^{-10} m の障壁に衝突したとき，透過係数を求めよ．障壁の幅が 10^{-9} m の場合はいくらになるか．

3.7節　高電界効果に関する問題

24. 図 22 の Si と GaAs における速度と電界の関係を利用して，これらの材料において 1 μm の距離を進むのに要する時間を次の条件について求めよ．(a) 電界が 1 kV/cm の場合と　(b) 50 kV/cm の場合．

25. Si ($\mu = 1350$ cm^2/Vs 中の伝導電子が kT の熱エネルギーを持ち，それに対応して熱速度 $E_{th} = m_o v_{th}^2/2$ を持っているとする．この電子が電界 100 V/cm のなかに置かれている．この場合ドリフト速度は熱速度に比べ小さいことを示せ．電界 10^4 V/cm の場合はどうか．この高電界の場合について，実際の移動度に対し，どのような効果があるかコメントせよ．

第II部　半導体デバイス

第4章　*p-n*接合

4.1　基本的形成過程
4.2　熱平衡状態
4.3　空乏領域
4.4　空乏層容量
4.5　電流-電圧特性
4.6　電荷の蓄積と過渡特性
4.7　接合の降伏
4.8　ヘテロ接合
　まとめ

　前章では，均質な半導体内のキャリア密度とその移動について考えてきた．この章では，*p*および*n*領域を有し*p-n*接合を形成している半導体単結晶について考えよう．近年の*p-n*接合は4.1節で述べるように，ほとんどプレーナ技術で形成されている．

　*p-n*接合は近年の電子機器への応用において重要であるばかりでなく，半導体デバイスを理解する上でも重要である．それは，整流器，スイッチおよび電子回路の動作に欠かせない．また，バイポーラ・トランジスタ（第5章）や金属-酸化物-半導体からなる電界効果トランジスタ（MOSFET）（第6章）の主要構成要素である．適当なバイアス条件や光照射によって*p-n*接合は，マイクロ波（第8章）やフォトニックデバイス（第9章）としても機能する．

　さらに，関連デバイスとしてヘテロ接合を考える．これは2種類の異なる半導体により形成され，通常の*p-n*接合では得られない多くの特徴を有している．ヘテロ接合は，ヘテロバイポーラトランジスタ（第5章），変調ドープ電界効果トランジスタ（第7章），量子効果デバイス（第8章）およびフォトニックデバイス（第9章）などの主要構成要素となっている．

　本章では，特に以下の項目を取り上げる．
・*p-n*接合の物理的，電気的構成
・バイアス電圧下での空乏層の挙動
・*p-n*接合の電流輸送特性とキャリアの生成・再結合過程
・*p-n*接合における電荷の蓄積と過渡特性への影響
・*p-n*接合におけるなだれ増倍現象と最大逆バイアス電圧への影響
・ヘテロ接合と基本的特徴

4.1 基本的形成過程

今日,集積回路(integrated circuit, IC)の作製にはプレーナ技術が広く使われている.図1,図2は形成プロセスの主要な段階を示す.酸化,リソグラフィ,イオン注入および金属配線等である.この節では,これらのステップを簡単に紹介する.より詳しくは,第10章から第12章までを参照されたい.

4.1.1 酸　　化

高品質二酸化シリコン(SiO_2)の開発が集積回路におけるSiの優位性に大きく貢献してきた.一般的にSiO_2は,多くのデバイスにおいて絶縁膜として,また製造過程においては,拡散またはイオン注入の防護膜として利用されている.p-n接合形成過程(図1)ではSiO_2は接合の領域を限定するために使われる.

SiO_2の形成方法には,乾燥酸素を使用するか水蒸気を使用するかでドライとウエットの2種類がある.ドライ酸化は良好なSi-SiO_2界面を形成するので薄い酸化膜形成に使われ,ウエット

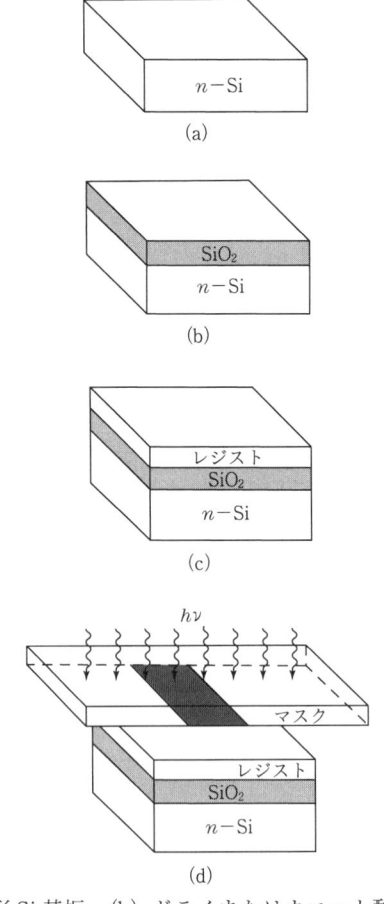

図1　(a) n形Si基板,(b) ドライまたはウエット酸化によるSi板の酸化,(c) レジスト塗布,(d) マスクを通しての露光.

第 4 章　p-n 接合

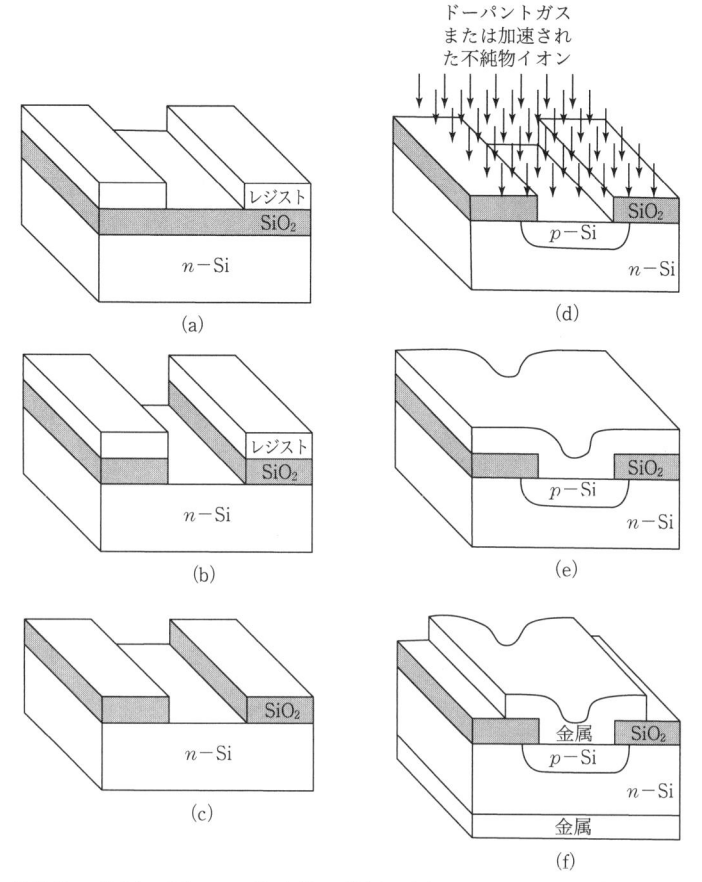

図 2　(a) 現像後の基板．(b) SiO$_2$ 除去後の基板，(c) リソグラフィプロセスの終了，(d) 拡散またはイオン注入による p-n 接合形成，(e) 金属配線，(f) p-n 接合形成の完了．

酸化は酸化速度が速いため厚い酸化膜形成に使われる．図 1(a) は酸化前の基板断面で，これを酸化すると基板表面全体にわたって SiO$_2$ 層が形成される．簡単のために図 1(b) には酸化基板の上表面だけを示す．

4.1.2　リソグラフィ

フォトリソグラフィと呼ばれるもう一つの技術によって p-n 接合の形状を決めることができる．SiO$_2$ 膜形成後，基板をスピナーにより高速回転させ，その上に紫外線に感光するフォトレジストを塗布する．塗布後（図 1(c)），80〜100℃ でベークする．これは，レジスト中の溶剤を蒸発させ，付着力を増してレジストを固めるためである．図 1(d) は次のステップで，紫外線によってマスクを介して基板を露光する．露光された部分はレジストの種類に依存して化学反応する．露光部分は高分子化し[†]，現像液に浸けると残り，その後の化学エッチングでも剥離しない．未露光部分（マスクパターンの下部）は洗い流される．図 2(a) は現像後の基板を示す．基板は再び 120℃〜180℃ で 20 分間ベークされ付着力の増強とその後のエッチング過程の耐性の向上が

[†]　これはネガ型のレジストである．ポジ型のレジストを使うこともある．リソグラフィとフォトレジストについては第 12 章で詳述する．

図られる．続いて緩衝フッ酸（buffered hydrofluoric acid）によるエッチングにより，露出している SiO_2 膜を除去する（図2(b)）．最後にレジストは化学溶液または酸素プラズマによって除去される．図2(c)は酸化膜のない部分（窓部）のリソグラフィ過程後の表面を示す．これで，拡散またはイオン注入による p-n 接合形成用の基板の準備ができたことになる．

4.1.3 拡散とイオン注入

拡散の場合，酸化膜で保護されていない基板表面は高濃度の拡散源に曝される．不純物原子は固相拡散により半導体結晶中に拡散する．イオン注入法では，不純物イオンを高エネルギーに加速することによって半導体中に埋め込む．SiO_2 膜は不純物拡散やイオン注入の障壁として働く．拡散またはイオン注入後，図2(d)に示すように p-n 接合が形成される．不純物原子の横方向拡散または注入イオンの横方向散乱によって p 形領域の幅は窓の幅より若干広くなる．

4.1.4 金属配線

拡散やイオン注入の後，オーミック電極や素子間配線のために金属配線工程がある（図2(e)）．金属薄膜は物理蒸着や化学蒸着法で形成される．接触領域を限定するために，図2(f)に示すように再度リソグラフィが利用される．同様の配線が，背面電極形成時にも行われるがここではリソグラフィは必要ない．通常，低温（$\leq 500°C$）アニールによって金属-半導体の接触抵抗の低減を図る．金属配線の完成によって p-n 接合は機能する．

4.2 熱平衡状態

p-n 接合の最も重要な特性は，整流性である．すなわち，特定の方向にだけ電流が流れやすい．図3は典型的な Si p-n 接合の電流-電圧特性を示す．接合に"順方向バイアス"（p 形側に正電圧をかける）をかけると，電圧の増加とともに電流は急速に増加する．しかし，"逆方向バイアス"では，始めのうち電流はほとんど流れない．さらに，電圧を増加しても電流は少ないままであるが，ある臨界電圧に達すると急激に増大する．この電流の急激な増大は，接合の降伏と

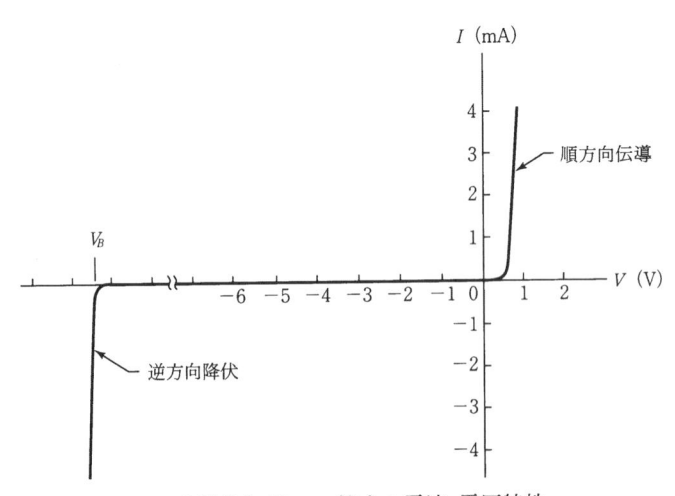

図 3 典型的な Si p-n 接合の電流-電圧特性．

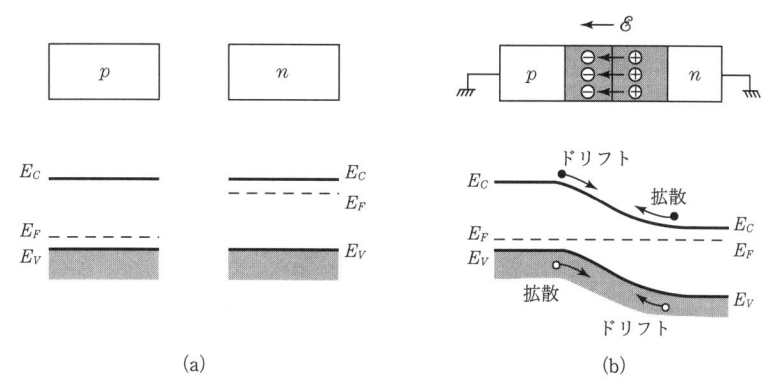

図 4 (a) 接合形成前の均一にドープした p 形および n 形半導体, (b) 空乏領域の電界および熱平衡状態 p-n 接合のエネルギーバンド図.

呼ばれる．順方向電圧は，通常 1 V 以下であるが，逆方向の臨界電圧，すなわち降伏電圧は，ドーピング濃度や他のデバイスパラメータに依存し，数 V から数千 V にわたって変化する．

図 4(a) に接合形成前の p 形および n 形の半導体を示す．いずれも均一にドープされており物理的に離れている．p 形ではフェルミ準位 E_F は価電子帯上端の近くに，n 形では伝導帯下端近傍にある．p 形材料では多くの正孔とごくわずかの電子が存在し，n 形材料では逆の状況になっている．

4.2.1 バンド図

p 形と n 形の半導体が結合されると，接合部における大きなキャリアの密度勾配によってキャリアの拡散が起こる．p 側から n 側に向けて正孔が，n 側から p 側に向けて電子が拡散する．正孔が p 側から拡散すると，負のアクセプタイオン（N_A^-）が中和されずに接合近傍に残る．なぜなら，正孔は自由に動きまわれるが，アクセプタイオンは，結晶格子に固定されているためである．同様に，電子が n 側から移動すると正のドナーイオン（N_D^+）が接合近傍に残る．その結果，接合の p 側には負の空間電荷が形成され，n 則には正の空間電荷ができる．この空間電荷によって電界が発生し，その向きは，図 4(b) の上の図に示すように，正電荷側から負電荷側に向いている．

この電界の向きは，両キャリアによる拡散電流の向きと反対である．図 4(b) の下の図に示すように，正孔による拡散電流は左から右に流れ，電界によるドリフト電流は右から左に流れる．電子の拡散電流も左から右に流れ，ドリフト電流は反対方向に流れる．つまり電子は右から左に拡散するが，電子の負電荷のため電子電流の方向は拡散方向と逆向きになる．

4.2.2 熱平衡フェルミ準位

熱平衡状態，すなわち，ある温度において外部からの刺激がない状態で定常状態にあるとき，接合面を通過する実効的な電流はゼロである．したがって，電子，正孔それぞれについて，電界によるドリフト電流は密度勾配による拡散電流を打ち消している．正孔については第 3 章の式 (32) より，

$$J_p = J_p(\text{drift}) + J_p(\text{diffusion})$$
$$= q\mu_p p \mathcal{E} - qD_p \frac{dp}{dx}$$

$$= q\mu_p p\left(\frac{1}{q}\frac{dE_i}{dx}\right) - kT\mu_p \frac{dp}{dx} = 0 \tag{1}$$

となる，ただし，第3章の電界の式(8)とアインシュタインの関係式 $D_P = (kT/q)\mu_p$ を使った．正孔密度の式

$$p = n_i e^{(E_i - E_F)/kT} \tag{2}$$

とその微分

$$\frac{dp}{dx} = \frac{p}{kT}\left(\frac{dE_i}{dx} - \frac{dE_F}{dx}\right) \tag{3}$$

を式(1)に入れると

$$J_p = \mu_p p \frac{dE_F}{dx} = 0 \tag{4}$$

すなわち

$$\frac{dE_F}{dx} = 0 \tag{5}$$

が得られる．同様に，実効的電子電流密度は次のようになる．

$$J_n = J_n(\text{drift}) + J_n(\text{diffusion})$$
$$= q\mu_n n \mathcal{E} + qD_n \frac{dn}{dx}$$
$$= \mu_n n \frac{dE_F}{dx} = 0. \tag{6}$$

したがって，電子および正孔による実効的な電流がゼロの場合，図4(b)のエネルギーバンド図に示したように，フェルミ準位は試料全体にわたって一定（x に依存しない）でなければならない．

　熱平衡におけるフェルミ準位一定の条件によって，接合部分の空間電荷分布が一義的に定まる．ここでふたたび，図5(a), (b)に示すように一次元の p-n 接合とそれに対応する熱平衡のバンド図を考える．この場合の空間電荷分布と静電ポテンシャル Ψ は次のポアソン方程式で与えられる．

$$\boxed{\frac{d^2\Psi}{dx^2} \equiv -\frac{d\mathcal{E}}{dx} = -\frac{\rho_s}{\varepsilon_s} = -\frac{q}{\varepsilon_s}(N_D - N_A + p - n).} \tag{7}$$

ただし，ドナーおよびアクセプタはすべてイオン化しているものとする．

　金属学的接合部分（接合界面）からずっと離れた部分は，電荷の中性が保たれ，空間電荷密度はゼロである．この中性領域では，式(7)は，簡単に

$$\frac{d^2\Psi}{dx^2} = 0 \tag{8}$$

$$N_D - N_A + p - n = 0 \tag{9}$$

となる．p 形の中性領域では，$N_D = 0$ および $p \gg n$ と仮定できる．図5(b)において Ψ_p と記した p 形中性領域の静電ポテンシャルは（フェルミ準位を基準として），式(9)で $N_D = n = 0$ とし，その結果（$p = N_A$）を式(2)に代入して得られる．

$$\Psi_p \equiv -\frac{1}{q}(E_i - E_F)|_{x \leq -x_p} = -\frac{kT}{q}\ln\left(\frac{N_A}{n_i}\right). \tag{10}$$

同様に，フェルミ準位を基準にした n 形中性領域の静電ポテンシャルは次のようになる．

第 4 章 p-n 接合

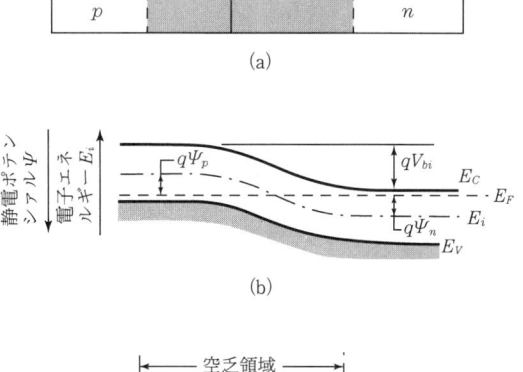

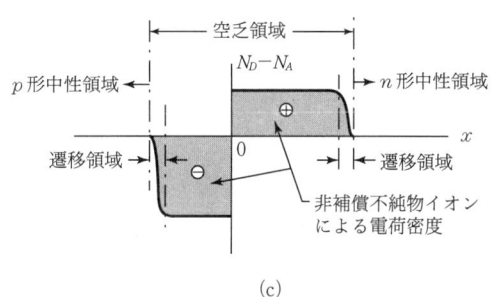

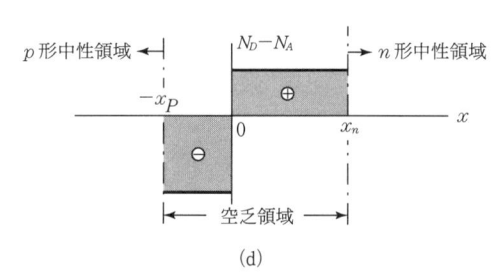

図 5 (a) 金属学的接合部で階段状にドーピングが変化している p-n 接合, (b) 階段接合の熱平衡時のエネルギーバンド図, (c) 空間電荷分布, (d) 空間電荷の矩形近似.

$$\Psi_n \equiv -\frac{1}{q}(E_i - E_F)|_{x \geq x_n} = -\frac{kT}{q}\ln\left(\frac{N_D}{n_i}\right). \tag{11}$$

熱平衡下における p 側中性領域および n 側中性領域の電位差は**内蔵電位** V_{bi} と呼ばれ次式で表される.

$$\boxed{V_{bi} = \Psi_n - \Psi_p = \frac{kT}{q}\ln\left(\frac{N_A N_D}{n_i^2}\right).} \tag{12}$$

4.2.3 空間電荷

中性領域から接合部に近づくと, 図 5(c) に示すように, 狭い遷移領域がある. この部分では, 不純物イオンによる空間電荷の一部がキャリアによって補償されている. この遷移領域を超えると, 完全に空乏化した領域となり, ここではキャリアはゼロである. ここは**空乏領域**と呼ばれる (空間電荷領域とも呼ばれる). Si や GaAs における典型的な p-n 接合では, 遷移領域幅は空乏領域幅に比べ小さいため, これ無視して, 空乏領域は図 5(d) に示すように矩形で示す.

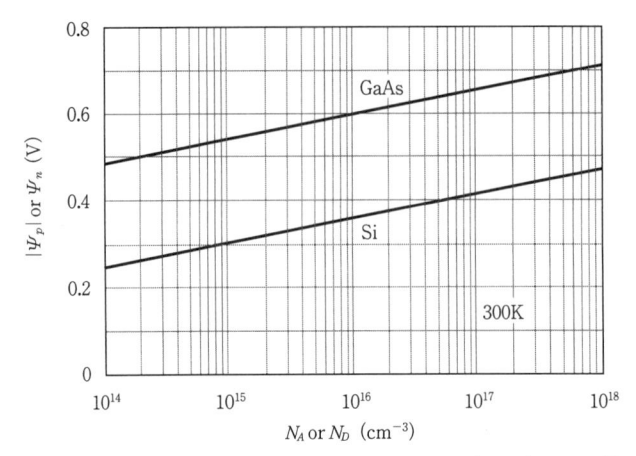

図 6 Si および GaAs における n 側，p 側の内蔵電位と不純物濃度の関係．接合は階段接合．

図の x_p, x_n がそれぞれ，p 側，n 側の空乏層幅であり，$p=n=0$ となって完全に空乏化している．式(7) は

$$\frac{d^2 \Psi}{dx^2} = \frac{q}{\varepsilon_s}(N_A - N_D) \tag{13}$$

となる．

Si および GaAs における $|\Psi_p|$ および Ψ_n のドーピング濃度依存性を図 6 に示す．これは式 (10)，(11) により計算したものである．同じドーピング濃度では GaAs の方が大きな静電ポテンシャルを有す．これは，GaAs の方が真性キャリア密度 n_i が少ないためである．

例題 1 $N_A = 10^{18}\,\mathrm{cm}^{-3}$，$N_D = 10^{15}\,\mathrm{cm}^{-3}$ の Si p-n 接合の 300 K における内蔵電位を計算せよ．

解答 式(12) から，

$$V_{bi} = (0.0259) \ln\left[\frac{10^{18} \times 10^{15}}{(9.65 \times 10^9)^2}\right] = 0.774\,\mathrm{V}.$$

また図 6 から，

$$V_{bi} = \Psi_n + |\Psi_p| = 0.30\,\mathrm{V} + 0.47\,\mathrm{V} = 0.77\,\mathrm{V}.$$

4.3 空乏領域

ポアソン方程式，式(13) を解くためには，不純物分布を知らなければならない．本節では，二つの重要な例，すなわち階段接合と傾斜接合について考える．図 7(a) は**階段接合**を示す．この接合は，浅い拡散または低エネルギーのイオン注入で作られ，接合部分の不純物分布は，階段状分布で近似できる．図 7(b) は傾斜接合を示す．深い拡散または高エネルギーイオン注入で接合を作ると，不純物分布は線形傾斜で近似できる．すなわち，接合近辺では不純物分布は直線的に変化する．これらの 2 種の接合について空乏領域を考える．

4.3.1 階段接合

図 8(a) に階段接合の空間電荷分布を示す．空乏領域内では，キャリアは空になっているた

め,ポアソン方程式(13)は次のように簡単になる.

$$\frac{d^2\Psi}{dx^2} = +\frac{qN_A}{\varepsilon_s} \quad \text{for} \quad -x_p \leq x < 0 \tag{14 a}$$

$$\frac{d^2\Psi}{dx^2} = -\frac{qN_D}{\varepsilon_s} \quad \text{for} \quad 0 < x \leq x_n. \tag{14 b}$$

半導体全体で空間電荷は中性であるから,p側の単位面積当りの負の空間電荷はn側の正の空間電荷と等しくなければならない.したがって

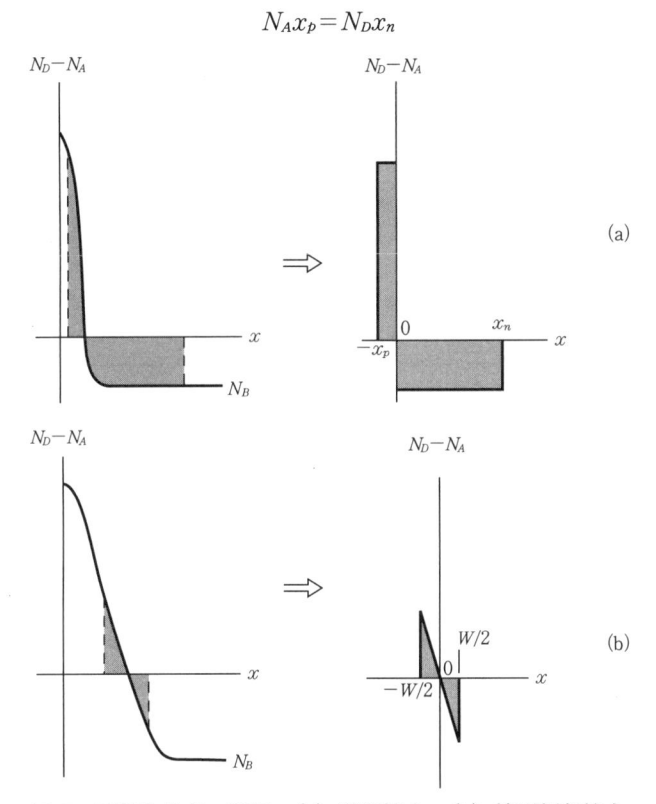

$$N_A x_p = N_D x_n \tag{15}$$

図7 不純物分布の近似.(a) 階段接合.(b) 線形傾斜接合.

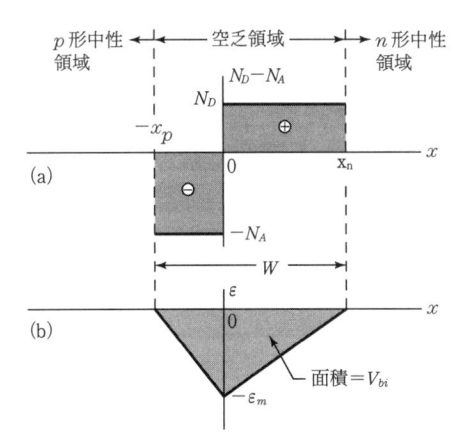

図8 (a) 熱平衡時における空乏領域内の空間電荷分布,(b) 電界分布.
三角形の面積は内蔵電位に相当.

となる．全空乏層幅 W は

$$W = x_p + x_n \tag{16}$$

である．図8(b) に示す電界強度は，式(14 a), (14 b) を積分して，

$$\mathcal{E}(x) = -\frac{d\Psi}{dx} = -\frac{qN_A(x+x_p)}{\varepsilon_s} \quad \text{for} \quad -x_p \leq x < 0 \tag{17a}$$

$$\mathcal{E}(x) = -\mathcal{E}_m + \frac{qN_D x}{\varepsilon_x} = \frac{qN_D}{\varepsilon_s}(x - x_n) \quad \text{for} \quad 0 < x \leq x_n \tag{17b}$$

となる．ただし $\mathcal{E}_m$ は，$x=0$ にける最大電界強度であり，

$$\mathcal{E}_m = \frac{qN_D x_n}{\varepsilon_s} = \frac{qN_A x_p}{\varepsilon_s} \tag{18}$$

となる．空乏領域全体にわたって，式(17 a), (17 b) を積分すると，電位差すなわち内蔵電位 V_{bi} が得られる．

$$V_{bi} = -\int_{-x_p}^{x_n} \mathcal{E}(x)\,dx = -\int_{-x_p}^{0} \mathcal{E}(x)\,dx|_{p-\text{side}} - \int_{0}^{x_n} \mathcal{E}(x)\,dx|_{n-\text{side}}$$

$$= \frac{qN_A x_p^2}{2\varepsilon_s} + \frac{qN_D x_n^2}{2\varepsilon_s} = \frac{1}{2}\mathcal{E}_m W. \tag{19}$$

図8(b) の電界を示す三角形の面積が内蔵電位に対応している．式(15) と (19) から，空乏層幅 W が内蔵電位の関数として得られる．

$$\boxed{W = \sqrt{\frac{2\varepsilon_s}{q}\left(\frac{N_A + N_D}{N_A N_D}\right)V_{bi}}.} \tag{20}$$

階段接合において，一方の不純物濃度が他方に比べずっと大きい場合は，**片側階段接合**と呼ばれる（図9(a)）．図9(b) に p^+-n 接合，すなわち $N_A \gg N_D$ の場合の空間電荷分布を示す．この場合，p 側の空乏層幅は n 側に比べずっと小さく ($x_p \ll x_n$)，W は簡単に

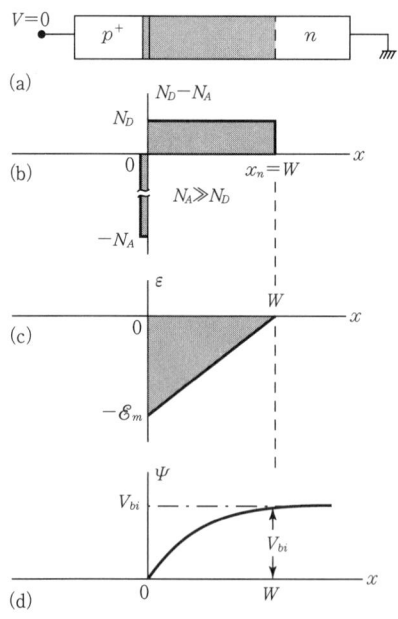

図 9 (a) 熱平衡状態における片側階段接合 ($N_A \gg N_D$), (b) 空間電荷分布, (c) 電界分布, (d) 電位分布. V_{bi} は内蔵電位.

$$W \cong x_n = \sqrt{\frac{2\varepsilon_s V_{bi}}{qN_D}} \quad (21)$$

と表わされる．電界分布は式(17 b)と同様に

$$\mathcal{E}(x) = -\mathcal{E}_m + \frac{qN_B x}{\varepsilon_s} \quad (22)$$

となる．ただし N_B は低濃度側にあたるバルクの不純物濃度である（p^+-n 接合における N_D に相当）．$x = W$ で電界強度はゼロになるので

$$\mathcal{E}_m = \frac{qN_B W}{\varepsilon_s} \quad (23)$$

となり，また

$$\mathcal{E}(x) = \frac{qN_B}{\varepsilon_s}(-W + x) = -\mathcal{E}_m\left(1 - \frac{x}{W}\right) \quad (24)$$

となる．図示すると図9(c)のようになる．

ここでふたたびポアソン方程式を積分すると，次のように電位分布が得られる．

$$\Psi(x) = -\int_0^x \mathcal{E}\, dx = \mathcal{E}_m\left(x - \frac{x^2}{2W}\right) + \text{constant.} \quad (25)$$

p 形中性領域をポテンシャルの基準（$\Psi(0) = 0$）とし，式(19)を用いると

$$\Psi(x) = \frac{V_{bi} x}{W}\left(2 - \frac{x}{W}\right) \quad (26)$$

となる．電位分布は図9(d)のとおりである．

例題 2 Si の片側階段接合で $N_A = 10^{19}$ cm^{-3}，$N_D = 10^{16}$ cm^{-3} の場合，バイアス電圧ゼロのときの空乏層幅および最大電界強度を求めよ（$T = 300$ K）．

解答 式(12)，(21)，(23)より

$$V_{bi} = 0.0259 \ln\left[\frac{10^{19} \times 10^{16}}{(9.65 \times 10^9)^2}\right] = 0.895 \text{ V},$$

$$W \cong \sqrt{\frac{2\varepsilon_s V_{bi}}{qN_D}} = 3.41 \times 10^{-5} = 0.343\ \mu\text{m},$$

$$\mathcal{E}_m = \frac{qN_B W}{\varepsilon_s} = 0.52 \times 10^4 \text{ V/cm}.$$

これまでは，外部電圧がかけられていない熱平衡状態の p-n 接合について考えてきた．熱平衡下では図10(a)に示すように，接合を含む全静電ポテンシャルは V_{bi} である．したがって p 側から n 側にかけてのポテンシャルエネルギー差が qV_{bi} である．もし p 側に V_F なる正の電圧を印加すると，この p-n 接合は図10(b)に示すように順方向バイアスされたことになる．接合をはさんだ静電ポテンシャルは V_F だけ下がったことになり，$V_{bi} - V_F$ となる．したがって，順方向バイアスによって，空乏層幅は小さくなる．

一方，図10(c)に示すように，正電圧 V_R を n 側にかけると，p-n 接合は逆方向にバイアスされたことになり，接合をはさんだ全静電ポテンシャルは V_R だけ増加し $V_{bi} + V_R$ となる．したがって，この場合，逆方向バイアスが空乏層幅を広げる．これらの電圧を式(21)に代入すると，次のように片側階段接合の空乏層幅が印加電圧の関数として与えられる．

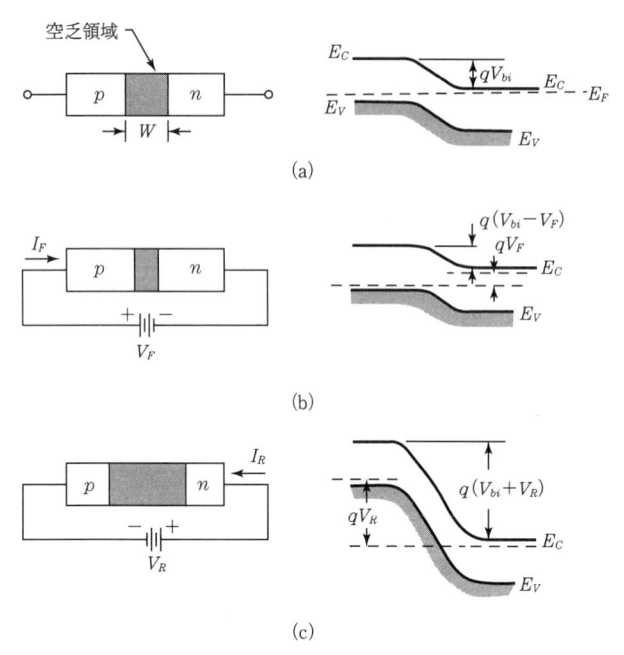

図 10 各種のバイアス条件における p-n 接合の空乏層幅とエネルギーバンド図．(a) 熱平衡，(b) 順方向バイアス，(c) 逆方向バイアス．

$$W = \sqrt{\frac{2\varepsilon_s(V_{bi}-V)}{qN_B}}, \tag{27}$$

ただし，N_B は軽くドープしたバルクの不純物濃度，V の符号は，順方向バイアス時は正，逆方向バイアスの時は負にとる．重要なことは，空乏層幅は，接合両側の電位差の平方根に比例することである．

4.3.2 傾斜接合

まず熱平衡状態について考える．傾斜接合における不純物分布は図11(a) のようになっている．ポアソン方程式は

$$\frac{d^2\Psi}{dx^2} = \frac{-d\mathcal{E}}{dx} = \frac{-\rho_s}{\varepsilon_s} = \frac{-q}{\varepsilon_s}ax \qquad -\frac{W}{2} \leq x \leq \frac{W}{2}, \tag{28}$$

ただし，a は不純物の濃度勾配（cm^{-4}）であり，W は空乏層幅である．

空乏層内ではキャリアは無視できると仮定している．$x=\pm W/2$ では電界強度はゼロという境界条件で，式(28) を積分すると，図11(b) に示すような電界分布

$$\mathcal{E}(x) = -\frac{qa}{\varepsilon_s}\left[\frac{(W/2)^2 - x^2}{2}\right] \tag{29}$$

が得られる．$x=0$ における最大電界強度は

$$\mathcal{E}_m = \frac{qaW^2}{8\varepsilon_s} \tag{29a}$$

となる．式(28) を再度積分すると，図11(c) および 11(d) に示すようにポテンシャル分布とエネルギーバンド図が得られる．内蔵電位と空乏層幅は

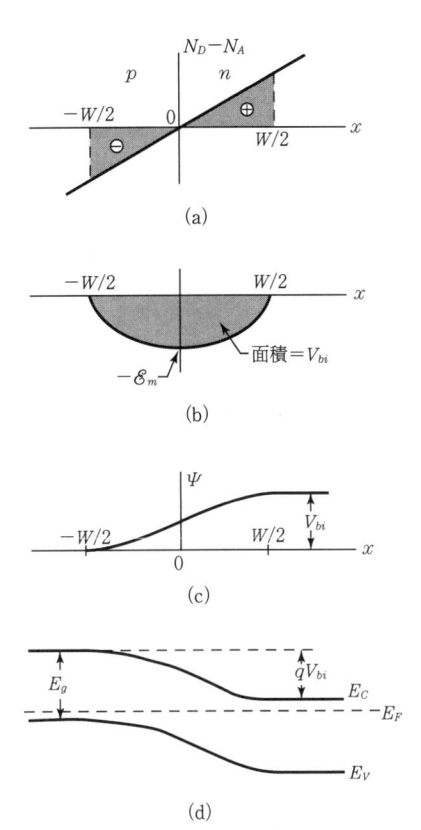

図 11 熱平衡状態にある線形傾斜接合．(a) 不純物分布，(b) 電界分布，(c) 電位分布，(d) エネルギーバンド図．

$$V_{bi} = \frac{qaW^3}{12\varepsilon_s} \tag{30}$$

および

$$W = \left(\frac{12\varepsilon_s V_{bi}}{qa}\right)^{1/3} \tag{31}$$

で与えられる．空乏層の両端（$-W/2$，$W/2$）では，不純物濃度は等しく $aW/2$ の値を持つので，傾斜接合では，内蔵電位は式(12)と類似の形

$$V_{bi} = \frac{kT}{q}\ln\left[\frac{(aW/2)(aW/2)}{n_i^2}\right] = \frac{2kT}{q}\ln\left(\frac{aW}{2n_i}\right) \tag{32}$$

をとる†．式(31),(32)で W を消去して得られる超越方程式を解くことにより，内蔵電位が a の関数として得られる．Si および GaAs の傾斜接合に対する結果を図12に示す．この接合に順方向または逆方向バイアスが加えられたときの空乏層幅およびエネルギーバンド図の変化は，図10に示す階段接合の場合と類似している．しかし，空乏層幅は $(V_{bi}-V)^{1/3}$ で変化する．ただし，V は順方向，逆方向バイアスに対しそれぞれ正および負の値をとる．

---

† 厳密な数値計算では，内蔵電位は次式で与えられる．
$$V_{bi} = \frac{2}{3}\frac{kT}{q}\ln\left(\frac{a^2\varepsilon_s kT/q}{8qn_i^3}\right).$$
一定の不純物勾配に対して，この値は式(32)で計算するより 0.05〜0.1 V 小さな値をとる．

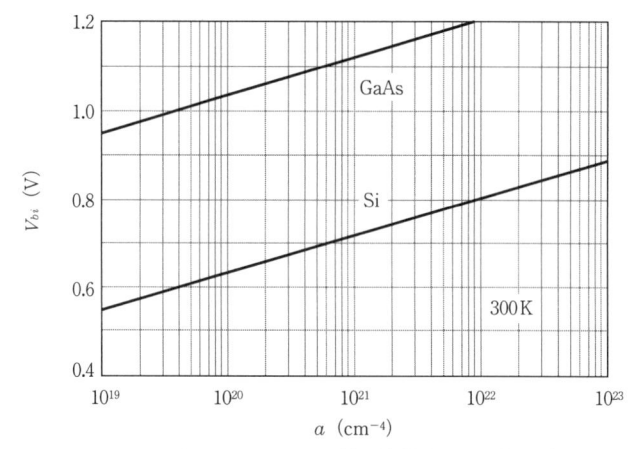

図 12 Si および GaAs における線形傾斜接合の内蔵電位と不純物濃度勾配の関係.

例題 3 不純物勾配 10^{20} cm^{-4}, 空乏層幅 0.5 μm の Si 線形傾斜接合において, 最大電界強度および内蔵電位を求めよ. ($T = 300$ K)

解答 式(29a)および式(32)より,

$$\mathscr{E}_m = \frac{qaW^2}{8\varepsilon_s} = \frac{1.6\times10^{-19}\times10^{20}\times(0.5\times10^{-4})^2}{8\times11.9\times8.85\times10^{-14}} = 4.75\times10^3 \text{ V/cm},$$

$$V_{bi} = \frac{2kT}{q}\ln\left(\frac{aW}{2n_i}\right) = 2\times0.0259\times\ln\left(\frac{10^{20}\times0.5\times10^{-4}}{2\times9.65\times10^9}\right) = 0.645 \text{ V}.$$

4.4 空乏層容量

単位面積当りの空乏層容量は $C_j \equiv dQ/dV$ で表される. ただし, dQ は印加電圧の増分 dV に対する空乏層内単位面積当りの空間電荷の増加分である†.

図 13 は, 任意の不純物分布を持つ p-n 接合の空乏層容量を示す. n 側に電圧 V が印加されているときの電荷と電界分布を実線で示す. 電圧が dV だけ増加すると電荷と電界分布は破線部分まで広がる. 図 13(b) に示す電荷の増分 dQ は, p および n 側の空乏層における電荷分布の差, すなわち影付部分に相当している. n 側および p 側における空間電荷の増加分は, 量は等しいが符号が反対である. したがって全体の中性条件は保たれている. 電荷の増分 dQ によって電界は $d\mathscr{E} = dQ/\varepsilon_s$ (ポアソン方程式より) だけ強くなる. 図 13(c) に影付で示した印加電圧の増分 dV は $Wd\mathscr{E}$ または WdQ/ε_s で近似できる. したがって単位面積当りの空乏層容量は

$$C_j \equiv \frac{dQ}{dV} = \frac{dQ}{W\frac{dQ}{\varepsilon_s}} = \frac{\varepsilon_s}{W} \tag{33}$$

すなわち,

$$\boxed{C_j = \frac{\varepsilon_s}{W} \text{ F/cm}^2} \tag{33a}$$

で与えられる.

---
† 遷移領域容量または接合容量とも言う.

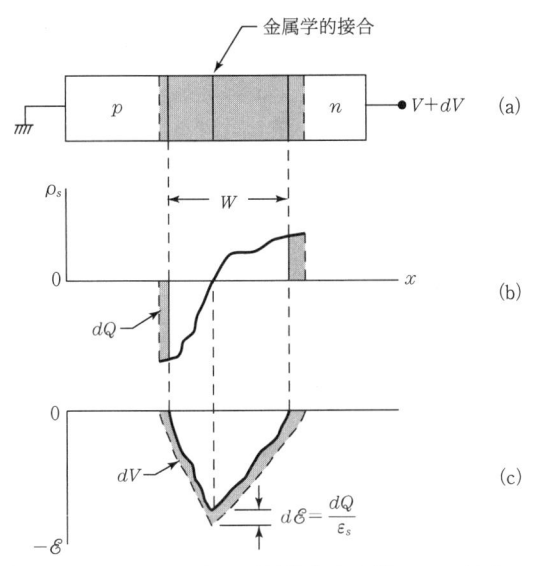

図 13 (a) 逆バイアスされた任意の不純物分布を持つ p-n 接合, (b) バイアス変化による空間電荷分布の変化, (c) それに対応する電界分布の変化.

4.4.1 容量-電圧特性

空乏層容量を示す式(33)は, 電極間距離が空乏層幅に等しい平行平板コンデンサーの容量の式と同じであり, 任意の不純物分布について成立する. 式(33)の導出にあたっては, 空乏層内の電荷の変化のみが容量に寄与するとした. たしかにこの仮定は逆方向バイアスのときは正しい. しかし順方向バイアスでは, 大きな電流が接合部を流れ, 空乏層内に多数のキャリアが存在することになる. バイアス電圧に対するキャリアの増分によって, 拡散容量と呼ばれる容量成分が生じる. これについては 4.6 節で述べる.

片側階段接合の場合, 式(27), (33) より,

$$C_j = \frac{\varepsilon_s}{W} = \sqrt{\frac{q\varepsilon_s N_B}{2(V_{bi} - V)}} \tag{34}$$

すなわち,

$$\boxed{\frac{1}{C_j^2} = \frac{2(V_{bi} - V)}{q\varepsilon_s N_B}} \tag{35}$$

となる. 式(35) から明らかなように, 片側階段接合の場合, V に対して $1/C_j^2$ をプロットすると直線になる. その勾配から基板の不純物濃度 N_B がわかり, 切片 ($1/C_j^2 = 0$ における V) から V_{bi} がわかる.

例題 4 Si 片側階段接合において, $N_A = 2 \times 10^{19}$ cm^{-3}, $N_D = 8 \times 10^{15}$ cm^{-3} とする. ゼロバイアスおよび逆バイアス 4 V のときの接合容量を求めよ ($T = 300$ K).

解答 式(12), (27), (34) から, ゼロバイアスにおいては,

$$V_{bi} = 0.0259 \ln \frac{2 \times 10^{19} \times 8 \times 10^{15}}{(9.65 \times 10^9)^2} = 0.906 \text{ V},$$

$$W|_{V=0} \cong \sqrt{\frac{2\varepsilon_s V_{bi}}{qN_D}} = \sqrt{\frac{2 \times 11.9 \times 8.85 \times 10^{-14} \times 0.906}{1.6 \times 10^{-19} \times 8 \times 10^{15}}} = 3.86 \times 10^{-5} = 0.386 \text{ }\mu\text{m},$$

$$C_j|_{V=0} = \frac{\varepsilon_s}{W|_{V=0}} = \sqrt{\frac{q\varepsilon_s N_B}{2V_{bi}}} = 2.728 \times 10^{-8} \text{ F/cm}^2.$$

式(27),(34)から，4Vの逆バイアスにおいては，

$$W|_{V=-4} \cong \sqrt{\frac{2\varepsilon_s(V_{bi}-V)}{qN_D}} = \sqrt{\frac{2 \times 11.9 \times 8.85 \times 10^{-14} \times (0.906+4)}{1.6 \times 10^{-19} \times 8 \times 10^{15}}}$$
$$= 8.99 \times 10^{-5} \text{ cm} = 0.899 \ \mu\text{m},$$

$$C_j|_{V=-4} = \frac{\varepsilon_s}{W|_{V=-4}} = \sqrt{\frac{q\varepsilon_s N_B}{2(V_{bi}-V)}} = 1.172 \times 10^{-8} \text{ F/cm}^2.$$

となる．

4.4.2 不純物分布の求め方

容量-電圧特性から任意の不純物分布を知ることができる．n 側に図14(b)に示すような不純物分布を持つ p^+-n 接合を例にとって考える．前に述べたように，印加電圧の増分 dV に対する，空乏層内単位面積当りの電荷の増分 dQ は $qN(W)dW$ で与えられる（図14(b)の影付部分）．対応する印加電圧の変化分は（図14(c)の影付部分）

$$dV \cong (d\mathscr{E})W = \left(\frac{dQ}{\varepsilon_s}\right)W = \frac{qN(W)dW^2}{2\varepsilon_s} \tag{36}$$

となる．式(33)を用いて W を置き換えると，次のように空乏領域の端における不純物濃度に対する表式が得られる．

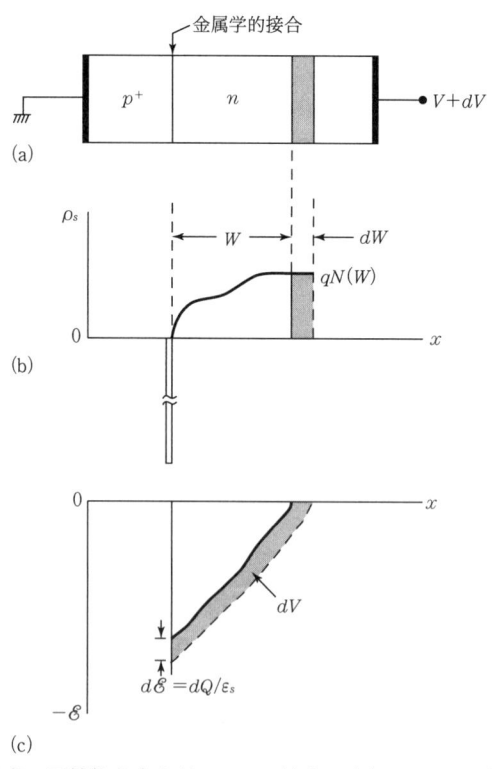

図 14 (a) 任意の不純物分布を持つ p^+-n 接合，(b) バイアス変化による低不純物濃度側の空間電荷の変化，(c) それに対応する電界分布の変化．

第4章 p-n接合

$$N(W) = \frac{2}{q\varepsilon_s}\left[\frac{1}{d(1/C_j^2)/dV}\right]. \tag{37}$$

逆バイアス電圧に対する単位面積当りの容量を測定すれば V に対して $1/C_j^2$ がプロットできる．プロットの勾配，すなわち $d(1/C_j^2)/dV$ から $N(W)$ が得られる．同時に W が式(33)から得られる．同様な計算を W を変えて行えば不純物分布の全体が得られる．この方法は C-V 法と呼ばれる．

傾斜接合では，空乏層容量は式(31)，(33)から次のようになる．

$$C_j = \frac{\varepsilon_s}{W} = \left[\frac{qa\varepsilon_s^2}{12(V_{bi}-V)}\right]^{1/3} \text{F/cm}^2. \tag{38}$$

このような接合では，V に対して $1/C^3$ をプロットすると，不純物濃度勾配と V_{bi} がそれぞれ勾配と切片から得られる．

4.4.3 バラクター

逆バイアス p-n 接合特性の電圧依存性は電子回路で広く応用されている．この目的のために設計された p-n 接合は**バラクター**と呼ばれている．これはバリアブルリアクター（variable reactor）が短縮されたものである．前述のように，逆バイアス空乏層容量は

$$C_j \propto (V_{bi}+V_R)^{-n} \tag{39}$$

で，もし $V_R \gg V_{bi}$ ならば

$$C_j \propto (V_R)^{-n} \tag{39a}$$

となる．傾斜接合の場合 $n=1/3$，階段接合の場合は $n=1/2$ である．したがって，C の電圧依存性（V_R に対する C の変化）は傾斜接合より階段接合の方が大きい．この電圧依存性は，式(39)の指数 n を $1/2$ より大きくした超階段接合を作ることによってさらに大きくすることができる．

図15は，p^+-n 接合における3種類のドナー分布を示す．ドナー分布 $N_D(x)$ が $B(x/x_0)^m$ で与えられるとして，B および x_0 を定数とすると，傾斜接合では $m=1$，階段接合では $m=0$，超階段接合では $m=-3/2$ となる．超階段接合は第10章で述べるようにエピタキシィ法によって

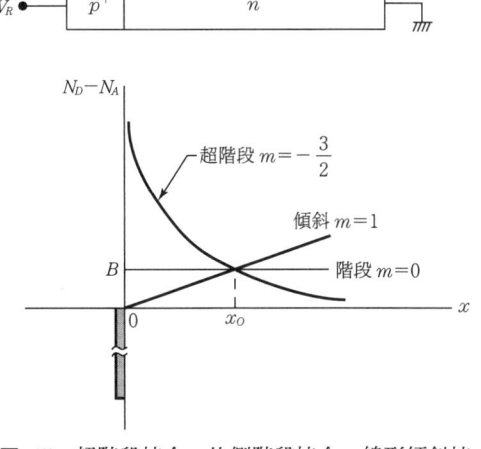

図 15 超階段接合，片側階段接合，線形傾斜接合の不純物分布．

得られる．容量-電圧の関係式を得るためにポアソン方程式,

$$\frac{d^2\Psi}{dx^2} = -B\left(\frac{x}{x_0}\right)^m \tag{40}$$

を解く．適当な境界条件で式(40)を2回積分すると，逆バイアス電圧に対する空乏層幅の関係が得られる．

$$W \propto (V_R)^{1/(m+2)}. \tag{41}$$

したがって,

$$C_j = \frac{\varepsilon_s}{W} \propto (V_R)^{-1/(m+2)} \tag{42}$$

となる．式(42)と(39a)を比較すると $n=1/(m+2)$ となる．$n>1/2$ となる超階段接合では，m は負の数でなければならない．

m を変えることによって，特定の応用に合致した $C_j - V_R$ の関係を得ることができる．面白い一例として $m=-3/2$ の例が図15に示されている．このバラクターを共振回路においてインダクター L と接続すると，$n=2$ であるから，次式のように共振周波数がバラクターに印加された電圧に比例する．

$$\omega_r = \frac{1}{\sqrt{LC_j}} \propto \frac{1}{\sqrt{V_R^{-n}}} = V_R \quad \text{for} \quad n=2. \tag{43}$$

4.5 電流-電圧特性

p-n 接合に電圧を印加すると，電子と正孔による拡散電流とドリフト電流の均衡が破れる．順方向バイアスでは，図16(a)の中央に示すように，印加電圧によって空乏領域の静電ポテンシャルは減少し，したがってドリフト電流は拡散電流に比べ少なくなる．また，p 側から n 側への正孔拡散および n 側から p 側への電子拡散は増大し，少数キャリアの注入が行なわれる．すなわち，電子は p 側に注入され，正孔は n 側に注入される．逆方向バイアスでは，空乏領域にかかる静電ポテンシャルは，図16(b)の中央に示すように，印加電圧により増大し，その結果拡散電流が大幅に減少して逆方向電流は少なくなる．この節では，まず理想的な電流-電圧特性を考え，続いてこの理想特性に対するキャリアの生成，再結合等の影響について考える．

4.5.1 理想特性

理想的電流-電圧特性を，以下の仮定の基に導出する．(a) 階段状の空乏層，すなわち空乏領域は急峻な境界を有し，その境界の外側は中性である．(b) この境界の外側におけるキャリア密度は接合両側の静電ポテンシャルの差で記述される．(c) 低注入である．すなわち，注入された少数キャリア密度は多数キャリア密度より少ない．言い換えると，境界近くの中性領域における多数キャリア密度は印加電圧によってほとんど変わらない．(d) 空乏領域では，生成および再結合電流は存在せず，電子および正孔電流は一定である．これらの理想的条件からはずれた場合については次節で述べる．

熱平衡状態では，多数キャリアは実質的にドーピング濃度に等しい．キャリア数に添字 n および p をつけて半導体の形を示し，添字 o で熱平衡状態を示す．したがって，n_{no}, n_{po} はそれ

第 4 章 p-n 接合

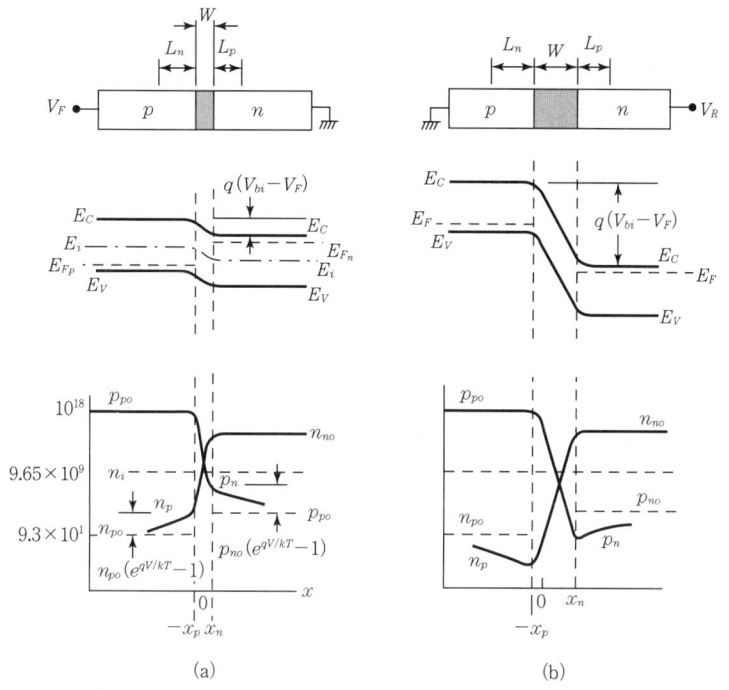

図 16 空乏領域，エネルギーバンド図およびキャリア分布．(a) 順方向バイアス，(b) 逆方向バイアス．

それ n 形および p 形における熱平衡下での電子密度である．式(12) の内蔵電位は書き換えると，

$$V_{bi} = \frac{kT}{q} \ln \frac{p_{po} n_{no}}{n_i^2} = \frac{kT}{q} \ln \frac{n_{no}}{n_{po}} \tag{44}$$

となる．ただし，質量作用則 $p_{po} n_{po} = n_i^2$ を使用した．式(44) を書き換えると，

$$n_{no} = n_{po} e^{qV_{bi}/kT} \tag{45}$$

となり，同様に

$$p_{po} = p_{no} e^{qV_{bi}/kT} \tag{46}$$

が得られる．式(45),(46) から，熱平衡下では，空乏層の両側の境界における電子および正孔密度は静電ポテンシャルの差 V_{bi} で記述されることが解る．第 2 の仮定より，電圧印加によって静電ポテンシャルが変化しても同様な関係が成立すると考える．

順方向バイアスがかけられると静電ポテンシャルの差は $V_{bi} - V_F$ に下がり，逆方向バイアスでは $V_{bi} + V_R$ に上がる．したがって式(45) は

$$n_n = n_p e^{q(V_{bi} - V)/kT} \tag{47}$$

に変化する．ただし，n_n, n_p は空乏領域の n 側および p 側の境界における非熱平衡状態での電子密度である．印加電圧 V は，順方向のときは正，逆方向のときは負である．低注入であるから，注入される少数キャリア密度は多数キャリア密度に比べずっと少ないので $n_n \cong n_{no}$ と置ける．この関係と式(45) を式(47) に代入すると，空乏領域と p 側との境界 ($x = -x_p$) における電子密度は，

$$n_p = n_{po} e^{qV/kT} \tag{48}$$

または,
$$n_p - n_{po} = n_{po}(e^{qV/kT} - 1) \qquad (48\,\text{a})$$
となる.同様にして,n側の境界$x = x_n$においては,
$$p_n = p_{no} e^{qV/kT} \qquad (49)$$
または
$$p_n - p_{no} = p_{no}(e^{qV/kT} - 1) \qquad (49\,\text{a})$$
が得られる.図16(a) および図16(b) は,順方向および逆方向バイアスにおけるp-n接合のバンド図およびキャリア分布を示す.図16(a)におけるE_{Fp},E_{Fn}は,それぞれp形,n形中性領域のフェルミ準位である.境界($-x_p$およびx_n)における少数キャリア密度は,順方向バイアスのときは熱平衡時の値よりずっと多くなり,逆方向バイアスのときは熱平衡の値より少なくなっていることに注意してほしい.式(48),(49)は空乏領域との境界における少数キャリア密度を与える.これらの式は,理想的電流-電圧特性を計算するうえで最も重要な境界条件である.

仮定より,空乏領域ではキャリアは生成されず,すべて中性領域より流れ込む.n形中性領域では電界がゼロであるから,定常状態の連続の式は
$$\frac{d^2 p_n}{dx^2} - \frac{p_n - p_{no}}{D_p \tau_p} = 0 \qquad (50)$$
となる.境界条件として式(49) および $p_n(x = \infty) = p_{no}$ を用いて式(50) を解くと,

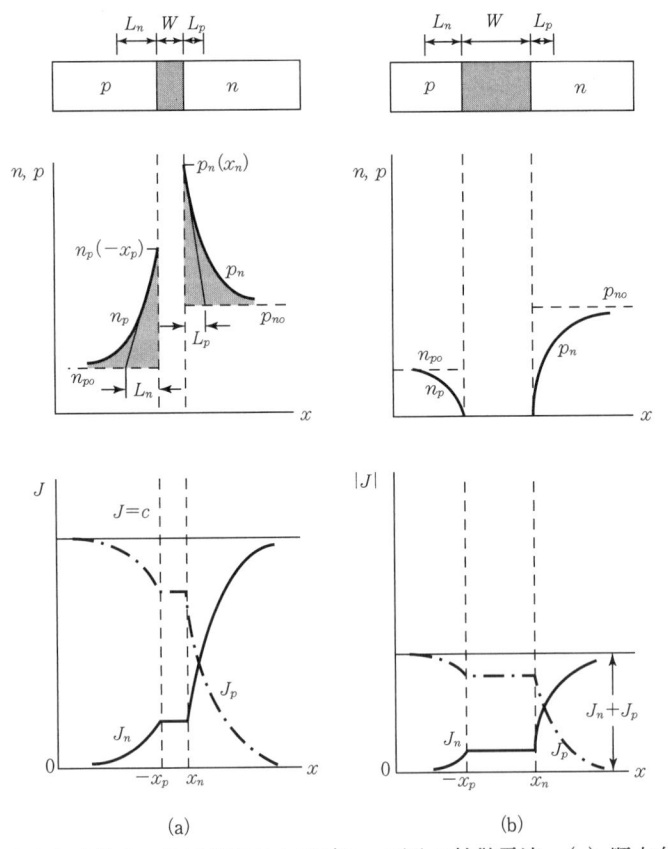

図 17 注入された少数キャリア分布および電子,正孔の拡散電流.(a) 順方向バイアス,(b) 逆方向バイアス.図は理想電流を示す.現実のデバイスでは,電流は空間電荷領域内では一定ではない.

$$p_n - p_{no} = p_{no}(e^{qV/kT} - 1) e^{-(x-x_n)/L_p} \tag{51}$$

が得られる．ただし，$L_p(=\sqrt{D_p\tau_p})$ は n 領域の少数キャリアである正孔の拡散長である．$x = x_n$ では，

$$J_p(x_n) = -qD_p \frac{dp_n}{dx}\bigg|_{x_n} = \frac{qD_p p_{no}}{L_p}(e^{qV/kT} - 1) \tag{52}$$

となる．同様に，p 形中性領域では，

$$n_p - n_{po} = n_{po}(e^{qV/kT} - 1) e^{(x+x_p)/L_n} \tag{53}$$

および

$$J_n(-x_p) = qD_n \frac{dn_p}{dx}\bigg|_{-x_p} = \frac{qD_n n_{po}}{L_n}(e^{qV/kT} - 1) \tag{54}$$

が得られる．$L_n(=\sqrt{D_n\tau_n})$ は電子の拡散長である．少数キャリア密度（式(51), (53)）を図17の中央に示す．

図に示されているように，注入された少数キャリアは多数キャリアと再結合し，境界から離れるにつれて少なくなる．図17の一番下の図は，電子および正孔による電流である．境界における電子，正孔電流は，それぞれ式(52), (54) で与えられる．正孔拡散電流は n 領域内では，拡散長を L_n として指数関数的に減衰し，電子電流は，p 領域内で，拡散長を L_p として指数関数的に減少する．

デバイス内では，全電流は一定であり，式(52) および (54) の和であるから，

$$\boxed{J = J_p(x_n) + J_n(-x_p) = J_s(e^{qV/kT} - 1),} \tag{55}$$

$$\boxed{J_s \equiv \frac{qD_p p_{no}}{L_p} + \frac{qD_n n_{po}}{L_n}} \tag{55 a}$$

が得られる．ただし，J_s は飽和電流密度である．式(55) は**理想ダイオードの式**である[1]．理想的電流-電圧特性は，図18(a) および 18(b) に，それぞれ，線形座標および片対数座標で示す．p 側に正電圧を印加した順方向では，$V \geq 3kT/q$ で電流の増加率は図18(b) に示すように一定である．300 K では，電圧が 60 mV($=2.3\,kT/q$) 増すごとに電流は 10 倍になっている．逆方向では，電流は $-J_s$ で飽和している．

例題 5　次のパラメータを有する Si p-n 接合において，理想的逆方向飽和電流を求めよ．断面積は $2\times10^{-4}\,\mathrm{cm}^2$ である．

$$N_A = 5\times10^{16}\,\mathrm{cm}^{-3},\ N_D = 10^{16}\,\mathrm{cm}^{-3},\ n_i = 9.65\times10^9\,\mathrm{cm}^{-3}$$
$$D_n = 21\,\mathrm{cm^2/s},\ D_p = 10\,\mathrm{cm^2/s},\ \tau_p = \tau_n = 5\times10^{-7}\,\mathrm{s}.$$

解答　式(55) および $L_p = \sqrt{D_p\tau_p}$ より，

$$J_s = \frac{qD_p p_{no}}{L_p} + \frac{qD_n n_{po}}{L_n} = qn_i^2\left(\frac{1}{N_D}\sqrt{\frac{D_p}{\tau_p}} + \frac{1}{N_A}\sqrt{\frac{D_n}{\tau_n}}\right),$$

$$= 1.6\times10^{-19}\times(9.65\times10^9)^2\left(\frac{1}{10^{16}}\sqrt{\frac{10}{5\times10^{-7}}} + \frac{1}{5\times10^{16}}\sqrt{\frac{21}{5\times10^{-7}}}\right),$$

$$= 8.58\times10^{-12}\,\mathrm{A/cm^2}.$$

断面積 A が $2\times10^{-4}\,\mathrm{cm}^2$ であるから，

$$I_s = A\times J_s = 2\times10^{-4}\times 8.58\times10^{-12} = 1.72\times10^{-15}\,\mathrm{A}.$$

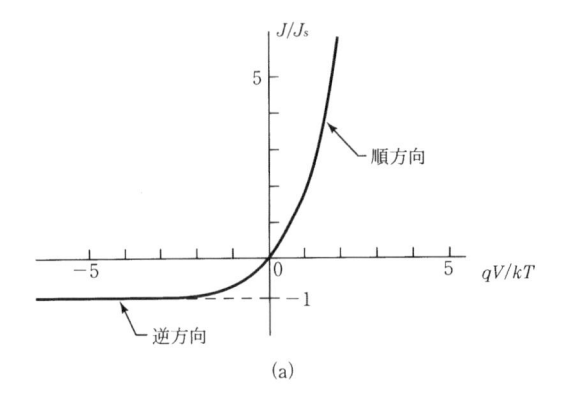

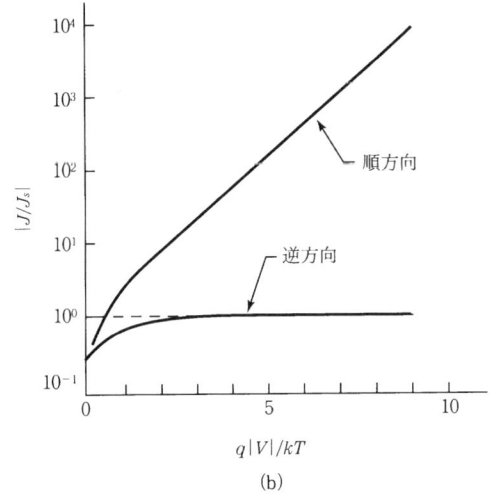

図 18 理想電流-電圧特性．(a) 線形座標プロット，(b) 片対数座標プロット．

4.5.2 生成-再結合および高注入効果

理想ダイオードの式(55)は，Ge p-n 接合の低電流密度における電流-電圧特性を一応説明できるが，Si や GaAs ではこの式は定性的にしか一致しない．その原因は，空乏領域のキャリア生成や再結合が無視できないからである．

逆方向バイアスの場合，空乏領域のキャリア密度は熱平衡時の値よりずっと少ない．第3章で述べたように，生成-再結合の主過程は，バンドギャップ内の生成-再結合中心を介した電子，正孔の放出過程である．この場合，捕獲過程は重要でない．というのは，捕獲割合はキャリア密度に比例し，逆方向バイアスの場合それは非常に少ないためである．

定常状態では2種の放出過程，すなわち電子の放出と正孔の放出が交互に起きる．電子-正孔対の生成割合は，第3章，式(48)において，$p_n < n_i$，$n_n < n_i$ の条件で次式のようになる．

$$G = -U = \left[\frac{\sigma_p \sigma_n v_{th} N_t}{\sigma_n \exp\left(\frac{E_t - E_i}{kT}\right) + \sigma_p \exp\left(\frac{E_i - E_t}{kT}\right)} \right] n_i$$

$$\equiv \frac{n_i}{\tau_g}, \tag{56}$$

ただし，生成時間 τ_g は，上式右辺の角括弧の式の逆数である．この式から，電子-正孔の生成について重要なことがわかる．簡単のために，$\sigma_n = \sigma_p = \sigma_o$ として考えてみる．この場合，式(56)は

$$G = \frac{\sigma_o v_{th} N_t n_i}{2\cosh\left(\frac{E_t - E_i}{kT}\right)} \tag{57}$$

となる．生成割合は，$E_t = E_i$ で最大となり，E_t がバンドギャップの中央から離れるにつれて指数関数的に減少する．つまり，真性フェルミ準位の近傍にある生成中心だけが生成割合に重要な寄与をする．

空乏領域で生成されたキャリアによる電流は

$$J_{gen} = \int_0^W qG dx \cong qGW = \frac{qn_i W}{\tau_g} \tag{58}$$

となる．ただし W は空乏層幅である．したがって，p^+-n 接合に逆バイアスをかけた場合，すなわち $N_A \gg N_D$ で，$V_R > 3kT/q$ のとき，逆方向電流は中性領域における拡散電流と空乏領域における生成電流の和となり，

$$\boxed{J_R \cong q\sqrt{\frac{D_p}{\tau_p}}\frac{n_i^2}{N_D} + \frac{qn_i W}{\tau_g}} \tag{59}$$

で表される．Geのように n_i の大きな半導体では，室温では拡散電流が主であり，逆方向電流は理想ダイオードの式に従う．しかしSiやGaAsのように n_i の小さな半導体では空乏領域における生成電流が主となる．

例題6 例題5のSi p-n 接合において，$\tau_g = \tau_p = \tau_n$ としたとき，逆バイアス電圧4Vに対する生成電流密度を求めよ．

解答 式(20)から

$$W = \sqrt{\frac{2\varepsilon_s}{q}\left(\frac{N_A + N_D}{N_A N_D}\right)(V_{bi} + V)} = \sqrt{\frac{2\varepsilon_s}{q}\left(\frac{N_A + N_D}{N_A N_D}\right)\left(\frac{kT}{q}\ln\frac{N_A N_D}{n_i^2} + V\right)}$$

$$= \sqrt{\frac{2 \times 11.9 \times 8.85 \times 10^{-14}}{1.6 \times 10^{-19}}\left(\frac{5 \times 10^{16} + 10^{16}}{5 \times 10^{16} \times 10^{16}}\right)\left(0.0259\ln\frac{5 \times 10^{16} \times 10^{16}}{(9.65 \times 10^9)^2} + V\right)}$$

$$= 3.97 \times \sqrt{0.758 + V} \times 10^{-5}\ \text{cm}.$$

生成電流密度は，

$$J_{gen} = \frac{qn_i W}{\tau_g} = \frac{1.6 \times 10^{-19} \times 9.65 \times 10^9}{5 \times 10^{-7}} \times 3.97 \times \sqrt{0.758 + V} \times 10^{-5}\ \text{A/cm}^2$$

$$= 1.22 \times \sqrt{0.758 + V} \times 10^{-7}\ \text{A/cm}^2.$$

したがって，逆方向電圧が4Vのとき生成電流密度は $2.66 \times 10^{-7}\ \text{A/cm}^2$ となる．

順方向バイアスでは，電子と正孔密度は熱平衡時の値よりずっと大きくなる．キャリアは再結合によって熱平衡値に戻ろうとする．したがって，空乏領域における主要な再結合過程は捕獲過程である．式(49)から

$$p_n n_n \cong p_{no} n_{no} e^{qV/kT} = n_i^2 e^{qV/kT} \tag{60}$$

が得られる．式(60)を第3章の式(48)に代入し，$\sigma_n = \sigma_p = \sigma_o$ とすると

$$U = \frac{\sigma_o v_{th} N_t n_i^2 (e^{qV/kT} - 1)}{n_n + p_n + 2n_i \cosh\dfrac{E_i - E_t}{kT}} \tag{61}$$

となる．再結合割合にしても生成割合にしても，E_i の近くに存在する中心が最も大きな効果を与える．実用的な例として，Au および Cu は Si 中で生成・再結合中心を作り，$E_t - E_i$ は Au で 0.02 eV，Cu で -0.02 eV である．GaAs では Cr が有効な中心となり，$E_t - E_i$ は 0.08 eV の位置にある．

式(61) は $E_t = E_i$ のとき，さらに簡単になり

$$U = \sigma_o v_{th} N_t \frac{n_i^2 (e^{qV/kT} - 1)}{n_n + p_n + 2n_i} \tag{62}$$

と表せる．ある順方向バイアスのとき，空乏領域内で分母の $(n_n + p_n + 2n_i)$ が最小になる位置，すなわち電子と正孔の和 $(n_n + p_n)$ が最小値をとる位置で U は最大となる．式(60) に示されているように，キャリア密度の積は一定であること，および $d(p_n + n_n) = 0$ の条件から

$$dp_n = -dn_n = \frac{p_n n_n}{p_n^2} dp_n \tag{63}$$

すなわち

$$p_n = n_n \tag{64}$$

が最小値をとる条件として得られる．この条件は，空乏領域内で E_i が E_{Fp} と E_{Fn} の中央にあるとき満足される（図16(a) の中央の図参照）．したがって，キャリア密度は，

$$p_n = n_n = n_i e^{qV/2kT} \tag{65}$$

となり，

$$U_{\max} = \sigma_o v_{th} N_t \frac{n_i^2 (e^{qV/kT} - 1)}{2n_i (e^{qV/2kT} + 1)} \tag{66}$$

が得られる．$V \gg 3kT/q$ ならば，

$$U_{\max} \cong \frac{1}{2} \sigma_o v_{th} N_t n_i e^{qV/2kT} \tag{67}$$

と近似できる．したがって，再結合電流は，

$$J_{rec} = \int_0^W qU dx \cong \frac{qW}{2} \sigma_o v_{th} N_t n_i e^{qV/2kT} = \frac{qW n_i}{2\tau_r} e^{qV/2kT} \tag{68}$$

となる．ただし，τ_r は実効再結合寿命で，$1/(\sigma_o v_{th} N_t)$ で与えられる．全順方向電流は，式(55) と (68) の和で近似でき，$p_{no} \gg n_{po}$ および $V \gg 3kT/q$ の場合，

$$\boxed{J_F = q\sqrt{\frac{D_p}{\tau_p}} \frac{n_i^2}{N_D} e^{qV/kT} + \frac{qW n_i}{2\tau_r} e^{qV/2kT}} \tag{69}$$

となる．

通常，実験結果は経験的に

$$\boxed{J_F \propto \exp\left(\frac{qV}{\eta kT}\right)} \tag{70}$$

で表すことができ，η は **理想係数** と呼ばれる．理想的な拡散電流が主たる電流成分であれば η は 1 であり，再結合電流が主であれば η は 2 となる．両成分が同程度なら η は 1 と 2 の中間の値をとる．

図19に，Si および GaAs p-n 接合の室温における順方向電流の測定値を示す[2]．低電流では，

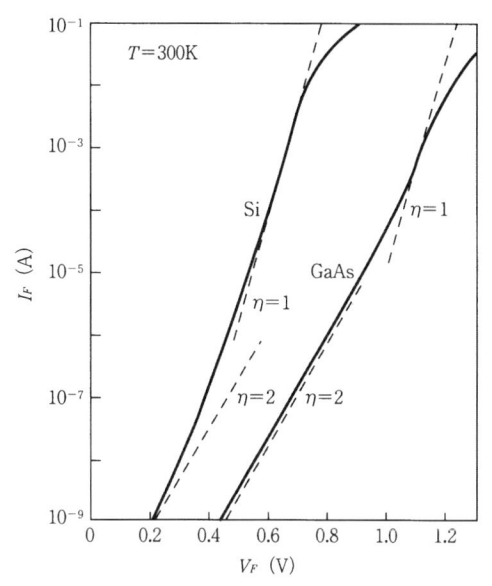

図 19 Si および GaAs ダイオードの 300K における順方向電流-電圧特性の比較.[2] 破線の勾配は，それぞれの領域における理想係数 η を示す.

再結合電流が主であり $\eta=2$ である．電流が増加すると拡散電流が主となり η は 1 に近づく．

さらに高い電流領域では，$\eta=1$ からずれ始め，電圧増加につれてずれは大きくなる．その原因として二つ考えられる．一つは直列抵抗であり，他の一つは高い注入レベルによる効果である．まず直列抵抗効果について考えてみよう．電流が中程度以下ならば，通常中性領域での IR 降下は kT/q（300 K で 26 mV）に比べて小さい．ただし I は順方向電流，R は直列抵抗である．たとえば，$R=1.5\,\Omega$ の Si ダイオードでは，電流 1 mA で IR 降下は 1.5 mV である．しかし，100 mA では，0.15 V となり，これは kT/q の 6 倍である．この IR 降下は空乏層にかかる電圧を減少させ，したがって，電流は

$$I \cong I_s \exp\left[\frac{q(V-IR)}{kT}\right] = \frac{I_s \exp(qV/kT)}{\exp\left[\frac{q(IR)}{kT}\right]} \tag{71}$$

となる．理想ダイオード電流は $\exp[q(IR)/kT]$ 倍だけ小さくなる．

電流密度を増加すると，いずれ注入された少数キャリアの密度が多数キャリア密度と同程度になる．すなわち接合の n 側で $p_n(x=x_n) \cong n_n$ となる．これが高注入の条件である．この条件を式(60)に代入すると，$p_n(x=x_n) \cong n_i \exp(qV/2kT)$．となる．これを境界条件とすれば，電流は，おおまかに $\exp(qV/2kT)$ に比例する．したがって高注入条件下では，電圧に対する電流の増加率は小さくなる．

4.5.3 温 度 効 果

温度はデバイスの動作に大きな影響を与える．順方向，逆方向とも拡散電流および生成-再結合電流の大きさは温度に強く依存している．まず順方向の場合を考えてみる．正孔の拡散電流と再結合電流の比は

$$\frac{I_{拡散}}{I_{再結合}} = 2\frac{n_i}{N_D}\frac{L_p}{W}\frac{\tau_r}{\tau_p}e^{qV/2kT} \approx \exp\left(-\frac{E_g-qV}{2kT}\right) \tag{72}$$

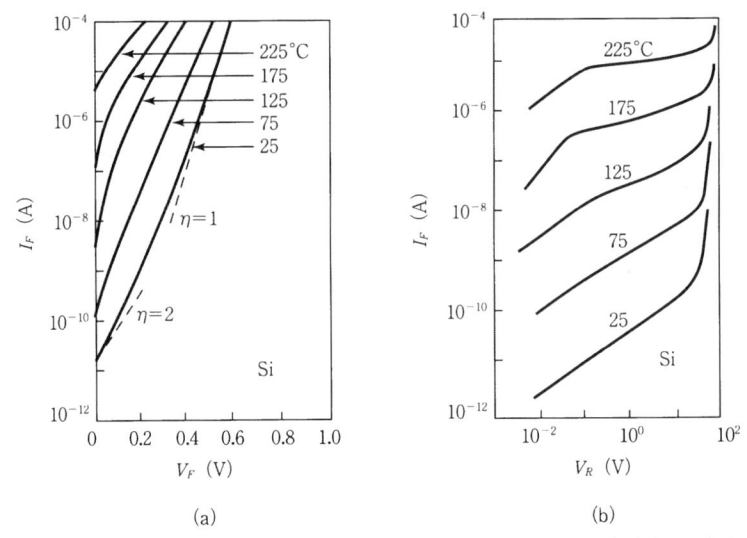

図 20 Si ダイオードにおける電流-電圧特性の温度依存性.[2] (a) 順方向バイアス,(b) 逆方向バイアス.

となる.この比は温度とバンドギャップに依存している.図 20(a) に Si ダイオードの順方向電流の温度依存性を示す.室温では,順方向電圧が小さい場合再結合電流が主であり,大きな順方向電圧では通常拡散電流が主となる.順方向電圧を固定して温度を上昇させると,拡散電流の方が再結合電流より急速に増加する.したがって,温度が高い状態の方が,理想ダイオードの式が適用できる順方向電圧の範囲は広い.

拡散電流が主たる電流成分である p^+-n 片側階段接合の飽和電流密度 J_s(式(55 a))は次のような温度依存性を持つ.

$$J_s \cong \frac{qD_p p_{no}}{L_p} \approx n_i^2 \approx \exp\left(-\frac{E_g}{kT}\right). \tag{73}$$

したがって $1/T$ に対する J_s のプロットの勾配から得られる活性化エネルギーはバンドギャップエネルギーに対応する.

p^+-n 接合の逆バイアス下では,拡散電流と生成電流の比は

$$\frac{I_{拡散}}{I_{生成}} = \frac{n_i L_p}{N_D W} \frac{\tau_g}{\tau_p} \tag{74}$$

となり,この比は真性キャリア密度 n_i に比例する.温度を上昇させると拡散電流が支配的になる.図 20(b) は Si ダイオードにおける逆方向電流の温度依存性を示す.低温では生成電流が支配的であり,逆方向電流は,階段接合の式(58)のとおり $\sqrt{V_R}$ で変化する($W \approx \sqrt{V_R}$).温度が 175°C を超えると電流は,拡散電流が支配的となる $V \geqq 3kT/q$ で飽和の傾向を示す.

4.6 電荷の蓄積と過渡特性

順方向バイアスでは,電子は n 側から p 側に,正孔は p 側から n 側に注入され,少数キャリアは多数キャリアと再結合して図 17(a) に示すように指数関数的に減少してゆく.この少数キャリアの分布が p-n 接合に電流を流し,電荷を蓄積する.ここでは,電荷の蓄積とその接合容

量への影響および急激なバイアス変化による p-n 接合の過渡特性について述べる．

4.6.1 少数キャリアの蓄積

n 形中性領域の単位面積当たりに注入された少数キャリアの電荷は，図17(a) の影付部分を式(51) を使って積分して得られる．

$$Q_p = q\int_{x_n}^{\infty}(p_n - p_{no})dx,$$
$$= q\int_{x_n}^{\infty} p_{no}(e^{qV/kT}-1)e^{-(x-x_n)/L_p}dx,$$
$$= qL_p p_{no}(e^{qV/kT}-1). \tag{75}$$

同様な式が p 形中性領域に蓄積した電子についても得られる．蓄積少数キャリア数は拡散長と空乏層端における少数キャリア密度に依存する．蓄積電荷は注入電流で表現することもできる．すなわち式(52), (75) より

$$\boxed{Q_p = \frac{L_p^2}{D_p}J_p(x_n) = \tau_p J_p(x_n)} \tag{76}$$

となる．式(76) は，蓄積電荷は電流と少数キャリアの寿命の積で表されることを示している．これは注入された正孔の寿命が長いほど再結合する前に内部まで拡散し，それだけ多数の正孔が蓄積するためである．

例題 7 Si の理想的 p^+-n 接合において $N_D = 8\times 10^{15}$ cm^{-3} の場合，1 V の順方向電圧をかけたとき n 形中性領域における単位面積当りの蓄積少数キャリア数を計算せよ．正孔の拡散長は 5 μm とせよ．

解答 式(75) より，

$$Q_p = qL_p p_{no}(e^{qV/kT}-1) = 1.6\times 10^{-19}\times 5\times 10^{-4}\,\text{cm}\times \frac{(9.65\times 10^9)^2}{8\times 10^{15}}\times (e^{\frac{1}{0.0259}}-1)$$
$$= 4.69\times 10^{-2}\,\text{C/cm}^2.$$

4.6.2 拡 散 容 量

接合が逆バイアスされている場合の接合容量については前に述べた．順方向バイアスされると，中性領域における蓄積電荷の分を接合容量に加えなければならない．これは**拡散容量**と呼ばれ C_d で表す．少数キャリアが拡散によって移動する理想ダイオードについて計算することができる．

n 形中性領域における蓄積正孔による拡散容量は，定義式 $C_d = AdQ_p/dV$ を式(75) に適用して，

$$\boxed{C_d = \frac{Aq^2 L_p p_{no}}{kT}e^{qV/kT}} \tag{77}$$

が得られる．ただし A は接合の断面積である．p 形中性領域にも大きな電子の蓄積があるときは電子蓄積による容量を C_d に加算する．しかし，p^+-n 接合では $n_{po} \ll p_{no}$ であり，電子蓄積による C_d への寄与は無視できる．逆バイアス（V が負）では，式(77) からわかるように少数キャリアの蓄積は無視でき，したがって C_d は無視できる．

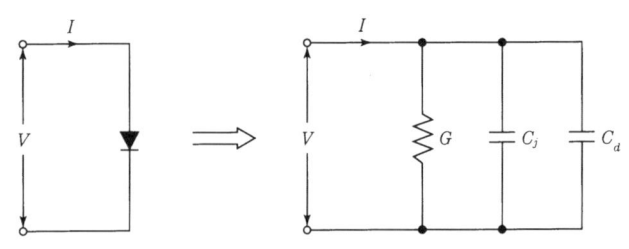

図 21 p-n 接合の小信号等価回路.

　p-n 接合を等価回路で表す場合がよくある．その場合，拡散容量 C_d と空乏層容量 C_j に加えて，デバイスには電流が流れるからコンダクタンスを付け加えねばならない．理想ダイオードでは，コンダクタンスは式(55) から次のように表される．

$$G = \frac{AdJ}{dV} = \frac{qA}{kT}J_s e^{qV/kT} = \frac{qA}{kT}(J+J_s) \cong \frac{qI}{kT}. \tag{78}$$

ダイオードの等価回路を図21に示す．C_j は全空乏層容量を示す（すなわち式(33) にデバイスの面積 A を乗じたもの）．直流バイアスが印加されたダイオードに低い正弦波電圧の信号をのせた場合，図21の回路は良い近似となる．したがってこの回路をダイオード小信号等価回路という．

4.6.3　過渡応答

　スイッチングに応用する場合，順バイアスから逆バイアスへの変化は急峻で，過渡応答時間は短くなければならない．図22(a) は順方向電流 I_F が p-n 接合に流れている簡単な回路を示す．時刻 $t=0$ でスイッチSが右に倒されると，初期の逆方向電流 $I_R \cong V/R$ が流れる．過渡応答時間 t_{off} は電流が最初の逆方向電流 I_R の10%になる時間である（図22(b)）．この過渡応答時間は次のようにして求めることができる．順バイアスでは，p^+-n 接合の n 側における蓄積少数キャリアは式(76) で与えられ，

$$Q_p = \tau_p J_p = \tau_p \frac{I_F}{A}, \tag{79}$$

となる．ただし I_F は全順方向電流，A はデバイスの面積である．スイッチング時間中の平均電流を $I_{R,ave}$ とすると，スイッチング時間は，全蓄積キャリア Q_p をはき出すに要する時間であり，

$$t_{off} \cong \frac{Q_p A}{I_{R,ave}} = \tau_p \left(\frac{I_F}{I_{R,ave}}\right) \tag{80}$$

となる．

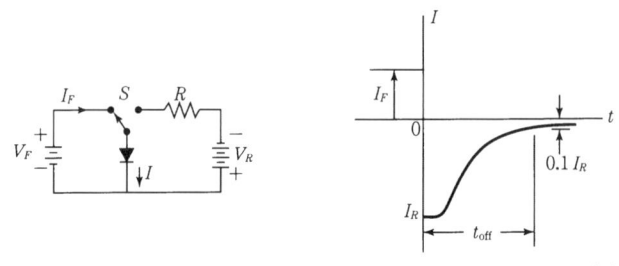

図 22　p-n 接合の過渡特性．(a) 基本的なスイッチング回路，(b) 順方向バイアスから逆方向バイアスに切り換えたときの電流応答特性．

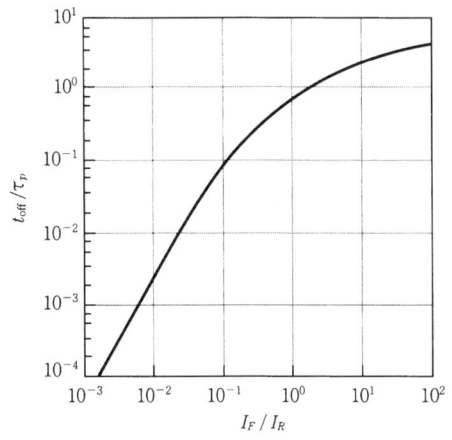

図 23 規格化過渡応答時間と順方向電流対逆方向電流の比の関係.[3]

したがって，ターンオフ時間は，順方向電流と逆方向電流の比および少数キャリアの寿命に依存する．少数キャリア拡散の時間依存性を考慮したより正確な計算結果を図23に示す[3]．高速スイッチングデバイスを作るためには，少数キャリアの寿命を短くしなければならない．したがって，バンドギャップの中央付近に準位を持つ，たとえばSi中のAuのような生成-再結合中心が，よく利用される．

4.7 接合の降伏

p-n 接合に大きな逆方向電圧がかけられると，接合は降伏現象を起こし，大電流が流れる．降伏過程は本来破壊現象ではないが，接合部の過熱による破壊を避けるために電流の上限を外部回路によって抑えておかなければならない．降伏現象としては二つの重要な機構がある．トンネル効果となだれ増倍である．最初の機構について簡単に述べ，続いてなだれ増倍について詳しく述べる．なぜならば，たいていのダイオードでは，なだれ降伏が逆バイアス電圧の上限を決めているからである．また，なだれ降伏は，バイポーラ・トランジスタのコレクタ電圧を制限し（第5章），MOSFETのドレイン電圧を制限する（第6章）．そのうえ，なだれ増倍機構によってマイクロ波を発生（IMPATTダイオード，第8章）させたり，微弱な光信号を検出（アバランシェ・フォトダイオード，第9章）したりすることができる．

4.7.1 トンネル効果

p-n 接合に逆方向の高電界がかけられると，図24(a) に示すように電子が価電子帯から伝導帯に遷移する．このように，電子がエネルギーバンドギャップ中に浸透する過程をトンネリングと呼ぶ．トンネル過程は第3章で取り扱っている．トンネリングは，電界が非常に高いときのみ起きる．SiやGaAsでは，約 10^6 V/cm 以上の電界が必要である．このような高電界を得るために，p 領域，n 領域における不純物濃度は十分高くなければならない（$>5\times10^{17}$ cm^{-3}）．SiやGaAsの接合において，降伏電圧が E_g をバンドギャップとして，$4E_g/q$ 以下の場合，その機構はトンネル効果である．降伏電圧が $6E_g/q$ を超えるとなだれ増倍の結果であるといえる．この

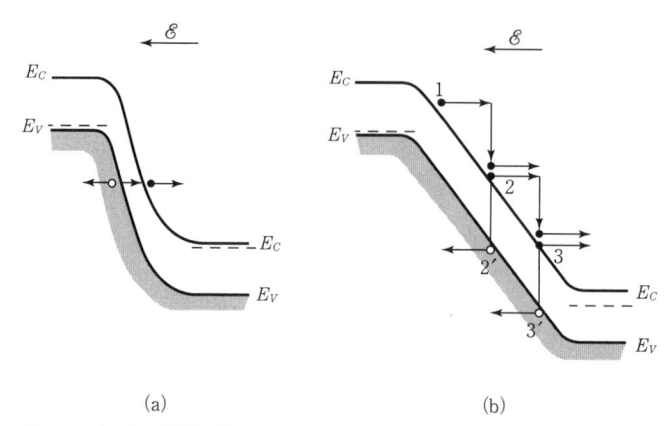

図 24 接合の降伏時におけるエネルギーバンド図．(a) トンネル効果，(b) なだれ増倍．

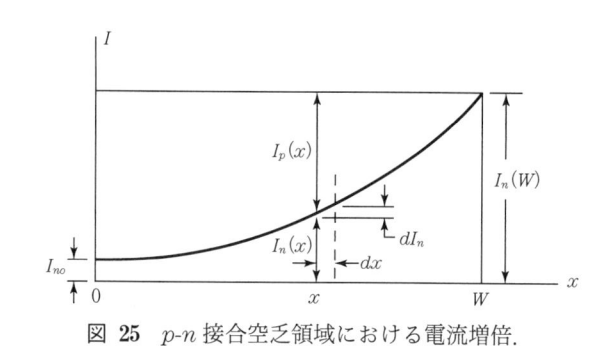

図 25 p-n 接合空乏領域における電流増倍．

中間の電圧では，なだれ増倍とトンネル効果が混在している[4]．

4.7.2 なだれ増倍

なだれ増倍過程を図 24(b) に示す．p^+-n 片側階段接合で $N_D \cong 10^{17}\,\mathrm{cm}^{-3}$ かそれ以下のとき，接合が逆バイアスされているとする．この図は，基本的には第3章の図25と同じである．空乏層内で熱的に励起された電子（1の記号）は電界から運動エネルギーを受け取る．電界強度が十分高ければ電子の運動エネルギーも十分大きくなり，格子原子と衝突してその結合手を切り，電子-正孔対を作ることができる（2と2′）．新しく発生した電子と正孔は，それぞれ電界からエネルギーを得て別の電子-正孔対（たとえば3，3′）を作る．これらの過程が繰り返し起こり次々に電子-正孔対を作る．したがってこの過程は**なだれ増倍**と呼ばれる．

降伏条件を導出するために，図25に示すように，空乏層幅 W の左側に電流 I_{no} が流れ込む場合について考える．電界強度がなだれ増倍を引き起こすほど強ければ，電流 I_n は距離とともに増大し W の位置で $M_n I_{no}$ となる．ただし M_n は増倍係数で

$$M_n \equiv \frac{I_n(W)}{I_{no}} \tag{81}$$

と定義される．同様に正孔電流 I_p は $x=W$ から $x=0$ の間で増大し，全電流 $I=(I_p+I_n)$ は定常状態では一定になる．x における電子電流の増分は，距離 dx の間で単位時間内に発生する電子-正孔対の数に等しい．すなわち，

$$d\left(\frac{I_n}{q}\right) = \left(\frac{I_n}{q}\right)(\alpha_n dx) + \left(\frac{I_p}{q}\right)(\alpha_p dx) \tag{82}$$

または,

$$\frac{dI_n}{dx} + (\alpha_p - \alpha_n)I_n = \alpha_p I. \tag{82a}$$

ただし,α_n,α_p はそれぞれ電子および正孔によるイオン化率である.簡単のために $\alpha_n = \alpha_p = \alpha$ とすると,式(82a)の解は,

$$\frac{I_n(W) - I_n(0)}{I} = \int_0^W \alpha dx \tag{83}$$

となり,式(81),(83)から

$$1 - \frac{1}{M_n} = \int_0^W \alpha dx \tag{83a}$$

となる.なだれ降伏電圧は M_n が無限大になる電圧で定義されるので降伏の条件は,

$$\boxed{\int_0^W \alpha dx = 1} \tag{84}$$

となる.

この降伏条件とイオン化率の電界依存性から,なだれが発生する臨界電界(降伏時の最大電界)を計算することができる.α_n および α_p の測定値(第3章,図26)を用いて Si および GaAs の片側階段接合について臨界電界強度 $\mathscr{E}_c$ を計算し,基板の不純物濃度に対してプロットしたものが図26である.トンネル効果に対する臨界電界も示してある.明らかに,トンネルは高い不純物濃度の半導体でのみ起きている.

臨界電界を用いて,降伏電圧を計算しよう.前述のように,空乏領域の電圧はポアソン方程式の解から次のように求められる.片側階段接合では,

$$\boxed{V_B(\text{降状電圧}) = \frac{\mathscr{E}_c W}{2} = \frac{\varepsilon_s \mathscr{E}_c^2}{2q}(N_B)^{-1},} \tag{85}$$

傾斜接合では,

$$\boxed{V_B = \frac{2\mathscr{E}_c W}{3} = \frac{4\mathscr{E}_c^{3/2}}{3}\left(\frac{2\varepsilon_s}{q}\right)^{1/2}(a)^{-1/2}.} \tag{86}$$

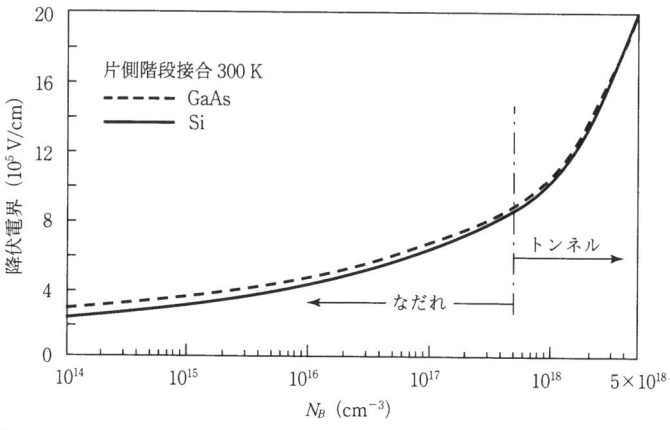

図 26 Si および GaAs 片側階段接合における降伏電界と不純物濃度(低濃度側)の関係.[5]

ただし，N_B は低ドーピング側のバックグラウンド濃度，ε_s は半導体の誘電率，a は不純物分布の勾配である．臨界電界は，N_B および a に対し，弱く依存する関数であるから第1次近似としては，降伏電圧は，階段接合では N_B^{-1}，傾斜接合では $a^{-1/2}$ で変化する．

図27はSiおよびGaAsに対する降伏電圧の計算結果である[5]．一点鎖線はトンネル効果の始まりを示す．GaAsが同一の N_B または a に対しSiより高い降伏電圧を示すのは，バンドギャップが大きいためである．バンドギャップが大きいほど，電子が衝突と衝突の間に得なければならない運動のエネルギーは大きくなり，したがって臨界電界は大きくなる．式(85),(86)が示すように，臨界電界が大きいほど降伏電圧は大きくなる．

図28は，拡散接合の場合で，不純物濃度は表面近くでは線形勾配に，また内側では一定にな

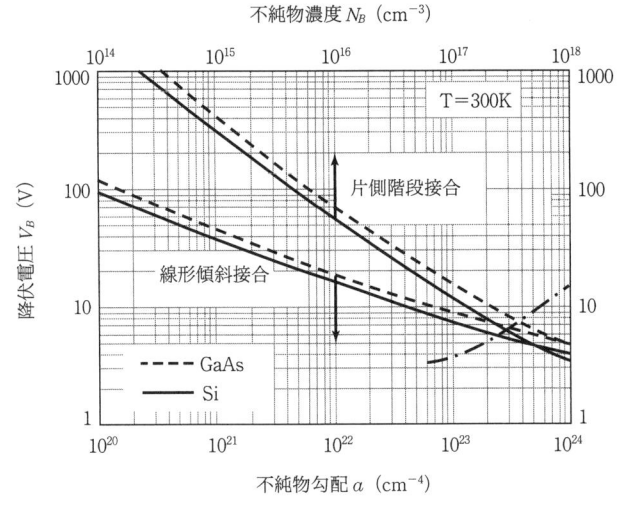

図27 SiおよびGaAsの降伏電圧．上側は，片側階段接合におけるなだれ降伏電圧と不純物濃度，下側は傾斜接合における降伏電圧と不純物分布勾配の関係を示す．一点鎖線はトンネリング機構が生じる領域を示す．[5]

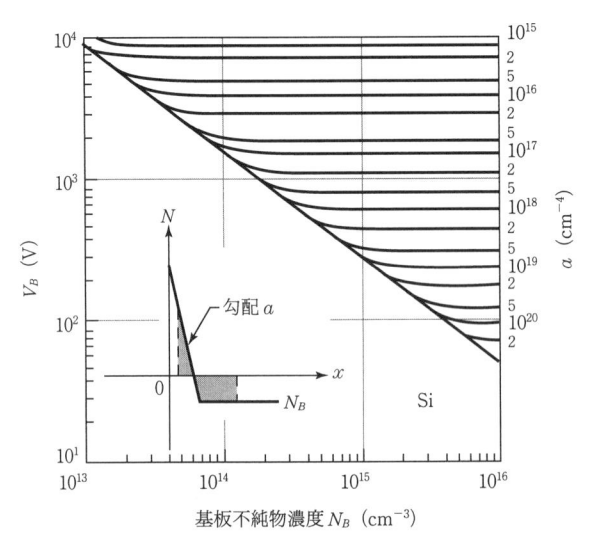

図28 拡散接合の降伏電圧．挿入図は空間電荷分布を示す．[6]

っている．挿入図は，空間電荷分布を示す．降伏電圧は，前述した二つの極限，すなわち階段接合と傾斜接合の中間にある[6]．a が大きく N_B が小さい拡散接合では，降伏電圧は図28の一番下の線で示される階段接合で与えられ，a が小さく N_B の大きい接合では，V_B は図の平行線で示されている傾斜接合で与えられる．

例題8 $N_D = 5 \times 10^{16}$ cm^{-3} の Si p^+-n 片側階段接合における降伏電圧を求めよ．

解答 図26から Si 片側階段接合の降伏臨界電界が，5.7×10^5 V/cm と求まる．式(85)から，

$$V_B(\text{降伏電圧}) = \frac{\mathscr{E}_c W}{2} = \frac{\varepsilon_s \mathscr{E}_c^2}{2q}(N_B)^{-1},$$

$$= \frac{11.9 \times 8.85 \times 10^{-14} \times (5.7 \times 10^5)^2}{2 \times 1.6 \times 10^{-19}}(5 \times 10^{16})^{-1}$$

$$= 21.4 \text{ V}$$

図27, 28とも，半導体の厚さ W は，降伏時の空乏層の厚さ W_m より十分厚いとしている．W が W_m より小さい場合，図29の挿入図に示すように，デバイスはパンチスルーを起こし，空乏層は，降伏の前に n-n^+ 界面まで広がる．さらに逆バイアスを増加すると降伏が起こる．臨界電界 $\mathscr{E}_c$ は，本質的に図26と同じである．したがって，パンチスルーダイオードに対する降伏電界 V_B' は，

$$\frac{V_B'}{V_B} = \frac{\text{図29の影付部分の面積}}{(\mathscr{E}_c W_m)/2}$$

$$= \left(\frac{W}{W_m}\right)\left(2 - \frac{W}{W_m}\right) \tag{87}$$

となる．

パンチスルーは p^+-π-n^+ または p^+-ν-n^+ ダイオードのような N_B が十分低い場合に起こる．ただし，π は軽くドープした p 形，ν は軽くドープした n 形半導体である．式(85), (87)を用いて計算した降伏電圧を図29に示す．厚さを一定にして不純物濃度を増加すると，降伏電圧は一定の値に近づく．

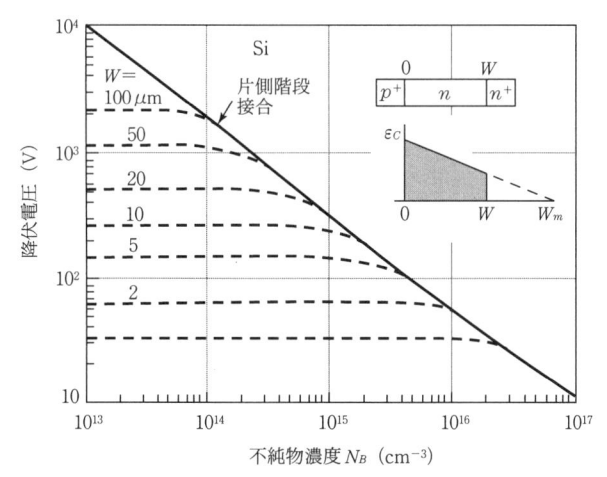

図29 p^+-π-n および p^+-ν-n^+ 接合における降伏電圧．W は軽くドープされた p 形（π）または n 形（ν）領域の幅．

例題 9 GaAs p^+-n 片側階段接合において，$N_D = 8 \times 10^{14}$ cm^{-3} のとき，降伏時の空乏層幅を求めよ．もし，n 領域の幅が，20 μm に減少したとき，降伏電圧はいくらか．

解答 図 27 より，降伏電圧 V_B は約 500 V であり，これは内蔵電圧 V_{bi} よりずっと大きい．式(27) より，

$$W = \sqrt{\frac{2\varepsilon_s(V_{bi} - V)}{qN_B}} \cong \sqrt{\frac{2 \times 12.4 \times 8.85 \times 10^{-14} \times 500}{1.6 \times 10^{-19} \times 8 \times 10^{14}}} = 2.93 \times 10^{-3} = 29.3 \ \mu\text{m}.$$

n 形領域が 20 μm まで薄くなると，まず，パンチスルーが起きる．式 87 より，

$$\frac{V_B'}{V_B} = \frac{\text{図 29 の影付部分の面積}}{(\mathscr{E}_c W_m)/2} = \left(\frac{W}{W_m}\right)\left(2 - \frac{W}{W_m}\right),$$

$$V_B' = V_B \left(\frac{W}{W_m}\right)\left(2 - \frac{W}{W_m}\right) = 500 \times \left(\frac{20}{29.3}\right)\left(2 - \frac{20}{29.3}\right) = 449 \text{ V}.$$

降伏電圧で考えねばならないもう一つの重要なことは，接合の曲率効果である[7]．半導体上の絶縁膜に開けた窓を通して，拡散で p-n 接合を作る場合，不純物は，下方向と同様横方向にも拡散する（第 13 章参照）．したがって接合面は平面と円柱状の端とで構成される（図 30(a)）．拡散のマスクに鋭い角があれば，接合の角は図 30(b) に示すようなほぼ球面状となる．球面あるいは円柱状の接合は電界強度が高くなるため，そこでなだれ降伏電圧がきまる．Si 片側階段接合の計算結果を図 31 に示す．実線は前述の平坦な接合である．接合の曲率 r_j が小さくなるにつれて，降伏電圧は急激に低下し，この現象は低不純物濃度の球面の接合において顕著にみられる．

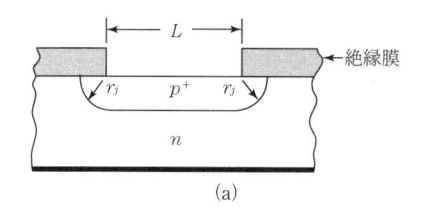

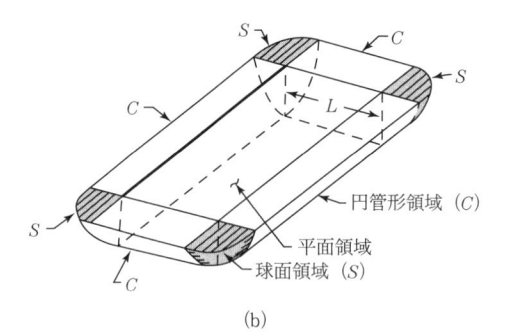

図 30 (a) プレーナ拡散プロセスで，拡散マスクの端部に発生する接合の曲面．r_j は曲面の曲率半径．(b) 長方形マスクを用いた拡散による円筒形および球形領域．

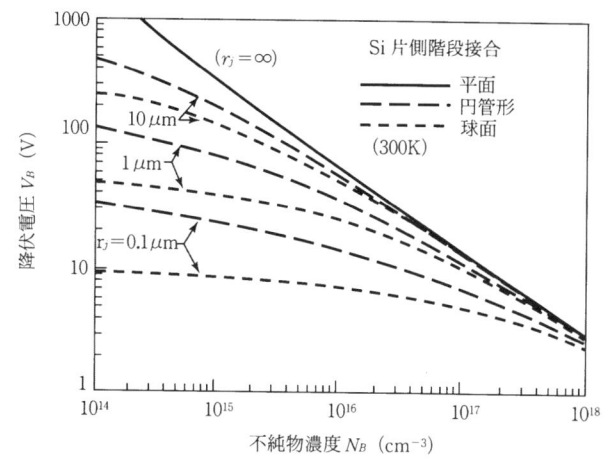

図 31 片側階段接合で円筒形および球面接合構造を有する場合の降伏電圧と不純物濃度.[7] r_j は図30に示す曲面の半径.

4.8 ヘテロ接合

ヘテロ接合とは二つの異種半導体で構成される接合のことである. 図32(a)は, ヘテロ接合を形成する前の互いに分離している2種の半導体のバンド図を示す. それぞれ異なるエネルギーバンドギャップ E_g, 誘電率 ε_s, 仕事関数 $q\phi_s$ および電子親和力 $q\chi$ を持っている. 仕事関数とは, 電子をフェルミ準位 E_F から物質の外(真空準位)に取り出すために必要なエネルギーであり, 電子親和力とは, 電子を伝導帯の下端 E_c から真空準位に取り出すためのエネルギーである. これらの半導体の伝導帯下端のエネルギー差を ΔE_c, 価電子帯上端の差を ΔE_v で表す. 図32(a)から ΔE_c, ΔE_v は次式のようになる.

$$\Delta E_c = q(\chi_2 - \chi_1) \tag{88 a}$$

$$\Delta E_v = E_{g1} + q\chi_1 - (E_{g2} + q\chi_2) = \Delta E_g - \Delta E_c. \tag{88 b}$$

ここで, ΔE_g はバンドギャップの差で, $\Delta E_g = E_{g1} - E_{g2}$ である.

図32(b)は理想的階段ヘテロ接合の平衡バンド図である[8]. この図では, 異種半導体界面におけるトラップまたは生成-再結合中心の数は無視できるとしている. この仮定は, ヘテロ接合が格子定数のほとんど等しい半導体で形成されている場合にのみ成立する. したがって, この仮定を満たすためには, 格子整合している材料を選ばなければならない†. たとえば, $Al_xGa_{1-x}As$ は, x が0から1にわたって, ヘテロ接合材料として最も重要な材料である. $x=0$ では, バンドギャップは1.42 eVであり, 格子定数は300 Kで, 5.6533 Åである. $x=1$ のAlAsでは, バンドギャップは2.17 eVで, 格子定数は, 5.6605 Åとなる. 三元化合物である $Al_xGa_{1-x}As$ のバンドギャップは x とともに大きくなるが, 格子定数はほとんど変わらない. $x=0$ と1の両極端において, 格子定数の差はわずかに0.1%である.

エネルギーバンド図を作成するにあたって, 次の二つの基本的条件がある. (a) 熱平衡下では, 界面において両側のフェルミ準位は等しい. (b) 真空準位は連続で, バンド端に平行であ

---

† 格子不整エピタキシィまたは歪エピタキシィについては10.6節で取り上げる.

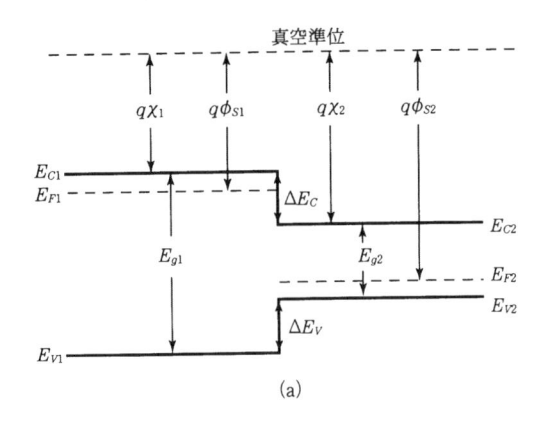

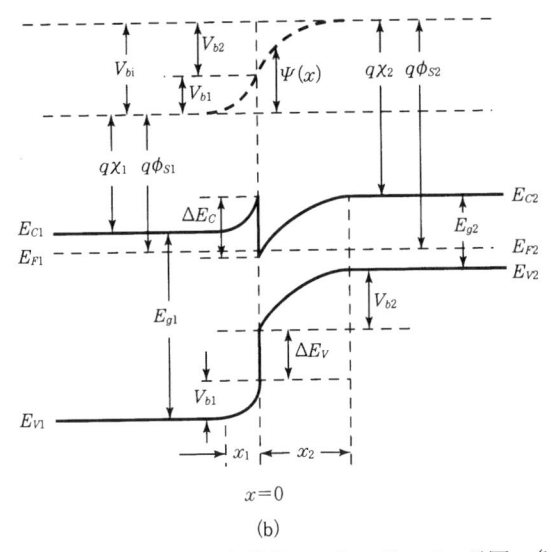

図 32 (a) 2 種の分離した半導体のエネルギーバンド図, (b) 理想的 p-n ヘテロ接合の熱平衡状態のエネルギーバンド図.

る．これらの条件のために，伝導帯端および価電子帯端の不連続量 ΔE_c および ΔE_v は，バンドギャップ E_g や電子親和力 $q\chi$ がドーピング量によって変化しない限り（すなわち非縮退半導体である限り）不純物濃度に依存しないと考えられる．内蔵電位 V_{bi} は，半導体 1 および 2 における平衡静電ポテンシャル V_{b1}，V_{b2} の和 $(V_{b1}+V_{b2})$ で表される．

$$V_{bi} = V_{b1} + V_{b2}. \tag{89}$$

ヘテロ界面では，ポテンシャルと**キャリア流束密度**（単位時間，単位面積当たりの自由キャリア流れ）は連続であるという条件下で，空乏層近似を使ってポアソン方程式を解くと空乏層幅と空乏層容量が得られる．境界条件は電気変位の連続性である．すなわち，界面 $(x=0)$ における半導体 1 および 2 の電界を $\mathscr{E}_1$，$\mathscr{E}_2$ とすれば $\varepsilon_1 \mathscr{E}_1 = \varepsilon_2 \mathscr{E}_2$ が成立する．V_{b1}，V_{b2} は次式で与えられる．

$$V_{b1} = \frac{\varepsilon_2 N_2 (V_{bi} - V)}{\varepsilon_1 N_1 + \varepsilon_2 N_2}, \tag{90 a}$$

$$V_{b2} = \frac{\varepsilon_1 N_1 (V_{bi} - V)}{\varepsilon_1 N_1 + \varepsilon_2 N_2}, \tag{90 b}$$

ただし，N_1，N_2 は半導体 1 および 2 における不純物濃度である．空乏層幅は，

$$x_1 = \sqrt{\frac{2\varepsilon_1 \varepsilon_2 N_2 (V_{bi} - V)}{q N_1 (\varepsilon_1 N_1 + \varepsilon_2 N_2)}}, \tag{91 a}$$

$$x_2 = \sqrt{\frac{2\varepsilon_1 \varepsilon_2 N_1 (V_{bi} - V)}{q N_2 (\varepsilon_1 N_1 + \varepsilon_2 N_2)}} \tag{91 b}$$

となる．

例題 10 内蔵電位が 1.6 V の階段ヘテロ接合を考える．半導体 1 および 2 における不純物濃度はそれぞれ，1×10^{16} ドナー/cm³ および 3×10^{19} アクセプタ/cm³ であり，比誘電率は，それぞれ 12 および 13 である．それぞれの材料における熱平衡下での静電ポテンシャルおよび空乏層幅を求めよ．

解答 式(90) より，ヘテロ接合の静電ポテンシャルは熱平衡下あるいは $V=0$ で，

$$V_{b1} = \frac{13 \times (3\times 10^{19}) \times 1.6}{12 \times (1\times 10^{16}) + 13 \times (3\times 10^{19})} = 1.6 \text{ V}$$

$$V_{b2} = \frac{12 \times (1\times 10^{16}) \times 1.6}{12 \times (1\times 10^{16}) + 13 \times (3\times 10^{19})} = 4.9 \times 10^{-4} \text{ V}.$$

である．空乏層幅は式(91) より，

$$x_1 = \sqrt{\frac{2\times 12 \times 13 \times (8.85\times 10^{-14}) \times (3\times 10^{19}) \times 1.6}{(1.6\times 10^{-19}) \times (1\times 10^{16}) \times (12.1\times 10^{16} + 13.3\times 10^{19})}} = 4.608 \times 10^{-5} \text{ cm},$$

$$x_2 = \sqrt{\frac{2\times 12 \times 13 \times (8.85\times 10^{-14}) \times (1\times 10^{16}) \times 1.6}{(1.6\times 10^{-19}) \times (3\times 10^{19}) \times (12.1\times 10^{16} + 13.3\times 10^{19})}} = 1.536 \times 10^{-8} \text{ cm}.$$

内蔵電位の大部分は，低不純物濃度の半導体側にあり，空乏層幅もそこが大きい．

まとめ

p-n 接合は p 形と n 形の半導体を密着させることにより得られる．p-n 接合は，それ自身多くの応用範囲があることに加えて，他の多くの半導体デバイスの基本的な構成要素になっている．したがって，接合理論を理解することは他の半導体デバイスを理解する基礎になる．

最近のほとんどの p-n 接合はプレーナ技術を使って形成される．この技術は，半導体表面に酸化膜を形成する熱酸化過程，酸化膜に窓を開けるリソグラフィ過程，窓領域に p-n 接合を形成する拡散またはイオン注入過程および接合を他の回路要素間と結ぶ金属配線過程からなっている．プレーナ技術については，第 10 章から第 14 章にかけて詳述する．

p-n 接合が形成されると，p 形側および n 形側に，それぞれ負イオン (N_A^-) および正イオン (N_D^+) が生じる．したがって，接合部分で自由キャリアが欠乏し，ここに電界が生じる．熱平衡では，電界によるドリフト電流が接合の両側に生じた自由キャリアの濃度勾配により発生する拡散電流と釣り合う．p 形側に正電圧を印加すると，接合を通って大きな電流が流れる．しかしながら，負電圧が加えられると見たところほとんど電流は流れない．この整流性は p-n 接合のもっとも重要な性質である．

第 2 章，第 3 章で述べた，基本的な式を使って p-n 接合の静的，動的挙動を説明した．空乏層，空乏層容量，および p-n 接合の理想電流-電圧特性の表式を示した．しかしながら，現実の

デバイスは，これらの理想特性からずれている．それは，空乏層内でのキャリアの生成と再結合，順方向バイアス時の高注入効果，および直列抵抗効果が原因である．理想特性からのずれについては，理論および計算方法について詳述した．p-n接合が原因となる他の効果，たとえば，少数キャリアの蓄積，拡散容量，高周波過渡応答，スイッチングについて述べた．

p-n接合の動作限界を与えるものに接合の降伏，特になだれ増倍による降伏がある．大きな逆方向電圧がp-n接合にかかると，接合が降伏し，大きな電流が流れる．したがって，降伏電圧は，p-n接合に印加できる逆方向電圧の上限となる．降伏電圧を与える式を求め，降伏電圧に影響するデバイスの形状と不純物濃度について議論した．

関連デバイスとしてヘテロ接合がある．これは二つの異種材料の接合である．この接合における静電ポテンシャルと空乏層幅を求めた．この表式は異種半導体が同一物になると通常のp-n接合に簡単化される．

参考文献

1. W. Shockley, *Electrons and Holes in Semiconductors*, Van Nostrand, Princeton, NJ, 1950.
2. A. S. Grove, *Physics and Technology of Semiconductor Devices*, Wiley, New York, 1967.
3. R. H. Kingston, "Switching Time in Junction Diodes and Junction Transistors," *Proc. IRE*, **42**, 829 (1954).
4. J. L. Moll, *Physics of Semiconductors*, McGraw-Hill, New York, 1964.
5. S. M. Sze and G. Gibbons, "Avalanche Breakdown Voltages of Abrupt and Linearly Graded p-n Junctions in Ge, Si, GaAs and GaP," *Appl. Phys. Lett.*, **8**, 111 (1966).
6. S. K. Ghandhi, *Semiconductor Power Devices*, Wiley, New York, 1977.
7. S. M. Sze and G. Gibbons, "Effect of Junction Curvature on Breakdown Voltages in Semiconductors," *Solid State Electron.*, **9**, 831 (1966).
8. H. Kroemer, "Critique of Two Recent Theories of Heterojunction Lineups," *IEEE Electron Device Lett.*, **EDL-4**, 259 (1983).

問題（＊は高度な問題を示す）

4.3節 空乏層領域に関する問題

*1. Siの拡散接合で，p側は勾配$a=10^{19}$ cm^{-4}，n側は3×10^{14} cm^{-3}の一様ドーピングとなっている傾斜接合がある．p側空乏層幅がゼロバイアスで$0.8\,\mu$mの場合，ゼロバイアスにおける全空乏層幅，内蔵電位および最大電界を求めよ．

*2. 前問のSi p-n接合においてポテンシャル分布図を描け．

3. $N_A=10^{17}$ cm^{-3}，$N_D=10^{15}$ cm^{-3}の理想Si階段接合において，(a) V_{bi}を250，300，350，400，450および500 Kにおいて計算し，V_{bi}とTの関係をプロットせよ．(b) その結果をエネルギーバンド図との関係において考察せよ．(c) ゼロバイアス，$T=300$ Kにおいて，空乏層幅と最大電界強度を求めよ．

4. Si p-n接合において，次の仕様を満たすために必要なn形不純物濃度を求めよ．
$N_A=10^{18}$ cm^{-3}，$\mathscr{E}_{max}=4\times10^5$ V/cm at $V_R=30$ V，$T=300$ K．

4.4節 空乏層容量に関する問題

*5. p-n階段接合において，低濃度のn側が10^{15}，10^{16}，10^{17} cm^{-3}ドープされており，p側

が 10^{19} cm^{-3} ドープされているとする．それぞれについて $1/C^2$ と V の関係を，-4 V から 0 V まで 0.5 V きざみで求めよ．それらの曲線の勾配と電圧軸における切片についてコメントせよ．

6. 不純物濃度勾配が，10^{20} cm^{-4} の Si 傾斜接合について，逆方向バイアス 4 V ($T=300$ K) における内蔵電位と接合容量を求めよ．

7. p^+-n の Si 片側階段接合において，$N_A=10^{19}$ cm^{-3} の場合，$T=300$ K で，$V_R=4.0$ V のとき $C_j=0.85$ pF，となるように設計せよ．

4.5 節 電流-電圧特性に関する問題

8. 問題 3 の p-n 接合で，真性フェルミ準位の上 0.02 eV に 10^{15} cm^{-2} の生成-再結合中心があり，$\sigma_n=\sigma_p=10^{-15}$ cm^2 であるとする．$v_{th}=10^7$ cm/s として，-0.5 V の場合の生成電流，再結合電流を計算せよ．

9. n 形の不純物濃度が 10^{16} cm^{-3} ある Si p-n 接合が 300 K において，$V=0.8$ V の順方向バイアスがかけられている．空乏層端における正孔少数キャリア密度を求めよ．

10. 300 K において，逆方向電圧がかけられている p-n 接合がある．逆方向電流が飽和電流の 95% となる電圧を求めよ．

11. $V_a=0.7$ V のとき $J_n=25$ A/cm^2，$J_p=7$ A/cm^2 となる Si p-n ダイオードを設計せよ．他のパラメータは，例題 5 のものを使用する．

12. $N_D=10^{18}$ cm^{-3}，$N_A=10^{16}$ cm^{-3}，$\tau_p=\tau_n=10^{-6}$ s，デバイス面積 1.2×10^{-5} cm^2 の理想 p-n 接合がある．(a) 300 K における飽和電流を計算せよ．(b) ±0.7 V で順方向および逆方向電流を計算せよ．

13. 問題 12 において，接合の両側がそれぞれの少数キャリア拡散長よりずっと長いとせよ．300 K において，順方向電流が 1 mA となる電圧を求めよ．

14. Si p^+-n 接合が 300 K において次のパラメータを持っているとする．$\tau_p=\tau_g=10^{-6}$ s，$N_D=10^{15}$ cm^{-3}，$N_A=10^{19}$ cm^{-3}．(a) 拡散電流密度，J_{gen}，および全電流密度を逆バイアス電圧に対してプロットせよ．(b) $N_D=10^{17}$ cm^{-3} について同じようにせよ．

4.6 節 電荷の蓄積と過渡応答に関する問題

15. $N_D=10^{16}$ cm^{-3} の理想 p^+-n Si 階段接合につき，順方向バイアス 1 V がかけられたとき中性 n 領域における蓄積少数キャリア数を求めよ．中性領域の長さを 1 μm，正孔の拡散長を 5 μm とせよ．

4.7 節 接合の降伏に関する問題

16. $N_D=10^{15}$ cm^{-3} の Si p^+-n 片側階段接合で降伏時の空乏層幅を求めよ．n 側が 5 μm になったとき降伏電圧を求めその結果と図 29 を比較せよ．

17. 降伏電圧 130 V，$V_a=0.7$ V のとき順方向電流 2.2 mA の階段接合 Si p^+-n ダイオードを設計せよ．

18. 図 20 b において，なだれ降伏電圧は温度とともに増加している．これを定性的に説明せよ．

19. GaAsにおいて，$a_n = a_p = 10^{14}(\mathscr{E}/4\times10^5)^6 \text{ cm}^{-1}$のとき，$\mathscr{E}$をV/cm単位として，(a) 真性領域幅が$10\,\mu\text{m}$の$p$-$i$-$n$ダイオード，および(b) 低濃度側が$2\times10^{16}\text{ cm}^{-3}$の$p^+$-$n$接合における降伏電圧を求めよ．

20. $2\,\mu\text{m}$にわたって$N_A = 10^{18}\text{ cm}^{-3}$から$N_D = 10^{18}\text{ cm}^{-3}$まで直線的にドープされているSi p-n接合がある．室温における降伏電圧を求めよ．

4.8節 ヘテロ接合に関する問題

21. 例題10の理想ヘテロ接合において，5Vおよび-5Vの電圧がかけられたとき，それぞれの材料の静電ポテンシャルおよび空乏層幅を求めよ．

22. 室温のn形GaAs/p形$\text{Al}_{0.3}\text{Ga}_{0.7}\text{As}$で，$\Delta E_c = 0.21\text{ eV}$とする．両側の不純物濃度が$5\times10^{15}\text{ cm}^{-3}$のとき，熱平衡時の全空乏層幅を求めよ．（ヒント：$\text{Al}_x\text{Ga}_{1-x}\text{As}$のバンドギャップは$E_g = 1.424 + 1.247x\text{ eV}$，比誘電率は$12.4 - 3.12x$で与えられる．$\text{Al}_x\text{Ga}_{1-x}\text{As}$の$N_c$，$N_v$は，$0 < x < 0.4$の間で同じとせよ）

第5章 バイポーラ・トランジスタとその関連デバイス

5.1 トランジスタ動作
5.2 バイポーラ・トランジスタの静特性
5.3 バイポーラ・トランジスタの周波数応答とスイッチング特性
5.4 ヘテロ接合バイポーラ・トランジスタ
5.5 サイリスタおよび関連の電力用デバイス
　ま と め

　トランジスタ（transfer resistor の短縮）は多重接合の半導体デバイスである．通常，トランジスタは，電圧，電流および信号電力を増幅するために他の回路要素と集積する．バイポーラ・トランジスタ，または bipolar junction transistor（BJT）は最も重要な半導体デバイスの一つであり，これまで，高速回路，アナログ回路，電力用デバイスとして多く使用されてきた．バイポーラデバイスでは，電子と正孔の両者が伝導に寄与している．これは，第6章，第7章において述べる電界効果デバイスとは対照的である．後者のデバイスにおいては，どちらか一方のキャリアが主な働きをする．

　バイポーラ・トランジスタは1947年に，ベル研究所の研究チームによって発明された[1]．その時のデバイスは，Ge 基板に電極として鋭い2本の針がつき立てられていた（第1章，図3を参照）．この最初のトランジスタは今日の基準からすれば，幼稚なものであるが，これが，電子産業に革命を起し，我々の生活様式を大きく変えた．

　現代のバイポーラ・トランジスタを形づくるために，我々は Ge を Si で置き換え，点接触を2個の近接した p-n 接合に変えて p-n-p や n-p-n の形にした．ここでは p-n 接合の結合によるトランジスタ動作と，キャリア分布から導かれる静特性について考えよう．続いてトランジスタの周波数特性とスイッチング動作を検討し，さらに，片方または両方の接合が異種の半導体で構成されているヘテロ接合バイポーラ・トランジスタについて簡単にふれる．

　最終節では，サイリスタと呼ばれるバイポーラデバイスについて述べる．これは，強く結合した3個の p-n 接合からできており，p-n-p-n の形になっている[2]．このデバイスは双安定性を示し，高インピーダンスのオフ状態から低インピーダンスのオン状態にスイッチできる．サイリスタという名称は，同様な双安定性を持つガス封入電子管のサイラトロンにちなんでつけられたものである．

　双安定性（オン状態，オフ状態）と低消費電力のために，サイリスタは多くの機器に応用されている．サイリスタおよび関連のスイッチングデバイスについて，動作の物理を考え，さらに，

各種のサイリスタとその応用について簡単に述べる．

本章では，特に以下の項目を取り上げる．
- バイポーラ・トランジスタの電流利得と動作モード
- バイポーラ・トランジスタの遮断周波数とスイッチング時間
- ヘテロ接合バイポーラ・トランジスタの利点
- サイリスタおよび関連するバイポーラデバイスの電力制御

5.1 トランジスタ動作

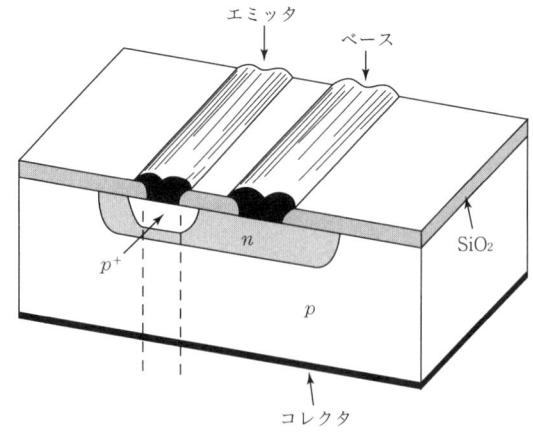

個別の p-n-p バイポーラ・トランジスタの見取り図を図1に示す．トランジスタは，基本的には，まず p 形基板上に酸化膜を付け，その開口部を通じて n 形領域を熱拡散によって形成する．続いてこの n 領域に高不純物濃度の p^+ 領域を拡散形成したものである．金属電極は，酸化膜に開けた窓を通して p^+ および n 領域と，底の p 領域に形成されている．トランジスタ製作過程の詳細については後の章で述べる．

理想的一次元構造の p-n-p バイポーラ・トランジスタを図2(a) に示す．通常バイポーラ・トランジスタは三つの領域からなっており，2個の p-n 接合を有している．高濃度にドープされた p^+ 領域は**エミッタ**と呼ばれる（図でEと記した部分）．中央部の狭い n 領域は中程度にドープされており，**ベース**と呼ばれる（Bの部分）．ベースの幅は，少数キャリアの拡散長に比べ短い．軽くドープされた p 領域は**コレクタ**と呼ばれる（Cの部分）．各領域の不純物分布は均一であり，p-n 接合の概念がトランジスタでもそのまま使えるものとする．

図2(b) は，p-n-p トランジスタの回路図であり，電流成分と電圧の極性が示されている．矢印は，通常動作（**活性モード**とも呼ばれる）における電流の方向である．＋と－の記号は電圧極性を示す．また，電圧極性は，電圧記号につけた2個の下付き文字によっても示される．活性モードでは，エミッタ－ベース接合は順方向（$V_{EB}>0$），コレクタ－ベース接合は逆方向にバイアスされている（$V_{CB}<0$）．キルヒホッフの法則から，この3端子回路の電流のうち2端子分だけが独立であり，2端子分が決まれば，他の1端子に流れる電流も決まる．

p-n-p トランジスタに対する相補的なものは n-p-n トランジスタであり，構造と回路記号は

図1　Si p-n-p バイポーラ・トランジスタの見取り図

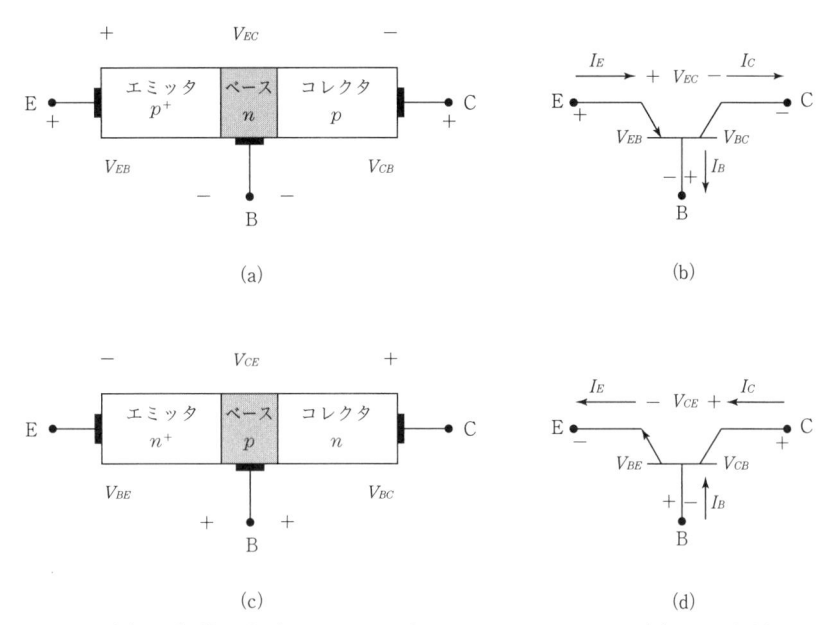

図 2 (a) 理想的一次元 p-n-p バイポーラ・トランジスタ, (b) その記号, (c) 理想的一次元 n-p-n バイポーラ・トランジスタ, (d) その記号.

図 2(c) に示されている. n-p-n トランジスタは, p-n-p トランジスタの p と n を入れ換えたものである. 電流, 電圧の向きはすべて逆である. ここでは, キャリアの流れを直観的にとらえることができる p-n-p 形について考えよう. p-n-p 形について理解できれば, n-p-n は極性と伝導の形を変えるだけでよい.

5.1.1 活性モードにおける動作

図 3(a) は, 熱平衡にある理想的 p-n-p トランジスタである. 3 本のリード線はすべて接地されている. 二つの空乏領域は影付で示されている. 図 3(b) は, 3 領域の不純物分布を示す. エミッタはコレクタより高濃度に, またベースはエミッタより少ないがコレクタより多くドープされている. 図 3(c) は, 空乏領域の電界分布を示す.

図 3(d) はエネルギーバンド図であり, 熱平衡下の p-n 接合を, 非常に接近した p^+-n と n-p 接合に適用しただけのものである. 第 4 章の p-n 接合について得られた結果はエミッタ-ベース, ベース-コレクタ接合, ともに適用できる. 熱平衡状態では, 実効的電流は流れていないのでフェルミ準位は一定である.

図 4 は, トランジスタが活性モードにバイアスされているときの図 3 に対応する図である. 図 4(a) はトランジスタが**ベース接地型**の増幅器として接続されている図である. この場合, ベースのリード線が, 入力および出力回路で共用されている[3]. 図 4(b), (c) は, それぞれ, バイアス下での電荷密度と電界強度である. 図 3 の熱平衡状態に比べて, エミッタ-ベース接合の空乏層幅は狭く, コレクタ-ベース接合の空乏層幅は広くなっていることに注意してほしい.

図 4(d) は活性モードにおけるエネルギーバンド図である. エミッタ-ベース接合が順方向にバイアスされているため, 正孔は, p^+ のエミッタからベースへ, 電子は, n 形のベースからエミッタへ注入 (または放出) される. 理想ダイオードでは, 空乏領域に生成-再結合電流はない

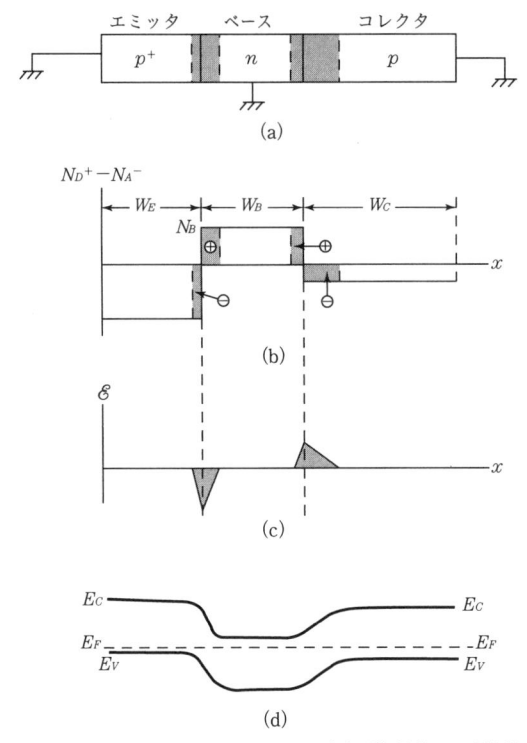

図 3 (a) 3端子を接地した p-n-p トランジスタ，(b) 階段状の不純物分布を有するトランジスタの不純物プロファイル，(c) 電界分布，(d) 熱平衡時のエネルギーバンド図．

のでこの 2 電流成分が全エミッタ電流である．コレクタ-ベース接合は逆バイアスされており，小さな飽和電流が接合を流れる．しかし，ベース幅が十分狭いと，エミッタから注入された正孔がベース内を拡散してベース-コレクタの空乏層端に到達し，コレクタに"浮上"（正孔を気泡にたとえると）することができる．この輸送機構から，**エミッタ**および**コレクタ**という名称が与えられている．前者はキャリアを放出または注入し，後者は，その注入されたキャリアを収集するという意味である．ベースに注入されたほとんどの正孔がここで電子と再結合することなくコレクタに到達すれば，コレクタの正孔電流はエミッタから注入された正孔電流にほぼ等しい．

したがって，コレクタに近接したエミッタからキャリアを注入することにより逆バイアスされたコレクタ接合に大きな電流を流すことができる．これが**トランジスタ作用**であり，二つの接合が，互いに影響しあうほど十分接近している場合に実現できる．その意味で，この二つの接合は，**相互作用 p-n 接合**といえる．逆に，接合間距離が大きく，注入キャリアがコレクタに到達する前にベース領域で再結合すれば，トランジスタ作用はなくなり，p-n-p 構造は単に背中を合わせた 2 個のダイオードにすぎない．

5.1.2 電流利得

図 5 は，活性モードにおける理想 p-n-p トランジスタ内の電流成分を示す．空乏領域における生成-再結合電流は考慮していない．エミッタより注入された正孔は電流 I_{EP} となる．良い設計のトランジスタではこれが電流成分のうち最も大きい．注入された正孔の大部分はコレクタ接合に到達し電流 I_{Cp} となる．ベース電流には I_{BB}，I_{En}，I_{Cn} の 3 成分がある．I_{BB} は注入された正

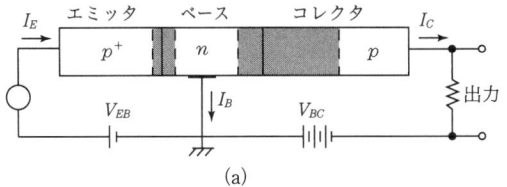

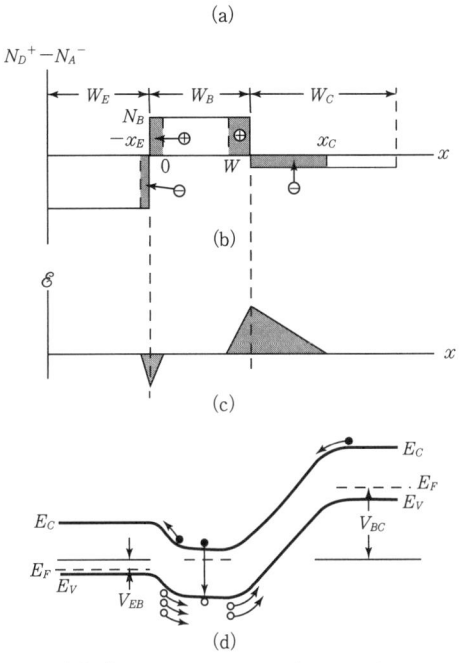

図 4 (a) 活性モードで動作中のトランジスタ（図3に示したもの）[3]，(b) 不純物プロファイルとバイアス下での空乏領域，(c) 電界分布，(d) エネルギーバンド図．

孔と再結合した電子をベースが補給するものである（$I_{BB}=I_{Ep}-I_{Cp}$）．I_{En} はベースからエミッタに注入された電子によるものである．しかしながら，後で述べるように I_{En} は望ましくない成分であり，エミッタを高不純物濃度にするか（5.2節），ヘテロ結合（5.4節）を使うかによって少なくできる．I_{Cn} はコレクタ-ベース接合端の近くで熱的に励起されコレクタからベースにドリフトする電子による電流である．図に示すように，電流の向きは電子流の向きと逆である．

それぞれの端子に流れる電流を上述の電流成分で記述すると次のようになる．

$$I_E = I_{Ep} + I_{En}, \tag{1}$$

$$I_C = I_{Cp} + I_{Cn}, \tag{2}$$

$$I_B = I_E - I_C = I_{En} + (I_{Ep} - I_{Cp}) - I_{Cn}. \tag{3}$$

バイポーラ・トランジスタの特性で重要なパラメータにベース接地電流利得 α_0 があり，次式で定義される．

$$\alpha_0 \equiv \frac{I_{Cp}}{I_E}. \tag{4}$$

式(1)を(4)に入れると

$$\alpha_0 = \frac{I_{Cp}}{I_{Ep}+I_{En}} = \left(\frac{I_{Ep}}{I_{Ep}+I_{En}}\right)\left(\frac{I_{Cp}}{I_{Ep}}\right) \tag{5}$$

となる．右辺第1項は**エミッタ効率** γ と呼ばれ，全エミッタ電流に対する正孔電流の割合を示

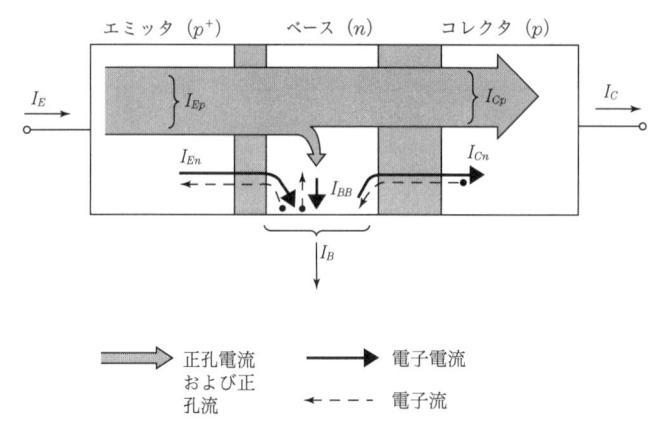

図 5 活性モードで動作中の p-n-p トランジスタにおける各種の電流成分．電子流の方向は電流とは逆向き．

す．すなわち

$$\gamma = \frac{I_{Ep}}{I_E} = \frac{I_{Ep}}{I_{Ep} + I_{En}}. \tag{6}$$

第2項は**ベース到達率（伝達率）** α_T と呼ばれ，エミッタから注入された正孔電流に対するコレクタに到達する正孔電流の比である．

$$\alpha_T \equiv \frac{I_{Cp}}{I_{Ep}}. \tag{7}$$

ゆえに式(5)は，

$$\alpha_0 = \gamma \alpha_T \tag{8}$$

となる．良く設計されたトランジスタでは，I_{En} は I_{Ep} に比べて小さく，I_{Cp} は I_{Ep} に近いので γ と α_T は1に近く，したがって α_0 も1に近い．

コレクタ電流を α_0 で表すことができる．式(6), (7) を (2) に代入して

$$I_C = I_{Cp} + I_{Cn} = \alpha_T I_{Ep} + I_{Cn} = \gamma \alpha_T \left(\frac{I_{Ep}}{\gamma}\right) + I_{Cn} = \alpha_0 I_E + I_{Cn} \tag{9}$$

となる．ただし，I_{Cn} はエミッタ開放時（$I_E = 0$）のコレクタ-ベース電流である．I_{Cn} を I_{CBO} と表記することにする．添字の最初の2文字（CB）は電流（または電圧）を測定する2端子を表し，第3の添字（O）は第2の端子に対する第3の端子の状態を示す．いまの場合，I_{CBO} は，ベース-エミッタ接合を開放（open）にしたときコレクタ-ベース間に流れる漏れ電流を表す．したがって，ベース接地のコレクタ電流は，

$$I_C = \alpha_0 I_E + I_{CBO} \tag{10}$$

となる．

例題1 理想的 p-n-p トランジスタにおいて，$I_{Ep} = 3\,\mathrm{mA}$，$I_{En} = 0.01\,\mathrm{mA}$，$I_{Cp} = 2.99\,\mathrm{mA}$，$I_{Cn} = 0.001\,\mathrm{mA}$ とする．(a) エミッタ効率 γ を求めよ．(b) ベース伝達率 α_T はいくらか．(c) ベース接地電流利得はいくらか．(d) I_{CBO} を求めよ．

解答

（a） 式(6) を用いて，

第5章 バイポーラ・トランジスタとその関連デバイス

$$\gamma = \frac{I_{Ep}}{I_{Ep}+I_{En}} = \frac{3}{3+0.01} = 0.9967.$$

(b) ベース伝達率は，式(7)から

$$\alpha_T = \frac{I_{Cp}}{I_{Ep}} = \frac{2.99}{3} = 0.9967.$$

(c) ベース接地電流利得は式(8)で与えられる．

$$\alpha_0 = \gamma \alpha_T = 0.9967 \times 0.9967 = 0.9934.$$

(d) $I_E = I_{Ep} + I_{En} = 3 + 0.01 = 3.01 \text{ mA}$
$I_C = I_{Cp} + I_{Cn} = 2.99 + 0.001 = 2.991$
式(10)より

$$I_{CBO} = I_C - \alpha_0 I_E = 2.991 - 0.9934 \times 3.01 = 0.87 \ \mu\text{A}.$$

5.2 バイポーラ・トランジスタの静特性

この節では，理想トランジスタの静的電流-電圧特性を学び，各端子の電流の式を求める．電流式は，各領域における少数キャリア密度の分布に基づいているため，不純物濃度や少数キャリア寿命等の半導体パラメータで記述される．

5.2.1 各領域におけるキャリア分布

理想トランジスタにおける電流-電圧の関係式を導出するために次の仮定を設ける．
1. それぞれの領域における不純物分布は一様である．
2. ベース領域におけるドリフトによる正孔電流およびコレクタ飽和電流は無視する．
3. 低注入である．
4. 空乏領域で生成・再結合電流はない．
5. デバイスの直列抵抗は考えない．

基本的には，正孔は順方向バイアスによってエミッタからベースに注入され，拡散によりベース領域を横切ってコレクタ界面に到達する．少数キャリアの分布（すなわち，n形のベース領域における正孔の分布）が決まるとその密度勾配から電流が求まる．

ベース領域

図4(c)は接合空乏領域の電界分布である．中性ベース領域における少数キャリア分布は，無電界，定常状態の連続の式

$$D_p \left(\frac{d^2 p_n}{dx^2} \right) - \frac{p_n - p_{no}}{\tau_p} = 0 \tag{11}$$

で記述できる．ただし，D_p，τ_p はそれぞれ少数キャリアの拡散係数および寿命である．式(11)の一般解は，

$$p_n(x) = p_n + C_1 e^{x/L_p} + C_2 e^{-x/L_p} \tag{12}$$

となる．ただし，$L_p = \sqrt{D_p \tau_p}$ は正孔の拡散長である．C_1, C_2 は活性モードの境界条件

$$p_n(0) = p_{no} e^{qV_{EB}/kT} \tag{13a}$$

および

$$p_n(W) = 0 \tag{13b}$$

で定められる定数である．上式で p_{no} はベース領域の熱平衡下の少数キャリア密度であり，$p_{no} = n_i^2/N_B$ で与えられる．N_B はベース領域のドナー濃度である．最初の境界条件（式(13a)）は，順方向バイアスのとき，エミッタ-ベース空乏領域の端（$x=0$）における少数キャリア密度は熱平衡の値より $\exp(qV_{EB}/kT)$ 倍多くなっていることを示しており，第2の境界条件（式(13b)）は，逆方向バイアスにあるベース-コレクタの空乏領域端（$x=W$）における少数キャリア密度はゼロであることを示している．

式(13)の境界条件に対して，式(12)は，

$$p_n(x) = p_{no}(e^{qV_{EB}/kT}-1)\left[\frac{\sinh\left(\frac{W-x}{L_p}\right)}{\sinh\left(\frac{W}{L_p}\right)}\right] + p_{no}\left[1-\frac{\sinh\left(\frac{x}{L_p}\right)}{\sinh\left(\frac{W}{L_p}\right)}\right] \tag{14}$$

となる．双曲線関数 $\sinh(\Lambda)$ は，$\Lambda \ll 1$ に対して Λ で近似される．たとえば，$\Lambda < 0.3$ のとき，$\sinh(\Lambda)$ と Λ の差は1.5%以下である．したがって，$W/L_p \ll 1$ のときは，分布関数は，次のように簡単になり，分布は直線に近づく．

$$\boxed{p_n(x) = p_{no} e^{qV_{EB}/kT}\left(1-\frac{x}{W}\right) = p_n(0)\left(1-\frac{x}{W}\right).} \tag{15}$$

ベース領域の幅を少数キャリアの拡散長よりずっと小さくするとこの近似が使える．図6は，活性モードで動作中の典型的なトランジスタにおける直線的な少数キャリア分布を示す．直線的な少数キャリア分布を仮定すると電流電圧の関係が容易に求められる．したがって，以後この仮定を使う．

エミッタおよびコレクタ領域

エミッタおよびコレクタにおける少数キャリアの分布はベース領域と同様に求めることができる．図6において，境界条件は

$$n_E(x=-x_E) = n_{EO}e^{qV_{EB}/kT} \tag{16}$$

および

$$n_C(x=x_C) = n_{CO}e^{-q|V_{CB}|/kT} = 0, \tag{17}$$

となる．ただし，n_{EO}, n_{CO} は，それぞれエミッタおよびコレクタ中の熱平衡状態の電子密度である．エミッタの厚さおよびコレクタの厚さはそれぞれの拡散長 L_E および L_C よりずっと大き

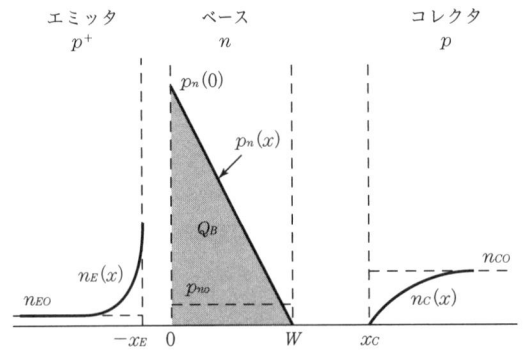

図6 活性モード動作時の各領域の少数キャリア分布．

いとした．この境界条件を式(12) と同様の式に入れると次式が得られる．

$$n_E(x) = n_{EO} + n_{EO}(e^{qV_{EB}/kT} - 1)e^{\frac{x+x_E}{L_E}} \quad x \leq -x_E, \tag{18}$$

$$n_C(x) = n_{CO} - n_{CO}e^{-\frac{x-x_C}{L_C}} \quad x \geq x_C. \tag{19}$$

5.2.2 活性モード動作時の理想トランジスタ電流

少数キャリア分布が求められると，図5に示す各種の電流成分が得られる．$x=0$ においてエミッタから注入された正孔電流は，少数キャリアの密度勾配に比例する．$W/L_p \ll 1$ のとき正孔電流 I_{Ep} は，式(15) を使うと次式で表される．

$$I_{Ep} = A\left(-qD_p\frac{dp_n}{dx}\Big|_{x=0}\right) \cong \frac{qAD_p p_{no}}{W}e^{qV_{EB}/kT}. \tag{20}$$

同様に，コレクタに集められた正孔電流は $x=W$ において，

$$I_{Cp} = A\left(-qD_p\frac{dp_n}{dx}\Big|_{x=W}\right)$$

$$\cong \frac{qAD_p p_{no}}{W}e^{qV_{EB}/kT}. \tag{21}$$

となる．$W/L_p \ll 1$ のときは，I_{Ep} は I_{Cp} に等しい．ベースからエミッタに流れる電子電流 I_{En} とコレクタからベースに流れる電子電流 I_{Cn} は

$$I_{En} = A\left(-qD_E\frac{dn_E}{dx}\Big|_{x=-x_E}\right) = \frac{qAD_E n_{EO}}{L_E}(e^{qV_{EB}/kT} - 1), \tag{22}$$

$$I_{Cn} = A\left(-qD_C\frac{dn_C}{dx}\Big|_{x=x_C}\right) = \frac{qAD_C n_{CO}}{L_C} \tag{23}$$

となる．ただし，D_E と D_C は，それぞれエミッタおよびコレクタにおける拡散係数である．

端子電流はこれらの結果から求めることができる．エミッタ電流は，式(20) と式(22) の和であり，

$$\boxed{I_E = a_{11}(e^{qV_{EB}/kT} - 1) + a_{12}} \tag{24}$$

となる．ただし，

$$a_{11} \equiv qA\left(\frac{D_p p_{no}}{W} + \frac{D_E n_{EO}}{L_E}\right), \tag{25}$$

$$a_{12} \equiv \frac{qAD_p p_{no}}{W} \tag{26}$$

である．

コレクタ電流は，式(21) と式(23) の和であり，

$$\boxed{I_C = a_{21}(e^{qV_{EB}/kT} - 1) + a_{22}} \tag{27}$$

となる．ただし，

$$a_{21} \equiv \frac{qAD_p p_{no}}{W}, \tag{28}$$

$$a_{22} \equiv qA\left(\frac{D_p p_{no}}{W} + \frac{D_C n_{CO}}{L_C}\right) \tag{29}$$

である．

$a_{12} = a_{21}$ である．理想トランジスタにおけるベース電流は，エミッタ電流 I_E とコレクタ電流

I_C の差である．したがって，ベース電流は式(24)から式(27)を引いて，次式のようになる．

$$I_B = (a_{11} - a_{21})(e^{qV_{EB}/kT} - 1) + (a_{12} - a_{22}). \tag{30}$$

これまでの議論から，3端子トランジスタにおける電流は，ほとんどベース領域における少数キャリアの分布で決まる．電流成分が決まると，ベース接地電流利得 α_0 は式(6)，式(7)，式(8)を用いて得られる．

例題2 理想的 p^+-n-p トランジスタを考える．エミッタ，ベース，コレクタの不純物濃度は，それぞれ，10^{19}，10^{17}，$5\times 10^{15}\,\mathrm{cm}^{-3}$ であり，少数キャリア寿命がそれぞれ 10^{-8}，10^{-7}，$10^{-6}\,\mathrm{s}$ であるとする．有効断面積 A を $0.05\,\mathrm{mm}^2$，エミッタ-ベース間に $0.6\,\mathrm{V}$ の順方向バイアスがかかっているとき，ベース接地の電流利得はいくらか計算せよ．他のデバイスパラメータは，$D_E = 1\,\mathrm{cm}^2/\mathrm{s}$，$D_p = 10\,\mathrm{cm}^2/\mathrm{s}$，$D_C = 2\,\mathrm{cm}^2/\mathrm{s}$，$W = 0.5\,\mu\mathrm{m}$ とする．

解答 ベース領域では，

$$L_p = \sqrt{D_p \tau_p} = \sqrt{10 \cdot 10^{-7}} = 10^{-3}\,\mathrm{cm},$$
$$p_{no} = n_i^2/N_B = (9.65 \times 10^9)^2/10^{17} = 9.31 \times 10^2\,\mathrm{cm}^{-3}.$$

同様に，エミッタ領域では，$L_E = \sqrt{D_E \tau_E} = 10^{-4}\,\mathrm{cm}$，$n_{EO} = n_i^2/N_E = 9.31\,\mathrm{cm}^{-3}$，$W/L_p = 0.05 \ll 1$ であるから，電流は

$$I_{Ep} = \frac{1.6 \times 10^{-19} \times 5 \times 10^{-4} \times 10 \cdot 9.31 \times 10^2}{0.5 \times 10^{-4}} \times e^{0.6/0.0259}\,\mathrm{A} = 1.7137 \times 10^{-4}\,\mathrm{A},$$

$$I_{Cp} = 1.7137 \times 10^{-4}\,\mathrm{A},$$

$$I_{En} = \frac{1.6 \times 10^{-19} \times 5 \times 10^{-4} \times 1 \times 9.31}{10^{-4}}(e^{0.6/0.0259} - 1) = 8.5687 \times 10^{-8}\,\mathrm{A}.$$

したがって，ベース接地電流利得は，

$$\alpha_0 = \frac{I_{Cp}}{I_{Ep} + I_{En}} = \frac{1.7137 \times 10^{-4}}{1.7137 \times 10^{-4} + 8.5687 \times 10^{-8}} = 0.9995.$$

$W/L_p \ll 1$ のとき，エミッタ効率は式(20),(22)を使って単純化され

$$\gamma \equiv \frac{I_{Ep}}{I_{Ep} + I_{En}} \simeq \frac{\dfrac{D_p p_{no}}{W}}{\dfrac{D_p p_{no}}{W} + \dfrac{D_E n_{EO}}{L_E}} = \frac{1}{1 + \dfrac{D_E}{D_p}\dfrac{n_{EO}}{p_{no}}\dfrac{W}{L_E}} \tag{31}$$

または，

$$\gamma = \frac{1}{1 + \dfrac{D_E}{D_p} \cdot \dfrac{N_B}{N_E} \cdot \dfrac{W}{L_E}} \tag{31a}$$

となる．ここで，$N_B(= n_i^2/p_{no})$ はベースの不純物濃度であり，$N_E(= n_i^2/n_{EO})$ はエミッタの不純物濃度である．この式から，γ を大きくするためには N_B/N_E を下げなければならない，すなわち，エミッタの不純物濃度をベースよりもずっと大きくする必要がある．これがエミッタを p^+ にする理由である．

5.2.3 動作モード

バイポーラ・トランジスタには四つの動作モードがある．それらはエミッタ-ベース接合およびベース-コレクタ接合にかけられる電圧の極性に依存する．図7は p-n-p トランジスタの四つ

の動作モードに対する V_{EB} と V_{CB} を示す．それぞれのモードに対応する少数キャリアの分布も示されている．これまでの議論では活性モード動作，すなわち，エミッタ-ベース接合は順方向，コレクタ-ベース接合は逆方向にバイアスされている場合について考えてきた．

飽和モードでは，両接合とも順方向にバイアスされており，それぞれの空乏領域端では少数キャリアはゼロではない．したがって，$x=W$ における境界条件は，式(13b) の代りに $p_n(W) = p_{no}\exp(qV_{CB}/kT)$ となる．飽和モードは小さなバイアス電圧で大きな出力電流が得られる．すなわちトランジスタは導通状態にあり，スイッチの閉じた状態（オン状態）になっている．

しゃ断モードは，両接合とも逆方向にバイアスされており，式(13)の境界条件は $p_n(0) = p_n(W) = 0$ である．しゃ断モードは，スイッチとしては開（オフ）状態に対応する．

第4番目の動作モードは逆動作モードである．これは逆活性モードと呼ばれることもある．この場合，エミッタ-ベース接合は逆バイアス，コレクタ-ベース接合は順バイアスされている．逆動作モードは，コレクタがエミッタとして，またエミッタがコレクタとして働くことになり，したがってデバイスが逆向きに使用されることになる．しかしこの場合の電流利得は一般に活性モードの値に比べて小さい．これはコレクタの不純物濃度がベース不純物濃度に比べ少ないためエミッタ効率が悪い（式(31)）ことによる．

それぞれの動作モードに対する電流-電圧特性は，活性モードの場合と同じ手順で，境界条件（式(13)）を適当に変えるだけで得られる．すべての動作モードに適用できる一般式は，

$$I_E = a_{11}(e^{qV_{EB}/kT}-1) - a_{12}(e^{qV_{CB}/kT}-1) \tag{32a}$$

および

$$I_C = a_{21}(e^{qV_{EB}/kT}-1) - a_{22}(e^{qV_{CB}/kT}-1) \tag{32b}$$

で表される．ただし，係数 a_{11}, a_{12}, a_{21} および a_{22} はそれぞれ，式(25), (26), (28) および (29) で与えられる．式(32a), (32b) において，接合にかかるバイアスは，動作モードによって正ま

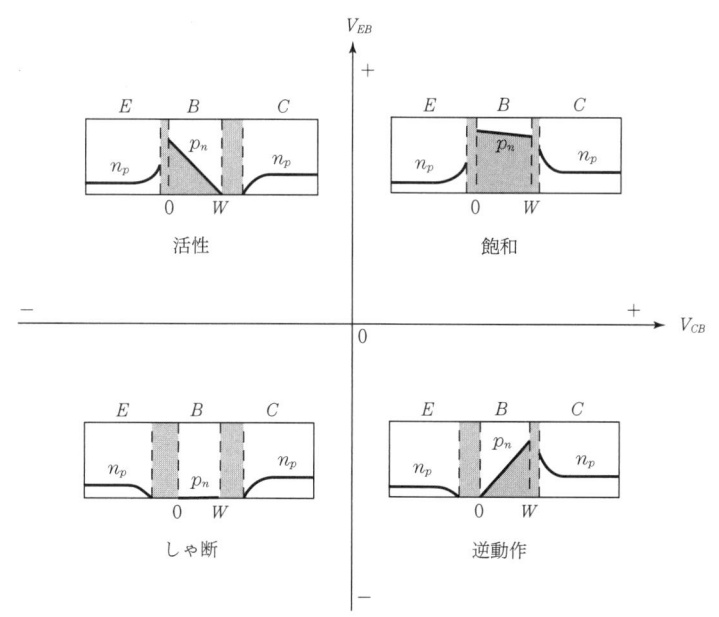

図7 p-n-p トランジスタの各種の動作モードにおける接合の極性と少数キャリア分布

たは負の値をとる．

5.2.4 ベース接地およびエミッタ接地における電流-電圧特性

式(32)からベース接地における電流-電圧特性が得られる．この配置では，V_{EB} と V_{BC} はそれぞれ入力電圧と出力電圧になっており，I_E と I_C は入力および出力電流になっている．

しかしながら，エミッタ接地，すなわち，エミッタ端子が入力および出力回路の両者で共有されている配置のほうが実際の回路ではずっとよく使われる．式(32)に示す電流の一般式はエミッタ接地にも適用できる．この場合は，V_{EB} と I_B が入力パラメータであり，V_{EC} と I_C が出力パラメータである．

ベース接地

図8(a)に p-n-p トランジスタのベース接地回路を示す．図8(b)は出力電流-電圧特性の実測値を示す．それぞれの動作モードが図に示されている．コレクタ電流は，ほぼエミッタ電流に等しく（すなわち $\alpha_0 \cong 1$），V_{BC} にはほとんど依存しないことに注意してほしい．これは式(10)，

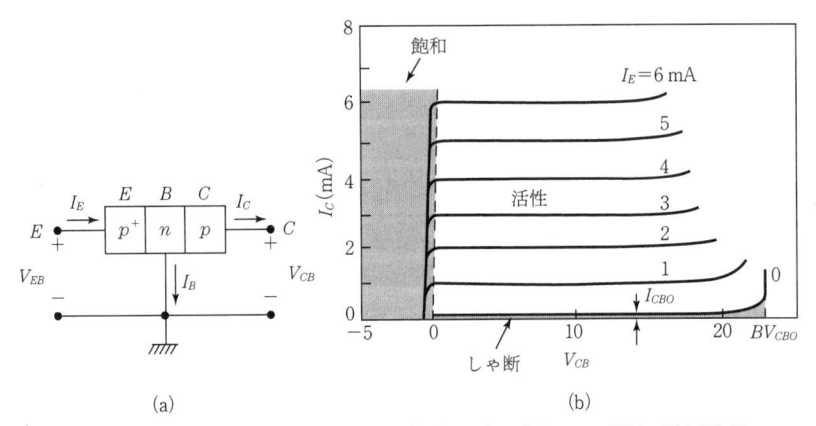

図8 (a) p-n-p トランジスタのベース接地回路 (b) その電流-電圧特性

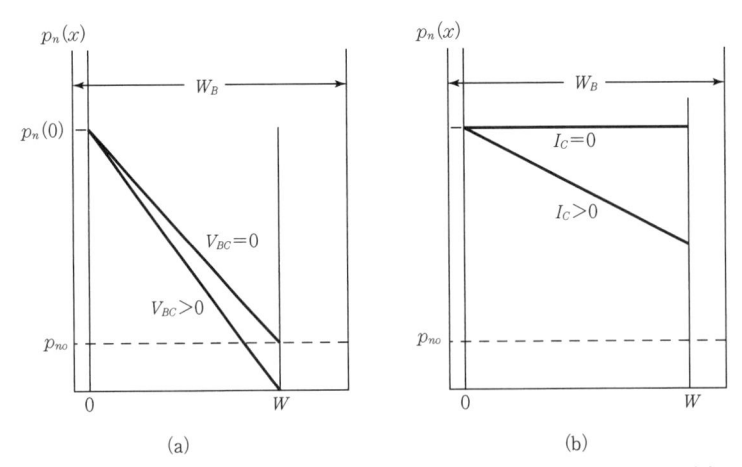

図9 p-n-p トランジスタのベース領域における少数キャリア分布．(a) 活性モード $V_{BC}=0$ および $V_{BC}>0$，(b) 両接合とも順方向バイアスの飽和モード．

(27) で与えられる理想トランジスタの挙動にほとんど一致する．V_{BC} をゼロ近くまで下げてもコレクタ電流は一定値を保っている．すなわち正孔はまだコレクタに集められている．これは図 9(a) に示した正孔の分布から理解できる．

$x=W$ における正孔の濃度勾配は，$V_{BC}>0$ から $V_{BC}=0$ まで変えたときほんのわずか変わるだけである．したがって，コレクタ電流は活性モード動作の全範囲にわたって基本的には変わらない．コレクタ電流をゼロにするためは，図 9(b) に示すようにベース-コレクタ接合に小さな順方向電圧（Si で約 1 V）を印加させなければならない（飽和モード）．順方向バイアスによって $x=W$ における正孔密度が増加し $x=0$ のエミッタにおける正孔と等しくなる．したがって $x=W$ での正孔の密度勾配が小さくなりコレクタ電流がゼロになる．

エミッタ接地

図 10(a) は p-n-p トランジスタのエミッタ接地回路である．この配置でのコレクタ電流は式 (3) を式 (10) に代入して

$$I_C = \alpha_0(I_B + I_C) + I_{CBO} \tag{33}$$

となる．I_C について解くと，

$$I_C = \frac{\alpha_0}{1-\alpha_0} I_B + \frac{I_{CBO}}{1-\alpha_0} \tag{34}$$

となる．ここで，**エミッタ接地の電流利得** β_0 を次のように定義する．すなわち，I_B の増分に対する I_C の増分を β_0 とすると，式 (34) から

$$\boxed{\beta_0 \equiv \frac{\Delta I_C}{\Delta I_B} = \frac{\alpha_0}{1-\alpha_0}} \tag{35}$$

が得られる．

また，I_{CEO} を次のように定義する．

$$I_{CEO} \equiv \frac{I_{CBO}}{1-\alpha_0}. \tag{36}$$

この電流は $I_B=0$ のときのコレクタ-エミッタ漏れ電流に相当する．式 (34) は

$$\boxed{I_C = \beta_0 I_B + I_{CEO}} \tag{37}$$

と書くことができる．一般に α_0 は 1 に近いので β_0 は 1 よりずっと大きな値となる．たとえば，α_0 が 0.99 なら β_0 は 99，α_0 が 0.998 なら β_0 は 499 となる．したがって，小さなベース電流によって，ずっと大きなコレクタ電流を誘起することができる．図 10(b) はいくつかのベース電流に対する出力電流-電圧特性の実測値である．$I_B=0$ のときでもコレクタ-エミッタ間の漏れ電流はゼロではない．

例題 3 例題 1 を参照して，エミッタ接地の電流利得 β_0 を求めよ．I_{CEO} を I_{CBO} と β_0 で表し，I_{CEO} の値を計算せよ．

解答 例題 1 においてベース接地の電流利得 α_0 は，0.9934 であるから，β_0 は，

$$\beta_0 = \frac{0.9934}{1-0.9934} = 150.5$$

となり，式 (36) によって，

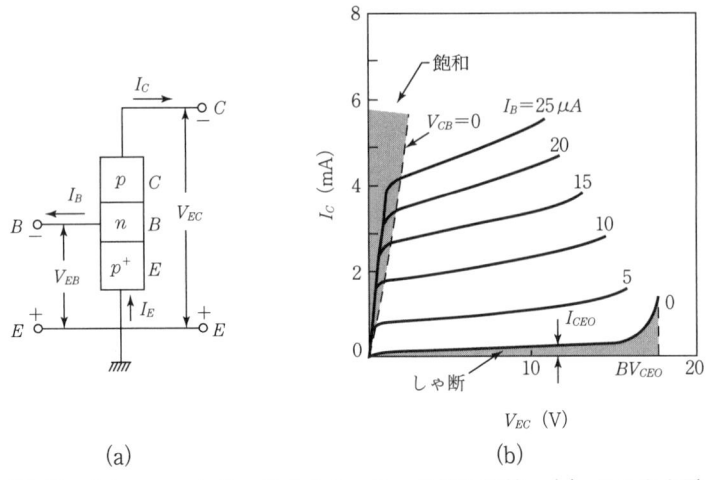

図 10 (a) p-n-p トランジスタのエミッタ接地接続，(b) その出力電流-電圧特性．

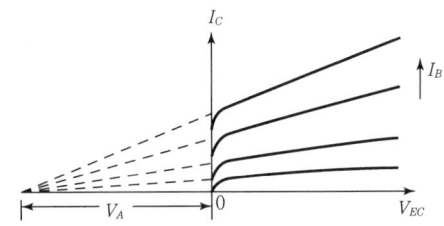

図 11 アーリー効果とアーリー電圧を示す模式図．異なるベース電流に対するコレクタ電流は $-V_A$ の点で一致する．

$$I_{CEO} = \left(\frac{\alpha_0}{1-\alpha_0} + 1\right) I_{CBO}$$
$$= (\beta_0 + 1) I_{CBO}.$$

したがって，

$$I_{CEO} = (150.5+1) \times 0.87 \times 10^{-6} = 1.32 \times 10^{-4} \text{ A}.$$

エミッタ接地の理想トランジスタにおいては，一定の I_B の値に対して $V_{EC}>0$ の場合，コレクタ電流は V_{EC} に依存しない．これは，中性のベース幅 W が変化しなければ正しい．しかし，実際には，ベース-コレクタ電圧の増加とともに空乏領域がベースの方に広がってゆくので，ベース幅は，ベース-コレクタ電圧の関数となる．したがって，コレクタ電流は，V_{EC} に依存する．ベース-コレクタ間の逆バイアス電圧が増加するとベース幅は減少する．これにより，少数キャリアの密度勾配は増加し，したがって拡散電流の増加を引き起こす．その結果 β_0 が増加する．図 11 に V_{EC} の増加に伴う I_C の増加を示す．この変化は，**アーリー効果**[4] または**ベース幅変調**として知られている．コレクタ電流を外挿したとき，V_{EC} 軸との切片 V_A は**アーリー電圧**と呼ばれる．

5.3 バイポーラ・トランジスタの周波数応答とスイッチング特性

5.2節では，バイポーラ・トランジスタの四つの動作モードにつき議論し，それらはエミッタ-ベース，コレクタ-ベース間のバイアス条件で変わることを述べた．一般にアナログ回路または線形回路では，このうち活性モードでのみ動作させる．しかしデジタル回路では，四つの動作モードすべてが含まれる．この節では，バイポーラ・トランジスタの周波数およびスイッチング特性を説明する．

5.3.1 周波数応答

高周波等価回路

これまでの議論では，バイポーラ・トランジスタの静（直流）特性を扱ってきた．ここでは，この直流分に小信号電圧または信号電流が重畳された場合の交流特性について調べる．ここで"小信号"という意味は，交流成分のピーク値が直流分より小さいということをさす．図12(a)に示すようにトランジスタがエミッタ接地で接続されている増幅回路を考える．直流入力 V_{EB} に対し，これに対応する直流ベース電流 I_B と直流コレクタ電流 I_C がトランジスタに流れる．これらの電流は図12(b)に示す動作点に相当する．印加電圧 V_{CC} および負荷抵抗 R_L で決まる負荷線は，V_{EC} 軸を V_{CC} の点で切り（$-1/R_L$）の勾配を持つ．小さな交流信号が入力電圧に重畳されると，ベース電流 i_B は時間の関数として変化する（図12(b)）．この変化に対応して出力電流 i_C も変化する．しかしその変化の大きさは入力電流の変化の β_0 倍になっている．このようにしてトランジスタは入力信号を増幅する．

この低周波動作に対応する等価回路を図13(a)に示す．高周波の場合は，この等価回路に適当な容量を追加すればよい．エミッタ-ベース接合は順方向バイアスであるので，順バイアスダイオードと同様に，空乏層容量 C_{EB} と拡散容量 C_d を考えねばならない．逆方向バイアスのベース-コレクタ接合では空乏層容量 C_{CB} だけでよい．この3容量を追加した高周波等価回路を図13(b)に示す．$g_m(\equiv \tilde{i}_C/\tilde{v}_{EB})$ は**相互コンダクタンス**，$g_{EB}(\equiv \tilde{i}_B/\tilde{v}_{EB})$ は，**入力コンダクタンス**と呼ばれる．ベース幅変調の効果を考慮するために，$v_{EB}=0$ のとき有限の出力コンダクタン

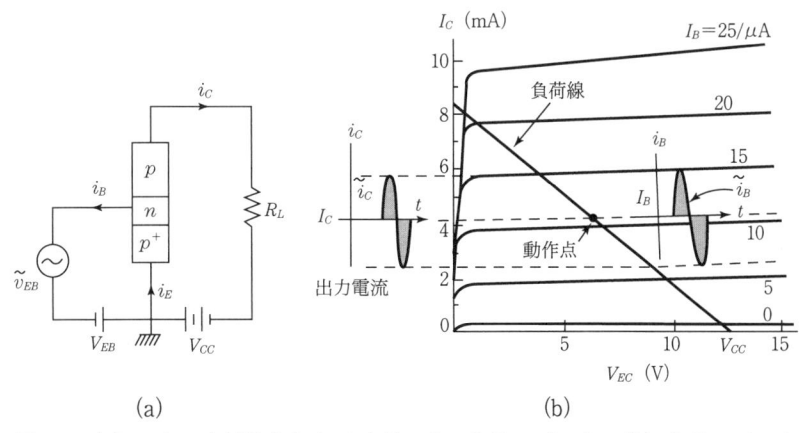

図 12 (a) エミッタ接地されたバイポーラ・トランジスタ，(b) トランジスタ回路の小信号動作．

ス $g_{EC} \equiv \tilde{i}_C/\tilde{v}$ を導入する．これに加えて，ベース抵抗 r_B，コレクタ抵抗 r_C も存在する．図 13(c) は上述の要素をすべて考慮した高周波等価回路である．

しゃ断周波数

図 13(c) の相互コンダクタンス g_m および入力コンダクタンス g_{EB} はベース接地電流利得に依存する．低周波では電流利得は周波数に依存せず一定である．しかし，ある臨界周波数以上になると電流利得は減少する．電流利得と動作周波数の関係の典型的な例を図 14 に示す．ベース接地の電流利得 α は

$$\alpha = \frac{\alpha_0}{1+j(f/f_\alpha)} \tag{38}$$

で表される．ただし α_0 は低周波（または直流）のベース接地電流利得，f_α はベース接地しゃ断周波数である．$f=f_\alpha$ のとき α は $0.707\,\alpha_0$（3 dB 低下）となる．

図 14 にはエミッタ接地電流利得 β も示してある．式(38) から

$$\beta \equiv \frac{\alpha}{1-\alpha} = \frac{\beta_0}{1+j(f/f_\beta)} \tag{39}$$

となる．ただし，f_β はエミッタ接地しゃ断周波数で，

$$f_\beta = (1-\alpha_0)f_\alpha \tag{40}$$

で表される．$\alpha_0 \cong 1$ であるから，f_β は f_α よりずっと小さくなる．もう一つのしゃ断周波数に f_T がある．これは $|\beta|=1$ のときの値である．式(39) 右辺を1と置くと，

$$f_T = \sqrt{\beta_0^2-1}\,f_\beta \cong \beta_0(1-\alpha_0)f_\alpha \cong \alpha_0 f_\alpha \tag{41}$$

が得られる．f_T は f_α に近いがそれより小さい値である．

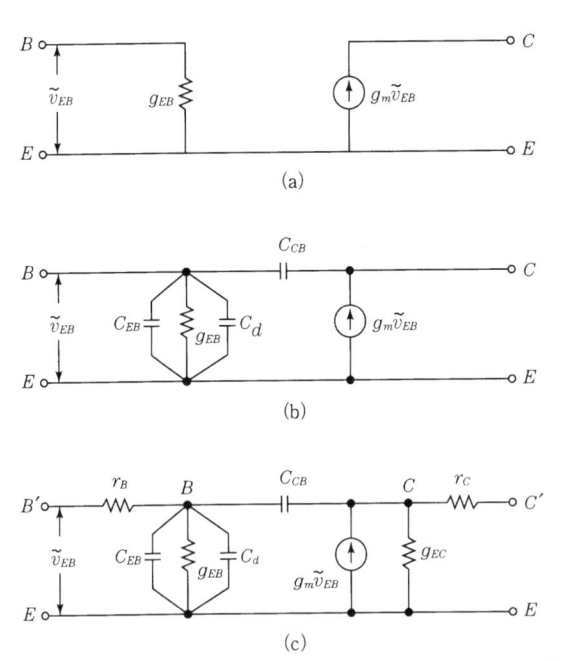

図 13　(a) トランジスタの基本的な等価回路．(b) 空乏層容量および拡散容量を追加した等価回路．さらに (c) 各種の抵抗およびコンダクタンスを考慮した等価回路．

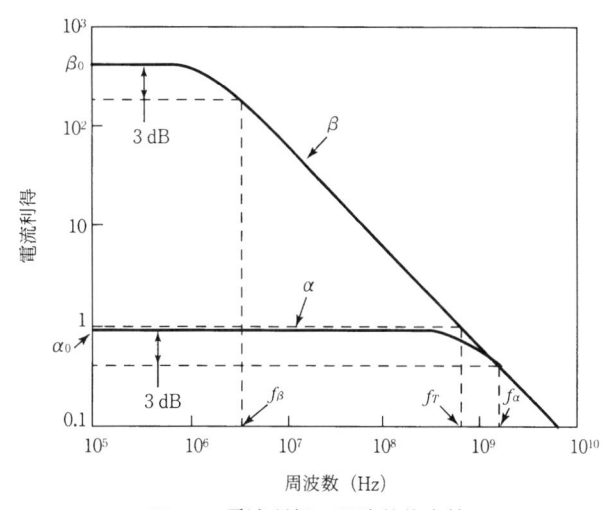

図 14 電流利得の周波数依存性.

しゃ断周波数 f_T は，$1/(2\pi\tau_T)$ とも表せる．ここで，τ_T は，キャリアがエミッタからコレクタまでを移動する時間であり，エミッタ遅れ時間 τ_E，ベース走行時間 τ_B，およびコレクタ走行時間 τ_C からなっている．このなかで最も重要な遅れ時間は，τ_B である．ベース領域において少数キャリアが dt 時間の間に通過する距離は $dx = v(x)dt$ である．ただし，$v(x)$ は，ベース中の実効少数キャリア速度である．この速度と電流との間には次の関係がある．

$$I_p = qv(x)p(x)A, \qquad (42)$$

ただし，A はデバイス面積，$p(x)$ は少数キャリア密度である．正孔がベースを通過する時間 τ_B は，

$$\tau_B = \int_0^W \frac{dx}{v(x)} = \int_0^W \frac{qp(x)A}{I_p} dx \qquad (43)$$

で与えられる．正孔が式(15)に示すように直線的に分布しておれば，式(43)の積分は，I_p に式(21)を代入して，

$$\boxed{\tau_B = \frac{W^2}{2D_p}} \qquad (44)$$

となる．周波数特性を改善するには，少数キャリアのベース通過時間を短縮すればよい．したがって，高周波トランジスタは，ベース幅が狭くなるように設計する．Si では電子の拡散係数は正孔の約3倍であるため，Si 高周波トランジスタはすべて n-p-n 型になっている（ベース領域を通過する少数キャリアは電子）．ベース通過時間を短縮する別の方法として，内蔵電界を持つ傾斜ベースを利用する．大きなドーピング変化を与えると（エミッタ側を高濃度に，コレクタ側を低濃度にドープする），ベース中の内蔵電界がキャリアをコレクタ側にドリフトさせ，ベース通過時間を短くする．

5.3.2 スイッチング過渡特性

デジタル回路では，トランジスタはスイッチとして利用される．この場合少ない（ベース）電流で短時間内にコレクタを高電圧，小電流の**オフ**状態から低電圧，大電流の**オン**状態に切り換え

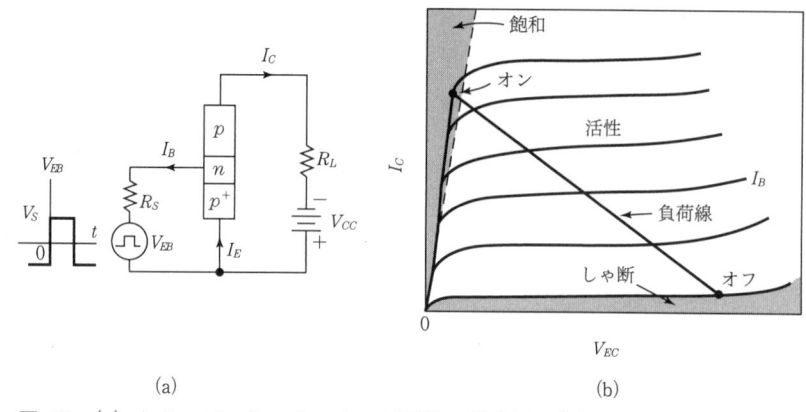

図 15 (a) トランジスタスイッチング電流の模式図. (b) しゃ断状態から飽和状態へのスイッチング.

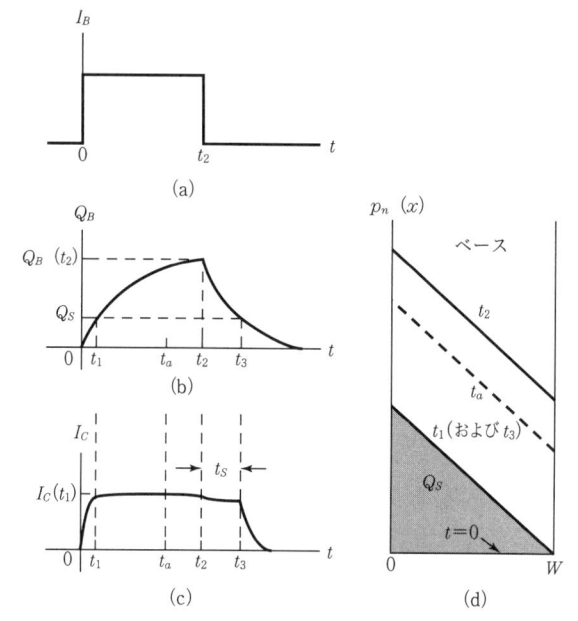

図 16 トランジスタのスイッチング特性. (a) ベース電流入力波形. (b) ベース蓄積電荷の時間変化. (c) コレクタ電流の時間変化. (d) 各時間におけるベース中の少数キャリア密度の分布.

る（可逆的に）. スイッチング回路の基本構成を図 15(a) に示す. この場合, エミッタ-ベース電圧 V_{EB} が負から正に瞬時に切り換えられる. トランジスタの出力電流を図 15(b) に示す. 最初, エミッタ-ベースとコレクタ-ベース接合の両方とも逆バイアスされているためコレクタ電流は非常に小さい. 電流は負荷線に従って流れ, 活性モード領域を経て高い電流レベルに到達する. そこでは両接合とも順バイアスになっている. したがって, オフ状態（しゃ断モードに対応）ではトランジスタのエミッタ-コレクタ間は実質的には開放になり, オン状態（飽和モードに対応）では短絡となる. ゆえにこのように動作しているトランジスタは理想的スイッチの機能を有しているといえる.

　スイッチング時間はトランジスタが, オフからオンまたはオンからオフにスイッチするときに

要する時間である．図16(a)は，$t=0$ で入力電流パルスがエミッター-ベース端子に与えられたとき，トランジスタがオンになり，$t=t_2$ でベース電流がゼロにスイッチされるとトランジスタはオフになる．コレクタ電流 I_c の過渡特性は，ベースに蓄積されている過剰少数キャリア $Q_B(t)$ の時間変化できまる．$Q_B(t)$ の時間変化を図16(b)に示す．オンに移る過程では，ベースに蓄積される電荷はゼロから $Q_B(t_2)$ まで増加する．オフに移る過程では，ベースの電荷は $Q_B(t_2)$ からゼロまで減少する．Q_S を $V_{CB}=0$ （すなわち，図16(d)に示すように，飽和端の状態）におけるベース中の電荷とすると，$Q_B(t)<Q_S$ では，トランジスタの状態は活性モードである．

I_c の時間変化を図16(c)に示す．オンに移る過程では，ベースの電荷は Q_S すなわち $t=t_1$ における飽和端の値に近づく．$Q_B>Q_S$ では，飽和モードであり，エミッタおよびコレクタ電流は基本的には一定である．図16(d)は，$t>t_1$（たとえば $t=t_a$）に対して正孔の分布 $p_n(x)$ は $t=t_1$ の分布に対し平行であることを示している．したがって，$x=0$ および $x=W$ での勾配は等しく，したがって電流も等しい．オフに移る過程では，はじめは飽和モードにいるため，Q_B が減少して Q_S になるまではコレクタ電流はあまり変化しない（図16(d)）．t_2 から $t_3(Q_B=Q_S)$ までの時間は，**蓄積時間遅れ** t_s と呼ばれる．$Q_B=Q_S$ になる時刻 t_3 では，活性モードに移行する．その時刻以降，コレクタ電流はゼロに向かって指数関数的に減少する．

ターンオン時間は，ベース領域に正孔（p-n-p トランジスタでの少数キャリア）を付加する時間で決まる．ターンオフ時間は正孔を再結合によって消滅する時間で決まる．スイッチングトランジスタで最も重要なパラメータは少数キャリアの寿命 τ_p である．τ_p を小さくする有効な方法は，バンドギャップの中ほどに再結合中心を導入することである．

5.4 ヘテロ接合バイポーラ・トランジスタ

4.8節でヘテロ接合について考えた．ヘテロ接合バイポーラ・トランジスタ（heterojunction bipolar transistor, HBT）とは，接合が異種の半導体で構成されているものである．第一の長所はエミッタ効率（γ）が高いことである．電気回路への応用はバイポーラ・トランジスタと同じであるが，HBT は高速，高周波に対応できる．この特徴のために，HBT はフォトニック，マイクロ波，およびデジタル回路への応用が盛んである．たとえば，HBT は固体マイクロ波，ミリ波の電力増幅，発振器，ミキサとして使われている．

5.4.1 HBT の電流利得

半導体1と半導体2からなる HBT を考える．1をエミッタ，2をベースとする．この2種類の半導体のバンドギャップ差による電流利得への効果を考える．

ベース伝達率 α_T が1に近いとすれば，エミッタ接地の電流利得は式(8) と (35) から

$$\beta_0 \equiv \frac{\alpha_0}{1-\alpha_0} \equiv \frac{\gamma \alpha_T}{1-\gamma \alpha_T} = \frac{\gamma}{1-\gamma} \quad (\text{for} \quad \alpha_T=1) \tag{45}$$

となる．式(31a) の γ を式(45) に入れると

$$\beta_0 = \frac{1}{\dfrac{D_E}{D_n}\dfrac{p_{EO}}{n_{po}}\dfrac{W}{L_E}} \approx \frac{n_{po}}{p_{EO}} \tag{46}$$

となる．エミッタおよびベースの少数キャリア密度は，

$$p_{EO} = \frac{n_i^2(\text{エミッタ})}{N_E(\text{エミッタ})} = \frac{N_C N_V \exp(-E_{gE}/kT)}{N_E}, \tag{47}$$

$$n_{po} = \frac{n_i^2(\text{ベース})}{N_B(\text{ベース})} = \frac{N_C' N_V' \exp(-E_{gB}/kT)}{N_B} \tag{48}$$

となる．ここで，N_C, N_V はエミッタ半導体の伝導帯および価電子帯の有効状態密度であり，E_{gE} はそのバンドギャップである．N_C', N_V', E_{gB} はベース半導体のそれぞれの値である．したがって，次式が得られる．

$$\beta_0 \sim \frac{N_E}{N_B} \exp\left(\frac{E_{gE} - E_{gB}}{kT}\right) = \frac{N_E}{N_B} \exp\left(\frac{\Delta E_g}{kT}\right). \tag{49}$$

例題4 エミッタ側のバンドギャップ1.62 eV，ベース側のバンドギャップ1.42 eV の HBT を考える．また，1.42 eV で，エミッタのドーピング量 10^{18} cm^{-3}，ベースのドーピング量 10^{15} cm^{-3} の BJT を考える．(a) もし，この HBT が BJT と同じドーピング量であれば，β_0 はどれだけ改善されるか．(b) もし，HBT が BJT と同じエミッタドーピング量と β_0 を有しておれば，HBT のベースドーピング量をどれだけ上げられるか．他のデバイスパラメータは同じとして計算せよ．

解答

(a) $\dfrac{\beta_0(\text{HBT})}{\beta_0(\text{BJT})} = \dfrac{\exp\left(\dfrac{E_{gE} - E_{gB}}{kT}\right)}{1} = \exp\left(\dfrac{1.62 - 1.42}{0.0259}\right) = \exp\left(\dfrac{0.2}{0.0259}\right)$
$= \exp(7.722) = 2257$.

β_0 は 2257 倍改善される．

(b) $\beta_0(\text{HBT}) = \dfrac{N_E}{N_B'} \exp(7.722) = \beta_0(\text{BJT}) = \dfrac{N_E}{N_B}$

∴ $N_B' = N_B \exp(7.722) = 2257 \times 10^{15} = 2.26 \times 10^{18}$ cm^{-3}.

HBT のベースドープ量は，同じ β_0 に対して 2.26×10^{18} cm^{-3} まで増加できる．

5.4.2 HBT の基本的構造

HBT 技術は Al$_x$Ga$_{1-x}$As/GaAs 系で最も進んでいる．

図17(a) は，n-p-n HBT の基本構造である．このデバイスでは，n 形エミッタはワイドバンドギャップの Al$_x$Ga$_{1-x}$As で形成され，p 形ベースはこれより小さいバンドギャップの GaAs で作られている．n 形コレクタおよび n 形サブコレクタは，それぞれ低不純物濃度および高不純物濃度となっている．オーミック電極形成のためにエミッタ電極と AlGaAs の間に高不純物濃度の n 形 GaAs が挿入されている．エミッタ-ベース間の大きなバンドギャップ差のためにエミッタ接地電流利得は非常に大きくできる．一方，バンドギャップ差がないホモ接合バイポーラ・トランジスタでは，その代わりに，ベースに対するエミッタのドープ量の比を非常に大きくする必要がある．これが，ホモ接合とヘテロ接合バイポーラ・トランジスタの大きな違いである（例題4参照）．

図17(b) は，活性モード動作中のエネルギーバンド図である．エミッタ-ベースのバンドギャップ差により，ヘテロ界面にバンドオフセットが生じる．HBT の優れた特性は，価電子帯のバンド不連続 ΔE_v による．ΔE_v は，エミッタ-ベースヘテロ接合の障壁を高くし，したがって，

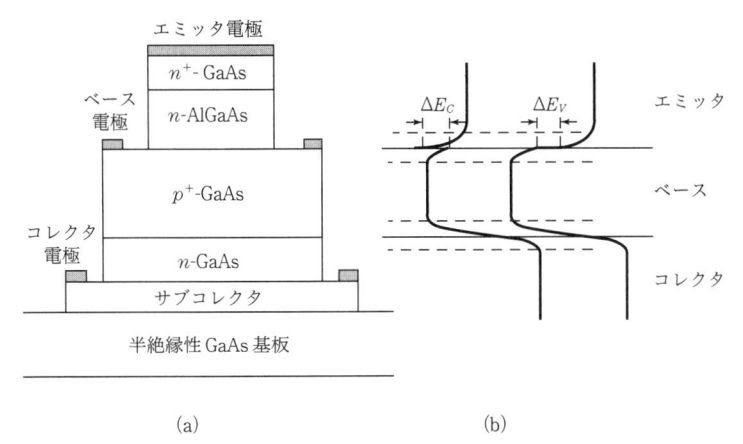

図 17 (a) n-p-n ヘテロ接合バイポーラ・トランジスタ（HBT）の断面図，(b) 活性モードで動作中の HBT のバンド図．

ベースからエミッタへの正孔の注入を押さえる．この効果によって，高いエミッタ効率と電流利得を保ちながらベースドープ量を上げることができる．ベースドープ量を上げるとベースのシート抵抗が下がる[5]．さらに，狭いベース領域で生じるパンチスルー効果の心配なしにベース領域を狭くできる．**パンチスルー**は，ベース-コレクタ間の空乏層がベース領域を浸透し，エミッタに達することによって生じる．薄いベース領域は，キャリアのベース通過時間を短くし，しゃ断周波数を上げるために必要である[6]．

5.4.3 高度な HBT

最近 InP 系の材料（InP/InGaAs，AlInAs/InGaAs）が盛んに研究されている．この系は多くの長所を持っている[7]．InP/InGaAs 構造では，表面再結合速度が非常に小さく，InGaAs における電子移動度が GaAs に比べ大きいので優れた高周波特性が期待できる．図 18 に InP 系の典型的な HBT の周波数特性を示す[8]．254 GHz といった高いしゃ断周波数が得られている．さらに，InP のコレクタ領域での高電界ドリフト速度は，GaAs のコレクタに比べ高い値を持つ．また，InP のコレクタブレークダウン電圧は GaAs の値より大きい．

もう一つのヘテロ接合は，Si/SiGe 系である．この系は HBT 応用の点でいくつかの利点を持

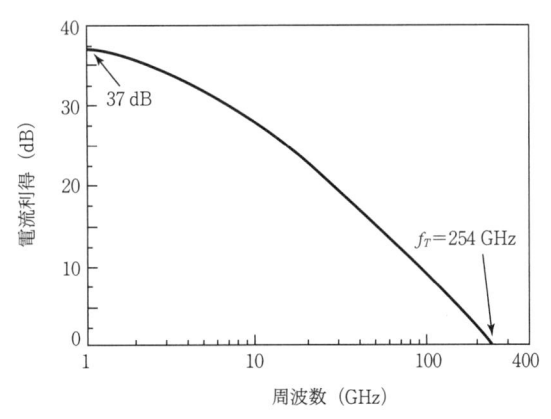

図 18 InP 系 HBT の電流利得の周波数依存性．[8]

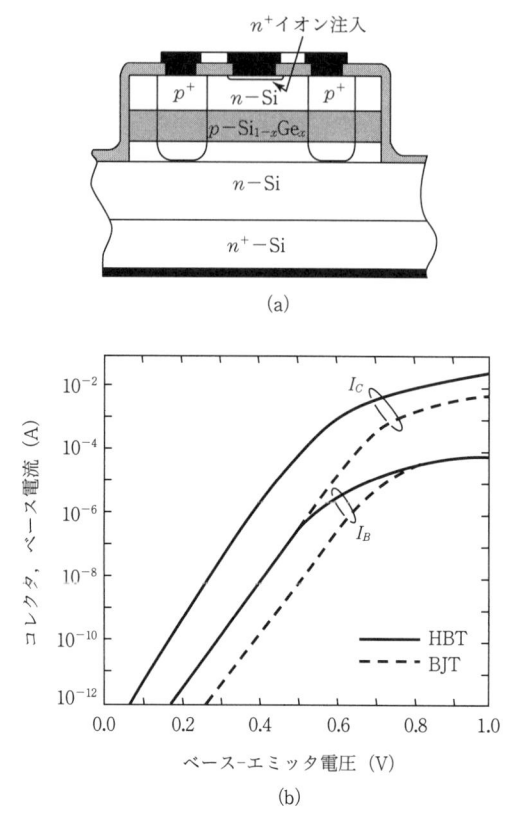

図 19 (a) n-p-n Si/SiGe/Si HBT のデバイス構造．(b) HBT および BJT（バイポーラ・トランジスタ）のコレクタおよびベース電流の V_{EB} 依存性．

つ．AlGaAs/GaAs HBT と同様に，Si/SiGe HBT でもバンドギャップの差を利用して，ベースを高濃度にドープできるので高周波に適している．Si の表面準位密度は少ないので表面再結合電流は少なく，したがって，低いコレクタ電流でも大きな電流利得が期待できる．通常の Si プロセス技術が使えるのも利点である．図 19(a) に典型的な Si/SiGe の HBT の構造を示す．Si/SiGe HBT とホモ接合の Si バイポーラ・トランジスタのベース電流とコレクタ電流の比較を図 19(b) に示す．これより，HBT の方がホモ接合より大きな電流利得を有することが解る．しかしながら，GaAs および InP 系の HBT と比較すると，Si/SiGe HBT は Si の移動度が低いためにしゃ断周波数は低い．

図 17(b) に示す伝導帯の不連続 ΔE_c は望ましくない．なぜならば，キャリアが移動するためには，不連続によって生じた障壁を熱電子放出またはトンネルによって越えなければならないからである．したがって，エミッタ効率およびコレクタ電流に悪影響が出る．この問題は，組成変化傾斜層および傾斜ベースヘテロ接合によって解決できる．図 20 は ΔE_c がエミッタ-ベース間に形成された傾斜層によって消滅しているエネルギーバンド図を示す．傾斜層の厚さは W_g である．

図 20 の点線で示すように，ベース領域も傾斜している．それによってバンドギャップが，エミッタからコレクタにかけて減少している．そのため，見かけ上中性のベース領域に内蔵電界

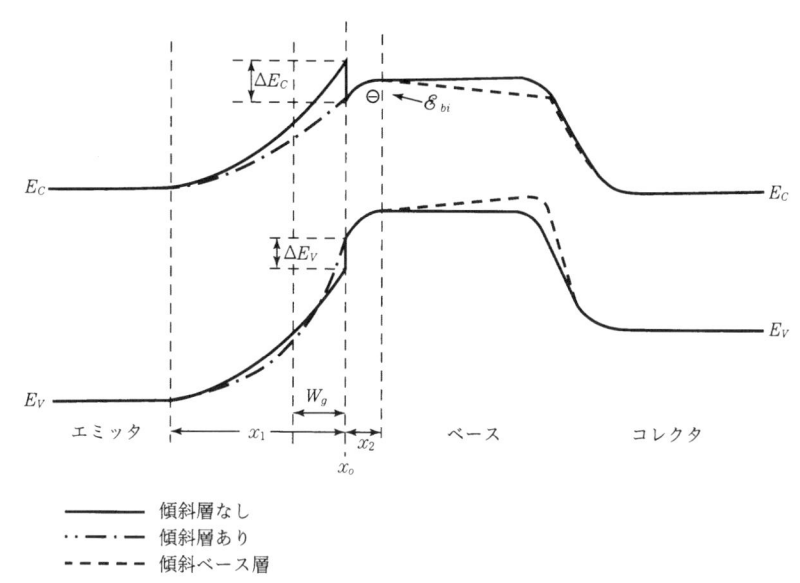

図 20 傾斜層および傾斜ベース層のあるヘテロバイポーラ・トランジスタとないトランジスタのエネルギーバンド図.

$\mathscr{E}_{bi}$ が発生する．これによって，少数キャリアのベース通過時間が短縮され，ひいてはエミッタ接地電流利得およびしゃ断周波数の増加となる．$\mathscr{E}_{bi}$ は，ベース領域の $Al_xGa_{1-x}As$ の Al 組成を $x=0.1$ から $x=0$ まで変化することにより得られる．

コレクタ層の設計に関しては，コレクタ通過時間遅れとブレークダウン電圧の条件を考えなければならない．コレクタ層が厚いとベース-コレクタ間のブレークダウン電圧の条件は緩和されるが，比例して通過時間は増加する．大電力用トランジスタでは，コレクタ層の高電界のためにキャリアは飽和速度でここを通過する．

しかしながら，コレクタ層に特定の不純物分布を形成することによって電界を低減し，速度を増加することができる．一つの方法は，n-p-n HBT において，サブコレクタの近くにパルス状にドープした p^+ 層を持つ p^- コレクタを利用する方法である．これによって，コレクタ層に入った電子は低移動度の高エネルギーバレーへ遷移することなく，低いバレーの高移動度を保ちながらコレクタを通過できる．このデバイスは**バリスティックコレクタトランジスタ**と呼ばれる (ballistic collector transistor，BCT)[9]．BCT のエネルギーバンド図を図 21 に示す．

BCT はある狭いバイアス電圧領域において，通常の HBT より優れた周波数特性を持つことが示されている．BCT の低コレクタ電圧，低電流下における優れた特性によりスイッチングやマイクロ波電力増幅デバイスに応用されている．

5.5 サイリスタおよび関連の電力用デバイス

サイリスタは高電圧大電流を制御する重要なデバイスであり，主として，スイッチ動作，すなわちデバイスが**オフ**（阻止）状態から，**オン**（導通）状態，あるいはその逆向きに状態を変化させて使用する[10]．既に述べたバイポーラ・トランジスタによるスイッチ動作では，ベース電流によってトランジスタがしゃ断状態からオン状態の飽和状態に変化し，逆に飽和状態からオフ状態

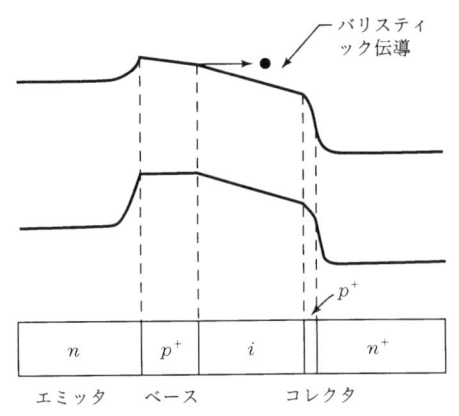

図 21 バリスティックコレクタトランジスタ (BCT) のエネルギーバンド図.

のしゃ断状態に変化する．サイリスタの動作もバイポーラ・トランジスタに密接に関連しており，電子，正孔の両者が輸送過程に関与している．しかしながら，スイッチング機構は，サイリスタとバイポーラ・トランジスタで全く異なっている．また，デバイス構造上，サイリスタで制御できる電流電圧の範囲はずっと広い．電流は数 mA から 5000 A を超えるまで，また電圧は 10,000 V まで制御できるサイリスタがある．ここでは，まずサイリスタの動作原理を考え，続いて，関連のある大電力および高周波サイリスタについて議論する．

5.5.1 基礎特性

図 22(a) は，サイリスタの断面の模式図である．4 層からなる p-n-p-n デバイスで，3 個の p-n 接合 $J1$, $J2$, $J3$ が直列に接続されている．外側の p 層につけられた電極を**陽極**，他端 n

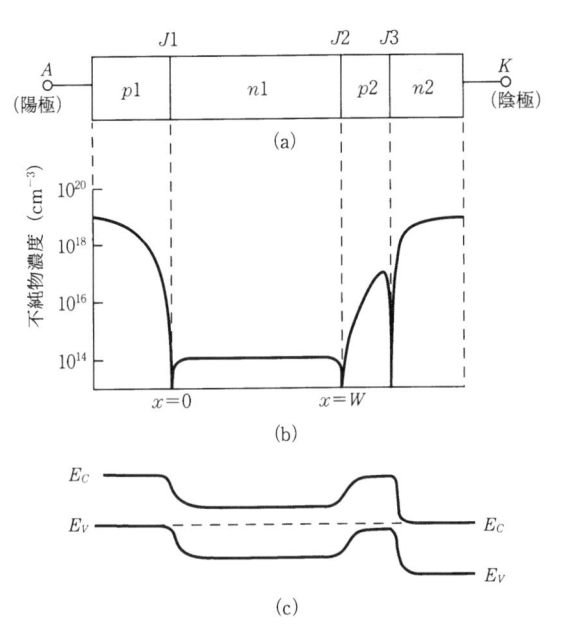

図 22 (a) 4層 p-n-p-n ダイオード，(b) サイリスタの典型的な不純物分布，(c) 熱平衡状態のサイリスタのバンド図.

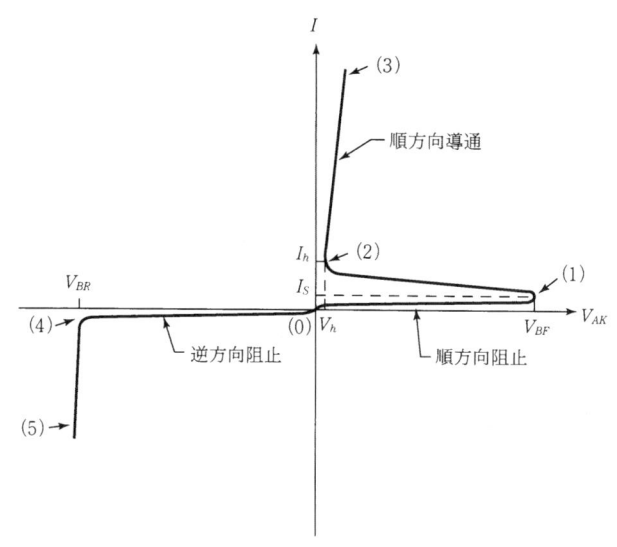

図 23 p-n-p-n ダイオードの電流-電圧特性.

層の電極を**陰極**と呼ぶ．これ以外に電極が付いていない構造は2端子デバイスで，p-n-p-n ダイオードと呼ばれている．**ゲート電極**と呼ばれる電極を中のp層（p2）に持った3端子デバイスは，通常 **SCR** (semiconductor-controlled rectifier)，または**サイリスタ**と呼ばれる．

サイリスタの典型的な不純物分布を図22(b)に示す．製作は，n形高抵抗 Si ウェーハから出発する（これが n1 層となる）．拡散によって p1, p2 層を同時に作る．最後に n2 層をウェーハの一方から合金法（または拡散法）によって作る．図22(c)はサイリスタの熱平衡状態におけるエネルギーバンド図である．それぞれの接合部で不純物分布に対応した空乏領域と内蔵電位があることに注目してほしい．

p-n-p-n ダイオードの基本的電流-電圧特性を図23に示す．五つの領域に分けられる．

0-1：順方向阻止あるいはオフ状態で，インピーダンスは非常に高い．$dV/dI=0$ の所で順方向ブレークオーバー（またはスイッチング）が起こり，点(1)における電圧，電流を，それぞれ順方向ブレークオーバー電圧 V_{BF} およびスイッチング電流 I_S と定義する．

1-2：負性抵抗領域．ここでは，電圧の急激な減少とともに電流は増加する．

2-3：順方向導通状態またはオン状態でインピーダンスは低い．点(2)では $dV/dI=0$ であり，この点の電流，電圧をそれぞれ，保持電流 I_h，保持電圧 V_h と定義する．

0-4：逆方向阻止状態．

4-5：逆方向降伏領域．

以上のように，順方向領域で動作している p-n-p-n ダイオードは双安定デバイスである．すなわち，高インピーダンス低電流のオフ状態から低インピーダンス高電流のオン状態へ，あるいはこの逆向きにスイッチすることができる．

順方向阻止特性を理解するために，このデバイスを2個のバイポーラ・トランジスタに分けて考える．すなわち，図24に示すように，p-n-p トランジスタと n-p-n トランジスタにおいて，一方のベースとコレクタが他方のコレクタとベースにそれぞれ接続されていると考える．エミッタ，コレクタ，ベース電流およびベース接地の直流電流利得は式(3)，(10)で与えられている．

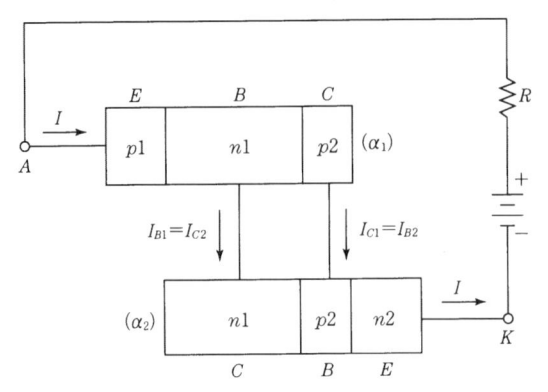

図 24 サイリスタの2トランジスタモデル

p-n-p トランジスタ（トランジスタ1，電流利得 α_1）のベース電流は，

$$I_{B1} = I_{E1} - I_{C1}$$
$$= (1-\alpha_1)I_{E1} - I_1$$
$$= (1-\alpha_1)I - I_1, \quad (50)$$

となる．ただし，I_1 はトランジスタ1の漏れ電流 I_{CBO} である．このベース電流は，n-p-n トランジスタ（トランジスタ2，電流利得 α_2）のコレクタから供給される．n-p-n トランジスタのコレクタ電流は

$$I_{C2} = \alpha_2 I_{E2} + I_2 = \alpha_2 I + I_2 \quad (51)$$

となる．ただし I_2 はトランジスタ2の漏れ電流 I_{CBO} である．I_{B1} と I_{C2} を等しいと置くと

$$I = \frac{I_1 + I_2}{1-(\alpha_1 + \alpha_2)} \quad (52)$$

が得られる．

例題5 漏れ電流 I_1，I_2 がそれぞれ 0.4 mA，0.6 mA のサイリスタを考える．$(\alpha_1 + \alpha_2)$ が 0.01 および 0.9999 のときの順方向阻止特性について説明せよ．

解答 電流利得は電流 I の関数であり，一般に電流の増加とともに増加する．低電流のときは α_1，α_2 は1よりずっと小さく，

$$I = (0.4 \times 10^{-3} + 0.6 \times 10^{-3})/(1-0.01) = 1.01 \text{ mA}$$

この場合，全電流は漏れ電流 I_1 と I_2 の和であり，約 1 mA となる．

印加電圧が増えると，電流 I とともに α_1，α_2 も増える．$(\alpha_1 + \alpha_2) = 0.9999$ になると，

$$I = (0.4 \times 10^{-3} + 0.6 \times 10^{-3})/(1-0.9999) = 10 \text{ A}$$

となる．この値は，$I_1 + I_2$ の 10,000 倍であり，したがって，$(\alpha_1 + \alpha_2)$ が1に近づくにつれて電流は急激に増える．すなわち，順方向降伏である．

p-n-p-n ダイオードの空乏層幅を異なったバイアス条件について示したのが図25である．図25(a) は熱平衡状態で，電流は流れず，空乏層幅は不純物分布により決まる．順方向阻止状態，図25(b) では，接合 $J1$，$J3$ が順方向バイアス，$J2$ が逆方向バイアスされており，大部分の電圧降下は $J2$ で起きている．図25(c) の順方向導通状態では，三つの接合はすべて順方向バ

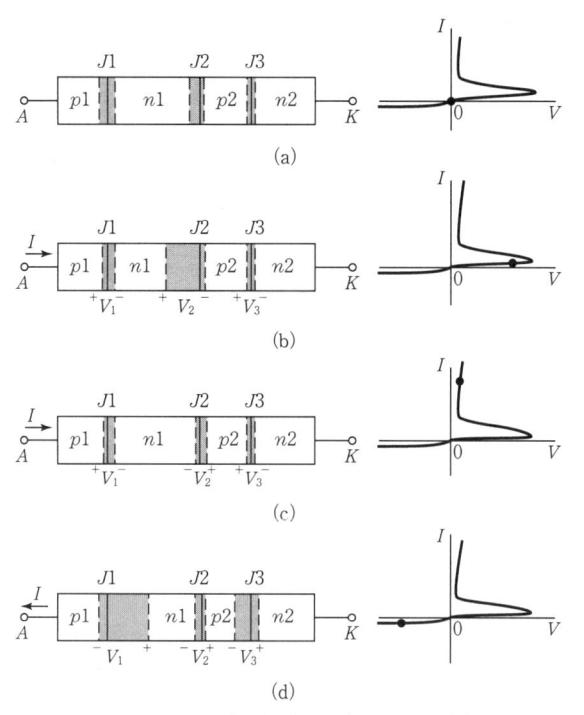

第5章 バイポーラ・トランジスタとその関連デバイス 143

図 25 サイリスタの空乏層幅と電圧降下．(a) 熱平衡，(b) 順方向阻止，(c) 順方向導通，(d) 逆方向阻止状態．

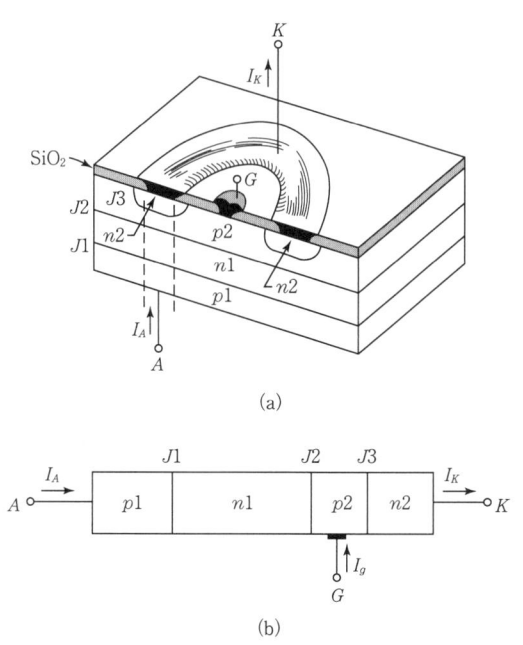

図 26 (a) プレーナ3端子サイリスタ，(b) プレーナサイリスタの一次元断面図．

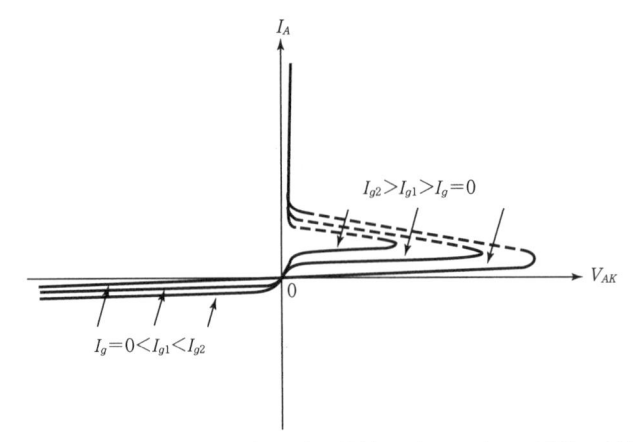

図 27 サイリスタの電流-電圧特性に対するゲート電流の効果.

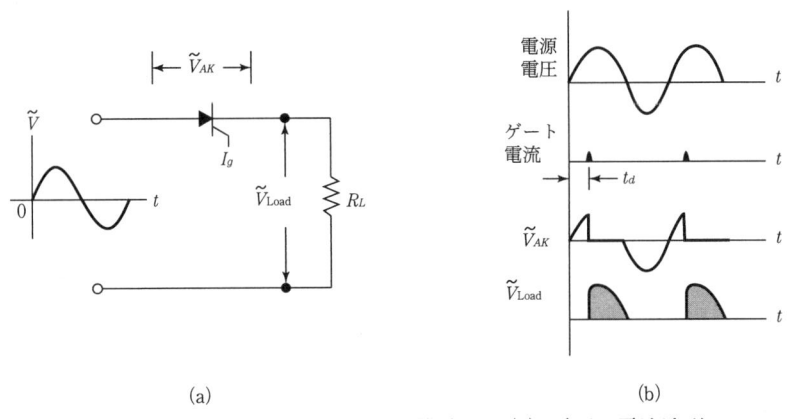

図 28 (a) サイリスタ応用回路の模式図, (b) 電圧, 電流波形.

イアスであり, 2個のトランジスタ ($p1$-$n1$-$p2$ と $n1$-$p2$-$n2$) は飽和モードで動作している. したがって, デバイス全体にわたっての電圧降下は非常に小さく, (V_1-|V_2|+V_3) で与えられ, 順方向バイアスされた一つの p-n 接合の電圧降下分にほぼ等しい.

図 25(d) の逆方向阻止状態では, $J2$ は順方向であるが, $J1$ と $J3$ は逆方向バイアスとなっている. 図 22(b) に示した不純物分布の場合, 逆方向降伏電圧は接合 $J1$ で決定される. なぜならば $n1$ における不純物濃度が低く, 逆バイアス電圧の大部分はこの接合にかかるからである.

図 26(a) にサイリスタの構成を示す. これはプレーナ技術で作製されたもので, $p2$ 領域にゲート電極が付けられている. このサイリスタを破線に沿って切り取ったものが図 26(b) である. 電流-電圧特性は, p-n-p-n ダイオードに類似しているが, ゲート電流 I_g が ($\alpha_1+\alpha_2$) を増大させ, 低い電圧でブレークオーバーする. 図 27 は, 電流-電圧特性に対するゲート電流の影響を示したものである. ゲート電流が増大すると, 順方向ブレークオーバー電圧が減少する.

サイリスタの簡単な応用を図 28(a) に示す. これは交流電源から負荷に供給する電力を制御する回路である. 負荷としては, 照明や炉のヒーターなどが考えられる. 周期ごとに負荷に供給される電力は, サイリスタのゲート電流パルスのタイミングによる (図 28(b)). ゲート電流パルスが, 周期の初期に加えられると負荷への電力は大きくなる. 電流パルスを遅らせ, サイリス

タの導通が遅くなると負荷への供給電力はずっと小さくなる．

5.5.2 双方向サイリスタ

双方向サイリスタは，陽極電圧が正および負の両者に対しオンおよびオフ状態のあるスイッチングデバイスであり，交流の制御に便利である．双方向 p-n-p-n ダイオードスイッチは**ダイアック**（diode ac switch）と呼ばれている．これは2個の p-n-p-n ダイオードを逆にならべ，一方の陽極と他方の陰極をそれぞれ接続して＋－両方の電圧に対して通常の p-n-p-n ダイオードのような働きをするように設計されている．図29(a) はその構造で，$M1$, $M2$ はそれぞれメインターミナル1, 2の略である．これを1個の2端子デバイスに集積すると，図29(b) に示すようなダイアックとなる．構造が対称であるため，正負の電圧に対し全く同じ動作をする．

$M1$ に正の電圧をかけると，$J4$ は逆バイアスされ $n2'$ 領域はデバイスの動作に寄与しない．したがって $p1$-$n1$-$p2$-$n2$ が p-n-p-n ダイオードとして働き，図29(c) に示す I-V 特性のうち順方向部分を担う．$M2$ に正電圧がかけられると電流は逆方向に流れ，$J3$ は逆バイアスされる．したがって $p1'$-$n1'$-$p2'$-$n2'$ が逆向きの p-n-p-n ダイオードとなり，図の I-V 特性のうち逆方向部分を与える．

双方向の3端子サイリスタは**トライアック**（triode ac switch）と呼ばれる．トライアックは，

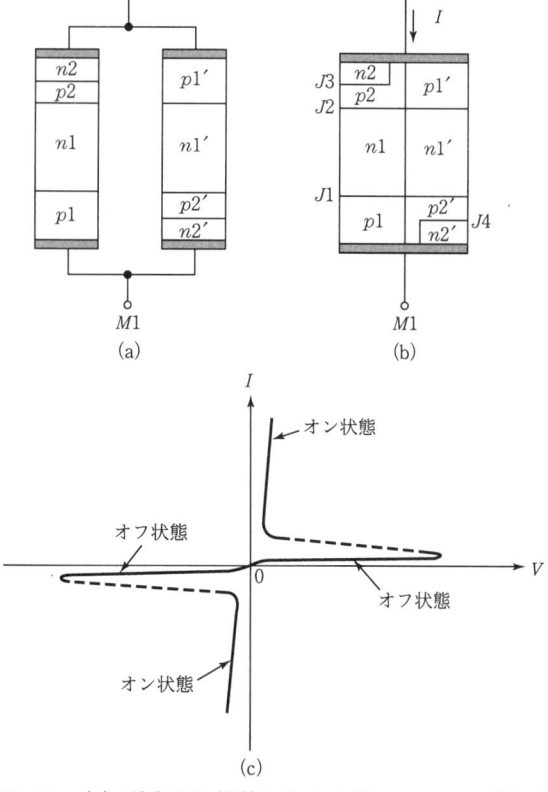

図 29 (a) 逆向きに接続された2個の p-n-p-n ダイオード，(b) 2個のダイオードが1個に集積された2端子ダイアック，(c) ダイアックの電流-電圧特性．

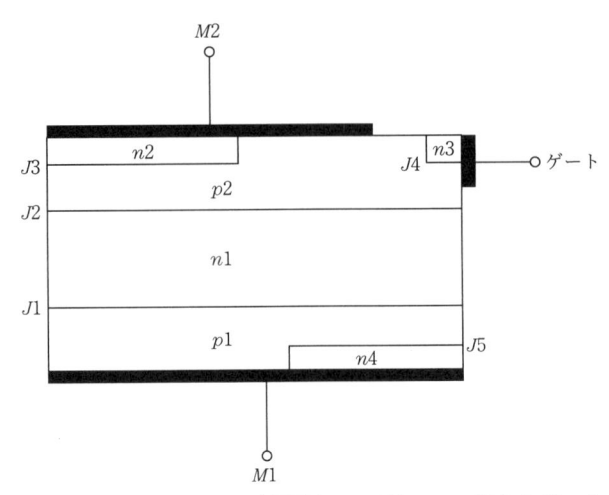

図 30 トライアックの断面図. 5ヶ所に p-n 接合を持った6層構造.

低電圧，低電流パルスをゲートと $M1$ または $M2$ の間に流すことにより，どちら向きの電流もスイッチすることができる（図30参照）．動作原理および I-V 特性はダイアックに類似している．ゲート電流を調節して，両方向のブレークオーバー電圧を変えることができる．

5.5.3 他の形のサイリスタとその応用

双方向のサイリスタの他に，目的によって異なった形のサイリスタが多く存在する．

それらのほとんどは基本的には4層構造であるが，それぞれ特別の構造を持っている．前節で述べた**通常形サイリスタ**は，類似の順方向と逆方向の電流阻止機能があり，大きく分けると2種類ある．一つはコンバータグレードで他の一つはインバータグレードである．前者は低周波用で導通時の電圧降下が非常に少ないがスイッチ速度は遅く，後者は高周波用でターンオフ時間は早いが，導通時の電圧降下は大きい．

非対称サイリスタは，図31(a) に示すように，接合 $J1$ に近接して n ベース層に n^+ 層が追加されており，逆方向の電流阻止機能がない．図31(b) に，比較のために通常の構造のサイリスタを示す．非対称サイリスタは，高抵抗の $n1$ ベース層とそれに接して低抵抗の n^+ 層があることに注意して欲しい．順方向阻止では，n 側のブロッキング接合の空乏層は n^+ まで広がるが，高不純物層によって広がりが止められる．その結果，図31に示すように，電界分布は，通常のサイリスタでは，三角形状であるのに対して非対称タイプではほとんど一定になっている．この n^+ 層のために n ベース層は通常のサイリスタに比べずっと薄くできる．ベース層が薄いと導通時電圧降下が小さくなり，ターンオン時間が短くなる．さらに，ベース層が薄くなると蓄積電荷が少なくなり，ターンオフ動作も改善される．

ゲートターンオフサイリスタ（gate turn-off, GTO）は，ゲート制御によってオン・オフができるので，通常構造のサイリスタの限界を克服することができる[13]．これは，厳しい電流利得の制御と，ゲートを陰極の全領域にわたって形成することによって実現できる．図32に p 形ゲートに負電圧を印加した GTO を示す．電流を遮断するためには，主電極の極性を反転させる代わりに逆向きのゲート電圧と電流を与える．その結果，陽極から入った正孔がゲートにより徐々に

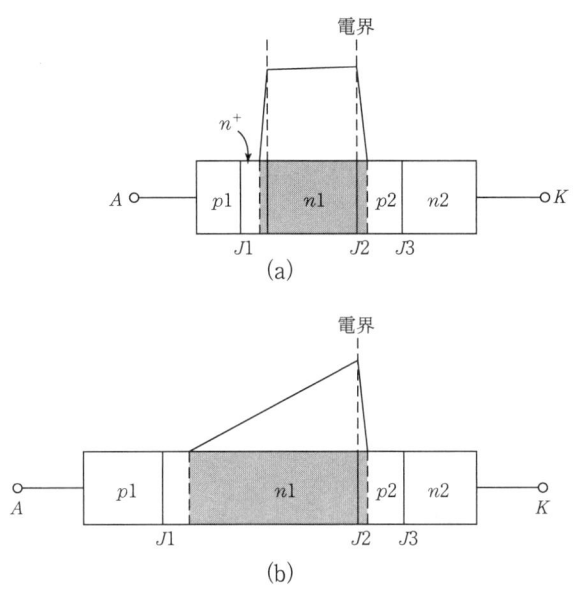

図 31 同じ順方向阻止電圧を持った構造の異なるサイリスタの電界分布.(a) 非対称構造サイリスタ,(b) 通常のサイリスタ.

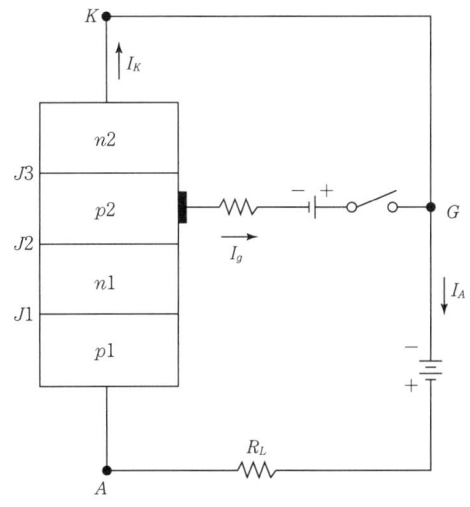

図 32 ゲートに負電圧が印加されたゲートターンオフサイリスタ(GTO).

排斥される.一方,陰極から注入された電子は負のゲート電圧によってデバイスの中心に押し込まれる.

光サイリスタ (light activated thyristor) は,ゲートが電気信号ではなく光信号によって動作する.通常,光信号は非常に弱いので,このデバイスは大きな利得を持つことになる.

サイリスタの電力スイッチへの応用は,広範囲の電力および周波数をカバーしている[10].図33は,周波数と電力の点から見たサイリスタが利用できる範囲である.

低周波数,大電力側では,最高電力が要求される高圧直流デバイス (high-voltage direct current, HVDC) がある.一方,高周波,低電力応用では,光制御器,超音波発振器,高周波電力

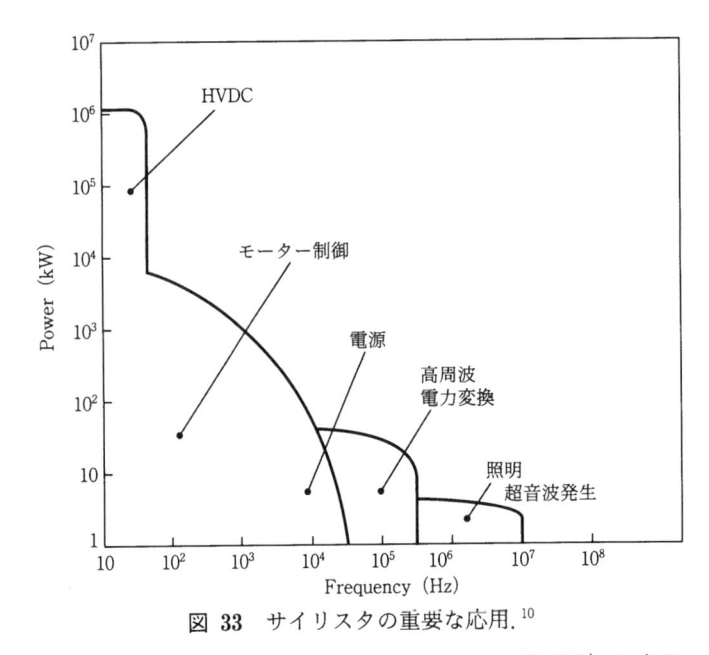

図 33 サイリスタの重要な応用.[10]

変換機，スイッチング電源（switched-mode power supplies, SMPS）がある．しかし，主要な応用は，電力や周波数の広範囲にわたっているモータや電源への応用である．たとえば，モータ駆動では，家庭用の小型モータから圧延機に使われる大電力モータにまでわたっている．

まとめ

1947年に発明されたバイポーラ・トランジスタは，今でも最も重要な半導体デバイスの一つである．このデバイスは，同じ半導体材料で構成される二つの p-n 接合を，相互作用をするほど近接させるとできる．順方向バイアスをかけた一つの接合からキャリアを注入すると逆バイアスした他方の接合に大きな電流が流れる．

この章では，バイポーラ・トランジスタの静特性，すなわち，動作モードとエミッタ接地の電流-電圧特性について考えた．また，周波数応答およびスイッチング特性について述べた．バイポーラ・トランジスタの鍵となるパラメータはベース幅である．その大きさは，電流利得としゃ断周波数を上げるために少数キャリアの拡散長よりずっと短くなければならない．

バイポーラ・トランジスタは，電流増幅，電圧増幅，電力増幅のために個別デバイスとしてだけでなく集積回路にも使用されている．また，高密度，高速動作のために，バイポーラとC-MOSの複合回路（BiCMOS）にも使用される．これについては第6章および第14章で述べる．

通常のバイポーラ・トランジスタの周波数限界はベース領域の不純物濃度の低さとその幅による．この限界を破るために異種の半導体で構成されるヘテロ接合バイポーラ・トランジスタ（HBT）は，高い不純物濃度と薄いベース幅を持つことが可能である．したがって，HBTは，ミリ波帯や高速デジタル回路に応用される．

バイポーラデバイスの重要な他の一つはサイリスタである．これは3またはそれ以上の p-n 接合でできている．サイリスタは主としてスイッチに利用される．これらのデバイスは，電流でミリアンペアから5000アンペア以上まで，電圧で10,000ボルト以上まで制御できる．サイリスタの基本動作について述べた．さらに，正負の両極性に付いてオン・オフ状態が存在する双方向

サイリスタ（ダイアック，トライアック），短いターンオン時間とターンオフ時間を持つ非対称サイリスタおよびゲートターンオフサイリスタ（GTO）および光サイリスタについて述べた．サイリスタは，低周波大電流電源から高周波低電力デバイスまで広範囲をカバーしており，照明の制御，家庭電気器具や工業機器まで含まれる．

参 考 文 献

1. (a) J. Bardeen and W. H. Brattain, "The Transistor, A Semiconductor Triode," *Phys. Rev.*, **74**, 230 (1948). (b) W. Shockley, "The Theory of *p–n* Junction in Semiconductors and *p–n* Junction Transistor," *Bell Syst. Tech. J.*, **28**, 435 (1949).
2. J. J. Ebers, "Four-Terminal *p-n-p-n* Transistor," *Proc. IEEE*, **40**, 1361 (1952).
3. S. M. Sze, *Physics of Semiconductor Devices*, 2nd ed., Wiley, New York, 1981.
4. J. M. Early, "Effects of Space-Charge Layer Widening in Junction Transistors," *Proc. IRE*, **40**, 1401 (1952).
5. J. S. Yuan and J. J. Liou, "Circuit Modeling for Transient Emitter Crowding and Two-Dimensional Current and Charge Distribution Effects," *Solid-State Electron.*, **32**, 623 (1989).
6. J. J. Liou, "Modeling the Cutoff Frequency of Heterojunction Bipolar Transistors Subjected to High Collector-Layer Currents," *J. Appl. Phys.*, **67**, 7125 (1990).
7. B. Jalali and S. J. Pearton, Eds., *InP HBTs: Growth, Processing, and Application*, Artech House, Norwood, MA, 1995.
8. D. Mensa, et al., "Transferred-Substrate HBTs with 250 GHz Current-Gain Cutoff frequency," *Tech. Dig. IEEE Int. Electron Devices Meet.*, p. 657 (1998).
9. T. Ishibashi and Y. Yamauchi, "A Possible Near-Ballistic Collection in an AlGaAa/GaAs HBT with a Modified Collector Structure," *IEEE Trans. Electron Devices*, ED-35, 401 (1988).
10. P. D. Taylor, *Thyristor Design and Realization*, Wiley, New York, 1993.
11. H. P. Lips, "Technology Trends for HVDC Thyristor Valves," *1998 Int. Conf. Power Syst. Tech. Proc.*, **1**, 446 (1998).
12. E. I. Carroll, "Power Electronics for Very High Power Applications," *Seventh Int. Conf. Power Elect. Vari. Speed Drives*, p. 218 (1998).
13. B. K. Bose, "Evaluation of Modern Power Semiconductor Devices and Future Trends of Converters," *IEEE Trans. Ind. Appl.*, **28(2)**, 403 (1992).

問題（＊は高度な問題を示す）

5.2節 バイポーラトランジスタの静特性に関する問題

1. ベース伝達率 α_T が 0.998，エミッタ効率が 0.997，I_{CP} が 10 nA の *n-p-n* トランジスタがある．(a) α_0, β_0 を計算せよ．(b) $I_B=0$ のときエミッタ電流はいくらになるか．
2. エミッタ効率が 0.999，コレクタ-ベース漏れ電流が 10 μA の理想トランジスタがある．$I_B=0$ として，正孔による活性領域のエミッタ電流を求めよ
3. Si *p-n-p* トランジスタにおいてエミッタ，ベース，コレクタにおける不純物濃度がそれぞれ，5×10^{18}, 2×10^{17}, 10^{16} cm^{-3} であり，ベース幅 1 μm，断面積 0.2 mm^2 とする．エミッタ-ベース接合に 0.5 V の順方向バイアス，ベース-コレクタに 5 V の逆バイアスがかけられているとき，(a) ベースの中性領域の幅を計算せよ (b) エミッタ-ベース接合における少数キャリア密度を求めよ．
4. 問題3のトランジスタにおいて，少数キャリアの拡散長がエミッタ，ベース，コレクタにおいてそれぞれ 52, 40, 115 cm^2/s であり，寿命が 10^{-8}, 10^{-7}, 10^{-6} s であるとする．

図5に示されている I_{Ep}, I_{Cp}, I_{En}, I_{Cn}, I_{BB} を求めよ．

5. 問題3，問題4の結果を使って，(a) I_E, I_B, I_C を求めよ．(b) エミッタ効率，ベース伝達率，ベース接地電流利得，エミッタ接地電流利得を求めよ．(c) どのようにすればエミッタ効率およびベース伝達率を上げられるかについて述べよ．

6. 少数キャリア密度を示す式(14) を参考にして，いくつかの W/L_p について $p_n(x)/p_n(0)$ と x の関係を図示せよ．W/L_p が十分小さくなると（たとえば $W/L_p < 0.1$）分布は直線に近づくことを示せ．

*7. 活性モードで動作中のトランジスタについて，式(14)を使って I_{Ep} および I_{Cp} の厳密解を求めよ．

8. トランジスタが活性モードで動作中であり，かつ $p_n(0) \gg p_{no}$ の場合，少数キャリアによる全電荷 Q_B を求めよ．どのようにして，図6に示すように電荷がベース領域の三角形の面積で近似できるかを示せ．また，問題3の値を使って Q_B を計算せよ．

9. 問題8で得た Q_B を使って，式(27) で示されるコレクタ電流は $I_C \cong (2D_p/W^2) Q_B$ で近似できることを示せ．

10. ベース伝達率 α_T が $1-(W^2/2L_p^2)$ と単純化できることを示せ．

11. エミッタ効率が1に非常に近いとき，エミッタ接地電流利得 β_0 は $2L_p^2/W^2$ で与えられることを示せ（ヒント：問題10の α_T を使う）．

12. 高エミッタ効率の p^+-n-p トランジスタにおいて，エミッタ接地電流利得 β_0 を求めよ．ベース幅 $2\,\mu\mathrm{m}$，そこでの少数キャリア拡散長 $100\,\mathrm{cm}^2/\mathrm{s}$ としたとき，ベース領域での少数キャリア寿命を $3\times10^{-7}\,\mathrm{s}$ とせよ（ヒント：問題11で得た β_0 を参考にせよ）．

13. Si n-p-n トランジスタにおいて，エミッタ，ベース，コレクタにおける不純物濃度がそれぞれ 3×10^{18}, 2×10^{16}, $5\times10^{15}\,\mathrm{cm}^{-3}$ とする．アインシュタインの関係式 $D=(kT/q)\mu$ を用いてこの3領域における少数キャリアの拡散長を求めよ．ただし，室温(300 K)における電子および正孔の移動度 μ_n, μ_p は次式で与えられるものとする．
$$\mu_n = 88 + 1252/(1+0.698\times10^{-17}N), \quad \mu_p = 54.3 + 407/(1+0.374\times10^{-17}N)$$

*14. 問題13で得られた結果を使って $V_{EB}=0.6\,\mathrm{V}$（活性モード）のとき，各領域における電流成分を求めよ．デバイスの断面積が $0.01\,\mathrm{mm}^2$，中性ベース領域幅は $0.5\,\mu\mathrm{m}$ であり，少数キャリア寿命は各領域で同じ値 $10^{-6}\,\mathrm{s}$ を持つとせよ．

15. 問題14の結果を基にエミッタ効率，ベース伝達率，ベース接地電流利得およびエミッタ接地電流利得を求めよ．

16. イオン注入した n-p-n トランジスタにおいて，中性ベース領域の実効不純物濃度が $N(x)=N_{Ao}\exp(-x/l)$ で表されるとする．ただし，$N_{Ao}=2\times10^{18}\,\mathrm{cm}^{-3}$, $l=0.3\,\mu\mathrm{m}$ である．(a) 中性ベース領域において単位面積当たりの不純物濃度を計算せよ (b) 中性ベース幅 $0.8\,\mu\mathrm{m}$ のとき，この領域での平均不純物濃度を求めよ．

17. 問題16を参考にして，$L_E=1\,\mu\mathrm{m}$, $N_E=10^{19}\,\mathrm{cm}^{-3}$, $D_E=1\,\mathrm{cm}^2/\mathrm{s}$，ベースにおける平均少数キャリア寿命が $10^{-6}\,\mathrm{s}$，ベースの平均拡散係数は問題16の不純物濃度に対応するとして，エミッタ接地の電流利得を求めよ．

18. 問題16, 17のトランジスタのエミッタ断面積が $10^{-4}\,\mathrm{cm}^2$ であるとして，コレクタ電流の大きさを求めよ．このトランジスタのベース抵抗は $10^{-3}\bar{\rho}_B/W$ で表される．ただし，

W は中性ベース幅，$\bar{\rho}_B$ はベース抵抗の平均値である．

*19. 図10(b) に示されているトランジスタにおいて，V_{EC} を5Vに固定してベース電流 I_B を0から25μAまで振ったとき，エミッタ接地電流利得の変化をプロットせよ．

20. 基本的エバース-モルモデルによるエミッタ電流，コレクタ電流の一般式は［J. J. Ebers and J. L. Moll, "Large-Single Behavior of Junction Transistors", *Proc. IRE.*, **42**, 1761 (1954)］は，

$$I_E = I_{FO}[\exp(qV_{EB}/kT)-1] - \alpha_R I_{RO}[\exp(qV_{CB}/kT)-1],$$
$$I_C = \alpha_F I_{FO}[\exp(qV_{EB}/kT)-1] - I_{RO}[\exp(qV_{CB}/kT)-1]$$

で表される．ただし，α_F，α_R は，それぞれ**順方向ベース接地電流利得**，および**逆方向ベース接地電流利得**である．I_{FO}，I_{RO} は，それぞれノーマリ順方向バイアスおよびノーマリ逆方向バイアスダイオードの飽和電流である．α_F，α_R の値を式(25)，(26)，(28)，(29)で使われている定数を使って示せ．

*21. 例題2に上げたトランジスタについて，問題20で得た式を使って α_F，α_R，I_{FO}，I_{RO} を求めよ．

22. 電界がない場合の定常状態における連続の式から出発して，コレクタ電流を示す式(32b)を導出せよ（ヒント：コレクタ領域における少数キャリア分布を考えよ）．

5.3節 バイポーラ・トランジスタの周波数応答とスイッチングに関する問題

23. D_p が $10\,\mathrm{cm^2/s}$，W が $0.5\,\mu\mathrm{m}$ のSiトランジスタがある．ベース接地電流利得0.998としてしゃ断周波数を求めよ．ただし，エミッタおよびコレクタ遅延を無視する．

24. しゃ断周波数 f_T が5GHzのバイポーラ・トランジスタを設計する場合，中性ベース領域の幅 W はいくらにすればよいか．D_p を $10\,\mathrm{cm^2/s}$ とし，エミッタおよびコレクタ遅延は無視する．

5.4節 ヘテロ接合バイポーラトランジスタに関する問題

25. $Si_{1-x}Ge_x/Si$ HBT においてベース領域で $x=10\%$ とする（エミッタおよびコレクタ領域では $x=0$）．ベース領域のバンドギャップは，Siの値に比べて9.8%小さい．もしベース電流がエミッタ注入効率のみによるとすれば，0℃と100℃でエミッタ接地電流利得はどれほど異なるか．

26. $Al_xGa_{1-x}As/GaAs$ のバンドギャップは x の関数であり，$(1.424+1.247x)$ eV $(x \leq 0.45)$，および $(1.9+0.125x+0.143x^2)$ eV $(0.45<x\leq 1)$ で表される．$\beta_0(\mathrm{HBT})/\beta_0(\mathrm{BJT})$ を x の関数としてプロットせよ．

5.5節 サイリスタおよび関連する電力デバイスに関する問題

27. 図22に示した不純物分布の場合，このサイリスタが逆方向阻止電圧120Vを持つためには $n1$ 領域の幅 $W(>10\,\mu\mathrm{m})$ をどれほどにすればよいか．もし，$n1$-$p2$-$n2$ トランジスタの電流利得 α_2 が0.4で電流に依存しないものとし，$p1$-$n1$-$p2$ トランジスタの α_1 が $0.5\sqrt{(L_pW)}\ln(J/J_0)$ で表されるとしたとき，このサイリスタが電流 $I_s=1\,\mathrm{mA}$ でスイッチするためには断面積はいくらになるか．ただし，L_p が $25\,\mu\mathrm{m}$，J_0 が 5×10^{-6}

A/cm² とする．

28. 図32に示すGTOサイリスタにおいて，ターンオフするために必要な最小ゲート電流はいくらか．$p1$-$n1$-$p2$ トランジスタおよび $n1$-$p2$-$n2$ トランジスタの電流利得を，それぞれ α_1, α_2 と仮定せよ．

第6章　MOSFETと関連デバイス

- 6.1　MOSダイオード
- 6.2　MOSFETの基本特性
- 6.3　MOSFET縮小則
- 6.4　CMOSとBiCMOS
- 6.5　絶縁物上のMOSFET
- 6.6　MOSメモリ構造
- 6.7　パワーMOSFET
- まとめ

　金属-酸化物-半導体電界効果トランジスタ（metal-oxide-semiconductor field effect transistor, MOSFET）はMOSダイオードとそれに隣接している二つのp-n接合で構成されている．1960年の最初の実現以来，MOSFETは急速な発展を遂げ，マイクロプロセッサや半導体メモリのような先端集積回路のための最も重要なデバイスになった．これはMOSFETが非常に低消費電力で，かつ高い歩留まりで生産できるからである．特に重要なことは，MOSFETは縮小が容易で，かつ同じデザインルールのバイポーラ・トランジスタより省スペースであるということである．

　この章では，特に以下の項目を取り上げる．
- MOSダイオードの反転状態としきい値電圧
- MOSFETの基本特性
- MOSFET縮小則と短チャンネル効果
- 低消費電力の相補的MOS（CMOS）構造
- MOSメモリ構造
- 電荷結合デバイス，SOIなどの関連デバイスとパワーMOSFET

6.1　MOSダイオード

　MOSダイオードは半導体表面の研究にとってきわめて有用であるばかりでなく，半導体デバイス物理にとっても特に大切である[†]．実際の応用において，MOSダイオードは，先端集積回

[†] このデバイスをもっと一般的にいえば，金属-絶縁物-半導体（MIS）ダイオードである．しかしながらほとんどの場合絶縁物としてはSiO_2が使われているのでMOSダイオードという言葉が使われる．

路のための最も重要なデバイスである MOSFET の心臓部である．MOS ダイオードはまた集積回路において蓄積容量として用いられ，電荷結合デバイス（charge-coupled devices, CCD）の基本構成要素を形成している．この節ではまず理想的なケースについて考え，それから金属，半導体の仕事関数差，界面トラップと酸化膜中の電荷の影響について考える[1]．

6.1.1 理想的な MOS ダイオード

MOS ダイオードの概略図を図 1(a) に，断面図を図 1(b) に示す．ここで d は酸化膜の厚さ，V は金属電極の電圧である．この節を通じて，金属電極がオーミック電極に対しては正にバイアスされている場合に電圧 V は正で，負にバイアスされている場合に電圧 V は負とする．

$V=0$ における理想的な p 形半導体 MOS のエネルギーバンド図を図 2 に示す．**仕事関数**はフェルミ準位と真空準位の間のエネルギー差（すなわち，金属に対しては $q\phi_m$，半導体に対しては $q\phi_s$）である．半導体における伝導帯端と真空準位の間のエネルギー差である**電子親和力** $q\chi$ と，フェルミ準位 E_F と真性のフェルミ準位 E_i の間のエネルギー差である $q\Psi_B$ も示されている．

理想的な MOS ダイオードは次のように定義される．(a) 印加電圧がゼロの場合，金属の仕事関数 $q\phi_m$ と半導体の仕事関数 $q\phi_s$ のエネルギー差，すなわち仕事関数差 $q\phi_{ms}$ はゼロである[†]．

$$q\phi_{ms} \equiv (q\phi_m - q\phi_s) = q\phi_m - \left(q\chi + \frac{E_g}{2} + q\Psi_B\right) = 0, \tag{1}$$

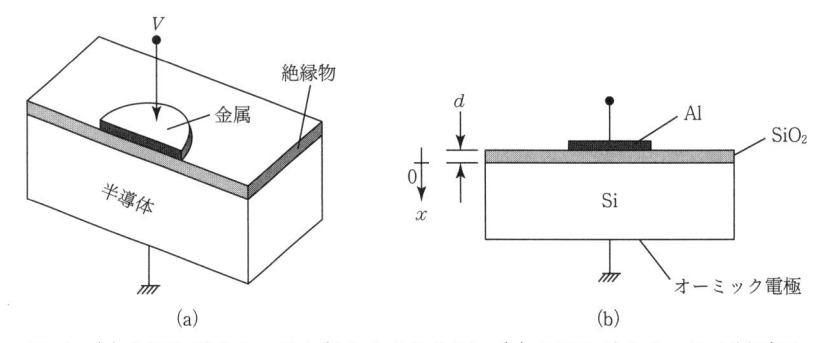

図 1 (a) MOS ダイオードを斜めからみた図，(b) MOS ダイオードの断面図．

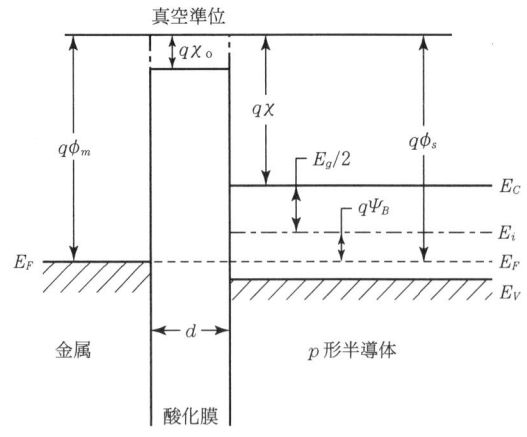

図 2 $V=0$ での理想的 MOS ダイオードのエネルギーバンド図．

[†] これは p 形半導体の場合である．n 形半導体の場合は，$q\Psi_B$ の項が $-q\Psi_B$ で置き替えられる．

なおここで，カッコ内の三つの項の和が $q\phi_s$ に等しい．式 (1) を言い換えれば，印加電圧がゼロのとき，エネルギーバンドはフラット（フラットバンド条件）である．(b) いかなるバイアス状態でもダイオード中に存在する唯一の電荷は，半導体中の電荷と，酸化膜に隣接している金属表面上の，半導体と等しいが反対の符合を持つ電荷，のみである．(c) 直流 (DC) バイアス下では酸化膜中をキャリアは流れない，あるいは酸化膜の比抵抗は無限である．このような理想的な MOS ダイオードの理論は実際の MOS デバイスを理解するための基礎となる．

　理想的な MOS ダイオードが正あるいは負にバイアスされているとき，半導体表面において三つのケースが考えられる．p 形半導体の場合，負の電圧（$V<0$）が金属電極に印加されると，過剰な正のキャリア（正孔）が SiO_2-Si 界面に誘起される．この場合，半導体表面の近くのバンドは，図3(a) 示されるように，上方に曲がる．理想的な MOS ダイオードにおいては，電圧を印加してもデバイスには電流が流れないから，半導体中のフェルミ準位は変化しない．前に述べたように半導体中のキャリア密度は，エネルギー差 E_i-E_F に指数関数的に依存する，すなわち，

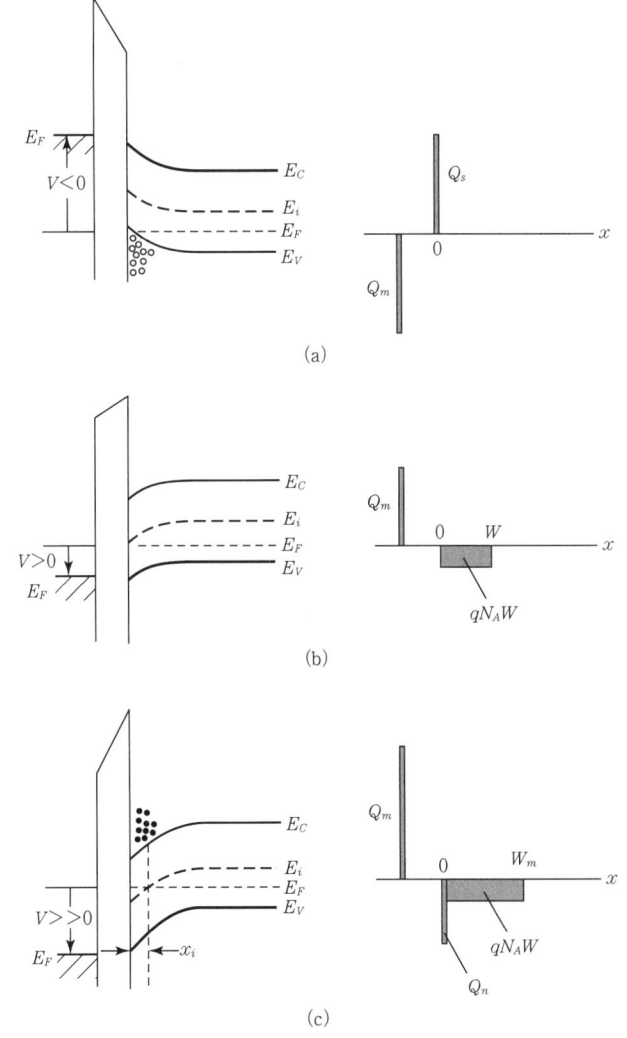

図 3　理想的 MOS ダイオードのエネルギーバンド図と電荷分布．(a) 蓄積，(b) 空乏，(c) 反転．

$$p_p = n_i e^{(E_i - E_F)/kT}. \tag{2}$$

半導体表面のエネルギーバンドが上向きに曲がると,エネルギー差 E_i-E_F は増加する.したがって酸化膜と半導体の界面の正孔密度が増加し正孔が蓄積される.このような状態を**蓄積**と呼ぶ.この場合の電荷の分布は図3(a)の右側に示されている.ここで Q_s は半導体中の単位面積当たりの正の電荷,Q_m は金属中の単位面積当たりの負の電荷で $|Q_m| = Q_s$ である.

理想的な MOS ダイオードに小さな正の電圧($V>0$)が印加された場合,半導体表面のエネルギーバンドは下向きに曲がる.したがって多数キャリア(正孔)は内側に追いやられ,半導体表面は空乏化する(図3(b)).このような状態は**空乏**と呼ばれる.この場合半導体の単位面積当たりの空間電荷 Q_{sc} は $-qN_AW$ で与えられる.ここで W は表面空乏層の幅である.

さらに大きな正の電圧が印加されるとバンドは更に下向きに曲がり,その結果図3(c)に示されるように表面での真性フェルミ準位 E_i がフェルミ準位と交差するようになる.このことは,正のゲートバイアスが SiO_2-Si 界面に負の過剰キャリアを誘起することを意味している.半導体中の電子濃度は,エネルギー差 E_F-E_i に指数関数的に依存し,次のように与えられる.

$$n_p = n_i e^{(E_F - E_i)/kT}. \tag{3}$$

図3(c)に示されるような状態では $(E_F-E_i)>0$.したがって表面での電子密度 n_p は n_i より大きく,式(2)で与えられる正孔密度は n_i より小さくなる.界面での電子(少数キャリア)の数は正孔(多数キャリア)より大きくなるから表面は反転している.このような状態は**反転**と呼ばれる.

はじめは,電子濃度が小さいので表面は**弱い反転**状態にある.さらにバンドが曲がると最終的には伝導帯の端がフェルミ準位に近くなる.**強い反転**は,SiO_2-Si 界面の電子濃度が基板のドーピングレベルに達した点で開始する.この点以後は半導体側に溜まる負の電荷の大部分は,非常に狭い n 形の反転層,$0 \leq x \leq x_i$,に溜まる電荷 Q_n(図3(c))によるものとなる.ここで x_i は反転層の幅である.x_i の値はだいたい1から10 nm で,常に半導体表面の空乏層の幅よりはるかに小さい.

ひとたび強い反転が起こると,表面空乏層の幅はそれ以上増えない.何故ならそれ以上はバンドの曲がりがわずかに増えても(すなわち空乏層幅がほんの僅か増加することにより),反転層の電荷 Q_n は非常に増大するから,印加電圧によって反転層の電荷が増加しても,空乏層幅が増加することはない.したがって,強い反転の状態では半導体表面の単位面積当たりの電荷 Q_s は反転層の電荷 Q_n と空乏層の空間電荷 Q_{sc} の和となる.

$$Q_s = Q_n + Q_{sc} = Q_n - qN_AW_m, \tag{4}$$

ここで W_m は表面の空乏層幅の最大値である.

表面空乏領域

図4は p 形半導体の表面におけるバンド図のさらに詳しい状態を示したものである.静電ポテンシャル Ψ は半導体内部(バルク)でゼロと定義される.半導体表面では $\Psi = \Psi_s$ で Ψ_s は表面ポテンシャルと呼ばれる.式(2)および式(3)における電子および正孔濃度は Ψ の関数として次のように表される.

$$n_p = n_i e^{q(\Psi - \Psi_B)/kT}, \tag{5a}$$

$$p_p = n_i e^{q(\Psi_B - \Psi)/kT}, \tag{5b}$$

ここで Ψ はバンドが下に曲がっているときに正である(図4参照). 表面では電子および正孔濃度は次のようになる.

$$n_s = n_i e^{q(\Psi_s - \Psi_B)/kT}, \tag{6a}$$

$$p_s = n_i e^{q(\Psi_B - \Psi_s)/kT}. \tag{6b}$$

以上の議論および式 (6) より, 表面ポテンシャルは次のような領域に区分される.

- $\Psi_s < 0$ 　　　正孔の蓄積 (バンドは上向きに曲がる)
- $\Psi_s = 0$ 　　　フラットバンド状態
- $\Psi_B > \Psi_s > 0$ 　正孔の空乏 (バンドは下向き曲がる)
- $\Psi_s = \Psi_B$ 　　表面フェルミ準位がバンドの中央になり,
  　　　　　$n_s = p_s = n_i$(真性キャリア濃度)
- $\Psi_s > \Psi_B$ 　　反転 (バンドは下向きに曲がる)

距離の関数としてのポテンシャル Ψ は次の一次元の**ポアソンの方程式**を解くことによって求められる.

$$\frac{d^2\Psi}{dx^2} = \frac{-\rho_s(x)}{\varepsilon_s}, \tag{7}$$

ここで $\rho_s(x)$ は位置 x での単位体積当たりの電荷密度, ε_s は誘電率である. p-n 接合の場合に用いた空乏層近似を用いよう. 半導体が幅 W だけ空乏化し半導体中の電荷が $\rho_s = -qN_A$ で与えられるとすると, ポアソンの方程式を積分することにより表面空乏領域の静電ポテンシャル分布は, 距離 x の関数として次のように求められる.

$$\Psi = \Psi_s\left(1 - \frac{x}{W}\right)^2. \tag{8}$$

表面ポテンシャル Ψ_s は次のようになる.

$$\Psi_s = \frac{qN_A W^2}{2\varepsilon_s}. \tag{9}$$

ポテンシャルの分布は n^+-p 片側階段接合のポテンシャル分布とほとんど同じになる.

表面は Ψ_s が Ψ_B より大きくなると反転する. しかしながら反転層における電荷が急激に増大する点, すなわち強い反転の始まる点, を定義しなければならない. 最も簡単な基準は表面にお

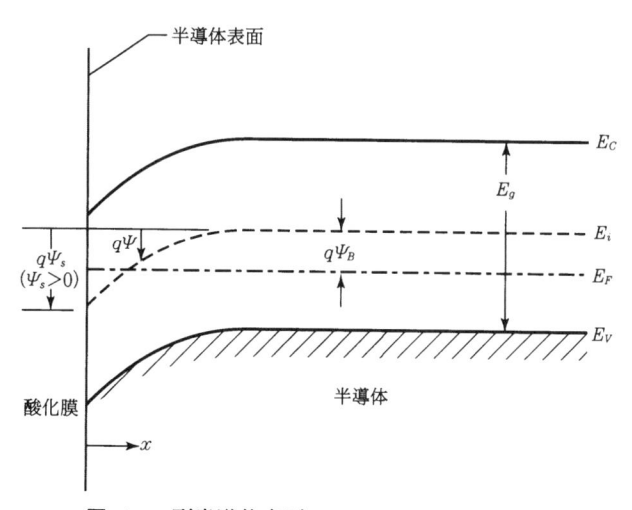

図 4 p 形半導体表面のエネルギーバンド図.

ける電子濃度が基板の不純物濃度と等しくなる点，すなわち $n_s=N_A$，である，$N_A=n_i e^{q\Psi_B/kT}$ であるから，式（6a）より次のようになる．

$$\Psi_s(inv) \cong 2\Psi_B = \frac{2kT}{q}\ln\left(\frac{N_A}{n_i}\right). \tag{10}$$

式（10）は，表面で真性状態になる（$E_i=E_F$）ためにはバンドが下向きに Ψ_B だけ曲がることが必要であり，強い反転状態を得るためには，表面でさらに Ψ_B だけバンドが曲がらなければならないことを示している．

前に議論したように，表面空乏層幅は表面が強く反転したときに最大になる．したがって表面空乏層幅の最大値 W_m は式（9）において $\Psi_s=\Psi(inv)$ として求めることができる．

$$W_m = \sqrt{\frac{2\varepsilon_s \Psi_s(inv)}{qN_A}} \cong \sqrt{\frac{2\varepsilon_s(2\Psi_B)}{qN_A}} \tag{11}$$

あるいは

$$W_m = 2\sqrt{\frac{\varepsilon_s kT \ln\left(\frac{N_A}{n_i}\right)}{q^2 N_A}} \tag{11a}$$

そして

$$Q_{sc} = -qN_A W_m \cong -\sqrt{2q\varepsilon_s N_A(2\Psi_B)}. \tag{12}$$

例題 1 $N_A=10^{17}\,\text{cm}^{-3}$ の理想的な金属-SiO_2-Si ダイオードについて，表面空乏層幅の最大値を求めよ．

解答 室温では $kT/q=0.026\,\text{V}$, $n_i=9.65\times 10^9\,\text{cm}^{-3}$, Si の誘電率は $11.9\times 8.85\times 10^{-14}\,\text{F/cm}$ であるから，式（11a）より

$$W_m = 2\sqrt{\frac{11.9\times 8.85\times 10^{-14}\times 0.026\ln(10^{17}/9.65\times 10^9)}{1.6\times 10^{-19}\times 10^{17}}}$$

$$= 10^{-5}\,\text{cm} = 0.1\,\mu\text{m}$$

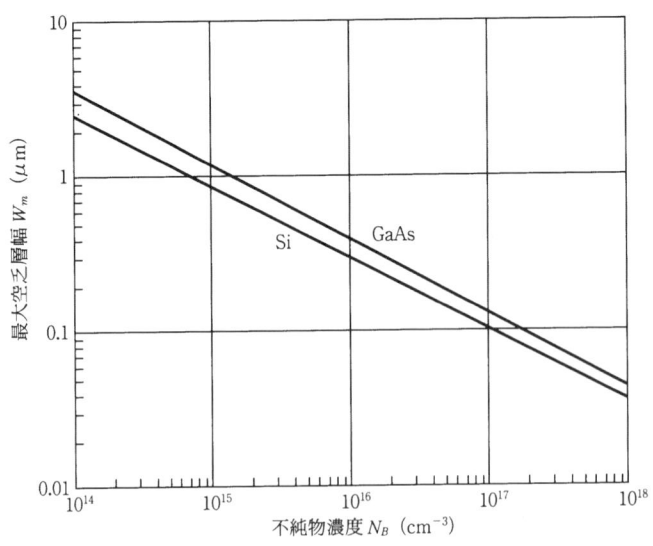

図 5 強い反転状態における Si および GaAs の不純物濃度対最大空乏層幅．

W_m と不純物濃度の関係を Si および GaAs について図5に示す.ここで N_B は p 形半導体に対しては N_A と等しく,n 形半導体に対しては N_D に等しい.

理想的な MOS 曲線

図 6(a) は図 4 に示されているのと同じバンドの曲がりを持った,理想的な MOS ダイオードのバンド図を示したものである.空間電荷の分布は図 6(b) 示されている.仕事関数の差はな

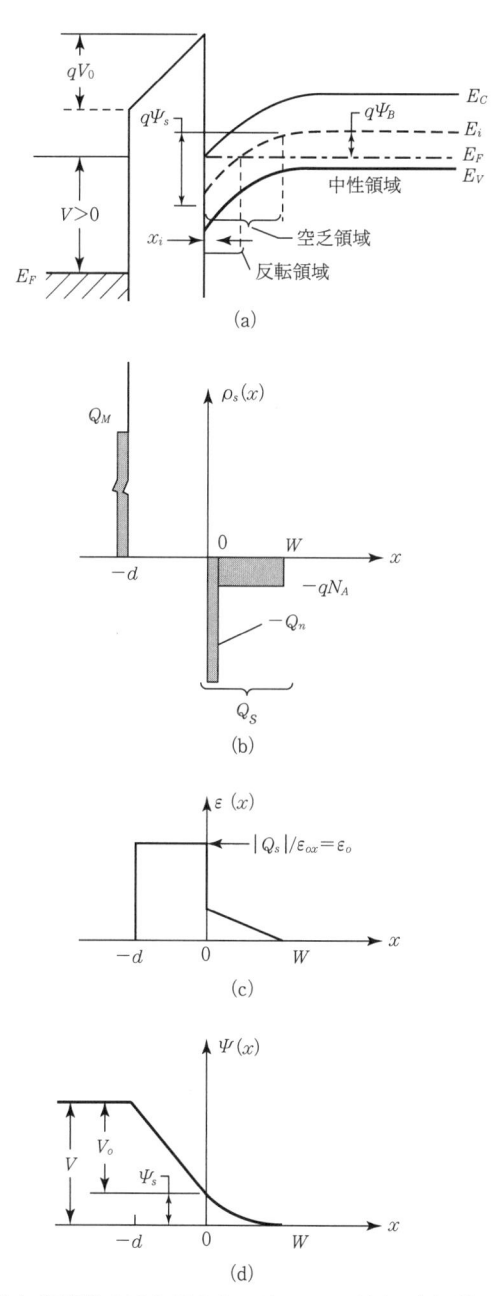

図 6 (a) 理想的 MOS ダイオードのバンド図,(b) 強い反転状態下の電荷分布,(c) 電界分布,(d) ポテンシャル分布.

いものとしているので印加電圧は一部は酸化膜に，残りは半導体に加わることになる．したがって

$$V = V_o + \Psi_s, \tag{13}$$

ここで V_o は酸化膜中でのポテンシャルの変化で次式によって与えられる（図6(c)）．

$$V_o = \mathcal{E}_o d = \frac{|Q_s|d}{\varepsilon_{ox}} \equiv \frac{|Q_s|}{C_o}, \tag{14}$$

ここで E_o は酸化膜中の電界，Q_s は半導体中の単位面積当りの空間電荷，そして $C_0 (= \varepsilon_{ox}/d)$ は単位面積当りの酸化膜の容量である．これに対応する静電ポテンシャルの分布は図6(d)に示されている．

MOSダイオードの全容量 C は酸化膜の容量 C_o および半導体の空乏層容量 C_j を直列につないだものになる（図7(a)の挿入図参照）．

$$C = \frac{C_o C_j}{(C_o + C_j)} \text{F/cm}^2 \tag{15}$$

ここで $C_j = \varepsilon_s/W$ で階段型 p-n 接合の場合と同じである．

式 (9)，(13)，(14)，および (15) から W を消去することにより，容量を表す式は次のように求められる．

$$\frac{C}{C_o} = \frac{1}{\sqrt{1 + \frac{2\varepsilon_{ox}^2 V}{qN_A \varepsilon_s d^2}}}, \tag{16}$$

この式は半導体表面が空乏化している間は，容量がゲート電圧の増大に伴って減少することを示している．印加電圧が負の場合には空乏領域はできず，逆に半導体表面に正孔が蓄積する．その結果全容量は酸化膜の容量 C_o に非常に近いものになる．

もう一つの極端な場合は強い反転が起こる場合で，印加電圧がそれ以上増加しても空乏層幅はもはや増加しない．この状態は表面ポテンシャル Ψ_s が式 (10) で与えられる $\Psi_s(inv)$ に達するようなゲート電圧のところで起きる．$\Psi_s(inv)$ を式 (13) に代入し，単位面積当りの空間電荷を $qN_A W_m$ とすると強い反転の起きるゲート電圧を得ることができる．このゲート電圧は**しきい値電圧**と呼ばれる．

$$\boxed{V_T = \frac{qN_A W_m}{C_o} + \Psi_s(inv) \cong \frac{\sqrt{2\varepsilon_s q N_A (2\Psi_B)}}{C_o} + 2\Psi_B.} \tag{17}$$

強い反転が起きると，全容量は式 (15) において $C_j = \varepsilon_s/W_m$ と置いた最小値のままになる．

$$C_{\min} = \frac{\varepsilon_{ox}}{d + (\varepsilon_{ox}/\varepsilon_s) W_m}. \tag{18}$$

理想的な MOS ダイオードの代表的な容量電圧特性が，空乏層近似（式 (16)-(18)），および厳密な計算をした場合（実線），の両方について図7(a)に示されている．空乏層近似の場合と厳密な計算をした場合で容量電圧特性は非常に良く似ていることがわかる．

以上は p 形基板について考察したものであるが n 形基板の場合についても極性や符号（すなわち Q_n に対して Q_p）を適当に変えることによって，全く同様に考察することができる．容量電圧特性は形が同じでお互いに鏡像関係になる．またしきい値電圧は n 形基板上の理想的な MOS ダイオードに対しては負の値になる．

図7(a)においてゲート電圧が変わった場合，空間電荷の増加はすべて空乏領域の端に現れる

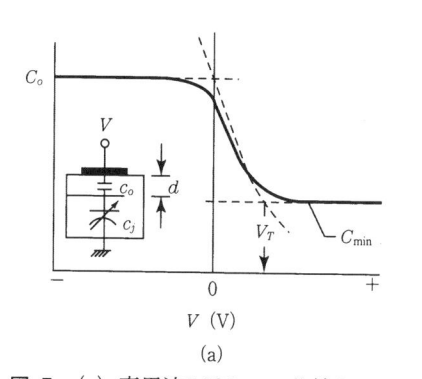

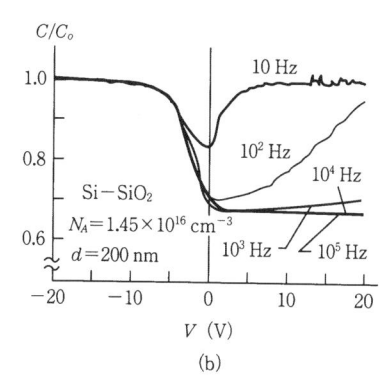

図7 (a) 高周波 MOS C-V 曲線とそれを近似する部分図（点線）．挿入図は容量が直列に接続されていること示している，(b) C-V 曲線の測定周波数依存性[2].

ものとした．事実測定周波数が高い場合にはこのようになる．しかしながら，もし測定周波数が十分に低く，表面空乏層における生成再結合速度がゲート電圧の変化に等しいかあるいはそれより速い場合には，電子密度（少数キャリア）はゲートの交流信号に追随することができ，反転層の電荷が測定信号に従って変化するようになる．その結果強い反転状態における容量は酸化膜の容量 C_o と等しくなる．図7(b) は異なった周波数における MOS C-V 曲線の測定結果を示したものである[2]．低い周波数の曲線がみられるのは $f \leq 100$ Hz の領域である．

例題 2 $N_A = 10^{17}$ cm^{-3} および $d = 5$ nm の理想的な金属-SiO$_2$-Si ダイオードについて，図7(a) の C-V 曲線の最小容量を計算せよ．SiO$_2$ の比誘電率は 3.9 とする．

解答

$$C_o = \frac{\varepsilon_{ox}}{d} = \frac{3.9 \times 8.85 \times 10^{-14}}{5 \times 10^{-7}} = 6.90 \times 10^{-7} \text{ F/cm}^2.$$

$Q_{sc} = -qN_A W_m = -1.6 \times 10^{-19} \times 10^{17} \times (1 \times 10^{-5}) = -1.6 \times 10^{-7}$ C/cm^2.

W_m は例題1で求められた．

$$\Psi_s(inv) \approx 2\Psi_B = \frac{2kT}{q} \ln\left(\frac{N_A}{n_i}\right) = 2 \times 0.026 \times \ln\left(\frac{10^{17}}{9.65 \times 10^9}\right) = 0.84 \text{ V}.$$

V_T における容量の最小値 $C_{\min}$ は

$$C_{\min} = \frac{\varepsilon_{ox}}{d + (\varepsilon_{ox}/\varepsilon_s) W_m} = \frac{3.9 \times 8.85 \times 10^{-14}}{(5 \times 10^{-7}) + (3.9/11.9)(1 \times 10^{-5})}$$
$$= 9.1 \times 10^{-8} \text{ F/cm}^2.$$

したがって，$C_{\min}$ は C_o の約 13% である．

6.1.2 SiO$_2$-Si MOS ダイオード

すべての MOS ダイオードの内で，金属-SiO$_2$-Si ダイオードは最も精力的に研究されている．SiO$_2$-Si 構造の電気的特性は理想的な MOS ダイオードの特性に近づいている．しかしながら通常使われる金属電極においては仕事関数の差 $q\phi_{ms}$ はゼロではない．さらに酸化膜中あるいは SiO$_2$-Si の界面には，いろいろの空間電荷があり，それらはいずれにしても理想的な MOS 特性に影響を与える．

仕事関数の差

半導体の仕事関数 $q\phi_s$, すなわちフェルミ準位と真空準位とのエネルギーの差（図2）は，ドーピング濃度によって変化する．ある仕事関数 $q\phi_m$ を有する金属を考えると，仕事関数差 $q\phi_{ms}$

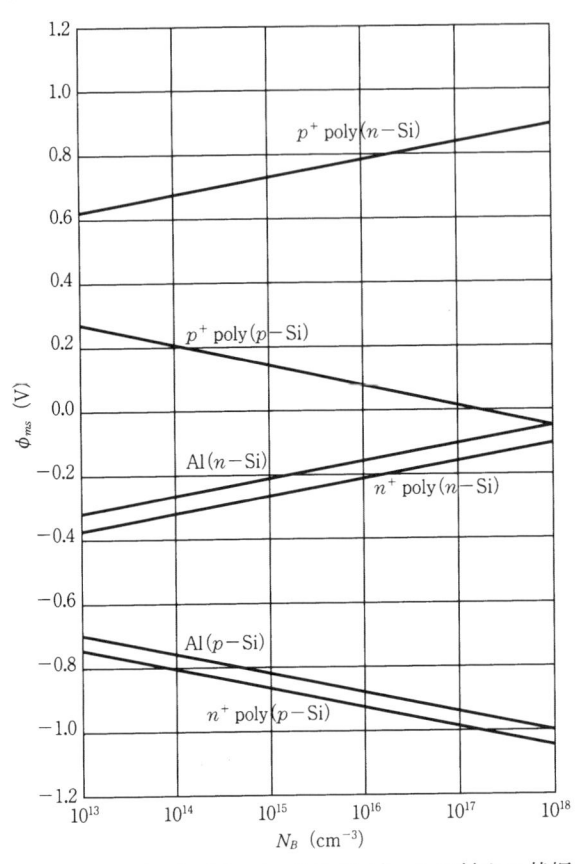

図 8 Al および n^+ と p^+-ポリ Si ゲートに対する基板不純物濃度と仕事関数の差の関係．

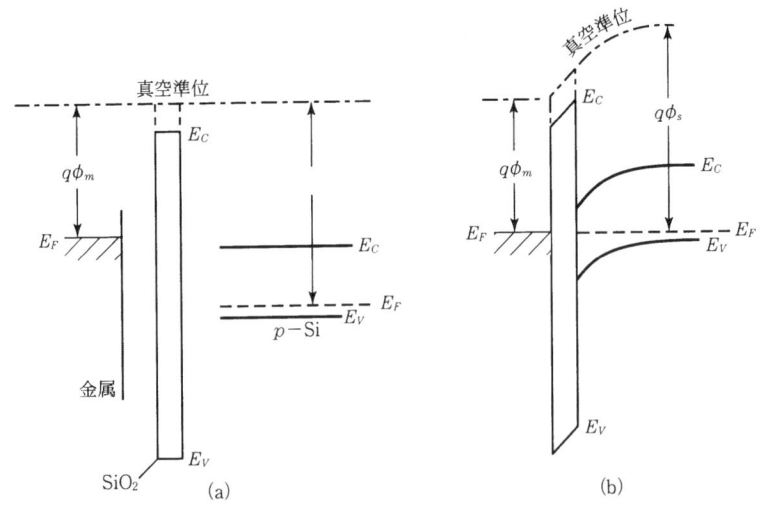

図 9 (a) 酸化膜をはさんで独立した金属と半導体のエネルギーバンド図，(b) 熱平衡状態における MOS ダイオードのエネルギーバンド図．

≡($q\phi_m - q\phi_s$) は半導体のドーピング濃度に依存して変化する．最も良く使われる金属電極の一つは Al(アルミニウム)で，この仕事関数は $q\phi_m = 4.1\,\text{eV}$ である．もう一つの広く使われているゲート電極は高濃度にドープされた多結晶 Si(ポリ Si と呼ばれる)である．n^+- および p^+-ポリ Si の仕事関数はそれぞれ 4.05 および 5.05 eV である．図 8 は Si のドーピング濃度を変えた場合の Al, n^+- および p^+-ポリ Si に対する仕事関数の差を示したものである．ϕ_{ms} は電極と Si のドーピング濃度によって 2 V も変化することに注目すべきである．

MOS ダイオードのバンド図を描くために，まず独立した金属，半導体，およびそれらに挟まれた酸化膜層を考える(図 9(a))．この独立した状態ではすべてのバンドはフラットである．これをフラットバンド状態という．熱平衡状態では，フェルミ準位は一定でなければならず，真空準位は連続していなければならない．この条件を満たし仕事関数の差を考慮すると，半導体のバンドは図 9(b) に示されるように下に曲がる．したがって熱平衡状態では金属には正の電荷が，半導体の表面には負の電荷がたまる．このことから次のことが明らかである．図 2 の理想的なフラットバンド条件を達成するためには，仕事関数差 $q\phi_{ms}$ に等しい電圧を印加しなければならない．この状態は図 9(a) に示されている状態と全く等しく，金属に負の電圧 V_{FB} を印加している状態である．この電圧を**フラットバンド電圧**($V_{FB} = \phi_{ms}$)という．

界面トラップと酸化膜中の電荷

仕事関数の差に加えて，平衡状態の MOS ダイオードは，酸化膜中の電荷および Si-SiO$_2$ 界面にトラップされた電荷によって影響される．これらのトラップおよび電荷の基本的な分類が図 10 に示されている．これらは界面(表面準位)にトラップされた電荷，固定電荷，酸化膜中にトラップされた電荷(捕獲電荷)，可動イオンによる電荷である[3]．

表面準位にトラップされた電荷 Q_{it} は SiO$_2$-Si 界面の性質によるものであり，この界面の化学的な組成に依存している．この表面準位は SiO$_2$-Si 界面の所にあり，エネルギー準位は Si の禁制帯の中にある．表面準位密度すなわち単位面積および 1 eV 当りの界面トラップの数は結晶方位に依存する．(100) 面では界面トラップ密度は (111) 面に比べて約 1 桁小さくなる．Si 上の熱酸化によって成長された SiO$_2$ を有する今日の MOS ダイオードにおいては，界面にトラップ

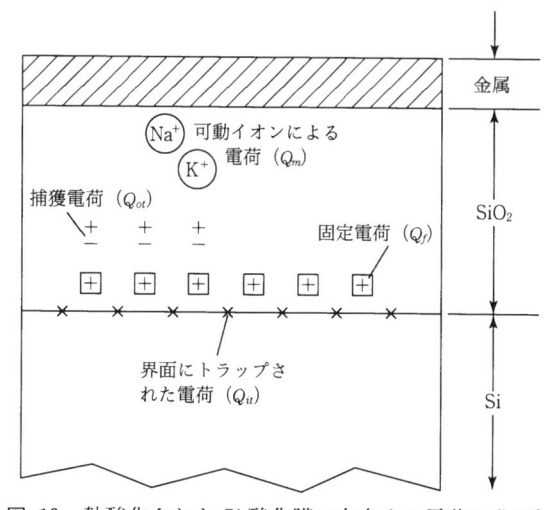

図 10　熱酸化された Si 酸化膜に存在する電荷の分類[3]．

された電荷のほとんどが低温（450℃）での水素アニールによって中和されている．(100) 面 Si に対する Q_{it}/q の値は $10^{10}\,\text{cm}^{-2}$ 程度に低くできる．この量は 10^5 個の表面原子当り，界面にトラップされている電荷が一つというような状態に相当する．(111) 面の Si では Q_{it}/q は約 $10^{11}\,\text{cm}^{-2}$ である．

酸化膜中に固定された電荷（固定電荷）Q_f は，SiO_2-Si 界面から約 3 nm 以内の所に存在する．この電荷は固定されていて，表面の Ψ_s が大きく変化しても充電されたり放電されたりはしない．一般に Q_f は正で酸化およびアニールの条件および結晶方位に依存する．酸化が停止されたとき，イオン化した Si の一部が界面に残るものと考えられている．これらのイオンが表面での不完全な結合（すなわち Si-Si あるいは Si-O 結合）と相まって，正の固定化された電荷 Q_f になるのであろう．Q_f は SiO_2-Si 界面に存在するシート状の電荷と見なすことができる．注意深く作られた SiO_2-Si 構造の，代表的な酸化膜中の固定電荷の密度は (100) 界面で約 $10^{10}\,\text{cm}^{-2}$，(111) 面で $5\times10^{10}\,\text{cm}^{-2}$ である．Q_{it} も Q_f も (100) 面のほうが低いので，Si MOSFET では (100) 面が好んで使われる．

酸化膜中にトラップされた電荷（捕獲電荷）Q_{ot} は SiO_2 中の欠陥に関係するものである．これらの電荷は，たとえば X 線照射あるいは高エネルギーの電子の照射によって作られる．トラップは酸化膜の中に分布している．プロセス中にできる Q_{ot} の大部分は，低温でアニールすることによって取り除くことができる．

Na(ナトリウム)や他のアルカリイオンによる電荷 Q_m は，少し高い温度（100℃以上）かつ高電界下で動作させると酸化膜中を動く．高バイアス電圧，高温条件下で動作させる半導体デバイスの安定性の問題は，このようなアルカリ金属イオンの汚染によるものである可能性が高い．高温条件下では可動イオンによる電荷はバイアス条件によって酸化膜中を前後に移動する．このため C-V 曲線が電圧軸にそってシフトすることになる．したがってデバイスの製作工程においては，このような可動イオンを除去するように特別な注意を払われなければならない．

上述の電荷は，単位面積当りの実効的な電荷（C/cm^2）である．このような電荷がフラット

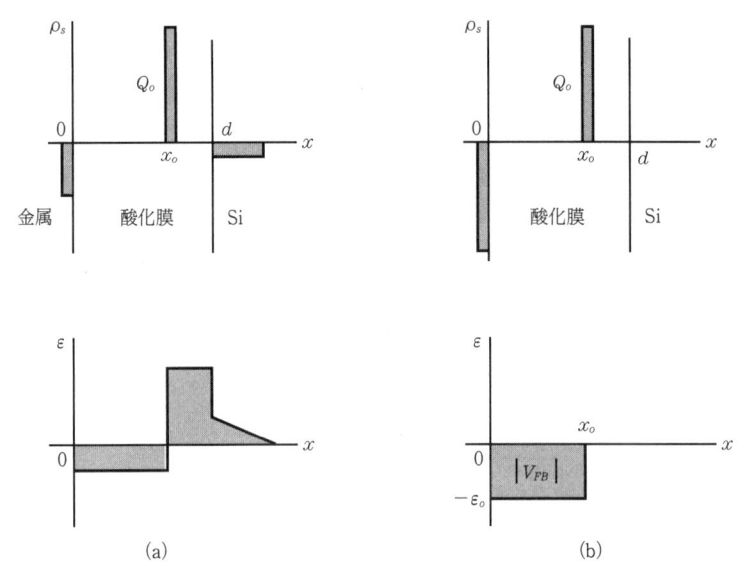

図 11 酸化膜中のシート状電荷の影響．(a) $V_G=0$ の場合，(b) フラットバンド条件．

バンド電圧にどのように影響するか考えてみよう．まず図11に示すように酸化膜中に単位面積当り Q_o の正の電荷のシートを考えてみる．この正の電荷のシートは図11(a) の上の部分に示すように一部は金属中に，一部は半導体中に負の電荷を誘起する．ポアソンの方程式を一回積分することによって求められる電界の分布が図11(a) の下の部分に示されている．ここでは仕事関数の差はないものと仮定している．すなわち $q\phi_{ms}=0$．

フラットバンドの条件を得るためには（すなわち半導体中に誘起された電荷がないようにするためには），図11(b) に示されているように金属に負の電圧を印加しなければならない．負の印加電圧を増加させると金属上の負の電荷が増加し，したがって半導体表面での電界をゼロにすることができる．このような状態における電界分布の積分がフラットバンド電圧 V_{FB} に相当する：

$$V_{FB} = -\mathcal{E}_o x_o = -\frac{Q_o}{\varepsilon_{ox}} x_o = -\frac{Q_o}{C_o} \frac{x_o}{d}. \tag{19}$$

したがってフラットバンド電圧は，シート電荷 Q_o の密度と，酸化膜中のその位置 x_o の両方に依存する．シート電荷が金属に非常に近いところにある場合，——すなわち，もし $x_o=0$ であれば——Si 中にはなんら電荷を誘起しない，つまり，フラットバンド電圧には影響を及ぼさないことになる．一方 Q_o が，固定電荷 Q_f のように，半導体に非常に近いところにあると——$x_o=d$，——シート電荷の影響は最大となり，次のようなフラットバンド電圧をもたらす．

$$V_{FB} = -\frac{Q_o}{C_o} \frac{d}{d} = -\frac{Q_o}{C_o}. \tag{20}$$

もっと一般的に酸化膜中に空間電荷が分布している場合には，フラットバンド電圧は次のようになる．

$$\boxed{V_{FB} = \frac{-1}{C_o} \left[\frac{1}{d} \int_o^d x\rho(x)\, dx \right],} \tag{21}$$

ここで $\rho(x)$ は酸化膜中の単位体積当りの電荷密度である．単位体積当りの酸化膜にトラップされた電荷 $\rho_{ot}(x)$，および単位体積当りの可動イオンによる電荷 $\rho_m(x)$，を知ることができれば，次式によって Q_{ot} および Q_m を求めることができ，これらによるフラットバンド電圧の変化を知ることができる．

$$Q_{ot} \equiv \frac{1}{d} \int_o^d x\rho_{ot}(x)\, dx, \tag{22 a}$$

$$Q_m \equiv \frac{1}{d} \int_o^d x\rho_m(x)\, dx. \tag{22 b}$$

仕事関数の差 $q\phi_{ms}$ が 0 でなく，界面捕獲電荷が無視できれば，容量-電圧曲線の測定値は理想的な場合から次の量だけずれることになる．

$$\boxed{V_{FB} = \phi_{ms} - \frac{(Q_f + Q_m + Q_{ot})}{C_o}.} \tag{23}$$

図12(a) の曲線は MOS ダイオードの理想的な C-V 特性を示している．ϕ_{ms}，Q_f，Q_m または Q_{ot} が 0 でなければ，C-V 曲線は式 (23) で与えられる量だけシフトする．この C-V 曲線の平行移動は図12(b) によって示されている．これに加えて界面にトラップされた電荷が多くある場合には，トラップされた電荷の量は表面ポテンシャルによって変化する．C-V 曲線はこの電荷の量によって影響され，表面ポテンシャルそのものがトラップされた電荷の量によって変化する．したがって図12(c) はシフトすると同時に界面にトラップされた電荷の量によってゆが

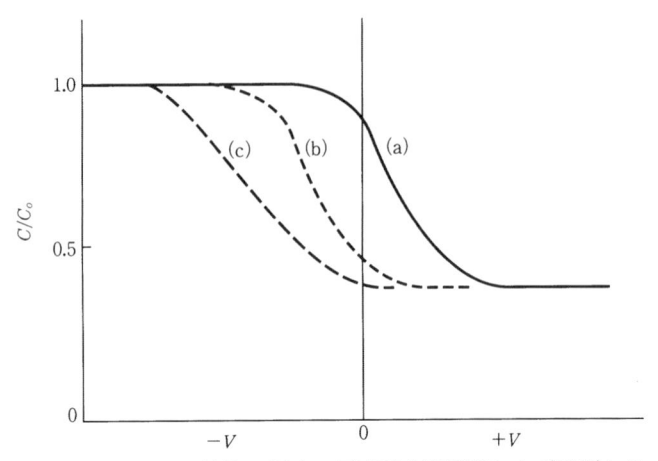

図 12 MOS ダイオードの C-V 特性に対する固定酸化膜電荷および界面トラップの影響.

められた形になる.

例題 3 $N_A=10^{17}$ cm^{-3}, $d=5$ nm の n^+-ポリ Si-SiO$_2$-Si ダイオードのフラットバンド電圧を計算せよ. 酸化膜中の Q_{it}, Q_{ot} および Q_m は無視できるものとし, $Q_f/q=5\times10^{11}$ cm^{-2} とする.

解答 図8から, $N_A=10^{17}$ cm^{-3} の場合の n^+-ポリ Si-SiO$_2$-Si 系の ϕ_{ms} は -0.98 V である. C_o は例題2から求められる.

$$V_{FB} = \phi_{ms} - \frac{(Q_f + Q_m + Q_{ot})}{C_o}$$

$$= -0.98 - \frac{(1.6\times10^{-19}\times5\times10^{11})}{6.9\times10^{-7}} = -1.10 \text{ V}.$$

例題 4 酸化膜中の捕獲電荷 Q_{ot} の電荷分布 $\rho_{ot}(x)$ が三角形の分布をしているものとする. 分布は関数 $(10^{18}-5\times10^{23}x)$cm^{-3}, ただし x は金属・酸化膜界面からの距離, 酸化膜の厚さは 20 nm とする. Q_{ot} によるフラットバンド電圧の変化を求めよ.

解答 式(21) および(22 a) より

$$\Delta V_{FB} = \frac{Q_{ot}}{C_o} = \frac{d}{\varepsilon_{ox}}\frac{1}{d}\int_0^{2\times10^{-6}} x\rho_{ot}(x)\,dx$$

$$= \frac{1.6\times10^{-19}}{3.9\times8.85\times10^{-14}}\left[\frac{1}{2}\times10^{18}\times(2\times10^{-6})^2 - \frac{1}{3}\times5\times10^{23}\times(2\times10^{-6})^3\right]$$

$$= \frac{1.6\times10^{-19}\times(2\times10^6-1.33\times10^6)}{3.45\times10^{-13}} = 0.31 \text{ V}.$$

6.1.3 電荷結合デバイス（CCD）

図13に CCD (Charge Coupled Device,) の概略図が示されている[4]. 基本構造は, 半導体を覆っている絶縁物（酸化膜）上の隣接した MOS ダイオードの列である. CCD はイメージセンシングや信号処理などの幅広い機能をこなすことができる. CCD の動作原理は, ゲート電極による電荷の蓄積と転送である. 図13(a) は表面空乏層を作るため, すべての電極に充分大きな正のパルスバイアスが加えられた CCD を示している. 中央の電極だけさらに深くバイアスを加え

第6章　MOSFETと関連デバイス

$\phi_1=5\text{V}$　$\phi_2=10\text{V}$　$\phi_3=5\text{V}$

SiO₂

p-Si

(a)

$\phi_1=5\text{V}$　$\phi_2=10\text{V}$　$\phi_3=15\text{V}$

SiO₂

p-Si

(b)

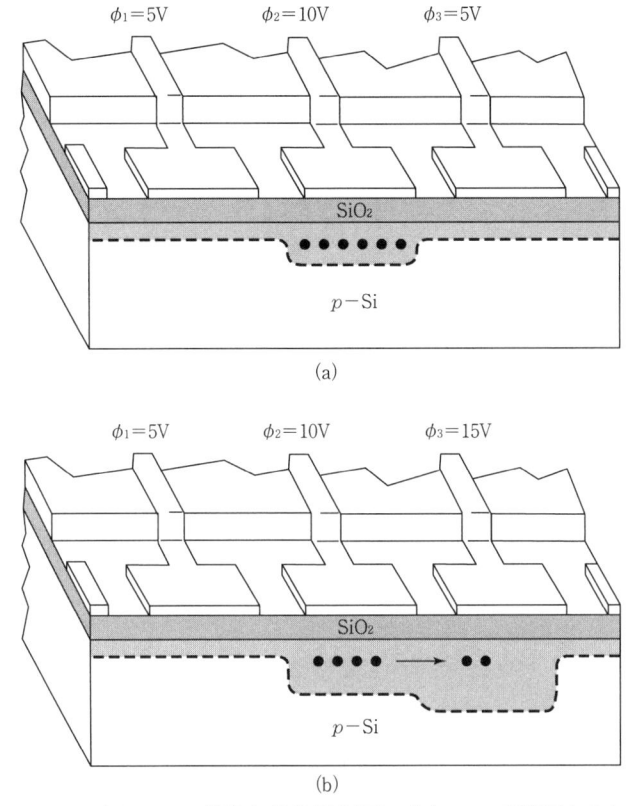

図 13　3相CCDの構造と動作概念図[4]．(a) ϕ_2に高電圧を印加，(b) ϕ_3にパルス電圧を印加し，電荷を移動させる．

られ，その部分にポテンシャル井戸が作られる，すなわち，中央の電極の下には，大きな空乏層ができていて，ポテンシャルは井戸のような形をしている．少数キャリア（電子）が注入されると，それはこのポテンシャル井戸にたまる．右側の電極電圧を，中央よりも大きくすると，ポテンシャル分布は図13(b) に示すようになる．この場合，少数キャリアは中央の電極の下から右側の電極の下に移動する．かくして電極電圧分布が調整され蓄積電荷の位置は右側の電極下に移動する．このようなサイクルを繰り返せば，電荷を一次元的に移動させることができる．

6.2　MOSFETの基本特性

MOSFETには，IGFET (Insulating-Gate Field-Effect Transistor)，MISFET (Metal-Insulator-Semiconductor Field-Effect Transistor)，MOST (Metal-Oxide-Semiconductor Transistor) などの，多くの頭字語がある．n-チャンネルMOSFETの斜視図が図14に示されている．これは4端子のデバイスでp形半導体基板に二つのn^+-領域，ソースとドレイン，が作られている[†]．酸化膜上の金属電極はゲートと呼ばれる．高濃度にドープされたポリSiあるいはシリサイド（たとえばWSi₂）とポリSiの組合せなどがゲート電極として使われる．4番目の端子は

[†] p-チャンネルMOSFETに対しては，基板およびソース/ドレインの伝導形がnおよびp^+になる．

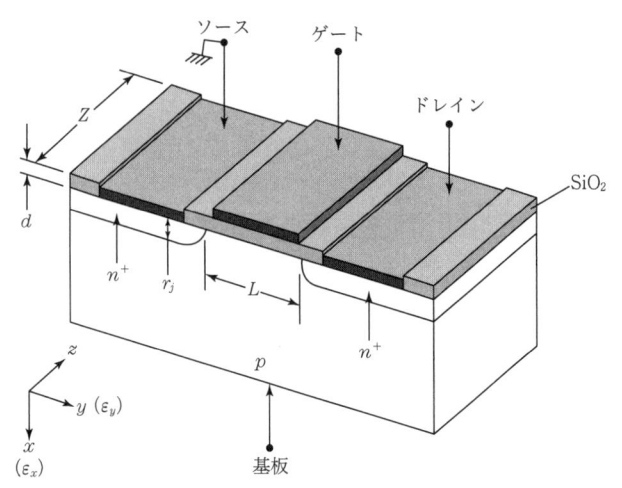

図 14 MOSFET を斜めから見た図.

基板へのオーミック電極である．基本的なデバイスパラメータは次のようなものである．すなわちチャンネル長 L，これは二つの n^+-p 接合の距離である．それからチャンネル幅 Z，酸化膜の厚さ d，接合深さ r_j および基板のドーピング濃度 N_A である．デバイスの中央部分は6.1節で議論された MOS ダイオードであることに注意されたい．

最初の MOSFET は 1960 年代に Si 基板を熱酸化することによって作られた[5]．このデバイスではチャンネル長は 20 μm 以上あり，ゲート酸化膜の厚さも 100 nm 以上であった[†]．今日の MOSFET はもちろんこれよりもずっと小さくなっているが，Si および熱酸化による SiO_2 を使っているという点に関しては最初の MOSFET と同じで，これらは最も重要な組合せであることに変わりはない．したがって，この節での大部分の結果も Si-SiO_2 構造について得られたものである．

6.2.1 基本的特性

この節を通してソース電極の電圧を基準の電圧として使うことにする．ゲート電圧が印加されていない場合，ソース-ドレイン電極はお互いに逆方向に接続された二つの p-n 接合に相当する．ソースからドレインに向かって流れることのできる電流は逆方向のリーク電流のみである[††]．十分に大きな正のバイアスがゲートに印加されると，中央の MOS 構造は反転され，二つの n^+ 領域の間に表面反転層（またはチャンネル）ができる．ソースとドレインは導電性の n-チャンネル層によって接続され，大きな電流を流すことができるようになる．このチャンネルの導電率はゲート電圧によって変化する．基板の電極は基準電圧に保つか，あるいはソース対して逆方向にバイアスする；この基板バイアスもチャンネルの導電率に影響する．

直線および飽和領域

次に MOSFET の動作を定性的に考えてみる．まずゲートに電圧が印加され半導体表面に反

[†] 最初の MOSFET の写真は第1章の図4に示されている．
[††] これは n-チャンネルノーマリ・オフ MOSFET については正しい．他の形の MOSFET については 6.2.2 項で議論される．

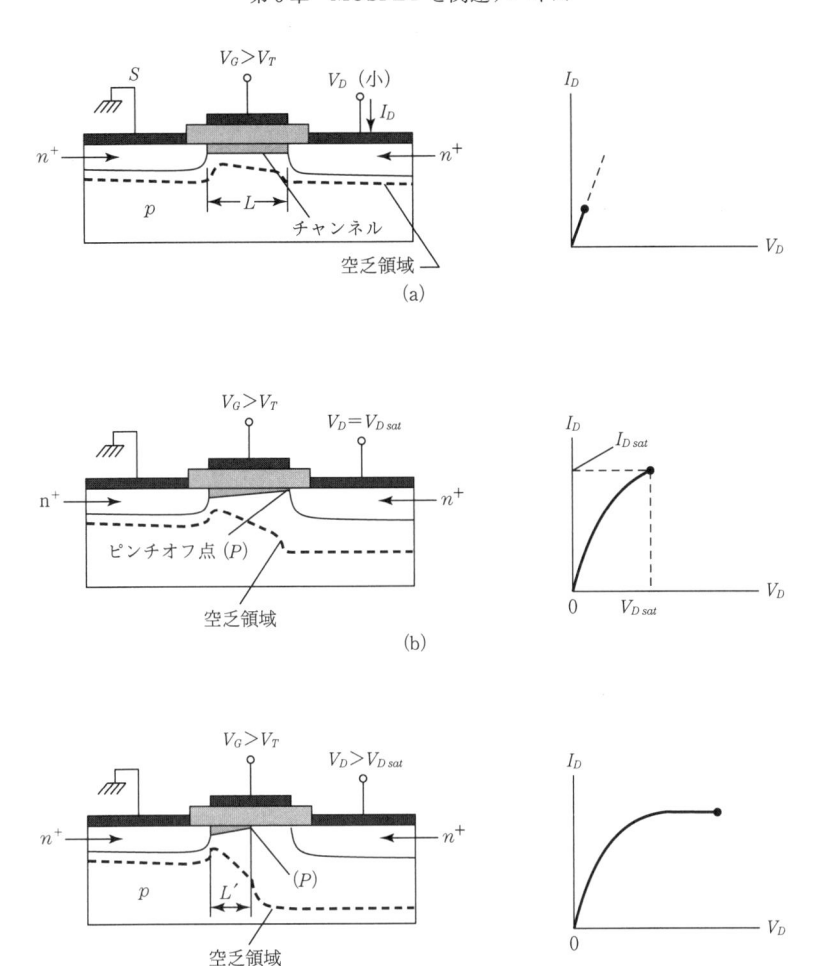

図 15 MOSFET の動作と I-V 出力特性．(a) 低ドレイン電圧，(b) 飽和の開始，点 P はピンチオフ点を示す，(c) 飽和後．

転層ができているものとしよう（図 15）．小さなドレイン電圧が加えられると電子は導電性のチャンネルを通ってソースからドレインに向かって流れる（電流はドレインからソースに向かって流れる）．したがってチャンネルは抵抗として働き，ドレイン電流はドレイン電圧に比例する．これは図 15(a) の右側の図において直線で示されている**直線領域**である．

ドレイン電圧が増加すると最終的に $V=V_{Dsat}$ の点で反転層の厚さ x_i が $y=L$ の近くで 0 になるような点に達する．この点はピンチオフ点 P と呼ばれる（図 15(b)）．ピンチオフ点以降ではドレイン電流は本質的に同じである．なぜならば $V_D>V_{Dsat}$ に対しては，点 P における電圧 V_{Dsat} は変わらないからである．したがってソースから点 P に到達するキャリアの数も，ドレインからソースに流れる電流も同じになる．I_D はドレイン電圧の増加に関わらず一定であるから，これは**飽和領域**である．おもな変化は図 15(c) に示されているように L が L' という値に減ることである．P 点からドレイン空乏層領域へのキャリアの注入は，バイポーラ・トランジスタにおいて，エミッタ-ベース接合からベース-コレクタ空乏層領域にキャリアが注入される状況と非常に良く似ている．

さて次のような理想的な条件下での基本的な MOSFET 特性を導いてみよう．(a) ゲート構造

は 6.1 節で定義されたような理想的な MOS ダイオードであるものとする．すなわち表面準位，固定電荷，あるいは仕事関数の差はないものとする．(b) ドリフト電流だけを考える．(c) 反転層のキャリアの移動度は一定とする．(d) チャンネルのドーピング濃度は一定とする．(e) 逆方向リーク電流は無視できるほど小さい．(f) ゲート電圧による横方向の電界（図 14 に示されている，x 方向，すなわち電流と垂直方向の電界 $\mathcal{E}_x$）はドレイン電圧による縦方向の電界（y 方向，すなわち電流と平行な方向の電界 $\mathcal{E}_y$）よりもずっと大きい．最後の条件は**グラデュアル・チャンネル**（gradual-channel）**近似**と呼ばれていて，長チャンネル MOSFET については，この近似が成り立つ．この近似では，表面空乏層の電荷は，ゲート電圧によって誘起されたもののみである．

図 16(a) は直線領域の動作している MOSFET を示している．上に述べたような理想的な条件において，ソースから距離 y の点の半導体表面に誘起される，単位面積当りの全電荷 Q_s は図 16(b) に示されている．図 16(b) は図 16(a) の中央の部分を拡大したものである．Q_s は式 (13) および (14) から次のように与えられる．

$$Q_s(y) = -[V_G - \Psi_s(y)]C_o, \tag{24}$$

ここで $\Psi_s(y)$ は点 y における表面ポテンシャルである．$C_o = \varepsilon_{ox}/d$ は単位面積当りのゲート容量である．Q_s は単位面積当たりの反転層における電荷 Q_n と空乏層の空間電荷 Q_{sc} の和であるから，Q_n は次式のように求められる．

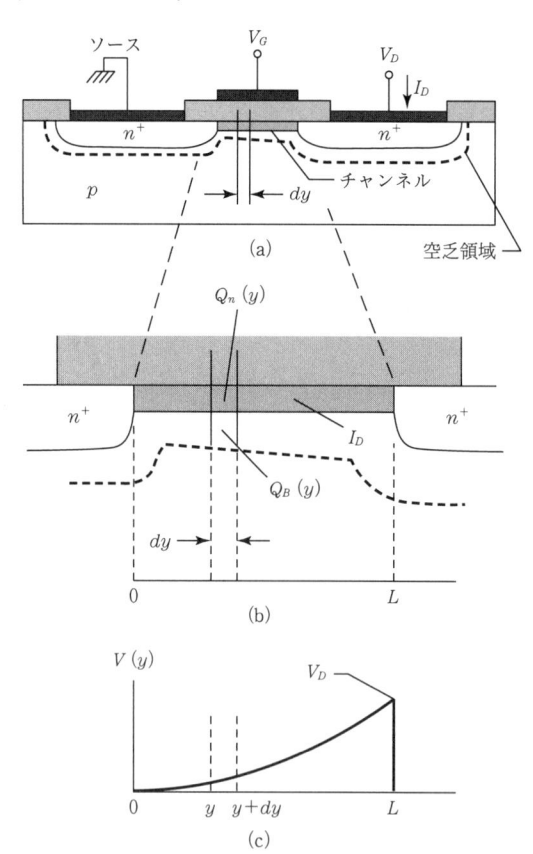

図 16 (a) 直線領域で動作する MOSFET，(b) チャンネル領域の拡大図，(c) チャンネルに沿ったポテンシャルの変化．

第6章 MOSFET と関連デバイス

$$Q_n(y) = Q_s(y) - Q_{sc}(y),$$
$$= -[V_G - \Psi_s(y)]C_o - Q_{sc}(y). \tag{25}$$

反転層における表面ポテンシャル $\Psi_s(y)$ は $2\Psi_B + V(y)$ で近似することができる．ここで $V(y)$ は図 16(c) に示されているように，点 y とソースの電極（これは接地されている）との間の逆方向バイアスである．表面空乏領域における電荷 $Q_{sc}(y)$ は前に述べたように次式で与えられる．

$$Q_{sc}(y) = -qN_A W_m \cong -\sqrt{2\varepsilon_s q N_A[2\Psi_B + V(y)]}. \tag{26}$$

式 (25) に式 (26) を代入すると次式になる．

$$Q_n(y) \cong -[V_G - V(y) - 2\Psi_B]C_o + \sqrt{2\varepsilon_s q N_A[2\Psi_B + V(y)]}. \tag{27}$$

位置 y でのチャンネルの伝導率は次式のように近似できる．

$$\sigma(x) = qn(x)\mu_n(x). \tag{28}$$

移動度一定とすると，チャンネル・コンダクタンスは次のようになる．

$$g = \frac{Z}{L}\int_0^{x_i}\sigma(x)\,dx = \frac{Z\mu_n}{L}\int_0^{x_i}qn(x)\,dx. \tag{29}$$

積分 $\int_0^{x_i}qn(x)\,dx$ は反転層における単位面積当たりの全電荷に相当し，$|Q_n|$ または次式に等しい．

$$g = \frac{Z\mu_n}{L}|Q_n|. \tag{30}$$

微小長 dy のチャンネル抵抗（図 16(b)）は次のようになる．

$$dR = \frac{dy}{gL} = \frac{dy}{Z\mu_n|Q_n(y)|}, \tag{31}$$

そしてこの微小領域での電圧降下は次のようになる．

$$dV = I_D dR = \frac{I_D dy}{Z\mu_n|Q_n(y)|}, \tag{32}$$

ここで I_D はドレイン電流で y には依存しない．式 (27) を式 (32) に代入し，ソース ($y=0$, $V=0$) から，ドレイン ($y=L$, $V=V_D$) まで積分すると次のようになる．

$$I_D \approx \frac{Z}{L}\mu_n C_o\left\{\left(V_G - 2\Psi_B - \frac{V_D}{2}\right)V_D - \frac{2}{3}\frac{\sqrt{2\varepsilon_s q N_A}}{C_o}[(V_D + 2\Psi_B)^{3/2} - (2\psi_B)^{3/2}]\right\}. \tag{33}$$

図 17 は式 (33) に基づいて求められた理想的な MOSFET の電流-電圧特性を示したものである．ある V_G に対してドレイン電流は最初ドレイン電圧ととも直線的に増加し（直線領域），それから徐々に直線からずれ，飽和値に近づく（飽和領域）．点線は電流が最大値に達するドレイン電圧（V_{Dsat}）の軌跡を示す．

直線領域および飽和領域について考えてみよう．V_D が小さい場合には式 (33) は次式のように近似できる．

$$\boxed{I_D \cong \frac{Z}{L}\mu_n C_o(V_G - V_T)V_D \quad [V_D \ll (V_G - V_T)],} \tag{34}$$

ここで V_T は式 (17) で前に与えられたしきい値電圧である．

$$\boxed{V_T = \frac{\sqrt{2\varepsilon_s q N_A(2\Psi_B)}}{C_o} + 2\Psi_B.} \tag{35}$$

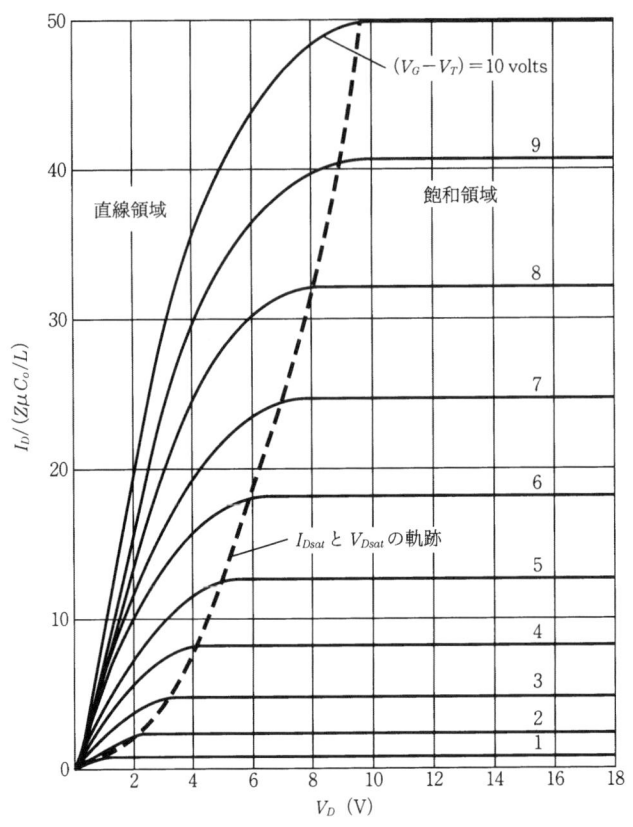

図 17 理想的な MOSFET の電流-電圧特性. $V_D=V_{Dsat}$ ではドレイン電流は一定になる.

ある小さな V_D に対して,I_D 対 V_G の関係をプロットし,この関係を直線的に V_G 軸まで外挿した点からしきい値電圧を求めることができる.式 (34) に示す直線領域においては,チャンネル・コンダクタンス g_D および伝達コンダクタンス g_m は次のように与えられる

$$g_D \equiv \frac{\partial I_D}{\partial V_D}\bigg|_{V_G=一定} \cong \frac{Z}{L}\mu_n C_o(V_G-V_T), \tag{36}$$

$$g_m \equiv \frac{\partial I_D}{\partial V_G}\bigg|_{V_D=一定} \cong \frac{Z}{L}\mu_n C_o V_D. \tag{37}$$

ドレイン電圧が,$y=L$ の点における反転層の電荷 $Q_n(y)$ がゼロになるような点まで増加すると,ドレイン端での可動電子の数は急激に減少する.この点はピンチオフと呼ばれる.この点におけるドレイン電圧およびドレイン電流はそれぞれ V_{Dsat} および I_{Dsat} と定義される.ドレイン電圧が V_{Dsat} より大きい領域は飽和領域である.V_{Dsat} は式 (27) において,$Q_n(L)=0$ とすることにより求められることができる.

$$V_{Dsat} \cong V_G - 2\Psi_B + K^2(1-\sqrt{1+2V_G/K^2}), \tag{38}$$

ここで,$K \equiv \frac{\sqrt{\varepsilon_s q N_A}}{C_o}$ である.飽和電流は式 (38) を式 (33) に代入して求められる.

$$I_{Dsat} \cong \left(\frac{Z\mu_n C_o}{2L}\right)(V_G-V_T)^2. \tag{39}$$

第6章　MOSFETと関連デバイス

基板のドーピング濃度が低くて酸化膜が薄い場合には，飽和領域のしきい値電圧 V_T は式 (35) から求められる値と同じである．ドーピング濃度が高い場合には V_T は V_G に依存するようになる．

飽和領域における理想的な MOSFET においては，チャンネル・コンダクタンスはゼロで伝達コンダクタンスは式 (39) から次のように求められる．

$$\boxed{g_m \equiv \frac{\partial I_D}{\partial V_G}\bigg|_{V_D=-\text{定}} = \frac{Z\mu_n\varepsilon_{ox}}{dL}(V_G - V_T).} \tag{40}$$

例題 5　ゲート酸化膜 8 nm，$N_A = 10^{17}\,\text{cm}^{-3}$，$V_G = 3\,\text{V}$ の n-チャンネル n^+-ポリ Si MOSFET について V_{Dsat} を求めよ．

解答

$$C_o = \frac{\varepsilon_{ox}}{d} = \frac{3.9 \times 8.85 \times 10^{-14}}{8 \times 10^{-7}} = 4.32 \times 10^{-7}\,\text{F/cm}^2.$$

$$K = \frac{\sqrt{\varepsilon_s q N_A}}{C_o} = \frac{\sqrt{11.9 \times 8.85 \times 10^{-14} \times 1.6 \times 10^{-19} \times 10^{17}}}{4.32 \times 10^{-7}} = 0.3.$$

例題 2 より $2\Psi_B = 0.84\,\text{V}$

したがって，式 (38) から

$$V_{Dsat} \cong V_G - 2\Psi_B + K^2(1 - \sqrt{1 + 2V_G/K^2})$$
$$= 3 - 0.84 + (0.3)^2[1 - \sqrt{1 + 2 \times 3/(0.3)^2}]$$
$$= 3 - 0.84 - 0.65 = 1.51\,\text{V}.$$

サブスレッショールド (subthreshold) 領域

ゲート電圧がしきい値電圧より低く，半導体表面がわずかしか反転していない場合のドレイン電流は**サブスレッショールド電流**と呼ばれる．サブスレッショールド領域は，デジタル論理回路やメモリにおけるスイッチのような，低電力デバイスとして MOSFET が使われる場合に特に重要である．なぜならサブスレッショールド領域でスイッチがいかに早くオンあるいはオフになるかが決まるからである．

サブスレッショールド領域においてはドレイン電流は，ドリフトよりもむしろ拡散によって支配されている．そして一様なドーピング濃度のベースを持つバイポーラ・トランジスタにおける，コレクタ電流と同じように導くことができる．MOSFET を n-p-n (ソース-基板-ドレイン) 形バイポーラ・トランジスタ，図 16(b)，と考えれば次のようになる．

$$I_D = -qAD_n\frac{\partial n}{\partial y} = +qAD_n\frac{n(0) - n(L)}{L}, \tag{41}$$

ここで A は電流が流れるチャンネルの断面積である．$n(0)$ および $n(L)$ はそれぞれソースおよびドレイン端のチャンネルにおける電子密度である．電子密度は式 (5a) によって与えられる．

$$n(0) = n_i e^{q(\Psi_s - \Psi_B)/kT}, \tag{42a}$$

$$n(L) = n_i e^{q(\Psi_s - \Psi_B - V_D)/kT}, \tag{42b}$$

ここで Ψ_s はソースにおける表面ポテンシャルである．式 (42) を式 (41) に代入することにより次のようになる．

$$I_D = \frac{qAD_n n_i e^{-q\Psi_B/kT}}{L}(1 - e^{-qV_D/kT})e^{q\Psi_s/kT}. \tag{43}$$

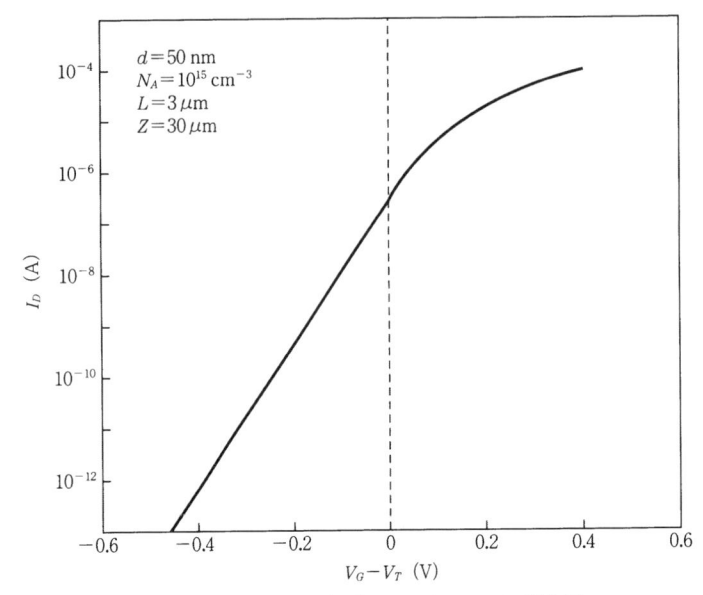

図 18 MOSFETのサブスレッショールド特性.

表面ポテンシャル Ψ_s は V_G-V_T で近似できる．したがって，ドレイン電流は V_G が V_T より小さくなると，指数関数的に減少する．

$$I_D \sim e^{q(V_G-V_T)/kT}. \tag{44}$$

サブスレッショールド領域の代表的な測定値を図18に示す．$V_G < V_T$ の場合の I_D の (V_G-V_T) 依存性は指数関数的であることに注意されたい．この領域で重要なパラメータは $[d\log I_D/dV_G]^{-1}$ で定義される，**サブスレッショールドスイングS** である．S は室温で1桁当たり70-100 mVである．サブスレッショールド電流を無視できるほど小さくするためには，MOSFETを V_T よりも 0.5 V あるいはそれ以上深くバイアスしなければならない．

6.2.2 MOSFETのいろいろ

　反転層の極性および形によって基本的には四つの異なったタイプの MOSFET がある．ゼロゲートバイアスでチャンネル・コンダクタンスが非常に低い場合には，n-チャンネルを作るためにゲートに正の電圧を印加しなければならない．したがって，このデバイスは**ノーマリ・オフ（エンハンスメント型）** n-チャンネル MOSFET である．ゼロバイアスで p-チャンネルが存在するような場合，チャンネル・コンダクタンスを減少させるために，ゲートに負の電圧を加えてチャンネルにおけるキャリアをなくさなければならない．このようなデバイスは**ノーマリ・オン（ディプレッション型）** p-チャンネル MOSFET である．同じように p-チャンネル・ノーマリ・オフ（エンハンスメント型）およびノーマリ・オン（ディプレッション型）MOSFET がある．

　デバイスの断面図および**出力特性** (I_D vs V_D) および**伝達特性** (I_D vs V_G) を四つの場合について図19に示す．ノーマリ・オフ n-チャンネルデバイスにおいては，実質的なドレイン電流を流すためにはしきい値電圧 V_T よりも大きな正のゲートバイアスを加えなければならない．ノーマリ・オン n-チャンネルデバイスにおいては $V_G=0$ で大きな電流が流れる．電流はゲート電圧を変えることによって増やすことも減らすこともできる．このような議論は極性を変えることに

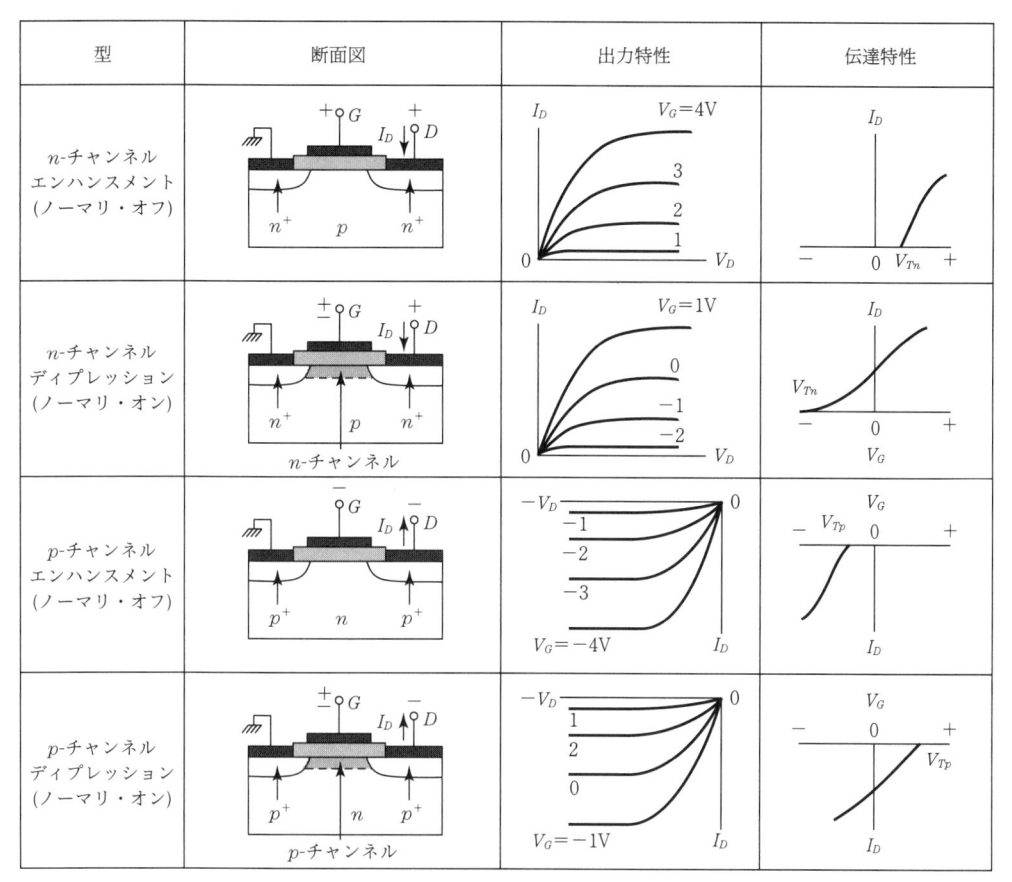

第 6 章　MOSFET と関連デバイス

型	断面図	出力特性	伝達特性
n-チャンネル エンハンスメント (ノーマリ・オフ)		$V_G=4\text{V}$, 3, 2, 1	V_{Tn}
n-チャンネル ディプレッション (ノーマリ・オン)	n-チャンネル	$V_G=1\text{V}$, 0, -1, -2	V_{Tn}
p-チャンネル エンハンスメント (ノーマリ・オフ)		$-1, -2, -3, V_G=-4\text{V}$	V_{Tp}
p-チャンネル ディプレッション (ノーマリ・オン)	p-チャンネル	$1, 2, 0, V_G=-1\text{V}$	V_{Tp}

図 19　4 種類の MOSFET の断面図，出力特性，伝達特性．

よって p-チャンネルのデバイスにも適用することができる．

6.2.3　しきい値電圧の制御

MOSFET の最も重要なパラメータの一つはしきい値電圧である．理想的なしきい値電圧は式 (45) で与えられる．しかし酸化膜中の固定された電荷の影響および仕事関数の違いの影響を入れると，フラットバンド電圧はシフトする．これによってしきい値電圧も変化することになる．加えて，基板バイアスがしきい値電圧に影響する．基板とソース間に逆方向バイアスが印加されると，空乏層が広くなり反転を起こさせるのに必要なしきい値電圧は，大きくなった Q_{sc} に対応するよう増加されなければならない．これらの要素がしきい値電圧を変化させる．

$$V_T \approx V_{FB} + 2\Psi_B + \frac{\sqrt{2\varepsilon_s q N_A(2\Psi_B + V_{BS})}}{C_o}, \tag{45}$$

ここで V_{BS} は逆方向基板・ソース間バイアスである．図 20 は n^+, p^+-ポリ Si ゲートと mid-gap 仕事関数を有するゲートについて，$d=5\text{ nm}$, $V_{BS}=0$ および $Q_f=0$ を仮定した場合の，n-チャンネル (V_{Tn}) および p-チャンネル (V_{Tp}) MOSFET のしきい値電圧を基板のドーピング濃度の関数として計算したものである．mid-gap ゲート材料は Si の電子親和力 $q\chi$ と $E_g/2$ の合

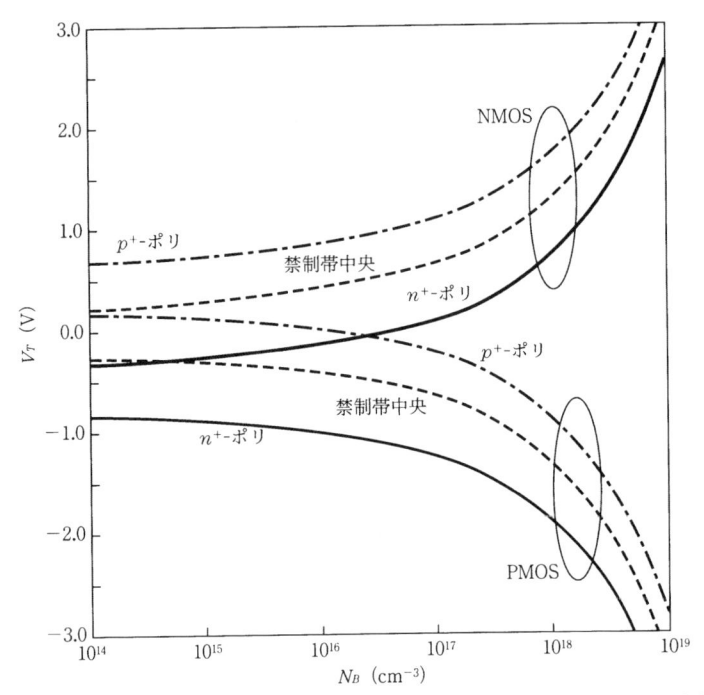

図20 n^+-, p^+-ポリSiゲート,およびmid-gap仕事関数ゲートを用い,固定酸化膜電荷のない,n-チャンネル(V_{Tn})およびp-チャンネル(V_{Tp})MOSFETに対する,しきい値電圧計算値の基板不純物濃度依存性.

計に相当する(図2参照),4.61 eVの仕事関数を有する材料である.

MOSFETのしきい値電圧の正確な制御は,集積回路を正常に動作させるために必須である.しきい値電圧を制御する代表的な方法はチャンネル領域へのイオン注入である.たとえば,n-チャンネルMOSFET(p形基板)のしきい値電圧を調整するために,表面酸化膜を通してB(ホウ素)をイオン注入することが良く行われる.不純物量を正確に制御することができるために,この方法を使って,V_Tを高精度に制御することができる.負に帯電したBアクセプタはチャンネルのドーピングレベルを増加させる.その結果V_Tは増加する.同様にp-チャンネルMOSFETに浅くBを注入した場合には,V_Tの絶対値は減少する.

例題6 $N_A = 10^{17}$ cm^{-3},$Q_f/q = 5 \times 10^{11}$ cm^{-2} のn-チャンネルn^+-ポリSi-SiO$_2$-Si MOSFETについて,ゲート酸化膜5 nmの場合のV_Tを計算せよ.V_Tを0.6 V増加させるのに必要なボロンのドーズ量はいくらか? 注入されたアクセプタはSi-SiO$_2$界面にシート状の負の電荷を形成するものとする.

解答 6.1節の例から$C_o = 6.9 \times 10^{-7}$ F/cm^2,$2\Psi_B = 0.84$ V,$V_{FB} = -1.1$ V.したがって,式(45)($V_{BS} = 0$)から

$$V_T = V_{FB} + 2\Psi_B + \frac{\sqrt{2\varepsilon_s q N_A (2\Psi_B)}}{C_o}$$

$$= -1.1 + 0.84 + \frac{\sqrt{2 \times 11.9 \times 8.85 \times 10^{-14} \times 1.6 \times 10^{-19} \times 10^{17} \times 0.84}}{6.9 \times 10^{-7}}$$

$$= -0.02 \text{ V}.$$

Bの電荷はフラットバンド電圧をqF_B/C_oだけシフトさせる.したがって

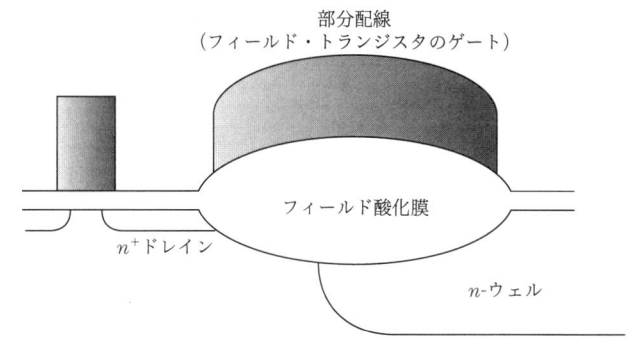

第6章　MOSFETと関連デバイス

図21　n-ウェル構造における寄生フィールドトランジスタの断面図.

$$0.6 = -0.02 + \frac{qF_B}{6.9 \times 10^{-7}},$$

$$F_B = \frac{0.62 \times 6.9 \times 10^{-7}}{1.6 \times 10^{-19}} = 2.67 \times 10^{12} \text{ cm}^{-2}.$$

V_Tはまた酸化膜の厚さを変えることによっても制御することができる．酸化膜厚さが増すと，しきい値電圧はn-チャンネルのMOSFETではさらにプラスに，p-チャンネルMOSFETではマイナスになる．これは単純に，より厚い酸化膜では一定のゲート電圧に対して電界が減少するためである．このようなやり方はチップの上のトランジスタを分離するためににひろく使われる．図21はn^+拡散領域とn^--ウェル(槽)の間を隔離する酸化膜（フィールド酸化膜と呼ばれる）の断面図を示す．フィールド酸化膜とウェル形成技術の詳細は第14章で述べられる．n^+拡散領域は通常のn-チャンネルのMOSFETのソースあるいはドレイン地域である．MOSFETのゲート酸化膜はフィールド酸化膜よりずっと薄い．配線がフィールド酸化膜の上に形成されるとき，フィールドトランジスタと呼ばれる寄生的なMOSFETが，n^+拡散領域とn^--ウェルをそれぞれソースとドレインとしてできる．フィールド酸化膜のV_Tは薄いゲート酸化膜のそれより通常に一桁以上大きい．そのため動作中にフィールドトランジスタがオンされることはない．したがって，フィールド酸化膜はn^+拡散領域とn^--ウェルの間を充分に分離する．

例題7　$N_A = 10^{17}$ cm^{-3}，$Q_f/q = 5 \times 10^{11}$ cm^{-2}のn-チャンネルフィールドトランジスタについて，ゲート酸化膜 500 nm（すなわちフィールド酸化膜）の場合のV_Tを計算せよ．

解答　$C_o = \varepsilon_{ox}/d = 6.9 \times 10^{-9}$ F/cm^2,

例題2，3から$2\Psi_B = 0.84$ V，$V_{FB} = -1.1$ Vとなる．

したがって，式(45)($V_{BS}=0$)から

$$V_T = V_{FB} + 2\Psi_B + \frac{\sqrt{2\varepsilon_s q N_A (2\Psi_B)}}{C_o}$$

$$= -1.1 + 0.84 + \frac{\sqrt{2 \times 11.9 \times 8.85 \times 10^{-14} \times 1.6 \times 10^{-19} \times 10^{17} \times 0.84}}{6.9 \times 10^{-9}}$$

$$= 24.12 \text{ V}.$$

しきい値電圧はまた基板バイアスによっても調整できる．式(45)によれば基板バイアスによるしきい値電圧の変化は次のようである．

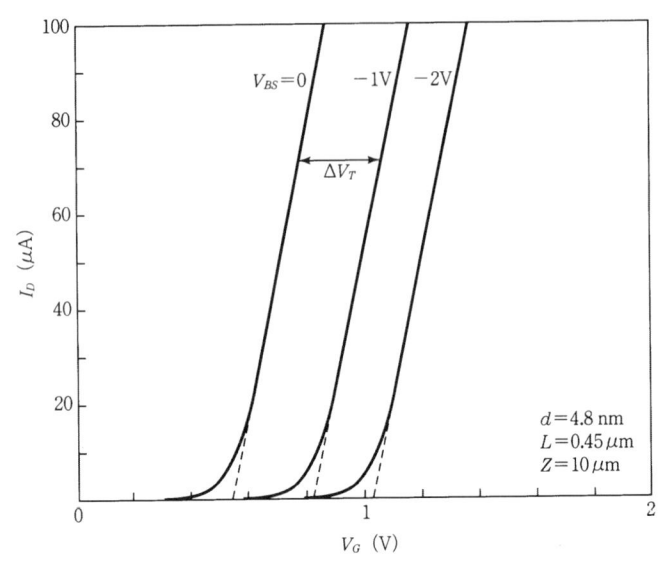

図 22 基板バイアスによるしきい値電圧の変化.

$$\Delta V_T = \frac{\sqrt{2\varepsilon_s q N_A}}{C_o}(\sqrt{2\Psi_B + V_{BS}} - \sqrt{2\Psi_B}). \tag{46}$$

V_G に対してドレイン電流をプロットすると，V_G-軸との切片が式 (36) のしきい値電圧に対応する．そのようなプロットが三つの異なった基板バイアスについて図 22 で示されている．基板バイアス V_{BS} が 0 V から 2 V まで増加すると，しきい値電圧は 0.56 V から 1.03 V まで増加する．基板バイアス効果はぎりぎりのエンハンスメント型デバイス（$V_T \sim 0$）のしきい値電圧をより大きい値にするために使われることがある．

例題 8 例題 6 の $V_T = -0.02$ V の MOSFET について，基板バイアスをゼロから 2 V まで増加させた場合のしきい値電圧の変化を計算せよ．

解答 式 (46) から

$$\Delta V_T = \frac{\sqrt{2\varepsilon_s q N_A}}{C_o}(\sqrt{2\Psi_B + V_{BS}} - \sqrt{2\Psi_B})$$

$$= \frac{\sqrt{2 \times 11.9 \times 8.85 \times 10^{-14} \times 1.6 \times 10^{-19} \times 10^{17}}}{6.9 \times 10^{-7}}(\sqrt{0.84 + 2} - \sqrt{0.84}),$$

$$= 0.27 \times (1.69 - 0.92) = 0.21 \text{ V}.$$

V_T を制御するもう一つの方法として，適切なゲート材料を選択することにより，仕事関数差を調節する方法がある．W，TiN，高ドープされたポリ SiGe など多くの導電性材料が提案された[6]．ディープ・サブミクロン（0.25 μm）デバイスの製作では，しきい値電圧とデバイス特性の制御が，デバイス縮小則で見られる幾何学的な効果のために一層難しくなる（次の節の討論参照）．従来の n^+-ポリ Si を置き換えるための他のゲート材料の使用は，ディープ・サブミクロン領域でのデバイスデザインをいっそう柔軟にすることができた．

6.3 MOSFET 縮小則

MOSFETの寸法を小さくすることは，開発の初期から連綿と続いている傾向である．より小さなデバイスは，集積回路においてより高密度の集積を可能とする．さらに小さなチャンネル長は，駆動電流（$I_D \sim 1/L$）を増大させ，したがって，動作特性を向上させる．しかしながら，デバイスの寸法が減少すると，チャンネルの側面領域（すなわちソース，ドレイン，および，絶縁エッジ）からの影響が顕著になる．したがって，デバイス特性は，長チャンネル近似の特性からずれる．

6.3.1 短チャンネル効果

式（45）で与えられるしきい値電圧は，6.2.1項で述べられたグラデュアル・チャンネル近似に基づいて導出されている．すなわち，基板の表面空乏層の電荷は，ゲート電圧によって引き起こされた電界によってのみ導入されるとしている．言い換えれば，式（45）の第3項は，ソースおよびドレイン等の横方向からの電界には独立である．しかしながら，チャンネルが短くなると，ソース/ドレインからの電界が電荷の分布に影響し，したがって，しきい値電圧の制御，デバイスのリーク電流のようなデバイス特性に影響する．

直線領域におけるしきい値電圧の変化

チャンネル側面の影響が無視できなくなると直線領域のしきい値電圧は，n-チャンネルMOSFETの場合，チャンネル長が短くなると共に負の方向に，p-チャンネルMOSFETの場合，チャンネル長が短くなると共に正の方向にずれる．図23は，$V_{DS}=0.05\,\text{V}$の場合のこのV_T

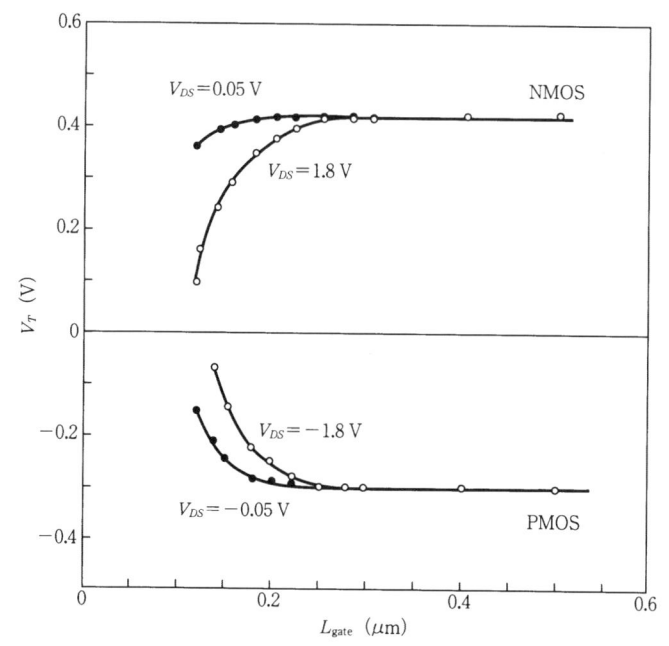

図 23　0.15 μm CMOS技術におけるしきい値電圧のゲート長依存性[7]．

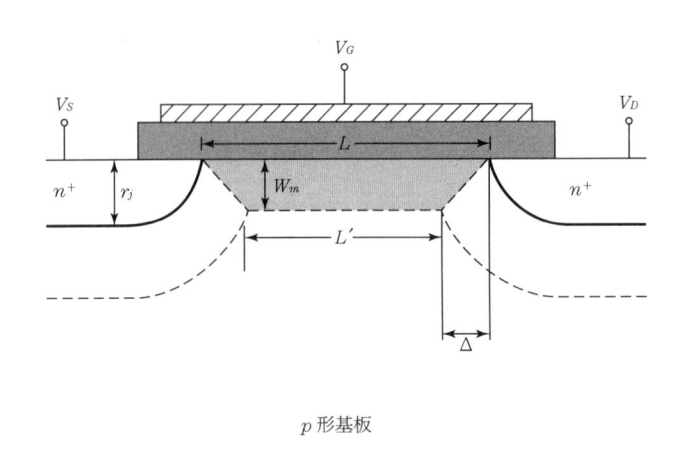

図 24 電荷分担モデルの模式図[8].

の変化の例を示したものである[7]．この変化は，図 24 に示されているように，電荷分担模型によって説明できる[8]．この図は，n-チャンネル MOSFET の断面図を示している．このデバイスは，直線領域（$V_{DS} \leq 0.1\,\mathrm{V}$）で動作されている．したがって，ドレイン接合の空乏層幅は，ソース接合の空乏層幅とほぼ等しい．チャンネルの空乏層領域は，ソースおよびドレイン空乏層領域と重なるので，ゲートバイアスによる電荷は台形領域の電荷によって近似できる．

しきい値電圧の変化 ΔV_T は，空乏層領域が長方形 $L \times W_m$ から台形 $(L+L')W_m/2$ に減少することによる．ΔV_T は，次式によって与えられる（問題 27 参照）．

$$\Delta V_T = -\frac{qN_A W_m r_j}{C_o L}\left(\sqrt{1+\frac{2W_m}{r_j}}-1\right), \tag{47}$$

ここで，N_A は基板のドーピング濃度，W_m は空乏層幅，r_j は接合深さ，L はチャンネル長，そして，C_o は単位面積当りのゲート酸化膜の容量である．

長チャンネルデバイスでは，この電荷の減少は少ない．なぜなら，Δ（図 24）は，L よりはるかに小さいからである．しかしながら，短チャンネルデバイスにおいては，Δ が L と同じ位になるので，デバイスをオンにするのに必要な電荷は劇的に減少する．式 (47) からわかるように，N_A，W_m，r_j，および C_o に対して，しきい値電圧はチャンネル長の減少とともに減少する．

ドレインによる障壁の低下

短チャンネル MOSFET のドレイン電圧が増加し，直線領域から飽和領域になると，しきい値電圧の変化は大きくなる（図 23）．この効果はドレインによる障壁低下効果と呼ばれる (drain-induced barrier lowering, DIBL)．チャンネル長の異なるいくつかの n-チャンネルデバイスの，ソース・ドレイン間の表面電位の分布が，図 25 に示されている．点線は $V_{DS}=0$ の場合であり，実線は $V_{DS}>0$ の場合である．ゲート電圧が V_T より低い場合には，p-シリコン基板が n^+-ソース・ドレイン間の電位障壁を形成し，ソースからドレインへの電子の流れを制限する．飽和領域において動作しているデバイスにおいては，ドレイン接合の空乏層幅が，ソース接合のそれよりはるかに広くなる．長チャンネルの場合，ドレイン接合の空乏層幅の広がりは，電

位障壁の高さにほとんど影響しない（図25，1 μm の場合）．ところが，チャンネル長が十分短くなると，ドレインの電圧の増大は，電位障壁の高さを減少させる（図25，0.3 および 0.5 μm の場合）．これは，ドレインとソースが近すぎた場合，表面領域において，ドレインからソース方向に電界が侵入するためと理解できる．このような障壁の低下は，ソースからドレインへの電子の注入を増大させることになる．結果として，サブスレッショールド電流が増大する．したがって，短チャンネルデバイスにおけるしきい値電圧は，ドレイン電圧の増加と共にさらに減少する．

図26は，低および高ドレイン電圧における，長および短 n-チャンネル MOSFET のサブスレッショールド特性を示したものである．ドレイン電圧が増大した場合の短チャンネルデバイスのサブスレッショールド電圧の並行シフト（図26b）は，顕著な DIBL 効果が誘起されていることを示している．

バルクパンチスルー

DIBL は，SiO_2/Si 界面におけるリークパスを作る原因になる．ドレイン電圧が充分高いと，短チャンネル MOSFET については，基板のバルク部分を通してドレインからソースに顕著にリーク電流が流れる．このことも，ドレイン電圧の増大によってドレイン接合の空乏層幅が増大したことで理解できる．短チャンネル MOSFET ではソースおよびドレイン接合の空乏層幅の合計はチャンネル長に近くなる．ドレイン電圧が増大すると，ドレイン接合の空乏層領域は徐々にソース接合のそれとつながってしまう．結果として，ドレインからソースへバルクを通して大きなリーク電流が流れることになる．図27は，短チャンネル（$L=0.23\ \mu m$）MOSFET のサブスレッショールド特性を示している．ドレイン電圧が 0.1 から 1 V へ増加すると，図26(b) に示されている場合と同様に，サブスレッショールド特性が並行にシフトし DIBL が誘起されていることがわかる．ドレイン電圧が，さらに 4 V まで増加すると，サブスレッショールドスイ

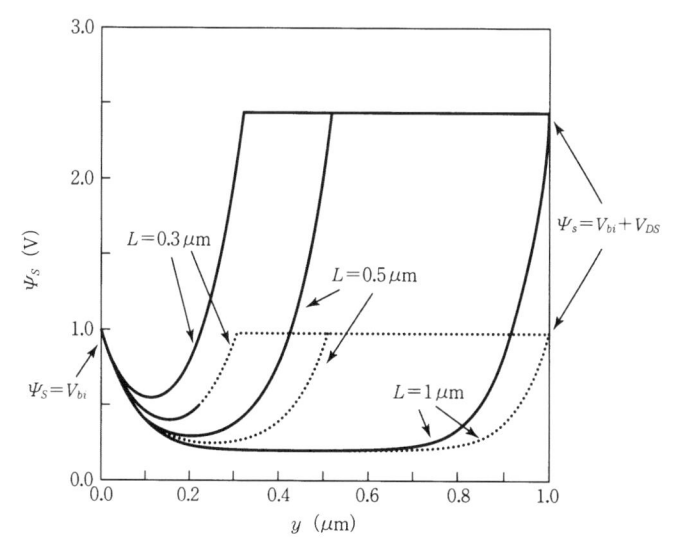

図 25 異なったチャンネル長の n-チャンネル MOSFET における表面ポテンシャルの計算値[9]．ソースとチャンネルの境界は $y=0$．低ソース・ドレイン間電圧 V_D（0.05 V，点線）および高 V_D（1.5 V，実線）が印加された場合が示されている．酸化膜厚 d およびドーピング濃度 N_A はそれぞれ 10 nm および $10^{16}\ cm^{-3}$ である．基板バイアスは 0 V．

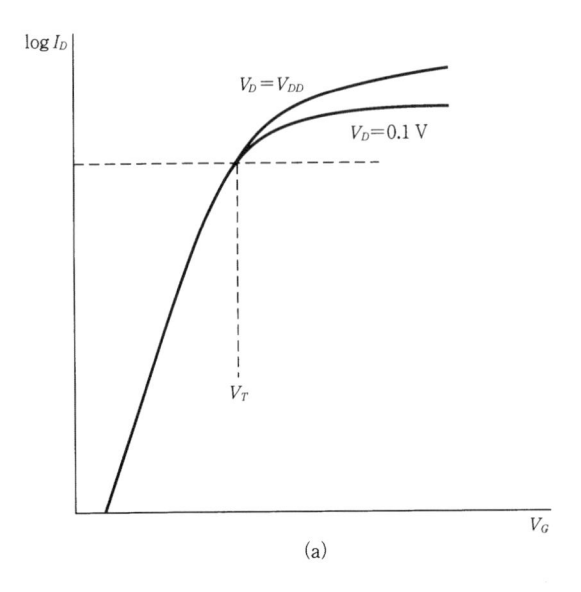

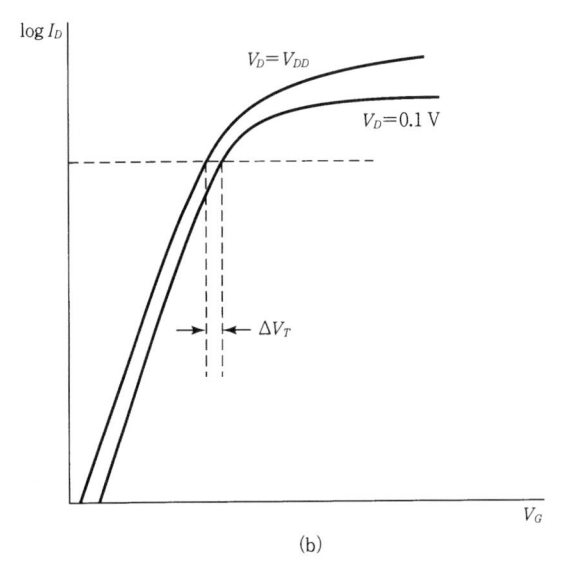

図 26　(a) 長チャンネル MOSFET，(b) 短チャンネル MOSFET のサブスレッショールド特性.

ングが，低ドレイン電圧の場合に比べてずっと大きくなっている．その結果，デバイスには非常に大きなリーク電流が流れる．このことは，バルクパンチスルー効果が非常に深刻であることを示している．ゲートはデバイスを完全にはしゃ断することができなくなり，ドレイン電流を制御することができなくなる．高いリーク電流は短チャンネル MOSFET のデバイス動作を制限する．

6.3.2　縮　小　則

デバイス寸法が小さくなっても，デバイスおよび回路を正常に動作させるためには，短チャンネル効果を最小にしなければならない．したがって，デバイスの寸法を小さくする場合の何らか

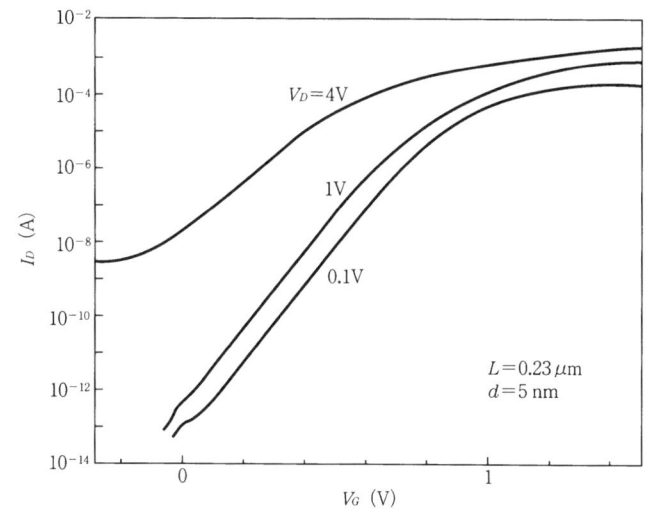

図27 $V_{DS}=0.1, 1,$ および 4V の n-チャンネル MOSFET のサブスレッショールド特性.

の指針が必要である．長チャンネル動作を維持する一つの方法は，デバイス内部の電界が同じに保たれるように，すべての寸法と電圧を縮小率 $\kappa(>1)$ によって単純に小さくする方法である．この方法は**一定電界縮小則**と呼ばれる[10].

表1は，種々のデバイスパラメータと回路特性を，一定電界縮小則によりまとめたものである[11]．回路特性（オン状態での速度，消費電力など）は，デバイス寸法が縮小することによって向上する．しかし，実際の集積回路（IC）では，小さなデバイス内の電界は一定ではなく，あ

表1 MOSFET デバイスの縮小則と回路パラメータ

決定要因	MOSFET デバイスと回路パラメータ	乗数 $(\kappa>1)$
縮小の仮定	デバイス寸法 (d, L, w, r_j)	$1/\kappa$
	ドーピング濃度 (N_D, N_A)	κ
	電圧 (V)	$1/\kappa$
デバイスパラメータの縮小による変化	電界 $(\mathscr{E})$	1
	キャリア速度 (v)	1
	空乏層幅 (W)	$1/\kappa$
	容量 $(C=\varepsilon A/d)$	$1/\kappa$
	反転層電荷密度 (Q_n)	1
	電流，ドリフト (I)	$1/\kappa$
	チャンネル抵抗 (R)	1
回路パラメータの縮小による変化	回路遅延時間 $(\tau \sim CV/I)$	$1/\kappa$
	回路当りの消費電力 $(P \sim VI)$	$1/\kappa^2$
	回路当りの電力・遅延積 $(P\tau)$	$1/\kappa^3$
	回路密度 $(\sim 1/A)$	$1/\kappa^2$
	電力密度 (P/A)	1

る程度増大する．これは主に電圧要素（すなわち，電源やしきい値電圧，等）は任意には縮小できないからである．しきい値電圧が小さすぎると，しゃ断状態（$V_G=0$）におけるリーク電流が急激に増大する．これはサブスレッショールドスイングが縮小則に従わないからである．したがって，待機消費電力もまた増大する[12]．縮小則に従って，MOSFETは，チャンネル長20 nmの長さのものまで作られるようになり，その結果，非常に高い伝達コンダクタンス（1000 mS/mm以上）と，適度なサブスレッショールドスイング（約120 mV/桁）が得られている[13]．

6.4 CMOSとBiCMOS

相補的MOS（complementary MOS, CMOS）は，p-チャンネルとn-チャンネルMOSFETの相補的な組合せに対して用いられる．CMOS論理回路は，現在の集積回路デザインで用いられる最も一般的な技術である．CMOSの成功の主な理由は，その低消費電力とノイズに対する強さである．実際，その低消費電力性によって現在CMOS技術だけが先端集積回路の製造に使われている．

6.4.1 CMOSインバータ

CMOS論理回路の基本的な要素であるCMOSインバータが図28に示されている．CMOSインバータにおいては，p-チャンネルトランジスタとn-チャンネルトランジスタのゲートが繋がっており，インバータの入力ノードとして使われる．また，これら二つのトランジスタのドレインも繋がっており，インバータの出力ノードとして使われる．n-チャンネルMOSFETのソー

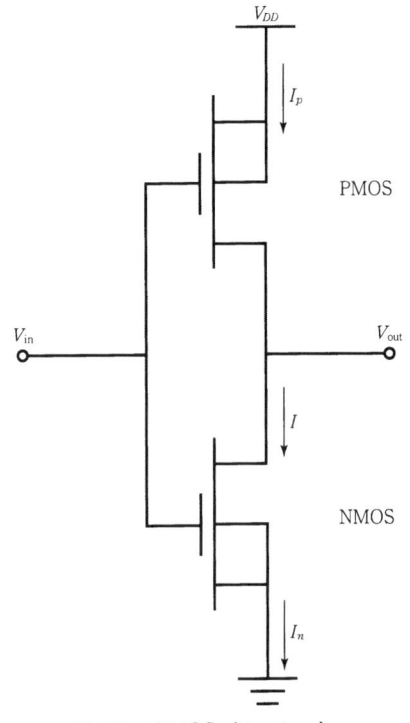

図 28 CMOSインバータ．

スと基板の接点は接地され，一方，p-チャンネル MOSFET のそれらは電源（V_{DD}）に接続されている．p-チャンネルと n-チャンネル MOSFET の両方がエンハンスメント型トランジスタであることに注意されたい．入力電圧が低い（例として，$V_{in}=0$，$V_{GSn}=0<V_{Tn}$）時，n-チャンネル MOSFET はオフである†．しかし，p-チャンネル MOSFET は $|V_{GSp}|\cong V_{DD}>|V_{Tp}|$ であるからオンになる（ここで V_{GSp} と V_{Tp} は負）．その結果，出力ノードは p-チャンネル MOSFET を通じて V_{DD} に充電される．入力電圧が高く，ゲート電圧が V_{DD} に等しい場合には，$V_{GSn}=V_{DD}>V_{Tn}$ であるので n-チャンネル MOSFET はオンになり，p-チャンネル MOSFET は $|V_{GSp}|\cong 0<|V_{Tp}|$ であるのでオフになる．したがって，出力ノードは n-チャンネル MOSFET を通じてアースに放電される．

　CMOS インバータの動作をもっとくわしく理解するためにトランジスタの出力特性をプロットしてみよう．これは，図 29 に示されているように，I_P と I_n が出力電圧（V_{out}）の関数として示される．I_P は，ソース（V_{DD} に接続されている）からドレイン（出力ノード）へ流れる p-チャンネル MOSFET の電流である．I_n は，ドレイン（出力ノード）からソース（接地されている）へ流れる n-チャンネル MOSFET の電流である．ある V_{out} の点でみると入力電力（V_{in}）が増加すると I_n が増加し，I_P が減少する方向に動作することに注意されたい．しかし，定常状態では，I_P と I_n は等しくなければならない．図 29 に示されているように，ある V_{in} に対して $I_n(V_{in})$ と $I_P(V_{in})$ の交差する点から，それに相当する V_{out} を決めることができる．図 30 に示されるような V_{in}-V_{out} 曲線は，CMOS インバータの伝達曲線と呼ばれる[11]．

　CMOS インバータの重要な特性は，出力が論理のある定常状態の時，すなわち，$V_{out}=0$ または，V_{DD} の時，一つのトランジスタだけがオンになっていることである．したがって，電源からアースに流れる電流は非常に小さく，オフになっているデバイスのリーク電流に等しくなる．実際二つのデバイスが交互にオンになる場合，非常に短い過渡状態においてのみ電流が流れる．したがって，n-チャンネル MOSFET やバイポーラのような他の論理回路と比べた場合，消費電力が定常状態で非常に低くなる．

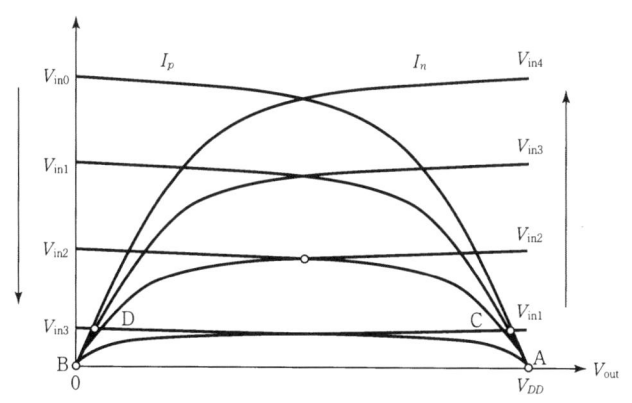

図 29 V_{out} の関数としての I_P と I_n．I_P と I_n の交点（〇）は CMOS インバータの安定点である[11]．各曲線の入力電圧は次のようである：$0=V_{in0}<V_{in1}<V_{in2}<V_{in3}<V_{in4}=V_{DD}$．

---

† V_{GSn} および V_{GSp} はそれぞれ n-および p-チャンネル MOSFET のゲート・ソース間電圧を示す．

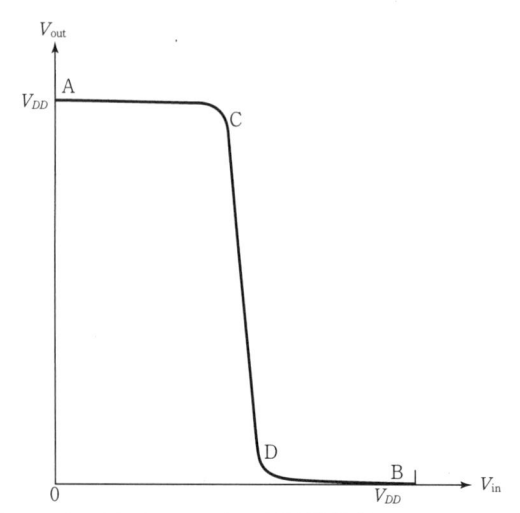

図 30 CMOS インバータの伝達特性 [11]. A, B, C, および D 点はそれぞれ図 29 のこれらの点に相当する.

6.4.2 ラッチアップ

CMOS を作るため，同じチップ内に p-チャンネルと，n-チャンネル MOSFET の両方を作るには，基板に"ウェル"あるいは"タブ"（日本語にすれば"槽"）を作るための余分なドーピングあるいは拡散の工程が必要になる．ウェルのドーピングの形は，周辺基板のドーピングの形と異なる．代表的なウェルの形としては p-ウェル，n-ウェル，あるいは，ツインウェルがある．ウェルを作る技術の詳細については 14 章で述べる．図 31 は，p-ウェルの技術で作った CMOS インバータの断面図である．この図では p-チャンネル MOSFET と，n-チャンネル MOSFET がそれぞれ n 形 Si 基板，および，p-ウェルの領域に作られている．

CMOS 回路におけるウェル構造の主要な問題は，ラッチアップ現象である．ラッチアップ現象の原因は，寄生 p-n-p-n ダイオードの動作である．図 31 に示されるように，寄生 p-n-p-n ダイオードは，横方向の p-n-p バイポーラ・トランジスタと，縦方向の n-p-n バイポーラ・トランジスタから成っている．p-チャンネル MOSFET のソース，n-基板，および，p-ウェルが，それぞれ，横方向の p-n-p バイポーラ・トランジスタのエミッタ，ベース，コレクタに相当する．n-チャンネル MOSFET のソース，p-ウェル，および，n-基板が，それぞれ，縦方向 n-p

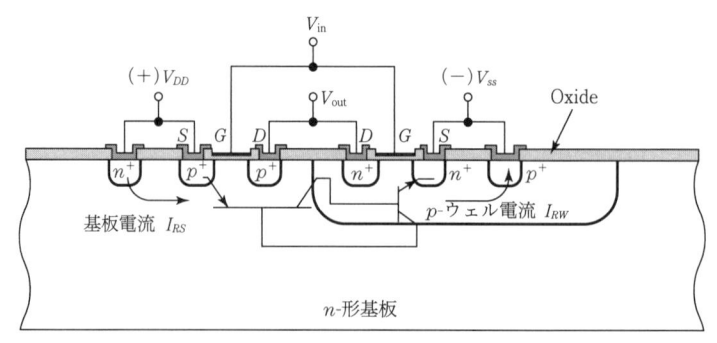

図 31 p-ウェルの技術で作った CMOS インバータの断面図．

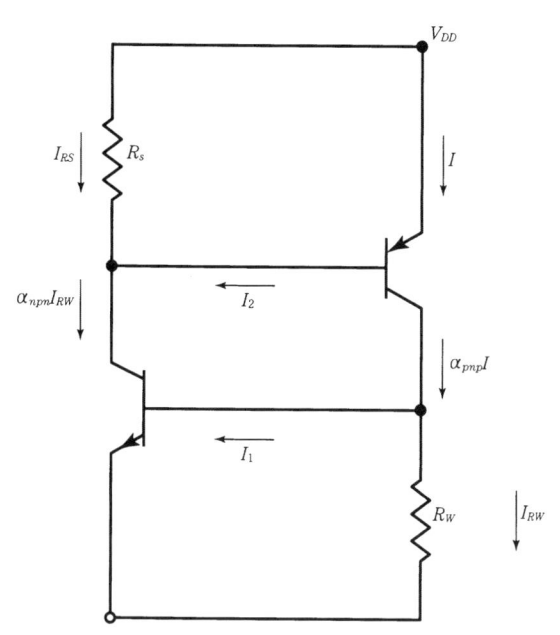

図 32 図31に示した p-ウェル構造の等価回路.

-n バイポーラ・トランジスタのエミッタ，ベース，コレクタになる．寄生要素の等価回路が図32に示されている．R_S と R_W はそれぞれ基板およびウェルの直列抵抗である．それぞれのトランジスタのベースは，他のトランジスタのコレクタによって作動され，正の帰還グループを構成している．この構成は，第5章で議論されたサイリスタに似ている．二つのバイポーラ・トランジスタ電流利得の積 $\alpha_{npn} \times \alpha_{pnp}$ が1より大きくなった時，ラッチアップが起こる．ラッチアップが起こると，電源（V_{DD}）からアース電極に向かって大きな電流が流れる．このため大きな電力が消費され，回路の正常な動作が阻害されると共にチップ自身が壊されることさえある．

ラッチアップを防ぐには，寄生バイポーラ・トランジスタの電流利得を小さくしなければならない．一つの方法は，少数キャリアの寿命を小さくするために，金をドーピングしたり中性子線照射をしたりすることである．しかしながら，この方法は，制御が困難である上，リーク電流が増える．ウェル構造を深くするか，あるいは，レトログレイド（後退）ウェルを作るために高エネルギーでイオン注入を行うことにより，ベースの不純物濃度を上げることができ，その結果，縦方向バイポーラ・トランジスタの電流利得を下げることができる．レトログレイドウェルでは，ウェルのドーピング濃度のピークを，表面からはなれた基板内に位置させることができる．

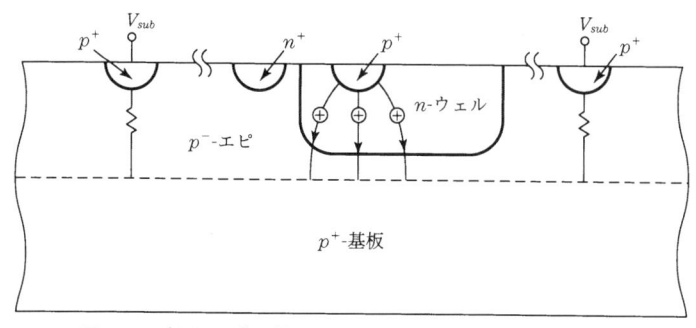

図 33 高ドープの基板によるラッチアップの防止[14].

ラッチアップを減少させるもう一つの方法は，高ドープの基板を使い，図33に示すように，その上の低ドープエピ層にデバイスを作ることである[14]．高ドープ基板は非常に伝導性のよいパスを作り，電流を集めることができる．したがって，電流は表面の電極を通して引き抜かれる．

ラッチアップはトレンチ構造による絶縁で防ぐこともできる．トレンチ構造の絶縁の作り方については，第14章で議論する．この方法では，n-チャンネルと，p-チャンネルMOSFETがトレンチによって物理的に隔離されているので，ラッチアップを完全になくすことができる．

6.4.3 BiCMOS

CMOSは低消費電力と高集積度という長所があるので，複雑な回路を作るのに適している．しかしながら，CMOSは，バイポーラ技術と比べて駆動電力が低いという欠点があるため，回路の特性が制限される．BiCMOSは，同じチップ内にCMOSとバイポーラデバイスの両方を集積する技術である．BiCMOSの回路は，大部分がCMOSデバイスから成っていて，少数のバイポーラデバイスが含まれる．バイポーラデバイスは，あまり多くの余分な電力を消費することなく，同様の動作をするCMOS回路に比べてより高いスイッチング特性を示すことができる．しかし，この特性の向上は，作り方が複雑になり，時間を要し，コストも高くなるという対価を払って初めて達成される．BiCMOSの製作プロセスについては第14章で議論する．

6.5 絶縁物上のMOSFET

ある種の目的にはMOSFETが半導体基板上よりもむしろ絶縁基板上に製作される．しかし，トランジスタの特性はMOSFETの特性とよく似ている．通常，このようなデバイスは薄膜トランジスタ（thin film transistor, TFT）と呼ばれ，チャンネル層はアモルファスあるいは多結晶Si（polycrystalline silicon 以後ポリSi）でできている．チャンネル層が単結晶シリコンの場合には，Si on Insulator（SOI）と呼ばれる．

6.5.1 薄膜トランジスタ（TFT）

水素化アモルファスシリコン（a-Si：H）とポリSiがTFT作製に最も良く使われる材料である．これらの材料は，通常，ガラス，石英，あるいは薄いSiO$_2$が表面についているシリコン基板のような絶縁基板上に堆積される．

水素化アモルファスシリコンTETは，液晶ディスプレイ（liquid crystal display, LCD）および密着イメージセンサ（contact imaging sensors, CIS）のような大面積を必要とする用途に非常に重要なデバイスである．a-Si：H材料は，通常，プラズマ援用化学気相堆積（plasma-enhanced chemical vapor deposition, PECVD）法によって堆積される．堆積温度が低い（通常200～400℃）ので，ガラスのような安価な基板を使うことができる．a-Si：Hに含まれる水素原子の役割は，アモルファスシリコン中の不対電子を不活性化（passivate）し，それによって，欠陥密度を下げることである．水素による不活性化がないと，大量の欠陥によって絶縁物とa-Si：Hとの界面フェルミ準位がピン止めされ，フェルミ準位をゲート電圧によって調整することができない．

a-Si：H TFT は，通常，図 34 に示されるように，逆スタッグ構造で作られる．逆スタッグ構造とは，ゲートが下側にある構造である．プロセス温度が低い（<400℃）ので金属ゲートを使うことができる．PECVD で堆積された窒化シリコン，あるいは，酸化シリコン膜が，ゲート絶縁膜としてしばしば用いられる．それに続いて，ドープされていないアンドープの a-Si：H がチャンネルとして堆積される．プロセス温度を低くしなければならないという必要に応えるために，TFT のソースとドレインも，ドーピングした n^+ a-Si：H 層を堆積することによって作られる．n^+ a-Si：H のパターニングをする時のエッチストップとして，絶縁膜がしばしば用いられる．逆ゲート構造の TFT の特性は，トップゲート構造の特性よりも通常優れている．これは，トップゲート TFT 用のゲート絶縁膜を PECVD で堆積している間に，プラズマによって a-Si：H チャンネル層がダメージを受けるためである．さらに，逆ゲート構造の方が，ソースおよびドレインを作るプロセスが簡単になる．a-Si：H TFT の代表的なサブスレッショールド特性が図 35 に示されている．チャンネル材料がアモルファスであるために，キャリアの移動度は，

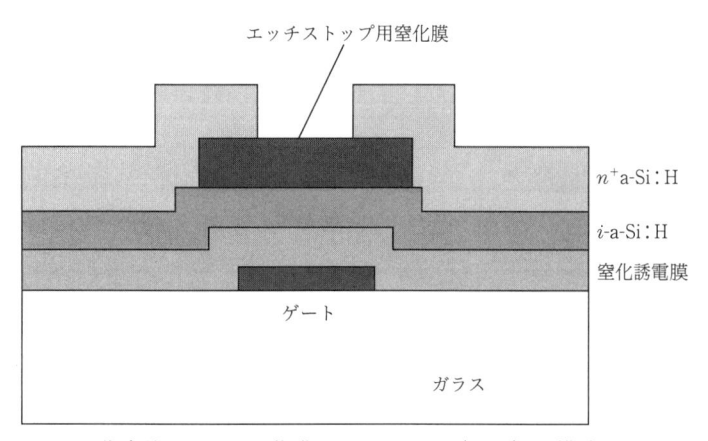

図 34 代表的な a-Si：H 薄膜トランジスタ（TFT）の構造．

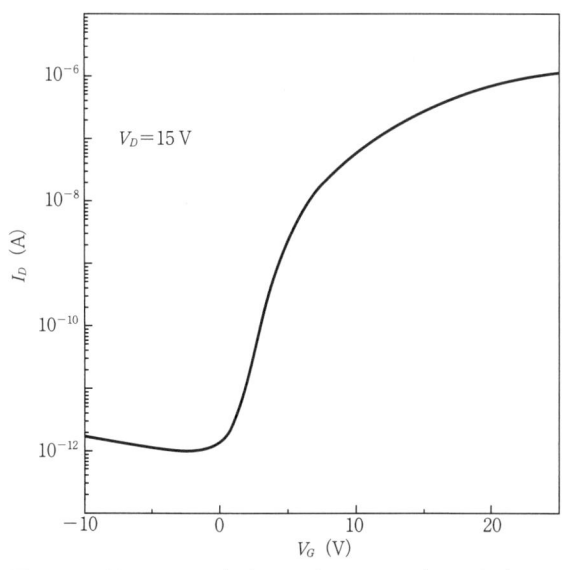

図 35 a-Si：H TFT（$L/Z=10/60\,\mu m/\mu m$）のサブスレッショールド特性．電界効果移動度は $0.23\,cm^2/V\cdot s$．

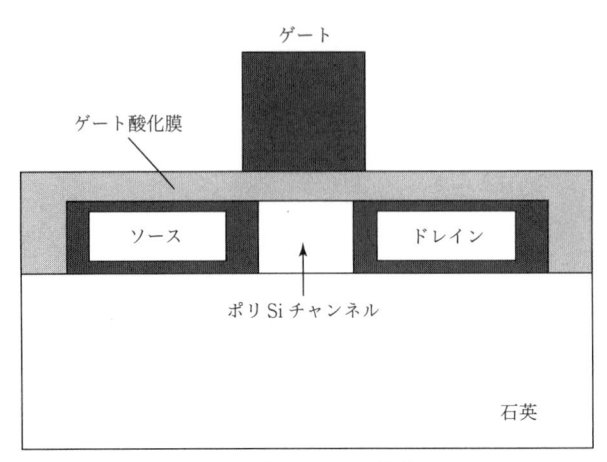

図 36 ポリ Si TFT 構造.

通常, 非常に低い. ($<1\,cm^2/V\text{-}s$)

　ポリ Si TFT はチャンネル層として薄いポリ Si を使う. ポリ Si は, 多数の Si 粒から成っている. Si 粒すなわちグレーン（粒）内は, 単結晶 Si である. しかし, 隣り合った二つの Si 粒間の結晶方位は, 互いに異なっている. 二つの Si 粒間の界面は, 通常, 粒界（grain boundary）と呼ばれる. ポリ Si TFT は, 結晶性に優れているので, a-Si: H TFT と比較して, 高いキャリア移動度, およびそれに伴う, より優れた動作特性を示す. これらのデバイスのキャリア移動度は, 粒径やプロセス条件に依存しており, 約 10〜数百 $cm^2/V\text{-}s$ である. ポリ Si は, 通常, 低圧 CVD（LPCVD）によって堆積される. キャリアの移動度は, 通常, 粒径が小さくなるに従い減少するので, ポリ Si の粒径は TFT の特性を決める重要な要素である. これは主に粒界に含まれる多くの欠陥が, キャリアの輸送を妨げるためである.

　粒界の欠陥は, また, デバイスのしきい値電圧とサブスレッショールドスイングに影響する. チャンネル反転層を作るために, ゲート電圧を加えたとき, これらの欠陥はトラップとして働き, 禁制帯のフェルミ準位を動かすことを妨げる. このような欠陥を緩和するために, デバイス作成後しばしば水素による不活性化のステップが行われる. 水素化は通常プラズマリアクタ中でなされる. プラズマ内に作られる水素原子やイオンが, 粒界に拡散してこれらの欠陥を不活性化する. 水素化することによって, デバイスの特性は大幅に改善される.

　a-Si: H FET と異なって, ポリ Si TFT は, 通常, 図 36 に示されるようにトップゲート構造で作られる. ソース／ドレインを作るためには自己整合（self-aligned）イオン注入が用いられる. ポリ Si TFT を作る上の主な制限は, プロセス温度が高いことである（>600℃）. 結果として, この高いプロセス温度に堪えるために, 通常石英のような高価な基板を使わなければならない. そのため, ポリ Si TFT はコストが高くなり, 一般に応用する上では, a-Si: H TFT よりも魅力的でなくなる. Si をレーザ照射によって結晶化する方法は, この問題を克服する一つの方法と考えられる. この方法では, 最初 a-Si 層が, PECVD あるいは LPCVD によって, 低温でガラス基板上に堆積される. この後, 高出力レーザ光が a-Si に照射される. a-Si にレーザ光のエネルギーが吸収され, a-Si 層が部分的に溶解する. 冷却時に a-Si 層が, 非常に大きな粒径（≧100 μm）のポリ Si になる. この方法により, 結晶シリコン MOSFET に近い, 非常に高いキャリア移動度が得られる.

6.5.2 SOI（Silicon-on-Insulator）デバイス

Silicon-on-sapphire（SOS），silicon-on-spinel, silicon-on-nitride, and silicon-on-oxide などの，多くの SOI デバイスが提案されてきた．図 37 は，SiO_2 上に作られた SOI CMOS の概略図を示している．バルク Si 基板上に作られた CMOS（これは，バルク CMOS と呼ばれる）と比較して，SOI 絶縁法は，ずっと単純で，複雑なウェル構造は必要としない．したがって，デバイスの集積密度も増大する．バルク CMOS 回路に特有のラッチアップ現象も取り除かれる．ソース，ドレイン領域の寄生接合容量も絶縁性基板によって大幅に低減される．さらに，SOI においては，バルク CMOS に比べて，放射線損傷に対する耐性も大幅に改善される．これは，放射線が当たると電子正孔対が発生する Si の体積が，非常に少ないためである．この性質は，人工衛星への応用において特に重要である．

Si チャンネル層の厚さによって，SOI は部分空乏（partially depleted, PD）と完全空乏（fully depleted, FD）型に分類される．PD-SOI は，厚い Si チャンネル層を用いる．そのため，チャンネル空乏の幅は Si 層の厚さを超えることはない．PD-SOI のデバイス設計と特性は，バルク CMOS のそれに似ている．一つ大きな違いは，SOI デバイスにおいては浮遊基板が使われていることである．デバイスの動作中，ドレイン端の高い電界によって，衝突電離が引き起こされることがある．n-チャンネル MOSFET の p-基板においては，大多数のキャリアである正孔が衝突電離によって作られ，基板に蓄積される．なぜなら，これらの電荷を引き出すための基板への電極が無いからである．したがって，基板の電位が変化し，しきい値電圧が減少することになる．これによって電流，電圧特性にキンクが生じたり，電流が増加したりする．キンク現象は図 38 に示されている[15]．この基板の浮遊やキンクによる影響は，電子の衝突電離係数がより大きいため，特に，n-チャンネルデバイスで顕著である．キンクの影響は，トランジスタのソースに接触した基板を作ることによって除くことができる．しかし，これはデバイスのレイアウトとプロセスを複雑にしてしまう．

FD-SOI は充分薄い Si 層を用いるため，トランジスタのチャンネルは，しきい値電圧に達する前に完全に空乏化する．これにより，デバイスは低い電界で動作可能になる．さらに，高い電界における衝突電離に起因するキンクの影響も取り除かれる．FD-SOI は，低消費電力化にとって非常に魅力的な手法である．しかし，FD-SOI の特性は，Si の厚さのバラツキに非常に影響される．もし，FD-SOI の回路が不均一な Si の厚さを持ったウェーハ上に作られると，その回路の動作は不安定になる．

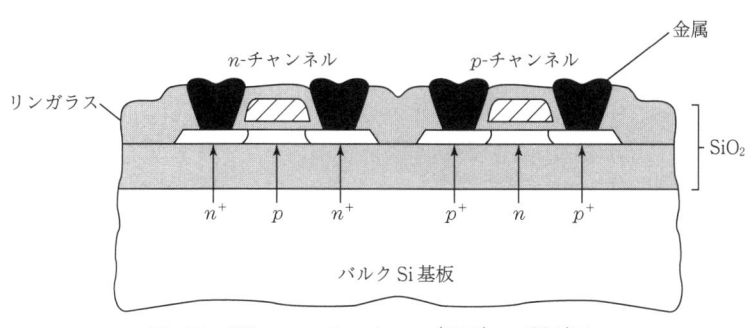

図 37 Silicon-on-Insulator（SOI）の断面図．

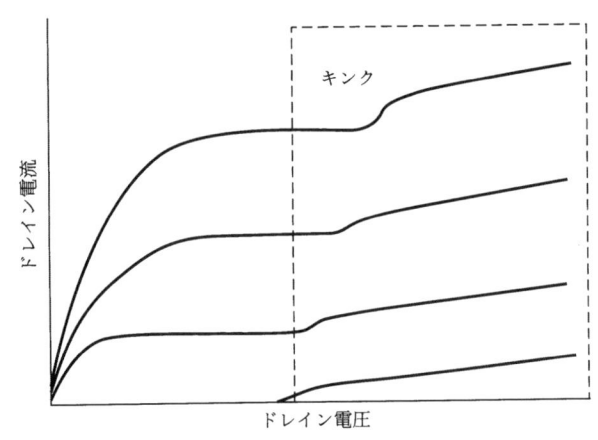

図 38 n-チャンネル SOI MOSFET の出力特性におけるキンク現象[15].

例題 9 $N_A=10^{17}$ cm^{-3}, $d=5$ nm, $Q_f/q=5\times10^{11}$ cm^{-2} の n-チャンネル SOI デバイスに対して，しきい値電圧を計算せよ．デバイスの Si 厚さ d_{si} は，50 nm とする．

解答 例題 1 からバルク NMOS デバイスに対する最大空乏層幅 W_m は，100 nm である．したがって，この SOI デバイスは，完全空乏型である．この場合，空乏層幅は Si の厚さになるから，しきい値電圧を計算する式 (17) および式 (45) に使用されている W_m は，d_{si} に置き換えられる．

$$V_T = V_{FB} + 2\Psi_B + \frac{qN_A d_{si}}{C_o}.$$

例題 2 および 3 から，$C_o=6.9\times10^{-7}$ F/cm^2，$V_{FB}=-1.1$ V，$2\Psi_B=0.84$ V となる．したがって，

$$V_T = -1.1 + 0.84 + \frac{1.6\times10^{-19}\times10^{17}\times5\times10^{-6}}{6.9\times10^{-7}} = -0.14 \text{ V}.$$

6.6 MOS メモリ構造

半導体メモリは，揮発性および不揮発性メモリに大別される．DRAM (dynamic random access memories) および SRAM (static random access memories) 等の揮発性メモリは，電源が切られると蓄積された情報を失ってしまう．他方，不揮発性メモリは，蓄積された情報をずっと保持することができる．現在，DRAM および SRAM は，パソコンやワークステーションに広く使われている．これは DRAM が非常に高集積度でかつ低コストであり，SRAM は動作速度が非常に速いからである．不揮発性メモリは，携帯電話やデジタルカメラ，スマート IC カード等の携帯用電子システムに広く使われている．これは，不揮発性メモリが非常に低消費電力であり，かつ不揮発性であるためである．

6.6.1 DRAM

現在の DRAM 技術は，図 39 に示されている蓄積セル構造を使ったセルの列からなってい

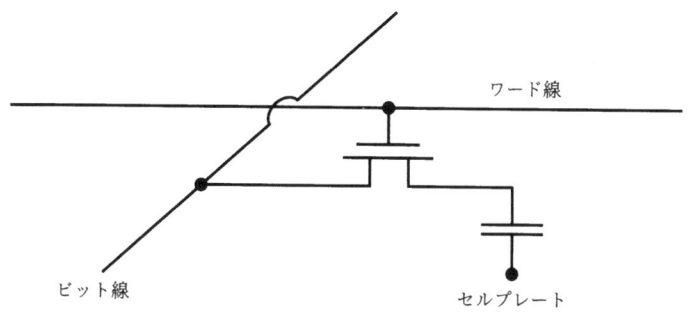

図 39 DRAM の基本構成 [16].

る [16]．セルは MOSFET と MOS 容量を含んでいる．〔すなわち，1トランジスタ，1容量，(1T/1C) セルである〕．MOSFET はセルに書き込んだり，リフレッシュしたり，読み出したりするためのスイッチとして動作する．容量は電荷を蓄積するために使われる．書き込みサイクルでは，MOSFET がオンの状態になり，ビットラインの論理状態が蓄積容量に転送される．実際の動作においては，容量に蓄積された電荷は，蓄積ノードの非常に小さいが，しかし無視できないリーク電流のために，徐々に失われる．結果としてデータは，およそ2～50 ms の間隔で，周期的にリフレッシュされる必要があるため，DRAM の動作はダイナミックになる．

1T/1C DRAM セルは非常に簡単で，非常に小面積の構造であるという有利性を持っている．チップの蓄積密度を増大させるためには，セルサイズをどんどん小さくすることが必要である．しかしながら，これは容量の蓄積能力を減少させることになる．なぜなら容量の電極の面積も，セルのサイズと共に小さくなるからである．この問題を解決するため，三次元の容量構造が必要になってくる．いくつかの三次元の容量構造について，第14章で議論する．容量の誘電材料として，通常使われる酸化膜-窒化物混成層（誘導率4～6）の代わりに，高い誘電率を持つ材料を使うことにより，容量を増加させることができる．

6.6.2 SRAM

SRAM は図40に示されるように，双安定のフリップフロップ構造により論理状態を蓄積する，スタティックセルのマトリックスである．フリップフロップは，たすきがけになった二つのCMOS インバータ（$T1$，$T3$ と $T2$，$T4$）から成っている．一方のインバータの出力が，他方のインバータの入力ノードにつながれている．この構造は"ラッチド"と呼ばれる．加えて，それぞれのゲートがワード線に接続されている，二つの n-チャンネル MOSFET，$T5$ および $T6$ が，SRAM セルにアクセスするために使用される．電源が接続されている限り，論理状態が維持されるので，SRAM の動作はスタティックである．したがって，SRAM はリフレッシュする必要がない．二つの p-チャンネル MOSFET（$T1$ および $T2$）は，負荷トランジスタとして使われる．スイッチングの間以外は，セルには，本来，直流電流は流れない．ある場合には，バルク p-チャンネル MOSFET の替わりに，p-チャンネルポリ Si TFT や，ポリ Si の抵抗が使われることもある．これらのポリ Si 負荷デバイスは，バルク n-チャンネル MOSFET の上に作ることができる．この三次元の集積は，セルの面積を減少させるのに効果的であり，したがって，チップの集積度を増大させることができる．

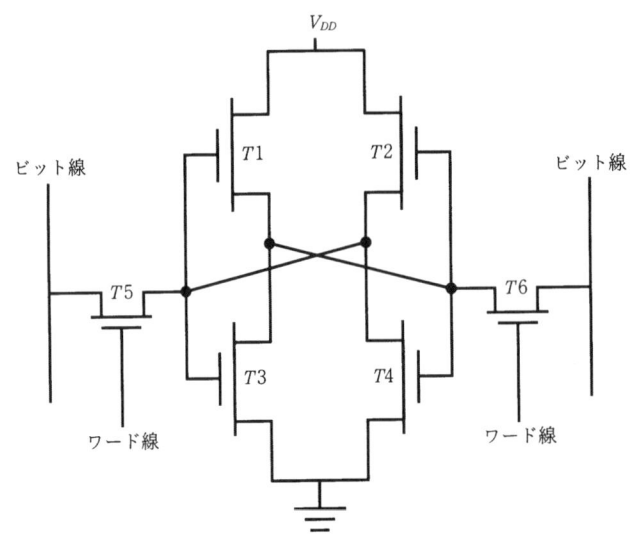

図 40 CMOS SRAM セルの構成. $T1$, $T2$ は負荷トランジスタ (p チャンネル). $T3$, $T4$ は駆動トランジスタ (n-チャンネル). $T5$, $T6$ はアクセストランジスタ (n-チャンネル), である.

6.6.3 不揮発性メモリ

通常の MOSFET のゲート電極において, ゲート電極内に溜まった電荷を半永久的に保存可能な状態に変えることができる場合, その構造は不揮発性メモリデバイスとなる. 1967 年に最初の不揮発性メモリデバイスが提案[17]されて以来, さまざまなデバイス構造が作られてきた. 不揮発性メモリデバイスは, 消去-書き込み可能リードオンリーメモリ (erasable-programmable read-only memory, EPROM), 電気的消去-書き込み可能リードオンリメモリ (electrically erasable-programmable read-only memory, EEPROM), および, フラッシュメモリ等として IC に広く使われてきた.

今日の不揮発性メモリに使われているほとんどのデバイスは浮遊ゲートを持っている (図 41(a)). 電荷は, Si 基板あるいはドレインから, 最初の絶縁膜を通して浮遊ゲートに注入される. これらの電荷は浮遊ゲートに蓄積される. このプロセスは, "プログラミング" と呼ばれる. 浮遊ゲートデバイスの等価回路は, 図 41(b) に示すように, ゲート構造に対して, 直列接続された二つの容量によって表すことができる. 蓄積された電荷は, しきい値電圧をシフトさせ, デバイスは高電圧状態にスイッチされる (すなわち, 論理値 1). うまく設計されたメモリデバイスでは, 電荷の保持時間は 10 年以上に達する. 蓄積された電荷を消去し, デバイスを低しきい値電圧の状態 (すなわち論理値 0) に戻すためには, 電気的なバイアス, あるいは, UV 光照射などの他の方法が使われる.

浮遊ゲートデバイスにおいては, プログラミングは, ホットキャリアの注入, または, トンネルによって行われる. 図 42(a) は, n-チャンネル浮遊ゲートデバイスにおいて, ホットエレクトロンを注入する方法を示している. ホットエレクトロンは, ドレイン近傍の高い電界によって, 高いエネルギー状態に加熱されているため "ホット" である. SiO_2 と Si 伝導帯間の障壁の高さ (約 3.2 eV) よりも高いエネルギーを持ったホットエレクトロンのいくつかは, この障壁を乗り越えて浮遊ゲートに注入される. 浮遊ゲートだけで, 専用ゲートのない EPROM におい

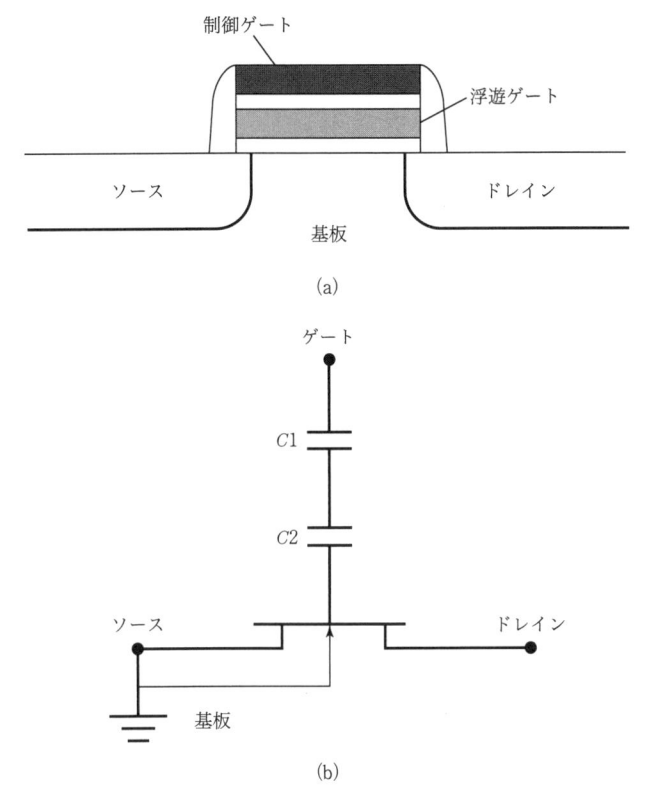

第6章 MOSFETと関連デバイス

図 41 不揮発性半導体メモリ[17]．(a) 浮遊ゲート不揮発性メモリ，(b) 不揮発性メモリの等価回路．

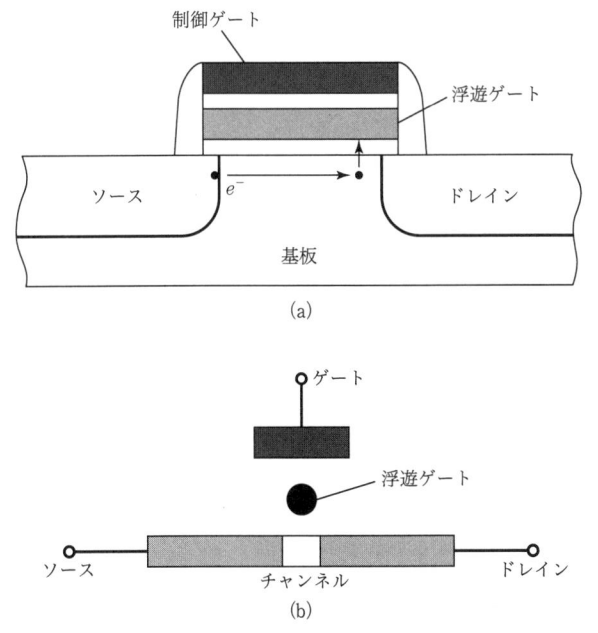

図 42 (a) n-チャンネル浮遊ゲート不揮発性メモリにおけるホットエレクトロン注入を説明する図，(b) 単電子メモリセル[18]．

ては，消去は，UV 光の照射によって行われる．UV 光は蓄積された電荷を，ゲート酸化膜の伝導帯に励起し，移動させる．ERPOM は 1 T/cell 構造であるため，セルの面積が小さいという利点がある．しかし，消去のために石英の窓を持った高価なパッケージを使わなければならない．さらに加えて，消去時間が非常に長い．

　EEPROM は蓄積された電荷を消去するのにトンネルプロセスを使う．消去の時にすべてのセルを消去する EPROM と違って，EEPROM のセルはそれが選択されている時だけ消去される．この動作は，各セルに含まれている選択トランジスタによって行われる．このような"1 バイトごとの消去"は EEPROM の使用を非常に融通のあるものにする．しかしながら，1 セルに二つのトランジスタ（蓄積トランジスタ＋選択トランジスタ）という EEPROM の構造は，その蓄積容量を制限することになる．

　フラッシュメモリにおいては，蓄積セルがいくつかのセクタ（あるいはブロック）に分けられている．消去は，ある選択されたセクタのすべてのセルに対して，トンネルプロセスで同時に行われる．消去スピードは EPROM よりもはるかに速い．そして，1 セルあたり 1 トランジスタという構成により，フラッシュメモリの蓄積容量は，EEPROM よりもずっと大きくなる．

　関連したデバイス構造として，単電子メモリ（single electron memory cell, SEMC）がある[18]．これは，浮遊ゲート構造の一つの極限である．浮遊ゲートの長さを極端に短くすることにより（たとえば 10 nm），SEMC が得られる．SEMC の断面構造が，図 42(b) に示されている．浮遊ドットが，図 42(a) の浮遊ゲートに相当する．サイズが非常に小さいので，容量も非常に小さくなる（約 1 aF）．一つの電子が浮遊ドットを通過すると，容量が小さいために，大きなトンネルバリアができて，次のもう一つの電子が注入されてくるのを妨げる．たった一つの電子により，情報の蓄積が可能であることから，SEMC は，究極の浮遊ゲートメモリセルであるといえる．室温で動作可能，かつ，256 テラビット（256×10^{12} ビット）という高密度の単電子メモリの実現に向けた計画が進められている．

6.7　パワー（電力用）MOSFET

　MOS デバイスの入力インピーダンスは，ゲートと半導体チャンネルの間に絶縁性の SiO_2 があるため，大変高い．この特性は，MOSFET をパワーデバイスの魅力的な候補としている．入力インピーダンスが高いため，ゲートリーク電流が非常に低く，したがって，パワー MOSFET はバイポーラデバイスのような複雑な入力回路を必要としない．さらに，パワー MOSFET のスイッチング速度は，パワーバイポーラデバイスのそれよりもずっと早い．これは，ユニポーラデバイスであるという MOS の特性が，デバイスをオフにする時に起こる少数キャリアの蓄積や再結合等の現象を含んでいないためである．

　図 43 は，三つの基本的なパワー MOSFET の構造を示している[19]．ULSI 回路に使われる MOSFET と異なり，パワー MOSFET は，ソースとドレインを，それぞれウェーハの表面と裏面に設ける縦型構造を採用している．この縦型構造はチャンネル幅を大きくし，ゲート端での電界の集中を減少させる利点がある．これらの性質は電力用への応用にとって非常に重要である．

　図 43(a) は，ゲートが V 形の溝を持っている V-MOSFET である．V 形の溝は水酸化カリ

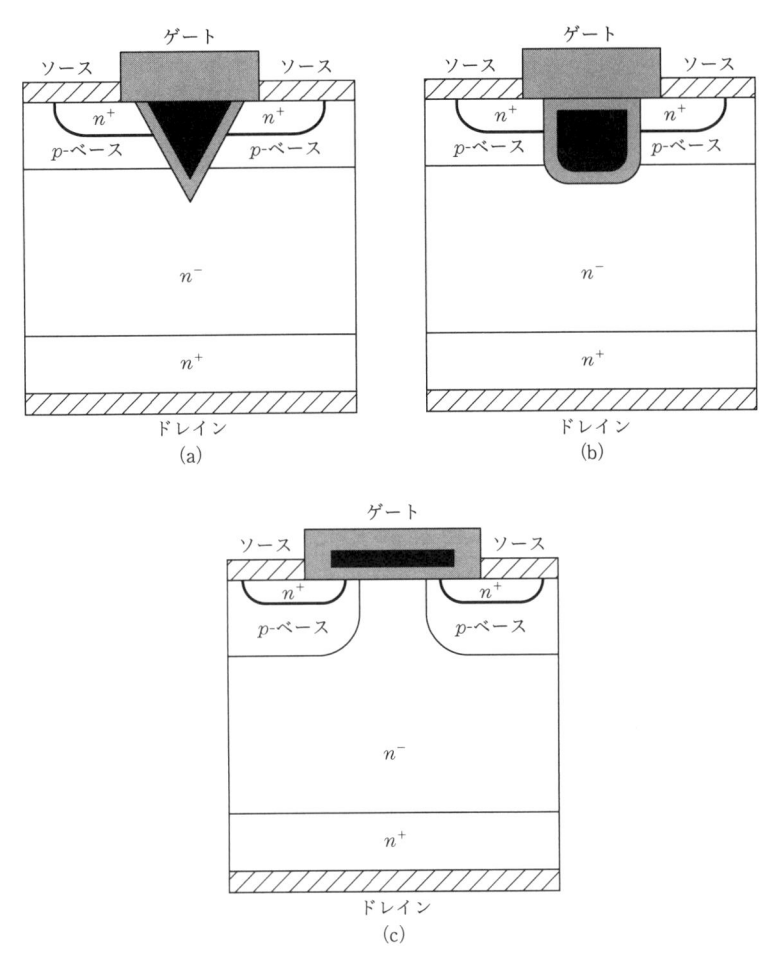

図 43 (a) V形の溝を持っている MOS (VMOS), (b) U形の溝を持っている MOS (UMOS), (c) 二重拡散 MOS (DMOS) パワーデバイス構造[19].

ウム溶液を使った選択ウェットエッチングによって形成される.ゲート電圧がしきい値電圧より大きくなると,V形溝の淵の面にそって反転チャンネルが形成され,ソースとドレインの間に導電性のパスができる.V-MOSFET 開発の一つの主な制限は,プロセスの制御に関係している.V形溝の先端の高電界は,先端への電流の集中に結びつき,デバイス特性を劣化させる可能性がある.

図 43(b) は U-MOSFET の断面図である.これは V-MOSFET に似ている.U形のトレンチは反応性イオンエッチングによって形成され,底の湾曲部分の電界は,V形溝の先端部分の電界に比べると充分に低い.もう一つのパワー MOSFET は,図 43(c) に示されている D-MOSFET である.ゲートは,上部表面に形成されており,それに続く二重拡散のマスクとして動く.二重拡散(これが D-MOSFET と呼ばれる理由であるが)は,p-ベースと n^+-ソース部分を作るのに使われる.D-MOSFET の利点は,p-ベース領域のドリフト時間が短く,高電界の角をさけることができることである.

三つのパワー MOSFET 構造のすべてにおいて,ドレイン側に n 形のドリフト領域がある.n^--ドリフト領域のドーピング濃度は,p-ベース領域よりずっと低い.したがって,正の電圧がド

レインに印加され，ドレイン/p-ベース接合が逆方向にバイアスされた時，空乏層の大部分は n-ドリフト領域にできる．したがって，n-ドリフト領域のドーピングレベルとその幅は，ドレインバイアスを決める重要なパラメータになる．他方，パワー MOSFET の構造には寄生 n-p-n-n^+ デバイスが存在する．パワー MOSFET の動作中にバイポーラ・トランジスタの動作が起こることをさけるため，p-ベースと n^+-ソース（エミッタ）は，図 43 に示されるように短絡される．これによって，p-ベースをある一定の電位に保つことができる．

ま と め

　この章では，MOSFET の基本的な特性と動作原理を説明した．MOSFET の基本となる要素は MOS ダイオードである．MOS デバイスにおいて，酸化膜と半導体界面における電荷の分布（蓄積，空乏，反転）はゲート電圧によって制御される．MOSFET は MOS ダイオードに隣接して，ソースとドレインを作ることによって構成される．出力電流（すなわちドレイン電流）はゲートとドレイン電圧を変化させることによって制御される．しきい値電圧は MOSFET のオン-オフ特性を決める主なパラメータである．しきい値電圧の調整は，適切な基板のドーピング濃度，酸化膜の厚さ，基板のバイアス電圧，ゲートの材料を選ぶことによって行われる（式(45) 参照）．

　Si-MOSFET は，先端集積回路（IC）にとって最も重要なデバイスである．この成功は，主に高品質な SiO_2 と安定した Si/SiO_2 界面の特性に由来するものである．IC チップにおける，低消費電力の要求に対しては，CMOS 技術が現在唯一実行可能な解決法であり，広く実施されている．優れた低消費電力特性は 6.4 節で述べた CMOS インバータの議論で充分理解されたであろう．

　デバイス寸法の縮小は，デバイス密度，動作スピードおよびチップ機能の増大のための，CMOS 技術における連綿と続く動向である．しかし，短チャンネル効果は，デバイスの動作を逸脱させることになるので，デバイスを縮小させる場合には，充分な注意が必要である．デバイス構造パラメータの最適化は，消費電力を最小にする，動作スピードを速くする等の，応用面における主な要求に依存する．

　TFT と SOI は，バルク Si 基板上に作られる通常の MOSFET と異なり，絶縁基板上に作られる MOSFET である．TFT は，チャンネル層として，アモルファスもしくは多結晶半導体を使う．TFT のキャリア移動度は，チャンネル中に存在する非常に多くの欠陥によって低くなる．しかしながら，TFT は，大面積フラットパネルディスプレーのピクセルのスイッチング素子等，バルク MOS 技術では困難な，大面積基板に使用することができる．TFT は，また，SRAM セルの負荷デバイスとしても使われる．SOI MOSFET は単結晶 Si チャンネル層を使用する．バルク MOS デバイスと比べて SOI デバイスは寄生接合容量が小さく，放射線損傷に対して強い抵抗力を示す．SOI は低消費電力，高スピードの応用にとっても非常に魅力的である．

　MOSFET は DRAM，SRAM および不揮発性メモリ等の半導体メモリにも使われている．これらの製品は，IC マーケットにおいて非常に大きな部分を占めている．デバイスサイズの精力的な縮小によって，MOS メモリの蓄積容量は急激に増大した．たとえば DRAM の集積度は，18ヶ月ごとに倍になり，テラビットレベルの単電子メモリも視野に入りつつある．最後に，三つのパワー MOSFET について述べた．これらのデバイスは高い動作電圧と電流を得るために，

縦形の構造を使っている．

参 考 文 献

1. E. H. Nicollian and J. R. Brews, *MOS Physics and Technology,* Wiley, New York, 1982.
2. A. S. Grove, *Physics and Technology of Semiconductor Devices,* Wiley, New York, 1967.
3. B. E. Deal, "Standardized Terminology for Oxide Charge Associated with Thermally Oxidized Silicon," *IEEE Trans. Electron Devices,* **ED-27**, 606 (1980).
4. W. S. Boyle and G. E. Smith, "Charge Couple Semiconductor Devices," *Bell Syst. Tech. J.,* **49**, 587 (1970).
5. (a) D. Kahng and M. M. Atalla, "Silicon-Silicon Dioxide Field Induced Surface Devices," *IRE Solid State Device Res. Conf.,* Pittsburgh, PA, 1960. (b) D. Kahng, "A Historical Perspective on the Development of MOS Transistors and Related Devices," *IEEE Trans. Electron Devices*, **ED-23**, 65 (1976).
6. Y. V. Ponomarev, et al., "Gate-Work function Engineering Using Poly-(Si,Ge) for High Performance 0.18 μm CMOS Technology," in *Tech. Dig. Int. Electron Devices Meet.* (IEDM), p.829 (1997).
7. H. Kawaguchi, et al., "A Robust 0.15 μm CMOS Technology with $CoSi_2$ Salicide and Shallow Trench Isolation," in *Tech. Dig. Symp. VLSI Technol.,* p. 125 (1997).
8. L. D. Yau, "A Simple Theory to Predict the Threshold Voltage in Short-Channel IGFETs," *Solid-State Electron.,* **17**, 1059 (1974).
9. Z. H. Liu, et al., "Threshold Voltage Model for Deep-Submicrometer MOSFETs," *IEEE Trans. Electron Devices,* **ED-40**, 86 (1993)
10. R. H. Dennard, et al., "Design of Ion Implanted MOSFET's with Very Small Physical Dimensions," *IEEE J. Solid State Circuits,* **SC-9**, 256 (1974).
11. Y. Taur and T. K. Ning, *Physics of Modern VLSI Devices,* Cambridge Univ. Press, London, 1998.
12. H-S. P. Wong, "MOSFET Fundamentals," in *ULSI Devices,* C. Y. Chang and S. M. Sze, Eds., Wiley Interscience, New York, 1999.
13. D. Hisamoto, et al., "A Folded-Channel MOSFET for Deep-Sub-Tenth Micron Era," *Tech. Dig. IEEE Int. Electron Devices Meet.,* San Francisco, 1998, p. 1032–1034.
14. R. R. Troutman, *Latch-up in CMOS Technology,* Kluwer, Boston,1986.
15. J. P. Colinge, *Silicon-on-Insulator Technology: Materials to VLSI,* Kluwer, Boston, 1991.
16. (a) R. H. Dennard, "Field-effect Transistor Memory," U.S. Patent 3,387,286. (b) R.H. Dennard, "Evolution of the MOSFET DRAM—A Personal View," *IEEE Trans. Electron Devices,* **ED31**, 1549 (1984).
17. D. Kahng and S. M. Sze, "A Floating Gate and Its Application to Memory Devices," *Bell System Tech. J.,* **46**, 1283 (1967).
18. S. M. Sze, "Evolution of Nonvolatile Semiconductor Memory: from Floating-Gate Concept to Single-Electron Memory Cell," in S. Luryi, J. Xu, and A. Zaslavsky, Eds., *Future Trends in Microelectronics,* Wiley Interscience, New York, 1999.
19. B. J. Baliga, *Power Semiconductor Devices,* PWS Publishers, Boston, 1996.

問題 （＊印は高度な問題を示す）

6.1 節　MOS ダイオードに関する問題

1. n 形基板の理想的 MOS ダイオードの $V_G = V_T$ におけるエネルギーバンド図を描け．
2. p 形基板の n^+-ポリ Si ゲート MOS ダイオードの $V_G = 0$ の時のエネルギーバンド図を描け．
3. p 形基板の n^+-ポリ Si ゲート MOS ダイオードのフラットバンド条件でのエネルギーバンド図を描け．

4. 反転状態における n 形基板の理想的 MOS ダイオードの (a) 電荷分布，(b) 電界分布，(c) 電位分布，を描け．

5. $N_A = 5 \times 10^{16}$ cm^{-3} の金属-SiO$_2$-Si 容量について，最大表面空乏層幅を計算せよ．

6. $N_A = 5 \times 10^{16}$ cm^{-3}，$d = 8$ nm の金属-SiO$_2$-Si 容量について，C-V 特性における最少容量を計算せよ．

*7. $d = 5$ nm，$N_A = 10^{17}$ cm^{-3} の理想的 Si-SiO$_2$ MOS ダイオードにおいて，表面を真性状態にするための印加電圧と界面での電界を求めよ．

8. $d = 10$ nm，$N_A = 5 \times 10^{16}$ cm^{-3} の理想的 Si-SiO$_2$ MOS ダイオードにおいて，強い反転状態にするための印加電圧と界面での電界を求めよ．

*9. 酸化膜中の捕獲電荷 Q_{ot} が $q \times 10^{17}$ cm^{-3} の一様な電荷密度 $\rho_{ot}(y)$ を持つものとする．ここで y は金属・酸化膜界面からの距離，酸化膜の厚さは 10 nm とする．Q_{ot} によるフラットバンド電圧の変化を求めよ．

10. 酸化膜中の捕獲電荷 Q_{ot} が単位面積当たり 5×10^{11} cm^{-2} のシート状電荷で，$y = 5$ nm の位置にあるとする．酸化膜の厚さは 10 nm として，Q_{ot} によるフラットバンド電圧の変化を求めよ．

11. 酸化膜中の捕獲電荷 Q_{ot} が三角形の分布 $\rho_{ot}(y) = q \times (5 \times 10^{23} y)$ cm^{-3} をしているものとする．酸化膜の厚さを 10 nm として，Q_{ot} によるフラットバンド電圧の変化を求めよ．

12. 最初，金属-SiO$_2$ 界面にシート状の可動イオンがあるものとする．高温で正のゲートバイアスを長時間印加することにより，可動イオンは完全に Si-SiO$_2$ 界面に移動した．その結果，フラットバンド電圧は 0.3 V 変化した．酸化膜の厚さを 10 nm として，可動イオン Q_m の面密度を求めよ．

6.2節　MOSFET 基本特性に関する問題

13. $V_D \ll (V_G - V_T)$ と仮定して，本文の式 (33) から式 (34) を導け．

*14. ソースと基板が接地され，ドレインとゲートが接続されている MOSFET の I-V 特性を求めよ．これらの特性において，しきい値電圧はあるか？

15. $L = 1$ μm，$Z = 10$ μm，$N_A = 5 \times 10^{16}$ cm^{-3}，$\mu_n = 800$ cm^2/V·s，$C_o = 3.45 \times 10^{-7}$ F/cm^2，$V_T = 0.7$ V の長チャンネル MOSFET を考える．$V_G = 5$ V の場合の V_{Dsat} と I_{Dsat} を求めよ．

16. $L = 0.25$ μm，$Z = 5$ μm，$N_A = 10^{17}$ cm^{-3}，$\mu_n = 500$ cm^2/V·s，$C_o = 3.45 \times 10^{-7}$ F/cm^2，$V_T = 0.5$ V のサブミクロン MOSFET を考える．$V_G = 1$ V，$V_D = 0.1$ の場合のチャンネルコンダクタンスを求めよ．

17. 問題 16 のデバイスについて，伝達コンダクタンスを求めよ．

18. n-チャンネル，n^+-ポリ Si-SiO$_2$-Si MOSFET において，$N_A = 10^{17}$ cm^{-3}，$Q_f/q = 5 \times 10^{10}$ cm^{-2}，$d = 10$ nm とする．しきい値電圧を計算せよ．

19. 問題 18 のデバイスにおいて，B をイオン注入することにより，しきい値電圧が $+0.7$ V 増加した．注入されたイオンは Si-SiO$_2$ 界面に負のシート電荷を形成するとして，ドーズ量を求めよ．

20. p-チャンネル，n^+-ポリ Si-SiO$_2$-Si MOSFET において，$N_D = 10^{17}$ cm^{-3}，$Q_f/q = 5 \times$

10^{10} cm^{-2}, $d=10$ nm とする.しきい値電圧を計算せよ.

21. 問題20のデバイスにおいて,Bをイオン注入することにより,しきい値電圧が-0.7 V 減少した.注入されたイオンはSi-SiO$_2$界面に負のシート電荷を形成するとして,ドーズ量を求めよ.

22. 問題20のデバイスにおいて,n^+-ポリSiの代わりにp^+-ポリSiを使ったら,しきい値電圧はどうなるか?

23. 本文の図21と似た構造のFETにおいて,$N_A=10^{17}$ cm^{-3},$Q_f/q=5\times10^{11}$ cm^{-2},ゲート電極としてn^+-ポリSi局所配線が使われているものとする.もしデバイスとウェルの間の充分な絶縁の必要条件が$V_T>20$ Vとした場合,必要なフィールド酸化膜の厚さを求めよ.

24. しきい値電圧$V_T=0.5$ V,サブスッレショールドスイング100 mV/桁,V_Tでのドレイン電流が0.1 μAのMOSFETがある.$V_G=0$ Vでのサブスッレショールドリーク電流はいくらか?

25. 問題24のデバイスにおいて,リーク電流を1桁減少させるのに必要な,基板・ソース間の逆方向電圧を計算せよ.($N_A=5\times10^{17}$ cm^{-3},$d=5$ nm).

6.3節 MOSFET 縮小則に関する問題

26. MOSFETの寸法を電界一定縮小則に従って1/10にした場合,スイッチングエネルギーの縮小ファクタはいくらになるか?

27. 図24の電荷分担モデルに基づいて,しきい値電圧の変化が式(47)で与えられることを示せ.

6.4節 CMOSとBiCMOSに関する問題

28. BiCMOSの利害得失について述べよ.

6.5節 絶縁物上のMOSFETに関する問題

29. $N_A=5\times10^{17}$ cm^{-3},$d=4$ nmのn-チャンネルFD-SOIデバイスについて,Siチャンネル層の許される最大の厚さ(d_{Si})を計算せよ.

30. $N_A=5\times10^{17}$ cm^{-3},$d=4$ nm,$d_{Si}=30$ nm,n^+-ポリSiゲートのn-チャンネルSOIデバイスについて,しきい値電圧を計算せよ.ただし,Q_f,Q_{ot},Q_mはすべてゼロとする.

31. 問題29のデバイスにおいて,ウェーハ内のd_{Si}のバラツキが±5 nmの場合,V_Tはどれぐらい変化するか計算せよ.

6.6節 MOSメモリに関する問題

32. 面積1 μm$\times$1 μm,酸化膜の厚さ10 nmの平らなDRAM容量の値はいくらか? 同じ表面積と酸化膜の厚さで,深さ7 μmのトレンチ構造にした場合の容量を計算せよ.

33. DRAMを最少リフレッシュ時間4 msで動作させなければならないとする.各セルの蓄積容量は50 fFで5 Vで完全に充電する.ダイナミックノードが許容できる,最悪の場

合（リフレッシュまでに蓄積電荷の50%が失われる）のリーク電流はいくらか？

34. 浮遊ゲート，不揮発性メモリが，-2 V の初期しきい値電圧，ゲート電圧 -5 V で $10\,\mu$S の直線領域ドレインコンダクタンスを有するものとする．書き込み後，同一ゲート電圧でのドレインコンダクタンスが $40\,\mu$S に増加する．しきい値電圧の変化を求めよ．

6.7節　パワー MOSFET に関する問題

35. パワー MOSFET が n^+-ポリ Si ゲートと $N_A = 10^{17}$ cm^{-3} の p-ベースを有するものとする．ゲート酸化膜の厚さは $d = 100$ nm である．しきい値電圧を計算せよ．

36. 問題 35 のデバイスにおいて，5×10^{11} cm^{-2} の正の固定電荷がしきい値電圧に与える影響を計算せよ．

第7章　MESFET と関連デバイス

7.1　金属-半導体接触
7.2　MESFET
7.3　MODFET
　ま　と　め

　金属-半導体電界効果トランジスタ（metal-semiconductor field-effect transistor, MESFET）は金属-酸化物-半導体電界効果トランジスタ（MOSFET）と類似した電流-電圧特性を示す．しかし，MESFET ではゲート電極として MOS 構造の代わりに，金属-半導体整流性接触を用いている．加えに，MOSFET では p-n 接合であるのに対して，MESFET のソースとドレインはオーミック接触である[†]．

　他の電界効果デバイスのように，MESFET も高い電流レベルにおいて負の温度係数を持っている．すなわち，温度が高くなると電流は減少する．この特性により均一な温度分布になり，したがって，デバイスは，動作領域が大きな面積になっても，あるいは多くのデバイスが並列に結合されても，安定して動作する．さらに，MESFET は GaAs や InP のような，高い電子移動度を有する化合物半導体で作られるので，Si-MOSFET より速いスイッチング速度，高いしゃ断周波数を持つ．

　MESFET の基本的な構成要素は金属-半導体接触である．この接触は電気的には片側階段 p-n 接合に似ている．しかし多数キャリア・デバイスであるので，本質的に応答速度が速い．金属-半導体接触には二つのタイプがある．整流性と非整流性あるいはオーミック接触である．この章では，二つの接触の種類から始めて，次に MESFET の基本的な特性と高周波特性について考える．最後の節では，変調ドープ電界効果トランジスタ（MODFET）について論ずる．これは MESFET とデバイス構成が似ているが，さらに高速な動作をする．

　この章では，特に以下の項目を取り上げる．

・整流性金属-半導体接触とその電流-電圧特性
・オーミックな金属-半導体接触とその接触比抵抗
・MESFET とその高周波特性
・MODFET と二次元電子ガス
・三つの電界効果トランジスタ，MOSFET，MESFET および MODFET の比較

[†] 整流の概念については4章で述べた．オーミック接触については7.1節で述べる．

7.1 金属-半導体接触

最初の実用的な半導体デバイスは点接触型整流器，すなわち金属ホイスカーを半導体上に押しつけた金属-半導体接触ダイオードであった．このデバイスは1904年ごろから多くの用途に使われていた．1938年，Schottkyはこの整流特性は半導体の表面にある安定した空間電荷によって，表面にポテンシャルの障壁ができているためであると提案した[1]．そのモデルでよく説明できるために，その後この障壁は**ショットキー障壁**と呼ばれている．金属-半導体接触が全く整流特性を示さない場合もある．すなわち印加する電圧の極性にかかわらずほとんど接触抵抗が無視できる場合である．そのような接触は**オーミック接触**と呼ばれる．集積回路と同様すべての半導体デバイスは，システムを構成するために他のデバイスと結線するための，オーミック接触を必要とする．したがって，まず最初に整流性の金属-半導体接触とオーミックな金属-半導体接触の両方について，その電流-電圧特性およびエネルギーバンド図について考えてみる．

7.1.1 基本的特性

点接触型整流器の特性は再現性が乏しかった．そのためそれは，プレーナ・プロセスによって作られる金属-半導体接触に置き換えられた（第10章〜第14章参照）．このようなプレーナ形デバイスの概念図を図1(a)に示す．このようなデバイスを作るには，まず酸化膜に窓をあけ，金属の層を真空蒸着する．したがって窓を覆っている金属層（金属-半導体接触の面積）はリソグラフィ工程によって決まる．まず図1(a)の破線の中央部分における金属-半導体接触の一次元の構造について考えてみる．

図2(a)は孤立した金属とn形半導体のエネルギーバンド図を示したものである．金属の仕事関数$q\phi_m$は一般に半導体の仕事関数$q\phi_s$と違っている．**仕事関数**とはフェルミ準位と真空準位のエネルギー差と定義される．また図には**電子親和力**$q\chi$が示されている．これは伝導帯の底か

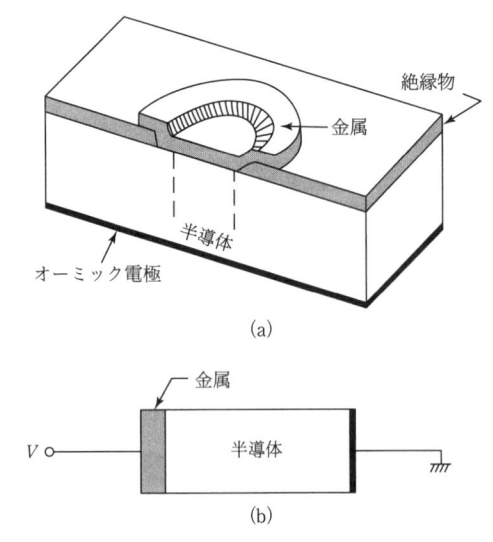

図1 (a) プレーナ工程で作られた金属-半導体接触の斜視図,
(b) 金属-半導体接触の一次元構造．

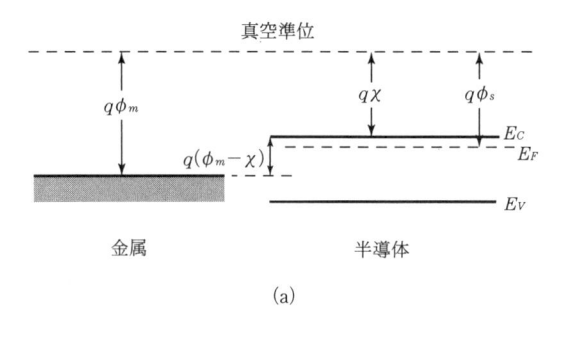

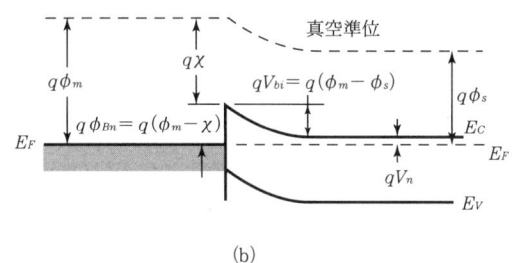

図 2 (a)非熱平衡状態における孤立した金属,半導体のエネルギーバンド図,(b)熱平衡状態における金属-半導体接触のエネルギーバンド図.

ら真空準位までのエネルギー差である.金属と半導体を接触させた場合は,熱平衡状態で二つの物質のフェルミ準位は一致しなければならない.このような二つの条件から理想的な金属-半導体接触のエネルギーバンド図は図2(b)に示すようなものになる.

このような理想的な場合には,障壁の高さ $q\phi_{Bn}$ は,簡単に金属の仕事関数と半導体の電子親和力の差になる†.

$$q\phi_{Bn} = q\phi_m - q\chi. \tag{1}$$

同様に,金属と p 形半導体との理想的な接触についても,障壁の高さ $q\phi_{Bp}$ は次のように与えられる.

$$q\phi_{Bp} = E_g - (q\phi_m - q\chi), \tag{2}$$

ここで E_g は半導体のバンドギャップである.したがって,ある半導体と任意の金属の組合せに対して,n 形半導体に対する障壁の高さと p 形半導体に対する障壁の高さの和はバンギャップと等しくなるものと考えられる.

$$\boxed{q(\phi_{Bn} + \phi_{Bp}) = E_g.} \tag{3}$$

図2(b) の半導体側において,V_{bi} は伝導帯の電子が金属側に移動しようとする時に見える内蔵電位である.

$$V_{bi} = \phi_{Bn} - V_n \tag{4}$$

qV_n は伝導帯の底とフェルミ準位との差である.同じことが p 形半導体についてもいえる.

図3は n 形Siおよび n 形GaAsに対する障壁の高さの実測値を示したものである[2,3].$q\phi_{Bn}$ が $q\phi_m$ とともに増加していることがわかる.しかしながらその依存度は式 (1) で予想されたほど

---

† $q\phi_{Bn}$(単位はeV)および ϕ_{Bn}(単位はV)のいずれも障壁の高さといわれる.

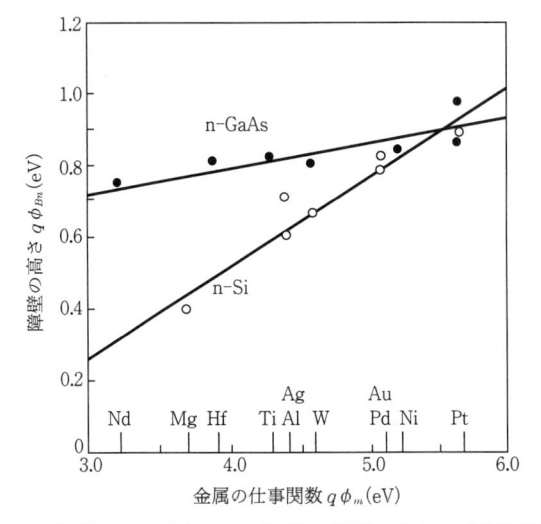

図3 金属-Si, 金属-GaAs接触の障壁の高さの実測値[2,3].

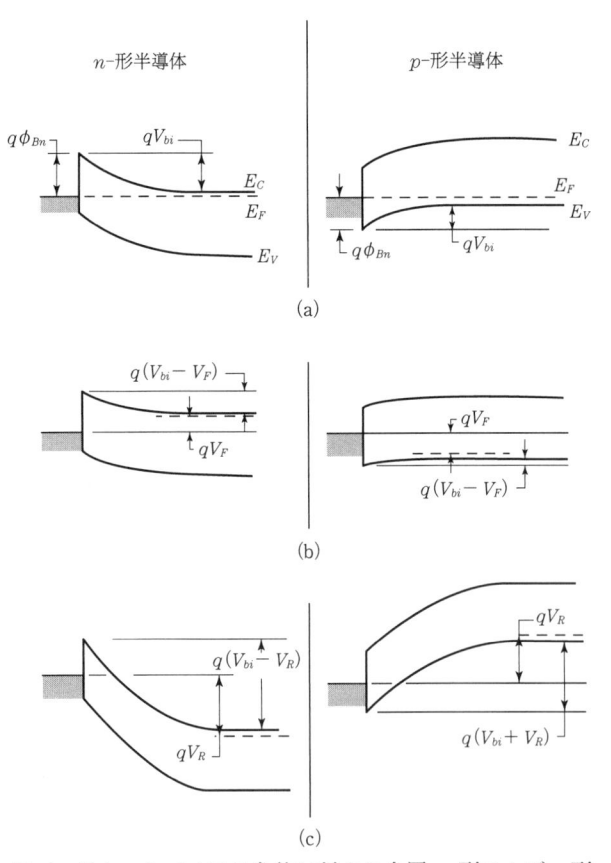

図4 異なったバイアス条件に対する金属-n形およびp形半導体接触のエネルギーバンド図. (a)熱平衡状態, (b)順方向バイアス, (c)逆方向バイアス.

強くはない．これは実際のショットキー・ダイオード[†]においては，結晶が表面で不連続になっているために，半導体の表面に多くの**表面準位**ができ，それがバンドギャップ中に分布しているためである．これらの表面準位はドナーあるいはアクセプタとして働き，それが障壁の高さに影響する．SiやGaAsにおいては，式 (1) は一般に n 形半導体の障壁の高さに対しては少なめに，p 形半導体の障壁の高さについては多めの値を与える．しかし $q\phi_{Bn}$ と $q\phi_{Bp}$ の和はだいたい式 (3) と一致する．

図4は n 形および p 形半導体の各々に金属が接触している場合のエネルギーバンド図を，バイアス条件を変えて示したものである．まず n 形半導体の場合について考える．図4(a) の左側に示されているように，バイアス電圧がゼロの場合，バンド図は熱平衡状態である．フェルミ準位は両方の材料について等しい．n 形半導体に対して金属に正の電圧を印加すると，図4(b) の左側に示されるように，半導体から金属を見た障壁の高さが減少する．これは順方向バイアスである．順方向バイアスでは，障壁が V_F だけ減少するから，電子は容易に半導体から金属に移動する事ができる．逆方向バイアス（すなわち，金属に負の電圧を印加する）では，図4(c) の左側に示すように障壁は V_R だけ増大する．したがって，電子は半導体から金属へは流れづらくなる．p 形半導体にも同様な議論が成り立つが，極性は逆になる．以下の式の導出は，n 形半導体についてのみ行うが極性を逆にすることにより p 形半導体にも適用することができる．

金属-半導体接触の電荷と電界の分布が，それぞれ図5(a)，5(b) に示されている．金属は完全な伝導体とする．半導体から移った電荷は金属表面の非常に狭い領域に存在する．半導体中の空間電荷の幅は W である．すなわち $x<W$ では $\rho_s=qN_D$，$x>W$ では $\rho_s=0$．したがって，電荷分布は片側階段型の p^+-n 接合と同じになる．

電界強度は距離に対して直線的に減少する．最大電界 $\mathcal{E}_m$ は界面にある．電界分布は次式のようになる．

$$|\mathcal{E}(x)| = \frac{qN_D}{\varepsilon_s}(W-x) = \mathcal{E}_m - \frac{qN_D}{\varepsilon_s}x, \tag{5}$$

$$\mathcal{E}_m = \frac{qN_D W}{\varepsilon_s}, \tag{6}$$

ここで，ε_s は半導体の誘電率．図5(b) で電界曲線の下の面積で表される，空間電荷領域に掛か

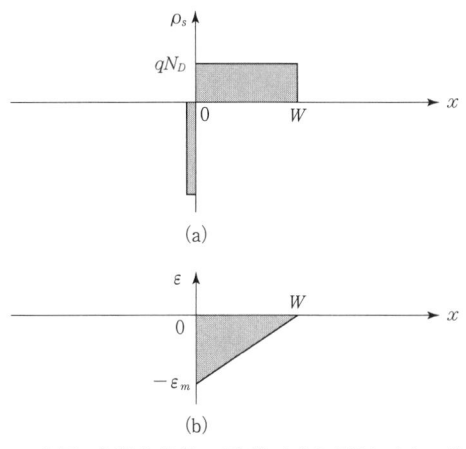

図 5 金属-半導体接触の電荷 (a) と電界 (b) の分布．

[†] 整流性の金属-半導体接触を用いたダイオードは，一般にショットキー・ダイオードと呼ばれる．

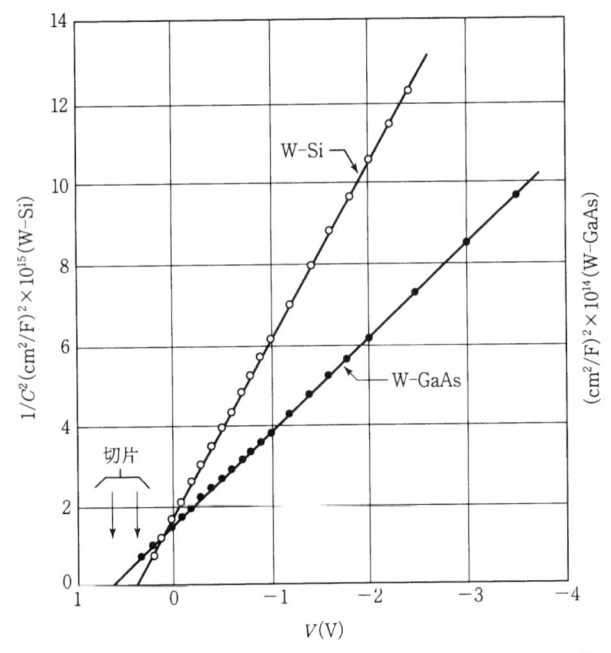

図 6 W-Si および W-GaAs ダイオードの印加電圧と $1/C^2$ の関係[4].

る電圧は次のようになる.
$$V_{bi} - V = \frac{\mathcal{E}_m W}{2} = \frac{qN_D W^2}{2\varepsilon_s}. \tag{7}$$

空乏層幅 W は次のようになる.
$$W = \sqrt{2\varepsilon_s(V_{bi} - V)/qN_D}, \tag{8}$$

半導体中の空間電荷 Q_{sc} は次式で与えられる.
$$Q_{SC} = qN_D W = \sqrt{2q\varepsilon_s N_D(V_{bi} - V)} \text{ C/cm}^2, \tag{9}$$

ここで電圧 V は，順方向バイアスでは $+V_F$，逆方向バイアスでは $-V_R$ に等しい．単位面積当りの空乏層容量 C は，式 (9) を用いて次のようになる.
$$C = \left| \frac{\partial Q_{SC}}{\partial V} \right| = \sqrt{\frac{q\varepsilon_s N_D}{2(V_{bi} - V)}} = \frac{\varepsilon_s}{W} \text{ F/cm}^2 \tag{10}$$

および
$$\boxed{\frac{1}{C^2} = \frac{2(V_{bi} - V)}{q\varepsilon_s N_D} \text{ (F/cm}^2)^{-2}.} \tag{11}$$

$1/C^2$ を V について微分し，書き直すと次のようになる
$$N_D = \frac{2}{q\varepsilon_s} \left[\frac{-1}{d(1/C^2)/dV} \right]. \tag{12}$$

したがって単位面積当りの接合容量 C を印加電圧の関数として測定すると，式 (12) から不純物分布を求めることができる．もし N_D が空乏層内で一定であれば，$1/C^2$ 対 V の関係は直線になる．図 6 は W-Si ショットキー・ダイオードおよび W-GaAs ショットキー・ダイオードに対する容量と電圧の関係を測定したものである[4]．式 (11) からわかるように $1/C^2 = 0$ となる点は内蔵電位 V_{bi} になる．V_{bi} が求まれば障壁の高さ ϕ_{Bn} は式 (4) から計算できる．

第7章 MESFETと関連デバイス

例題1 図6に示されている W–Si ショットキー・ダイオードの障壁の高さおよびドナー濃度を求めよ．

解答 $1/C^2$ と V の関係は直線である．したがってドナー濃度は空乏層内で一定である．これから次のように障壁の高さおよび不純物濃度を求めることができる．

$$\frac{d(1/C^2)}{dV} = \frac{6.2\times 10^{15} - 1.8 \times 10^{15}}{-1-0} = -4.4 \times 10^{15} \frac{(\text{cm}^2/\text{F})^2}{V}.$$

式（12）から

$$N_D = \left[\frac{2}{1.6\times 10^{-19} \times (11.9 \times 8.85 \times 10^{-14})}\right] \times \left(\frac{1}{4.4 \times 10^{15}}\right) = 2.7 \times 10^{15}\ \text{cm}^{-3},$$

$$V_n = 0.0259 \times \ln\left(\frac{2.86 \times 10^{19}}{2.7 \times 10^{15}}\right) = 0.24\ \text{V}.$$

切片から V_{bi} は 0.42 V，障壁の高さは $\phi_{Bn} = 0.42 + 0.24 = 0.66$ V となる．

7.1.2 ショットキー障壁

ショットキー障壁は大きな障壁高さ（すなわち，ϕ_{Bn}，$\phi_{Bp} \gg kT$）と伝導帯，価電子帯の状態密度より小さなドーピング濃度を有する，金属-半導体接触のことである．

p-n 接合では電流の輸送が主に少数キャリアで行われるのに対して，ショットキー障壁では主に多数キャリアで行われる．ショットキー・ダイオードが，室温（〜300 K）で動作する場合には，多数キャリアが半導体側から障壁を越えて金属側へ熱電子放射するのが，支配的な輸送過程である．

図7は熱電子放射過程を示したものである[5]．熱平衡状態では（図7(a)）反対方向の二つのキャリアの流れが打ち消し合って電流密度はゼロになる．半導体中の電子は金属へ流れよう（放出されよう）とするが，一方金属から半導体への電子の流れがあって互いにバランスする．これらの電流成分は境界での電子密度に比例する．

第3章，3.5節で述べたように，半導体表面の電子のエネルギーが障壁高さより大きいと金属中へ熱電子として放出される．ここで半導体の仕事関数 $q\phi_s$ は $q\phi_{Bn}$ で置き換える必要がある．

$$n_{th} = N_c \exp\left(-\frac{q\phi_{Bn}}{kT}\right), \tag{13}$$

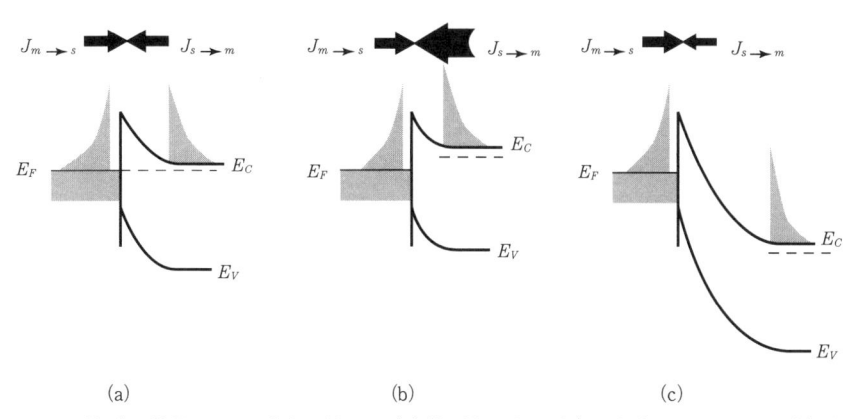

図7 熱電子放射による電流の輸送．(a)熱平衡状態，(b)順方向バイアス時，(c)逆方向バイアス時[5]．

ここで N_c は伝導帯の状態密度である．熱平衡状態では次のようになる．

$$|J_{m\to s}|=|J_{s\to m}|\propto n_{th} \tag{14}$$

または

$$|J_{m\to s}|=|J_{s\to m}|=C_1 N_c \exp\left(-\frac{q\phi_{Bn}}{kT}\right), \tag{14a}$$

ここで $J_{m\to s}$ は金属から半導体への電流密度，$J_{s\to m}$ は半導体から金属への電流密度，C_1 は比例定数である．

接合に順方向バイアス V_F が加えられた場合（図7(b)），障壁でのポテンシャルの差が減少し，表面での電子密度が次のように増加する．

$$n_{th}=N_c \exp\left[-\frac{q(\phi_{Bn}-V_F)}{kT}\right]. \tag{15}$$

したがって，半導体から流出する電子の流れによる電流密度 $J_{s\to m}$ はその分だけ増加する（図7(b)）．しかしながら，金属から半導体への電子の流れは，障壁の高さ ϕ_{Bn} が同じであるから変わらない．したがって，順方向バイアスでの実質的な電流密度は次のようになる．

$$\begin{aligned}J&=J_{s\to m}-J_{m\to s}\\&=C_1 N_c \exp\left[-\frac{q(\phi_{Bn}-V_F)}{kT}\right]-C_1 N_c \exp-\frac{q\phi_{Bn}}{kT}\\&=C_1 N_c e^{-q\phi_{Bn}/kT}(e^{qV_F/kT}-1).\end{aligned} \tag{16}$$

同様な議論は逆方向の場合にも当てはまる（図7(c)）．電流密度を表す式は V_F を $-V_R$ に置き換えることを除いては式(16)と同じになる．

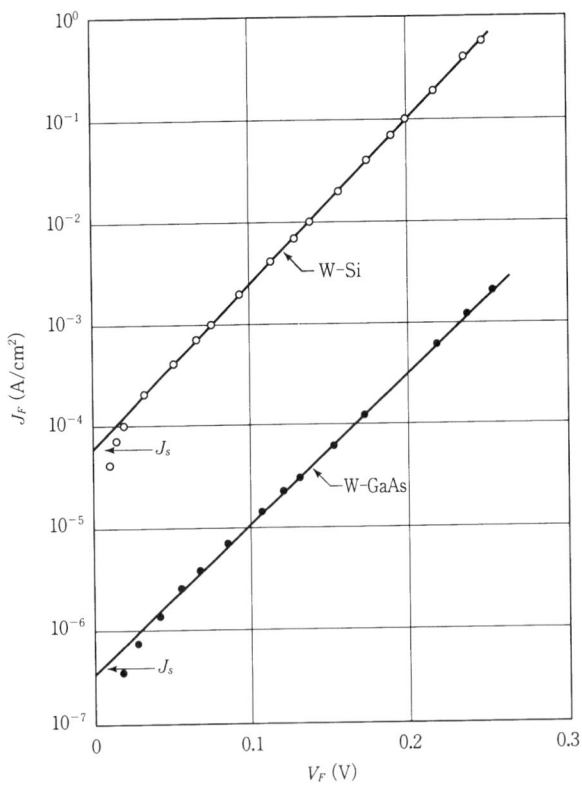

図 8 W-Si，および W-GaAs ダイオードの順方向電流-電圧特性[4]．

係数 $C_1 N_c$ は $A^* T^2$ に等しくなる．ここで A^* は **実効リチャードソン定数**（単位は $A/K^2\text{-cm}^2$）で，T は絶対温度である．A^* の値は有効質量に依存し，それぞれ n 形 Si で 110，p 形 Si で 32 である．n 形および p 形 GaAs ではそれぞれ 8 および 74 になる[6]．

熱電子放出によって支配されている金属-半導体接触の電流-電圧特性は次のように与えられる．

$$\boxed{J = J_s (e^{qV/kT} - 1),} \tag{17}$$

$$\boxed{J_s = A^* T^2 e^{-q\phi_{Bn}/kT},} \tag{17a}$$

ここで J_s は飽和電流密度であり，印加電圧 V は順方向に対して正，逆方向に対して負である．二つのショットキー・ダイオードの I-V 特性の実験結果[4]が図 8 に示されている．順方向 I-V 特性を $V=0$ に外挿することにより J_s が求まる．J_s と式（17a）から障壁の高さが求まる．

金属-n 形半導体接触において，多数キャリア（電子）に加えて，金属から半導体への正孔の注入による少数キャリア（正孔）電流も存在する．正孔の注入は第 4 章で述べた p-n 接合の場合と同様である．電流密度は次式で与えられる．

$$J_p = J_{po}(e^{qV/kT} - 1), \tag{18}$$

ここで

$$J_{po} = \frac{q D_p n_i^2}{L_p N_D}. \tag{18a}$$

正常な動作状態では，少数キャリアによる電流は多数キャリアによる電流に比べて何桁も少ない．したがって，ショットキー・ダイオードはユニポーラ・デバイスである（伝導に寄与するキャリアは実質的に 1 種類である）．

例題 2 W-Si ショットキー・ダイオード（$N_D = 10^{16}$ cm^{-3}）について，図 8 から障壁の高さと空乏層幅を求めよ．また Si 中の少数キャリアの寿命を 10^{-6} s と仮定して飽和電流密度 J_s，と少数キャリアによる電流密度 J_{po} を算出せよ．

解答 図 8 から $J_s = 6.5 \times 10^{-5}$ A/cm^2 となる．障壁の高さは式（17a）から次のように求められる．

$$\phi_{Nn} = 0.0259 \times \ln\left(\frac{110 \times 300^2}{6.5 \times 10^{-5}}\right) = 0.67 \text{ V}.$$

この結果は C-V 測定から求められた値に近い（例題 1 の図 6 参照）．内蔵電位は $\phi_{Bn} - V_n$ で与えられる．ここで

$$V_n = 0.0259 \times \ln\left(\frac{N_c}{N_D}\right) = 0.0259 \ln\left(\frac{2.86 \times 10^{19}}{1 \times 10^{16}}\right) = 0.17 \text{ V}.$$

したがって

$$V_{bi} = 0.67 - 0.17 = 0.50 \text{ V}.$$

熱平衡状態の空乏層幅は $V = 0$ として式（8）で与えられる．

$$W = \sqrt{\frac{2\varepsilon_s V_{bi}}{q N_D}} = 2.6 \times 10^{-5} \text{ cm}.$$

少数キャリア電流密度 J_{po} を計算するためには，$N_D = 10^{16}$ cm^{-3} に対しては 10 cm^2/s である正孔の拡散係数 D_p と，$\sqrt{D_p \tau_p} = \sqrt{10 \times 10^{-6}} = 3.1 \times 10^{-3}$ cm となる拡散長 L_p が必要である．したがって

$$J_{po} = \frac{qD_p n_i^2}{L_p N_D} = \frac{1.6 \times 10^{-19} \times 10 \times (9.65 \times 10^9)^2}{(3.1 \times 10^{-3}) \times 10^{16}} = 4.8 \times 10^{-12} \text{ A/cm}^2.$$

二つの電流密度の比は

$$\frac{J_s}{J_{po}} = \frac{6.5 \times 10^{-5}}{4.8 \times 10^{-12}} = 1.3 \times 10^7.$$

この比較から，多数キャリアによる電流が少数キャリアによる電流に比べて，7桁以上も大きいことがわかる．

7.1.3 オーミック接触

オーミック接触は，半導体バルクの抵抗による直列抵抗に比べて無視できるほど小さな接触抵抗を有する金属-半導体接触と定義される．良好なオーミック接触は，デバイスの特性を大きく劣化させるようなことはない．すなわちデバイスの動作領域での電圧降下に比べてオーミック接触の電圧降下は小さい．

オーミック接触の性能指数は，次のような比接触抵抗で表される．

$$\boxed{R_C = \left(\frac{\partial J}{\partial V}\right)_{V=0}^{-1} \Omega \cdot \text{cm}^2.} \tag{19}$$

ドーピング濃度の低い金属-半導体接触については，電流は式(17)で与えられるように熱電子放出電流で支配される．したがって，次式のようになる．

$$R_C = \frac{k}{qA^*T} \exp\left(\frac{q\phi_{Bn}}{kT}\right). \tag{20}$$

式(20)は R_C を小さくするためには低い障壁が必要であることを示している．

ドーピング濃度が非常に高いような接触については，障壁の幅が非常に狭くなりトンネル電流が支配的になる．トンネル電流は図9の上部の挿入図に示されているように，3章の3.6節で与えられているトンネル確率に比例する．

$$I \sim \exp\left[-2W\sqrt{2m_n(q\phi_{Bn} - qV)/\hbar^2}\right], \tag{21}$$

ここで W は空乏層幅であり，$\sqrt{(2\varepsilon_s/qN_D)(q\phi_{Bn} - V)}$ のように近似され，m_n は有効質量，$\hbar$ は換算プランク定数である．W を式(21)に代入すると電流は次のようになる．

$$I \sim \exp\left[-\frac{C_2(\phi_{Bn} - V)}{\sqrt{N_D}}\right], \tag{22}$$

ここで C_2 は $4\sqrt{m_n \varepsilon_s}/\hbar$ に等しい．したがって高ドーピング濃度の接触に対する比接触抵抗は，次のように表される．

$$\boxed{R_C \sim \exp\left(\frac{C_2 \phi_{Bn}}{\sqrt{N_D}}\right) = \exp\left(\frac{4\sqrt{m_n \varepsilon_s} \phi_{Bn}}{\sqrt{N_D} \hbar}\right).} \tag{23}$$

式(23)は，トンネル領域では比接触抵抗はドーピング濃度に強く依存し，$\phi_{Bn}/\sqrt{N_D}$ の項に対して指数関数的に変化することを示している．

図9に $1/\sqrt{N_D}$ の関数として，R_C の計算値がプロットされている．$N_D \geq 10^{19} \text{ cm}^{-3}$ に対しては R_C はトンネル電流によって支配されており，ドーピング濃度を高めると急激に減少する．他方，$N_D \leq 10^{17} \text{ cm}^{-3}$ に対しては，電流は熱電子放出によるものであり，R_C はドーピング濃度に独立である．図9にはまたPtSi-SiおよびAl-Siダイオードに対する実験データも示されている．これらは計算値とよく一致している．図9はドーピング濃度を高くすること，障壁の高さを

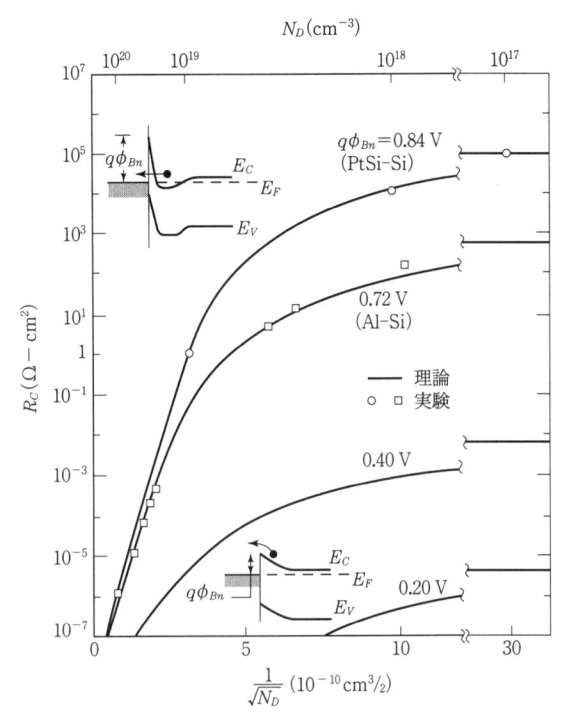

第7章 MESFETと関連デバイス

図9 比接触抵抗の計算値と実測値．上の挿入図はトンネル過程を，下の挿入図は低い障壁に対する熱電子放出を示している[6]．

低くすること，あるいはその両方が低い R_C の値を得るのに必要であることを示している．これらの二つの方法は，すべての実用的なオーミック接触に使われている．

例題3 n形Si上に作られた，面積 10^{-5} cm^2，接触比抵抗 10^{-6} Ω·cm^2 のオーミック接触がある．$N_D = 5 \times 10^{19}$ cm^{-3}，$\phi_{Bn} = 0.8$ V，電子の有効質量 $0.26 m_0$ として，順方向に1Aの電流を流した場合の，オーミック接触での電圧降下を求めよ．

解答 オーミック接触の接触抵抗は

$$\frac{R_C}{A} = 10^{-6} \Omega \cdot \text{cm}^2 / 10^{-5} \text{cm}^2 = 10^{-1} \Omega,$$

$$C_2 = 4\sqrt{m_n \varepsilon_s}/\hbar = \frac{4\sqrt{0.26 \times 9.1 \times 10^{-31} \times (1.05 \times 10^{-10})}}{1.05 \times 10^{-34}}$$

$$= 1.9 \times 10^{14} (\text{m}^{-3/2}/\text{V}).$$

式(22)から

$$I = I_0 \exp\left[-\frac{C_2(\phi_{Bn} - V)}{\sqrt{N_D}}\right],$$

$$\left.\frac{\partial I}{\partial V}\right|_{V=0} = \frac{A}{R_C} = I_0 \left(\frac{C_2}{\sqrt{N_D}}\right) \exp\left(\frac{-C_2 \phi_{Bn}}{\sqrt{N_D}}\right)$$

または

$$I_0 = \frac{A}{R_C} \left(\frac{\sqrt{N_D}}{C_2}\right) \exp\left(\frac{C_2 \phi_{Bn}}{\sqrt{N_D}}\right)$$

$$= 10 \times \left(\frac{\sqrt{5 \times 10^{19} \times 10^6}}{1.9 \times 10^{14}}\right) \exp\left(\frac{1.9 \times 10^{14} \times 0.8}{\sqrt{5 \times 10^{19} \times 10^6}}\right)$$

$$=8.13\times10^8\,\text{A}.$$

$I=1$ A では次のようになる

$$\phi_{Bn}-V=\frac{\sqrt{N_D}}{C_2}\ln\left(\frac{I_0}{I}\right)=0.763\,\text{V}$$

または

$$V=0.8-0.763=0.037\,\text{V}=37\,\text{mV}.$$

したがって，オーミック接触での電圧降下は無視できるほど小さい．しかしながら，接触面積が $10^{-8}\,\text{cm}^2$ あるいはそれ以下になると，電圧降下は無視できなくなる可能性がある．

7.2 MESFET

7.2.1 デバイス構造

金属-半導体電界効果トランジスタ（MESFET）は1966年に提案された[7]．MESFET は二つの金属-半導体接触を有する．一つは，ゲート電極のためのショットキー障壁，残りの二つは，ソースとドレイン電極のためのオーミック接触である．MESFET の概念図を図 10(a) に示す．基本的なデバイスパラメータはゲート長 L，ゲート幅 Z，およびエピ層の厚さ a である．たいていの MESFET は GaAs のような，n 形の III-V 族化合物半導体で作られる．何故なら，直列抵抗を最小にする高い電子移動度と，高いしゃ断周波数を与える高い飽和速度を持っているからである．

実際の MESFET は，寄生容量を最小にするため半絶縁性基板上のエピ層を使う．図 10(a)

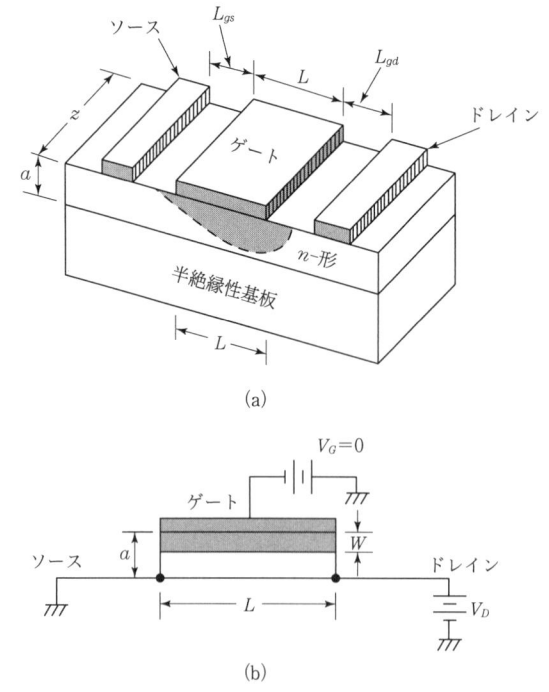

図 10　(a) 金属-半導体電界効果トランジスタ（MESFET）の概略図．(b) MESFET のゲート領域の断面図．

において，オーミック接触はソースとドレインを構成し，そしてショットキー障壁はゲートを構成する．MESFET はしばしばゲート寸法によって記述される．もしゲート長（L）が $0.5\,\mu\mathrm{m}$ であり，ゲート幅（Z）が $300\,\mu\mathrm{m}$ の場合，デバイスは $0.5\times300\,\mu\mathrm{m}$ デバイスであるといわれる．マイクロ波あるいはミリ波デバイスでは，通常 $0.1\text{-}1.0\,\mu\mathrm{m}$ のゲート長を持っている．エピ層の厚さはゲート長さの5分の1から3分の1である．電極の間隔はゲート長の1から4倍である．MESFET の電流容量はゲート幅 Z に比例する．なぜなら，チャンネル電流は断面積に比例し，断面積はゲート幅 Z に比例するからである．

7.2.2 動 作 原 理

MESFET の動作を理解するために，図 10(b) に示されている，ゲート下の断面を考えよう．ソースは接地されており，ゲートとドレインの電圧はソースに対して測られる．通常の動作ではゲート電圧はゼロか逆方向（負）にバイアスされ，ドレイン電圧はゼロか正にバイアスされる．すなわち，$V_G \leqq 0$，$V_D \geqq 0$．チャンネルは n 形であるから，n-チャンネル MESFET と呼ばれる．電子の方が移動度が大きいので，ほとんどの場合，p-チャンネル MESFET ではなく n-チャンネル MESFET が使われる．

チャンネルの抵抗は次の式によって与えられる．

$$R = \rho \frac{L}{A} = \frac{L}{q\mu_n N_D A} = \frac{L}{q\mu_n N_D Z(a-W)}, \tag{24}$$

ここで N_D はドナー濃度，A は電流の流れる断面積で，$Z(a-W)$ と等しい．W はショットキー障壁の空乏層領域の幅である．

ゲート電圧が印加されておらず V_D が小さい場合には，図 11(a) に示されるように，チャンネルに小さなドレイン電流が流れる．電流の大きさは V_D/R で与えられる．ここで R は式 (24) で与えられるチャンネルの抵抗である．したがって，電流はドレイン電圧に比例して直線的に変化する．この場合チャンネル電圧はソース（ゼロ）からドレイン（V_D）までチャンネルに沿って直線的に増加する．したがってソースからドレインに行くにつれてショットキー障壁はより逆方向にバイアスされることになる．V_D が増加すると W が増加し，電流が流れる領域の平均的な断面積が減少する．チャンネル抵抗 R も増加する．その結果電流の増える割合はそれだけ小さくなる．

ドレイン電圧がさらに増えると，空乏層幅もさらに広がる．最終的には空乏層が図 11(b) で示すように，半絶縁性基板に接触するようになる．これはドレイン端で $W=a$ になったときに起こる．このようなことが起きるドレイン電圧，すなわち飽和ドレイン電圧 V_{Dsat} は，式(7) から $V=-V_{Dsat}$ として，次のように求められる．

$$V_{Dsat} = \frac{qN_D a^2}{2\varepsilon_s} - V_{bi} \quad (V_G = 0). \tag{25}$$

このドレイン電圧で，ソースとドレインはピンチオフ（pinch off）される．あるいは逆方向にバイアスされた空乏層領域によって完全に分離される．図 11(b) の点 P の場所はピンチオフ点と呼ばれる．この点で飽和電流 I_{Dsat} と呼ばれる大きなドレイン電流が空乏層領域を横切って流れることができる．これはバイポーラ・トランジスタのコレクタ-ベース間空乏層領域のような，逆方向にバイアスされた空乏層領域にキャリアが注入される状況と似ている．ピンチオフ点を超

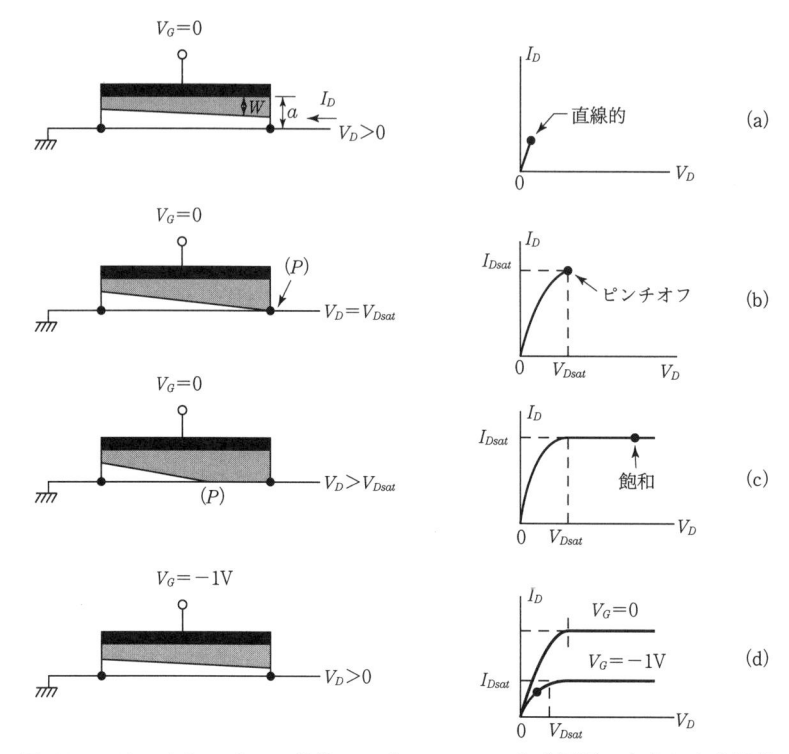

図 11 いろいろなバイアス条件における JFET の空乏層幅の変化と出力特性.
(a) $V_G=0$ で V_D が小さい場合, (b) $V_G=0$ でピンチオフ状態, (c) $V_G=0$ でピンチオフ以後 ($V_D>V_{Dsat}$), (d) $V_G=-1$ V で V_D が小さい場合.

えて V_D がさらに増加するとドレイン端の空乏層領域は広がり, 図 11(c) に示されるように点 P はソース側に移動する. しかしながら点 P の電位は V_{Dsat} に等しく一定である. したがってソースから点 P へ, 単位時間に到達する電子の数, すなわちチャンネルを流れる電流は変わらない. なぜならソースから点 P までのチャンネルにおける電圧降下は変わらないからである. したがって, V_{Dsat} より大きなドレイン電圧に対しては電流は I_{Dsat} という値で V_D に独立になる.

ゲートに逆方向電圧が印加された場合には, 空乏層幅 W が増加する. V_D が小さい場合にはチャンネルは抵抗として働くが, その抵抗の値は電流が流れる領域の断面積が減少している分だけ大きくなる. 図 11(d) に示されているように, 流れ始める電流の量は $V_G=0$ の場合より $V_G=-1$ V の方が小さくなる. V_D がある値まで増加すると空乏層領域は半絶縁性基板に接触するようになる. そのようなドレイン電圧 V_D は次の式で得られる.

$$V_{Dsat} = \frac{qN_D a^2}{2\varepsilon_s} - V_{bi} - V_G. \tag{26}$$

n-チャンネルの MESFET においては, ゲート電圧はソースに対して負であるから, 式 (26) および以後の式では V_G として絶対値を使用する. 式 (26) から明らかなように, ゲートに V_G という電圧を印加すると, ピンチオフの始まるドレイン電圧は V_G だけ減少する.

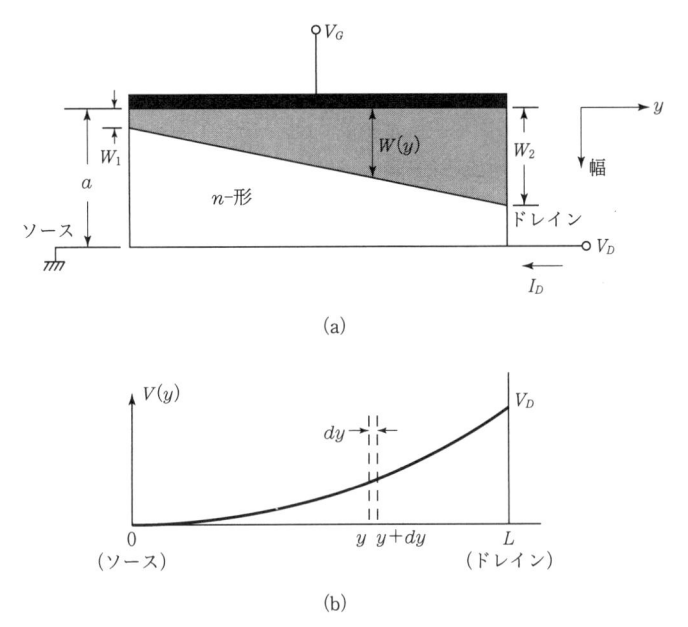

第7章 MESFETと関連デバイス

図12 (a)チャンネル領域の拡大図，(b)チャンネルに沿っての
ポテンシャルの変化．

7.2.3 電流-電圧特性

さて，図12(a)に示すようにピンチオフが始まる前のMESFETについて考えてみよう．チャンネルに沿った電位の変化は図12(b)に示されている．長さdyのチャンネル部分による電圧降下は次式で与えられる．

$$dV = I_D dR = \frac{I_D dy}{q\mu_n N_D Z [a - W(y)]}, \tag{27}$$

ここではdRとして式(24)を用い，Lの代りにdyを用いている．ソースから距離yの点での空乏層幅は次のように与えられる．

$$W(y) = \sqrt{\frac{2\varepsilon_s [V(y) + V_G + V_{bi}]}{qN_D}}. \tag{28}$$

ドレイン電流はyによらず一定である．したがって，式(27)は次のように書き換えることができる．

$$I_D dy = q\mu_n N_D Z [a - W(y)] dV. \tag{29}$$

電圧の微分dVは式(28)から次のように求めることができる．

$$dV = \frac{qN_D}{\varepsilon_s} W dW \tag{30}$$

dVを式(29)に代入し，$y=0$から$y=L$まで積分することにより次式を得る．

$$I_D = \frac{1}{L} \int_{W_1}^{W_2} q\mu_n N_D Z (a - W) \frac{qN_D}{\varepsilon_s} W dW$$

$$= \frac{Z\mu_n q^2 N_D^2}{2\varepsilon_s L} \left[a(W_2^2 - W_1^2) - \frac{2}{3}(W_2^3 - W_1^3) \right]$$

または

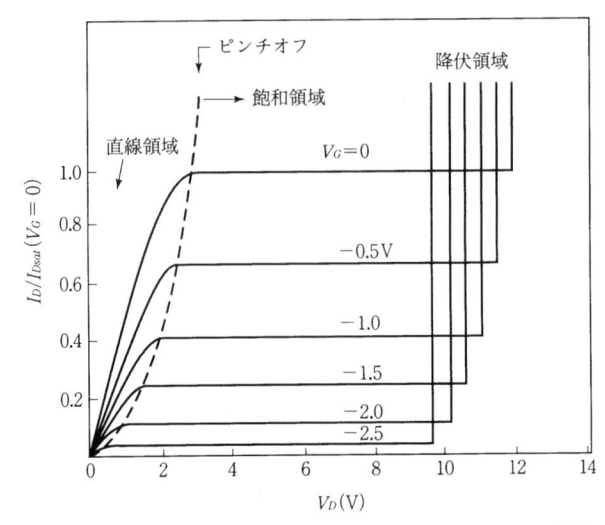

図 13 $V_p=3.2\,\mathrm{V}$ の MESFET の規格された理想的な電流-電圧特性.

$$I = I_P\left[\frac{V_D}{V_P} - \frac{2}{3}\left(\frac{V_D + V_G + V_{bi}}{V_P}\right)^{3/2} + \frac{2}{3}\left(\frac{V_G + V_{bi}}{V_P}\right)^{3/2}\right], \tag{31}$$

ここで

$$I_P \equiv \frac{Z\mu_n q^2 N_D{}^2 a^3}{2\varepsilon_s L} \tag{31 a}$$

および

$$V_P \equiv \frac{qN_D a^2}{2\varepsilon_s}. \tag{31 b}$$

電圧 V_p は**ピンチオフ電圧**と呼ばれ，$W_2=a$ のときの全電圧 $(V_D+V_G+V_{bi})$ である．

図13にピンチオフ電圧が3.2VのMESFETのI-V特性を示す．曲線は $0 \leq V_D \leq V_{Dsat}$ に対して，式 (31) を用いて計算したものである．V_{Dsat} よりも大きなドレイン電圧に対する電流は，上に述べた議論に従って一定としている．この図から，電流-電圧特性に三つの異なった領域のあることがわかる．すなわち V_D が小さい場合には，チャンネルの断面積は実質的に V_D に独立で，I-V 特性はオーミックあるいは直線的である．この動作領域は直線領域と呼ばれる．$V_D \geq V_{Dsat}$ にたいしては，電流は I_{Dsat} で飽和する．この領域は飽和領域と呼ばれる．さらにドレイン電圧が増大すると，ゲート-チャンネル間ダイオードに雪崩降伏が起こり，ドレイン電流は急激に増大する．これを降伏領域という．

$V_D \ll V_G$ である直線領域においては，式(31) は次のように展開される．

$$I_D \cong \frac{I_P}{V_P}\left[1 - \sqrt{\left(\frac{V_G + V_{bi}}{V_P}\right)}\right]V_D. \tag{32}$$

MESFETの重要なパラメータとして，**伝達コンダクタンス** g_m がある．これはあるドレイン電圧での，ゲート電圧の変化に対するドレイン電流の変化である．g_m は式 (32) から次のようになる．

第7章 MESFETと関連デバイス

$$g_m = \frac{\partial I_D}{\partial V_G}\bigg|_{V_D} = \frac{I_P}{2V_P{}^2}\sqrt{\frac{V_P}{V_G + V_{bi}}}V_D. \tag{33}$$

飽和領域におけるドレイン電流は，ピンチオフ点における電流を計算することにより，式(31)で，$V_P = V_D + V_G + V_{bi}$ と置いて求められる．

$$I_{Dsat} = I_P\left[\frac{1}{3} - \left(\frac{V_G + V_{bi}}{V_P}\right) + \frac{2}{3}\left(\frac{V_G + V_{bi}}{V_P}\right)^{3/2}\right]. \tag{34}$$

これに相当する飽和電圧は，次式で与えられる．

$$V_{Dsat} = V_P - V_G - V_{bi}. \tag{35}$$

飽和領域の伝達コンダクタンスは式 (34) から求められる，

$$g_m = \frac{I_P}{V_P}\left(1 - \sqrt{\frac{V_G + V_{bi}}{V_P}}\right) = \frac{2Z\mu_n q N_D a}{L}\left(1 - \sqrt{\frac{V_G + V_{bi}}{V_P}}\right). \tag{36}$$

降伏領域で，降伏電圧は逆方向電圧が最も高い，チャンネルのドレイン端で起こる．

$$V_B(\text{降伏電圧}) = V_D + |V_G|. \tag{37}$$

たとえば，図 13 で降伏電圧は $V_G = 0$ の時，12 V である．$|V_G| = 1$ では降伏電圧はまだ 12 V であるので，降伏時のドレイン電圧 V_D は $(V_B - |V_G|)$ すなわち 11 V になる．

例題 4 金電極を有する $T = 300$ K の n-チャンネルの GaAs MESFET を考えよう．障壁高さは 0.89 V とする．n-チャンネルのドーピングは 2×10^{15} cm^{-3}，そしてチャンネル厚さは 0.6 μm である．ピンチオフ電圧，内蔵電位を計算せよ．GaAs の誘電率は 12.4 である．

解答 ピンチオフ電圧は

$$V_P = \frac{qN_D}{2\varepsilon_s}a^2 = \frac{(1.6 \times 10^{-19})(2 \times 10^{15})}{2 \times 12.4 \times (8.85 \times 10^{-14})} \times (0.6 \times 10^{-4})^2 = 0.53 \text{ V}.$$

伝導帯とフェルミ準位の差は

$$V_n = \frac{kT}{q}\ln\left(\frac{N_C}{N_D}\right) = 0.026 \ln\left(\frac{4.7 \times 10^{17}}{2 \times 10^{15}}\right) = 0.14 \text{ V}.$$

内蔵電位は

$$V_{bi} = \phi_{Bn} - V_n = 0.89 - 0.14 = 0.75 \text{ V}.$$

これまでノーマリ・オン（あるいはディプレッション型）のデバイス，すなわち，$V_G = 0$ でチャネルに電流が流れるデバイスについて考えて来た．高速で低消費電力の応用には，ノーマリ・オフデバイスの方が良い．このデバイスは $V_G = 0$ においてチャネルに電流が流れない．すなわち，ゲート電極の内蔵電位 V_{bi} はチャンネル領域を空乏化させるのに十分である．これは，たとえば，半絶縁性基板上の非常に薄いエピ層を用いた GaAs MESFET で可能である．ノーマリ・オフ MESFET では，正のゲートバイアスを掛けることによって，チャンネル電流が流れ始める．これに必要な電圧，しきい値電圧 V_T と呼ばれる，は次式で与えられる．

$$V_T = V_{bi} - V_P \tag{38 a}$$

または

$$V_{bi} = V_T + V_P, \tag{38 b}$$

ここで，V_P は式 (31 b) で与えられるピンチオフ電圧である．しきい値電圧の近辺では，飽和領域のドレイン電流は，式 (38 b) の V_{bi} を式 (34) に代入し，$(V_G - V_T)/V_P \ll 1$ と仮定することにより，テーラー展開することで求められる．

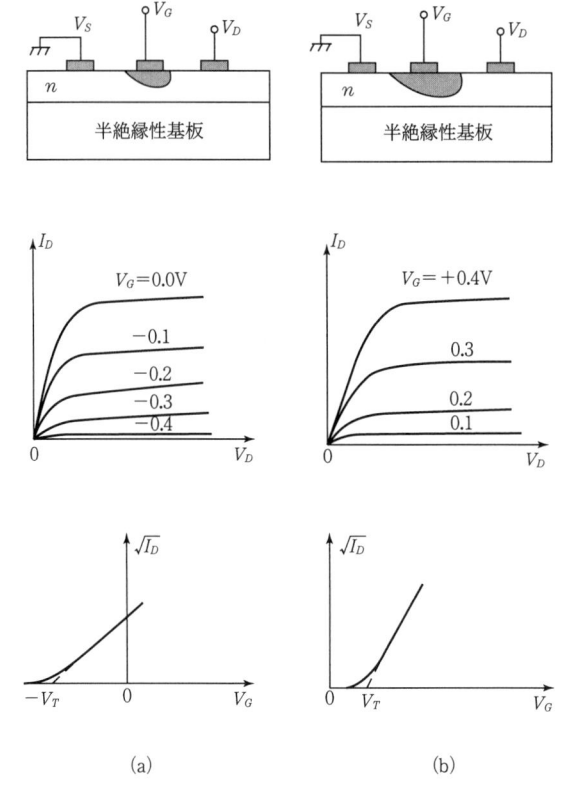

図 14 *I–V* 特性の比較．(a) ノーマリ・オン MESFET．
(b) ノーマリ・オフ MESFET．

$$I_{Dsat} = I_P \left\{ \frac{1}{3} - \left[1 - \left(\frac{V_G - V_T}{V_P} \right) \right] + \frac{2}{3} \left[1 - \left(\frac{V_G - V_T}{V_P} \right) \right]^{3/2} \right\}$$

または

$$\boxed{I_{Dsat} \approx \frac{Z\mu_n \varepsilon_s}{2aL}(V_G - V_T)^2.} \tag{39}$$

式 (39) を導くのに，極性として V_G を負とした．

ノーマリ・オンとノーマリ・オフデバイスの基本的な電流-電圧特性は似ている．図 14 はこれらの二つの動作を比較している．主な差は V_G 軸に沿ってしきい値電圧がシフトしていることである．ノーマリ・オフデバイス（図 14(b)）は $V_G = 0$ で電流は流れず，$V_G > V_T$ で式 (39) にしたがって電流が変化する．ゲートの内蔵電位がおよそ 1 V 以下であるので，ゲートの順方向バイアスは，極端なゲート電流を避けるために，およそ 0.5 V に制限される．

ノーマリ・オフデバイスの伝達コンダクタンスは式 (39) から，次のように求められる．

$$g_m = \frac{dI_{Dsat}}{dV_G} = \frac{Z\mu_n \varepsilon_s}{aL}(V_G - V_T). \tag{40}$$

7.2.4 高周波特性

MESFET を高周波で使用する場合，最も重要な性能指数はしゃ断周波数 f_T である．しゃ断

第7章　MESFETと関連デバイス

周波数 f_T とは，MESFETが，それ以上の周波数で信号を増幅できない周波数のことである．デバイスの直列抵抗が無視できるほど小さいとすると，小信号入力電流は，ゲートのアドミッタンスと小信号ゲート電圧の積である．

$$\tilde{i}_{in} = 2\pi f C_G \tilde{v}_g. \tag{41}$$

ここで C_G は，$ZL(\varepsilon_s/\overline{W})$ で表されるゲート容量であり，$\overline{W}$ は，ゲート電圧下の平均空乏層幅である．小信号出力電流は，伝達コンダクタンスの定義から次のように求められる．

$$g_m = \frac{\partial I_D}{\partial V_G} = \frac{\tilde{i}_{out}}{\tilde{v}_g} \tag{42}$$

あるいは

$$\tilde{i}_{out} = g_m \tilde{v}_g. \tag{42a}$$

式（41）と式（42a）を等しいとおくことによって，しゃ断周波数は次のように求められる．

$$f_T = \frac{g_m}{2\pi C_G} < \frac{I_P/V_P}{2\pi ZL(\varepsilon_s/\overline{W})} \approx \frac{\mu_n q N_D a^2}{2\pi \varepsilon_s L^2}, \tag{43}$$

ここで g_m に対しては，式（36）を用いた．式（43）より，高周波特性を改善するためには，高いキャリアの移動度と短いチャンネル長を持った MESFET を使うことが必要であることがわかる．電子の方が高い移動度を有するので一般に n-チャンネル MESFET が使われる．

これらの式の導出では，チャンネルのキャリア移動度が，印加電界に独立で一定であると仮定している．しかし，非常に高い周波数で動作させるためには，長さ方向の電界，すなわち，ソースからドレインに向かっての電界は非常に高く，キャリアは，飽和速度でチャンネル内を動くことになる．

このような条件下では，飽和チャンネル電流は次式で与えられる．

$$I_{Dsat} = (\text{キャリア輸送の断面積}) \times qnv_s,$$
$$= Z(a-W)qN_Dv_s. \tag{44}$$

したがって，伝達コンダクタンスは

$$g_m = \frac{\partial I_{Dsat}}{\partial V_G} = \frac{\partial I_{Dsat}}{\partial W} \cdot \frac{\partial W}{\partial V_G} = [qN_Dv_sZ(-1)]\left(-\frac{1}{qN_DW/\varepsilon_s}\right) \tag{45}$$

あるいは

$$g_m = Zv_s\varepsilon_s/W. \tag{45a}$$

式（45）において $\partial W/\partial V_G$ は式（28）のものを用いた．

式（45a）から，飽和速度条件でのしゃ断周波数は次のように求められる．

$$\boxed{f_T = \frac{g_m}{2\pi C_G} = \frac{Zv_s\varepsilon_s/W}{2\pi ZL(\varepsilon_s/W)} = \frac{v_s}{2\pi L}.} \tag{46}$$

したがって，f_T を増大させるためには，ゲート長 L を減少させ，飽和速度の高い半導体を用いなければならない．図15は，五つの代表的な半導体について，電子のドリフト速度と電界の関係を示したものである[8]．ここで，GaAs は，Si の電子の飽和速度より 20% から 100% 高い，1.2×10^7 cm/s という平均速度†，2×10^7 cm/s というピーク速度を持っていることに注意されたい．また，$Ga_{0.47}In_{0.53}As$ と InP は，GaAs よりも高い平均速度およびピーク速度を持っていることも注意されたい．結果として，これらの半導体を使った場合のしゃ断周波数は GaAs を使っ

---

† 平均速度は次式で定義される．$\bar{v} \equiv \left[\frac{1}{L}\int_0^L \frac{dx}{v(x)}\right]^{-1}$．もし $v(x)$ が一定値 v_0 であれば，$\bar{v} = v_0$ である．

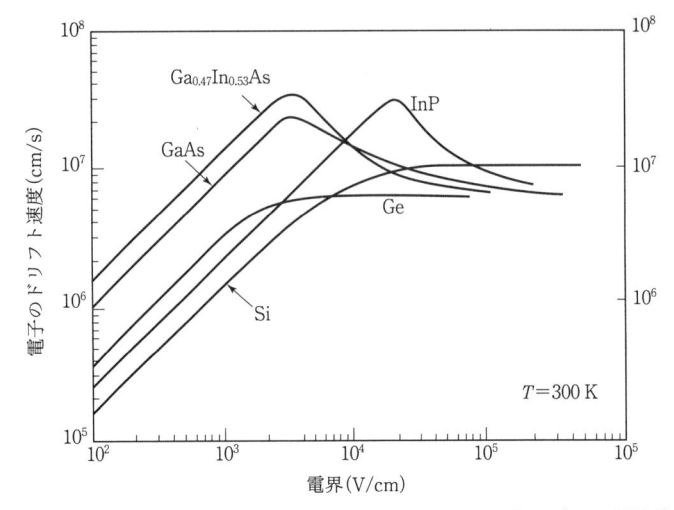

図 15 種々の半導体における，電子のドリフト速度と電界の関係[8].

たしゃ断周波数よりも高くなる．

7.3 MODFET

7.3.1 MODFETの基本

変調ドープ電界効果トランジスタ (modulation-doped field-effect transistor, MODFET) は，ヘテロ構造電界効果デバイスである．このデバイスに与えられている他の名前としては，高電子移動度トランジスタ (high electron mobility transistor, HEMT)，二次元電子ガス電界効果トランジスタ (two-dimensional electron gas field-effect transistor, TEGFET)，選択ドープヘテロ構造トランジスタ (selectively doped hetero structure transistor, SDHT) などである．しばしば，このデバイスはヘテロ接合電界効果トランジスタ (heterojunction field-effect transistor, HFET) とも呼ばれる．

図16は通常のMODFETの概略図を示したものである．MODFETの特徴は，ゲートの下にあるヘテロ接合構造と変調ドープ層である．図16のデバイスにおいて，AlGaAsは，広いバン

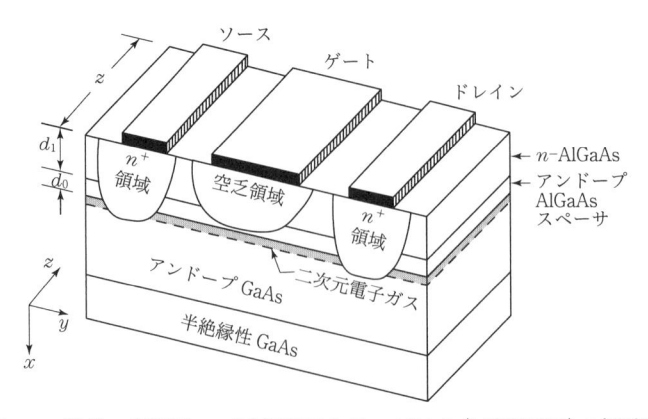

図 16 通常の変調ドープ電界効果トランジスタ (MODFET) の概略図

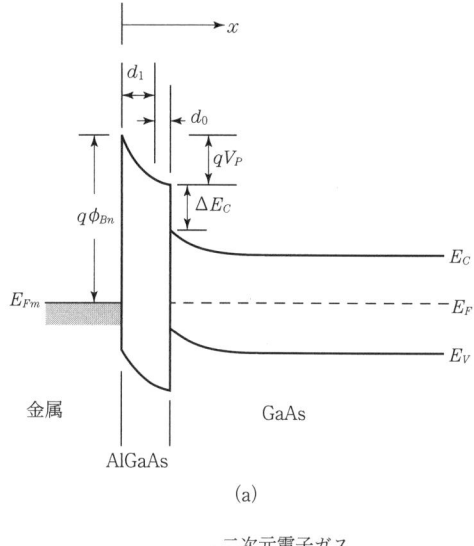

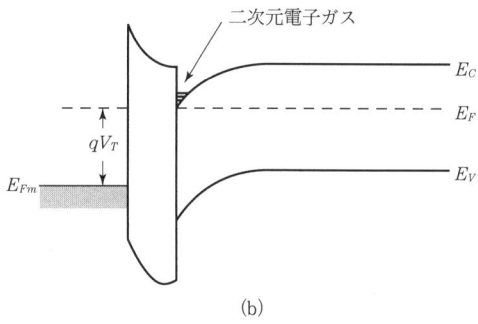

図 17 ノーマリ・オフ MODFET のエネルギーバンド図．(a)熱平衡状態，(b)しきい値を超えた状態．d_1, d_0 はそれぞれドープされた領域とドープされていない領域の厚さ[9]．

ドキャップを持つ半導体であるが，逆に，GaAs は，狭いバンドキャップの半導体である．これらの二つの半導体は，変調ドープされている．すなわち，AlGaAs は，ドープされていない狭い領域 d_0 を除いては，ドープされている．それに対し，GaAs はドープされていない．AlGaAs 中の電子は，ドープされていない GaAs の方に拡散し，GaAs の表面に伝導チャンネルが形成される．

図 17(a) は，熱平衡状態の MODFET のバンド図を示したものである．通常のショットキー障壁と同様，$q\phi_{Bn}$ は，広いバンドキャップの半導体上にある金属の障壁高さである[9]．ΔE_C はヘテロ接合構造における伝導帯のバンド不連続である．また，V_P は，次式で与えられるピンチオフ電圧である．

$$V_P = \frac{q}{\varepsilon_s}\int_0^d N_D(x)\, x dx = \frac{qN_D d_1^2}{2\varepsilon_s}, \tag{47}$$

ここで，d_1 はドープされている AlGaAs 領域の厚さであり，ε_s は誘導率である．

MODFET の動作におけるキーパラメータは，しきい値電圧 V_T であり，このゲートバイアス電圧においてソースとドレイン間にチャンネルが形成され始める．図 17(b) からわかるように，V_T は GaAs 表面の伝導帯の底が，フェルミ準位に一致する状態に相当する．

$$V_T = \phi_{Bn} - \frac{\Delta E_c}{q} - V_P. \tag{48}$$

しきい値電圧 V_T は，ϕ_{Bn} と V_P を変えることによって調整することができる．しかし，ΔE_c は半導体によって決まってしまう．図 17(b) に示すように，V_T が正の値の時，この MODFET はエンハンスモードデバイス（ノーマリ・オフ）になる．これに対し，ディプレッションモードデバイスでは，V_T は負，すなわちノーマリ・オンになる．

ゲート電圧が V_T より大きい場合，シートキャリア密度 $n_S(y)$ が，ヘテロ接合界面のゲートを介して導入される．シートキャリアは，MOSFET の反転層における Q_n/q のシートキャリアと同様である（6.1節参照）．

$$n_S(y) = \frac{C_i[V_G - V_T - V(y)]}{q}, \tag{49}$$

ここで

$$C_i = \frac{\varepsilon_s}{d_1 + d_0 + \Delta d}. \tag{49a}$$

d_1 と d_0 は，AlGaAs のドープ層とアンドープ層の厚さである（図 16）．Δd はチャンネルの厚さ，あるいは，反転層の厚さで約 8 nm と推定されている．$V(y)$ はソースに対するチャンネルの電位である．これは，チャンネルに沿って，図 12(b) に示されている場合と同様に，0 からドレインバイアス V_D まで変化する．シートキャリアは，また，**二次元電子ガス**と呼ばれる．これは，反転層の電子が，左側の ΔE_c と右側の伝導帯の電位分布によって x 方向に閉じ込められているためである（図 17(b)）．しかしながら，これらの電子は二次元的な動きをする．すなわち，ソースからドレインまでの y 方向と，チャンネルの幅に並行な z 方向である（図 16）．

式 (49) は，ゲートバイアスを負にすると，二次元電子ガスが減少することを示している．他方，正の V_G が印加されると n_S は増加する．

例題 5 ドーピング濃度 2×10^{18} cm^{-3}，厚さ 40 nm の n-AlGaAs を用いた，AlGaAs/GaAs ヘテロ接合について考える．アンドープスペーサ層 3 nm，ショットキー障壁高さ 0.85 V，$\Delta E_c/q = 0.23$ V とする．AlGaAs の誘導率は 12.3 である．$V_G = 0$ の場合の二次元電子ガス濃度を計算せよ．

解答

$$V_P = \frac{qN_D d_1^2}{2\varepsilon_s} = \frac{1.6 \times 10^{-19} \times 2 \times 10^{18} \times (40 \times 10^{-7})^2}{2 \times 12.3 \times 8.85 \times 10^{-14}} = 2.35 \text{ V}.$$

しきい値電圧は

$$V_T = \phi_{Bn} - \frac{\Delta E_c}{q} - V_P = 0.85 - 0.23 - 2.35 = -1.73 \text{ V}.$$

したがって，デバイスはノーマリ・オン型の MODFET である．$V_G = 0$ の場合のソース側での二次元電子ガスは

$$n_S = \frac{12.3 \times 8.85 \times 10^{-14}}{1.6 \times 10^{-19} \times (40 + 3 + 8) \times 10^{-7}} \times [0 - (-1.73)] = 2.29 \times 10^{12} \text{ cm}^{-2}.$$

7.3.2 電流-電圧特性

MODFET の電流-電圧特性は，MOSFET の場合と同じように，グラジュアルチャンネル近

似を用いて求めることができる．チャンネルに沿ったどの点の電流も次のように表示される．

$$I = Zq\mu_n n_s \mathcal{E}_y$$
$$= Z\mu_n C_i [V_G - V_T - V(y)] \frac{dV(y)}{dy} \quad (50)$$

電流はチャンネルに沿って一定であるから，式 (50) をソースからドレインまで ($y=0$ から $y=L$ まで) 積分すると，次式になる．

$$I = \frac{Z}{L}\mu_n C_i \left[(V_G - V_T)V_D - \frac{V_D^2}{2}\right]. \quad (51)$$

エンハンスメントモードの MODFET の出力特性は，図 14(b) に示したものと似ている．$V_D \ll (V_G - V_T)$ の直線領域では式 (51) は次式になる．

$$\boxed{I = \frac{Z}{L}\mu_n C_i (V_G - V_T) V_D.} \quad (52)$$

大きなドレイン電圧に対しては，ドレイン端でのシートキャリア密度 $n(y)$ は 0 となる．これは前に議論し，図 11(b) に示されているピンチオフ状態である．式 (49) から $n_s(y=L)=0$ となる飽和電圧 V_{Dsat} が求められる．

$$V_{Dsat} = V_G - V_T, \quad (53)$$

そして，飽和電流は，式 (51) と式 (53) から次式になる．

$$\boxed{I = \frac{Z\mu_n C_i}{2L}(V_G - V_T)^2 = \frac{Z\mu_n \varepsilon_s}{2L(d_1 + d_0 + \Delta d)}(V_G - V_T)^2.} \quad (54)$$

この式は，式 (39) と非常に似ていることに注意されたい．式 (40) で与えられる伝達コンダクタンスについても同じような表現が得られる．

高速動作においては，長さ方向の電界（すなわち，チャンネルに沿った電界）は，十分高くなり，キャリアの速度は飽和する．速度飽和領域における電流は次式のように表される．

$$\boxed{\begin{aligned}I_{sat} &= Zv_s q n_s \\ &\cong Zv_s C_i (V_G - V_T).\end{aligned}} \quad (55)$$

伝達コンダクタンスは

$$g_m = \frac{\partial I_{sat}}{\partial V_G} = Zv_s C_i. \quad (56)$$

速度飽和領域では I_{sat} はゲートの長さに独立であり，g_m はゲートの長さとゲート電圧の両方に依存しないことに注意されたい．

7.3.3　しゃ断周波数

MODFET の高速性はしゃ断周波数によって測られる．

$$f_T = \frac{g_m}{2\pi(\text{全容量})} = \frac{Zv_s C_i}{2\pi(ZLC_i + C_p)}$$
$$= \frac{v_s}{2\pi(L + C_p/ZC_i)}, \quad (57)$$

ここで C_P は，寄生容量である．f_T を改善するためには，v_s の大きな半導体を選び，ゲート長をできるだけ短くし，寄生容量を最小にするようなデバイス構造を考える必要がある．

さまざまな FET のしゃ断周波数の比較を図 18 に示す．しゃ断周波数 f_T は，チャンネル長，

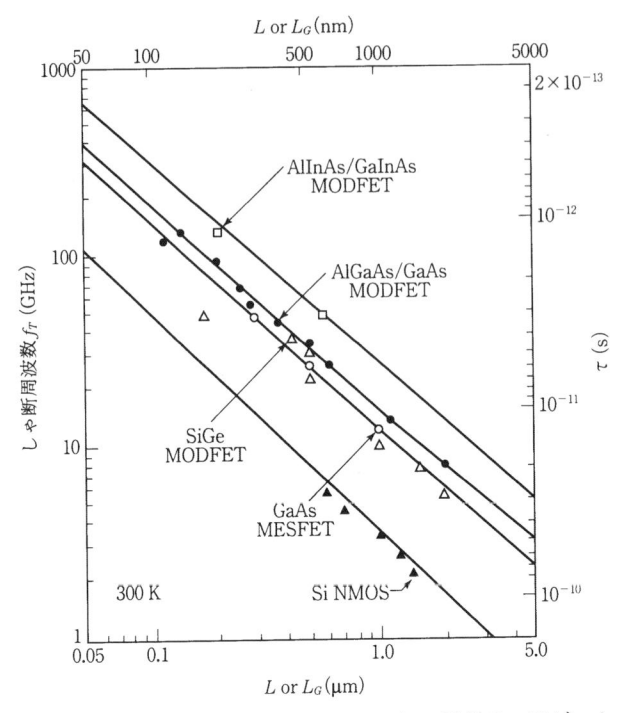

図 18 五つの異なった FET のチャンネル長あるいはゲート長に対するしゃ断周波数[8,10].

あるいは，ゲート長に対してプロットされている[8,10]. あるゲート長に対しては，Si n-形 MOSFET が最も低い f_T をとることに注意されたい．これは Si では，電子の移動度が比較的低く，平均速度も低いためである．GaAs MESFET においては，f_T は，Si MOSFET の約 3 倍になっている．

3 種類の MODFET の特性についても示されている．通常の GaAs MODFET（すなわち，AlGaAs/GaAs 構造）においては，GaAs MESFET より約 30% 高い f_T となっている．歪 SiGe MODFET（すなわち，Si の格子定数に整合するために，SiGe の格子定数がわずかに縮小している Si-SiGe 構造）に関して，最良のデバイスは，GaAs MODFET と同等の f_T を有している．SiGe MODFET は，SiIC の製造設備でプロセスすることができるので非常に魅力的である．さらに高いしゃ断周波数を有するものとしては，InP 基板上に作られた $Al_{0.48}In_{0.52}As$-$Ga_{0.47}In_{0.53}As$ MODFET がある．卓越した特性は，主に $Ga_{0.47}In_{0.53}As$ の高電子移動度と，高い平均およびピーク速度によるものである．ゲート長を 50 nm にすることにより，600 GHz という高い f_T が得られると考えられる．

まとめ

金属が半導体と密着することにより，金属-半導体接触ができる．接触には，2 種類ある．一つは整流性接触で，ショットキー障壁接触とも呼ばれる．比較的大きな障壁の高さを持っており，比較的低いドーピング濃度の半導体上に作られる．ショットキー障壁における電位と電界の分布は片側階段 p-n 接合のものとほぼ同じである．しかし，ショットキー障壁における電流の輸送は，熱電子放出によるもので，それ故，動作速度は本質的に速い．

もう一つはオーミック接触と呼ばれるものであり，縮退した半導体上に作られ，キャリアの輸送は，トンネル過程によって行われる．オーミック接触は，非常に小さな電圧降下により必要な電流を流すことができる．すべての半導体デバイスおよび集積回路は，電子システムにおいて他のデバイスと接続するために，オーミック接触を必要としている．

金属-半導体接触は，MESFET および MODFET デバイスの基本構成要素である．ゲート電極にショットキー障壁を，さらに，ソースとドレイン電極に二つのオーミック接触を用いることにより MESFET が作られる．この3端子デバイスは，高周波応用分野，特に，マイクロ波集積回路（MMIC）にとって重要である．ほとんどの MESFET は，高い電子移動度と高い平均ドリフト速度を持っている n 型のIII-V属化合物半導体で作られる．特に，GaAs が重要であるが，これは，比較的成熟した技術と，高品質 GaAs ウェーハの入手の容易さが理由である．

MODFET は，さらに高い高周波数特性を持ったデバイスである．このデバイス構造は，ゲートの下にヘテロ接合があることを除けば，MESFET の構造と似ている．二次元電子ガス，すなわち，伝導チャンネルがヘテロ接合界面に作られ，高い移動度と高い平均速度を持った電子が，チャンネルを通してソースからドレインに輸送される．

すべての電界効果トランジスタ（FET）の出力特性は似ている．低いドレインバイアスにおいて直線領域を持つ．バイアスが増加すると出力電流は飽和し，十分高い電圧において，ドレイン端でなだれ降伏が起こる．しきい値電圧が，正であるか負であるかにより，ノーマリ・オフ（エンハンスメント型）またはノーマリ・オン（ディプレッション型）になる．

しゃ断周波数 f_T は FET の高周波特性の性能指数である．同じゲート長に対しては，Si MOSFET（n-タイプ）の f_T が最も低く，GaAs MESFET の f_T は，Si の約3倍である．通常の GaAs MODFET と歪 SiGe MODFET の f_T は，GaAs MESFET より約30%高い．もっと高いしゃ断周波数のものとしては，GaInAs MODFET があり，ゲート長を 50 nm とすれば 600 GHz の f_T が期待される．

参 考 文 献

1. W. Schottky, "Halbleitertheorie der Sperrschicht," *Naturwissenschaften*, **26**, 843 (1938).
2. A. M. Cowley and S. M. Sze, "Surface States and Barrier Height of Metal Semiconductor System," *J. Appl. Phys.*, **36**, 3212 (1965).
3. G. Myburg, et al., "Summary of Schottky Barrier Height Data on Epitaxially Grown n- and p-GaAs," *Thin Solid Films*, **325**, 181 (1998).
4. C. R. Crowell, J. C. Sarace, and S. M. Sze, "Tungsten-Semiconductor Schottky-Barrier Diodes," *Trans. Met. Soc. AIME*, **23**, 478 (1965).
5. V. L. Rideout, "A Review of the Theory, Technology and Applications of Metal-Semiconductor Rectifiers," *Thin Solid Films*, **48**, 261 (1978).
6. S. M. Sze, *Physics of Semiconductor Devices*, 2nd ed., Wiley, New York, 1981.
7. C. A. Mead, "Schottky Barrier Gate Field-Effect Transistor," *Proc. IEEE*, **54**, 307 (1966).
8. S. M. Sze, Ed., *High Speed Semiconductor Device*, Wiley, New York, 1992.
9. K. K. Ng, *Complete Guide to Semiconductor Devices*, McGraw Hill, New York, 1995.
10. S. Luryi, J. Xu, and A. Zaslavsky, Eds., *Future Trends in Microelectronics*, Wiley, New York, 1999.

問題（＊印は高度な問題を示す）

7.1節　金属-半導体接触に関する問題

1. ゼロバイアス時の，金属-半導体ダイオードの理論的障壁高さと内蔵電位を計算せよ．ただし，金属の仕事関数を 4.55 eV，半導体の電子親和力を 4.01 eV，300 K での $N_D = 2 \times 10^{16}$ cm^{-3} とする．

2. (a) 図6に示されている W-GaAs ショットキーバリアダイオードのドナー濃度と障壁の高さを求めよ．(b) 障壁の高さを図8の飽和電流密度 5×10^{-7} A/cm^2 から求めたものと比較せよ．(c) 逆方向バイアス-1 V における空乏層幅 W，最大電界，容量を求めよ．

3. 理想的ショットキー・ダイオードを作るため，n 形 Si 上に Cu が注意深く堆積された．$\phi_m = 4.65$ eV，電子親和力；4.01 eV，$N_D = 3 \times 10^{16}$ cm^{-3}，$T = 300$ K とする．ゼロバイアスでの障壁の高さ，内蔵電位，空乏層幅，最大電界を計算せよ．

＊4. Au-n 形 GaAs ショットキーバリアダイオードの容量が $1/C^2 = 1.57 \times 10^5 - 2.12 \times 10^5 V_a$ で与えられるものとする．ここで C，V_a の単位はそれぞれ μF，V である．内蔵電位，障壁の高さ，ドーパント濃度，仕事関数を求めよ．

5. 理想的金属-Si ショットキーバリアダイオードの V_{bi}，ϕ_m の値を計算せよ．ただし，障壁の高さは 0.8 eV，$N_D = 1.5 \times 10^{16}$ cm^{-3}，q$\chi = 4.01$ eV とする．

6. 金属-Si ショットキーバリアダイオードにおいて，障壁の高さは 0.75 eV，$A^* = 110$ A/cm^2-K^2 とする．300 K における電子電流に対する注入正孔電流の比を求めよ．ただし，$D_p = 12$ cm^{2}s^{-1}，$L_p = 1 \times 10^{-3}$ cm，$N_D = 1.5 \times 10^{16}$ cm^{-3} とする．

7.2節　MESFETに関する問題

7. $\phi_{Bn} = 0.9$ V，$N_D = 10^{17}$ cm^{-3}，とする．GaAs MESFET がディプレッションモード（すなわち，$V_T < 0$）で動作するのに必要な，エピ層の最小厚さはいくらか？

8. GaAs MESFET のドープ量が $N_D = 7 \times 10^{16}$ cm^{-3}，寸法その他の特性が $a = 0.3$ μm，$L = 1.5$ μm，$Z = 5$ μm，$\mu_n = 4500$ cm^2/V・s，$\phi_{Bn} = 0.89$ V，であるとする．$V_G = 0$，$V_D = 1$ V の時の理想的な g_m の値を計算せよ．

9. 図10 に示されている n-チャンネル GaAs MESFET において，$\phi_{Bn} = 0.9$ V，$N_D = 10^{17}$ cm^{-3}，$a = 0.2$ μm，$L = 1$ μm，$Z = 10$ μm であったとする．(a) このデバイスはエンハンスメントモードかディプレッションモードか？(b) しきい値電圧を求めよ（エンハンスメントモードでは $V_T > 0$，かディプレッションモードでは $V_T < 0$）．

10. n-チャンネル GaAs MESFET において，$N_D = 2 \times 10^{15}$ cm^{-3}，$\phi_{Bn} = 0.8$ V，$a = 0.5$ μm，$L = 1$ μm，$Z = 50$ μm，$\mu_n = 4500$ cm^2/V・s，であったとする．$V_G = 0$ でのピンチオフ電圧，しきい値電圧，飽和電流を求めよ．

11. 二つの n-チャンネル GaAs MESFET の障壁の高さが等しく，$\phi_{Bn} = 0.85$ V であった．デバイス 1 のドーピング濃度が $N_D = 4.7 \times 10^{16}$ cm^{-3}，デバイス 2 の $N_D = 4.7 \times 10^{17}$ cm^{-3} であったとする．それぞれのデバイスでしきい値電圧がゼロになるようなチャンネルの厚さを求めよ．

7.3節 MODFET に関する問題

12. n-AlGaAs 層が $3\times 10^{18}\,\mathrm{cm^{-3}}$ にドープされた，急峻な AlGaAs/GaAs ヘテロ接合において，ショットキー障壁の高さが $0.89\,\mathrm{V}$，ヘテロ接合のバンド不連続 ΔE_c が $0.23\,\mathrm{eV}$ であった．しきい値電圧が $-0.5\,\mathrm{V}$ になるように，ドープされた AlGaAs 層の厚さ d_1 を求めよ．ただし，AlGaAs の比誘電率を 12.3 とする．

*13. AlGaAs/GaAs ヘテロ接合の二次元電子ガスがゼロゲートバイアスで $1.25\times 10^{12}\,\mathrm{cm^{-2}}$ になるようなアンドープスペーサ層の厚さ d_0 を求めよ．ただし，n-AlGaAs 層は $1\times 10^{18}\,\mathrm{cm^{-3}}$ にドープされ，厚さ d_1 は $50\,\mathrm{nm}$，ショットキー障壁の高さは $0.89\,\mathrm{V}$，$\Delta E_c/q$ は $0.23\,\mathrm{V}$，AlGaAs の比誘電率は 12.3 とする．

14. n-AlGaAs 層が $50\,\mathrm{nm}$，アンドープ AlGaAs スペーサ層が $10\,\mathrm{nm}$ の AlGaAs/GaAs HEMT を考える．しきい値電圧は $-1.3\,\mathrm{V}$，$N_D=5\times 10^{17}\,\mathrm{cm^{-3}}$，$\Delta E_c=0.25\,\mathrm{eV}$，チャンネル幅は $8\,\mu\mathrm{m}$，AlGaAs の比誘電率を 12.3 とする．ショットキー障壁の高さと $V_G=0$ の時の二次元電子ガス濃度を求めよ．

15. AlGaAs/GaAs ヘテロ接合において，二次元電子ガス濃度が $1\times 10^{12}\,\mathrm{cm^{-2}}$，スペーサ層が $5\,\mathrm{nm}$，チャンネル幅が $8\,\mu\mathrm{m}$，ピンチオフ電圧が $1.5\,\mathrm{V}$，$\Delta E_c/q$ が $0.23\,\mathrm{V}$，n-AlGaAs 層のドーピング濃度が $3\times 10^{18}\,\mathrm{cm^{-3}}$，ショットキー障壁の高さが $0.8\,\mathrm{V}$ であったとする．ドープされた AlGaAs 層の厚さと，しきい値電圧を求めよ．

16. n-AlGaAs-真性 GaAs ヘテロ接合を考える．AlGaAs 層のドーピング濃度は $N_D=3\times 10^{18}\,\mathrm{cm^{-3}}$，厚さは $35\,\mathrm{nm}$（スペーサはない），$\phi_{Bn}=0.89\,\mathrm{V}$，$\Delta E_c=0.24\,\mathrm{eV}$，比誘電率は 12.3 とする．$V_G=0$ の時の V_p と n_s を求めよ．

第8章 マイクロ波ダイオード，量子効果およびホットエレクトロンデバイス

8.1 マイクロ波の基礎技術
8.2 トンネルダイオード
8.3 IMPATT ダイオード
8.4 バルク効果デバイス
8.5 量子効果デバイス
8.6 ホットエレクトロンデバイス
まとめ

　前の章で議論した多くの半導体デバイスは，マイクロ波領域（0.1～3000 GHz）で動作させることができる．しかしながら，2端子デバイスは，特に高い周波数において面積当り最も高い電力を発生させることができる．さらに，これらのデバイスをパルス動作させると，熱的な制限を克服でき，また，ピーク rf（ラジオ周波数）電力レベルを1桁以上増加させることができる．この章では，基礎的なマイクロ波技術を紹介し，トンネルダイオード，IMPATT ダイオード，バルク効果デバイス，共鳴トンネルダイオードなどの2端子マイクロ波デバイスについて述べる．

　過去20年間の多くの研究努力により，量子効果やホットエレクトロン現象を用いたデバイス構造を開発し，特性を向上させてきた．量子効果デバイス（quantum-effect device, QED）やホットエレクトロンデバイス（hot-electron device, HED）の第一の利点は，その高速性である．ほとんどの QED の基礎になっているトンネル過程は，本質的に速い過程である．また，HED においては，弾道輸送されるキャリアが，熱平衡状態での最高速度よりもはるかに高い速度で動くことができる．しかし，QED や HED の最も顕著な利点はその高い機能性である．これらのデバイスは，比較的複雑な回路機能を非常に少ない数のデバイスで行うことができ，多くのトランジスタや受動回路素子に置き換わることができる[1]．この章では QED と HED の基本的デバイス構造と動作原理について述べる．

　この章では，特に以下の項目を取り上げる．

・低周波デバイスに対するミリ波デバイスの利点
・量子トンネル現象とそれに関連するデバイス——トンネルダイオード，共鳴トンネルダイオード（resonant-tunneling diode, RTD）およびユニポーラ共鳴トンネルトランジスタ
・IMPATT ダイオード——ミリ波領域で最も高出力を出せる半導体デバイス

・バルク効果デバイスと走行時間ドメインモード
・実空間輸送トランジスタと機能デバイスとしての利点

8.1 マイクロ波の基礎技術

　マイクロ波周波数は，0.1 GHz（10^8 Hz）から3000 GHzの領域をカバーする．これは，波長に直すと300 cmから0.01 cmに相当する．特に，30から300 GHzの周波数帯を，波長として10から1 mmに相当するため，ミリ波帯と呼ぶ．さらに，高い周波数帯をサブミリ波帯と呼ぶ．マイクロ波周波数領域は通常，いくつかの異なった周波数帯（バンド）にグループ分けされている[2]．IEEE (institute of electrical and electronics engineers) によって認定されている，周波数帯とそれに相当する周波数領域が表1にまとめられている．マイクロ波デバイスについて述べる時，周波数帯とそれに相当する周波数領域の両方を述べたほうがよい．

　マイクロ波技術の発達は，短波長ラジオ（後のレーダ）システムからの要求によってなされた．マイクロ波の歴史は，1887年頃，Heinrich Hertzの最初の実験から出発した．Hertzは，非常に広い周波数領域の信号をだすスパーク発振器を用い，アンテナによりこれらの周波数の中から約420 MHzの周波数を選んだ．彼の実験からアンテナは波長の半分の長さに相当することがわかった．無線通信の急速な発達が，マイクロ波技術の爆発的な発展につながった．1980年代の携帯電話サービスの導入以来，個人通信サービス（personal communication service, PCS）の表題のもと，ポケベルなど種々の無線データ通信サービスが急速に発達してきている．これらの地上通信システムに加え，衛星を介した映像，電話，データ通信システムの分野も急速に発達している．これらのシステムは，数百MHzからミリ波領域の60 GHzを優に超えるような周波数までのマイクロ波を使っている[3]．

　ラジオ天文学，乱気流の検出，原子核分光，航空管制および気象用レーダ等の，通信やレーダシステムの分野において，ミリ波技術は多くの利点を有している．マイクロ波や赤外システムに対するミリ波の利点としては，軽くてサイズが小さいこと，バンドが広いこと（数GHz），悪天候でも動作させることが可能であること，ビーム幅が狭く高分解能であること等が挙げられる．

表1　IEEEによって認定されている周波数帯域と呼称

呼称	周波数帯域（GHz）	波長（cm）
VHF	0.1-0.3	300.00-100.00
UHF	0.3-1.0	100.00-30.00
L帯	1.0-2.0	30.00-15.00
S帯	2.0-4.0	15.00-7.50
C帯	4.0-8.0	7.50-3.75
X帯	8.0-13.0	3.75-2.31
Ku帯	13.0-18.0	2.31-1.67
K帯	18.0-28.0	1.67-1.07
Ka帯	28.0-40.0	1.07-0.75
ミリ波	30.0-300.0	1.00-0.10
サブミリ波	300.0-3000.0	0.10-0.01

ミリ波帯で注目されている基本周波数は 35, 60, 94, 140, および 220 GHz 等である[4]. これらの特別な周波数が選ばれている理由は, 主に図1に示されているような, ミリ波が水平方向に伝播する場合の大気による吸収である. 吸収が最小になる大気の窓は, 35, 94, 140, および 220 GHz のところに見出される. O_2 による 60 GHz の点の吸収ピークは機密通信システムに使われる.

通常の電子素子は, マイクロ波周波数領域において, 低周波数領域とは異なった挙動をする. これらの周波数領域では, 波長が素子の物理的大きさに近くなるので, 分布定数的な効果を取り入れる必要がある. マイクロ波領域においては, たとえば, 薄膜抵抗も, 分布した L および C, およびいろいろな R の値を持った, 複雑な RLC 回路のように見える. これらの分布定数要素は, 低周波においては無視できるが, マイクロ波においては重大な意味を持つ. マイクロ波領域においては, 容量やインダクタンスは, しばしば伝送線路の一部によって実現できる. 伝送線路はまた, しばしばマイクロ波回路の接続にも使われる. 伝送線路は, 実際, 三つの基本的な電気要素である, 抵抗, 容量, インダクタンスのすべてを等価的に含んだ複雑な回路である. 平面伝送線路が, 現在のマイクロ波回路技術の主柱になっている. そのような線路は, アース面を有した薄い誘電体基板上の1本あるいは数本の平面導電性膜からなっている.

図2は平面伝送線路のいくつかの基本的な型を示したものである. マイクロストリップ, コプラナ導波 (coplanar waveguide, CPW) ストリップ線路, および, 浮遊基板ストリップ線路 (suspended-substrate stripline, SSSL) 等である[5]. マイクロストリップは最も代表的な伝送線路である. コプラナ導波路は, 信号伝播におけるロスが大きいが, 接地のための寄生インダクタンスを最小にできる. 伝送線路の特性インピーダンス Z_0 は, 次式で与えられる.

$$Z_0 = \sqrt{\frac{R+j\omega L}{G+j\omega C}} \text{ ohms,} \quad (1)$$

ここで, R は単位長当りの抵抗で, 単位は Ω, G は単位長当りのコンダクタンスでジーメンス (S), L は単位長当りのインダクタンスでヘンリ (H), C は単位長当りの容量でファラッド (F), ω は角周波数で単位は radian/s である. マイクロ波回路ではリアクタンスに比べて抵抗

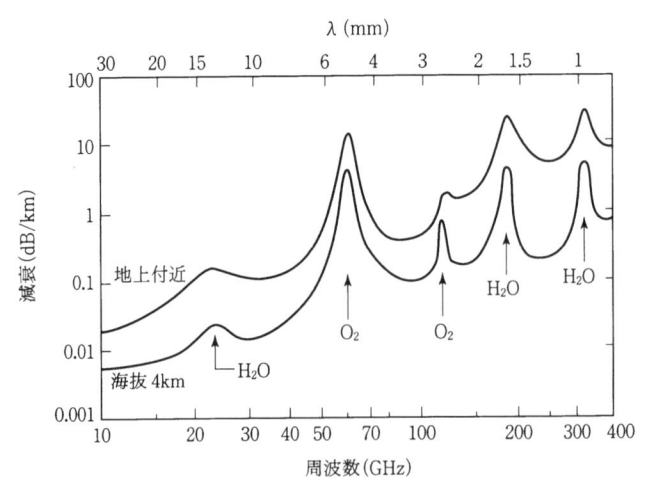

図1 ミリ波の大気による吸収[4]. 上の曲線は地上付近での吸収, 下の曲線は海抜4kmでの吸収.

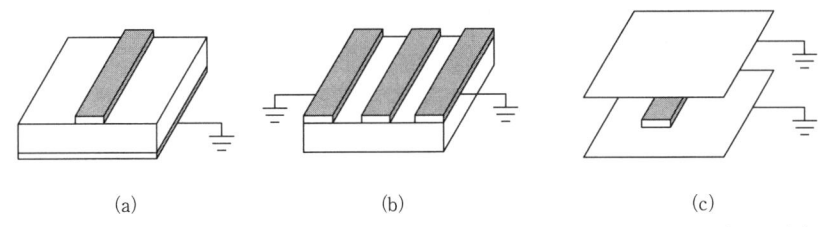

第8章 マイクロ波ダイオード，量子効果およびホットエレクトロンデバイス

図2 平面伝送線路のいくつかの基本的な型．(a)マイクロストリップ線路，(b)コプラナー導波ストリップ線路，(c)浮遊基板ストリップ線路．

は小さくなる．したがって，式(1)は次式の様に簡略化される．

$$Z_0 = \sqrt{\frac{L}{C}} \tag{2}$$

伝送線路の特性インピーダンスは，導電膜の寸法（大きさ，間隔）と，導電膜間に使用される絶縁物の誘電率の関数である．

例題1 単位長さ当りのインダクタンスが10 nH，単位長さ当りの容量が4 pFのロスのない（Rが非常に小さい）伝送線路の特性インピーダンスを求めよ．

解答

$$Z_0 = \sqrt{\frac{L}{C}} = \sqrt{\frac{10 \times 10^{-9}}{4 \times 10^{-12}}} = \sqrt{2.5 \times 10^3} = 50 \ \Omega$$

低マイクロ波周波数領域では，インダクタンスと容量を有する素子で共振回路を作ることができる．しかし，ミリ波およびそれより高い周波数域では共振回路におけるLCの要素の値が小さくなりすぎて実際に組み立てることは難しい．したがって，他の共振回路を用いなければならない．同調キャビティとも呼ばれる共振キャビティが広く使用される．

共振キャビティ[2]とは，良質の誘導体（たとえば，真空，乾燥空気，乾燥窒素）などを閉じ込めた，低抵抗金属壁で囲まれた空洞である．これは両端を短絡された導波管の一部で，かつ，このキャビティにエネルギーを注入したり，取り出したりできる手段を有したものといえる．図3に示されているように，キャビティは，TE（横方向電界）とTM（横方向磁界）の両方向の電波モードを維持できる．電磁波はキャビティの壁によって閉じ込められている．電界によって蓄えられたエネルギーは容量に相当し，磁界によって蓄えられたエネルギーはインダクタンスに相当する．したがって，キャビティには，共振タンク回路に同調したLCの両方の要素があるといえる．キャビティでの共振は，Z方向の長さDが波長の半分になるような周波数で起こる（図3(a)参照）．キャビティでの共振モードは，$Tx_{m,n,p}$のように表される．ここで，xは電界の主要モードに対してはEとなり，磁界の主要モードに対してはMとなる．mはa軸における半波長の波の数であり，nはb軸における，pはd軸における，半波長の波の数である．キャビティでの共振周波数の一般式は，次式で表される．

$$f_r = \frac{1}{2\sqrt{\mu\varepsilon}} \sqrt{\left(\frac{m}{a}\right)^2 + \left(\frac{n}{b}\right)^2 + \left(\frac{p}{d}\right)^2} \tag{3}$$

ここで，μおよびεはキャビティ内の物質の透磁率と誘電率である．真空下では，$\mu = \mu_0$，$\varepsilon = \varepsilon_0$，$\sqrt{\mu_0\varepsilon_0} = c^{-1}$，ここで$c$は真空中の光の速度である．したがって，式(3)は次のように書ける．

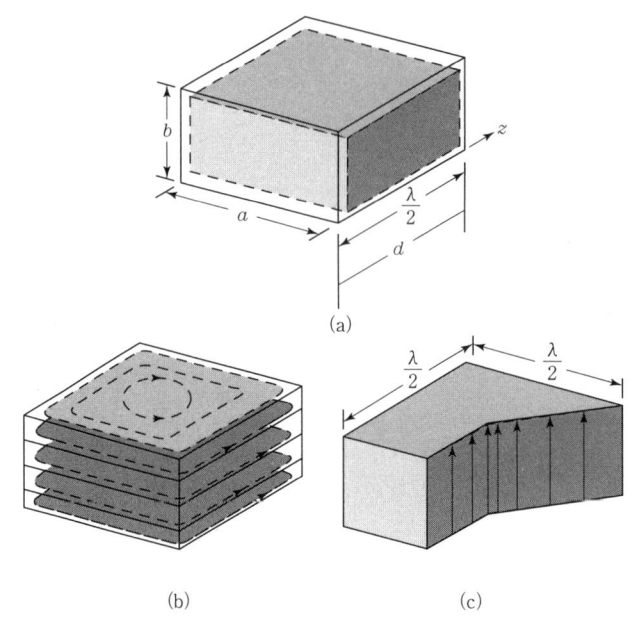

図 3 共振キャビティ．(a)共振様式，(b)磁界パターン，(c)電界パターン[2].

$$f_r = \frac{c}{2}\sqrt{\left(\frac{m}{a}\right)^2 + \left(\frac{n}{b}\right)^2 + \left(\frac{p}{d}\right)^2} \tag{4}$$

例題 2 寸法が $a=5\,\mathrm{cm}$ （0.05 m），$b=2.5\,\mathrm{cm}$ （0.025 m），および $d=10\,\mathrm{cm}$ （0.1 m）のキャビティについて主要 TE_{101} モードの共振周波数を求めよ．

解答

$$f_r = \frac{c}{2}\sqrt{\left(\frac{m}{a}\right)^2 + \left(\frac{n}{b}\right)^2 + \left(\frac{p}{d}\right)^2}$$

$$= \frac{c}{2}\sqrt{(20)^2 + 0 + (10)^2}$$

$$= \frac{3 \times 10^8\,\mathrm{m/s}}{2} \times \sqrt{500} = 3.354\,\mathrm{GHz}$$

8.2 トンネルダイオード

トンネルダイオードは，量子トンネル現象を使っている[6]．デバイスを横切るトンネル時間は非常に短いため，ミリ波領域で十分使用できる．技術が成熟しているため，トンネルダイオードは局部発信機や周波数ロッキング回路のような特殊な低電力マイクロ波の分野で応用されている．

トンネルダイオードは，p および n の両方が縮退している（すなわち，不純物が非常に高濃度にドープされている）単純な p-n 接合からなっている．図4はトンネルダイオードの電流-電圧特性と，四つの異なるバイアス条件におけるエネルギーバンド図を示している．I-V 特性は，トンネル電流と熱励起電流の二つの電流要素が合さったものである．

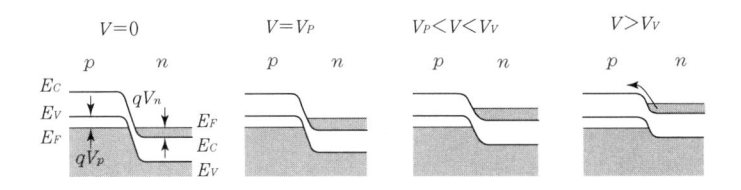

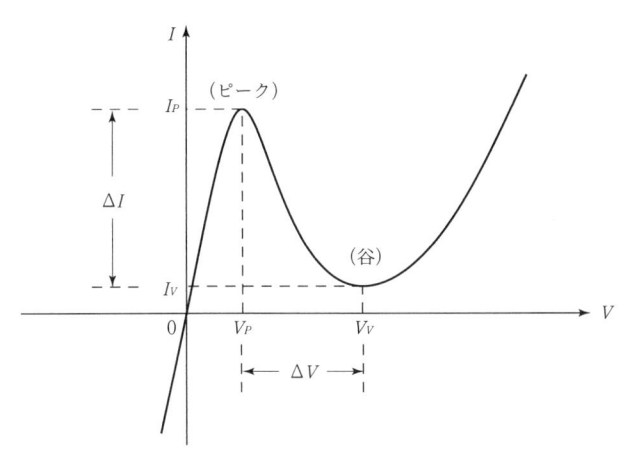

図 4 代表的なトンネルダイオードの電流-電圧特性. I_P, V_P はそれぞれピーク電流, ピーク電圧, I_V, V_V はそれぞれ谷電流, 谷電圧である. 上の図は異なったバイアス電圧でのデバイスのバンド図を示している.

ダイオードに電圧が印加されていない場合は熱平衡状態である ($V=0$). 非常に高くドーピングされているので, 空乏層は非常に狭く, トンネル距離 d は非常に小さい (5-10 nm). また, 高濃度のドーピングにより, フェルミ準位は, 許容帯の中に位置することになる. 図4の一番左側に示されている縮退度の量 qV_p および qV_n は約 $50-200$ meV である.

順方向にバイアスされた場合, n 側には占有されたエネルギー状態のバンドがあり, p 側には利用可能な占有されていないエネルギーバンドがある. したがって, 電子は n 側から p 側にトンネルできる. バイアス電圧が約 $(V_p+V_n)/3$ の時, トンネル電流は, ピーク値 I_p に達し, これに対応する電圧は, ピーク電圧 V_P と呼ばれる. 順方向電圧がさらに増加すると, p 側の占有されていない状態の数は少なくなり ($V_P<V<V_V$, ここで V_V は谷電圧), 電流は減少する. 最終的にはバンドが閉ざされてこの時点でトンネル電流は流れなくなる. さらに電圧が増加すると, 通常の熱励起電流が流れる ($V>V_V$).

これらの議論から順方向においては, トンネル電流は電圧が増加するとゼロからピーク電流 I_P まで増加することが期待される. 電圧がさらに増加するとトンネル電流は $V=V_n+V_p$ のときにゼロに減少する. ここで V は印加電圧である. 図4においてピーク電流以後の電流が減少する領域は負の微分抵抗領域である. ピーク電流 I_P と谷の電流 I_V の値が負性抵抗の大きさを決める. このためこれらの比 I_P/I_V はトンネルダイオードの性能指数として使われる.

I-V 特性の実験式は次のように与えられる.

$$I=I_P\left(\frac{V}{V_P}\right)\exp\left(1-\frac{V}{V_P}\right)+I_0\exp\left(\frac{qV}{kT}\right), \tag{5}$$

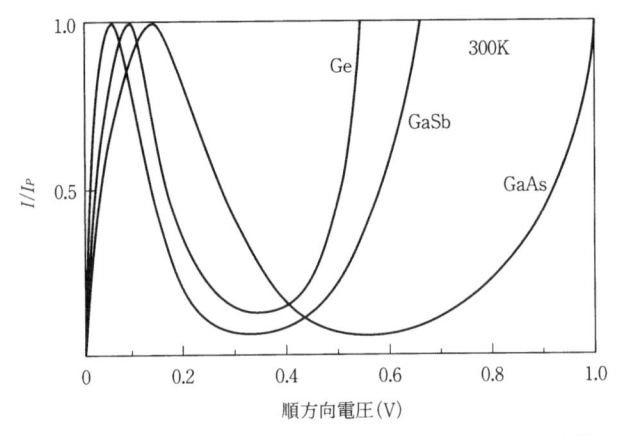

図 5 室温における Ge, GaSb, および GaAs トンネルダイオードの代表的な電流-電圧特性.

ここで第1項はトンネル電流, I_P および V_P は図4に示されるようにそれぞれピーク電流およびピーク電圧を表している. 第2項は通常の熱励起電流である. 負の微分抵抗は式(5)における第1項から求められる.

$$R = \left(\frac{dI}{dV}\right)^{-1} = -\left[\left(\frac{V}{V_P} - 1\right)\frac{I_p}{V_P}\exp\left(1 - \frac{V}{V_P}\right)\right]^{-1} \tag{6}$$

図5は室温における Ge, GaSb および GaAs トンネルダイオードの代表的な電流-電圧特性を比較したものである. 電流比 I_P/I_V は Ge に対して 8:1, GaSb および GaAs に対して 12:1 である. 有効質量が小さいこと ($0.042\,m_0$) とバンドギャップが小さいこと ($0.72\,\mathrm{eV}$) のために GaSb トンネルダイオードはこれら三つのデバイスの中で最も大きな負性抵抗を有している.

8.3 IMPATT(インパット) ダイオード

IMPATT という名前は IMPact ionization Avalanche Transit Time の略である. IMPATT ダイオードはマイクロ波における負性抵抗を得るために, 半導体中の衝突によるイオン化と走行時間効果を用いている. IMPATT ダイオードはマイクロ波電力の最も強力な固体発生源の一つであり, 現在のところミリ波領域(すなわち 30 GHz 以上)において最も高い連続発振出力電力を作り出すことができる. IMPATT ダイオードはレーダや警報システムに広く使われている. しかしながら IMPATT ダイオードの応用における一つのむずかしい点は, なだれ増倍過程の不規則なゆらぎのために雑音が大きいという点である.

8.3.1 静 特 性

IMPATT ダイオードにはいろいろな p-n 接合や, 金属-半導体接合を用いたものがある. 最初のインパット発振器は, 逆方向になだれ降伏が起こるまでバイアスされた単純な Si の p-n 接合ダイオードを, マイクロ波共振器の中に組み込んだものであった[7]. 図6(a)は片側階段 p-n 接合の, 不純物濃度分布となだれ降伏時の電界分布を示している. イオン化係数の電界依存性が非常に強いために, なだれ増倍のほとんどは, 最も電界の高い 0 と x_A の間の狭い領域(影が付

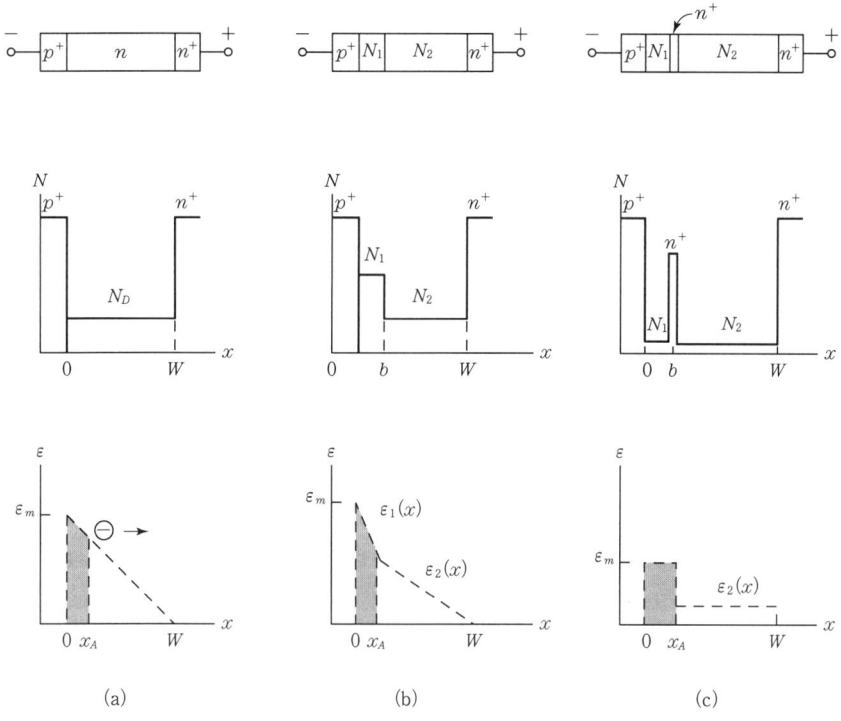

図 6 三つの単一走行領域I MPATT ダイオードの不純物分布と電界分布．(a)片側階段 p-n 接合，(b)hi-lo 構造，(c)lo-hi-lo 構造．

けられている）で起こる．x_A はなだれ領域の幅で，なだれ増倍の 95% はこの領域で起こる．

図 6(b) は高いドーピング N_1 領域に続いて，低いドーピング N_2 領域がある hi-lo（ハイ-ロウ）構造である．ドーピング N_1 とその厚さ b を適切に選ぶことにより，なだれ領域を N_1 領域に限定することができる．図 6(c) はドナー原子の固まり「クランプ」が $x=b$ に位置する lo-hi-lo（ロウ-ハイ-ロウ）構造である．均一な高い電界が $x=0$ から $x=b$ の間に存在するので，なだれ領域 x_A は b と等しく，最大電界は hi-lo 構造に比べてずっと低い．

降伏電圧 V_B（内蔵電位 V_{bi} を含めた）は，電界分布を積分した面積（図 6）によって与えられる．片側階段接合（図 6(a)）では，V_B は簡単に $\mathscr{E}_m W/2$ によって与えられる．hi-lo ダイオードと lo-hi-lo ダイオードでは，降伏電圧は，それぞれ，次式によって与えられる．

$$V_B(\text{hi-lo}) = \left(\mathscr{E}_m - \frac{qN_1 b}{2\varepsilon_s}\right)b - \frac{1}{2}\left(\mathscr{E}_m - \frac{qN_1 b}{2\varepsilon_s}\right)(W-b) \tag{7}$$

$$V_B(\text{lo-hi-lo}) = \mathscr{E}_m b + \left(\mathscr{E}_m - \frac{qQ}{\varepsilon_s}\right)(W-b) \tag{8}$$

ここで式(8) の Q はクランプの単位面積当たりの不純物密度である．ある N_1 を有する hi-lo ダイオードの降伏時の最大電界は，それと同じ N_1 を有する片側階段接合のものと同じである．lo-hi-lo 構造の最大電界はイオン化係数から計算することができる．1 種類のキャリア，すなわち電子，だけが走行領域を走るので，これらの構造は単一走行領域 IMPATT ダイオードである．他方，p^+-p-n-n^+ 構造の場合，電子と正孔両方が二つの別個の走行領域を走行して，すなわち，電子はなだれ領域から右側へ，正孔は左側に走行してデバイスが動作するので，二重走行

IMPATTダイオードという．二重走行ダイオードについても，類似の方法により降伏電圧を求めることができる．

8.3.2 動特性

IMPATTダイオードの注入遅れと走行時間効果を論じるため，図6(c)に示されているlo-hi-lo構造を考えて見る．なだれが起こる電界$\mathcal{E}_c$に達するような，逆方向直流(dc)電圧V_Bがダイオードに印加されると(図7(a))，なだれ増倍が始まる．交流(ac)電圧が$t=0$においてこのdc電圧に重畳されるとしよう．この電圧は図7(e)に示されている．なだれ領域で生成された正孔がp^+-領域に動き，電子がドリフト領域に入る．印加ac電圧が正になるとすると，図7(b)の点線で示されるように，さらに多くの電子がなだれ領域で生成される．電子パルスは電界がE_c以上である限り増加し続ける．そのために，電子パルスは，電圧が最大になる$\pi/2$ではなく，πにおいてそのピーク値に達する(図7(c))．重要なことはなだれ過程そのものに固有の$\pi/2$の位相遅れがあるということ，すなわち，注入されたキャリア密度(電子パルス)はac電圧に対して90°遅れる．

さらなる電流の遅れはドリフト領域で起こる．印加電圧がV_B以下になると($\pi \leq \omega t \leq 2\pi$)注入された電子は，ドリフト領域の電界が十分高ければ，飽和速度でn^+電極の方向に走行する(図7(d))．

この状態は図7(f)の注入キャリアによって示されている．図7(e)と図7(f)を比べることによって，ac電界(あるいは電圧)が$\pi/2$でピークになるのに対して，注入された電子のピー

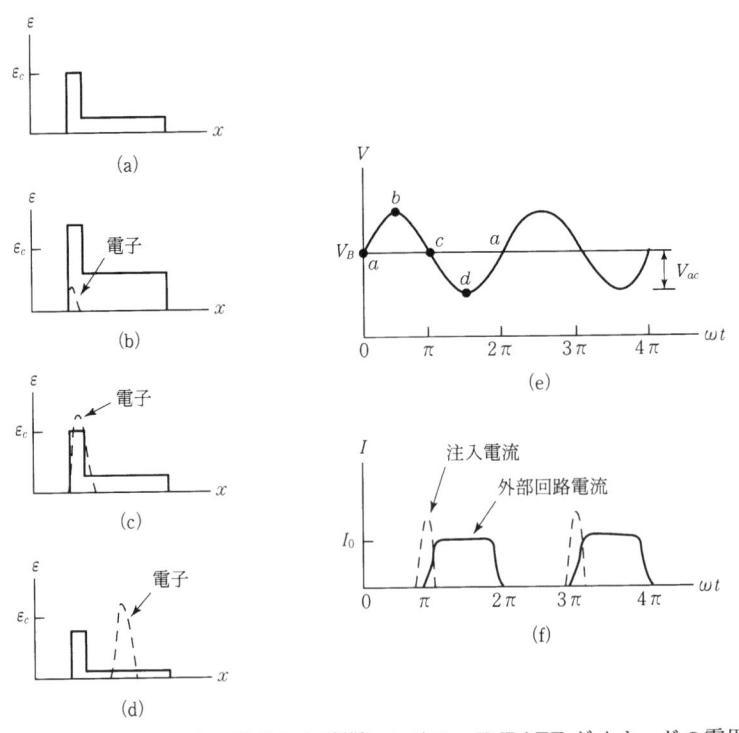

図7 交流1サイクルを4等分した時間における，IMPATTダイオードの電界分布と発生キャリア密度(a-d)；(e)交流電圧，(f)注入および外部電流[7]．

クは π で起こることがわかる．注入されたキャリアはドリフト領域に入って飽和速度で走行し，走行時間遅れをもたらす．これによって生ずる外部電流は図7(f)に示されている．交流電圧と外部に流れる電流を比較することにより，ダイオードが負性抵抗の特性を示すことがわかる．

走行時間を発振周期の半分に選ぶと，注入されたキャリア（電子パルス）は負の半サイクルの間，長さ W のドリフト領域を走行することになる．すなわち

$$\frac{W-x_A}{v_s}=\frac{1}{2}\left(\frac{1}{f}\right) \tag{9}$$

または

$$\boxed{f=\frac{v_s}{2(W-x_A)},} \tag{10}$$

ここで v_s は飽和速度で，300 K の Si では 10^7 cm/s である．

例題3 Si を用いた $b=1\ \mu$m, $W=6\ \mu$m の lo-hi-lo 構造 (p^+-i-n^+-i-n^+) を考えよう．降伏電界が 3.3×10^5 V/cm, $Q=2.0\times 10^{12}$ 電荷/cm^2 の場合の，直流降伏電圧，走行領域の電界強度，および IMPATT 動作周波数を求めよ．

解答 式(8) から，降伏電圧は次のように求められる．

$$V_B=3.3\times 10^5\times 10^{-4}+\left(3.3\times 10^5-\frac{1.6\times 10^{-19}\times 2.0\times 10^{12}}{11.9\times 8.85\times 10^{-14}}\right)\times (5\times 10^{-4}),$$
$$=33+13=46\ \text{V}.$$

ドリフト領域の電界は $13/(5\times 10^{-4})=2.6\times 10^4$ V/cm である．

ドリフト電界は注入された電子が飽和速度で走るに十分な電界である．したがって，

$$f=\frac{v_s}{2(W-x_A)}=\frac{10^7}{2\times (6-1)\times 10^{-4}}=10^{10}\ \text{Hz}=10\ \text{GHz}.$$

図7(e) および 7(f) を用いて，IMPATT ダイオードの直流対交流電力変換効率を推定することができる．直流入力電力は電圧の平均値と電流の平均値の積である．すなわち $V_B(I_0/2)$. 交流出力電力は最大交流電圧振幅を $1/2\ V_B$, すなわち $V_{ac}=V_B/2$ と仮定し，外部電流を $0\leq\omega t\leq\pi$ の間でゼロ，$\pi\leq\omega t\leq 2\pi$ の間で I_0 として推定することができる．したがってマイクロ波電力の発振効率 η は次のようになる．

$$\eta=\frac{\text{ac 出力}}{\text{dc 入力}}=\frac{\int_0^{2\pi}(V_{ac}\sin\omega t)I\,d(\omega t)}{\left(V_B\dfrac{I_0}{2}\right)2\pi}$$

$$=\frac{\int_\pi^{2\pi}\left(\dfrac{V_B}{2}\sin\omega t\right)I_0 d(\omega t)}{V_B I_0\pi}=\frac{1}{\pi}=32\%. \tag{11}$$

最高水準の IMPATT ダイオードの直流電力出力は 30 GHz で 3 W，効率22%，100 GHz で 1 W，効率10%，250 GHz で 50 mW，効率1% である[8]．ミリ波領域での出力電力および効率の低下は，デバイスの製作および回路の最適化が難しいことにもよる．これらの低下はまたエネルギーのキャリアへの遷移に必要な時間による遅れ，および空乏層幅が非常に狭いためトンネル遷移が起こることによって起こる．

8.4 バルク効果デバイス (TED)

バルク効果 (transferred electron effect) が最初に見出されたのは 1963 年である．最初の実験[9]においては，短い n-形の GaAs あるいは InP (インジウムリン) に 1 cm 当り数 kV のしきい値電圧以上の直流電界が印加されたときにマイクロ波出力が観測された[9]．バルク効果デバイス (transferred electron device, TED) は重要なマイクロ波のデバイスである．バルク効果デバイスは 1～150 GHz にわたるマイクロ波領域をカバーする局部発振器および増幅器として広く使われている．TED の出力および効率は，通常 IMPATT ダイオードより劣る．しかし，TED の方が低雑音で動作電圧が低く，回路設計が比較的簡単である．それは十分成熟した重要な固体マイクロ波源として，検出器や遠隔操作，マイクロ波の試験装置に使われている．

8.4.1 負性微分抵抗

第 3 章でバルク効果，すなわち伝導電子が高い移動度のエネルギーの谷から，低い移動度のより高いエネルギーの別の谷へ遷移することについて考えた．第 3 章における解析によれば，図 8 に示される電流密度は次のような値に近づく．

$$J \cong qn\mu_1\mathcal{E} \quad (0<\mathcal{E}<\mathcal{E}_a), \tag{12}$$

$$J \cong qn\mu_2\mathcal{E} \quad (\mathcal{E}>\mathcal{E}_b). \tag{13}$$

もし $\mu_1\mathcal{E}_a$ が $\mu_2\mathcal{E}_b$ より大きい場合には図 8 に示されるように $\mathcal{E}_a$ と $\mathcal{E}_b$ の間に負性微分抵抗 (negative differential resistance, NDR)[10] の領域が存在することになる．図 8 にはまた NDR の始まるしきい値電界 $\mathcal{E}_T$，しきい値電流密度 J_T，極小点における電流密度 J_V，およびその点の電界 $\mathcal{E}_V$ が示されている．NDR は $\mathcal{E}_T$ と $\mathcal{E}_V$ の間で発生する．

バルク効果の機構が NDR を示すためにはいくつかの条件が満足されなければならない．(a) 格子温度は，電界が印加されていない状態ではほとんどの電子が下のエネルギーの谷 (伝導帯の極小点) にいるような，低い温度でなければならない．すなわち，二つの谷のエネルギー差 $\Delta E > kT$．(b) 下の谷では電子は高い移動度と小さな有効質量を持ち，上の別の谷では電子は大きな有効質量，したがって低い移動度を持つ．(c) 二つの谷のエネルギー差は半導体のバンドギャップより小さく (すなわち $\Delta E < E_g$)，電子が上の谷に遷移する前になだれ降伏は起こらな

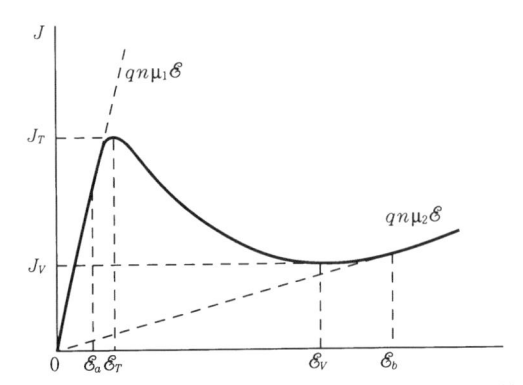

図 8 二谷エネルギー構造半導体での電流-電圧特性．$\mathcal{E}_T$ はしきい値電界，$\mathcal{E}_V$ は谷電界．

い．

　このような要件を満たす半導体のうち，n 形の GaAs および InP が最も広く研究され，また使われている．これらの半導体の室温における速度-電界特性の測定値が第 7 章の図 15 に示されている．しきい値電界 $\mathscr{E}_T$ は GaAs で 3.2 kV/cm，InP で 10.5 kV/cm である．最大速度 v_p は GaAs で 2.2×10^7 cm/s，InP で 2.5×10^7 cm/s である．負性微分移動度 ($dv/d\mathscr{E}$) の最大値は GaAs で -2400 cm^2/V·s，InP で -2000 cm^2/V·s である．

　NDR を示す半導体は本来不安定で，半導体中のどこかにキャリア密度の不規則なゆらぎがあると，これが時間とともに指数関数的に成長し空間電荷を作り出す．一次元の連続の式は次のように与えられる．

$$\frac{\partial n}{\partial t} = \frac{1}{q}\frac{\partial J}{\partial x}. \tag{14}$$

もし多数キャリアが，一様な熱平衡状態の濃度 n_0 からある場所でわずかにずれたとすると，その場所に $(n-n_0)$ の空間電荷密度ができる．ポアソンの方程式および電流密度方程式は次のようになる．

$$\frac{\partial \mathscr{E}}{\partial x} = \frac{-q(n-n_0)}{\varepsilon_s}, \tag{15}$$

$$J = qn_0\bar{\mu}\mathscr{E} + qD\frac{\partial n}{\partial x}, \tag{16}$$

ここで $\bar{\mu}$ は平均的な移動度（第 3 章の式 (83) で定義されている），ε_s は誘電率，D は拡散定数である．式 (16) を x について微分しポアソンの方程式を入れると次のようになる．

$$\frac{1}{q}\frac{\partial J}{\partial x} = -\frac{n-n_0}{\varepsilon_s/qn_0\bar{\mu}} + D\frac{\partial^2 n}{\partial x^2}. \tag{17}$$

この式を式 (14) に代入すると

$$\frac{\partial n}{\partial t} = -\frac{n-n_0}{\varepsilon_s/qn_0\bar{\mu}} + D\frac{\partial^2 n}{\partial x^2}. \tag{18}$$

式 (18) は変数分離すなわち $n(x,t) = n_1(x)n_2(t)$ と置くことによって解くことができる．時間に対する応答は式 (18) を解いて次式になる．

$$n - n_0 = (n-n_0)_{t=0}\exp\left(\frac{-t}{\tau_R}\right), \tag{19}$$

ここで τ_R は誘電緩和時間で次のように与えられる．

$$\tau_R = \frac{\varepsilon_s}{qn_0\bar{\mu}}. \tag{20}$$

もし移動度 μ が正であれば，τ_R は空間電荷が減衰する時定数を表す．しかし，もし半導体が NDR を示す場合には，電荷のゆらぎは $|\tau_R|$ に等しい時定数で持って成長する．

8.4.2 デバイスの動作

　TED は非常に純粋で均一な物質を必要とし，かつ深い不純物準位およびトラップが非常に少ないことが要求される．最近の TED はほとんど，n^+ 基板上にいろいろな方法で成長されたエピタキシャル層を用いて作られている．代表的なドナー濃度は 10^{14} から 10^{16} cm^{-3} で，デバイスの長さは数ミクロンから数百ミクロンの範囲である．n^+ 基板上にエピタキシャル n 層があり，陰極電極としてオーミックの n^+ 接触を有する TED が図 9(a) に示されている．また，熱平衡

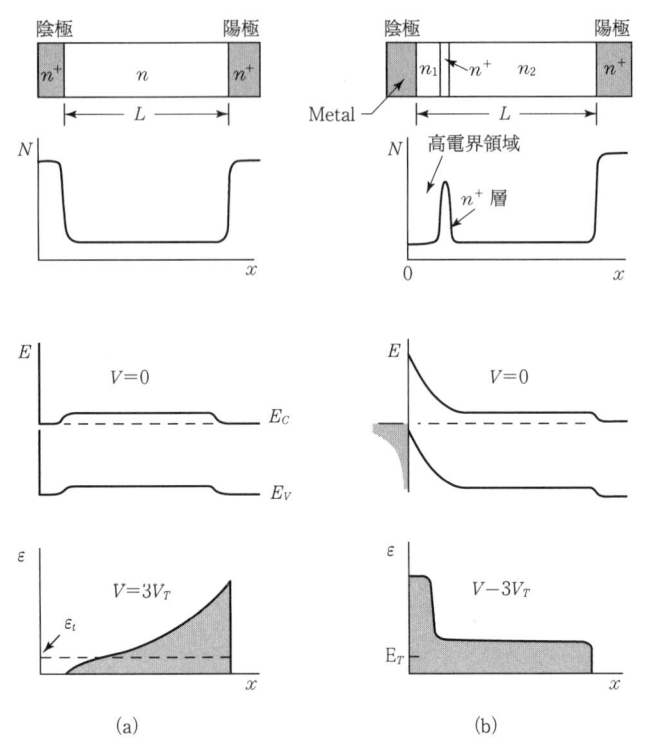

図 9 バルク効果デバイス (TED) における二つの陰極構造.
(a)オーミック, (b)二領域ショットキー障壁接触.

状態のエネルギーバンド図と $V=3V_T$ の電圧が印加された場合の電界分布も図9(a)に示されている．ここで，V_T はしきい値電界 $\mathcal{E}_T$ とデバイス長 L の積である．このようなオーミック接触の場合，陰極近くには常に低電界領域がある．そのためデバイスを横切る電界分布は不均一になり，以下に述べるように，陰極部分から空間電荷が立ち上がる．

デバイスの特性を改善するために，オーミック接触の代りに，二つの領域を持った陰極が使われることがある．それは，高電界領域と n^+ 領域（図9(b)）から成っており，構造はlo-hi-lo IMPATTダイオードの構造と似ている．電子はこの高電界領域で"加熱"される．その後均一な電界を有する動作領域に注入される．この構造は広い温度領域にわたって，高い効率で，高い出力を出すことに成功している．

TEDの動作特性は次のような五つのパラメータに依存する：デバイスのドーピング濃度とその均一性，動作領域の長さ，陰極の特性，回路の形式そして動作バイアス電圧．

NDRを有するデバイスでは空間電荷が時間とともに指数関数的に増大する（式(19)）．その時定数は式(20)で与えられる．

$$|\tau_R| = \frac{\varepsilon_s}{qn_0|\mu_-|}, \tag{21}$$

ここで μ_- は負性微分移動度である．もし式(19)が，空間電荷層が走行する全時間にわたって成り立つとすれば，成長率の最大値は $\exp(L/v|\tau_R|)$ となる．ここで L は動作領域の長さ，v は空間電荷層の平均的なドリフト速度である．空間電荷の成長を大きくするには，成長率は1より大きいことが必要で，n 形の GaAs および InP に対しては $L/v|\tau_R|>1$，あるいは

$$\boxed{n_0 L > \frac{\varepsilon_s v}{q|\mu_-|} \approx 10^{12}\,\mathrm{cm}^{-2}} \tag{22}$$

となる.

TEDの重要な動作モードとして走行時間ドメインモードがある.短い距離はなれて正と負の電荷があるような場合,図10(a)および10(b)に示されているようなダイポール(電気双極子,あるいはドメインとも呼ばれる)が形成される[10].ポアソンの方程式を解けばわかるように,ダイポール内の電界は図10(c)に示されているようにダイポールの両側の電界よりも高い.これに相当する電位の分布は,もう一度ポアソンの方程式を解くことによって,図10(d)のようになる.NDRのために低電界領域における電流は高電界領域における電流よりも大きくなる.そのためこの二つの電界の値はNDRの領域の外側のレベルにまで達し,図10(e)に示す

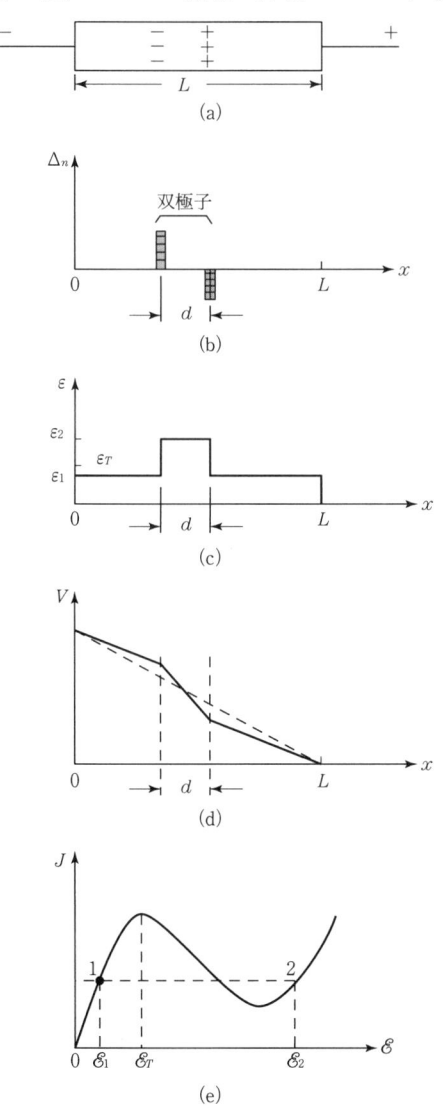

図10 微分負性抵抗を有する物質にゆらぎがある場合のドメイン(電気双極子)の形成[10]. (a) 電荷のゆらぎ, (b) 双極子 (c) 電界分布 (d) ポテンシャル分布, (e) 電流-電界特性

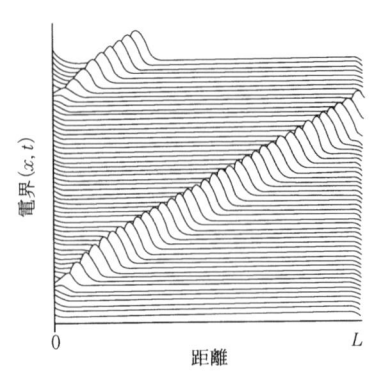

図 11 陰極でドメインの発生する，走行時間ドメインモード TED の，時間を追った振舞いの計算機シミュレーション結果[11].

ように，高電界領域での電流と低電界領域での電流が一致するような所で平衡に達する．この状態でダイポールは定常状態になる．このダイポール層は動作領域を動いて陽極で消える．そのとき動作領域の電界は一様に上昇し，再びしきい値電界を越える（すなわち $\mathcal{E} > \mathcal{E}_T$）．そのため再び新しいダイポールができて，この過程が繰り返される．ドメインが陰極から陽極へ走行するのに必要な時間は L/v である．ここで L は動作領域の長さであり，v は平均速度である．これに相当する走行ドメインモードの周波数は $f = v/L$ である．

図 11 は，長さ 100 μm，ドーピング濃度 5×10^{14} cm^{-3}（$n_0 L = 5 \times 10^{12}$ cm^{-2}）の GaAs TED におけるドメインの振舞いをシミュレーションしたものである[11]．縦方向にずれているそれぞれの曲線 $\mathcal{E}(x, t)$ の時間間隔は $16\tau_R$．ここで τ_R は式(20)から求められる低電界での誘電緩和時間である（このデバイスにおいては $\tau_R = 1.5$ ps）．ドメインが陽極に吸い込まれるごとに外部回路に流れる電流は増加し，再び新しいドメインが発生する．ドメインは常にドーピングの変化が最も大きく，空間電荷のゆらぎが常に存在する陰極の接合の処に発生する．

現状で最も優れた TED では，30 GHz で 0.5 W，効率 15%，100 GHz で 0.2 W，効率 7%，150 GHz で 70 mW，効率 1% などである．TED の出力電力は IMPATT より低い，しかし雑音ははるかに低い（135 GHz で 20 dB 以下）[8].

例題 4 長さ 10 μm の GaAs TED が走行ドメインモードで動作しているものとする．必要な最少電子濃度 n_0 と電流パルス間隔を求めよ．

解答 走行ドメインモードで動作するためには，$n_0 L \geq 10^{12}$ cm^{-2}：

$$n_0 \geq 10^{12}/L = 10^{12}/10 \times 10^{-4} = 10^{15} \text{ cm}^{-3}$$

電流パルス間隔はドメインがカソードからアノードに走行するのに必要な時間である．

$$t = L/v = 10 \times 10^{-4}/10^7 = 10^{-10} \text{ s} = 0.1 \text{ ns}$$

8.5 量子効果デバイス

量子効果デバイス（quantum-effect device, QED）は，キャリアの輸送を制御するのに，量子力学的トンネリングを使用する．そのようなデバイスでは，動作層の厚さは非常に薄く，10 nm のオーダである．このような小さな寸法になると，量子サイズ効果が表れ，バンド構造が変

化し，デバイスの輸送特性が向上する．基本的な QED は，共鳴トンネルダイオード（resonant tunneling diode, RTD）であり，これについては，8.5.1項で述べる．RTD と前章で述べた通常のデバイスを結びつけることにより，種々の新しい電流-電圧特性を得ることができる．QED の重要性は，これが機能デバイスとして動作することにある．すなわち，従来よりもはるかに少ない素子数で，ある回路の機能を行うことが可能である．

8.5.1 共鳴トンネルダイオード

図12は，RTD のバンド図を示したものである．RTD は，四つのヘテロ接合（すなわち，GaAs/AlAs/GaAs/AlAs/GaAs 構造）により，伝導帯に一つの量子井戸を含んだ二重の障壁構造からなっている．RTD には三つの重要なデバイスパラメータがある．伝導帯の不連続であるエネルギー障壁の高さ E_0，障壁の厚さ L_B，および量子井戸の厚さ L_W である．

図13(a)に示す RTD の伝導帯に注目してみよう[12]．もし井戸幅 L_W が十分小さい（10nm のオーダ，あるいはそれより少ない）場合，井戸の中には，図13(a) の E_1, E_2, E_3 および E_4 のように，いくつかの不連続なエネルギー準位が存在する．もし障壁の厚さ L_B も非常に小さければ共鳴トンネルが起こる．進入した電子のエネルギー E が，井戸の中の不連続なエネルギー準位の一つと一致している場合，透過係数1（100％）で二重障壁をトンネルする．

エネルギー E が，ある不連続なエネルギー準位からずれると，透過係数は，急激に減少する．たとえば，電子のエネルギーが E_1 よりも ± 10 meV ずれると，図13(b) に示されているように，透過係数は 10^{-5} に減少する．透過係数は，図13(a) の五つの領域（I，II，III，IV，V）において，一次元のシュレーディンガー方程式を用いて計算できる．各々のポテンシャルが不連続な点で，波動関数およびその一次微分が連続でなければならないことを考慮して，透過係数 T_t を求めることができる．付録 J には RTD に対する透過係数の計算が示されている．

GaAs/AlAs RTD における，透過係数が1番目と2番目の共鳴ピークを示すエネルギー準位 E_n が，井戸幅 L_W をパラメータとする障壁の厚さ L_B の関数として，図14(a) に示されている．E_n は L_B には本質的に独立であるが L_W には依存する．計算されたピークの幅 ΔE_n（すな

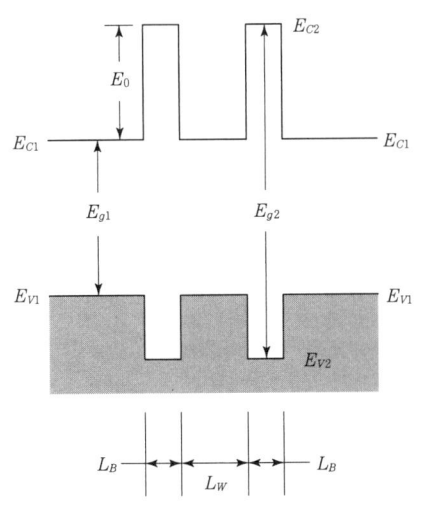

図 12 共鳴トンネルダイオード（RTD）のエネルギーバンド図．

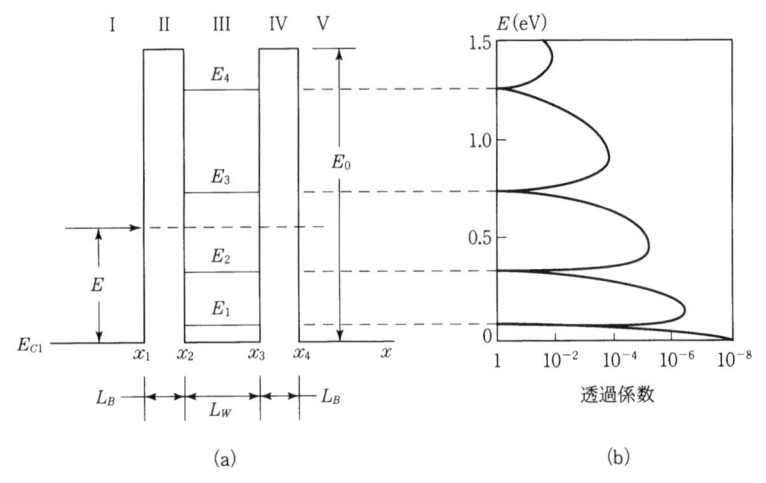

図 13 (a) 2.5 nm の障壁層，7 nm の井戸層を有する AlAs/GaAs/AlAs 二重障壁構造の模式図. (b) この構造における電子エネルギー対透過係数の関係[12].

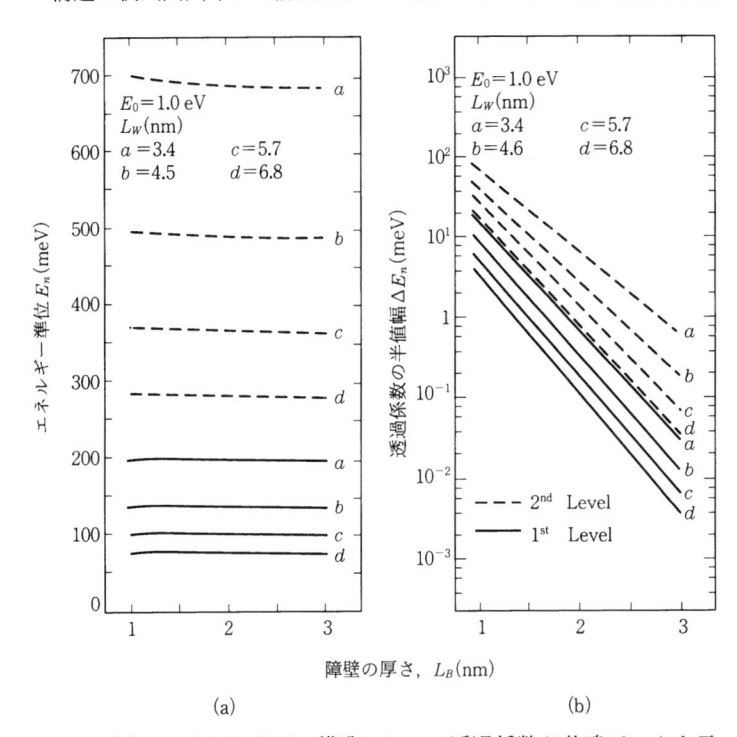

図 14 (a) AlAs/GaAs/AlAs 構造において透過係数が共鳴ピークを示す電子エネルギーの障壁の厚さ依存性, (b) 第1と第2の共鳴ピークに対する透過係数の半値幅の障壁の厚さ依存性[13].

わち $T_t=0.5$ になる透過係数の半値幅）が，L_B および L_W の関数として，図14(b) に示されている．ある L_W に対する ΔE_n は，L_B の増加と共に指数関数的に減少する．

RTD の断面図が図15に示されている[13]．GaAs/AlAs の層が，n$^+$-GaAs 基板上に分子線エピキタシィ（molecular beam epitaxy，MBE）により交互かつ連続的に成長されている．(MBE プロセスについては第10章で述べる．) 障壁の厚さは 1.7 nm，井戸の厚さは 4.5 nm である．動作領域はオーミック電極により限定されている．上の電極はメサエッチングのマスクとして使

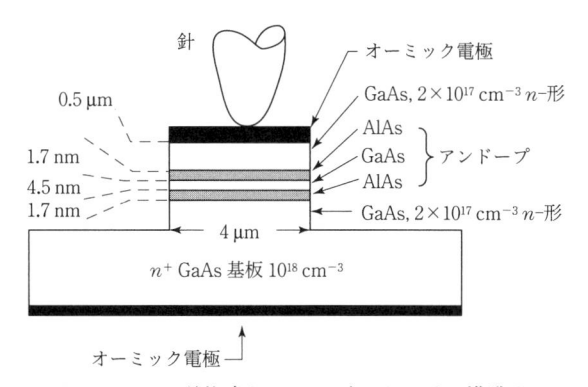

第8章 マイクロ波ダイオード，量子効果およびホットエレクトロンデバイス 247

図15 メサ形共鳴トンネルダイオードの構造[13].

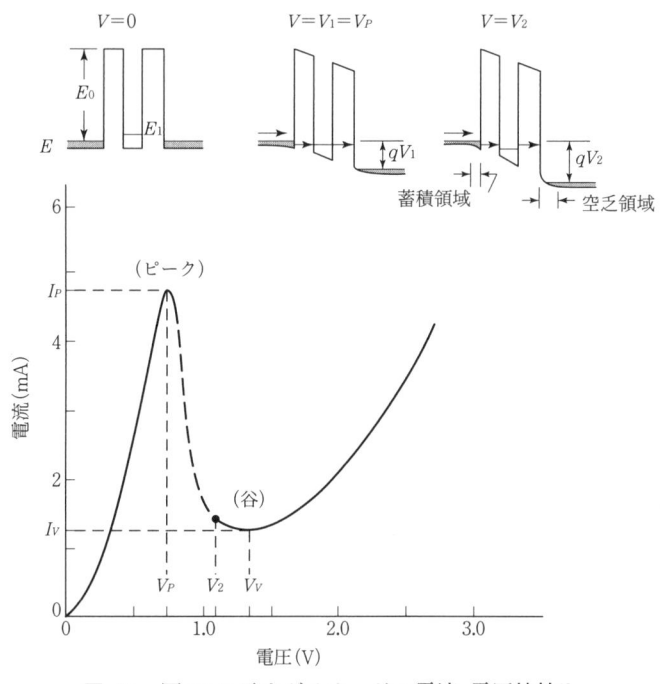

図16 図15に示すダイオードの電流-電圧特性[13].

われる．

　上に述べた RTD の電流-電圧特性の測定例が図16に示されている．また，いくつかの直流バイアスに対するバンド図も示されている．I-V 曲線が，トンネルダイオード（図4）のそれとよく似ていることに注意されたい．熱平衡状態 $V=0$ でのエネルギーバンド図は，図13(a) のそれと良く似ている．（ここでは1番下のエネルギー準位 E_1 だけ示されている）．印加電圧を増加させると，最初の障壁の左側にある伝導帯の，フェルミ準位に近い占有されたエネルギーを持った電子が，量子井戸にトンネルする．電子は直ちに2番目の障壁をトンネルして，右側の占有されていない状態に移る．共鳴は注入された電子のエネルギーが，エネルギー準位 E_1 にほぼ等しくなった時に起こる．なぜなら，その時，透過係数が最大になるからである．この状態は，エネルギーバンドで $V=V_1=V_P$ として示される．この状態では，左側の伝導帯の頂上が E_1 と一致している．ピーク電圧は少なくても $2E_1/q$ より大きくなければならないが，通常，蓄積や空

乏領域における電圧降下のためにさらに大きくなる.

$$V_P > \frac{2E_1}{q} \tag{23}$$

印加電圧がさらに増加すると，すなわち $V=V_2$ では，伝導帯の頂上が E_1 よりも上になり，トンネルできる電子の数は減少し，電流も小さくなる．谷電流 I_V は，主に，障壁中の上部の準位を介したトンネルなどの過剰電流によるものである．室温以上の動作温度では，格子振動や不純物原子などによるトンネル電流などの他の要素が加わる．谷電流を最小にするためには，ヘテロ接合の界面の質を高め，障壁および井戸領域の不純物を除去しなければならない．印加電圧がさらに高く，$V>V_V$ になると，井戸中の上の準位を介した電流や，熱的に障壁を乗り越えて流れる電流 I_{th} が増加する．この電流は，トンネルダイオードの場合と同様に，印加電圧の増加と共に単純に増大する．I_{th} を減少させるには，障壁の高さを高くするか，比較的低いバイアス電圧で動作させるようにダイオードを設計しなければならない．

RTDは寄生容量が小さいので，非常に高い周波数で動作する．RTDにおいては，容量は主に空乏領域によるものである（図16の $V=V_2$ に対するエネルギーバンド図参照）．ドーピング濃度は，トンネルダイオードの場合のような縮退した p-n 接合に比べてはるかに低いので，空乏層容量もずっと小さくなる．RTDのしゃ断周波数はTHz（10^{12} Hz）領域に達する．したがって，非常に速いパルスを作る回路やTHzの放射を検出するシステムや，THz信号を発生させる発振器に使うことができる．

例題5 図15に示されているRTDについて，最初のエネルギー準位とトンネル確率の半値幅を計算せよ．また，図16のピーク電圧 V_P を $2E_1/q$ と比較せよ．

解答 図14から $L_W=4.5$ nmに対する最初のエネルギー準位は140 meVになる．またピーク ΔE_1 の幅は約1 meVである．図16において V_P は700 mVである．これは280 mV（$2E_1/q$）よりずっと大きい．この差（420 mV）は蓄積および空乏領域の電圧降下によるものである．

8.5.2 ユニポーラ共鳴トンネルトランジスタ

ユニポーラ共鳴トンネルトランジスタ[14]のバンド図の概略が図17に示されている．共鳴トンネル（resonant tunneling，RT）二重障壁層がGaAsエミッタとベース層の間に挿入されている構造になっている．RT構造は，5.6 nmの厚さのGaAs量子井戸が，5 nmの厚さを持つ二つの $Al_{0.33}Ga_{0.67}As$ の障壁によって挟まれたものからできている．高いエネルギーの電子が，RTを通してエミッタからベース領域に注入される．電子は，その後100 nmの厚さの n^+ ベース領域を輸送され，300 nmの厚さの $Al_{0.2}Ga_{0.8}As$ のコレクタバリアに集められる．障壁および量子井戸はアンドープであるが，エミッタ，ベース，コレクタ層は n 形で，1×10^{18} cm^{-3} にドープされている．

エミッタ接地でコレクタ-エミッタ間電圧 V_{CE} を一定とした場合のデバイスの動作が，図17のバンド図に示されている．ベース-エミッタ間電圧 V_{BE} がゼロの場合（図17(a) 参照），電子の注入はない．したがって，正の V_{CE} であっても，エミッタおよびコレクタの電流はゼロである．エミッタ-コレクタ間電圧が，ピークになるのは V_{BE} が $2E_1/q$ に等しいときである．ここ

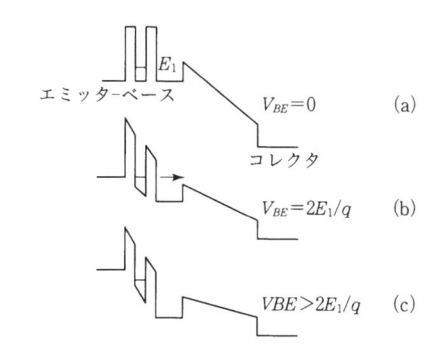

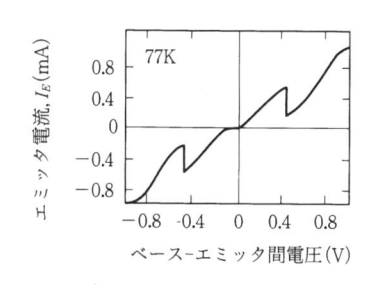

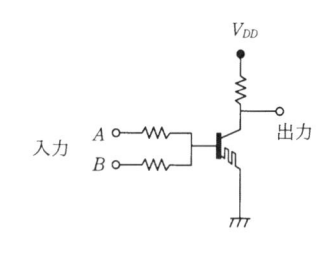

図 17 ユニポーラ共鳴トンネルトランジスタ(RT)[14] のバンド図. (a)$V_{BE}=0$, (b)$V_{BE}=2E_1/q$(最大 RT 電流), (c)$V_{BE}>2E_1/q$(RT 抑制), (d)77 K で測定されたベース-エミッタ電流電圧特性, (e) 排他的 NOR 回路.

で，E_1 は量子井戸の最初の共鳴エネルギー準位である（図17(b) 参照）．V_{BE} がさらに増加すると，RT は抑制され（図17(c) 参照），コレクタ電流は急激に減少する．電流-電圧特性は図17(d) に示されている．電流のピークが $V_{BE}=0.4$ V あたりであることに注意されたい．二つの入力，A および B がベース端子に接続された場合（図17(e) 参照），デバイスは排他的 NOR 論理† の機能を持つ．すなわち，A および B がいずれも high，または，いずれも low の場合，出力は high になり，他の場合，出力は low になる．同じ機能を通常の MESFET で得るためには，八つの FET が必要である．したがって，多くの量子効果デバイスは機能デバイスとして有用である．

8.6 ホットエレクトロンデバイス (hot electron device, HED)

ホットエレクトロンとは，kT よりもはるかに高い運動エネルギーを持った電子のことである．ここで k はボルツマン定数，T は格子温度である．半導体デバイスの寸法が小さくなり内部電界が高くなると，デバイスが動作している状態で，動作領域のキャリアの大部分が高い運動エネルギーを持つようになる．ある時刻，および場所でキャリアの速度分布は狭いピークを持つことになり，このような状態を弾道電子の束という．他の時刻および場所では，電子全体が通常

---

† 排他的 NOR 論理：二つの入力が共に high か low の場合，出力は high．その他の場合出力は low．

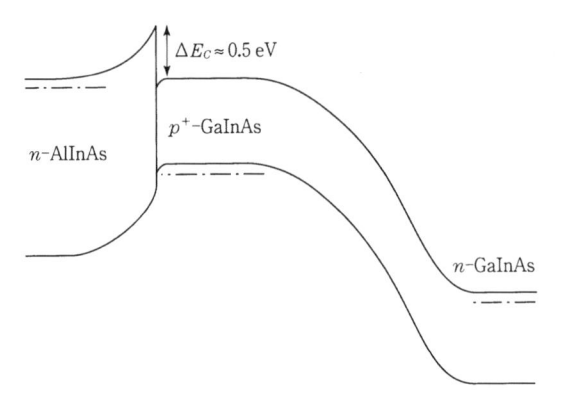

図 18 ホットエレクトロンヘテロ接合バイポーラ・トランジスタ[15]のエネルギーバンド図.

のマックスウェル分布と同じように広い速度分布を持つ．しかし，このような状況でも有効温度 T_e は，格子 T よりもはるかに高い．

長年にわたって多くのホットエレクトロンデバイスが研究されてきた．ここでは二つの重要なデバイス，ホットエレクトロンヘテロ接合バイポーラ・トランジスタと実空間遷移トランジスタについて考える．

8.6.1 ホットエレクトロン HBT

ホットエレクトロン注入は，図18に示す InP に格子整合した AlInAs/GaInAs のように，広いバンドギャップのエミッタを持つように設計されたヘテロ接合バイポーラ・トランジスタ (HBTs)[15] において可能である．ホットエレクトロンの効果はいくつかの利点を有している．p-GaInAs ベースの伝導帯頂上よりも $\Delta E_C = 0.5$ eV だけ高い位置にあるエミッタ-ベース障壁から，熱励起により，電子が注入される．ここでの弾道注入の目的は，比較的遅い拡散の動きを，より速い弾道輸送によって置き換えることにより，ベース走行時間を短くしようとするものである．

8.6.2 実空間遷移

最初の実空間遷移 (real-space-transfer, RST) 構造は，図19(a) に示すように，ドープされた広いバンドギャップの AlGaAs と，アンドープの狭いバンドギャップの GaAs が交互に配置されたヘテロ構造である．熱平衡状態では，可動電子はアンドープ GaAs 量子井戸に存在し，AlGaAs 層のドナーからは空間的に分離されている[16]．入力電力が格子へのエネルギー損失よりも大きくなると，キャリアは熱せられ，部分的に異なった移動度を持つワイドギャップ層に遷移する（図19(b) 参照）．第2層での移動度がずっと小さいとすると，2端子素子として動作させた場合，負性微分抵抗が生ずる（図19(c) 参照）．これは，運動量空間での谷間遷移に基づくバルク効果と非常によく似ているので実空間遷移と名づけられている．

図20は GaInAs/AlInAs で作られた3端子の RST トランジスタ（RSTT）の断面図と，エネルギーバンド図を示したものである[17,18]．ソースおよびドレイン電極は，アンドープで高い移動度を持つ $Ga_{0.47}In_{0.53}As$ ($E_g = 0.75$ eV, $\mu_n = 13{,}800$ cm^2/V·s) のチャンネルに作られ，コレク

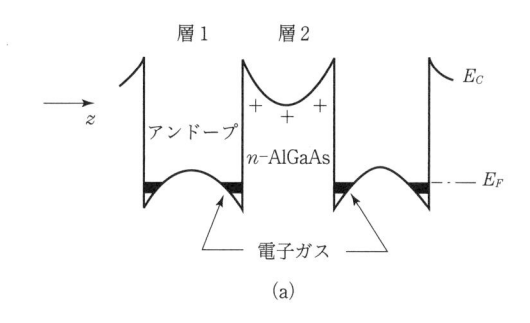

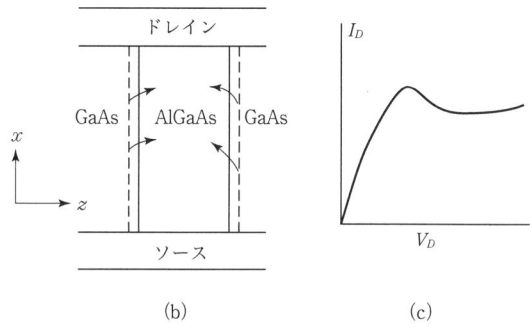

図 19 (a)GaAs，AlGaAs が交互に配置されたヘテロ構造，(b)電子が印加電圧で熱せられて広いバンドギャップの領域に移る様子，(c)第2層の移動度が低ければ，遷移は負性微分伝導率をもたらす[16].

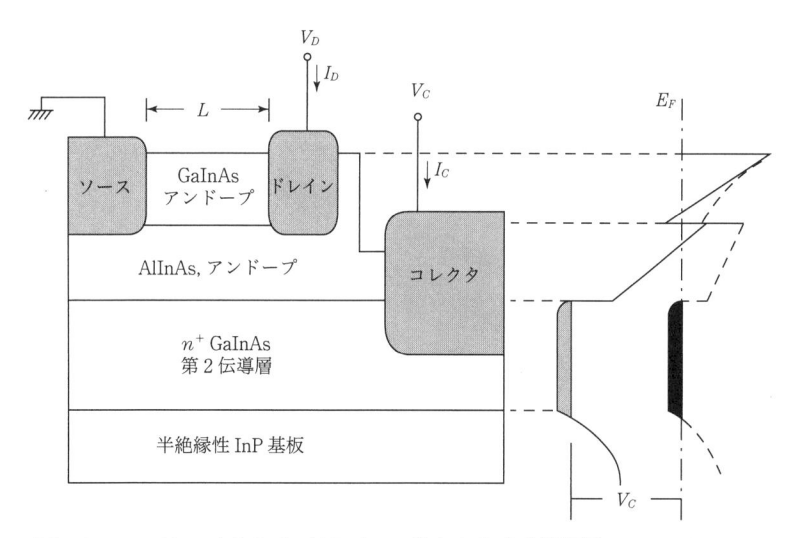

図 20 アンドープ GaInAs/AlInAs で作られた実空間遷移トランジスタの断面図とエネルギーバンド図[17,18].

タ電極はドープされた $Ga_{0.47}In_{0.53}As$ 層に作られている．この層は広いバンドキャップを持った物質（$Al_{0.48}In_{0.52}As$，$E_g=1.45\,eV$）によってチャンネルから分離されている．$V_D=0$ の時，十分大きな正のコレクタバイアス V_C によって，ソース-ドレイン間チャンネルに電子が誘起される．しかし，AlInAs の障壁があるのでコレクタ電流 I_C は流れない．しかし，V_D が増加し，ド

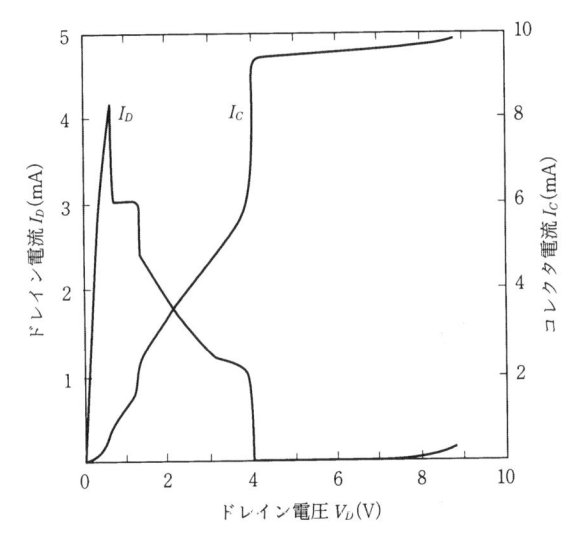

図 21 $T=300\,\mathrm{K}$ における実空間遷移トランジスタの特性[19]．コレクタ電圧を一定 $V_C=3.9\,\mathrm{V}$ にした場合の，ドレイン電圧 V_D に対するドレイン電流 I_D，コレクタ電流 I_C の変化．

レイン電流 I_D が流れ始めると，チャンネルの電子は，ある効果的な温度 $T_e(V_D)$ まで加熱される．この電子の温度がコレクタ障壁を乗り越えて注入される RST の電流を決定する．注入された電子は V_C によってコレクタに集められ，コレクタ電流 I_C が流れる．トランジスタ動作は，ソース-ドレイン間チャンネルの電子温度 T_e を制御することにより，コレクタ電極に流れ込む I_C を調節する．

$V_C=3.9\,\mathrm{V}$ の場合における，ドレイン電流 I_D とコレクタ電流 I_C のドレイン電圧 V_D 依存性[19]が図 21 に示されている．I_D-V_D 特性についていえば，RSTT は顕著な負性微分抵抗を示し，300 K においてピーク対谷電流の比が 7000 にも達する．I_C-V_D 特性においては，コレクタ電流がほぼ直線的に増加し，最後は電界効果トランジスタと同じように飽和する．

RSTT は，高い伝達コンダクタンス ($g_m \equiv \partial I_C / \partial V_D$ (V_C は一定)) と高いしゃ断周波数 f_T を持つ，通常の高速トランジスタとして使える．さらに，RSTT は論理回路において有能な機能デバイスでもある．これは RSTT のソースとドレイン電極が対称的にできているからである．図 20 に示すようなデバイスが，排他的 OR (exclusive OR, XOR) の論理機能[†]を持つ．なぜなら，ソースとドレインに異なるレベルの論理信号が入った場合，そのどちらが高いかにかかわらず，コレクタ電流 I_C が流れるからである．もう一つの入力端子を設けることで，一つの RSTT がもっと複雑な機能を行うことができる．たとえば，入力端子を三つにすると OR-NAND ゲートの動作[††]ができる．図 22(a) は Si/SiGe 材料を用いたシステムで，そのような構成を作ったものを示している[22]．制御入力信号が high であるか low であるかにより，出力電流は他の二つの入力に対して NAND または，OR の動作をする．出力に対する真理値表および論理機能が図 22(b) に示されている．

[†] 排他的 OR 論理：二つの入力の一方だけが high の時，出力も high．
[††] OR 論理：入力がいくつあるかに関わらず，どれかが high なら，出力は high．
NAND 論理：入力が幾つあるかに関わらず，すべての入力が high でない限り，出力は high．

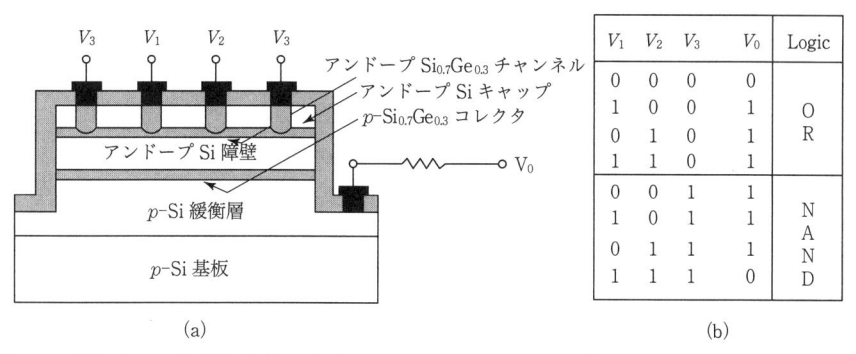

図 22 (a)三つの入力を有する Si/SiGe RSTT OR-NAND ゲート．異なった入力間のチャンネル長は 1 μm，デバイス幅は 50 μm．(b) OR-NAND 論理の真理値表[20]．

まとめ

トンネル現象に関連したデバイス（トンネルダイオードなど），なだれ降伏を利用したデバイス（IMPATT），運動量空間での電子の遷移を利用したデバイス，これらはマイクロ波周波数で使われるデバイスである．これらの 2 端子デバイスは比較的簡単な構成になっており，3 端子素子に比べて寄生抵抗や寄生容量がずっと小さい．これらのマイクロ波ダイオードはミリ波帯（30–300 GHz）で動作し，あるものはサブミリ波帯（> 300 GHz）で働く．マイクロ波デバイスの中で，IMPATT ダイオードがミリ波の電力用として最も良く使われる半導体デバイスである．しかしながら，TED は IMPATT ダイオードに比べて低雑音で動作電圧も低いため，局部発振器や増幅器としてしばしば使われる．

この章では，量子効果デバイスやホットエレクトロンデバイスについても議論した．量子効果はデバイス寸法が 10 nm まで小さくなると重要になる．重要な量子効果デバイスは共鳴トンネルダイオード（RTD）であり，二重障壁と量子井戸を有するヘテロ構造である．入ってくる電子のエネルギーが量子井戸の不連続なエネルギー準位に一致すると，二重障壁をトンネルする確率が 100% になる．この効果が共鳴トンネルと呼ばれる．THz（10^{12} Hz）まで動作するマイクロ波検出器がこの RTD を使って作られている．RTD と通常のデバイスを結合することにより多くの新しい特性が得られている．一つの例が共鳴トンネルトランジスタで，ある論理回路を通常のデバイスを使った場合よりずっと少ない数で行うことができる．

HED は，動作に使われるホットエレクトロンのまとまりの型によって，弾道デバイスとRST の二つのグループに分けられる．ホットエレクトロン-ヘテロ接合バイポーラ・トランジスタのような弾道デバイスは，超高速動作の可能性がある．弾道デバイスでは，高運動エネルギーを持った電子が，熱電子放出によって，エミッタ-ベース間障壁を乗り越えて注入される．この"弾道伝播"はベースの走行時間を大幅に減少させる．RST デバイスでは，狭いエネルギーギャップの半導体中の電子が，印加電界によって加速され，広いギャップの半導体中に遷移し，負性抵抗をもたらす．RSTT のようなこれらのデバイスは，高い伝達コンダクタンスと高いしゃ断周波数を有する．RSTT はまた，ある論理を他のデバイスより少ない数で行うことができるので，論理回路にも使われる．

参 考 文 献

1. S. M. Sze, Ed., *Modern Semiconductor Device Physics*, Wiley, New York, 1998.
2. J. J. Carr, *Microwave and Wireless Communications Technology*, Butterworth-Heinemann, Newton, MA, 1997.
3. L. E. Larson, *RF and Microwave Circuit Design for Wireless Communications*, Artech House, Norwood, MA, 1996.
4. G. R. Thorn, "Advanced Applications and Solid-State Power Sources for Millimeterwave Systems," *Proc. Soc. Photo-Optic. Inst. Opt. Eng.* (SPIE), **544**, 2 (1985).
5. B. C. Wadell, *Transmission-Line Design Handbook*, Artech House, Norwood, MA, 1991.
6. (a) L. Esaki, "New Phenomenon in Narrow Ge *p–n* Junction," *Phys. Rev.*, **109**, 603 (1958); (b) L. Esaki, "Discovery of the Tunnel Diode," *IEEE Trans. Electron Devices*, **ED-23**, 644 (1976).
7. (a) B. C. DeLoach, Jr., "The IMPATT Story," *IEEE Trans. Electron Devices*, **ED-23**, 57 (1976); (b) R. L. Johnston, B. C. DeLoach, Jr., and B. G. Cohen, "A Silicon Diode Oscillator," *Bell Syst. Tech. J.*, **44**, 369 (1965).
8. H. Eisele and G. I. Haddad, "Active Microwave Diodes," in S. M. Sze, Ed., *Modern Semiconductor Device Physics*, Wiley, New York, 1998.
9. J. B. Gunn, "Microwave Oscillation of Current in III-V Semiconductors," *Solid State Comm.*, **1**, 88 (1963).
10. H. Kroemer, "Negative Conductance in Semiconductor," *IEEE Spectr.*, **5**, 47 (1968).
11. M. Shaw, H. L. Grubin, and P. R. Solomon, *The Gunn–Hilsum Effect*, Academic, New York, 1979.
12. M. Tsuchiya, H. Sakaki, and J. Yashino, "Room Temperature Observation of Differential Negative Resistance in AlAs/GaAs/AlAs Resonant Tunneling Diode," *Jpn. J. Appl. Phys.* **24**, L466 (1985).
13. E. R. Brown, et al., "High Speed Resonant Tunneling Diodes," *Proc. Soc. Photo-Opt. Inst. Eng.* (SPIE), **943**, 2 (1988).
14. N. Yokoyama, et al., "A New Functional Resonant Tunneling Hot Electron Transistor," *Jpn. J. Appl. Phys,* **24**, L853 (1985).
15. B. Jalali et al, "Near-Ideal Lateral Scaling in Abrupt AlInAs/InGaAs Heterostructure Bipolar Transistor Prepared by Molecular Beam Epitaxy," *Appl. Phys. Lett.*, **54**, 2333 (1989).
16. K. Hess, et al., "Negative Differential Resistance Through Real-Space-Electron Transfer," *Appl. Phys. Lett.*, **35**, 469 (1979).
17. S. Luryi, "Hot Electron Transistors," in S. M. Sze, Ed., *High Speed Semiconductor Devices*, Wiley, New York, 1990.
18. S. Luryi and A. Zaslavsky, "Quantum-Effect and Hot-Electron Devices," in S. M. Sze, Ed., *Modern Semiconductor Device Physics*, Wiley, New York, 1998.
19. P. M. Mensz, et al, "High Transconductance and Large Peak-to-Valley Ratio of Negative Differential Conductance in Three Terminal InGaAs/InAlAs Real-Space-Transfer Devices," *Appl. Phys. Lett.*, **57**, 2558 (1990).
20. M. Mastrapasqua, et al., "Charge Injection Transistor and Logic Elements in Si/SiGe Heterostructures," in S. Luryi, J. Xu, and A. Zaslavsky, Eds., *Future Trends in Microelectrons*, Kluwer, Dordrecht, 1996.

問題 (＊印は高度な問題を示す)

8.1節 マイクロ波の基礎技術に関する問題

1. 特性インピーダンス 75 Ω のほとんど損失の無い（R が非常に小さな）伝送線路について考える．単位長の容量を 2 pF とすると，単位長のインダクタンスはいくらか？
2. 寸法が，$a = 10\,\mathrm{cm}\,(0.1\,\mathrm{m})$，$b = 5\,\mathrm{cm}\,(0.05\,\mathrm{m})$，$d = 25\,\mathrm{cm}\,(0.25\,\mathrm{m})$ の共振キャビティについて，主要 TE_{101} モードの共振周波数を求めよ．

8.2節 トンネルダイオードに関する問題

3. 両側のドープ量が $10^{19}\,\mathrm{cm^{-3}}$ の GaAs トンネルダイオードが，0.25 V 順方向にバイアスされている場合の，空乏層幅と空乏層容量を求めよ．ただし，接合は階段接合で，$V_n = V_p = 0.03\,\mathrm{V}$ とする．

4. GaSb トンネルダイオードの電流-電圧特性が実験的に式(5)で表されて，$I_p = 10\,\mathrm{mA}$，$V_p = 0.1\,\mathrm{V}$，$I_0 = 0.1\,\mathrm{nA}$ であった．最大負性微分抵抗とその時の電圧を求めよ．

8.3節 IMPATT ダイオードに関する問題

5. なだれによってできた空間電荷による空乏層の電界分布の変化は p^+-n ダイオードの抵抗を増加させる．この抵抗は空間電荷抵抗 R_{sc} と呼ばれ，$(1/I)\int_0^W \Delta\mathcal{E}\,dx$ で与えられる．ここで ΔE は次式で表される．

$$\Delta\mathcal{E}(W) = \frac{\int_0^W \rho_s dx}{\varepsilon_s} = \frac{IW}{A\varepsilon_s v_s}$$

(a) $N_D = 10^{15}\,\mathrm{cm^{-3}}$，$W = 12\,\mu\mathrm{m}$，$A = 5\times 10^{-4}\,\mathrm{cm^2}$ の p^+-n Si IMPATT ダイオードについて R_{sc} を求めよ． (b) 電流密度 $10^3\,\mathrm{A/cm^2}$ の場合の直流印加電圧を求めよ．

6. GaAs IMPATT ダイオードが直流バイアス 100 V，平均バイアス電流 $(I_0/2) = 100\,\mathrm{mA}$，10 GHz で動作している．(a) 電力発生効率25%，ダイオードの熱抵抗 10℃/W とすると，接合温度は室温からどれぐらい高くなるか？ (b) 降伏電圧が温度と共に 60 mV/℃ で増加する場合，室温でのダイオードの降伏電圧を求めよ．

7. なだれ領域の幅（ここでは電界が一定）が $0.4\,\mu\mathrm{m}$，全空乏層幅が $3\,\mu\mathrm{m}$ の図6(c)に示されているような単一走行領域 GaAs lo-hi-lo IMPATT ダイオードを考える．n^+ クランプは $Q = 1.5\times 10^{12}/\mathrm{cm^2}$ の電荷を持つ．(a) 降伏電圧と降伏時の最大電界を求めよ． (b) ドリフト領域の電界は電子の速度飽和が保つのに十分な高さか？ (c) 動作周波数はいくらか．

*8. Si n^+-p-π-p^+ IMPATT ダイオードにおいて，p-層の厚さが $3\,\mu\mathrm{m}$，π-層（低ドープ p 層）の厚さが $9\,\mu\mathrm{m}$ ある．バイアス電圧は p-層でなだれ降伏が起き，π 領域では速度飽和が保たれるほど高くなければならない．(a) 最低バイアス電圧と p-層のドーピング濃度を求めよ． (b) デバイスの走行時間を求めよ．

8.4節 バルク効果デバイスに関する問題

9. 長さ $1\,\mu\mathrm{m}$，断面積 $10^{-4}\,\mathrm{cm^2}$ の InP TED が，走行時間モードで動作している．(a) 走行時間モードで動作するための最小電子密度 n_0 を求めよ． (b) パルス間隔を求めよ． (c) しきい値電圧の1.5倍にバイアスされている場合の消費電力を求めよ．

*10. (a) GaAs の伝導帯の上の谷の実効状態密度 N_{CU} を求めよ．上の谷の有効質量は $1.2\,m_0$ である．(b) 上と下の谷の電子密度比は次式で与えられる：$(N_{CU}/N_{CL})\exp(-\Delta E/kT_e)$，ここで N_{CL} は下の谷の実効状態密度，$\Delta E = 0.31\,\mathrm{eV}$ は上と下の谷のエネルギー差，T_e は実効電子温度である．$T_e = 300\,\mathrm{K}$ での上と下の谷の電子密度比を求めよ． (c) 電子は電界から運動エネルギーを得て，T_e が上昇する．$T_e = 1500\,\mathrm{K}$ での上と下の谷の電子密度比を求めよ．

8.5節 量子効果デバイスに関する問題

11. 分子線エピタキシィの界面は1〜2原子層以内で急峻である（GaInAsの1原子層は0.28 nm）．厚いAlInAs障壁層に挟まれた，15 nmのGaInAs量子井戸の基底状態と第一励起状態のエネルギー準位の広がりを推定せよ．（ヒント：2原子層のバラツキがあって，量子井戸が無限に深いと仮定して見よ．GaInAsの電子の有効質量は$0.0427\,m_0$である．）

12. AlAs(2 nm)/GaAs(6.78 nm)/AlAs(2 nm) のRTDの第一励起準位とそれに相当するピークの幅ΔE_2を求めよ．もし同一エネルギー準位に保ち，幅ΔE_2を1桁増やそうとしたら，AlAsとGaAsの厚さはいくらにすべきか？

第 9 章　フォトニックデバイス

9.1　発光遷移と光吸収
9.2　発光ダイオード（LED）
9.3　半導体レーザ
9.4　光検出器
9.5　太陽電池
ま と め

　フォトニックデバイスの主役は，フォトン（光子）である．この章では，4 種類のフォトニックデバイスを扱う．電気を光に変える**発光ダイオード**（light-emitting diode, LED）と**半導体レーザ**（semiconductor laser），光信号を電気信号に変える**光検出器**（photodetector），それから光を電気エネルギーに変える**太陽電池**（solar battery）である．
　本章では，特に次の項目を取り上げる．
・フォトンと電子の基本的な相互作用
・通常の LED，あるいは有機 LED からの自然放出によるフォトンの発生
・ヘテロ構造レーザの誘導放出によるフォトンの発生
・光検出器でのフォトンの吸収による電子・正孔対の生成
・太陽電池でのフォトンの吸収による電気エネルギーの発生

9.1　発光遷移と光吸収

　図 1 は，電磁波の中の光と呼ばれる領域を示している．人間の目が感じる可視域は，その中の $0.4\,\mu\mathrm{m} \sim 0.7\,\mu\mathrm{m}$ の間だけで，その領域を拡大し感応する色も示した．紫外域は $0.01\,\mu\mathrm{m}$ から $0.4\,\mu\mathrm{m}$ であり，赤外域は $0.7\,\mu\mathrm{m}$ から $1000\,\mu\mathrm{m}$ の範囲である．ここでは近紫外（$\sim 0.3\,\mu\mathrm{m}$）から近赤外（$\sim 1.5\,\mu\mathrm{m}$）を主に扱うことにしよう．
　図 1 に，光の波長とエネルギーの関係を示した．両者の関係は，式(1) で表され，

$$\lambda = \frac{c}{\nu} = \frac{hc}{h\nu} = \frac{1.24}{h\nu(\mathrm{eV})}\,\mu\mathrm{m}, \tag{1}$$

c は真空中の光速，ν は光の振動数，h はプランクの定数，$h\nu$ はフォトンのエネルギー（単位は eV）である．たとえば，$0.5\,\mu\mathrm{m}$ の緑色光は $2.48\,\mathrm{eV}$ に対応する．

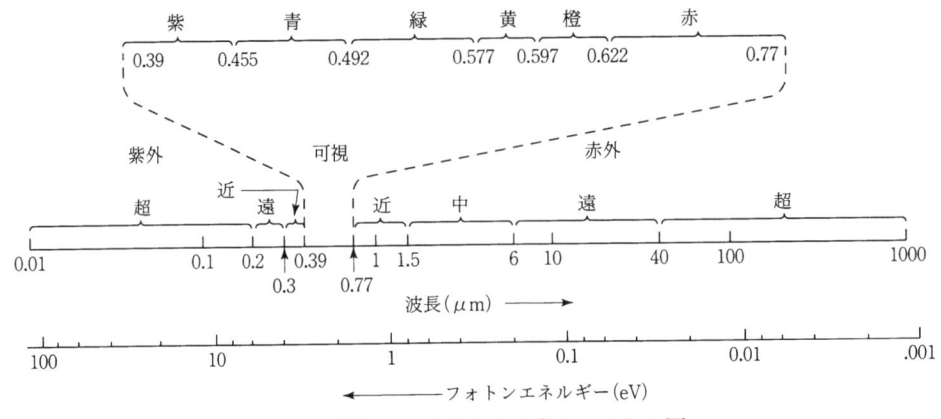

図 1 紫外から赤外までの光スペクトル図

9.1.1 発光遷移

固体中の電子とフォトンの相互作用には，光吸収，自然放出，誘導放出の三つの基本過程がある．原子のエネルギー状態 E_1 と E_2 を考えてみよう[1](図2)．E_1 は基底状態，E_2 は励起状態と呼ばれる．この二つの準位間の遷移は，$h\nu_{12}=E_2-E_1$ の関係を持つ振動数 ν の光の吸収または発光を伴う．室温では，ほとんどは基底状態にある．そこに，ν_{12} の光が入射すると，系は乱される．E_1 にあった系は，光を吸収し励起状態 E_2 へと移行する．この遷移は，光吸収で図2(a)である．励起状態は不安定であり，外部からの刺激がなくとも，短時間の内に基底状態に戻り，その際 ν_{12} の光を放出する．この遷移を，"自然放出"と呼ぶ（図2(b)）．また励起状態に，ν_{12} の光が入射するとその刺激によって遷移は早められ，しかも刺激光と位相の合った光が放出され（図2(c)），これを"誘導放出"という．誘導放出光は，エネルギーが (E_2-E_1) の単色光であり，しかも位相が合っているので，コヒーレント（可干渉性）である．

発光ダイオード(LED)は自然放出光を，レーザダイオードは誘導放出光を，また光検出器や太陽電池は，光吸収を利用したものである．E_1, E_2 の状態の占有濃度が n_1, n_2 である場合を考えてみよう．熱平衡状態でしかも $(E_2-E_1)>3kT$ である場合は，ボルツマン分布で記述され，次の関係が成り立つ．

$$\frac{n_2}{n_1}=e^{-(E_2-E_1)/kT}=e^{-h\nu_{12}/kT}. \qquad (2)$$

ここで指数が負であることは，$n_2<n_1$，つまりほとんどが基底状態である熱平衡状態にあることを意味している．

定常状態では，誘導放出速度（単位時間当りの誘導放出遷移数）と自然放出速度の和は光吸収速度と等しいはずである．そうでなければ，n_1 と n_2 の比は，時間で変化してしまう．誘導放出速度は，$B_{21}n_2\rho(h\nu_{12})$ で表される．ここで $\rho(h\nu_{12})$ は単位容積・単位振動数当たりの光の強度，B_{21} は比例定数である．自然放出速度は，E_2 の占有濃度 n_2 のみに依存し，$A_{21}n_2$ で表される．A_{21} も定数である．光吸収速度は，基底状態の占有濃度 n_1 と $\rho(h\nu_{12})$ の積に比例する．つまり $B_{12}n_1\rho(h\nu_{12})$ である．したがって，定常状態では次の関係が成立する．誘導放出速度＋自然放出速度＝吸収速度．

あるいは

第9章 フォトニックデバイス

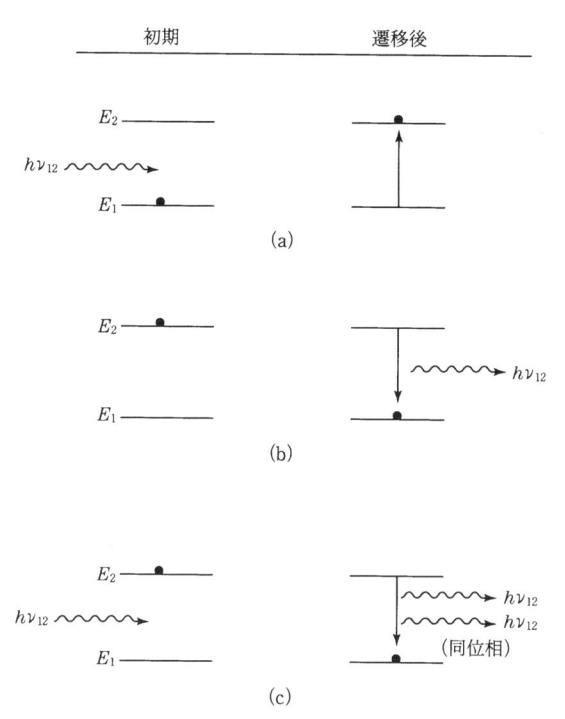

図2 二つの準位間の遷移の三つの基本形[1]. 黒点は原子の状態を示す. 左は初期状態を, 右は遷移後の状態を示す. (a)光吸収, (b)自然放出, (c)誘導放出.

$$B_{21}n_2\rho(h\nu_{12}) + A_{21}n_2 = B_{12}n_1\rho(h\nu_{12}). \tag{3}$$

式(3) から

$$\frac{誘導放出速度}{自然放出速度} = \frac{B_{21}}{A_{21}}\rho(h\nu_{12}). \tag{4}$$

誘導放出光を強めるには, 刺激光の強度を高めなければならない. 光の強度を高めるためには, 共振器が用いられる. 式(3) からまた次の関係が得られる.

$$\frac{誘導放出速度}{光吸収速度} = \frac{B_{21}}{B_{12}}\left(\frac{n_2}{n_1}\right). \tag{5}$$

誘導放出光が吸収にうち勝つには, 励起状態密度 n_2 を基底状態密度 n_1 より大きくしなければならない. そのような分布を, 熱平衡状態に対して, 反転分布と呼ぶ. 9.3節では, 自然放出光と吸収にうち勝って, 誘導放出光を発生する半導体レーザを達成する手段, 光を強くし反転分布を得るための種々の方法を学ぶ.

9.1.2 光 吸 収

図3は半導体の光吸収の基本過程を示す. バンド幅 E_g と等しいエネルギー $h\nu$ の光を照射すると, 図3(a) に示すように, 電子・正孔対が生成され, 光は吸収される. もし $h\nu > E_g$ ならば, 図3(b) に示すように電子・正孔対ができるが, 余分なエネルギー ($h\nu - E_g$) は, 熱となり放散される. 図3(a), (b) はバンド間遷移（または真性遷移）と呼ばれる. 一方 (c) に示すように, $h\nu < E_g$ の場合は, 不純物や結晶の構造欠陥によるバンド中の準位が存在すれば, 外因性

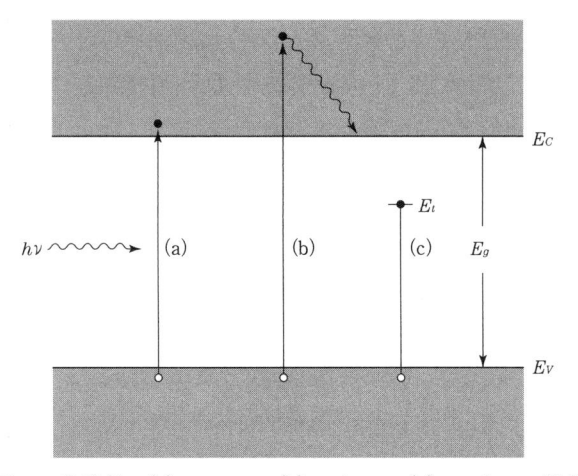

図 3 光吸収, (a)$h\nu = E_g$, (b)$h\nu > E_g$, (c)$h\nu < E_g$ の場合

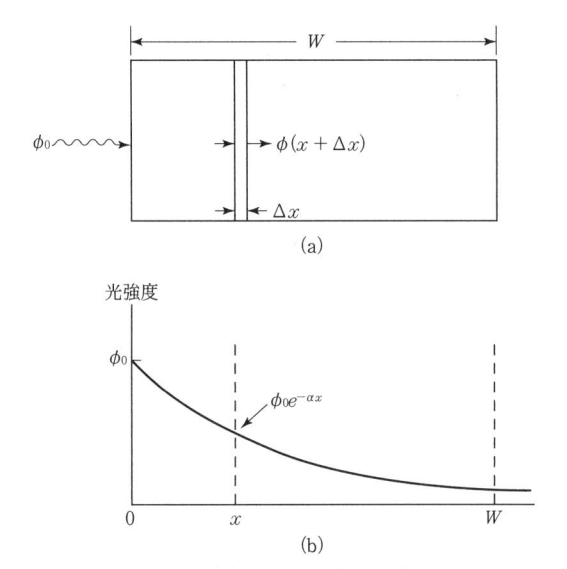

図 4 光の吸収, (a)光が半導体に入射したとき, (b)光強度の指数関数的減衰

遷移が起きる.以上のことは,逆過程,つまり光発生過程でも成立する.バンド端にある電子と正孔が再結合すると,バンドギャップに相当する光を発生する.

E_g より大きな $h\nu$ の光が,Φ_0(単位面積当り毎秒のフォトン数)の強度で半導体を照射すると,光は吸収されながら半導体中に入り込む.Δx の距離だけ進行する間に吸収されるフォトン数は,光の強度に比例し,$\alpha \cdot \Phi(x) \cdot \Delta x$ で表される.ここで α は吸収係数と呼ばれる定数である(図4a).光束流の連続性から

$$\Phi(x+\Delta x) - \Phi(x) = \frac{d\Phi(x)}{dx}\Delta x = -\alpha \Phi(x) \Delta x$$

または

$$\frac{d\Phi(x)}{dx} = -\alpha \Phi(x). \tag{6}$$

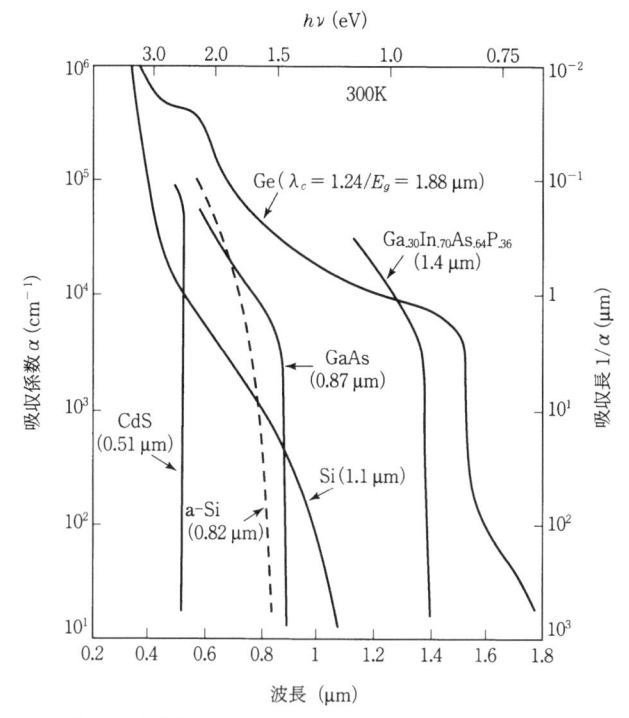

図 5 種々の半導体の光吸収係数[2]. 括弧内は光の吸収端の波長.

負の符号は,吸収によって光束流が弱まることを表している.式(6)を $x=0$ で,$\Phi(x)=\Phi_0$ の境界条件で解くと,

$$\Phi(x) = \Phi_0 e^{-\alpha x}. \tag{7}$$

厚み W の所での光の強度は

$$\boxed{\Phi(W) = \Phi_0 e^{-\alpha W}.} \tag{8}$$

吸収係数 α は $h\nu$ の関数である.図5に,フォトニックデバイスに用いられる半導体の吸収係数を示した[2].点線は,太陽電池材料である a-Si(アモルファス Si)である.$h\nu < E_g$ あるいは,$\lambda > \lambda_c$ になると,吸収係数は,急激に小さくなる.

$$\lambda_c = \frac{1.24}{E_g} \mu m \tag{9}$$

例題 1 0.25 μm 厚の単結晶 Si を,$h\nu = 3$ eV の単色光(単一振動数)が照射する.入射光のパワーが 10 mW であるとき,半導体に吸収されるパワー,格子振動に吸収される熱損失,バンド間遷移で再放出されるフォトンの数/毎秒を求めよ.

解答 図5から,吸収係数は 4×10^4 cm^{-1} であり,吸収パワー(毎秒)は

$$\Phi_0(1-e^{-\alpha W}) = 10^{-2}[1-\exp(-4 \times 10^4 \times 0.25 \times 10^{-4})]$$
$$= 0.0063 \text{ J/s} = 6.3 \text{ mW}.$$

熱となり放散する割合は

$$\frac{h\nu - E_g}{h\nu} = \frac{3-1.12}{3} = 62\%,$$

したがって，熱損失は
$$62\% \times 6.3 = 3.9 \, \text{mW}.$$
再放出光のパワーは $2.4\,\text{mW}(=6.3\,\text{mW}-3.9\,\text{mW})$ であるから，$1.12\,\text{eV}$ のフォトン数は
$$\frac{2.4\times 10^{-3}}{1.6\times 10^{-19}\times 1.12} = 1.3\times 10^{16} \, \text{光子/s} \quad \text{となる．}$$

9.2 発光ダイオード (light-emitting diode, LED)

発光ダイオード(LED)は，紫外，可視，赤外域の自然放出光を出す p-n 接合である．可視LEDは，電子装置のパイロットランプや出力表示に，赤外LEDは，光アイソレータや光通信に用いられる．

9.2.1 可 視 LED

図6は人間の目の視感度曲線である．$0.555\,\mu\text{m}$ で最大感度を有し，0.4以下および $0.7\,\mu\text{m}$ 以上で感じなくなる．正常人では，最大感度域で1Wの光は，683 lm の明るさである．

人間の目に見えるためには，半導体のバンド幅が，1.8 eV より大きく（$\leq 0.7\,\mu\text{m}$）なければならない．いくつかの半導体について，その値を図6に示した．また表1に，可視および赤外用の材料を挙げた．可視用で最も重要な材料は $GaAs_{1-y}P_y$ と $Ga_xIn_{1-x}N$ のⅢ-Ⅴ族化合物半導体である．Ⅲ族の格子点（Ga位置）あるいはⅤ族の格子点（As位置）に，それぞれ異なるⅢ族あるいはⅤ族の原子が入ると，混晶ができる．三元系での $A_xB_{1-x}C$ や $AC_{1-y}D_y$，四元系での $A_xB_{1-x}C_yD_{1-y}$ という表現は，A・BがⅢ属原子の，C・DがⅤ属原子を表し，下付の記号は，それぞれの混晶のモル成分比を意味している．

図7(a) は，$GaAs_{1-y}P_y$ の混晶成分比とバンド幅の関係を示す．y のモル比が0.45以下ではバンド幅は 1.424 eV から 1.977 eV の間で変化し，直接遷移型であり，0.45以上では間接遷

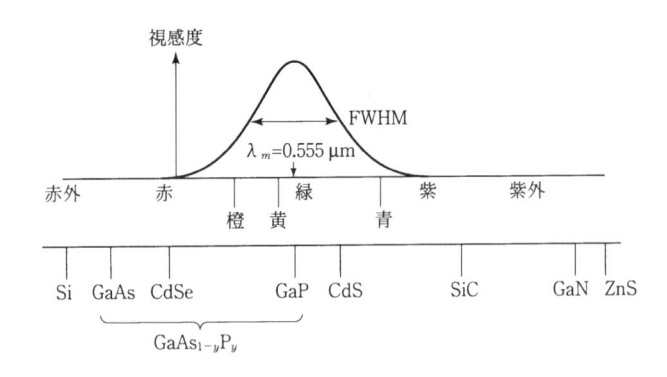

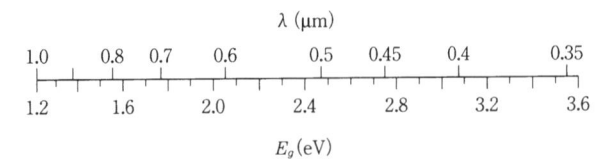

図6 LEDに使われる半導体と視感度曲線．

表 1　よく使われるⅢ-Ⅴ属化合物半導体と発光波長

材料	波長（nm）
InAsSbP/InAs	4200
InAs	3800
GaInAsP/GaSb	200
GaSb	1800
$Ga_xIn_{1-x}As_{1-y}P_y$	1100-1600
$Ga_{0.47}In_{0.53}As$	1550
$Ga_{0.27}In_{0.73}As_{0.63}P_{0.37}$	1300
GaAs:Er, InP:Er	1540
Si:C	1300
GaAs:Yb, InP:Yb	1000
$Al_xGa_{1-x}As$:Si	650-940
GaAs:Si	940
$Al_{0.11}Ga_{0.89}As$:Si	830
$Al_{0.4}Ga_{0.6}As$:Si	650
$GaAs_{0.6}P_{0.4}$	660
$GaAs_{0.4}P_{0.6}$	620
$GaAs_{0.15}P_{0.85}$	590
$(Al_xGa_{1-x})_{0.5}In_{0.5}P$	655
GaP	690
GaP:N	550-570
$Ga_xIn_{1-x}N$	340, 430, 590
SiC	400-460
BN	260, 310, 490

移型となる．図7(b)は，それぞれの成分比での，k空間でのバンド構造を示している[3]．図で，伝導帯は二つの極小を持つ．$p=0$での極小は直接極小であり，p_{max}での極小は間接極小である．直接極小の電子は，荷電子帯の極大にあるホールと同じ運動量（$p=0$）を持つ．しかし間接極小の場合は，両者の運動量は異なる．発光遷移は，運動量が保存される直接型の半導体，つまりGaAsやGaAs$_{1-y}$P$_y$（$y<0.45$）でよく見られる．発光のエネルギーは，半導体のバンド幅にほぼ等しい．

しかしGaAs$_{1-y}$P$_y$でyが0.45以上の時，つまり間接遷移型半導体の場合，発光遷移の確率は低く，運動量保存のために，格子との相互作用や散乱機構が必要となる．間接遷移型半導体では，発光効率を高めるために，特殊な再結合中心を導入することが必要となる．Nを添加するのも一方法である．N原子はP原子と置換する．Nの外核電子構造は，同じⅤ族原子のPと似ているが，内核構造は異なっておりこの違いが伝導帯の底近くに電子捕獲中心を作る．この再結合中心は，等電子中心（アイソエレクトロニックセンタ）と呼ばれ，間接遷移型半導体の発光効率を大幅に高める．

図8は，量子効率（電子ホール対と発生光子の比）が，GaAs$_{1-y}$P$_y$の混晶成分比yの増加に伴って，低下する様子を示しているが，Nの添加によってその低下は回復している[4]．量子効率は$y>0.5$でかなりの改善が見られるが，$y=1$に近づくに従って，直接バンドと間接バンドの

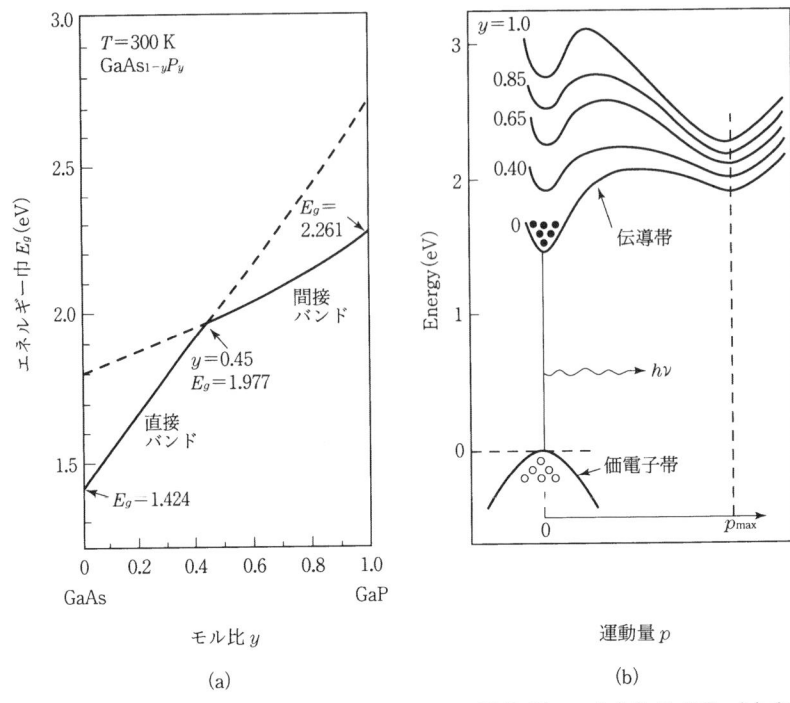

図 7 (a)GaAs$_{1-y}$P$_y$ のバンド構造（直接型 → 間接型）の成分比依存性, (b) 成分比による色調の変化[3]：赤($y=0.4$)，橙(0.65)，黄(0.85)，緑(1.0).

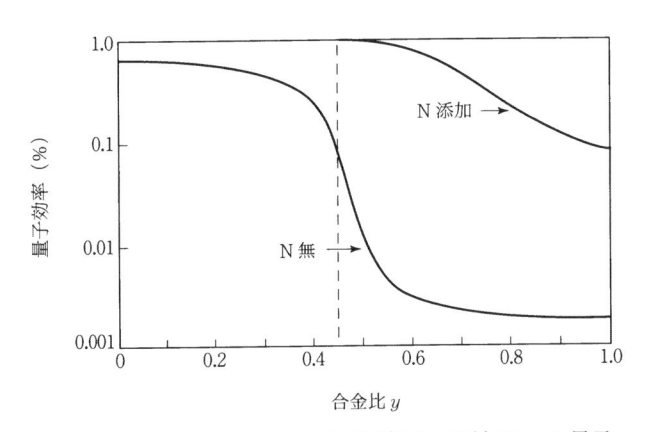

図 8 アイソエレクトロニック不純物 N の添加による量子効率の変化[4].

差が大きくなり，低下は免れない（図7(b)）.

図9は平面形LEDの基本構造を示す[5]．図9(a)はGaAs基板上に作った直接型半導体の赤色LEDの断面図を示す．図9(b)はGaPを基板とした間接型半導体LEDの橙・黄・緑色LEDを示している．共に，格子不整合から生ずる界面での非発光中心をできるだけ減らすため，結晶の成分比を徐々に変化させた緩衝層を設けている.

高輝度青色LED(0.455-0.492 μm) は，II-VI(ZnSeなど)，III-V(GaN)，IV-IV(SiC) などの化合物半導体が，永らく研究されてきた．しかしII-VI族では短寿命，SiCでは低輝度の結果に終わっている.

第9章 フォトニックデバイス

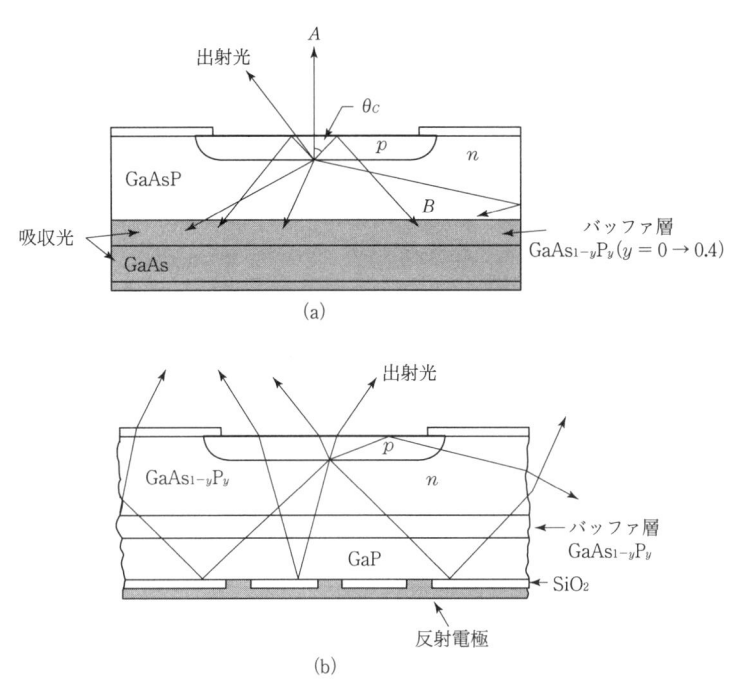

図 9 平面発光 LED の基本構造と，(a)不透明基板，(b)透明基板の場合の発光行路[5].

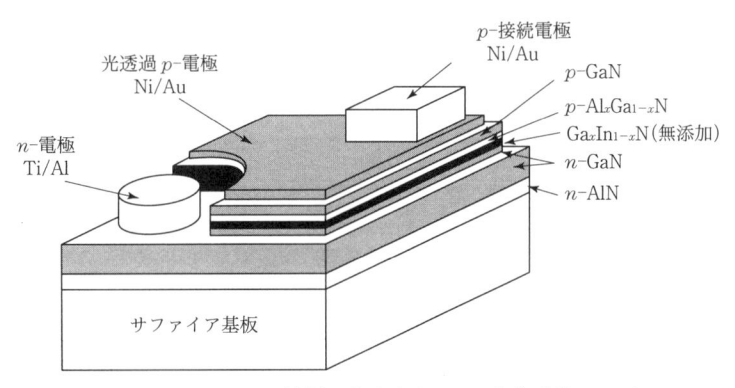

図 10 サファイア基板に作られたⅢ-Ⅴ族窒化物 LED[6].

もっとも有望な材料は GaN（$E_g=3.44$ eV）とその派生物である (AlGaIn)N であり，1.95-6.2 eV すなわち 0.2-0.63 μm に対応する[6]．GaN と格子整合のとれた基板は存在しないが，サファイア（Al_2O_3）を基板，低温成長の AlN を緩衝層として，高品質の結晶が得られている．図 10 は，サファイア基板上の窒化物 LED である．サファイアは絶縁物なので，電極は上面から取り出している．青い光は，$Ga_xIn_{1-x}N$ で発光再結合して発生し，この領域はよりバンド幅の広い $p\text{-}Al_xGa_{1-x}N$ と $n\text{-}GaN$ で挟まれている．

放出された光が，LED 内部で損失となる三つの機構がある．半導体材料自体に依る吸収，屈折率差による半導体から外部への出射面での反射損と，スネルの法則として知られる全反射で，全反射角 θ_c（図 9(a)）は式 (10) で表される．$\bar{n}_2$ は GaAs では 3.66（$\lambda=0.8$ μm）で，$\bar{n}_1$ を空気とすれば，$\bar{n}_1=1$ で全反射角は 16° あるいは，GaP では 17° となり，これ以上大きな角度の光

は，原理的に外部に出てこられない．

$$\sin\theta_c = \frac{\bar{n}_1}{\bar{n}_2}, \tag{10}$$

　LEDの順方向電流-電圧特性は，第4章でのGaAsのp-n接合と同じである．低い順方向電圧では電流はLEDチップ周辺の非発光の表面再結合によるものである．より高い順方向電圧では発光に寄与する拡散電流が支配的であり，全電流は次式で与えられる．

$$I = I_d \exp\left[\frac{q(V-IR_s)}{kT}\right] + I_r \exp\left[\frac{q(V-IR_s)}{2kT}\right], \tag{11}$$

ここでR_sはデバイスの直列抵抗，I_d, I_rはそれぞれ拡散と再結合による飽和電流である．LEDの光出力を増やすためにはI_rとR_sを減らさなければならない．

　LEDの発光スペクトルは，図6の視感度曲線と似ている．スペクトル幅は，出力最大値の半分を与える巾FWHMで，表される．この幅は，ほぼ最大出力を与える波長λ_mの二乗に比例する[7]．FWIIMは，波長が可視域から赤外域になるに従って，増加する．たとえば，$\lambda_m = 0.55$ μm（緑）で，FWHMは約20 nmだが，1.3 μm（赤外）では，FWHMは120 nmとなる．

　可視LEDは，全カラーのディスプレイや表示器，あるいは高効率や高信頼性のランプに用いられる．図11に2種類のLEDランプを示した[8]．LEDランプは，LEDチップと，コントラストを高めるフィルタとプラスチックレンズからできている．図11(a)では，通常のヘッダに組み上げたもの，同図(b)は，GaPのように4側面と上面から光が取り出せる透明半導体の場合を示した．

　図12には，LEDディスプレイの基本形を示す．図12(a)は，7素子で0から9の数字表示，

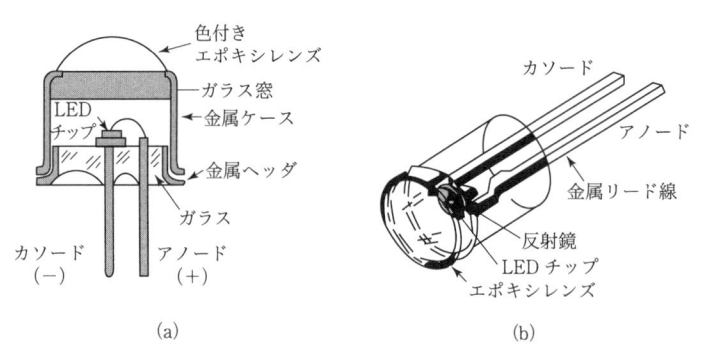

図 11 LEDランプの構造[8]．

図 12 LEDディスプレイの形式．(a)7素子（数字），(b)5×7アレイ（英数字）[8]．

図12(b)は5×7のマトリックスアレイで，英数字を表示できる．このようなディスプレイは，シリコンのIC(第10～14章)と同様なモノリシックプロセスでも，あるいは，個別チップを反射鏡の上に組み合わせた棒状のものでも作られる．

LEDは白熱ランプよりも，3倍もの高効率と10倍の寿命を有するので，一般応用として白色照明へのLEDへの期待は大きい．より広い普及には，LED特に青色LEDのコストの低減が，不可欠である．

有機LED (organic light-emitting diode, OLED)

これまでの議論では，Ga(AsP)やGaNといった無機半導体の話しかしなかった．近年，ある種の**有機半導体**のエレクトロルミネッセンスの研究が行われてきた．有機LEDは多色・大面積のフラットパネルでは，低電力消費・広い放射角度といった点で優れた点が認められている[9]．

図13(a)は2種の代表的な有機半導体の分子構造を示す[10]．六つのベンゼン環が中心のAlと結合しているAlQ$_3$ [tris (8-hydroxy-quinolinato) aluminum] と，分子構造は異なるが同様に六つのベンゼン環を持つ芳香ジアミンである．有機LEDの基本構造は，(ガラスのような)透明基板の上に，透明な電極ITO (indium tin oxide)を付着し，ホール輸送層としてジアミンをつけ，次に電子輸送層としてAlQ$_3$を，最後に10%のAgを含むMg合金の陰極をつけた多層構造である．図13(b)に断面を示す．

図13(c)は，そのバンド構造図を示す．基本的にはAlQ$_3$とジアミンのヘテロ接合である．適当なバイアス条件では，陰極から電子が注入され，ヘテロ界面に移動し，一方陽極ではホールが注入され，界面に移動する．エネルギー障壁，ΔE_cとΔE_Vのために，界面でキャリアの蓄積がおき，発光再結合が引き起こされる．

図13(c)で設計の指針となる点は，(a) 低電圧動作に不可欠な超薄膜構造—たとえば有機半導体は合せて150 nm，(b) 十分低い障壁高さ—ホール注入の障壁$q\Phi_1$と電子の障壁$q\Phi_2$は，大電流がとれるように十分低いこと，(c) 要求色に対応するバンド幅，の三点である．AlQ$_3$では発色は緑であり，異なるバンド幅の有機半導体を組み合わせることによって赤黄青の発光を得ることができる．

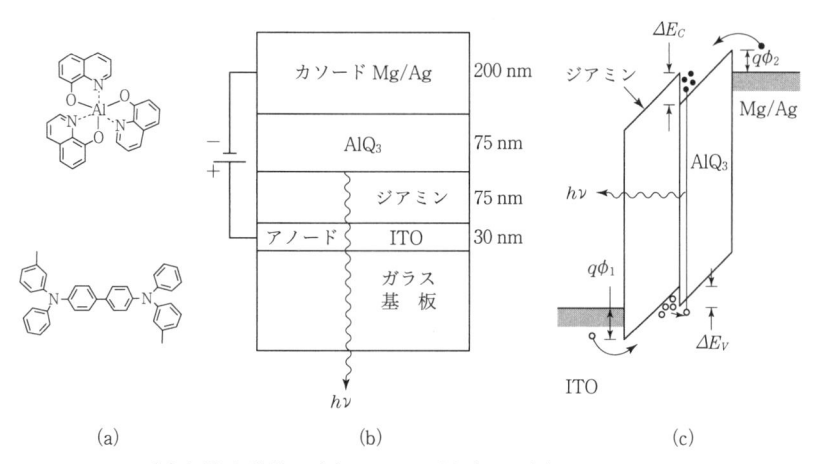

図 13 (a)有機半導体，(b)OLEDの断面図，(c)OLEDのバンド図．

9.2.2 赤外 LED

赤外 LED は，0.9 μm 付近で発光する GaAs の他に，1.1〜1.6 μm で発光する $Ga_xIn_{1-x}As_yP_{1-y}$ など，種々のⅢ-Ⅴ族化合物とその混晶が用いられる．

赤外 LED は，入出力を絶縁するアイソレータに用いられる．図 14 は赤外 LED とフォトダイオードから成る，アイソレータの構造を示す．LED は入力信号を光に変え，その光はフォトダイオードで再び電流に変えられ，負荷抵抗の両端に電気信号が復元される．アイソレータは，発受光素子の早さで応答し，電気的に入出力を完全に分離する．

赤外 LED のもう一つの重要な応用は，光通信である．光ファイバーは，光周波数域での導波路である．光ファイバーは，直径が 100 μm 程度のガラスで，あらかじめプロセスされた丸棒を引き延ばして作られる．同軸ケーブルのように，よく曲がり，光信号を遠くまで伝えることができる．

2種の光ファイバーの構造を図 15 に示した．一つは，純粋な石英ガラスが，不純物（たとえばゲルマニウム酸化物）を添加され，屈折率がいくぶん高めの中心部を包んでいる[11]．これをステップインデックス・ファイバーと呼ぶ．光は界面での屈折率の変化による，全反射によって，軸方向に伝搬する．式(10)で，$\bar{n}_1=1.475$ また $\bar{n}_2=1.480$ として計算すると，全反射角は 79° とな

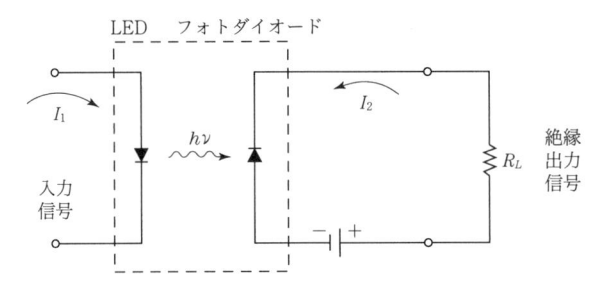

図 14 入力回路が出力回路と分離した光アイソレータ．

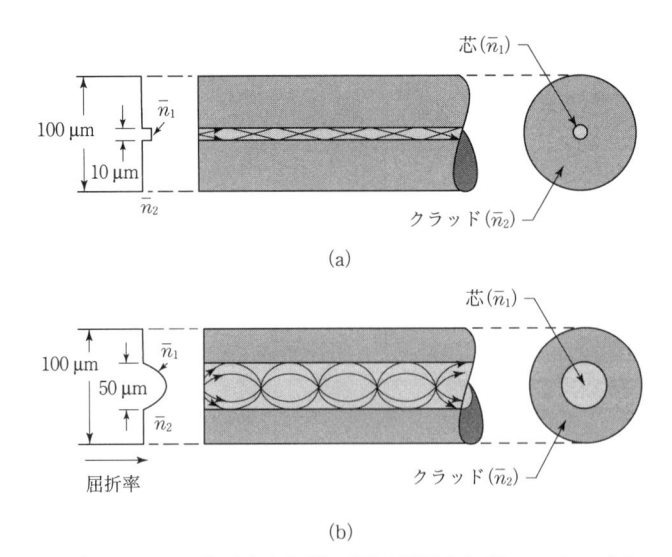

図 15 光ファイバー[11]．(a)中心部の屈折率が少し高いステップインデックス・ファイバーと，(b)屈折率が中心からの距離の二乗に従って小さくなる，グレーデッドインデックス・ファイバー．

る.異なる光線は,異なる光路を通ることに留意してほしい(図15(a)).ステップインデックス形では,ファイバーの中心を通ってきた光と,反射されながら来た光のパルス光は,時間的広がりを持つ.グレーデッドインデックス形(図15(b))では,屈折率が高い中心部を通る光は速度が遅くなり,周辺部を屈折しながら通る光は速度が速くなり,結果的に時間差はあまり生じない.ファイバー中を伝搬すると光は減衰する.しかし高純度石英は,0.8-1.6 μm で減衰度はきわめて低く,λ^{-4} に比例する.0.8 μm で 3 dB/km,1.3 μm で 0.6 dB/km,1.55 μm で 0.2 dB/km が代表的な値である.

簡単な2点間ファイバー通信システムを図16に示す.電気入力信号は,LEDやレーザによって光信号に変換される.光信号は,ファイバーに結合された光検出器に導かれ,電気信号に復調される.

表面放出赤外(InGa)(AsP)LEDを図17に示す[12].出力は表面の中央部から出て,光ファイバーに結合される.ヘテロ接合(InGa)(AsP)/InP の使用により,活性域の(InGa)(AsP)へのキャリアの有効な閉じこめが達成される.これについては9.3節で述べる.ヘテロ構造は,光の有効な取り出し窓としても働く.

入力電気信号は高い周波数で変調される.信号は,注入電流の直接変調で行われる.空乏層容

図 16 光通信システムの基本構成

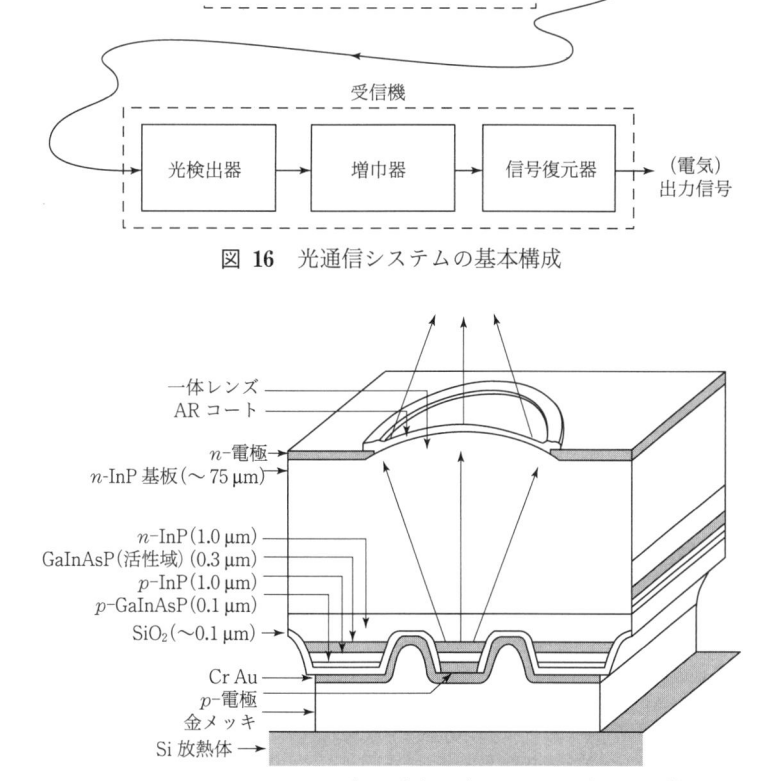

図 17 メサエッチされた(GaIn)(AsP)/InP の小面積 LED[12].

量や直列抵抗などの寄生成分は注入電流の遅れを生じ，ひいては光出力遅れをもたらす．変調信号をどこまで早く伝えられるかは，究極的にはキャリアの寿命による．それは第3章で述べたように，表面再結合などの再結合速度で決定される．電流が角周波数 ω で変調されると，光出力 $P(\omega)$ は

$$P(\omega) = \frac{P(0)}{\sqrt{1+(\omega\tau)^2}}, \tag{12}$$

ここで $P(0)$ は，$\omega=0$ での光出力，τ は，キャリアの寿命である．変調周波数バンド幅 Δf は，光出力が $\omega=0$ の時の半分になる周波数で，式(13)で与えられる．

$$\Delta f \equiv \frac{\Delta\omega}{2\pi} = \frac{1}{2\pi\tau}. \tag{13}$$

例題2 $\tau=500$ ps の GaAs LED の変調周波数バンド幅を求めよ．

解答 式(13)より

$$\Delta f = \frac{1}{2\pi \times 500 \times 10^{-12}} = 318 \text{ MHz}.$$

9.3 半導体レーザ

半導体レーザは，固体ルビーレーザや He-Ne ガスレーザと同様に波長が揃い，しかも非常に指向性の良い光を出す．しかし他のレーザと異なるのは，小型（長さ 0.1 mm の程度）で，高い周波数での直接変調が容易な点である．これらの点は，光ファイバー通信に，非常に適している．さらに，ビデオ記録，光読出し，高速レーザプリンタ等にも用いられる．さらに高分解能のガス分析や大気汚染モニター等の基礎的な研究や技術にも，広く応用される．

9.3.1 半導体材料

半導体レーザ材料は直接遷移型である．これは，運動量保存のために，発光遷移の確率が直接遷移型の方で高いからである．半導体レーザは $0.3 \sim 30$ μm をカバーしている．GaAs は最初の半導体材料であったし，それと関連のあるIII-V族化合物半導体は，最もよく研究され開発されている．中でも $Ga_xIn_{1-x}As_yP_{1-y}$，$Ga_xIn_{1-x}As_ySb_{1-y}$，$Al_xGa_{1-x}As_ySb_{1-y}$ などの混晶は重要である．図18は，III-V族化合物半導体とそれらの混晶である三元系および四元系のバンド幅と格子定数を示す[13]．界面でトラップの少ないヘテロ接合を得るには，格子定数が等しくなければならない．GaAs（$a=5.6533$ Å）を基板にすれば，三元系の $Al_xGa_{1-x}As$ は，不整合度が 0.1% 以内に収まる．InP（$a=5.8687$ Å）の場合，四元系 $Ga_xIn_{1-x}As_yP_{1-y}$ は図18の中心の線で示すように，完全に一致させることができる．

図19(a)は，$Al_xGa_{1-x}As$ の Al の成分比とバンドギャップの関係を示す[1]．混晶は，$x=0.45$ までは直接型半導体であるが，それ以上では間接型半導体となる．同図(b)には屈折率の変化を示した．たとえば，$x=0.3$ のとき，混晶のバンドギャップは 1.789 eV で，GaAs より 0.365 eV 大きい．逆に屈折率は 3.385 で 6% 小さくなる．これらの性質は，半導体レーザの室温連続動作の実現に寄与した．

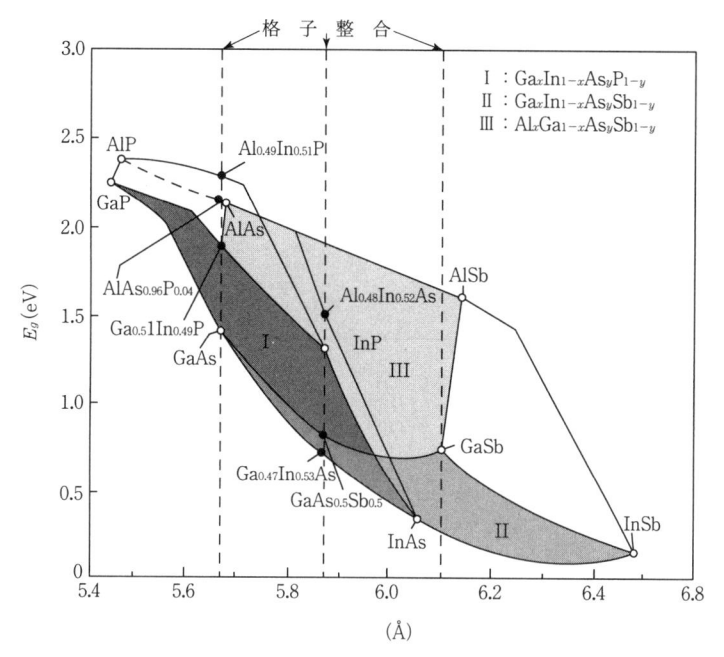

図 18 三種のⅢ-Ⅴ属化合物半導体の合金のバンドギャップと格子定数[13].

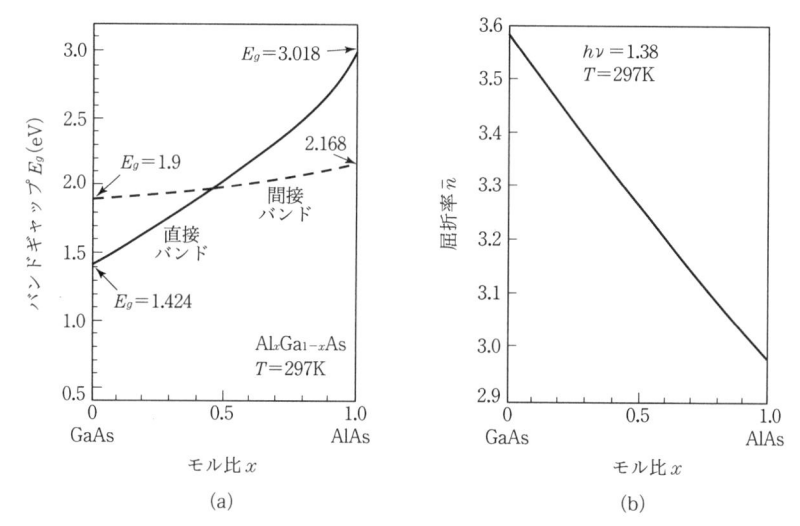

図 19 (a) $Al_xGa_{1-x}As$ のバンドギャップと成分比，(b) 1.38 eV での成分比による屈折率の変化．

9.3.2 レーザ動作

ホモ接合レーザ（図20(a)）と二重ヘテロ接合（DH）レーザ（図20(b)）の，動作時の屈折率・発生光分布が示されている．

反転分布

9.1.1項で述べたように，誘導発光を得るには，反転分布が達成されなければならない．反転分布を得るための，縮退した半導体の p-n 接合あるいはヘテロ接合を考えよう．縮退した半導

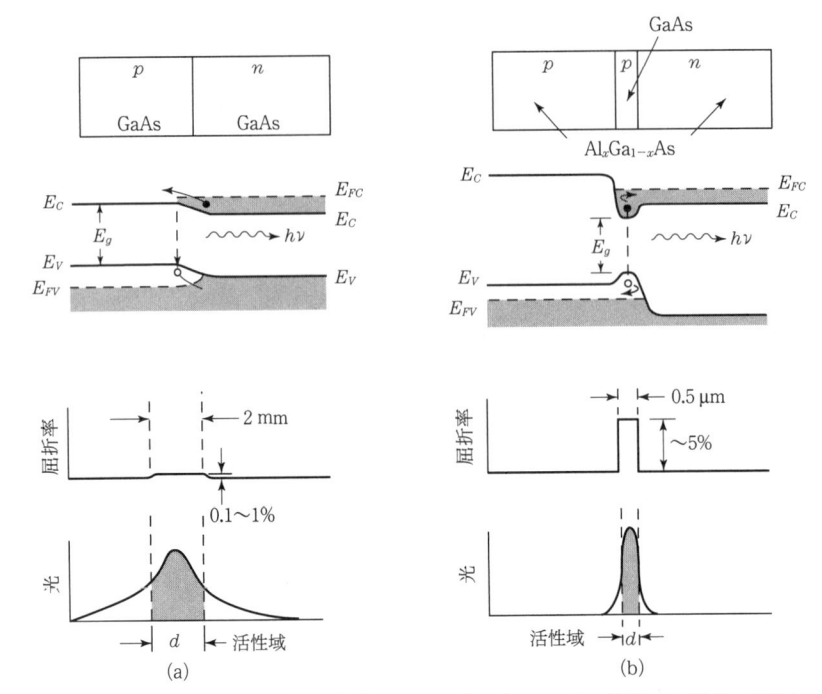

図 20 (a)ホモ接合レーザと，(b)ダブルヘテロ(DH)レーザの比較．2 段目の図は，順方向電流を流したときのバンド図．活性域の屈折率の変化は，ホモ接合レーザで 1%，DH レーザでは 5% ほどである．光の閉じこめ効果が最下段に示されている[14]．

体では不純物濃度が高く，フェルミ準位がそれぞれ，価電子帯と伝導帯の中に入り込んでいる（図 20）．十分高い順方向電圧を印加すると，n 域からは電子が，p 域からは正孔が注入され，d の領域では，伝導帯に大量の電子が，価電子帯には大量の正孔が同時に存在する．これは，すなわち反転分布である．

バンド間遷移の最小エネルギーは E_g である．図 20 からわかるように，反転分布の必要条件は $(E_{FC}-E_{FV})>E_g$ である．

キャリアと光の閉じ込め

以上の説明でわかるように，DH レーザでは活性域の両側に，ヘテロ接合のためにキャリアが閉じこめられるのに対し，ホモ接合ではキャリアは活性域から離れたところまで拡散する．

DH レーザでは，活性域の外で屈折率が急激に減少するから，光の閉じこめも起きる．図 21 により説明しよう．3 層構造つまり，活性域が他の層にはさまれた構造で，それぞれの屈折率を $\bar{n}_1$，$\bar{n}_2$，$\bar{n}_3$ とする（図 21(a)）．$\bar{n}_2>\bar{n}_1\geq\bar{n}_3$ のとき，第 2 層と第 1 層，あるいは第 2 層と第 3 層の界面で全反射の起きる臨界角 θ_{12}，θ_{23} は，式(10)で与えられる（図 21(b)）．このように，臨界角より大きな入射角を持つ光は，第 2 層内に閉じこめられる．活性域に閉じこめられる光強度と，全体の光強度の比を閉込め係数 Γ と呼ぶ．

$$\Gamma \cong 1-\exp(-C\Delta\bar{n}d), \tag{14}$$

C は定数，$\Delta\bar{n}$ は屈折率差，d は活性域の厚みである．$\Delta\bar{n}$ と d が大きいと Γ も大きい．

第9章 フォトニックデバイス

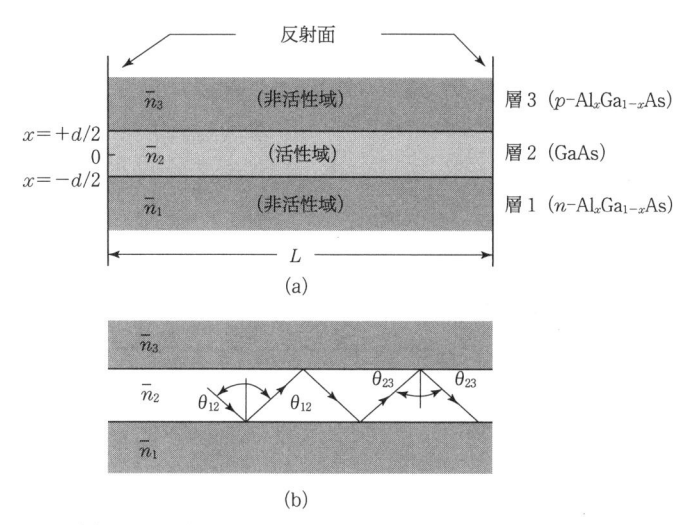

図 21 (a)三層誘電体の導波路，(b)導波路に閉じこめられる光の光路．

光共振器と帰還

レーザ動作のための必要条件——反転分布——を考える．誘導放出光は，さらなる誘導放出を促すだろう．つまり光の利得である．共振器を1回移動する距離内での利得は，小さいかもしれない．利得を稼ぐためには，共振器内での多数回の作用が必要である．図21(a) の左右端面を反射面にすればよい．半導体レーザでは，結晶の劈開面が，良好な鏡面となる．GaAsは，(110)面で劈開し，対の反射鏡面となる．時には，一面は反射率を増すために，反射膜を蒸着する．端面での反射率は次式で与えられる．

$$R=\left(\frac{\bar{n}-1}{\bar{n}+1}\right)^2, \tag{15}$$

ここで $\bar{n}(\lambda)$ は，波長 λ での屈折率である．

例題 3 GaAs での ($\bar{n}=3.6$ として) R を計算せよ．

解答 式15から

$$R=\left(\frac{3.6-1}{3.6+1}\right)^2=0.32,$$

つまり劈開面の反射率は 32% である．

二つの端面間の距離が光の半波長の整数倍ならば，光はこの共振器内に閉じこめられる．誘導放出光の条件として，共振器長 L は次の条件を満たさなければならない．

$$m\left(\frac{\lambda}{2\bar{n}}\right)=L \tag{16}$$

または

$$m\lambda=2\bar{n}L, \tag{16a}$$

ここで，m は正の整数で，多数の λ が条件を充たす（図22(a)）．自然発光のスペクトル内でなければならない（図22(b)）．さらにそのうちでも，共振器内の往復で光の損失に打つ勝つ利得がなければならないから，レーザ動作のできる波長は限られる（図22(c)）．

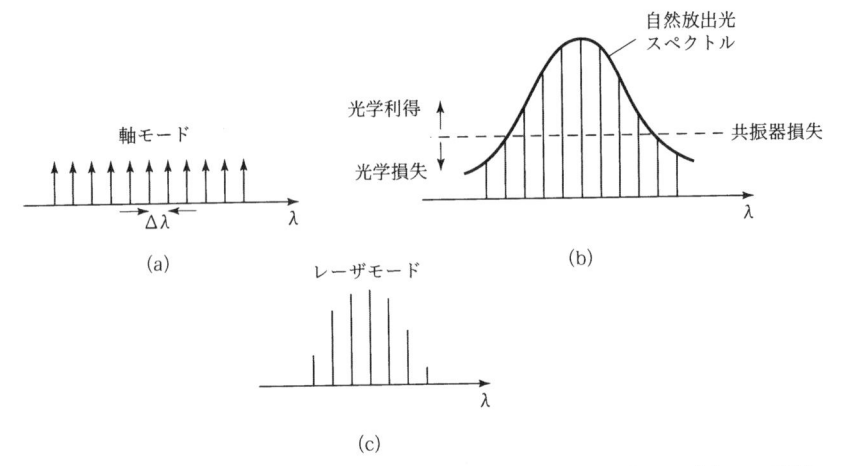

図 22 (a)レーザ共振器の共振モード，(b)自然発光スペクトル，(c)レーザ発光モード

許されるレーザモードの，軸方向の m と $m+1$ のモード間隔は次式で与えられる．

$$\varDelta\lambda = \frac{\lambda^2 \varDelta m}{2\bar{n}L[1-(\lambda/\bar{n})(d\bar{n}/d\lambda)]}. \tag{17}$$

$\bar{n}$ は λ の関数であるが，$d\bar{n}/d\lambda$ は小さいので $\varDelta\lambda$ は
式(17)は式(18)で近似される．

$$\boxed{|\varDelta\lambda| \cong \frac{\lambda^2}{2\bar{n}L}.} \tag{18}$$

例題 4 GaAsレーザで，$\lambda=0.94\ \mu\mathrm{m}$，$\bar{n}=3.6$，$L=300\ \mu\mathrm{m}$ としてモード間隔を求めよ．

解答 式(18)から

$$\varDelta\lambda \cong \frac{(0.94\times 10^{-6})^2}{2\times 3.6\times 300\times 10^{-6}} = 4\times 10^{-10}\ \mathrm{m} = 4\ \text{Å}.$$

9.3.3 半導体レーザの基本構造

図23にレーザ構造を示す[14,15]．図23(a)は，接合が同一半導体からなるホモ接合レーザである．⟨110⟩軸に垂直の劈開面(110)，あるいは磨き面の端面を有する．図23では前面しか見えないが，両端面からレーザ光が放出される．側面は主軸方向以外でのレーザ動作を抑えるために，わざと面を荒らす．この構造をファブリ・ペロ共振器と呼ぶ．共振器長は約 $300\ \mu\mathrm{m}$ である．このファブリ・ペロ共振器は，広く用いられている．

図23(b)は，二重ヘテロ接合(DH)レーザで，薄い半導体(GaAs)が異種の半導体($\mathrm{Al}_x\mathrm{Ga}_{1-x}\mathrm{As}$)で挟まれている．図23(a)，(b)では，接合全面がレーザ動作をするが，図23(c)では，活性域は狭い領域に限定されたストライプ構造である．ストライプ幅は，5～30 $\mu\mathrm{m}$ 程度である．ストライプ構造の利点は，動作電流の減少/接合周辺の除去による信頼性の向上などである．

しきい値電流密度

半導体レーザにとって，最も重要な値は，レーザ動作の開始するしきい値電流密度 J_{th} であ

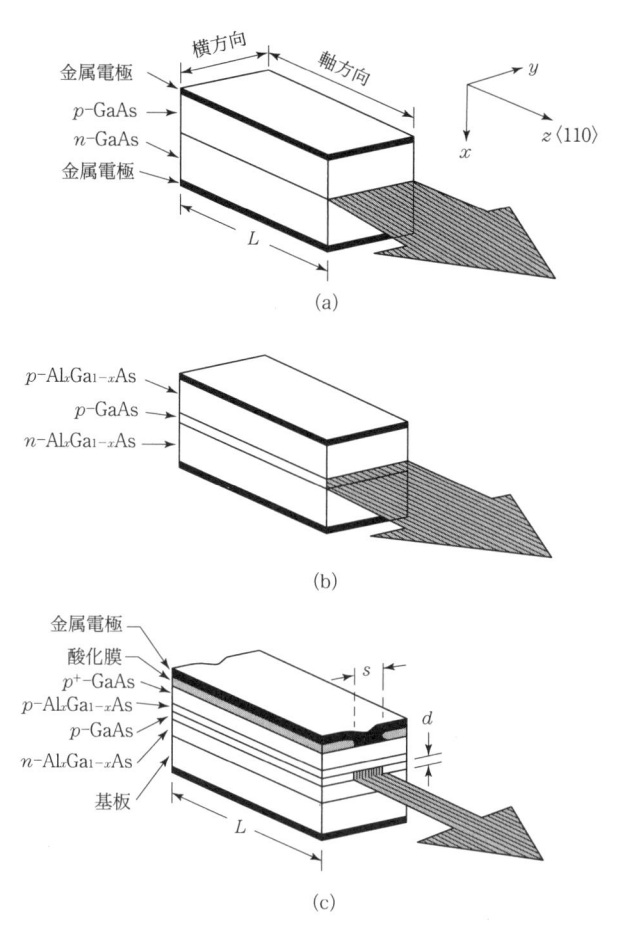

図 23 ファブリ・ペロ共振器の半導体レーザ構造．(a)ホモ接合レーザ，(b)DHレーザ，(c)ストライプDHレーザ[14,15].

る．図24に，J_{th} と動作温度の関係を，ホモ接合とDHレーザについて示した[14]．J_{th} の温度変化が，DHレーザでは，ずっと低いのに注意されたい．このため，DHレーザの J_{th} は室温でも十分低く，そのため室温連続動作が可能となったのである．そのお陰で，半導体レーザの応用分野は，ぐんと拡がり，中でも重要な光ファイバー通信に使われることとなった．

半導体レーザの利得係数 g，つまり単位長当りの光の増幅度は，電流の関数である．利得 g は規格化電流密度 J_{nom} の関数として表される．規格化電流密度 J_{nom} は，量子効率 η（フォトン当たり生成される電子・正孔対の数）を1としたときの活性域厚1μm当りの電流密度として定義され，実際の電流密度 J との関係は次式によって与えられる．

$$J(\text{A/cm}^2) = \frac{J_{nom} d}{\eta}, \tag{19}$$

d は活性域厚 μm である．図25は求められた g と J_{nom} の関係をGaAs DHレーザについて示した[16]．利得は $50 < g \leq 400 (\text{cm}^{-1})$ の範囲で，J_{nom} に比例している．

図で点線の直線部は，式(20)で表されるが，

$$g = (g_0/J_0)(J_{nom} - J_0), \tag{20}$$

$g_0/J_0 = 5 \times 10^{-2}$ cm・μm/A，$J_0 = 4.5 \times 10^3$ A/cm²・μm である．

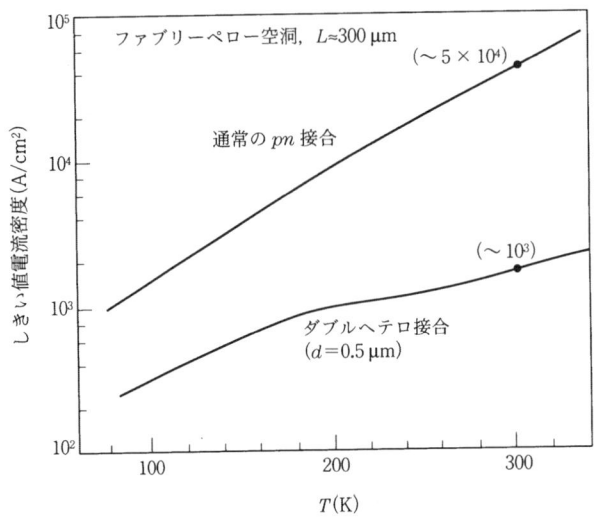

図 24 図20に示した二つのレーザ[14]のしきい値の温度依存性

前述したように、低電流では自然放出光が全方向に放出される。電流の増加に伴い、g は増加し（図25）、しきい値で g は共振器の損失と等しくなる。すなわち

$$R \exp[(\Gamma g - \alpha)L] = 1 \tag{21}$$

または

$$\Gamma g(\text{しきい値利得}) = \alpha + \frac{1}{L} \ln\left(\frac{1}{R}\right), \tag{22}$$

Γ は光の閉込め係数、α は吸収や散乱などによる単位長当りの損失、L は共振器長、R は端面での反射率（両面で等しいと仮定）である。式(19), (20), (22)から、J_{th} は、

$$\boxed{J_{th}(A/\text{cm}^2) = \frac{J_0 d}{\eta} + \left(\frac{J_0 d}{g_0 \eta \Gamma}\right)\left[\alpha + \frac{1}{L}\ln\left(\frac{1}{R}\right)\right].} \tag{23}$$

$(J_0 d / g_0 \eta \Gamma)$ は $1/\beta$ で表され、β は利得係数と呼ばれる。J_{th} を下げるには、η, Γ, L, R を大きく、逆に d と α を小さくする。

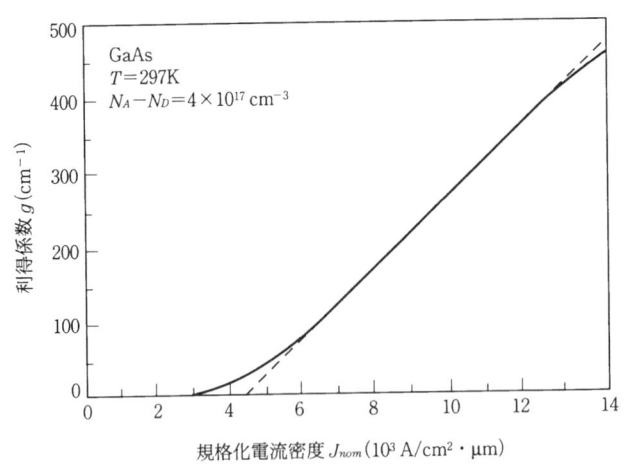

図 25 電流密度と利得係数。破線は直線性を示す[16]。

第9章 フォトニックデバイス

例題5 以下の数値を用いて，半導体レーザのしきい値電流を求めよ．前面および後面の反射率は 0.44 と 0.99，共振器長は 300 μm，幅 5 μm，$\alpha = 100$ cm^{-1}，$\beta = 0.1$ cm^{-3}A^{-1}，$g_0 = 100$ cm^{-1}，$\Gamma = 0.9$ とする．

解答 知られた利得係数から，式 (23) の $J_0 d/\eta$ は $g_0 \Gamma/\beta$ と書ける．鏡面の反射率が異なるから，式(23) を変形して

$$J_{th}(\text{A/cm}^2) = \frac{g_0 \Gamma}{\beta} + \frac{1}{\beta}\left[\alpha + \frac{1}{2L}\ln\left(\frac{1}{R_1 R_2}\right)\right] \tag{23 a}$$

そこで，

$$J_{th} = \frac{100 \times 0.9}{0.1} + 10 \times \left[100 + \frac{1}{2 \times 300 \times 10^{-4}}\ln\left(\frac{1}{0.44 \times 0.99}\right)\right] = 2036 \text{ A/cm}^2,$$

したがって

$$I_{th} = 2036 \times 300 \times 10^{-4} \times 5 \times 10^{-4} = 30 \text{ mA}$$

温度効果

図 26 は，Al$_x$Ga$_{1-x}$As/GaAs DH ストライプレーザの CW (連続動作) 時の，しきい値の温度変化を示している[17]．図 26(a) は，25℃ と 115℃ での直流動作を示している．出力の直線性に留意していただきたい．指示温度でのしきい値電流 I_{th} は，出力ゼロの外挿値である．図 26(b) はしきい値電流の温度特性である．しきい値電流は温度の指数関数であり，式 (24) で表される．ここで T は温度 (℃) で，T_0 は 110℃ である．

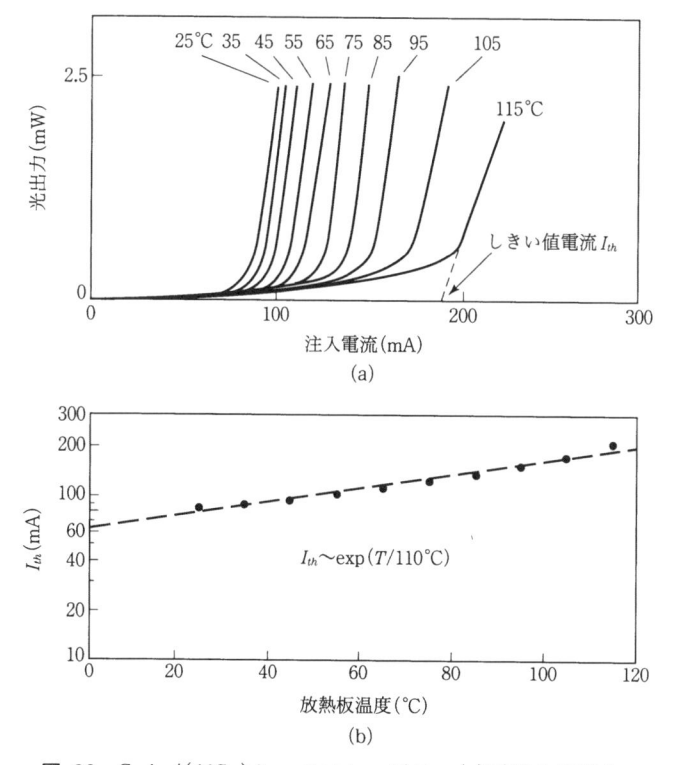

図 26 GaAs/(AlGa)As ヘテロレーザの，(a) 電流と光出力，(b) 連続 (CW) 動作のしきい値の温度依存性[17].

$$I_{th} \sim \exp\left(\frac{T}{T_0}\right), \tag{24}$$

例題 6 図 26 でしきい値が，室温の倍になる温度を求めよ．
解答

$$\frac{J_{th}}{2J_{th}} = \frac{\exp(27/110)}{\exp(T/110)},$$

したがって

$$T = 27 + 110 \times \ln 2 = 27 + 76 = 103°C$$

変調周波数と軸モード

光ファイバー通信で光源は，高い周波数で駆動される．変調周波数の増大に伴って出力が減る LED とは異なり（式12），典型的な GaAs あるいは (GaIn)(AsP) レーザダイオードでは，出力（端面当たり 10 mW）は，GHz 帯まで変わらない．(GaIn)As/(AlGa)As DH ストライプレーザで，しきい値以上では，等間隔に離れた（$\Delta\lambda = 0.4$ Å，例題 4）多数の波長が共存する．これは式(17)の軸モードである．このためストライプレーザは，単一波長光源ではない．光ファイバー通信では，理想的な光源は単一波長である．多波長では，光パルスは異なった速度で伝搬し，パルス幅は広がってしまう．

9.3.4 分布帰還型（distributed feedback, DFB）レーザ

多モードのためストライプレーザは，比較的低い周波帯（1 GB/s 以下）でしか用いられない．高度な光通信では，単一波長レーザが使用される．基本的には，レーザの共振器がただ一つの波長だけしか選ばないようにしている．二つの形を挙げよう．分布ブラッグ反射型と分布帰還型である[18]．

図 27(a) は，分布ブラッグ反射型（distributed bragg reflector, DBR）レーザの断面を示す．電流の流れる部分は，励起領域と呼ばれる．波長選択域は，励起域外部の回折格子である．活性域と回折格子域の有効な結合により，ブラッグ波長と呼ばれる λ_B の光が強力に反射される．

$$\lambda_B = \frac{2\bar{n}\Lambda}{l}, \tag{25}$$

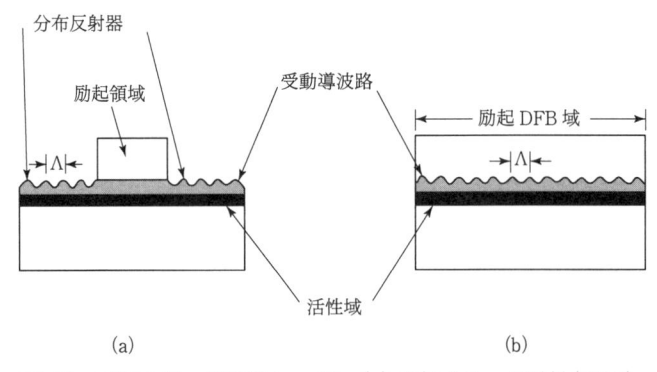

図 27 二種の単一周波数レーザ．(a) 分布ブラッグ反射(DBR)レーザ，(b) 分布帰還(DFB)レーザ．

ここで $\bar{n}$ は，モードの有効屈折率，l はグレーティングの次数である．損失が最低の次数で，最大の出力が得られる．

図 27(b) は分布帰還形レーザで，活性域に接してなまこ板様の周期構造がある．この周期性に一番整合した波長のレーザ光が得られる．屈折率の温度依存性が低い（~ 0.5 Å/deg）ため，DFB レーザの温度依存性は低い．一方ストライプレーザでは，バンド幅の温度変化に従うため，温度依存性は大きい（~ 3 Å/deg）．DBR, DFB レーザは共に，固定基板の上に，プラナー技術で作られる光集積回路の光源としても有用である．

9.3.5 量子井戸レーザ

量子井戸（quantum well, QW）レーザ[18,19] は，DH レーザに類似しているが，活性層の厚みはずっと薄い（10-20 nm）．図 28(a) は QW レーザのバンド図を示す．よりバンド幅の広い (AlGa)As に挟まれた薄い（$L_y \sim 20$ nm）GaAs がある．この距離 L_y はドブロイ波長（$\lambda = h/p$, ここで h はプランクの常数，p は電荷の運動量）に近く，キャリアは有限の量子井戸に閉じこめられる．

電荷の取りうるエネルギーは，y 方向に制限され x および z 方向では制限されない領域で

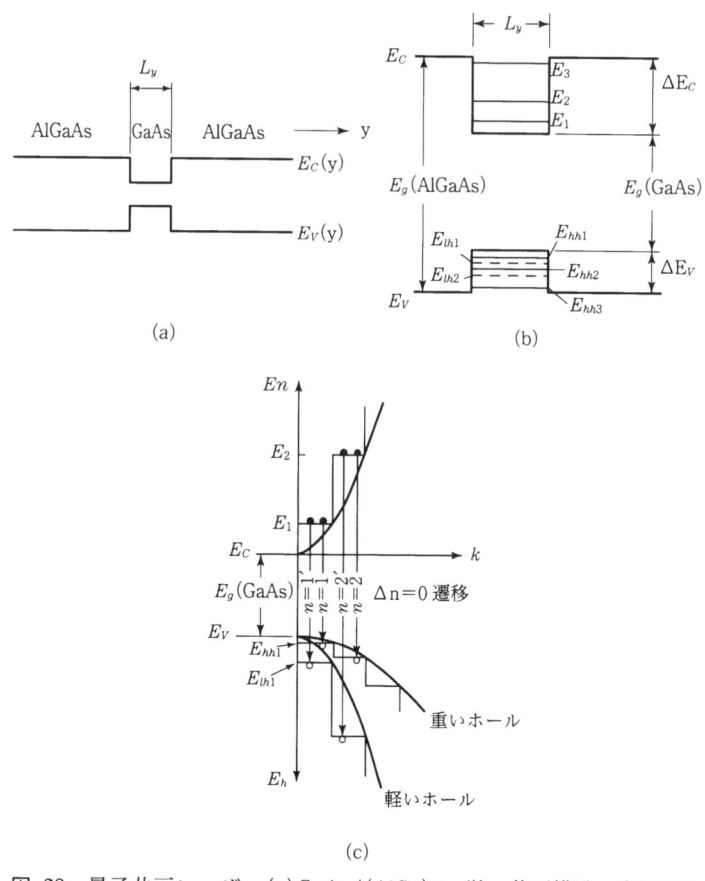

図 28 量子井戸レーザ．(a) GaAs/(AlGa)As 単一井戸構造，(b) 井戸内の分離準位，(c) 井戸内の，電子とホールの準位密度．

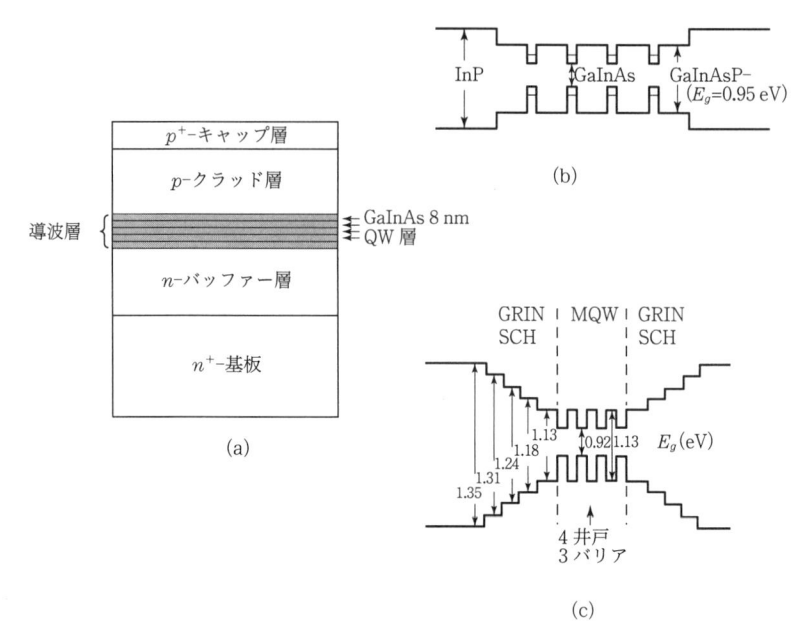

図 29 (a) (GaIn)As/(GaIn)(AsP)多重井戸 QW レーザの構造，(b)前記の SCH-MQW レーザのバンド構造，(c)GRIN-SCH-MQWレーザ のバンド構造

$$E(n, k_x, k_z) = E_n + \frac{\hbar^2}{2m^*}(k_x^2 + k_z^2), \tag{26}$$

ここで E_n は閉じこめられた粒子の n 次の固有値，m^* は有効質量，k_x および k_z は x と z 方向の波数である．図 28(b)は，量子井戸のエネルギー準位を示す．E_n は，電子について E_1，E_2，E_3 で表され，重いホールと軽いホールについては† それぞれ E_{hh1}，E_{hh2}，E_{hh3} と E_{lh1}，E_{lh2}，E_{lh3} で表される[18]．通常の放物線形の伝導帯と価電子帯の状態密度は，不連続の"階段状"となり，単位面積あたりの状態密度は，次式で与えられる．

$$\frac{dN}{dE} = \frac{m^*}{\pi\hbar^2}. \tag{27}$$

エネルギーの増加と共に，状態密度はゼロから次第に増加する通常のレーザと異なり一定であり，たとえば準位 E_1 の一群の電子は，E_{hh1} の一群のホールと再結合する．QWレーザは，低しきい値電流・高出力・高速動作などの点で，普通の DH レーザより優れている．GaAs/(AlGa)As の QW レーザのしきい値電流密度は，65 A/cm² 以下で，mA 以下の動作電流である．これらのレーザ波長は，0.9 μm 付近である．

より長い 1.3-1.5 μm の波長には，(GaIn)As/(GaIn)(AsP) の多重量子井戸 (multiple-quantum-well, MQW) が開発された．図 29(a)に，(GaIn)As/(GaIn)(AsP) の 4 重井戸の動作域を InP の閉じこめ層で挟み込んだ，分離閉じこめ (separate-confinement-heterostructure, SCH) MQW レーザを示した[20]．この混晶結晶の格子定数は InP 基板と整合する．活性域は，8 nm の非添加 (GaIn)As ($E_g=0.75$ eV) と 30 nm の非添加の (GaIn)(AsP) $\{E_g=0.95$ eV$\}$ の 4 重 QW である．図 29(b) にそのバンド図を示した．n と p の InP クラッド層は，それぞれ 10^{18} cm⁻³ の S と 10^{17} cm⁻³ の Zn が添加される．

---

† GaAs では，重いホールの有効質量は 0.62 m₀，軽いホールでは 0.074 m₀ である．

図29(c) は，勾配SCH（graded-index-SCH, GRIN-SCH）である．光閉じこめ域の屈折率勾配は，結晶のバンドギャップを変えた数層のクラッド域で達成される．GRIN-SCH構造はSCHに比べ，キャリア・光の閉じこめをより効果的に行い，さらに低いしきい値が達成される．MQW構造によって，将来のより進歩したレーザや，フォトニックデバイスの躍進が期待される．

9.4 光検出器

光検出器は，光信号を電気信号に変える半導体デバイスである．光検出器の動作は，入射光によるキャリア発生，キャリアの移動あるいは増倍機構のある場合はそれも取り込み，外部回路に出力電流の供給をする．

光検出器は，光アイソレータの赤外受光器や，光ファイバー通信での受信部などの広い応用がある．これらに要求される性能は，動作波長で高感度，高速で応答し，雑音の低いことである．さらに小型で低電圧または低電流で動作し，動作条件下で信頼性の高いことである．

9.4.1 光伝導体（光抵抗）

光伝導体は，図30に示すように，半導体片の両端に，オーミック接続を取っただけのものである．光が半導体表面に入射すると，バンド間遷移（真性）またはバンド内の準位を介しての遷移（外因性）によってキャリアが発生し，伝導度が高くなる．

真性光伝導体の場合，伝導度は次式で表され，伝導度の増加は，キャリア数の増加によっている．

$$\sigma = q(\mu_n n + \mu_p p) \tag{28}$$

この場合の長波長端は，式(9)で表される．外因性の場合，間接型遷移は，バンド内の準位を介する．そして長波長のしきい値は，その準位の位置による．

光伝導体の動作を考えてみよう．時刻 $t=0$ で，光照射が終わり，それまでの単位時間当りの発生キャリア数が n_0 だとする．時刻 $t(0<t)$ でのキャリア数 $n(t)$ は，再結合のため減少する．

$$n = n_0 \, exp\left(\frac{-t}{\tau}\right), \tag{29}$$

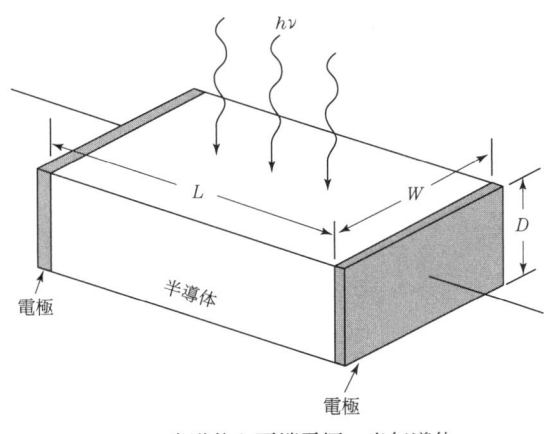

図30 半導体と両端電極の光伝導体．

τ はキャリアの寿命時間である．式(29)から，再結合速度は

$$\left|\frac{dn}{dt}\right| = \frac{1}{\tau} n_0 \exp\left(-\frac{t}{\tau}\right) = \frac{n}{\tau} \tag{30}$$

表面積 $A = WL$ の半導体が一様に照射されているとすると（図30），単位時間あたりの全光子数は $P_{opt}/h\nu$ である．ここで P_{opt} は入射パワー，$h\nu$ は光子エネルギーである．

定常状態では，キャリア発生速度 G は再結合速度 n/τ に等しい．半導体の厚み D が，光の吸収長，すなわち $1/\alpha$ よりずっと大きい場合，単位体積当りのキャリア発生速度は，

$$G = \frac{n}{\tau} = \frac{\eta(P_{opt}/h\nu)}{WLD}, \tag{31}$$

ここで，η は量子効率つまり1光子あたりの発生キャリア数，n はキャリア密度である．光照射時に電極間を流れる電子電流は，

$$I_p = (\sigma\mathcal{E})WD = (q\mu_n n \mathcal{E})WD = (qnv_d)WD, \tag{32}$$

$\mathcal{E}$ は半導体中の電界強度，v_d はキャリアのドリフト速度である．式(31)の n を式(32)に代入して，

$$I_p = q\left(\eta\frac{P_{opt}}{h\nu}\right)\cdot\left(\frac{\mu_n\tau\mathcal{E}}{L}\right). \tag{33}$$

一次光電流を次式のように定義する．

$$I_{ph} \equiv q\left(\eta\frac{P_{opt}}{h\nu}\right), \tag{34}$$

光電流利得は，式(33)から，

$$\boxed{利得 \equiv \frac{I_p}{I_{ph}} = \frac{\mu_n\tau\mathcal{E}}{L} = \frac{\tau}{t_r},} \tag{35}$$

ここで，$t_r \equiv L/v_d = L/\mu_n\mathcal{E}$ はキャリアの走行時間である．利得は，キャリアの寿命時間と走行時間の比で与えられる．

例題7 $\eta = 0.8$ の光抵抗を，5×10^{12} 光子/s で照射したときの光電流と利得を求めよ．少数キャリア寿命は 0.5 ns, $\mu_n = 2500$ cm²/V·s, $\mathcal{E} = 5000$ V/cm, $L = 10$ μm とする.

解答 式33から

$$I_p = q(0.8\times5\times10^{12}\text{光子}/s)\cdot\left(\frac{2500\text{ cm}^2/\text{V·s}\times10^{-10}\text{s}\cdot5000\text{ V/cm}}{10\times10^{-4}\text{ cm}}\right),$$

$$= 4\times10^{-6} A = 4\ \mu A,$$

また式35から

$$利得 = \frac{\mu_n\tau\mathcal{E}}{L} = \frac{2500\times5\times10^{-10}\times5000}{10\times10^{-4}} = 6.25.$$

少数キャリア寿命が長く，電極間が短い場合，利得は1よりかなり大きくなる．場合によっては百万倍も取りうる．光抵抗の応答時間は走行時間 t_r で決まる．光抵抗の応答時間は 10^{-3} から 10^{-10} 秒に及ぶ．それらは赤外領域特に数 μm 以上でよく用いられる．

9.4.2 フォトダイオード

フォトダイオードの基本は，逆バイアスされた p-n 接合あるいはショットキー接合である．入射光が電子・正孔対を作り，空乏層は電子と正孔を分離し，外部回路に電流が供給される．高

速動作には，走行時間を短くするために，空乏層は薄い方が望ましい．一方量子効率を高めるには，空乏層で光が十分吸収されるよう，ある程度厚くなければならない．つまり，応答速度と量子効率のバランスをとる必要がある．

量子効率

前述したように，量子効率は，1個の入射フォトンで作られる電子・正孔対発生数であり，

$$\eta = \left(\frac{I_p}{q}\right) \cdot \left(\frac{P_{opt}}{h\nu}\right)^{-1}, \tag{36}$$

で表される．I_pは光電流，P_{opt}は波長λでの光パワーである．ηを決定する重要な因子は，吸収係数αである（図5）．αは波長によって大きく変化するから，光電流の得られる波長は限られる．長波長端λ_cは，バンドギャップで決まり（式9），Geでは1.8 μm，またSiでは1.1 μmである．λ_cよりも長い波長では，光はほとんど吸収されないから，光電流は発生しない．逆に短い波長では，αは大きく（～10^5 cm^{-1}），光の吸収は，再結合速度の速い表面近傍に限られ，キャリアは，pn接合で分離される以前に消滅する．

図31はいくつかの高速フォトダイオードの波長・量子効率の関係を示す[21,22]．可視から紫外域でショットキー・フォトダイオードが高い量子効率を示す．近赤外域では，反射防止膜をつけたSiフォトダイオードが，0.8～0.9 μmの領域で100%近い効率を持つ．1.0～1.6 μm領域では，GeやⅢ-Ⅴ族化合物半導体［たとえば(GaIn)As］フォトダイオードが高い量子効率を持つ．さらに長波長では，フォトダイオードは冷却（77 K）して用いられる．

応答速度

応答速度を決めるのは（1）キャリアの拡散，（2）空乏層でのドリフト，（3）空乏層の容量である．空乏層の外で発生したキャリアは，接合まで拡散して移動しなければならないから，時間がかかる．この遅延を短縮するために，接合を表面により近く作ることが肝心である．空乏層が広ければ，大部分の光はそこで吸収される．しかし空乏層があまりに広いと，そこを通過する時間が応答速度を制限する．逆に狭すぎると，接合容量Cが高くなり，負荷抵抗Rとの積で決まる

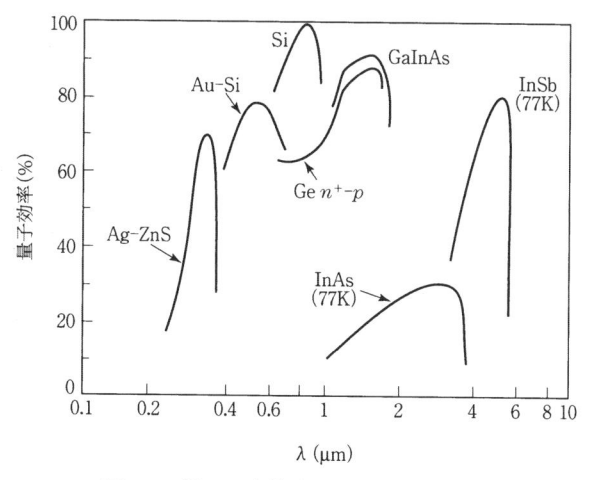

図31 種々の光検出器の量子効率[21,22]．

時定数 RC が大きくなる．最適条件の目安は，走行時間が変調周期の半分程度である．たとえば，変調周波数が 2 GHz ならば，空乏層厚は Si の飽和速度を 10^7 cm/s として 25 μm くらいとなる．

p-i-n フォトダイオード

p-i-n 構造は，フォトダイオードで，よく用いられる．その理由は，量子効率と周波数応答を最適にするための活性域厚を，自由に設定することができるからである．図 32(a) は，量子効率を上げるための反射防止膜を持つ p-i-n フォトダイオードの断面である．

図 32(b) と (c) は，逆バイアス時のバンド図と光吸収の様子を示す．光吸収により，電子・正孔対が発生する．空乏層内，あるいは空乏層から拡散長内で発生したキャリアは，図 32(b) に示すように移動し，外部回路に電流が取り出される．

例題 8 半導体表面に，強度 P_0 の光が照射したとき，反射のため半導体に入射する光強度は

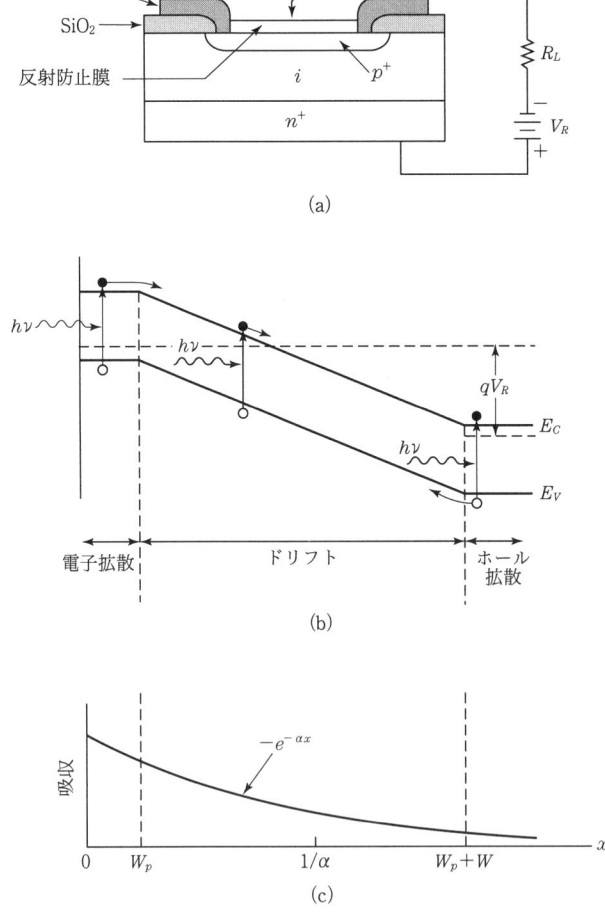

図 32 p-i-n フォトダイオードの動作．(a) 断面図，(b) 逆電圧印加のバンド図，(c) キャリア吸収特性．

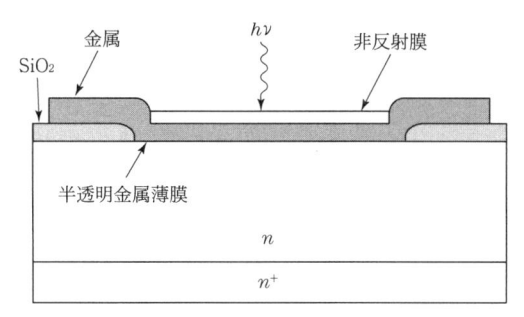

図 33 金属-半導体(MS)フォトダイオード.

$P_0(1-R)$ となり，さらに吸収のために，x の距離では，$P(x) = P_0(1-R)\exp(-\alpha x)$ となる．$\alpha = 10^4\,\mathrm{cm^{-1}}$，$R = 0.1$ として，入射後の強度が半減する距離を求めよ．

解答

$$x = \frac{-1}{\alpha}\ln\left[\frac{P(x)}{P_0(1-R)}\right] = -10^{-4}\cdot\ln\left(\frac{1}{2\times 0.9}\right)\mathrm{cm} = 0.59\,\mu\mathrm{m}$$

金属-半導体（ショットキー）フォトダイオード

高速ショットキー・フォトダイオードの構造を図33に示す．反射や金属電極による吸収を小さくするために，金属膜は薄く（～10 nm）し，また反射防止膜は不可欠である．ショットキー・フォトダイオードは，特に可視から紫外域で有用である．この領域では，大抵の半導体の吸収係数は，$10^4\,\mathrm{cm^{-1}}$ 程度あるいはそれ以上で，吸収長は 1 μm あるいはそれ以下となる．金属の種類と反射防止膜の選択により，半導体の表面付近で，ほとんどの光を吸収させることができる．10 nm の Au と，反射防止膜として 50 nm の ZnS を付けた，Si ショットキー・ダイオードでは，632.8 nm（He-Ne レーザ光の波長，赤色）の入射光の 95% が半導体に到達する．

ヘテロ接合フォトダイオード

小さなバンドギャップの半導体基板上に，より大きなバンドギャップの半導体をエピ成長させたヘテロ接合も，フォトダイオードとして用いられる．このヘテロ接合フォトダイオードの利点は，量子効率を決定する接合の位置に，あまり気をつかわなくともよいことである．つまり，大きなバンドギャップの半導体は，透明な窓として働き，光を容易に通す．また，材料の組合せによって，量子効率や応答速度をそれぞれを使用波長域で最適化することができる．

ヘテロ接合の，漏洩電流を下げるためには，二つの材料の格子定数がよく合致していなければならない．三元系の $\mathrm{Al}_x\mathrm{Ga}_{1-x}\mathrm{As}$ を，GaAs 基板上にヘテロエピすると，この条件は容易に充たされ，0.65～0.85 μm で良い結果を示す．より長い波長（1～1.6 μm）では $\mathrm{Ga}_{0.47}\mathrm{In}_{0.53}\mathrm{As}$（$E_g = 0.75\,\mathrm{eV}$）や，$\mathrm{Ga}_{0.27}\mathrm{In}_{0.73}\mathrm{As}_{0.63}\mathrm{P}_{0.37}$（$E_g = 0.95\,\mathrm{eV}$）が使われる．これらは，InP 基板とかなり良く格子整合する．図31に示すように，この量子効率は 1～1.6 μm で 70% 以上である．

9.4.3 アバランシ・フォトダイオード（APD）

アバランシ・フォトダイオード（avalanche photodiode, APD）は，アバランシ（なだれ）増倍を起こす降伏電圧付近で動作する．増倍は，内部で信号を増幅し，応答速度もマイクロ波領域

まで延びている．

　APDの設計に当たって大事なことは，雑音の低減である．なだれ増倍は，必ずしも一定の距離で，電子とホールが同じ値で増倍されるとは限らない．アバランシ雑音は，電子とホールのイオン化係数の比 a_p/a_n に依存する．この比の値が小さいと，なだれ雑音も小さい．もしこの値が1ならば，それぞれの発生キャリアは，1回の衝突で3ヶのキャリアとなる．すなわち，一次のキャリアと，イオン化してできる二次電子と二次ホールである．キャリア数の揺らぎは，大きな変化を受ける．逆に一方の比がきわめて小さくなれば（たとえば $a_p \to 0$），1ヶの一次キャリアが，増倍キャリア数をもたらし，その数が揺らいでも大勢に影響はない．この場合キャリア1ヶの揺らぎはあまり気にならない．

　なだれ雑音を下げるためには，電子とホールのイオン化率の差の大きいものを選択する必要がある．雑音指数は，次式で与えられる．

$$F = M\left(\frac{a_p}{a_n}\right) + \left(2 - \frac{1}{M}\right)\left(1 - \frac{a_p}{a_n}\right) \tag{37}$$

ここで M は増倍率である．式(37)から，$a_p = a_n$ の時，F は増倍率 M と等しくなるが，比が0ならば，増倍率が大きなとき，F は2となる．

　図34(a)に，シリコンの n^+-p-π-p^+ 型APDの構造を示す．SiO_2-Si_3N_4 の反射防止膜をつけ

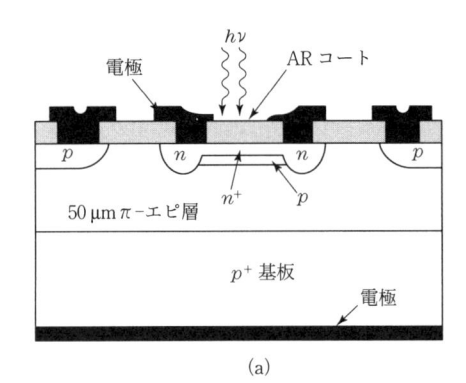

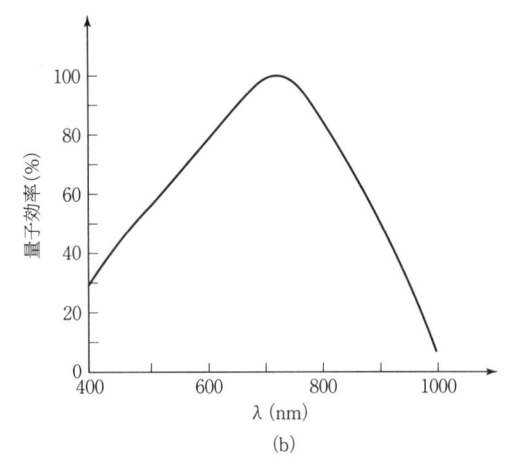

図34 p-Siアバランシ・フォトダイオード．
(a)断面構造，(b)量子効率

た場合，0.75 mm での量子効率はほぼ 100% である（図34(b)）．イオン化率比は 0.04 で，F は，$M=10$ で式 37 から，2.3 となる．

9.5 太陽電池

太陽電池は，宇宙空間および地上で有用である．太陽電池は，衛星に長期間の電気を供給する．また太陽光から高い効率で直接電力を発生し，長期間にわたり維持コストが安く，しかも環境保全に適した地上での電力源として，期待されている．

9.5.1 太陽光

太陽光のエネルギー源は，核融合であり，毎秒 6×10^{11} kg の水素がヘリウムになり，4×10^3 kg の質量損失が，アインシュタインの関係式（$E=mc^2$）から 4×10^{20} J のエネルギーとなる．このエネルギーの大部分は，紫外から赤外領域の電磁波（0.2～3 μm）として放射される．太陽の質量は 2×10^{30} kg で，今後も割合安定して光を放出し，その寿命は 100 億年を超えると思われている．

太陽光のエネルギー密度は，地球の太陽からの平均距離の位置で，1367 W/m² の強度となり，これを太陽定数と呼ぶ．地球上の空気によってうける散乱と吸収による影響を，エアマス（AM：大気質量）で表す．減衰は主に大気中の走行長で決まる．エアマスは，$1/\cos\phi$ で定義される．ϕ は，垂線と太陽位置の角度である．

例題 9 エアマスは，高さ h の陰の長さ s から，$[1+(s/h)^2]^{1/2}$ で，簡単に求められる．$s=1.118$ m，$h=1.00$ m としてエアマス（air mass, AM）を求めよ．

解答
$$\sqrt{1+(1.118/1.0)^2}=\sqrt{2.25}=1.5$$

AM は 1.5 である．このときの $\cos\phi$ は $1/1.5=0.667$ で，角度は 48° である．太陽光は真上の時が最強となる．

図 35 は，太陽光の分光強度特性（単位面積および単位波長当り）を示す[25]．上の曲線は，地球外での強度つまり AM 0 で，人工衛星などに当てはまる．AM 1.5 は，太陽が天頂にあるときの，地表での強度を与える．分光特性は，太陽が天頂から 48° 傾いたときの地表のデータで，そのときの太陽強度は，963 W/m² である．

9.5.2 *p-n* 接合太陽電池

図 36 に，*p-n* 接合太陽電池の説明図を示した．表面近辺に作られた *p-n* 接合，前面の櫛形電極，後面の全面電極と表面の反射防止膜から成っている．

入射光のうち，バンドギャップ E_g より小さなエネルギー成分は用立たない．E_g よりも大きい光は，電子・正孔対を作るが，E_g より大きな分は，結局は熱となる．変換効率を導いてみよう．光照射時のバンド図を，図 37(a) に示す．また図 37(b) はその等価回路で，接合と並列に，定電流源が接続されている．この定電流源 I_L は，光により発生する過剰キャリアによるもので，I_s は接合の飽和電流，R_L は負荷抵抗である．

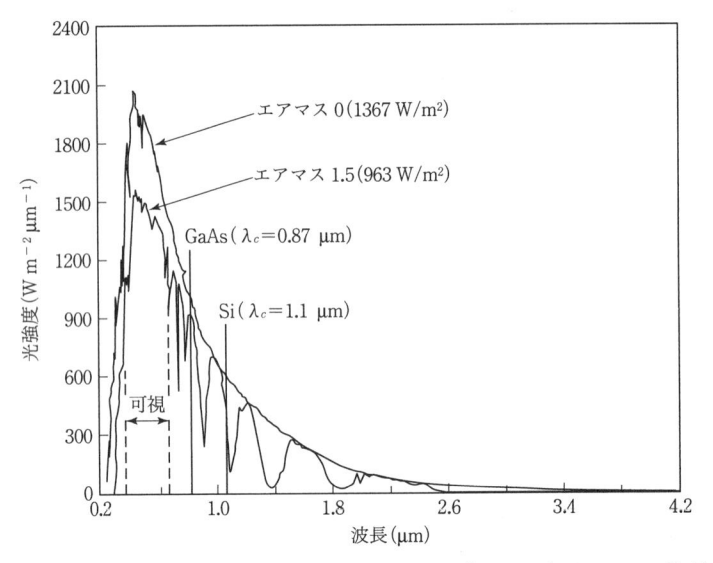

図 35 AM 0 と AM 1.5 の太陽照射スペクトル[25] および GaAs と Si のバンドギャップ

I-V の理想特性は，次式で与えられる．

$$I = I_s(e^{qV/kT}-1) - I_L \tag{38}$$

$$J_s = \frac{I_s}{A} = qN_CN_V\left(\frac{1}{N_A}\sqrt{\frac{D_n}{\tau_n}} + \frac{1}{N_D}\sqrt{\frac{D_p}{\tau_p}}\right)\cdot e^{-E_g/kT}, \tag{38 a}$$

ここで A は，ダイオードの面積である．$I_L=100$ mA, $I_s=1$ nA, $A=4$ cm^2, $T=300$ K として式(38) で得られる結果を，図38(a) に示す．曲線は，第4象限を通り，ここで出力電力が得られる．x 軸で反転した図38(b) の表示の方が，より一般的に用いられている．負荷を適当に選ぶ事によって，短絡電流 I_{sc}（これは I_L に等しい）と開放電圧 V_{oc} の積の 80% 近くの出力を取り出すことができる．陰の長方形の面積が，最大取出し電力を表す．図38(b) に示すように，そのときの電流 I_m 電圧 V_m の積，$P_m(=I_m \times V_m)$ が最大出力である．

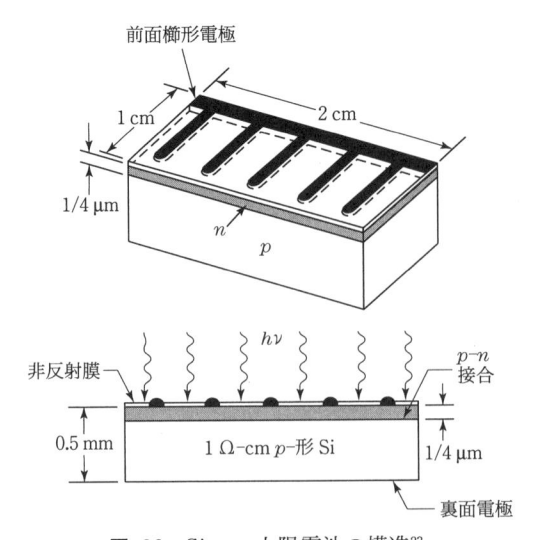

図 36 Si p-n 太陽電池の構造[23]．

第9章 フォトニックデバイス

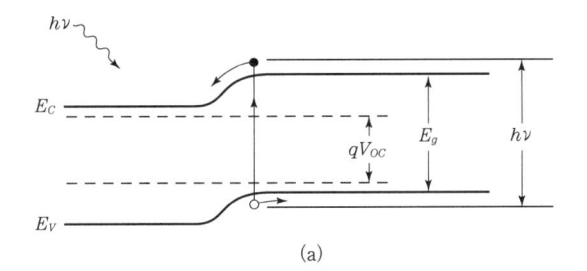

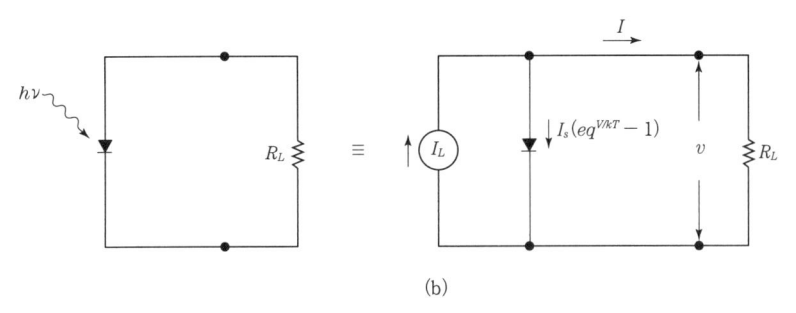

図 37 (a)太陽光照射時の太陽電池のバンド図，(b)太陽電池の理想等価回路

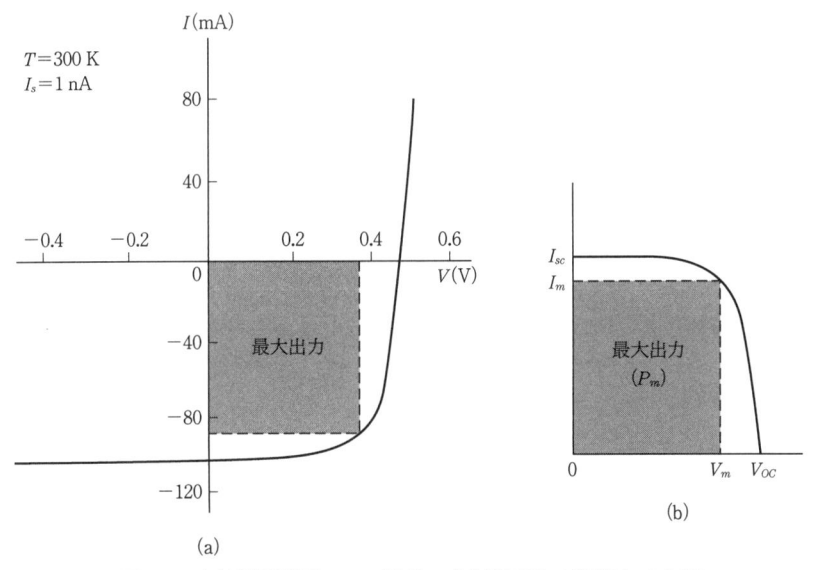

図 38 (a)光照射下の I-V 特性，(b)電圧軸で逆転させた図

$I=0$ として，式(38) から，開放電圧 V_{OC} は，

$$V_{oc} = \frac{kT}{q} \ln\left(\frac{I_L}{I_s} + 1\right) \cong \frac{kT}{q} \ln\left(\frac{I_L}{I_s}\right). \tag{39}$$

I_L を一定にすると，V_{OC} は，飽和電流を下げることによって，対数的に増大する．出力 P は，

$$P = IV = I_s V(e^{qV/kT} - 1) - I_L V. \tag{40}$$

となる．出力最大の条件は，$dP/dV = 0$ の時で

$$V_m = \frac{kT}{q} \ln\left[\frac{1 + (I_L/I_s)}{1 + (qV_m/kT)}\right] \cong V_{OC} - \frac{kT}{q} \ln\left(1 + \frac{qV_m}{kT}\right), \tag{41 a}$$

$$I_m = I_s\left(\frac{qV_m}{kT}\right)e^{qV_m/kT} \equiv I_L\left(1-\frac{1}{qV_m/kT}\right). \tag{41 b}$$

となり，最大出力電力 P_m は

$$P_m = I_m V_m \cong I_L\left[V_{oc} - \frac{kT}{q}\ln\left(1+\frac{qV_m}{kT}\right) - \frac{kT}{q}\right]. \tag{42}$$

例題10 図38(a) に示した太陽電池の，開放電圧 V_{oc} と 0.35 V での出力を求めよ．

解答 式(39) から

$$V_{oc} = (0.026\text{ V})\ln\left(\frac{100\times10^{-3}\text{ A}}{1\times10^{-9}\text{ A}}\right) = 0.48\text{ V}.$$

0.35 V での出力は，式(40) から (I_s, I_L は逆電流なので，負号に注意)

$$P = (-10^{-9}\text{ A})\cdot(0.35\text{ V})(e^{0.35/0.026}-1) - (-0.1\text{ A})\cdot(0.35\text{ V}) = 3.48\times10^{-2}\text{ W}.$$

9.5.3 変換効率

理想効率

太陽電池の電力変換効率 η は，次式で与えられる．

$$\eta = \frac{I_m V_m}{P_{in}} = \frac{I_L\left[V_{oc} - \frac{kT}{q}\ln\left(1+\frac{qV_m}{kT}\right) - \frac{kT}{q}\right]}{P_{in}} \tag{43}$$

または

$$\eta = \frac{FF\cdot I_L V_{oc}}{P_{in}}, \tag{43 a}$$

P_{in} は入射パワー，FF はフィルファクタと呼ばれ，次式で定義される．

$$FF \equiv \frac{I_m V_m}{I_L V_{oc}} = 1 - \frac{kT}{qV_{oc}}\ln\left(1+\frac{qV_m}{kT}\right) - \frac{kT}{qV_{oc}}. \tag{44}$$

FF は，$I_{sc}\times V_{oc}$ に対する P_m の比率である（P_m は式(42) で定義されている）．これを上げるためには，式(43) の分子の三つの項をそれぞれ大きくしなければならない．

理想的な太陽電池の効率は，式(38) の I-V の理想特性から導かれる．半導体が決まれば，式(38 a) から，飽和電流が与えられる．決められたエアマス条件（たとえば，AM 1.5) で，短絡電流 I_L は E_g よりも大きな光子の数と q との積で与えられる．I_s と I_L がわかれば出力 P と最大出力 P_m は，式(40)-(42) で決まる．光入力 P_{in} は全スペクトル域での量である（図35）．AM 1.5 で効率 P_m/P_{in} は，鈍い極大[24,26]を持ち（約29%）E_g で余り変化しない．それ故に，バンド幅が 1-2 eV の半導体は，すべて太陽電池用材料として考えられる．

スペクトル分離

効率限界を超える工夫は，"スペクトル分離"によって得られる．太陽光を図39(a) に示すようにいくつかの波長に分離し，それぞれに最適の半導体をふり当てることによって，理論的に60% の効率が得ることができる[27]．図39(b) のように，一つの太陽電池の上に，よりバンドギャップの広いものを積み重ねることによって，同様の効果を得ることができ，この積み重ね構造は，実用的に効率を高めることができる．

第9章 フォトニックデバイス

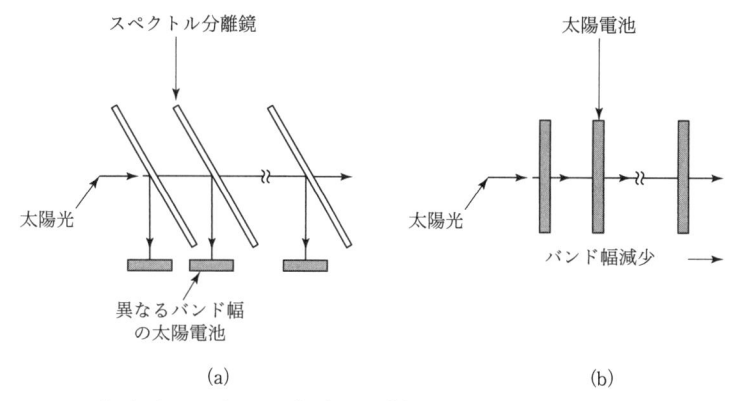

図 39 多重ギャップセルの概念図．(a)スペクトル分離法，(b)多層セル法[27].

直列抵抗と再結合電流

理想効率は，多くの因子によって低下する．表面での直列抵抗 R_s はその一つであり，等価回路を図 40 に示す．式(38) の I-V の理想特性は，式(45) のようになり，図 40 は R_s＝5Ω による，特性低下を示す．5Ωの直列抵抗のために，効率は R＝0 の時の 30% に下がってしまう．出力電流と出力パワーは，

$$\ln\left(\frac{I+I_L}{I_s}+1\right)=\frac{q}{kT}(V-IR_s), \tag{45}$$

$$I=I_s\left\{\exp\left[\frac{q(V-IR_s)}{kT}\right]-1\right\}-I_L, \tag{46}$$

$$P=I\left[\frac{kT}{q}\ln\left(\frac{I+I_L}{I_s}\right)+IR_s\right]. \tag{47}$$

直列抵抗は，接合深さ，p および n 領域での不純物濃度，オーミック接触の取り方に依存する．直列抵抗は，図 36 に示した構造で n^+p の場合 0.7Ω，p^+n の場合 0.4Ω が典型的な値である．この差は，n 基板の方がより低抵抗であることによるものである．

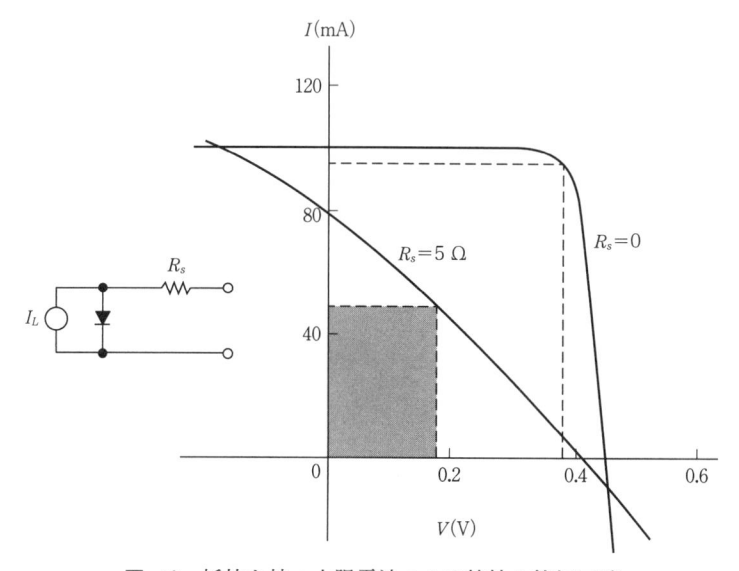

図 40 抵抗を持つ太陽電池の I-V 特性と等価回路

もう一つの因子は，空乏層における再結合電流である．単準位の場合再結合電流は次で表される．

$$I_{rec} = I_s' \left[\exp\left(\frac{qV}{2kT}\right) - 1 \right] \tag{48}$$

$$\frac{I_s'}{A} = \frac{qn_iW}{\sqrt{\tau_p\tau_n}}, \tag{48a}$$

ここで I_s' は飽和電流である．エネルギー変換の式は式(39)-(42)で飽和電流 I_s を I_s' で置き換え，指数関数の kT を $2kT$ にすることで求められる．再結合電流によって V_{OC} と FF が影響され，300 K で25%も低下する．

9.5.4 シリコンと化合物半導体太陽電池

シリコンは太陽電池には最も重要な材料である．無害であり，酸素に次いで豊富な原子である．大量に使用しても環境や資源枯渇のおそれはない．マイクロエレクトロニクスのお陰で，技術的にも確立している．

III-V族化合物半導体とその混晶は，格子整合を可能にした広いバンドギャップの半導体の選択を可能とした．この材料は，多層太陽電池に取って祝福された材料である．(AlGa)As/GaAs, (GaIn)P/GaAs, (GaIn)As/InP などは衛星や宇宙船の太陽電池として開発されている．

PERL 電池

シリコン PERL (passivated emitter rear locally-diffused) 電池[28]の構造を，図41に示す．エッチングの遅い(111)面が残る異方性エッチによりピラミッド構造を作る．入射光はピラミッドの面で斜めに屈折し，結果的に全体反射率を下げる．裏面の部分的な電極は，酸化膜によって分離され，裏面での反射率を高く保つことができる．この効果により，24%の変換効率が得られている．

アモルファス (a-)Si 太陽電池

図42に直列接続する，a-Si 太陽電池を示す[29]．ガラス板に SiO_2 を，次に不純物を大量に添加した大きなバンドギャップの透明な半導体たとえば SnO_2 を，その上にシランを高周波プラズマ

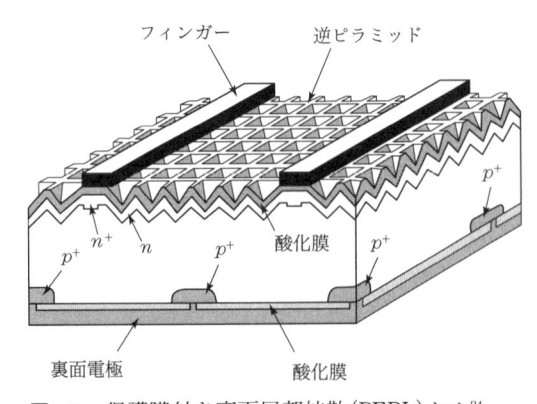

図 41 保護膜付き裏面局部拡散(PERL)セル[24].

第9章 フォトニックデバイス

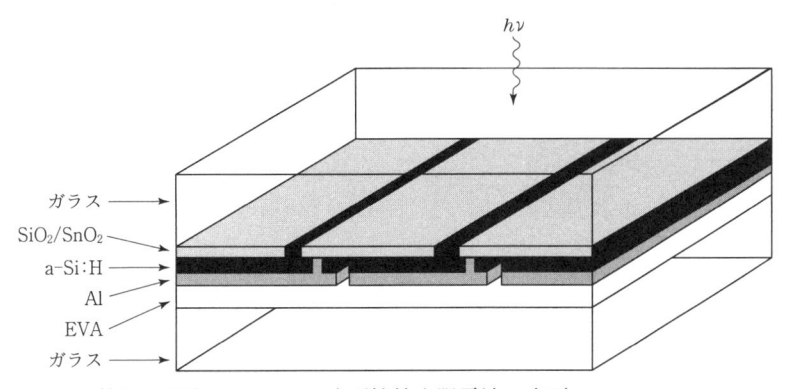

図 42 基板に堆積した a-Si の直列接続太陽電池. 裏面ガラスはエチレンビニールアセテート (EVA) で接着[29].

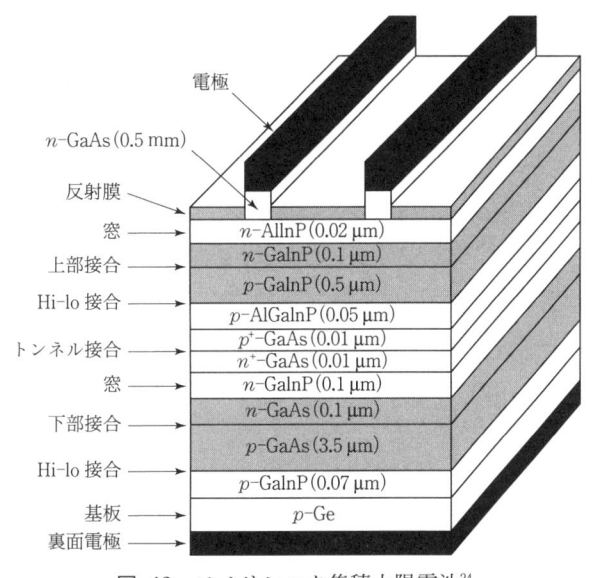

図 43 モノリシック集積太陽電池[24].

放電して a-Si の pin 構造を堆積する. 適当な手段でパターン加工しながら, Al 電極をつけ, 図 42 に示す直列接続を達成する. この太陽電池は, 低い製造コストで, 5% の変換効率を持つ.

多層構造

図 43 は, モノリシックの多層構造を示す[24]. 基板は p 形 Ge で, GaAs 及び $Ga_{0.51}In_{0.49}P$ と格子整合がよい. p 形 (GaIn)P は, 下面電極近くの少数キャリアを下げるために着けられる. 下の p-n 接合は GaAs ($E_g = 1.42$ eV) で, 上部の p-n 接合は (GaIn)P ($E_g = 1.9$ eV) である. p^+-n^+ の GaAs トンネル接合は, 二つの接合を接続するためである. このような積み重ね太陽電池で, 30% の変換効率が得られている.

9.5.5 集　光

太陽光は, 鏡やレンズを用いて集光できる. 集光装置の面積を大きくすれば, 太陽電池は小さ

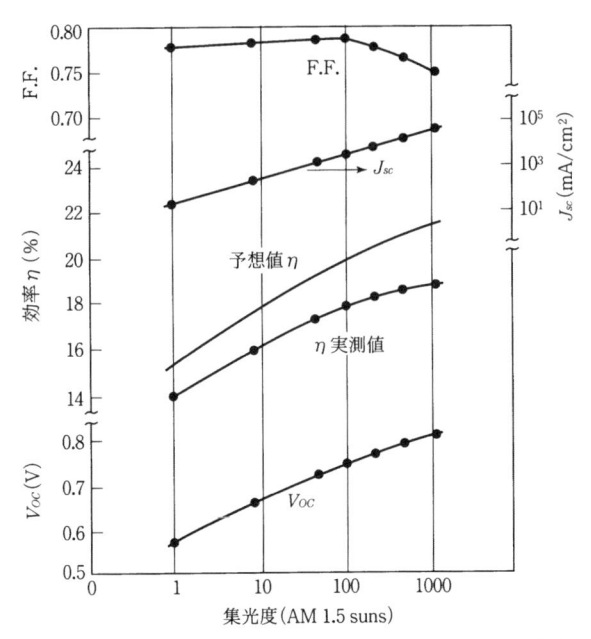

図 44 太陽光の集中による効率・解放電圧・短絡電流・フィルファクタの改善[30].

くてもよいから，コストダウンにつながる．さらなる利点は，1000倍強力な太陽（$963×10^3$W/m^2）で，20%も効率が増加する．

図44に，1000倍までの集光により，太陽電池の特性がどう変化するかのデータを示す[30]が，特性は集光によって改善されている．短絡電流は比例増加し，開放電圧は，1桁当たり0.1Vの増加，フィルファクタは，僅かに変化している．上の三つの積を入力で割った効率は，増加している．適当な非反射加工によって，1000倍で30%の増加が見込まれる．つまり1300ヶの太陽電池に相当する．集光により，高価な太陽電池のコストが下げられ，トラッキングあるいは放熱（熱利用）の機構も簡略化されるなど高い期待が持てる．

まとめ

4種類のフォトニックデバイス——LED，レーザダイオード，光検出器，太陽電池——の動作は光子の放出あるいは吸収に基づいている．キャリア電荷の再結合により光子が発生し，その吸収によりキャリア電荷が発生する．

LEDでは，p-n接合を順方向に通電することによって，電子とホールが再結合し自然放出光を発生する．可視LEDは，0.7-0.4 μmすなわち1.8-2.8 eVの光子を放出し，ディスプレイや多くの電子機器に用いられている．多色（赤・緑・青）のLEDを組み合わせて，一般照明用の白色もえられる．有機半導体も用いられ，OLEDは特に多色で大面積のフラットパネルディスプレイに用いられる．赤外LEDは1.8 eV以下の光を出し，光アイソレータや近距離の光ファイバー通信に用いられる．

レーザダイオードもp-n接合を順方向にバイアスして用いる．しかし光を有効に閉じこめ，誘導放出光を発生させなければならない．ホモ接合・ヘテロ接合・分布帰還形・量子井戸レーザと進歩してきた．レーザ動作のしきい値の低減と単一周波数（モード）の実現が大切であった．

レーザダイオードは，長距離・高速の光ファイバー通信のキー・デバイスである．ビデオ記録・高速印字・光読みとりにも広く使われている．

光検出器は，光伝導体・フォトダイオード・アバランシフォトダイオードなどがあり，光信号を電気信号に変換する．光子が吸収されると，電子・ホールの対が発生し，分離され外部に光電流として検出される．光検出器は，光センシングや光アイソレーションと光ファイバー通信などの検出器として用いられる．

太陽電池は，フォトダイオードと動作原理は同じである．違うところは，大面積で広い感光領域（太陽光）を持つことである．太陽電池は，宇宙衛星に長期にわたり電源を供給する．太陽光から高い効率で直接電気を発生し環境を汚染しないことで，将来の地上でのエネルギー源としても期待されている．現在重要な太陽電池は，高効率のシリコンPERL電池（24%），(GaIn)P/GaAs電池（30%），低コストで直列接続のa-Si電池（5%）である．

参 考 文 献

1. H. C. Casey, Jr. and M. B. Panish, *Heterostructure Lasers*, Academic, New York, 1978.
2. H. Melchior, "Demodulation and Photodetection Techniques," in F. T. Arecchi and E. O. Schulz-Dubois, Eds., *Laser Handbook*, Vol. 1, North-Holland, Amsterdam, 1972.
3. M. G. Craford, "Recent Developments in LED Technology," *IEEE Trans. Electron Devices*, **ED-24**, 935 (1977).
4. W. O. Groves, A. H. Herzog, and M. G. Craford, "The Effect of Nitrogen Doping on GaAsP Electroluminescent Diodes," *Appl. Phys. Lett.*, **19**, 184 (1971).
5. S. Gage, et al., *Optoelectronic Application Manual*, McGraw-Hill, New York, 1977.
6. S. Nakamura and G. Fasol, *The Blue Laser Diode*, Wiley, New York, 1997.
7. R. H. Saul, T. P. Lee, and C. A. Burrus, "Light-Emitting Diode Device Design," in R. K. Willardon and A. C. Bear, Eds., *Semiconductor and Semimetals,* Academic, New York, 1984.
8. A. A. Bergh and P. J. Dean, *Light Emitting Diodes*, Clarendon, Oxford, 1976.
9. N. Bailey, " The Future of Organic Light-Emitting Diodes," *Inf. Disp.*, **16**, 12 (2000).
10. C. H. Chen, J. Shi, and E. W. Tang, " Recent Development, in Molecular Organic Electroluminescent Materials," *Macromol. Symp.* **125**, 1(1997).
11. S. E. Miller and A. G. Chynoweth, Eds., *Optical Fiber Communications*, Academic, New York, 1979.
12. W. T. Tsang, "High Speed Photonic Devices," in S. M. Sze, Ed., *High Speed Semiconductor Devices*, Wiley, New York, 1990.
13. O. Madelung, Ed., *Semiconductor-Group IV Elements and III-V Compounds*, Springer-Verlag, Berlin, 1991.
14. M. B. Panish, I. Hayashi, and S. Sumski, "Double-Heterostructure Injection Lasers with Room Temperature Threshold As Low As 2300 A/cm^2," *Appl. Phys. Lett.*, **16**, 326(1970).
15. T. E. Bell, "Single-Frequency Semiconductor Lases," *IEEE Spectrum*, **20**, 38(1983).
16. F. Stern, "Calculated Spectral Dependence of Gain in Excited GaAs," *J. Appl. Phys.*, **47**, 5328(1976).
17. W. T. Tsang, R. A. Logan, and J. P. Van der Ziel, "Low-Current-Threshold Stripe-Buried-Heterostructure Laser with Self-Aligned Current Injection Stripes," *Appl. Phys. Lett.*, **34**, 644 (1979).
18. N. Holonyak, et al., "Quantum Well Heterostructure Laser," *IEEE J. Quant. Electron.*, **QE-16**, 170 (1980).
19. T. P. Lee, "High Speed Photonic Devices," in S. M. Sze, Ed., *Modern Semiconductor Device Physics*, Wiley Interscience, New York, 1998.
20. K. Kasukawa, Y. Imajo, and T. Makino, "1.3 μm GaInAsP/InP Buried Heterostructure Graded Index Separate Confinement Multiple Quantums Well Lasers Epitaxially Grown by MOCVD," *Electron. Lett.*, **25**,104(1989).

21. S. M. Sze, *Physics of Semiconductor Devices*, 2nd ed., Wiley, New York, 1981, Ch. 12-14.
22. S. R. Forrest, "Photodiodes for Long-Wavelength Communication systems," *Laser Focus*, **18**, 81 (1982).
23. D. M. Chapin, C. S. Fuller, and G. L. Pearson, "A New Silicon p-n Junction Photocell for Converting Solar Radiation into Electrical Power," *J. Appl. Phys.*, **25**, 676 (1954).
24. M. S. Green, "Solar Cells" in S. M. Sze, Ed., *Modern Semiconductor Device Physics*, Wiley Interscience, New York, 1998.
25. R. Hulstrom, R. Bird, and C. Riordan, "Spectral Solar Irradiance Data Sets for Selected Terrestrial Conditions," *Solar Cells*, **15**, 365 (1985).
26. C. H. Henry, "Limiting Efficiency of Ideal Single and Multiple Energy Gap Terrestrial Solar Cells," *J. Appl. Phys.*, **51**, 4494 (1980).
27. A. Luque, Ed, *Physical Limitation to Photovoltaic Energy Conversion*, IOP Press, Philadelphia, 1990.
28. M. A. Green, *Silicon Solar Cells: Advanced Principles and Practice*, Bridge Printery, Sydney, 1995.
29. J. Macneil, et. al. "Recent Improvements in Very Large Area α-Si PV Module Manufacturing," in *Proc., 10th Euro. Photovolt. Sol. Energy Conf.*, Lisbon, 1188, 1991.
30. R. I. Frank, J. L. Goodich, and R. Kaplow, "A Novel Silicon High-Intensity Photovoltaic Cell," *Conf. Rec. 14th IEEE Photovolt. Conf.*, IEEE, New York, p. 1350 (1980).

問題（＊は高度な問題を示す）

9.1節　発光遷移と光吸収に関する問題

*1. $0.6\,\mu\mathrm{m}$ の光が，GaAs の試料を照射している．入射パワーが 15 mW で，そのうち 1/3 が反射され，また 1/3 が裏面から透過しているとき，試料の厚みはどれだけか．熱として吸収されるエネルギーはいくらか．

9.2節　発光ダイオードに関する問題

2. LED での電気→光変換効率は，$4\bar{n}_1\bar{n}_2(1-\cos\theta_c)/(\bar{n}_1+\bar{n}_2)^2$，で与えられる．$\bar{n}_1$，$\bar{n}_2$ は，それぞれ空気と半導体の屈折率，θ_c は臨界角である．$\mathrm{Al}_{0.3}\mathrm{Ga}_{0.7}\mathrm{As}$ LED の $0.898\,\mu\mathrm{m}$ での変換効率を求めよ．

9.3節　半導体レーザに関する問題

3. (InGa)(AsP) のファブリ・ペロ・レーザが $1.3\,\mu\mathrm{m}$ で動作している．共振器長は $300\,\mu\mathrm{m}$ で屈折率は 3.39 である．反射損失 (cm^{-1}) を求めよ．片面の反射率を 90% に高めるとしきい値はどれだけ（ー%）減少するか．但し，吸収損失は $10\,\mathrm{cm}^{-1}$，式(23) に於いて第 1 項は第 2 項に比べて充分小さいものとする．

4. 活性域厚 $1\,\mu\mathrm{m}$ の GaAs レーザでの閉じこめ係数を求む．屈折率は 3.6，活性域と非活性域での臨界角は $84°$，C は $8\times10^7\,\mathrm{m}^{-1}$ とする．臨界角だけを $78°$ に変えて，GaAs/(AlGa)As DH レーザについても求めてみよ．

5. 軸モード間隔 $\Delta\lambda$ を与える式(17) を導出せよ．GaAs レーザで，$\lambda=0.89\,\mu\mathrm{m}$，$\bar{n}_1=3.58$，$L=300\,\mu\mathrm{m}$，$d\bar{n}/d\lambda=2.5\,\mu\mathrm{m}^{-1}$ とする．

6. 問題4で劈開による共振器長 $100\,\mu\mathrm{m}$，吸収係数 $10^4\,\mathrm{m}^{-1}$ として，二つの場合について，利得係数を求めよ．片面の反射率を 0.99 とした場合，どれほど短い共振器長にしても，同じ利得が得られるか．

7. 問題4で，片面の反射率を0.99としてしきい値を求めよ．共振器幅を5 μm，先の場合の利得係数を0.1 cm^{-1} A^{-1}とする．

*8. 共振器長300 μmのDFBレーザで，屈折率を3.4，発振波長を1.33 μmとして，ブラッグ波長と回折格子の周期を求めよ．発振波長λは，次式で与えられる．
$\lambda_0 = \lambda_B \pm [(m+1/2) \lambda_B^2]/2\pi L$，ここでmは整数である．

9. レーザの高温動作には，しきい値変化の温度係数 ξ ($=(dI_{th}/dT)/dI_{th}$) の低いことが肝心である．図26に示したレーザのξを求めよ．もしも$T_0=50°C$だとすると，このレーザの高温での動作は良好かあるいは劣るか．

9.4節 光検出器に関する問題

10. $L=6$ mm, $W=2$ mm, $D=1$ mmの光抵抗を，光が均一に照射している（図30）．試料に電圧が10 V印加されているとき，光電流は2.83 mA増加した．光照射を急に停止したとき，電流は23.6 A/sの割合で減少した．電子とホールの移動度をそれぞれ3600および1700 cm^2/V·sだとして，(a) 光が照射している定常状態での電子・空孔対の過剰濃度，(b) 少数キャリアの寿命時間，(c) 光の照射停止より1 ms後での電子と空孔の過剰濃度を求めよ．

11. $\eta=0.85$で小数キャリア寿命が0.6 nsの半導体を，$h\nu=3$ eVの光が1 μWの強度で照射している時の光電流と利得を求めよ．電子移動度は3000 cm^2/V·s，電界は5000 V/cm，$L=10$ μmとする．

*12. 量子効率ηは，光応答能R ($=I_p/P_{opt}$) との間で，$R=\eta\lambda/1.24$の関係であることを示せ．

*13. 0.8 μmの波長域用のn^+-p-π-p^+ SiAPDでp域は3 μm，π域は9 μmだとする．印加電圧は，p域でアバランシ増倍を，またπ域で飽和速度を与える電界強度でなければならない．必要最低の印加電圧を求め，またp域での不純物濃度を求めよ．おおよそのキャリア走行時間も求めてみよ．

9.5節 太陽電池に関する問題

*14. p-n接合フォトダイオードは，太陽電池と同じ様に起電力を用いることもできる（図37）．フォトダイオードと太陽電池の違いを三つ挙げよ．

15. 面積2 cm^{2}のSi p-n接合太陽電池がある．$N_A=1.7\times10^{16}$ cm^{-3}, $N_D=5\times10^{19}$ cm^{-3}, $\tau_n=10$ μs, $\tau_p=0.5$ μs, $D_n=9.3$ cm^2/s, $D_p=2.5$ cm^2/s, $I_L=95$ mAだとする．
(a) 太陽電池のI-V特性を計算し，グラフを描け．(b) 開放電圧を求めよ．
(c) 最大出力を求めよ．すべて室温とする．

*16. 300 Kで理想的な太陽電池が，3 Aの短絡電流と0.6 Vの開放電圧を持つ．動作電圧と出力の関係を求めてグラフに描け．それからフィルファクターを求めよ．

17. 図40の太陽電池で，R_sが0と5 Ωの場合について，最大出力の低下量（相対値）を求めよ．

18. 図44を用いて，太陽電池を集光条件（10倍，100倍，1000倍）で使用した場合，同じ出力を得るのに，必要な太陽電池の個数を見出せ．

第III部　半導体技術

第 10 章　結晶成長とエピタキシィ

10.1　融液からの Si 結晶成長
10.2　Si の浮遊ゾーン法（FZ 法）
10.3　GaAs 結晶成長
10.4　材料評価
10.5　エピタキシャル結晶成長
10.6　エピタキシャル結晶の構造と欠陥
ま と め

第 2 章で述べたように，個別素子あるいは集積回路で最も重要な材料は，Si と GaAs である．この章では，主にこの二つの半導体の単結晶成長技術を述べる．原料から，研磨ウェーハに仕上げる工程の流れを，図 1 に示す．原料（Si では SiO_2，そして GaAs では Ga と As）は，化学処理によって精製され，高純度の多結晶半導体となり，それから単結晶が作られる．単結晶は直径を一定にするための成形加工の後，ウェーハに切断され，研磨やエッチ加工により，デバイスを作る鏡面に仕上げられる．

この単結晶ウェーハを基板として，さらにその表面に薄い半導体単結晶を成長させることを，**エピタキシィ，epitaxy**（エピ）結晶成長と呼ぶ．この言葉は，ギリシャ語の"エピ epi,（上に）"と"タクシス taxis,（そろえる）"からの造語である．基板とエピ結晶が，同種である場

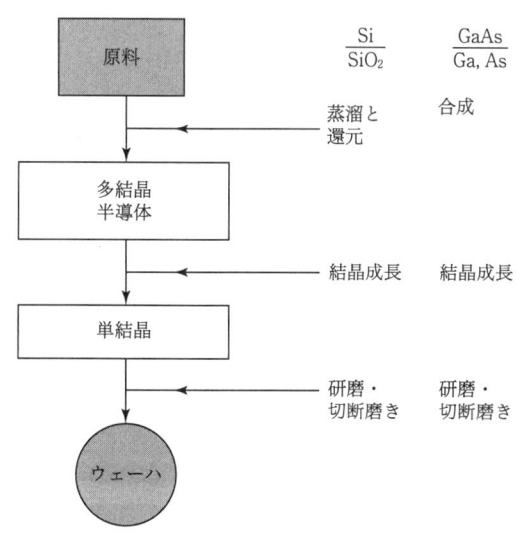

図 1　原料から鏡面仕上げウエーハへの流れ図

合を**ホモ (homo) エピタキシィ**（ホモエピ）と呼ぶ．たとえば，n^+Si 基板の上に n 形 Si を成長する場合である．あるいは，異なった材料や結晶の組み合わせ，たとえば GaAs の基板に $Al_x Ga_{1-x}As$ を成長させる場合を，**ヘテロ (hetero) エピタキシィ**（ヘテロエピ）という．

本章では，特に次の項目を取り上げる．
- Si と GaAs の単結晶塊の基本的な成長法
- 単結晶塊から鏡面ウェーハ仕上げへの手順
- 電気的・力学的なウェーハの評価
- 単結晶基板へのエピ結晶膜の基本成長技術
- 格子整合あるいは歪みエピ成長の構造と欠陥

10.1 融液からの結晶成長

融液から結晶を成長させる，基本的な一手法がある．チョクラルスキ (CZ) 法である．今日の Si 単結晶の 90% は CZ 法による．特に集積回路用のほとんど 100% が，CZ 法で作られている．

10.1.1 原　　料

Si の原料は，硅石と呼ばれる純度の高い砂（SiO_2）である．炭素（石炭・炭・木材など）と一緒に炉で加熱すると，次の反応が起きる．

$$SiC(固体) + SiO_2(固体) \longrightarrow Si(固体) + SiO(気体) + CO(気体). \tag{1}$$

ここで得られる Si は，金属シリコンと呼ばれ 98% くらいの純度である．これを，細かく砕き HCl（塩酸）で処理すると，$SiHCl_3$（三塩化シラン）が得られる．

$$Si(固体) + 3\,HCl(気体) \xrightarrow{300°C} SiHCl_3(気体) + H_2(気体). \tag{2}$$

$SiHCl_3$ は，室温では液体である．沸点が 32°C のこの液体を蒸留して，純度を高める．この高純度の $SiHCl_3$ を H_2 で還元して，半導体として用いられる Si が得られる．

$$SiHCl_3(気体) + H_2(気体) \longrightarrow Si(固体) + 3\,HCl(気体). \tag{3}$$

この反応は，反応炉中の Si 棒に通電加熱することによって進み，Si はその Si 棒の表面に堆積する．この多結晶半導体用 Si から，単結晶半導体 Si が作られる．半導体用 Si 中の不純物濃度は，ppb（10 億分の 1）の桁である[1]．

10.1.2 CZ 法

CZ 法では，第 2 章で示した単結晶引き上げ装置を使用する．その簡略図を，図 2 に示す．引き上げ装置は，(1) 溶融石英るつぼ，グラファイト保持台，回転機構（図では時計まわり），加熱体，電源などから成る炉の部分と，(2) 種結晶保持部と，（反時計まわりの）回転機構から成る引き上げ装置部と，(3)（アルゴン等の）ガス源，流量制御部，排気部から成る雰囲気制御部に分けられる．他に，温度，引き上げ速度，回転速度などを制御して，結晶の直径を決定するマイクロプロセッサを用いた中央制御部があり，工程を管理する．もちろん各種のセンサが制御信号を発信し，人間は最少限の手を下す．多結晶 Si がるつぼに入れられ，炉の温度を融点以上に保つ．適当な結晶方位（たとえば ⟨111⟩）の種結晶を保持し，融液に接触させる．種結晶の一部分

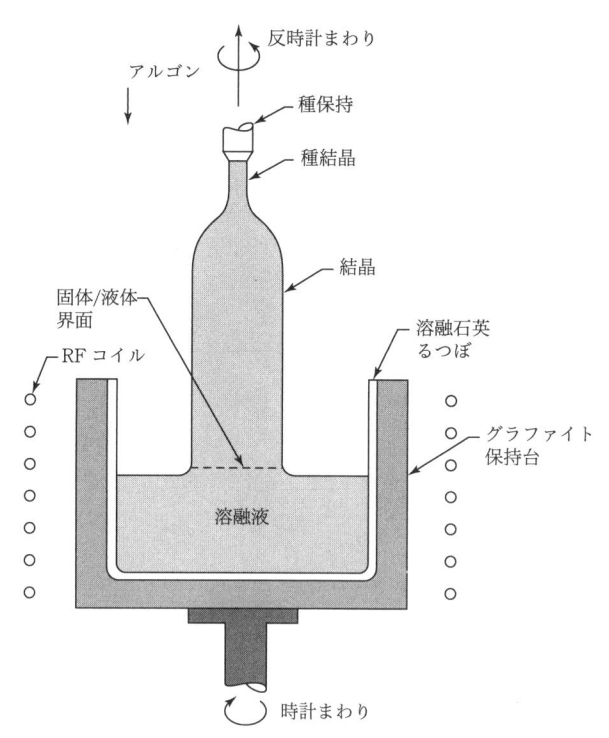

図 2 チョクラルスキ(CZ)結晶引き上げ装置.

図 3 300 mm（信越半導体(株)製）と 400 mm（(株)スーパーシリコン研究所製）の Si CZ 単結晶.

は溶けるが，先端は残ってそのまま，融液に接している．徐々にこれを引き上げると，液・固相界面で冷却され，大きな単結晶が得られる．引き上げ速度は，普通 1 分間に数 mm である．大口径の Si 結晶引き上げでは，磁界を加えることによって対流を抑え，欠陥密度や不純物濃度あるいは酸素濃度を引き下げる[2]．図 3 は CZ 法で作られた直径 300 mm (12 in.) と 400 mm (16 in.) の Si 単結晶である．

10.1.3 添加不純物の分布

結晶を望みの不純物濃度にするために,融液に不純物を添加する.Si で n 形, p 形の不純物として,それぞれ P と B がよく用いられる.

結晶を融液から引き上げる時,不純物の融液中と固体(結晶)中の濃度は,通常等しくはない.平衡状態の界面での,この二つの値の比を平衡偏析係数 k_0 と呼ぶ.

$$k_0 \equiv \frac{C_s}{C_l}, \tag{4}$$

ここで C_s と C_l は,それぞれ結晶と融液の界面付近での平衡不純物濃度である.表1に,Si によく用いられる不純物の偏析係数をまとめた.ほとんどの元素で,その値は1より小さい.つまり結晶に取り込まれるよりは,液中に取り残される.

初期の重量 M_0, 不純物濃度 C_0(重量比) の溶液から,結晶を成長させる場合を考えてみよう.ある時点で結晶の重さが M, 液中に残っている不純物の重さが S だとしよう.結晶の増量 dM に取り込まれる不純物は $C_s dM$ で,液中の不純物の減る量は $(-dS)$ と等しいから,

$$-dS = C_s dM. \tag{5}$$

溶液の残量は $M_0 - M$ であり,液中の不純物濃度(重量比)C_l は次式で与えられる.

$$C_l = \frac{S}{M_0 - M}. \tag{6}$$

式(5) と (6) を組み合わせ,$C_s/C_l = k_0$ の関係から,

$$\frac{dS}{S} = -k_0 \left(\frac{dM}{M_0 - M}\right). \tag{7}$$

不純物の全量は $C_0 M_0$ であるから,

$$\int_{C_0 M_0}^{S} \frac{dS}{S} = k_0 \int_0^{M} \frac{-dM}{M_0 - M}. \tag{8}$$

式(8) を解き,式(6) と組み合わせると,次式が得られる.

$$C_s = k_0 C_0 \left(1 - \frac{M}{M_0}\right)^{k_0 - 1}. \tag{9}$$

図4は,再結晶化による不純物の分布を,偏析係数 k_0 をパラメータとし,固化率 (M/M_0) の関数として表している[3,4].$k_0 = 1$ ならば,不純物濃度は変化しないが,$k_0 < 1$ では尾部で,$k_0 > 1$ ならば頭部での不純物濃度が高くなる.

表1 Si 中の不純物の偏析係数

不純物	k_0	伝導形	不純物	k_0	伝導形
B	8×10^{-1}	p	As	3.0×10^{-1}	n
Al	2×10^{-3}	p	Sb	2.3×10^{-2}	n
Ga	8×10^{-3}	p	Te	2.0×10^{-4}	n
In	4×10^{-4}	p	Li	1.0×10^{-2}	n
O	1.25	n	Cu	4.0×10^{-4}	*
C	7×10^{-2}	n	Au	2.5×10^{-5}	*
P	0.35	n			

*深い準位を作る不純物

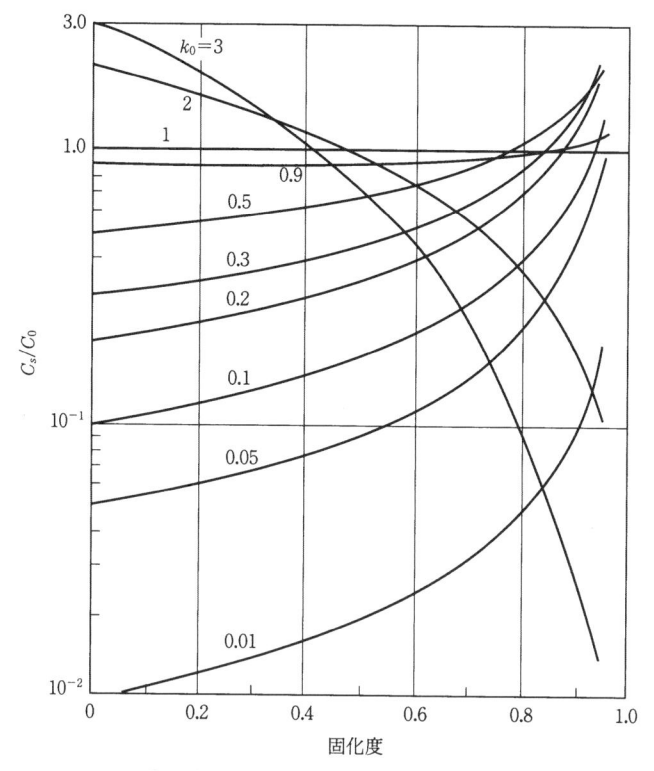

第10章 結晶成長とエピタキシィ

図4 溶融液から固化した固体の不純物濃度分布[4].

例題1 10^{16} B/cm^3 の Si 結晶を，CZ 法で引き上げるには，液中の B の濃度をどれだけにすべきか．るつぼに Si を 60 kg 入れるとして，B の量はいくらになるか（B の原子量は10.8）．溶融 Si の密度は 2.53 g/cm^3 である．

解答 表1から B の偏析係数 k_0 は 0.8 である．結晶引上げ中に $C_s = k_0 C_l$ の関係が保たれると仮定する．引上げ開始時の B の液中濃度は，
$$10^{16}/0.8 = 1.25 \times 10^{16} \text{ B/cm}^3.$$
B の量は Si に比べて無視できるから，液体 Si の密度は，2.53 g/cm^3 であり，60 kg の Si の容積は，$60 \times 10^3 / 2.53 = 2.37 \times 10^4$ cm^3．液中の B の全原子数は $(1.25 \times 10^{16}/\text{cm}^3) \times 2.37 \times 10^4 (\text{cm}^3) = 2.96 \times 10^{20}$ B,

したがって B の重量は 5.31 mg．Si の重量と比較して，B が微量であることがわかるだろう．

10.1.4 有効偏析係数

結晶の引上げに伴って，液中の不純物濃度は高くなる（$k_0 < 1$ の場合）．不純物が液中にたまる速度が，拡散や撹拌によって運び去られる速度より高ければ，界面での濃度は，図5に示すように勾配を持つ．10.1.3項で述べた偏析係数は，$k_0 = C_s / C_l(0)$ である．ここで界面での効果を補正するための，有効偏析係数 k_e を定義しよう．

$$k_e \equiv \frac{C_s}{C_l}. \tag{10}$$

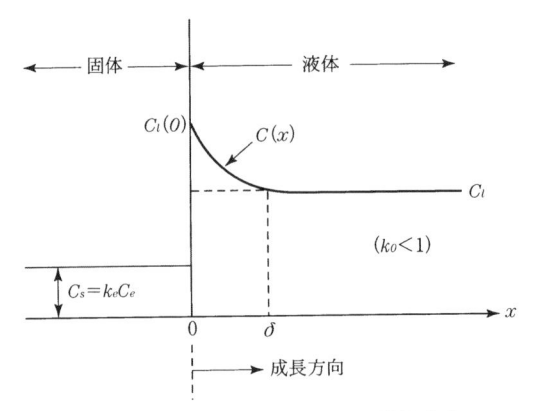

図 5 固体/液体界面付近の不純物分布

固体と接している液体の厚み δ の部分は，動きの少ないよどみ層である．これより離れた部分では，液中濃度は一定で C_l である．このよどみ層の内部では，第3章で導いた連続の式(58)によって，不純物濃度は求められる．定常状態では，右辺の第2, 3項のみを考えればよいから（n_p の代わりに C を，μ_n の代わりに v として），

$$0 = v\frac{dC}{dx} + D\frac{d^2C}{dx^2}, \tag{11}$$

ここで D は，不純物の液中での拡散係数，v は結晶成長速度，C は不純物の液中濃度である．

式(11) の解は

$$C = A_1 e^{-vx/D} + A_2 \tag{12}$$

A_1 および A_2 は，境界条件で決められる定数である．まず $x=0$ で，$C=C_l(0)$ である．次は添加物総量の保存であり，界面での添加物の流れはゼロでなければならない．添加物の（固体中の拡散は無視し）液体中の拡散を考えて

$$D\left(\frac{dC}{dx}\right)_{x=0} + [C_l(0) - C_s]v = 0. \tag{13}$$

この関係に式(12) を代入し，$x=\delta$ で $C=C_l$ とすれば

$$e^{-v\delta/D} = \frac{C_l - C_s}{C_l(0) - C_s}. \tag{14}$$

したがって

$$\boxed{k_e \equiv \frac{C_s}{C_l} = \frac{k_0}{k_0 + (1-k_0)e^{-v\delta/D}}.} \tag{15}$$

引上げ結晶の不純物分布を式(9) で表したが，実際は k_0 の代わりに k_e を用いなければならない．k_e の値は k_0 より大きく（$k_0>1$ の場合は逆に小さく）なり，$v\delta/D$ の大きな場合は1に近づく．不純物分布を平坦にするには（$k_e \to 1$），引上げ速度を大きく，（δ は回転速度に反比例するので）回転速度を低くする．もう一つの方法は，初期濃度を保つために高純度の Si 原料を，連続的に供給することである．

10.2 Si の浮遊ゾーン法（FZ 法）

浮遊ゾーン（floating zone, FZ）法によって，通常の CZ 法で得られるよりも，純度の高い結

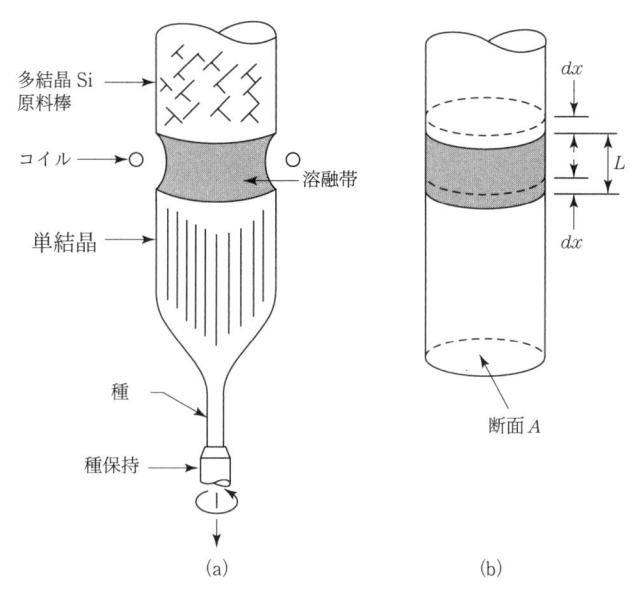

第10章 結晶成長とエピタキシィ

図6 浮遊帯(FZ)精製プロセス. (a)概念図, (b)不純物分布説明図

晶を得ることができる．FZ法の動作を図6(a) で説明する．下の回転軸に，種となる単結晶を装着し，その上に，高純度多結晶 Si を置く．Si は不活性ガス（アルゴン）を流した石英管中にある．高周波加熱により，幅数 cm の部分を溶かす．その部分を，下部の種結晶から上方に移動し，浮遊ゾーンが，多結晶棒を通過するように操作する．溶けたゾーンは，表面張力によって保持される．ゾーンを上方に移動することによって，種結晶の上には，新しく単結晶が成長する．CZ 法と比較して FZ 法は純度を保ちやすく，より高抵抗の結晶を得ることができる．つまり FZ 法では，るつぼを用いないから，CZ 法で問題となるるつぼからの汚染がない．FZ 法の結晶は，高抵抗が要求される大出力，高耐圧のデバイスによく用いられる．

図6(b) のモデルを用いて，FZ 法での不純物濃度分布を求めてみよう．初期の棒の不純物濃度（重量比）は均一で C_0，溶融ゾーンの幅を L とする．A は断面積，ρ_d は Si の比重，S が溶融ゾーン中の不純物量である．ゾーンが d_x だけ移動すると，進行側で溶け出す不純物の量は $C_0 \rho_d A dx$，反対側では $k_e(Sdx/L)$ が，結晶に取り込まれる．したがって

$$dS = C_0 \rho_d A dx - \frac{k_e S}{L} dx = \left(C_0 \rho_d A - \frac{k_e S}{L} \right) dx, \tag{16}$$

あるいは，

$$\int_0^x dx = \int_{S_0}^{S} \frac{dS}{C_0 \rho_d A - (k_e S/L)}, \tag{16a}$$

ここで，$S_0 = C_0 \rho_d AL$ は最初に固化した部分での量である．式(16) から

$$\exp\left(\frac{k_e x}{L}\right) = \frac{C_0 \rho_d A - (k_e S_0/L)}{C_0 \rho_d A - (k_e S/L)} \tag{17}$$

あるいは，

$$S = \frac{C_0 A \rho_d L}{k_e} [1 - (1 - k_e) e^{-k_e x/L}]. \tag{17a}$$

成長面での不純物濃度 C_s は $k_e(S/A\rho_d L)$ であるから

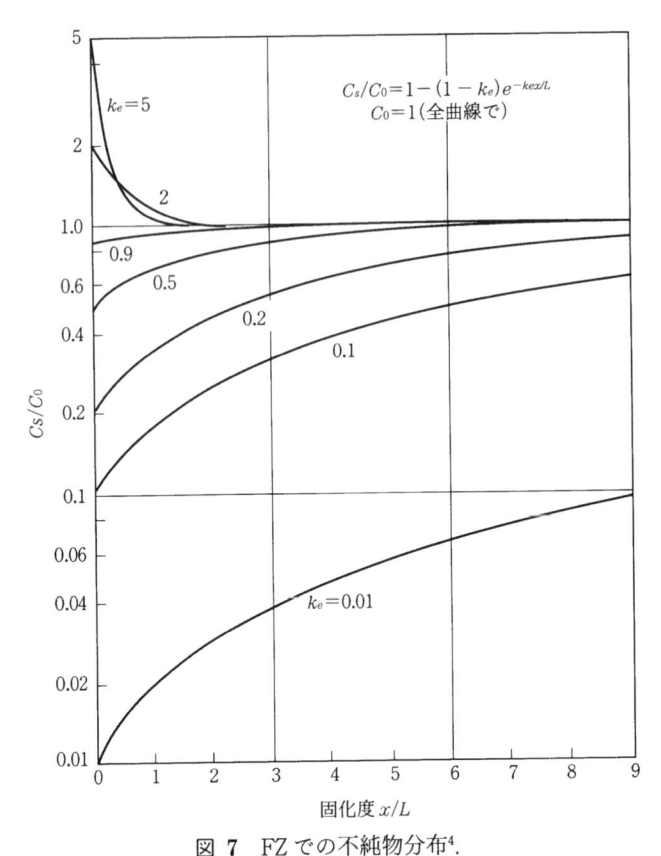

図7 FZでの不純物分布[4].

$$C_s = C_0[1-(1-k_e)e^{-k_e x/L}]. \tag{18}$$

図7に，いろいろな k_e の値について，固化した単結晶中の不純物濃度分布を示した．

FZ法とCZ法は，ともに不純物を除去することができる．図7を図4と比較してみると，不純物の除去に関してはCZ法の方がよいように見える．たとえば，$k_0=k_e=0.1$ の場合，C_s/C_0 は，大部分の所でCZ法の方が低い値を示す．しかし，CZ法でさらに純度を高めるには，不純物のたまった部分を切断して，再結晶させるといった手間が必要なのに対し，FZ法では，そのまま何回でも操作を繰り返すことができる．図8は，$k_e=0.1$ の場合について，FZを繰り返し行ったときの不純物濃度分布を示す[4]．繰り返すたびに，不純物がかなり除去されることが理解されよう．FZ法は，以上の理由から，不純物除去に非常に有効な方法である．FZ法は，ゾーン精製法とも呼ばれ，高純度の原料供給に用いられる．

逆に結晶の長さ方向に，不純物濃度を一定に保ちたい場合は，溶融ゾーンに不純物を添加する $(S_0=C_1 A\rho_d L)$．不純物濃度 C_0 が，無視できるほど小さいとすると，式(17)は

$$S_0 = S \exp\left(\frac{k_e x}{L}\right). \tag{19}$$

$C_s=k_e(S/A\rho_d L)$ であるから，

$$C_s = k_e C_1 e^{-k_e x/L}. \tag{20}$$

したがって，$k_e x/L$ が小さければ，C_s は最終端部を除き，ほとんど一定となる．

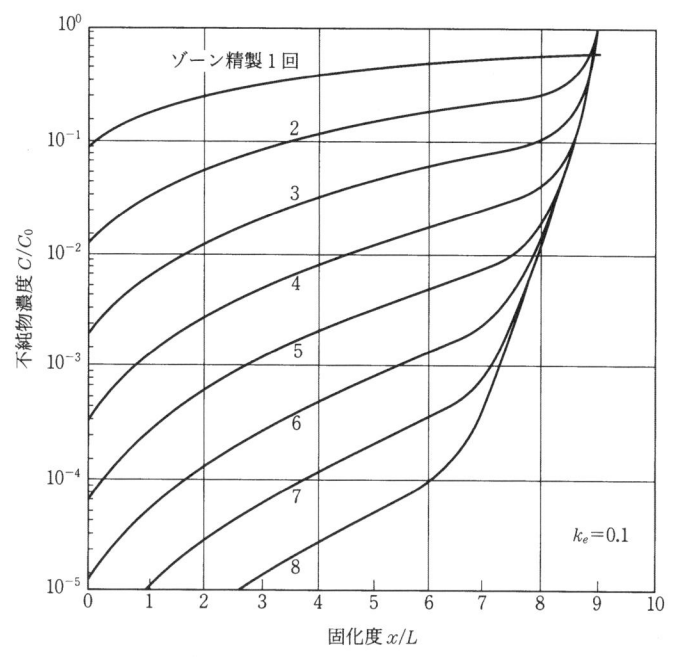

図 8 FZ での多数回通過後の不純物分布．L は浮遊帯の巾．

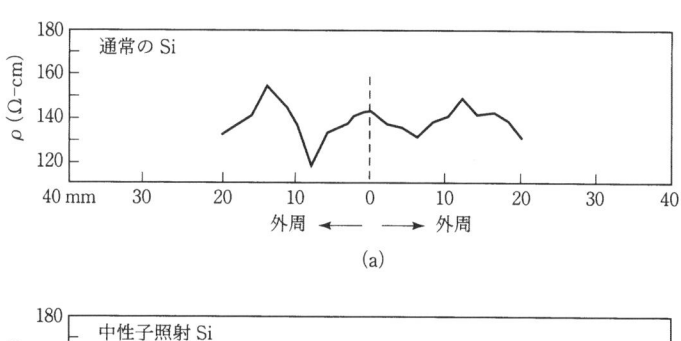

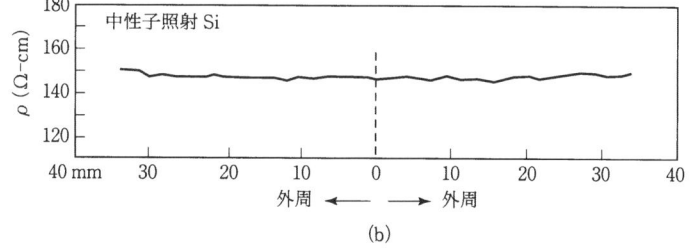

図 9 (a)通常の不純物添加Si，(b)中性子照射Si[5]．

特殊なスイッチング・デバイス（たとえば第4章の高耐圧サイリスタ）では，大口径の単結晶から切り出した大きさのまま用いることもある．しかも全域にわたって不純物濃度分布の均一性がきびしく要求される．この場合は，要求される不純物濃度よりもずっと残留不純物の少ない結晶をFZ法で作る．ウェーハに加工してから，熱中性子を照射する．この方法は，"**中性子照射法**"と呼ばれ，一部のSi原子はP原子に変換され，n形不純物となる．

$$\mathrm{Si}^{30}_{14} + 中性子 \longrightarrow \mathrm{Si}^{31}_{14} + \gamma 線 \xrightarrow{2.62\,\mathrm{hr}} \mathrm{P}^{31}_{12} + \beta 線. \tag{21}$$

中間生成物である Si^{31} の半減期は 2.62 時間である．中性子の Si への侵入長は 100 cm くらいなので，P の分布がきわめて一様なものが得られる．図 9 は，通常の結晶と中性子照射法で得られたものでの，不純物分布を比べたものである[5]．後者での均一性が，格段に優れている．

10.3 GaAs 結晶成長

10.3.1 原 料

GaAs は，純度の高い Ga と As を合成して，まず多結晶 GaAs が得られる．化合物半導体である GaAs は，単体半導体の Si とは異なっている．大きな違いは，二成分（ここでは Ga と As）の相状態（つまり気/液/固相）と温度の関係を示す**相図**である．

図 10 は Ga-As の相図である．横軸は，成分比をそれぞれ原子比（下）と重量比（上）で示している[6,7]．組成比 x（図 10 の x 軸で 85%）を考えてみよう．液の温度が下げられて，温度 T_1 で液相線に到ると，成分比 50% の GaAs が析出し始める．

例題 2 図 10 で初期の成分が C_m（重量比）の融液を，T_a から T_b に冷却する時，どれだけの析出物が得られるか．

解答 T_b で M_l は融液の重量，M_s は固体（すなわち GaAs）の重量，C_l と C_s はそれぞれ液体と固体の成分比である．As の液体と固体中の重量は，$M_l C_l$ および $M_s C_s$ である．全重量は，$(M_l+M_s)C_m$ であるから，

$$M_l C_l + M_s C_s = (M_l + M_s) C_m,$$

あるいは $M_s/M_l = T_b$ での GaAs 重量 $/T_b$ での融液重量 $= (D_m - C_l)/(C_s - C_m) = s/l$，

ここで s および l は，C_m からそれぞれ液相線と固相線までの距離である．図 10 からほぼ 10% が析出することがわかる．

Si では，その融点（1412°C）でも蒸気圧は低い（$\sim 10^{-6}$ atm）が，GaAs にあっては，その融点（1240°C）で，As は高い蒸気圧を持つ．As の蒸気は，As_2 と As_4 が主成分である．図 11 は，

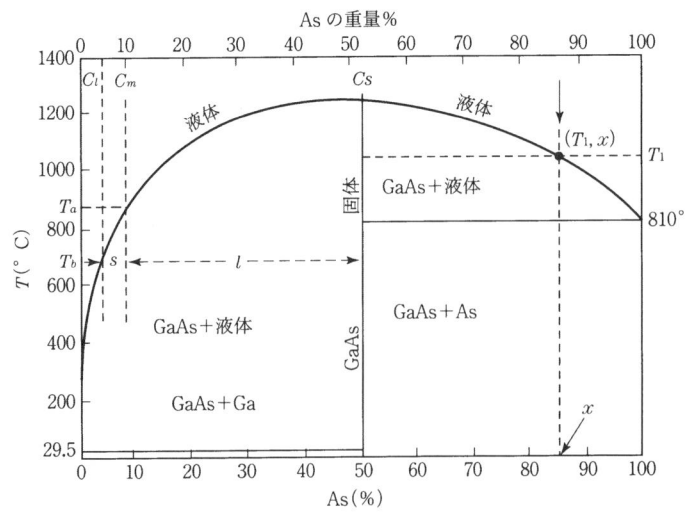

図 10 GaAs の相図[6].

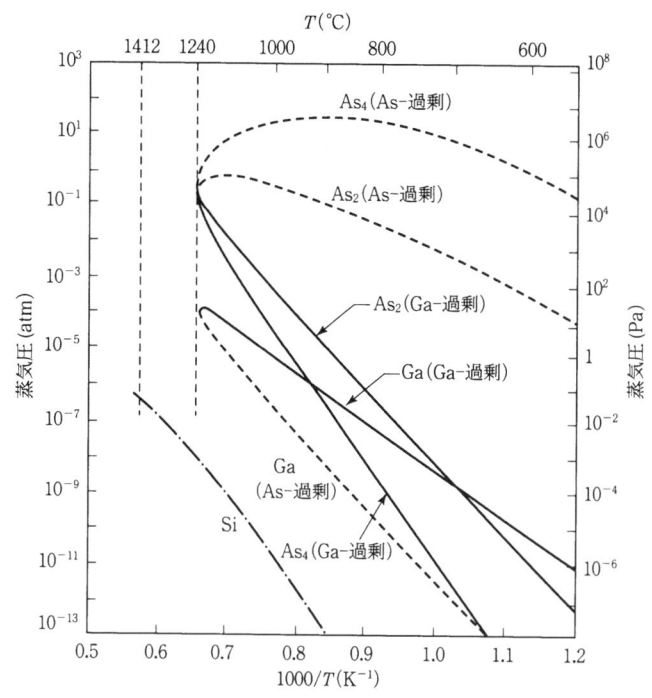

図 11 GaAs と共存する，Ga 及び As の部分圧力と温度[8]．Si の圧力も図示してある．

Ga と As の液相線に沿っての蒸気圧を示す[8]．Si の値も比較のために示した．図からわかるとおり，同一温度で蒸気圧は，二つの値をとりうる．破線は As 成分比が 50% 以上（図 10 の右半分），実線は 50% 以下（左半分）のときの蒸気圧である．As 過剰の融液からは，As（As_2 と As_4）がより多く飛び出してくるし，Ga 過剰の場合は As は飛び出しにくくなる．Ga の蒸気圧についても，同様のことが言える．融点に達する以前に，GaAs の表面は，分解してしまう．As の方が蒸気圧が高いから，早く失われ表面は Ga 過剰になる．

　GaAs の合成は，次のように行われる．真空で封じられた石英管の中に，グラファイトボートに入れた As と，それから離れた所にやはりグラファイトボートに Ga が置かれ，As は 610～620°C に，Ga は 1240～1260°C に保つ．この条件で，As の高い蒸気圧のため，(1) As は Ga 中に溶け込み，GaAs が析出し，(2) しかも As の高い気圧のために，GaAs の分解は抑えられる．溶液を冷却すると，多結晶の GaAs が得られ，これが単結晶 GaAs の原料となる[7]．

10.3.2 結晶成長技術

　GaAs 単結晶成長には，二つの手法がある．CZ 法とブリッジマン法である．後者は，広く用いられるが，一方大口径の結晶成長には，CZ 法がよく用いられる．

　CZ 成長の装置は基本的には Si 用と同じであるが，高い蒸気圧を抑えるために，液体閉じこめ（liquid encapsulation, LEC）法が使われる．Ga と As の融液の上に，1 cm 厚の酸化硼素（B_2O_3）液がおかれ，1 気圧（760 Torr）の不活性ガスで加圧することによって，As の蒸気が逃げ出すのを抑える．SiO_2 は B_2O_3 に溶けるので，るつぼは石英の代わりにグラファイトを用いる．

成長結晶の添加不純物として，p形にはCdとZnが，n形にはSe, Si, Teが用いられる．半絶縁性のGaAsには，不純物を添加しない．不純物の有効偏析係数を，表2に示す．Siの場合に似て，ほとんどの値は1以下である．

図12は，GaAs単結晶成長用の2温度領域ブリッジマン炉である．左側は610℃付近に保ちAsの蒸気圧を制御し，右側は1240℃でGaAsの融点より少し高くしておく．容器は石英，ボートはグラファイト製である．動作には，ボートにGaAs多結晶を，左側にはAsの塊をおく．

炉を右に移動すると，ボートの左端の温度が下がる．そこにはある方位を持つ種結晶を置いてあり，単結晶が成長する．不純物の分布は，式(15)の記述に従う．

表2 GaAs中での不純物の偏析係数

不純物	k_0	形
Be	3	p
Mg	0.1	p
Zn	4×10^{-1}	p
C	0.8	n/p
Si	1.85×10^{-1}	n/p
Ge	2.8×10^{-2}	n/p
S	0.5	n
Se	5.0×10^{-1}	n
Sn	5.2×10^{-2}	n
Te	6.8×10^{-2}	n
Cr	1.03×10^{-4}	半絶縁性
Fe	1.0×10^{-3}	

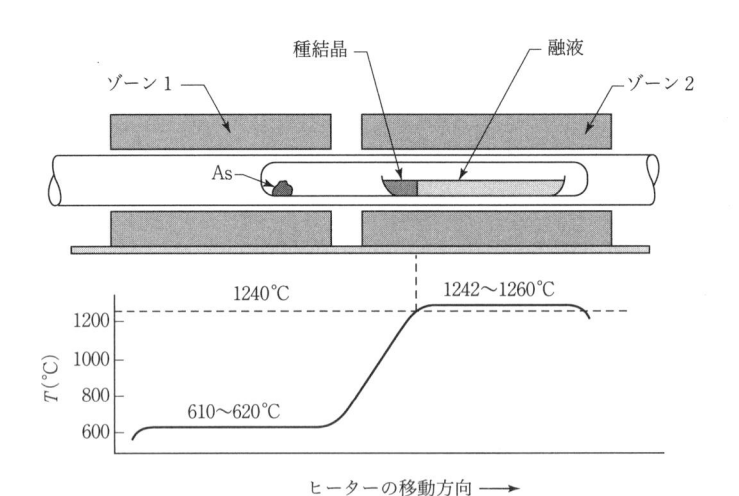

図12 GaAs単結晶成長用のブリッジマン炉と温度分布．

10.4 材料評価

10.4.1 成形加工

結晶成長後に，まず種結晶と最後に固化した端を切断分離する[1]．次に直径を一定にするために成形する．結晶の方位と伝導形を示すために，一つあるいは二つの平面（フラット）を，軸に平行に研磨して出す．広い方の主フラットは，自動プロセス装置などでの位置決めと，結晶の角度決めの基準となる．よりせまい副フラットは，結晶の方位性と伝導形を表示する（図13参照）．径が200 mm以上の結晶では，フラットの代わりに溝を用いる．

この面出しの後，結晶（インゴット）は，ダイアモンド鋸でウェーハに切り出される．結晶方位（たとえば⟨111⟩とか⟨100⟩），厚み（直径にもよるが，0.5～0.7 mm），テーパ（ウェーハの一端から他端への厚みの変化），反り（ウェーハの中心部から外周への曲り）など，四つのパラメータが，このスライス過程で決まる．

スライス後，ウェーハの両面は，Al_2O_3をグリセリンでといた液で研磨され，平坦度2 μm程度に仕上げられる．このラップ研磨過程では，ウェーハにはきずが残り，汚染もされているので，化学エッチ（第12章参照）でこのきずや汚染を取り去る．ウェーハ成形加工の仕上げは，鏡面研磨であり，リソグラフィプロセスに必要な鏡面が得られる．図14は，200 mmと400 mm直径のSiウェーハの写真である．表3は，125/150/200/300 mm径の米国半導体装置・材料協会（SEMI）規格である．前述したように，200 mm以上の結晶では，フラットの代わりに位置と方位決めのための溝が加工されている．

GaAsは，Siに比べると，軟らかでしかも割れやすい材料である．原理的には，Siと同じ形成加工がなされるが，材料の取扱いには，より細心の注意が必要である．GaAsの結晶技術は，Siに比べると，まだ原始的である．しかしその一部分は，Si技術の進歩とともに進んでいる．

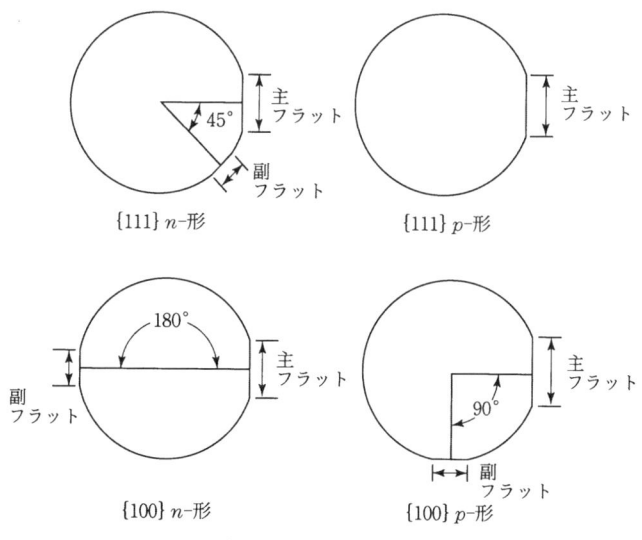

図 13 半導体基板の識別用フラット

表 3 鏡面仕上げ Si ウェーハの規格

パラメータ	125 mm	150 mm	200 mm	300 mm
直径 (mm)	125±1	150±1	200±1	300±1
厚さ (mm)	0.6-0.65	0.65-0.7	0.715-0.735	0.755-0.775
主フラット長 (mm)	40-45	55-60	NA[a]	NA
副フラット長 (mm)	25-30	35-40	NA	NA
曲り (μm)	70	60	30	<30
厚み変動 (μm)	65	50	10	<10
表面方位 (μm)	(100)±1°	左同	〃	〃
	(111)±1°	〃	〃	〃

a データ無し.

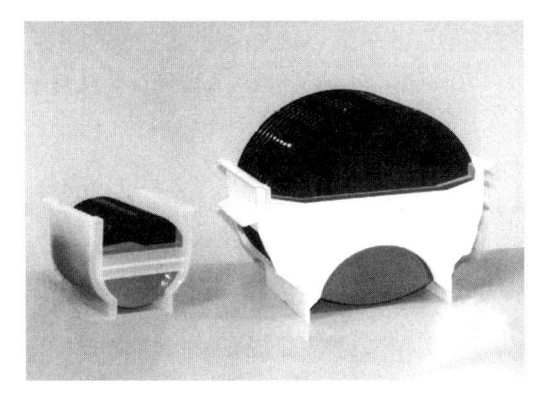

図 14 カセットに入った 200 mm（信越半導体(株)製）と 400 mm（(株)スーパーシリコン研究所製）の鏡面仕上げ Si ウェーハ（信越化学(株)提供）

10.4.2 結晶評価

結晶欠陥

現実の結晶は，理想結晶とは異なっている．まずその寸法は有限であり，表面では原子は不完全な結合をしている．さらに欠陥が存在し，半導体の電気的，力学的，光学的性質は，大きな影響を受ける．欠陥は大別して次の4種類に分けられる．点欠陥，線欠陥，面欠陥そして体積欠陥である．図15は点欠陥を示す[1,9]．不純物は，点欠陥であり，格子位置（つまり規則的な正規の位置）を置換するか（図15(a)），格子間位置（規則的な位置の間）を占める（図15(b)）．正規の位置の原子が欠ければ，"空格子"と呼ばれる点欠陥となる（図15(c)）．余分な構成原子が正規の原子位置の間に割り込めば，"格子間原子"となる．"空格子"と対で，フレンケル欠陥対と呼ばれる．点欠陥は拡散や酸化に関係して，特に重要である．これらについては，後の第11章および13章で述べる．

線欠陥は，転位とも呼ばれる[10]．転位には，刃状転位とらせん転位がある．図16(a)は，正方晶系中の刃状転位の例を示す．結晶に差し込まれた余分な原子面ABの端が，転位である，らせん転位は，結晶を部分的に切り，上部を押してずらしたものである（図16(b)）．線欠陥は，デバイスの中で，金属不純物原子のたまり場所になり，特性を劣化させるので，望ましくない．

面欠陥は，結晶中で不連続な面である．典型的なものは，双晶や粒界面である．双晶は面をは

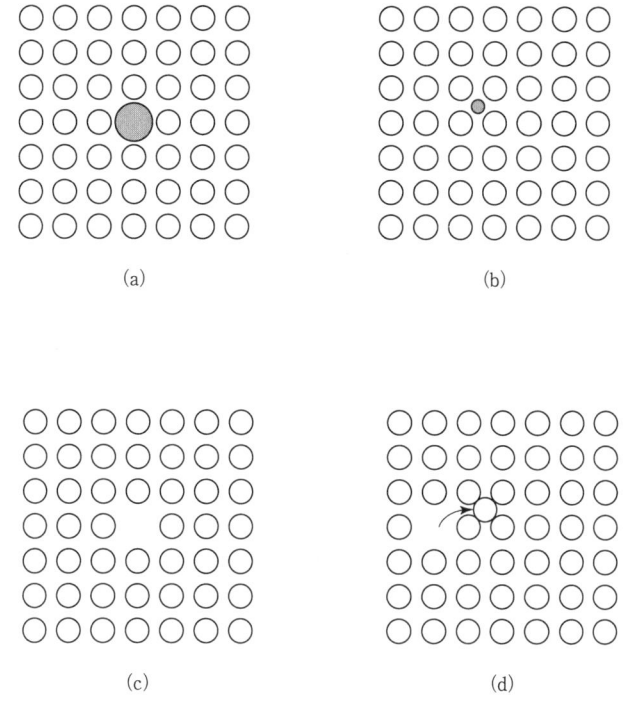

図 15　点欠陥：(a)置換形不純物，(b)格子間位置不純物，(c)空格子，(d)フレンケル欠陥[9].

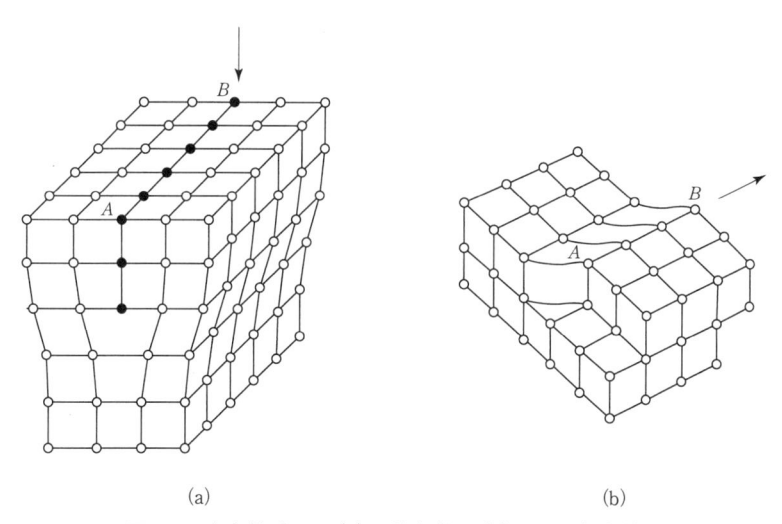

図 16　立方晶系での(a)刃状転位，(b)らせん転位[10].

さんで，結晶の方位が異なる．粒界面は，多結晶に表れ，それぞれの結晶粒は，隣の方位とは無関係に存在する．もう一つの面欠陥は，積層欠陥である[9]．図17に示すように原子面がAB-CABCと積み重なっているときに，部分的にCが欠けた場合（図17(a)）を負の積層欠陥，逆に余分な原子面が挿入された場合（図17(b)）を正の積層欠陥と呼ぶ．これらの面欠陥は，結晶成長時に発生する．この欠陥を含む結晶は，集積回路には適さないので使われない．

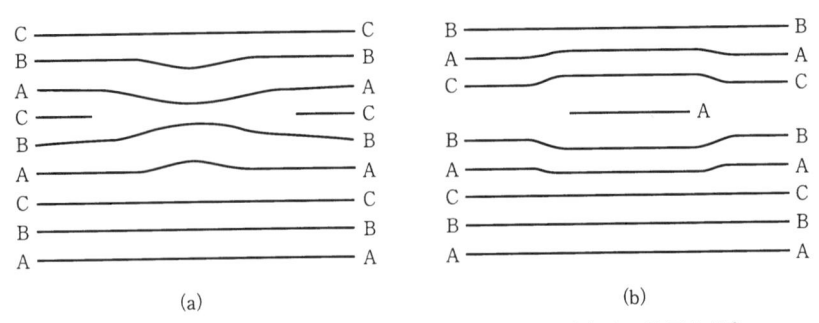

図 17 半導体の積層欠陥．(a)負の積層欠陥と，(b)正の積層欠陥[9]．

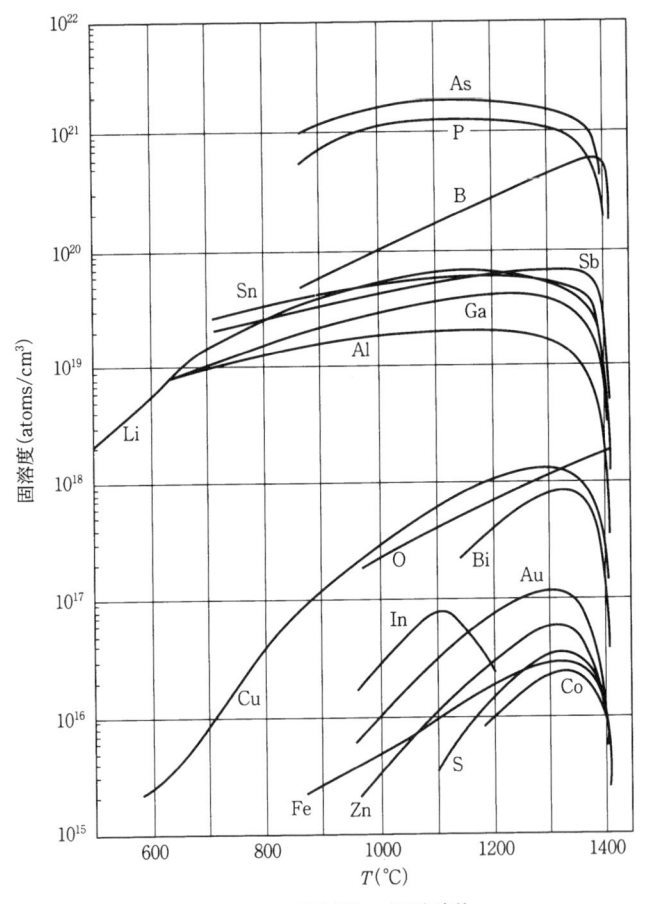

図 18 Si の不純物の固溶度[11]．

不純物原子が集まると，4番目の欠陥を生ずる．すなわち体積欠陥である．不純物原子が，有限の溶解度を持つために，固溶体結晶からはじき出されて，かたまりとなる．結晶が受け入れることのできる固溶度の限界が存在する．図18に，Si 中の不純物の固溶度と温度の関係を示した[11]．ほとんどの不純物は，温度が下がるとともに固溶度も低下する．ある温度で，不純物が溶解度の限界迄添加された後に，温度が下げられると，結晶内の不純物は，その温度での平衡状態を保つために，そのときの固溶限界以上の分が析出され，結晶内に体積欠陥を生じる．ここで半

導体と析出物の格子定数の違いがあるので，体積欠陥が発生する．

材料の性質

表4に現在のSiの特性とULSI[†]に要求される特性をまとめた[12,13]．表4に示したウェーハ特性は，いろいろな方法で測定される．比抵抗は3.1節の4点法で，少数キャリア寿命は3.3節の光伝導法で，酸素や炭素の微量測定は第13章で述べる2次イオン質量分析法（SIMS）を用いる．現時点での要求はほとんど満たされているが，ULSIのよりきびしい要求[13]に対する特性を満たすには，さらなる改善が必要である．OやCの濃度が，CZではFZに比べて石英るつぼや，グラファイト支持台からの汚染のため高くなる．Cの濃度は$10^{16\sim17}/cm^3$程度でありSiの位置に置換している．Cの存在は，欠陥発生の源となるので望ましくない．Oは，$10^{17\sim18}/cm^3$程度含まれる．Oは有害でもあり，また有益ともなる不純物である．それはドナーとなり，キャリア濃度を狙った値から狂わせる因となる一方で，格子間位置のOは，Siの強度を高める．

さらに固溶度の変化によるOの析出は，不純物のゲッタリングに有効である．ゲッタリングとは，デバイスを作るウェーハ中の有害な不純物や欠陥を吸収し，取り除くことをいう．ウェーハを高温で熱処理（たとえばN_2中で1050℃）すると，Oは表面から蒸発してしまう．したがって表面でのOの濃度は下がるから，そこでのOの析出は起きない．この熱処理は図19の挿入図に示すように，欠陥除去（デヌーデッド）領域を作る．さらに熱処理サイクルを繰り返すことによって，結晶中のOを析出させ，不純物などをゲッタリングすることができる．無欠陥化領域の深さは，熱処理サイクルの時間と温度，OのSi中の拡散係数に依存する．これについての実測データ[1]を図19に示す．

表4 Siの特性とULSIでの要求特性

特性[a]	CZ	FZ	要求特性 (ULSI)
比抵抗（P）n形（ohm-cm）	1-50	1-300以上	5-50以上
比抵抗（Sb）n形（ohm-cm）	0.005-10	—	0.001-0.02
比抵抗（B）p形（ohm-cm）	0.005-50	1-300	5-50以上
比抵抗変化（%）	5-10	20	<1
少数キャリア寿命（μs）	30-300	50-500	300-1000
O（ppma）	5-25	不検出	均一で制御
C（ppma）	1-5	0.1-1	<0.1
転位（per cm^2）	≤500	≤500	≤1
直径（mm）	200まで	100まで	300まで
切断そり（μm）	≤25	≤25	<5
切断厚不均一（μm）	≤15	≤15	<5
表面平滑度（μm）	≤5	≤5	<1
重金属不純物（ppba）	≤1	≤0.01	<0.001

[a] ppma, 10^{-6}; ppba, 10^{-9}

[†] ULSIの素子数は，10^7以上である．

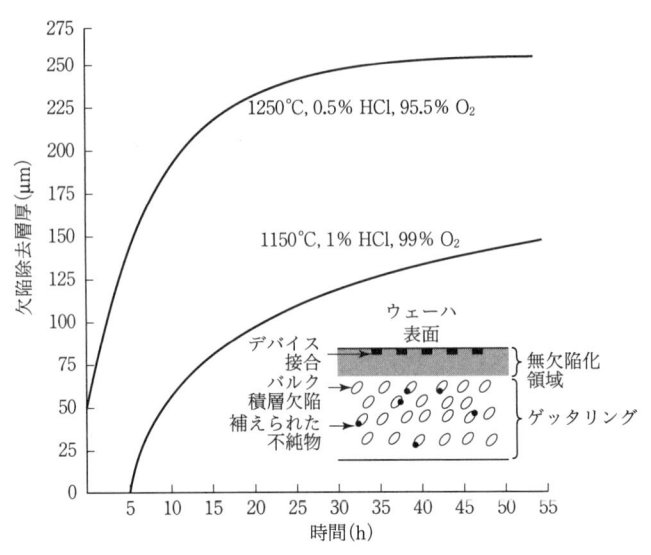

図 19 2種の処理による，欠陥除去層厚．挿入図は欠陥除去層とゲッタリング域を示す概念断面図[1].

市場で入手できる GaAs は，るつぼから溶けて出るかなりの不純物によって汚染されている．幸いにも，フォトニックデバイスでは，高い不純物濃度（$10^{17~18}$ cm^{-3}）が用いられる．IC や個別 MES FET には，無添加の GaAs が用いられ，比抵抗は 10^9 Ω・cm もある．GaAs では，O は深いドナー準位を作り，基板にキャリアを捕獲し，比抵抗を高めるので望ましくない不純物である．るつぼにグラファイトを使えば，O の汚染を少なくすることができる．

CZ GaAs は，CZ Si に比べて，転位密度が2桁くらい高い．ブリッジマン法の GaAs は，CZ に比べると1桁くらい低くなる．

10.5 エピタキシャル結晶成長

エピタキシャル（エピと略することもある）成長では，基板が種結晶となる．またエピ成長と，融液からの結晶成長の違いは，前者はより低温（30～50% 低い）で，行われることである．何種類かあるエピ成長の中でも，化学気相堆積法（chemical vapor deposition, CVD）と分子線エピ（molecular beam epitaxy, MBE）がよく使われる．

10.5.1 CVD

CVD はまた気相エピタキシィ（vapor phase epitaxy, VPE）ともよばれ，気相からの化学反応によってエピ層を得る方法である．常圧（atomspheric pressure CVD, APCVD）あるいは低圧（low pressure CVD, LPCVD）で行われる．図20 にエピ成長時の保持方法を3通り示した．水平炉，円板炉，垂直炉方式である．保持台は，結晶成長のるつぼと同じく，グラファイトを用いる．ウェーハの保持をするだけでなく，誘導加熱炉では，反応を進める熱源ともなる．CVD での手順は，(a) 原料や添加物は，気体として基板領域に運ばれ，(b) 基板表面に吸着し，(c) 表面での触媒作用に基づく化学反応によって結晶ができ，(d) 生成物のうち，気体成分は，

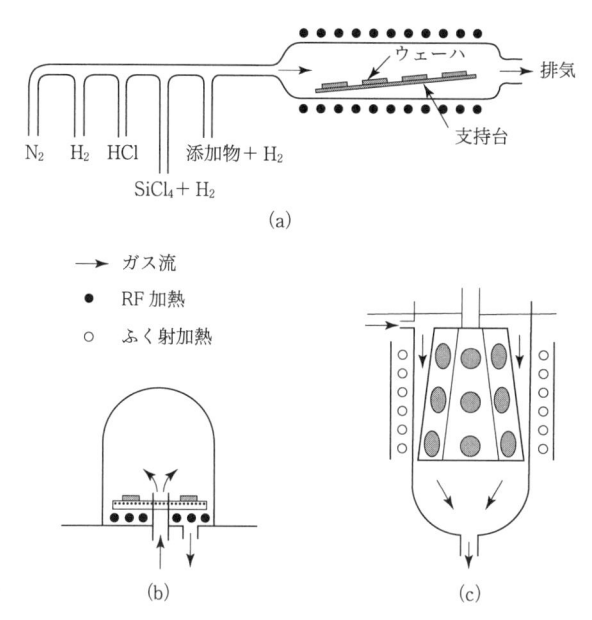

図 20 CVD でよく使われる支持法．(a)水平炉，(b)円板炉，(c)垂直炉方式．

表面から脱着し，(e) 外に運び去られる．

Si の CVD

Si の VPE では 4 種類の原料が用いられる．$SiCl_4$(四塩化ケイ素)，$SiHCl_3$(三塩化シラン)，SiH_2Cl_2(二塩化シラン)，SiH_4(シラン) である．$SiCl_4$ は中でも最もよく研究され，実際にも一番よく用いられている．反応温度は，1200°C くらいである．他の材料を用いると，より低温度で行うことができる．Cl の代りに H が 1 個入るごとに，反応温度は約 50°C ずつ低下する．$SiCl_4$ の場合の反応は，次式のとおりである．

$$SiCl_4(気体) + 2H_2(気体) \rightleftarrows Si(固体) + 4HCl(気体) \tag{22}$$

さらに次のエッチング反応も同時に起きる．

$$SiCl_4(気体) + Si(固体) \rightleftarrows 2SiCl_2(気体) \tag{23}$$

その結果，$SiCl_4$ の濃度が高すぎると，Si の成長よりは，エッチングが始まる．図 21 に，雰囲気中の $SiCl_4$ の濃度と，Si エピタキシャル膜の成長速度の関係を示す[14]．横軸のモル濃度は，全分子数中の $SiCl_4$ のモル割合である．初期には，成長速度は，$SiCl_4$ の濃度の増加に比例して大きくなる．さらに濃度が高くなると，極大値をとり，以後は成長速度は減少し，ついにはエッチングがはじまる．通常の成長は，図 21 に示すように低濃度領域で行われる．

式(22) の反応は，可逆的である．雰囲気中に HCl が多いと，エッチングが始まる．実際に，エピ成長を行う前に，その場エッチングにより，シリコン基板の表面を清浄にする．不純物の添加は，エピ成長中に $SiCl_4$ に混ぜて行われる（図 20(a)）．B_2H_6 ガス（ジボラン）は p 形，PH_3（フォスフィン）や AsH_3（アルシン）は n 形不純物源として用いられる．微量の不純物量を制御するには，これらのガスを水素で薄め，その流量を制御する．不純物の取り込み方の説明は，図 22 に示される．基板表面にアルシン分子が吸着し，不純物原子（As）に分解された後，不純物がとり込まれる．図には，主成分分子（Si）と不純物分子（ここでは As）が表面に吸着し，原

子となり結晶端に移動し，結晶成長する概念をも示している[15]．これらの吸着原子が，正常な位置迄移動し，結晶が成長するにはある程度の高い温度が必要である．

GaAs CVD

GaAsのVPEの反応炉も，本質的には図20(a)と同じである．GaAsは高温GaとAsの蒸気に分解するから，As成分はAs$_4$，Ga成分はGaCl$_3$（三塩化ガリウム）として運ばれる．GaAsのエピタキシャル成長は，

$$\text{As}_4 + 4\,\text{GaCl}_3 + 6\,\text{H}_2 \longrightarrow 4\,\text{GaAs} + 12\,\text{HCl}. \tag{24}$$

As$_4$はAsH$_3$の熱分解で得られ，

$$4\,\text{AsH}_3 \longrightarrow \text{As}_4 + 6\,\text{H}_2, \tag{24 a}$$

GaCl$_3$は，次の反応で作られる．

$$6\,\text{HCl} + 2\,\text{Ga} \longrightarrow 2\,\text{GaCl}_3 + 3\,\text{H}_2. \tag{24 b}$$

これらの原料ガスは，キャリアガス（H$_2$）で薄められ，反応炉中に運ばれる．GaAs基板は，650〜850°Cの温度に保たれる．またGaAs基板と成長層の熱分解を防ぐために，Asの蒸気圧は，十分高くしておく必要がある．

有機金属CVD（MOCVD）

VPEのもう一つのやり方として，有機金属（metalorganic, MO）CVDがある．安定な水素化合物あるいはハライドではなく，適当な蒸気圧を持ち，かつ安定な有機金属化合物を用いるのが特徴で，Ⅲ-ⅤあるいはⅡ-Ⅵ族化合物のヘテロ成長に広く用いられている．

GaAs成長には，Gaの原料として有機金属化合物であるGa(CH$_3$)$_3$（トリメチルガリウム）を，Asの原料としてAsH$_4$（アルシン）を用いる．ともに気体として反応炉に運ばれ，次の反応を起こす．

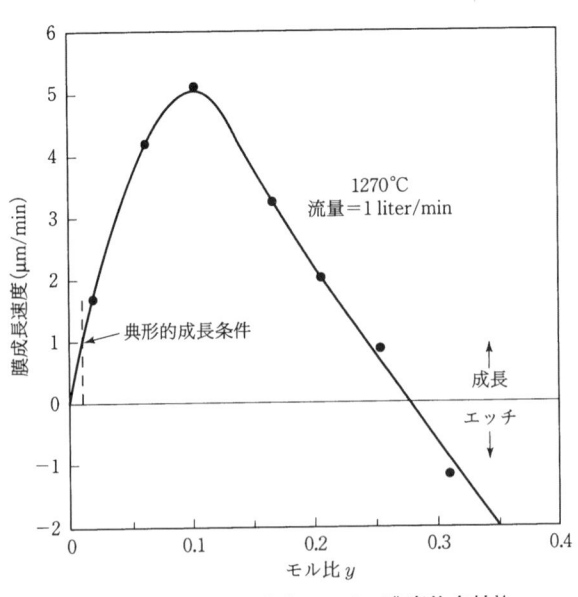

図 21 Siエピ成長速度のSiCl$_4$濃度依存性[14]．

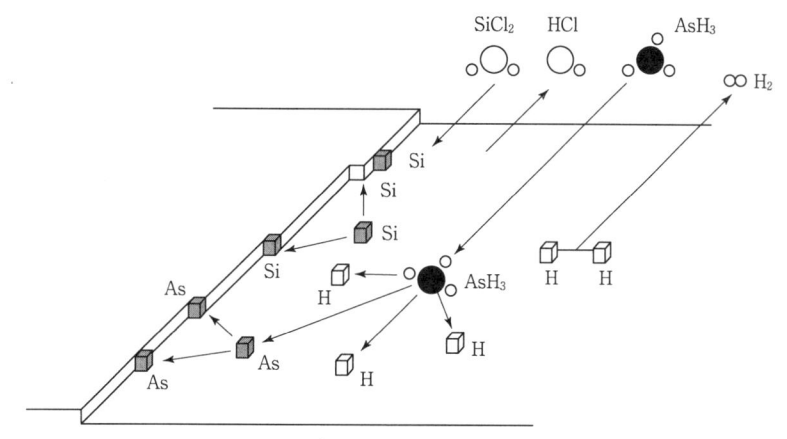

図 22 エピ成長と As 添加の概念説明図[15].

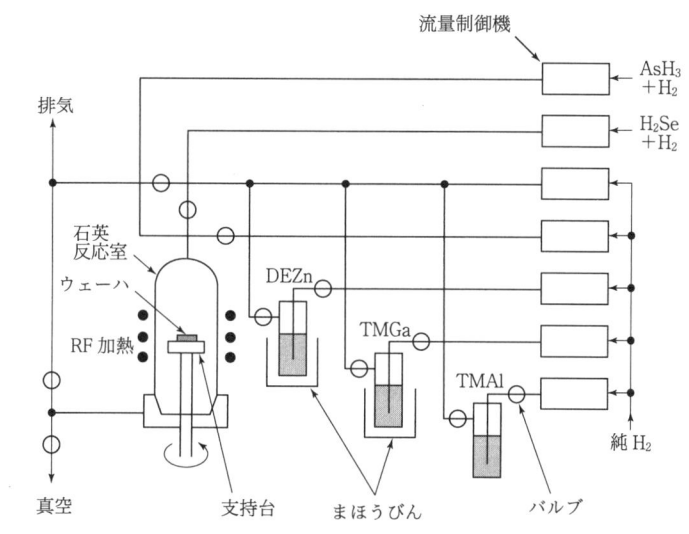

図 23 垂直式大気圧 MOCVD エピ炉の概念図[16]. DEZn＝Zn$(C_2H_5)_2$, TMGa＝Ga$(CH_3)_3$, TMAl＝Al$(CH_3)_3$.

$$AsH_3 + Ga(CH_3)_3 \longrightarrow GaAs + 3\,CH_4. \tag{25}$$

Al 成分の成長には，Al$(CH_3)_3$（トリメチルアルミニウム）を用いる．不純物は，エピタキシャル成長中に，不純物原料気体を混合することによって添加される．ジエチル化亜鉛やジエチル化カドミウムは p 形に，S や Se の水素化物や 4 メチル化すずなどが n 形に用いられる．クロム塩化物は，半絶縁性 GaAs を作るのに用いられる．これらの化合物は毒性が高く，引火性も強いので，MOCVD の操作に際しては，十分な注意が必要である．

図 23 に，MOCVD 反応炉の配管図を示した[16]．有機金属源は水素で希釈されて石英炉に運ばれ，AsH$_3$ と混合される．グラファイト支持台を，600-800℃に高周波加熱して化学反応を起こし，GaAs 結晶を成長させる．有機金属を用いる利点は，比較的低温で分解し，また石英と反応する液体の Ga や In が，炉中に発生しないことである．

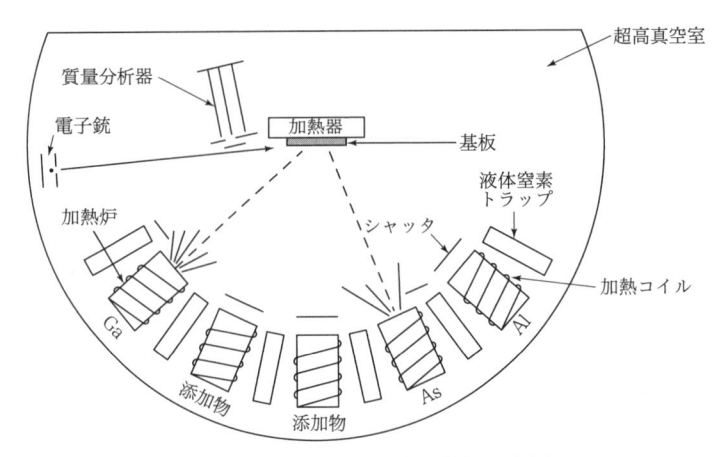

図 24 MBE 装置での原料，基板の配置図．

10.5.2 分子線エピタキシィ（MBE）

分子線エピ（molecular beam epitaxy, MBE[17]）とは，超高真空（$\sim 10^{-8}$ Pa）[†] 中で一種あるいは多種の原子または分子線によって，エピ結晶成長をすることである．MBE では，成分比あるいは添加物濃度を精密に制御できる．原子層厚での多層単結晶構造を作ることができる．単原子層から μm 程度の結晶を作れる．一般に MBE は成長速度が遅く，GaAs では 1 時間で 1 μm が典型的な値である．

図 24 は $Al_xGa_{1-x}As$ の MBE 装置の概略を示す．各成分の制御，不純物除去，その場観察装置など高度な技術が駆使されている．加熱された窒化硼素のるつぼから Ga，As，不純物などの分子線が放出される．超高真空容器中で，それぞれの分子線源は，望む量が放出されるように温度が制御される．基板支持台は，結晶成長が全面で均一に（たとえば膜厚は±0.5%，不純物なら±1%）行われるように，回転する．

GaAs を成長するには，As の蒸気圧は過剰に保たれる．というのは，Ga の層がない限り，Ga の付着確率は 1，逆に As の付着確率は 0 である．Si の MBE では，Si は電子線で加熱される．不純物の発生炉は別に設ける．発生源は小さくし，光の cos 則によって，斜め入射では濃度は補正される．

MBE では，真空中の蒸発法が用いられる．真空での基本的な考え方，すなわち単位面積・単位時間あたりの基板への入射頻度が重要である．入射頻度 ϕ は，分子量，温度，蒸気圧の関数であり，これは，付録 K で導出されている[18]．

$$\phi = P(2\pi mkT)^{-1/2} \tag{26}$$

あるいは

$$\phi = 2.64 \times 10^{20} \left(\frac{P}{\sqrt{MT}}\right) \text{分子/cm}^2\cdot\text{s}, \tag{26 a}$$

ここで，P は圧力（単位 Pa），m は分子の質量（kg），k はボルツマン常数（J/K），T は絶対温度（K），M は分子量である．300 K で酸素圧 10^{-4} Pa は，2.7×10^{14} ヶの分子（$M=32$）が，1 秒あたり 1 cm^2 あたり衝突している状態である．

[†] 圧力の国際単位はパスカル（Pa）である．1 Pa=1 N/m^2．しかしながら，これまで多くの単位が使用されてきた．これらの間関係は次のようになる．1 atm=760 mmHg=760 Torr=1.013×10^{5}Pa．

例題3 300 K で酸素分子の直径は 3.64 Å, 単位面積あたりの分子数 N_s は, 7.54×10^{14} cm^{-2} である. 1, 10^{-4}, 10^{-8} Pa での単分子層を作る時間を求めよ.

解答 吸着率が 100% だとして, それぞれの入射頻度から,

$$t = N_s/\phi = N_s (MT)^{1/2}/(2.64 \times 10^{20} P)$$

したがって

$$\begin{aligned} t &= 2.8 \times 10^{-4} = 0.28 \text{ ms}, & 1 \text{ Pa} \\ &= 2.8 \text{ s} & 10^{-4} \text{ Pa} \\ &= 7.7 \text{ hr} & 10^{-8} \text{ Pa}. \end{aligned}$$

エピ層を汚染から守るには, 装置を超高真空 ($\sim 10^{-8}$ Pa) に保つことが必要である.

分子は運動中に, 他の分子と衝突する. この衝突までの平均の距離を平均自由行程と定義する. 直径 d の分子が, 速度 v で走行しているとき, 時間 δt での走行距離は $v \delta t$ である. 他の分子の中心が距離 d 以内にあれば衝突する. もし衝突なしにすり抜けたとすれば, その容積は

$$\delta V = \frac{\pi}{4}(2d)^2 v \delta t = \pi d^2 v \delta t. \tag{27}$$

単位体積あたり n/cm^3 だから一分子あたりの体積は $1/n$ cm^3 である. δV が $1/n$ と等しければ, そこには衝突があったことになる. 衝突の間隔の平均を $\tau = \delta t$ とおくと,

$$\frac{1}{n} = \pi d^2 v \tau, \tag{28}$$

平均自由行程 λ は

$$\lambda = v\tau = \frac{1}{\pi n d^2} = \frac{kT}{\pi P d^2}. \tag{29}$$

より厳密には

$$\lambda = \frac{kT}{\sqrt{2}\pi P d^2} \tag{30}$$

室温の空気 (分子直径が 3.7 Å) では

$$\boxed{\lambda = \frac{0.66}{P(\text{単位 Pa})} \text{ cm}} \tag{31}$$

したがって, 10^{-8} Pa での λ は 660 km となる.

例題4 加熱セルの開口面積 $A = 5$ cm^2 とし, 開口部と GaAs 基板の距離を 10 cm として, 加熱セルに GaAs を満たし, 900°C に保ったときの MBE 成長速度を求めよ. Ga 原子の表面密度は 6×10^{14} cm^{-2}, 単分子層の厚みを 2.8 Å とする.

解答 GaAs を加熱すると, まず As が昇華するため, Ga 過剰表面となる. 図 11 の Ga 過剰域のデータから, 900°C で, Ga 蒸気圧は 5.5×10^{-2} Pa, As$_2$ 蒸気圧は 1.1 Pa である. 基板への到達速度は次式に示すように, 衝突速度に $A/\pi L^2$ を乗じて求められる.

$$到達速度 = 2.64 \times 10^{20} \left(\frac{P}{\sqrt{MT}}\right)\left(\frac{A}{\pi L^2}\right) 分子/\text{cm}^2 \cdot \text{s}$$

分子量 M は Ga で 69.72, As$_2$ で 74.92×2 である. 式中の P, M, $T (=1173$ K$)$ を挿入して Ga の到達速度 $= 8.2 \times 10^{14}$ 分子/cm$^2\cdot$s, また As$_2$ の到達速度 $= 1.1 \times 10^{16}$ 分子/cm$^2\cdot$s. GaAs の成長は, 遅い方の Ga で律速される. 成長速度は

$$8.2\times10^{14}\times2.8/(6\times10^{14}) = 3.8 \text{ Å/s} = 23 \text{ nm/min}.$$

VPEと比べて，成長速度が低いことに留意されたい．

MBEで，表面を清浄にする二つの方法がある．高温加熱により，表面の自然酸化膜を分解したり，吸着不純物を脱着したり，基板内に拡散させたりして除去できる．もう一つの方法では，不活性ガスの低加速電圧のイオンビームを用い表面をスパッタし，さらに発生欠陥をアニールするために低温加熱する．

MBEでは（CVD，MOCVDと比較して）多種類の不純物を添加でき，またその深さ分布を精密に制御できる．ただし，添加機構はVPEの場合と似て，添加不純物原子は表面に到着後，格子中の位置を選び，結晶に取り込まれる．不純物の深さ分布は，その蒸気圧と主成分（Siエピの場合はSi，GaAsの場合はGa）の蒸気圧の比率を変化させることによって制御される．低電流密度，低加速電圧のイオンビームを用いて，不純物を添加することも行われる（第13章参照）．

MBEの基板温度は400～900℃程度であり，成長速度は0.001～0.3 μm/minである．低温度，低成長速度であるので，CVDではできない不純物分布や成分比変化を持たせることもできる．MBEによって，多くの新奇な構造が可能となった．超格子，つまり電子の平均自由行程よりも短い周期性を持つような層構造（10 nm以下のGaAs/Al$_x$Ga$_{1-x}$Asの多層構造）や，ヘテロ接合FET（第7章参照）がその例である．

MBEではⅢ族原子源として，3-メチルガリウムや3-エチルガリウムも用いられる．この方法は，有機金属(MO)MBEあるいは化学ビームエピ（CBE）と呼ばれる．MOCVDに類似であるが，MBEの変種と考えられる．有機金属はMBE成長室内で，満足できる分子線を形成する．一般にGaAsへの不純物は，p形にはBe，n形にはSiのように，元素のまま用いられる．

10.6 エピタキシャル結晶の構造と欠陥

10.6.1 格子整合と歪み層エピタキシィ

通常のホモエピ成長では，半導体単結晶基板の上に同種のつまり格子定数の等しい半導体単結晶を成長する．したがって，ホモエピ成長では，格子整合が保たれる．ここでは，デバイスや回路の最適条件をもたらすための不純物濃度制御が思いのままに行える．たとえば，n^+-Si基板に比較的濃度の低いn-Si層を作ることができ，その場合は基板に起因する直列抵抗を減らすことができる．

ヘテロエピでは，エピ層と基板とは，二つの異なる半導体であり，両者の界面は，できる限り理想的に作られねばならない．換言すれば，界面で原子の結合の連続性は保たれねばならない．そこでの両者の格子定数は同じであるか，あるいは同じになるように歪まなければならない．このことを，それぞれ格子整合エピおよび歪みエピと呼ぶ．

図25(a)は基板とエピ層の格子定数が等しい格子整合の場合である．よい例は，GaAs基板にAl$_x$Ga$_{1-x}$Asを成長した場合で，xが0から1の値で，格子定数の違いは0.13%以下である．

格子定数が一致しない場合で，エピ層の格子が大きくて歪みやすい時は，基板に合わせて界面上では縮み，厚み方向にのびる．この構造を歪みエピ[19]と言い図25(b)に示す．逆の場合は，

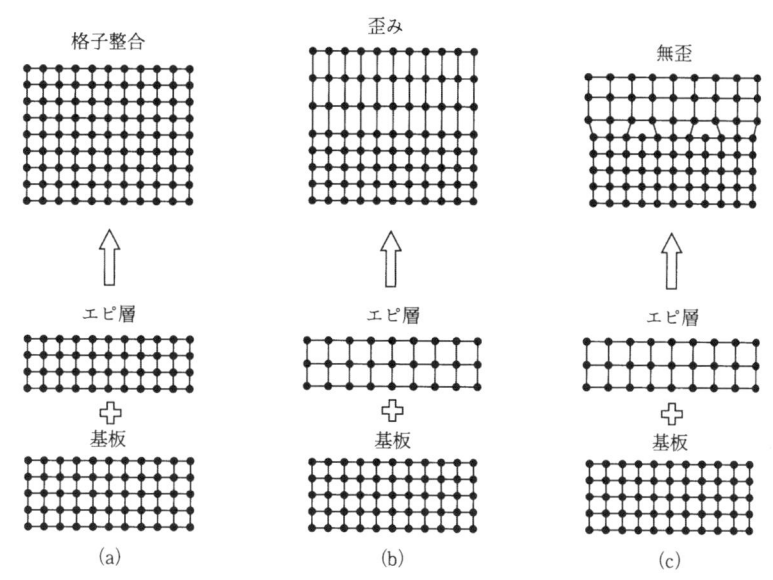

図 25 (a)格子整合，(b)歪み，(c)緩和ヘテロエピの概念図[19]．ホモエピは格子整合である．

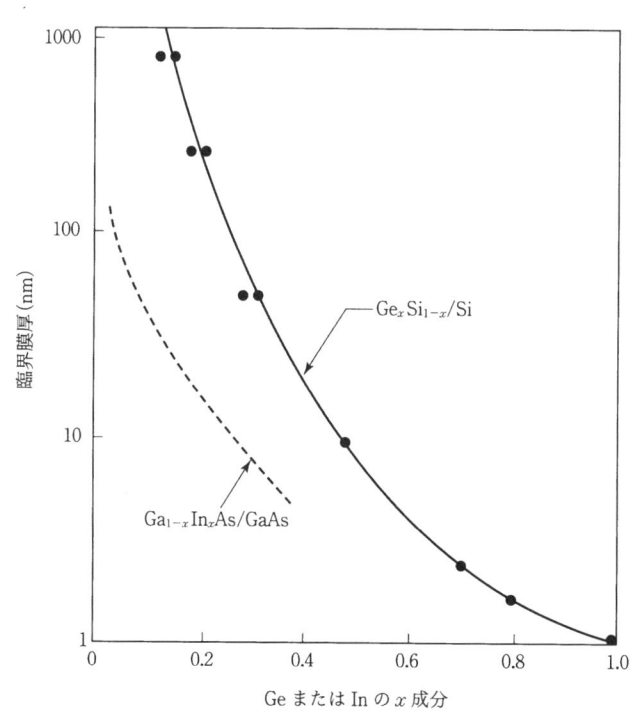

図 26 Ge_xSi_{1-x}/Si および $Ga_{1-x}In_xAs$/GaAs での歪みヘテロエピ[20]の臨界膜厚の実験データ．

エピ層が界面で引き延ばされて，厚み方向には圧縮される．いずれの場合でも，歪み域が増せば，影響される原子数は増加し，ある点で歪みのエネルギーを放出して，ミスフィット転位が発生する．この厚みを，**臨界膜厚**と呼ぶ．図 25(c) は，界面で刃状転位がある場合を示している．

図 26 は，2 組の組み合わせでの臨界膜厚を示す[20]．上の実線は Si 基板上の Ge_xSi_{1-x} の場合

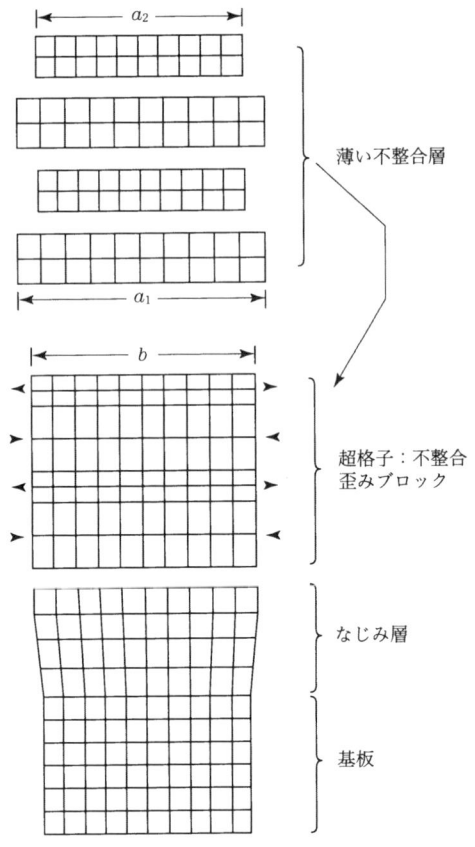

図 27 各成分層からなる超格子歪みエピ.
▶ (矢印)は応力方向を示す.

で，下の点線は GaAs 基板上の $Ga_{1-x}In_xAs$ の場合である．図から，$Ge_{0.3}Si_{0.7}$ では最大エピ膜厚は約 70 nm であることがわかる．それ以上では，転位が発生する．

関連したヘテロエピ構造に，歪み層超格子 (strained-layer superlattice, SLS) がある．超格子は，10 nm 程度の人工の一次元周期を持つ組み合わせ材料の構造である．図 27[17] は，SLS の例で，それぞれ異なる格子定数 ($a_1 > a_2$) を持つ 2 種の半導体が，格子定数 b ($a_1 > b > a_2$) を共有する．層厚が十分薄ければ，格子不整合は歪みで吸収される．その場合は界面での転位は発生せず，十分に高品質の結晶が得られる．このような人工構造は，MBE によって作ることができる．これらの材料は，半導体研究の新領域を開き，新しい固体素子，特に高速やフォトニックの応用が期待される．

10.6.2 エピ層の欠陥

エピ層の欠陥は，デバイスの特性の劣化をもたらす．欠陥は移動度の低下や漏洩電流の増加をもたらす．エピ層の欠陥は，以下の 5 種に分類できる．

1. 基板からの欠陥．この欠陥は基板から伝搬する．それを防ぐためには，無転位半導体基板を用いる．
2. 界面からの欠陥．酸化膜あるいはエピ層と基板の界面での汚染は，異方向の塊や積層欠陥

を発生させる．それらは，逆ピラミッドの欠陥を発生させる．このため，基板の表面は徹底的に清浄にしなければならない．さらに，式(22)で逆方向へのその場エッチバックなどを用いる．

3. 付着物やループ転位．これらの発生は，不純物や添加物の過飽和に起因する．故意にあるいは意図せずに，高濃度の添加物ないしは不純物を持つエピ層は，この欠陥を持ちやすい．
4. 小さい角度の粒界や双晶．方位の異なるエピ層は，成長過程でこれらの欠陥を作りやすい．
5. 刃状転位．格子定数が一致しないヘテロエピで発生する．双方の格子が堅ければ，共に格子定数は保たれ，界面では結合手は満たされず，不整合あるいは刃状転位が発生する．刃状転位は，歪みエピでも，臨界厚を超過すると，発生する．

まとめ

SiやGaAsの単結晶を成長する方法に，いろいろな手法がある．Siの場合，砂（SiO_2）から多結晶Siを精製し，それを原料にCZ法で単結晶を得る．望む結晶方位を持つ種結晶により，溶融液から大きな結晶を作る．90％以上のSi単結晶は，上の方法で作られる．成長過程で，添加物の分布は変化する．その際，偏析係数，すなわち液相と固相での添加物の分布比，が重要な決定因子である．ほとんどの場合，偏析係数は1以下であり，引き上げられる結晶は終端部の方で，添加物の濃度は増加する．

もう一つの手法は，FZ法である．この方法は，CZ法に比べて汚染を減らすことができ，高抵抗結晶を用いる高出力・高電圧デバイスに向いている．

GaAsでは，高純度のGaとAsを原料として，合成反応によって多結晶のGaAsを作る．単結晶はCZ法で得られるが，成長温度でのGaAsの分解を抑えるために，B_2O_3などを用いた液体閉じこめの技術が不可欠である．もう一つの方法は，ブリッジマン法で，溶融液の徐冷のための二つの温度域を持つ炉が必要である．

単結晶から，鏡面に磨き上げられて，決められた直径・厚み・面方位を持つウェーハに仕上げられる．一例として，MOSFET用の200 mmφのSiウェーハは，直径200 ± 1 mm，厚み0.725 ± 0.010 mm，面方位は$(100) \pm 1°$の精度が求められる．より大口径の規格が，現在LSI産業で定められており，表3にまとめた．

現実の結晶は，電気的・機械的・光学的特性を左右する欠陥を持っている．それらは，点欠陥・線欠陥・面欠陥・体積欠陥である．より厳しいULSIでは，転位密度は1 cm^2当たり1本以下である．その他の必要特性を，表4に示した．

エピ技術も，結晶成長の重要な一翼を担っている．この場合は基板が種である．高品質の単結晶膜が，融点の30-50％の低温度で成長できる．よく用いられる方法は，CVD, MOCVD, MBEである．CVDとMCVDは化学的堆積法である．原料と添加物は基板に気体で運ばれて，化学反応を起こして堆積する．CVDでは無機化合物が用いられ，MOCVDでは有機金属化合物が用いられる．一方，MBEは物理堆積法である．超高真空中での蒸発分子流を利用する．低温プロセスであるから，低い結晶成長速度は避けられない．MBEは，原子層単位の厚みの単結晶多層構造を作ることができる．

n^+-Si基板上にn^--Siを付けるといった通常のホモエピ成長に加えて，格子整合および歪み

ヘテロエピ成長がある．歪みエピでは，それ以上では蓄積エネルギーを放出して刃状転位が発生する限界厚みが存在する．

この刃状転位の他にも，基板から引き継ぐ欠陥，界面で発生する欠陥，凝集欠陥や粒界，双晶などがある．これらの欠陥はデバイス特性の劣化の原因となる．これらの欠陥を減じたり，消去して欠陥のないホモエピあるいはヘテロエピの半導体結晶を得るための，多くの試みがある．

参考文献

1. C. W. Pearce, "Crystal Growth and Wafer Preparation" and "Epitaxy," in S. M. Sze, Ed., *VLSI Technology*, McGraw-Hill, New York,1983.
2. T. Abe, "Silicon Crystals for Giga-Bit Scale Integration," in T. S. Moss, Ed., *Handbook on Semiconductors*, Vol. 3, Elsevier Science B. V., Amsterdam/New York, 1994.
3. W. R. Runyan, *Silicon Semiconductor Technology*, McGraw-Hill, New York, 1965.
4. W. G. Pfann, *Zone Melting*, 2nd Ed., Wiley, New York, 1966.
5. E. W. Hass and M. S. Schnoller, "Phosphorus Doping of Silicon by Means of Neutron Irradiation," *IEEE Trans. Electron Devices*, **ED-23**, 803 (1976).
6. M. Hansen, *Constitution of Binary Alloys*, McGraw-Hill, New York, 1958.
7. S. K. Ghandhi, *VLSI Fabrication Principles*, Wiley, New York, 1983.
8. J. R. Arthur, "Vapor Pressures and Phase Equilibria in the GaAs System," *J. Phys. Chem. Solids*, 28, 2257 (1967).
9. B. El-Kareh, *Fundamentals of Semiconductor Processing Technology*, Kluwer Academic, Boston, 1995.
10. C. A. Wert and R. M. Thomson, *Physics of Solids*, McGraw-Hill, New York, 1964.
11. (a) F. A. Trumbore, "Solid Solubilities of Impurity Elements in Germanium and Silicon," *Bell Syst. Tech. J.*, **39**, 205 (1960); (b) R. Hull, *Properties of Crystalline Silicon*, INSPEC, London, 1999.
12. Y. Matsushita, "Trend of Silicon Substrate Technologies for 0.25 µm Devices," *Proc. VLSI Technol. Workshop*, Honolulu, (1996).
13. *The International Technology Roadmap for Semiconductors*, Semiconductor Industry Association, San Jose, CA, 1999.
14. A. S. Grove, *Physics and Technology of Semiconductor Devices*, Wiley, New York, 1967.
15. R. Reif, T. I. Kamins, and K. C. Saraswat, "A Model for Dopant Incorporation into Growing Silicon Epitaxial Films," *J. Electrochem. Soc.*, **126**, 644, 653 (1979).
16. R. D. Dupuis, *Science*, "Metalorganic Chemical Vapor Deposition of III–V Semiconductors", **226**, 623 (1984).
17. M. A. Herman and H. Sitter, *Molecular beam Epitaxy*, Springer-Verlag, Berlin, 1996.
18. A. Roth, *Vacuum Technology*, North-Holland, Amsterdam, 1976.
19. M. Ohring, *The Materials Science of Thin Films*, Academic, New York, 1992.
20. J. C. Bean, "The Growth of Novel Silicon Materials," *Physics Today*, **39**, 10, 36 (1986).

問題（＊印は高度な問題を示す）

10.1 節　融液からの Si 結晶成長に関する問題

1. $10^{17}\,\mathrm{cm^{-3}}$ の As を含んだ溶液から，長さ 50 cm の Si 単結晶を成長させたとき，種結晶からそれぞれ 10，20，30，40，45 cm の場所での As の濃度を求めよ．
2. Si の格子定数は，5.43 Å である．原子球が密着しているとして，(a) Si 原子の半径，(b) Si の原子密度（原子数/cm³），(c) アボガドロ数を用いてシリコンの密度を求めよ．

3. 10 kg の純粋な Si から，結晶を引き上げその半分のところで 0.01 Ω·cm の B 添加結晶を得るためには，原料にどれほどの B を添加すればよいか．
4. 厚さ 1 mm，直径 200 mm の Si ウェーハに，5.41 mg の B が均一に，置換位置に入っている時，(a) B の濃度（原子数/cm³）と，(b) 隣接する B 原子間の距離を求めよ．
5. CZ 法で用いる種結晶は，初期の無転位結晶成長のために，細い直径（5.5 mm）にしてある．Si の臨界強度が 2×10^6 g/cm² だとすると，直径 200 mm の結晶を最長どれだけ引き上げることができるか．
6. CZ 法で作る結晶で，偏析係数 $k_0 = 0.05$ の不純物分布 C_s/C_0 を描け．
7. CZ 法で作る結晶で，B 濃度が頭部よりも尾部で高いのはなぜか．
8. CZ 法で作る結晶で，不純物濃度が周辺よりも中心で高い理由を述べよ．

10.2 節　Si の浮遊ゾーン (floating zone, FZ) プロセスに関する問題

9. 5×10^{16} cm⁻³ の Ga を含む Si を，ゾーン精製法で純化する．ゾーン幅を 2 cm として，一回の精製で，Ga の濃度が 5×10^{15}/cm³ になるのはどこまでの距離か．
10. 式(18)を用い，$k = 0.3$ として，$x/L = 1$ および 2 での C_s/C_0 の値を求めよ．
11. 図 9 に示した二種の結晶を用いて，p^+-n の急峻な接合を作った時の，逆方向耐圧の変化はそれぞれ何%となるか．

10.3 節　GaAs 結晶成長に関する問題

12. 図 10 で C_m を 20% とすると，T_b での融液の割合はどれだけか．
13. 図 11 を用いて，GaAs 融液が常に Ga 過剰である理由を説明せよ．

10.4 節　材料評価に関する問題

14. N を半導体原子密度，E_s を空格子の生成エネルギーとしたとき，空格子の平衡密度 N_s は，$N \exp(-E_s/kT)$ で与えられる．Si 中の 27℃ と 900℃ での空格子密度を，$E_s = 2.3$ eV として求めよ．
15. フレンケル対欠陥の生成エネルギーを 1.1 eV として，27℃ と 900℃ での欠陥密度を求めよ．密度 N_f は，$N_f = \sqrt{(NN')} \exp(-E_f/2kT)$ で，N は Si の原子密度，N' は格子間位置にある Si の原子密度で，$N' = 1 \times 10^{27} \exp[-3.8(\text{eV})/kT]$ cm⁻³ で与えられる．
16. 直径 300 mm のウェーハから，面積 400 μm² のチップが何個とれるか．設計したチップの形と，残ったウェーハについても説明せよ．

10.5 節　エピタキシャル結晶成長に関する問題

*17. 空気の平均分子量を 29 として，300 K での平均分子速度を求めよ．
18. 分子線源と基板間の距離を 15 cm として，この距離が分子の平均自由工程の 1/10 である圧力を求めよ．
*19. 稠密（隣接原子が互いに密着している）条件で，1 原子層を作るに必要な単位面積当りの原子数を求めよ．原子の直径 d は 4.68 Å とする．
*20. 分子線源の寸法を，$A = 5$ cm²，$L = 12$ cm として，(a) GaAs を満たした蒸発源を 970

℃に保ったときの，基板上でのGaの到着速度とMBE成長速度を求めよ．(b) 同寸法の線源にSnを満たし700℃に保ったとき，不純物濃度はいくらとなるか．（到着したSnは全部取り込まれると仮定する）．Snの分子量は118.69，また700℃での蒸気圧は2.66×10^{-6} Paである．

10.6節　エピタキシャル層の構造と欠陥に関する問題

21. $Ga_xIn_{1-x}As$をGaAs基板上に10 nm成長するとき，格子不整合による転位が発生しない成分xの値はいくらか．

22. 格子の不整合度fは次式で定義される．$f\equiv[a_0(s)-a_0(f)]/a_0(f)=\Delta a_0/a_0$，ここで$a_0(s)$および$a_0(f)$はそれぞれ，歪んでいないときの基板とエピ膜の格子定数である．InAs/GaAsとGe/Siについてfの値を求めよ．

第11章　薄膜の形成

11.1　熱酸化
11.2　誘電体膜の堆積
11.3　ポリSiの堆積
11.4　メタライゼーション
まとめ

　個別デバイスやICを作るとき，我々は多くの異なった薄膜を使う．薄膜は四つのグループに分類することができる：酸化膜，絶縁膜，多結晶Si，および金属薄膜である．図1は上述の四つの種類の膜をすべて使った，通常のSi n-チャンネルMOSFET（metal-oxide-semiconductor, FET）の概略図を示したものである．熱酸化膜のうち最も重要な薄膜はゲート酸化膜である．この膜の下にソースとドレインを結ぶ導電性チャンネルが作られる．これと関連した膜としてフィールド酸化膜がある．この膜は他のデバイスとの分離を行うのに使われる．ゲートおよびフィールド酸化膜は通常熱酸化のプロセスによって作られる．なぜなら熱酸化により界面でのトラップ密度が最も低い最良の酸化膜を作ることができるからである．

　堆積された二酸化シリコンや窒化シリコンのような誘電体膜は，導電層間の絶縁，拡散やイオン注入のマスク，ドーパントの損失を防ぐための保護膜，そしてデバイスを不純物，湿気，ひっかき傷等から守るための保護膜として使われる．通常ポリSiと呼ばれている多結晶Siは，MOSデバイスのゲート電極材料，多層配線の導電材料，および浅い接合を有するデバイスの電極材料として使われている．Alやシリサイド等の金属薄膜は低抵抗の配線材料，オーミック接触電極材料，および整流性の金属-半導体障壁を作るために使われている．

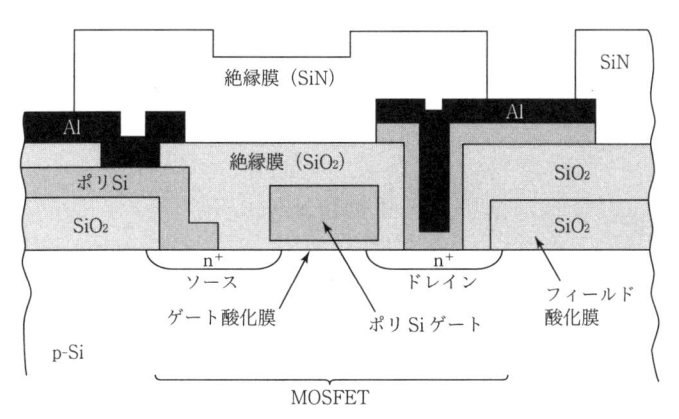

図1　MOSFET断面の模式図．

この章では，特に以下の項目を取り上げる．
- 二酸化シリコン（SiO_2）を形成するための熱酸化プロセス
- ポリ Si および低誘電率，高誘電率薄膜形成のための堆積技術
- Al，Cu 配線の堆積技術とそれに関連した平坦化技術
- これら薄膜の特性と集積回路プロセスとの整合性

11.1 熱酸化

半導体はいろいろな方法で酸化することができる．たとえば熱酸化や電気化学的な陽極酸化やプラズマ反応である．これらの方法の中で熱酸化が Si デバイスにとって格別に重要である．これは現代の Si IC 技術のキープロセスである．しかしながら GaAs においては，熱酸化は化学量論比からずれた膜を形成する．この酸化膜は電気的な絶縁性も悪く，半導体表面の保護膜としても劣っている．そのためこれらの酸化膜は GaAs の技術ではほとんど使われない．したがって，この節では Si の熱酸化についてのみ述べることにする．

基本的な熱酸化の装置が図 2 に示されている[1]．反応炉は抵抗加熱の炉と円筒状の溶融石英のチューブから成っている．石英反応管中には多くの溝が付けられた石英のボートがある．Si ウェーハはこれに縦に並べられ，高純度の乾いた酸素あるいは純粋な水蒸気が送られる．反応管の Si ウェーハを出し入れする側は，フィルターを通した空気が常に上から下に流れているフードの中に頭を突き出した形になっている．空気の流れは図 2 において矢印で示されている．フードはウェーハの周りの空気中のほこりや微粒子を減少させ，ウェーハを出し入れするときの汚染を最少にする．酸化の温度は一般に 900℃ から 1200℃ で，代表的なガスの流速は約 1 リッター/分である．酸化装置には通常マイクロプロセッサが使われていて，ガス流の切換えを制御したり，Si ウェーハを自動的に入れたり出したりする．また急激な温度の変化によってウェーハがそらないように，低温から熱酸化を行う温度まで温度上昇を制御する（すなわち，炉の温度を直線的に増加させる）．さらに酸化温度を±1℃ 以内に保ち，酸化を停止するため炉の温度を下げる場合にもマイクロプロセッサが使われている．

11.1.1 酸化の機構

酸素あるいは水蒸気中での Si の熱酸化は次のような化学反応によって記述される．

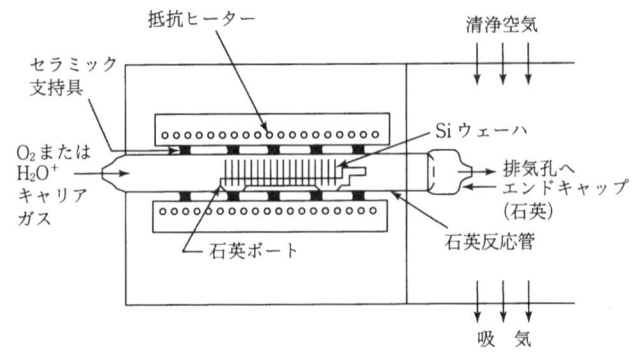

図 2 抵抗加熱酸化炉の断面概念図．

$$\text{Si}(固体) + \text{O}_2(ガス) \longrightarrow \text{SiO}_2(固体) \tag{1}$$
$$\text{Si}(固体) + 2\,\text{H}_2\text{O}(ガス) \longrightarrow \text{SiO}_2(固体) + 2\,\text{H}_2(ガス). \tag{2}$$

Si/SiO$_2$ の境界は,酸化プロセス中に Si 内に移動する.このことはもともとの Si の表面にあった汚染が酸化膜表面に残って新しい新鮮な界面領域が作られることを意味する.Si と SiO$_2$ の密度および分子量から,次の例に示されているように厚さ χ の酸化膜を作ると 0.44χ の厚さの Si が消費されることがわかる(図3).

例題1 厚さ χ の SiO$_2$ の層が熱酸化によって成長されるとき,消費される Si の厚さはいくらか.ただし,Si の分子量は 28.09 g/mol,密度は 2.33 g/cm^3,SiO$_2$ の分子量は 60.08 g/mol,密度は 2.21 g/cm^3 である.

解答 1モルの Si の体積は,

$$\frac{\text{Si の分子量}}{\text{Si の密度}} = \frac{28.09\,\text{g/モル}}{2.33\,\text{g/cm}^3} = 12.06\,\text{cm}^3/\text{モル}$$

1モルの SiO$_2$ の体積は,

$$\frac{\text{SiO}_2\text{の分子量}}{\text{SiO}_2\text{の密度}} = \frac{60.08\,\text{g/モル}}{2.21\,\text{g/cm}^3} = 27.18\,\text{cm}^3/\text{モル}$$

1モルの Si は 1モルの SiO$_2$ になるから

$$\frac{\text{Si の厚さ} \times \text{面積}}{\text{SiO}_2\text{の厚さ} \times \text{面積}} = \frac{\text{Si 1 モルの体積}}{\text{SiO}_2\ 1\ \text{モルの体積}}$$

$$\boxed{\frac{\text{Si の厚さ}}{\text{SiO}_2\text{の厚さ}} = \frac{12.06}{27.18} = 0.44}$$

Si の厚さ $= 0.44 \times$ SiO$_2$ の厚さ

たとえば,100 nm の SiO$_2$ を成長させると 44 nm の Si 層が消費される.

熱的に成長された SiO$_2$ の基本構造は,図4(a) に示されているように[1],Si イオンの周りを正四面体構造に四つの酸素イオンがとり囲んでいる.Si-O 原子間の距離は 1.6 Å で,酸素-酸素原子間の距離は 2.27 Å である.このような正四面体は隅の酸素を介して,お互いにいろいろな形に結び付き,いろいろな相あるいは SiO$_2$ の構造(シリカとも呼ばれている)を形作っている.シリカにはいくつかの結晶構造(たとえば水晶)とアモルファスの構造がある.Si が熱的に酸化されると SiO$_2$ の構造はアモルファスになる.代表的なアモルファスシリカの密度は 2.21 g/cm^3 で水晶の密度は 2.65 g/cm^3 である.

結晶構造とアモルファス構造の基本的な違いは,前者が多くの分子にわたって周期構造を持つ

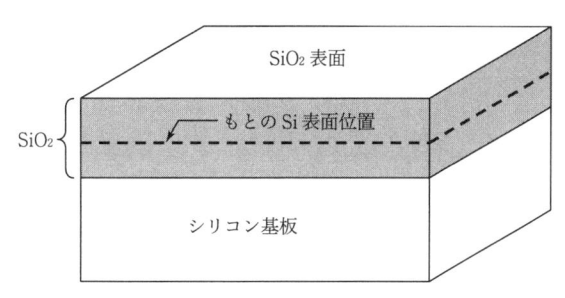

図 3 熱酸化による二酸化シリコン膜の成長.

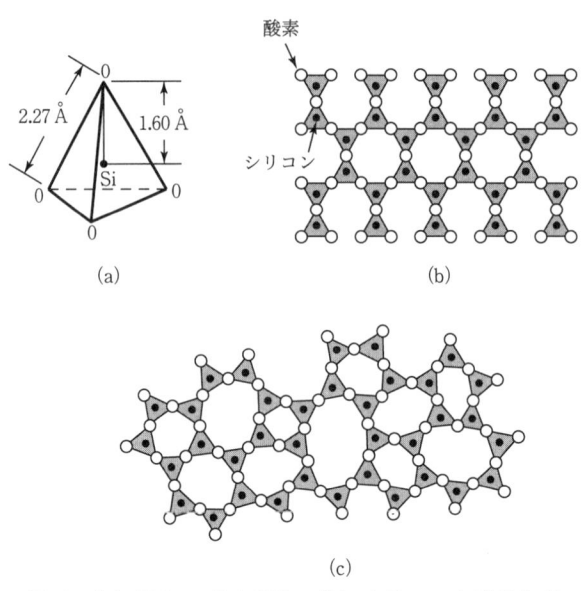

図 4 (a) SiO_2 の基本構造，(b) 水晶の二次元的な表現，(c) アモルファス SiO_2 の二次元的表現[1].

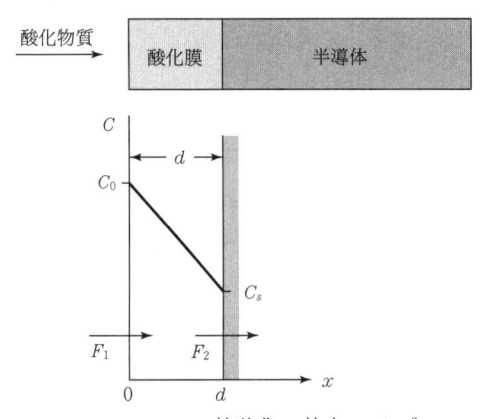

図 5 シリコン熱酸化の基本モデル[2].

ているのに対して，後者は周期構造を全然持たないことである．図4(b) は水晶の結晶構造の模式図を示したもので，六つの Si 原子の輪からできている．図4(c) はこれと比較するためにアモルファス構造の模式図を示したものである．アモルファス構造においても特徴的な六つの Si 原子による輪を形作る傾向にはある．図4(c) におけるアモルファス構造は，SiO_2 分子によって専有されるべき空間の 43% しか専有してないので，非常に疎になっていることに注意されたい．比較的空間の多い構造のため密度は低くなり，いろいろな不純物（Na…ナトリウムのような）が SiO_2 層に入り，容易に拡散する．

Si の熱酸化の機構は，図5に示されているような[2]，簡単なモデルに基づいて考えることができる．Si のスライスは酸化物質（酸素あるいは水蒸気）に接触し，その結果表面でのこれらの物質の濃度が C_0 分子/cm^3 になる．したがって C_0 の大きさは酸化温度における，バルク Si 中でのこれらの物質の平衡状態濃度に等しい．平衡状態の濃度は，一般に酸化物表面に接する酸化

物質の分圧に比例する．1000℃，1気圧においては，濃度 C_0 は乾いた酸素では 5.2×10^{16} 分子/cm³，水蒸気に対しては 3×10^{19} 分子/cm³ となる．

酸化物質は SiO_2 膜を通して拡散し，Si 表面の濃度 C_S を高める．流れ F_1 は次のように表される．

$$F_1 = D\frac{dC}{dx} \simeq \frac{D(C_0-C_S)}{x} \qquad (3)$$

ここで D は酸化物質の拡散係数，x は既に存在する酸化膜層の厚さである．

Si 表面では酸化物質が Si と化学的に反応する．反応速度が Si 表面での酸化物質の濃度に比例すると仮定すると，流れ F_2 は次のようになる．

$$F_2 = \kappa C_S \qquad (4)$$

ここで κ は酸化のための表面反応速度定数である．定常状態では $F_1=F_2=F$ である．式（3）および式（4）を結びつけることにより次の式を得る．

$$F = \frac{DC_0}{x+(D/\kappa)} \qquad (5)$$

酸化物質と Si の反応によって SiO_2 ができる．酸化膜中の，単位体積当りの酸化物質分子の数を C_1 としよう．酸化膜中には単位体積当り 2.2×10^{22} 個の SiO_2 の分子がある．一つの SiO_2 分子に対して水蒸気の分子（H_2O）は二つ加えなければならないのに対して，酸素分子（O_2）は一つである．したがって，C_1 は乾いた酸素における酸化では 2.2×10^{22}/cm³ であり，水蒸気中での酸化に対しては，この値は 2 倍（4.4×10^{22}/cm³）になる．したがって酸化膜の成長速度は次のように与えられる．

$$\frac{dx}{dt} = \frac{F}{C_1} = \frac{DC_0/C_1}{x+(D/\kappa)} \qquad (6)$$

この微分方程式は，初期条件 $x(0)=d_0$ を用いて解くことができる．ここで d_0 は最初の酸化膜の厚さである．d_0 はまたそれより前の酸化過程において成長した酸化膜の厚さと考えてもよい．式（6）を解くことによって Si の酸化についての一般的な式を得ることができる．

$$x^2 + \frac{2D}{\kappa}x = \frac{2DC_0}{C_1}(t+\tau) \qquad (7)$$

ここで $\tau \equiv (d_0^2+2Dd_0/\kappa)C_1/2DC_0$ である．これは初期酸化膜の厚さ d_0 を説明するための時間軸のずれを表している．

酸化時間 t での酸化膜の厚さは次のように与えられる．

$$x = \frac{D}{k}\left[\sqrt{1+\frac{2C_0\kappa^2(t+\tau)}{DC_1}} - 1\right] \qquad (8)$$

t の小さな値に対しては式（8）は次のように変形できる．

$$x \simeq \frac{C_0\kappa}{C_1}(t+\tau) \qquad (9)$$

t の値が大きい場合には次のようになる．

$$x \simeq \sqrt{\frac{2DC_0}{C_1}(t+\tau)} \qquad (10)$$

したがって酸化の初期の段階では，表面反応が律速過程になって，酸化膜の厚さは時間に対して直線的に変化する．酸化膜が厚くなると，酸化物質は酸化膜を通して拡散し，Si-SiO_2 界面で反応しなければならない．そのため反応は拡散律速になる．酸化速度は酸化時間の 1/2 乗に比例す

るようになり，放物線型の成長速度になる．

式 (7) はしばしば次のような簡単な形に書かれる．

$$x^2 + Ax = B(t+\tau) \tag{11}$$

ここで $A=2D/\kappa$, $B=2DC_0/C_1$, そして $B/A=\kappa C_0/C_1$ である．この形を用いると式 (9) および (10) は次のように表される．直線領域に対しては

$$x = \frac{B}{A}(t+\tau) \tag{12}$$

放物線領域に対しては，

$$x^2 = B(t+\tau) \tag{13}$$

ここで B/A は**一次酸化係数**，B は**二次酸化係数**と呼ばれる．実験結果は，広い酸化条件の範囲においてこのモデルとよく合う．加湿酸化においては初期の酸化膜の厚さ d_0 は非常に小さい．別の表現をすれば $\tau \cong 0$ である．しかしながら乾燥酸化においては，d_0 の $t=0$ への外挿値は約 20 nm である．

乾燥および加湿酸化の両方，および (111)-, (100)-面の Si ウェーハについて，一次酸化係数 B/A の温度依存性が図6に示されている[2]．一次酸化係数は $\exp(-E_a/kT)$ のように変化し，活性化エネルギー E_a は，乾燥または加湿酸化の場合に対して 2 eV である．この値は Si-Si 結合を切るために必要なエネルギー，すなわち 1.83 eV/分子と非常によく一致する．ある酸化条件下で一次酸化係数は結晶方位に依存する．これは，酸化係数は酸素がシリコンに取り込まれる速さに関係しているためである．この速度は Si 原子の表面密度に依存し，そのため結晶方位に依存することになる．(111)面の Si 原子の密度が，(100)面よりも大きいために，(111)面の Si の一次酸化係数も (100)面のそれより大きい．

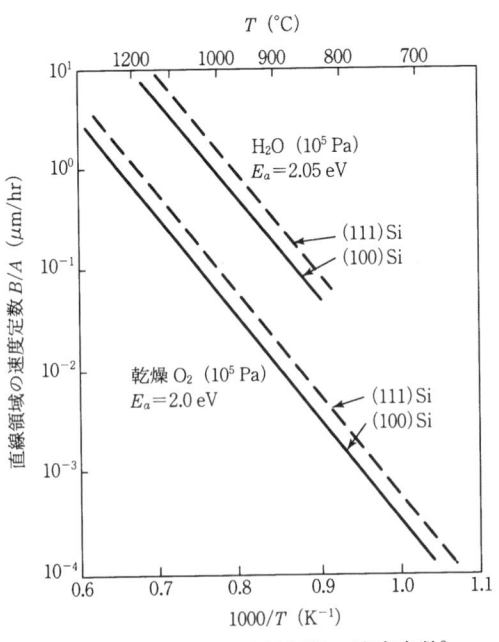

図 6 温度に対する直線領域の速度定数[2]．

第 11 章　薄膜の形成

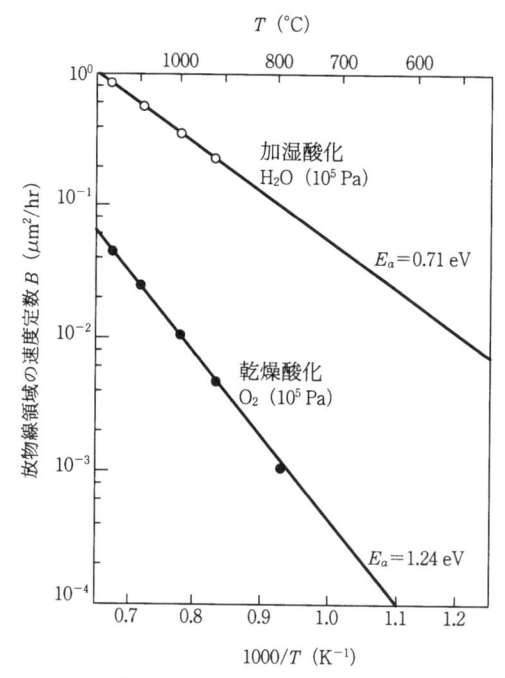

図 7　温度に対する放物線領域の速度定数[2].

図7は二次酸化係数 B の温度依存性を示したものである．これも $\exp(-E_a/kT)$ のように表される．乾燥酸化に対しては活性化エネルギー E_a は 1.24 eV である．これに相当する溶融石英中での酸素の拡散に対する活性化エネルギーは 1.18 eV である．加湿酸化に対する活性化エネルギーは 0.71 eV で，この値は溶融石英中の水の拡散の活性化エネルギー 0.79 eV と良く一致している．二次酸化係数は結晶方位に独立である．これはアモルファスシリカの不規則な網目を通して，酸化物質が拡散するプロセスを考えれば当然のことといえる．

乾燥酸素中で成長された酸化膜は，最も良い電気的特性を有しているが，ある温度で同じ厚さの酸化膜を成長させようとすると乾燥酸素中でのほうが水蒸気中よりもずっと長い時間を必要とする．MOSFET のゲート酸化膜のような，比較的薄い酸化膜（代表的には 20 nm 以下）を成長させる場合には乾燥酸化が使われる．しかしながら MOS-IC でのフィールド酸化膜（20 nm 以上）のような厚い酸化膜や，バイポーラデバイスにおける，十分な分離と保護膜の作用をもたらすためには，水蒸気中での酸化が使われる．

図8は二つの基板面方位に対して，反応時間および温度の関数としての酸化膜厚の実験結果を示したものである[3]．ある酸化条件下では (111) 基板上の酸化膜の厚さは，一次酸化係数が大きいために，(100) 基板上に成長された酸化膜の厚さよりも大きい．ある温度，時間に対して加湿酸化によって得られる酸化膜の厚さは，乾燥酸化によって得られる酸化膜の厚さの約5倍から10倍であることに注意されたい．

11.1.2　薄い酸化膜の成長

正確に厚さを制御した薄い酸化膜を再現性良く成長させるためには，成長速度の遅い方法を使わなければならない．遅い成長速度を得るため，比較的低い温度（800°-900°C）での大気圧乾燥

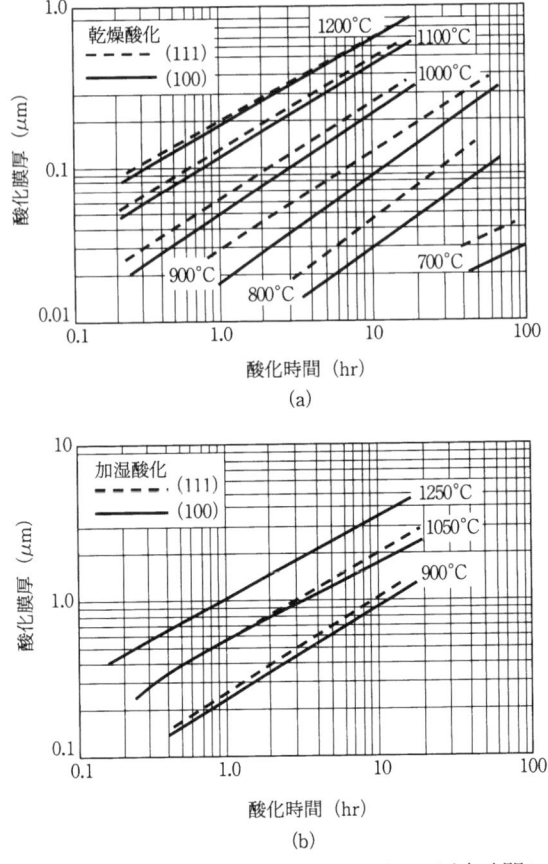

図8 二つの基板面方位に対する酸化膜厚の，反応時間および温度依存性の実験結果．(a) 乾燥酸化，(b) 加湿酸化[3]．

酸化など，いくつかの方法が報告されている．たとえば，低い圧力での酸化，N_2，Ar，Heなどで希釈することにより，O_2の分圧を下げる方法，O_2以外の酸化剤を含んだガスを用いる方法，熱酸化膜に化学気相堆積法（CVD）で堆積させたSiO_2を複合する方法，などである．しかし，10-15 nm のゲート酸化膜を成長するのは，やはり比較的低い温度（800°-900°C）で大気圧乾燥酸化をする方法が主流である．最新の縦型酸化炉でこの低温酸化を行うことにより，ウェーハ内で0.1 nm の誤差で，高品質な 10 nm の酸化膜を再現性良く得ることができる．

前に注意したように乾燥酸化においては，最初に明らかに速い酸化があり，酸化膜厚の初期値d_0は約 20 nm である．したがって，11.1.1項で述べた簡単なモデルは酸化膜厚が 20 nm 以下の乾燥酸化には有効ではない．ULSI においては，薄い（5～20 nm）均一で非常に高品質なゲート酸化膜を，再現性良く成長させることが非常に重要である．ここでそのような薄い酸化膜の成長の機構について簡単に考えてみよう．

乾燥酸化における成長の初期の段階では，酸化膜中に大きな圧縮応力がある．そのような応力は酸化腹中での酸素の拡散係数を減少させる．酸化膜が厚くなるとシリカの粘性のために応力が減少し，拡散係数が応力のない場合の値に近づく．したがって薄い酸化膜に対してはD/κの値はおそらく十分小さく，式 (11) において Ax の項を無視することができ，次式が成り立つ．

$$x^2 - d_0^2 = Bt \tag{14}$$

ここで d_0 は $\sqrt{2DC_0\tau/C_1}$ に等しい．これは時間をゼロまで外挿した場合の初期酸化膜厚である．B は前に定義された二次酸化係数である．したがって乾燥酸化における初期の成長は，放物線の形に従うものと期待される．

11.2 誘電体膜の堆積

堆積された誘電体膜は主に個別デバイスおよび IC の絶縁，および保護膜として使われる．堆積法としては通常次の三つのいずれかが使われる．常圧 CVD（化学気相堆積法），LPCVD（減圧化学気相堆積法），および PCVD（プラズマ化学気相堆積法，あるいはプラズマ堆積法）．PCVD はプラズマのエネルギーが通常の CVD 装置の熱エネルギーに加えられるので，エネルギーを高められた CVD 法ということができる．堆積法を選ぶ場合には次のことを考えなければならない．すなわち基板の温度，堆積速度，膜の均一性，表面の平坦性，電気的および機械的性質，絶縁膜の化学的組成等である．

常圧 CVD 用の成長装置はいろいろな異なったガスが導入されることを除けば，図2に示されているものと似たようなものである．図9(a) に示されているようなホットウォールの減圧反応装置においては，石英反応管は三つの領域を有する炉によって加熱され，一方の端からガスが導入され，他方の端からポンプによって減圧される．半導体ウェーハは石英のボートに刻まれた溝に立てられる[4]．石英反応管は炉に接しているために熱くなっている．これは rf（高周波）加熱を用いた横形のエピタキシャル成長装置等の，コールドウォール反応装置と対照的である．

図9(b) に示されている平行平板で，ガスが径方向に流れるプラズマ CVD 装置は，Al 板（エ

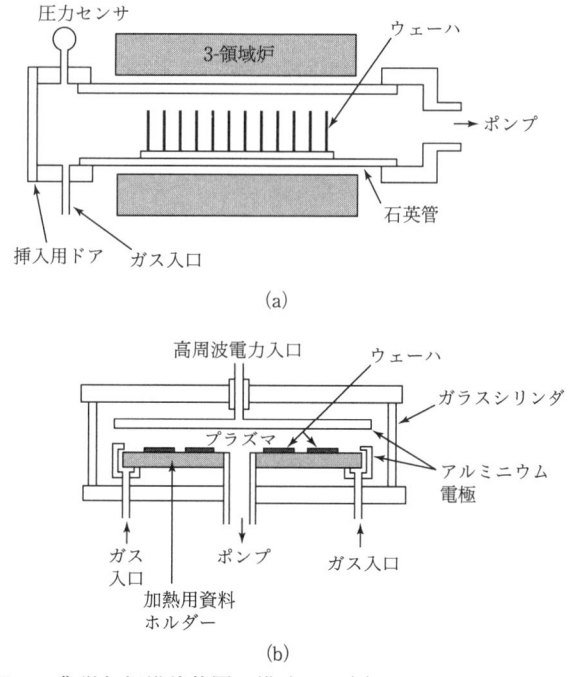

図 9 化学気相堆積装置の模式図．(a) ホットウォール減圧反応装置，(b) 平行平板高周波プラズマ CVD 装置[4]．

ンドプレート）でシールされた円筒状のガラス，あるいは Al の反応室からなっている．反応室内には二つの平行な Al の電極がある．rf 電圧は，上部電極に印加され，下部電極は接地されている．rf 電圧によって電極間にプラズマ放電が起こる．ウェーハは抵抗加熱によって 100～400℃ に加熱された下の電極板上におかれる．プロセスに使われるガスは，下の電極の周囲に設けられた出口から放電期間中流される．この装置の利点は堆積温度が低いことである．しかしながら特にウェーハの直径が大きいときには一度に堆積できるウェーハの数が限られており，反応室の壁に附着した堆積物がウェーハ上に落ちて表面が汚染される可能性がある．

11.2.1 SiO_2（二酸化シリコン）膜

CVD 法で成長された SiO_2（二酸化シリコン）膜は，熱酸化によって成長された酸化膜にとって代わることはできない．なぜなら熱酸化による酸化膜の電気的特性の方がはるかにすぐれているからである．CVD 酸化膜はその代りに熱酸化膜を補うような形で使われる．アンドープの SiO_2 膜は，多層配線の絶縁，イオン注入や拡散のマスク，熱酸化によって成長されたフィールド酸化膜の厚さをさらに増加させること，等に使われる．P をドープした SiO_2 膜は，金属膜間の絶縁やデバイスの最終的な保護膜として使われる．P や As あるいは B をドープした酸化膜は時々拡散源としても使われる．

堆 積 法

SiO_2 膜はいくつかの方法で堆積することができる．低温での堆積（300～500℃）においては膜は SiH_4（シラン），ドーパント，および O（酸素）を反応させる，ことによって作られる．P をドープした酸化膜の化学反応は次のようである．

$$SiH_4 + O_2 \xrightarrow{450°C} SiO_2 + 2H_2 \qquad (15)$$

$$4PH_3 + 5O_2 \xrightarrow{450°C} 2P_2O_5 + 6H_2 \qquad (16)$$

堆積のプロセスは CVD 装置において常圧で行われるか，あるいは LPCVD 装置において減圧で行われる（図 9(a)）．低温で SiH_4 と酸素を反応させて堆積する方法は，Al の膜の上に絶縁膜を堆積させるのに非常に適している．

中程度の温度（500～800℃）での SiO_2 膜の成長は，LPCVD 装置においてテトラエチルオルソシリケイト，$Si(OC_2H_5)_4$ を分解することによって行うことができる．TEOS と略されるこの化合物は，液体から蒸発される．TEOS は次のように分解する．

$$Si(OC_2H_5)_4 \xrightarrow{700°C} SiO_2 + 副生成物 \qquad (17)$$

その結果 SiO_2 および有機物と Si の有機化合物が副産物として作られる．反応に高温を必要とするのでこの方法は Al 膜上への成長には使えないが，一様な絶縁膜を良い段差被覆性で堆積することが必要なポリ Si ゲート上には適している．良い段差被覆性は，堆積温度が高いことによる，表面での反応物質の動きやすさの増大によるものである．酸化膜は，エピタキシャル成長のプロセスと同様に，少量のドーパントの水素化物（PH_3-ホスフィン，AsH_3-アルシン，あるいは B_2H_6-ジボラン）を加えることによってドープすることができる．

温度の関数としての堆積速度は，$e^{-E_a/kT}$ のように変化する．ここで E_a は活性化エネルギーで

ある.SiH$_4$とOの反応の活性化エネルギーE_aは非常に低い：アンドープの酸化膜に対しては約 0.6 eV であり，Pをドープした酸化膜に対してはほとんどゼロである．これと対照的にTEOS の反応に対する Ea はもっとずっと高い．アンドープの酸化膜に対しては 1.9 eV であり，Pをドープするための化合物を加えられた場合には 1.4 eV である．堆積速度のTEOS分圧依存性は，$(1-e^{-P/P_0})$ に比例する．ここでPはTEOSの分圧であり，P_0は約 30 Pa である．TEOSの分圧が低い場合には表面反応速度によって決められる．分圧が高い場合には表面は吸着したTEOSによってほとんど飽和しており，堆積速度は本質的にTEOSの分圧に独立になる[4].

最近，図10に示すような，TEOSとオゾン（O$_3$）を用いた常圧および低圧CVDが提案されている[5]．このCVD法の酸化膜は，堆積温度が低いにもかかわらず，濡れ性が良く粘性が低い．さらに，アニールによる酸化膜の収縮が，図11に示すように，オゾン濃度の関数になっている．この多孔性のため，ULSIプロセスにおいては，O$_3$-TEOSCVD酸化膜の上にPCVD酸化膜をつけて平坦化させる．

高温（900℃）でのSiO$_2$膜の堆積は減圧下でジクロロシラン，SiCl$_2$H$_2$，と窒素酸化物を低圧で反応させて行われる．

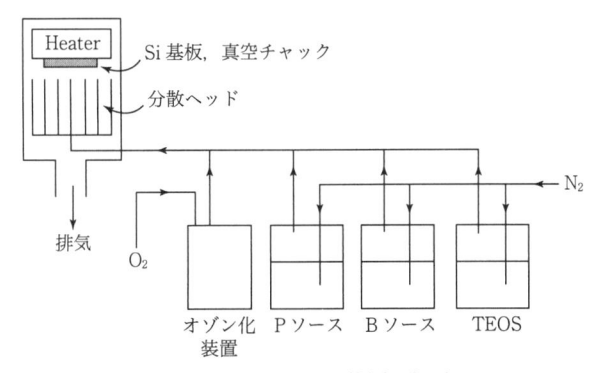

図 10　O$_3$-TEOS CVD 装置の概略図．

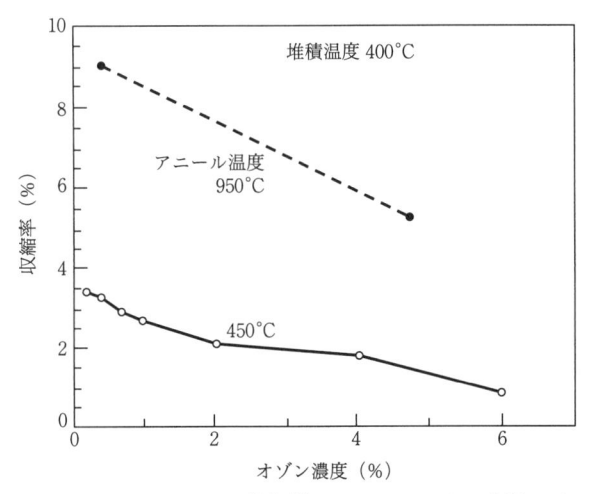

図 11　O$_3$-TEOS CVD 酸化膜のアニールによる収縮のオゾン濃度依存性（サムコ(株)の好意による）．

$$\mathrm{SiCl_2H_2 + 2\,N_2O} \xrightarrow{900℃} \mathrm{SiO_2 + 2\,N_2 + 2\,HCl} \tag{18}$$

この方法では非常に均一な膜を堆積させることができ，時々ポリSi上の絶縁膜の堆積に使われる．

SiO₂膜の性質

堆積法とSiO₂膜の性質が表1にまとめられている[4]．一般に膜の堆積温度と膜質は直接関係している．高温で堆積された酸化膜の構造は，熱酸化によって成長されたSiO₂のものと似ている．500℃以下で堆積された膜の密度は低くなる．堆積されたSiO₂膜を600℃～1000℃で熱処理すると，酸化膜厚が減少し密度は$2.2\,\mathrm{g/cm^3}$に増加する．SiO₂膜の屈折率は波長$0.6328\,\mu\mathrm{m}$で1.46である．屈折率の低い酸化膜は多孔質である．たとえばSiH₄とOの反応によって堆積される酸化膜の屈折率は1.44である．多孔質の酸化膜では，電流が急に流れる電界の強さで表される，絶縁強度が低下する．フッ酸溶液による酸化膜のエッチング速度も堆積温度，熱履歴，ドーパント濃度に依存する．通常膜質が良いほどエッチング速度は遅くなる．

段差被覆性（step coverage）

段差被覆性とは半導体表面のいろいろな段差上に堆積された膜の状態を表したものである．図12(a)に示されている理想的な，あるいは表面に沿った段差被覆性においては，膜の厚さは段差のすべての表面において一様である．膜の厚さが表面状態に無関係に均一になるのは，反応物質が段差部分の表面に吸着した後，速い速度で動き回っているためである[6]．

図12(b)は一様な段差被覆性が行われていない例を示したものである．この場合には反応物質が吸着した後，十分表面を動き回らないで，反応してしまっていることを意味している．この場合には堆積速度はガス分子の到達角度に比例する．一番上の水平表面にはいろいろな角度から反応物質がくる．そして，到達角度，ϕ_1，は二次元的に0～180°変化する．これに対して縦方向の壁の一番上の部分に到達する反応物質は，0～90°までの到達角度ϕ_2しか持っていない．したがって一番上の表面の膜厚は2倍になる．壁の下の方になると到達角度ϕ_3は開口の広さに関係する．そして膜の厚さは次式に比例する．

表1 SiO₂膜の性質

特性	熱酸化 at 1000℃	SiH₄+O₂ at 450℃	TEOS at 700℃	SiCl₂H₂+N₂O at 900℃
組成	SiO₂	SiO₂(H)	SiO₂	SiO₂(Cl)
密度 (g/cm³)	2.2	2.1	2.2	2.2
屈折率	1.46	1.44	1.46	1.46
絶縁強度 (10⁶V/cm)	>10	8	10	10
エッチング速度 (Å/min) (100:1 H₂O:HF)	30	60	30	30
エッチング速度 (Å/min) (緩衡HF)	440	1200	450	450
段差被覆性	—	非平滑	平滑	平滑

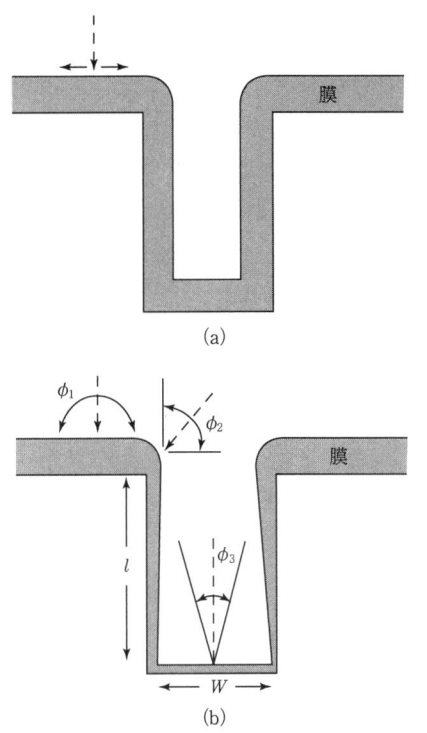

図 12 成長膜の段差被覆性．(a) 均一な成長，(b) 不均一な成長[4].

$$\phi_3 \cong \arctan \frac{W}{l} \tag{19}$$

ここで l は表面からの距離であり，W は開口の広さである．この種の段差被覆性においては，縦の壁に沿って膜が薄くなり，その一番底の部分では影になって，クラックが生じたりする．

減圧下での TEOS の分解によって作られる SiO_2 膜においては，反応物質が表面で速く動き回るため，ほぼ理想的な段差被覆性になる．同様に高温でジクロロシランと，窒素酸化物の反応で酸化膜が作られる場合にも理想的な段差被覆性になる．しかしながら SiH_4 と O の反応での成長においては，表面で反応物質が動かないため，段差被覆性は到達角度によって決められる．蒸着やスパッタによって付けられる膜の段差被覆性は，ほとんど図12(b) に示されているものと似たようなものになる．

リンガラスフロー (P-Glass Flow)

金属膜間の絶縁に使われる SiO_2 の堆積膜においては，通常表面がスムースであることが必要である．下の金属膜を覆うのに使われる酸化膜にもし溝があると，上の金属膜を堆積するときに，断線が起こって回路が壊れる可能性がある．低温で堆積されたリンドープの SiO_2，(P-ガラス) は熱することによって軟らかくなり，流れるようになるため表面が滑らかになり，金属膜間の絶縁にしばしば使われる．このプロセスは，リンガラスフローと呼ばれる．

図 13 はポリ Si の段差の部分を覆っているリンガラスの四つの断面写真を，走査型電子顕微鏡で撮ったものを示している[6]．すべてのサンプルが水蒸気中で 1100°C，20 分間熱処理されてい

(a) (b) (c) (d)

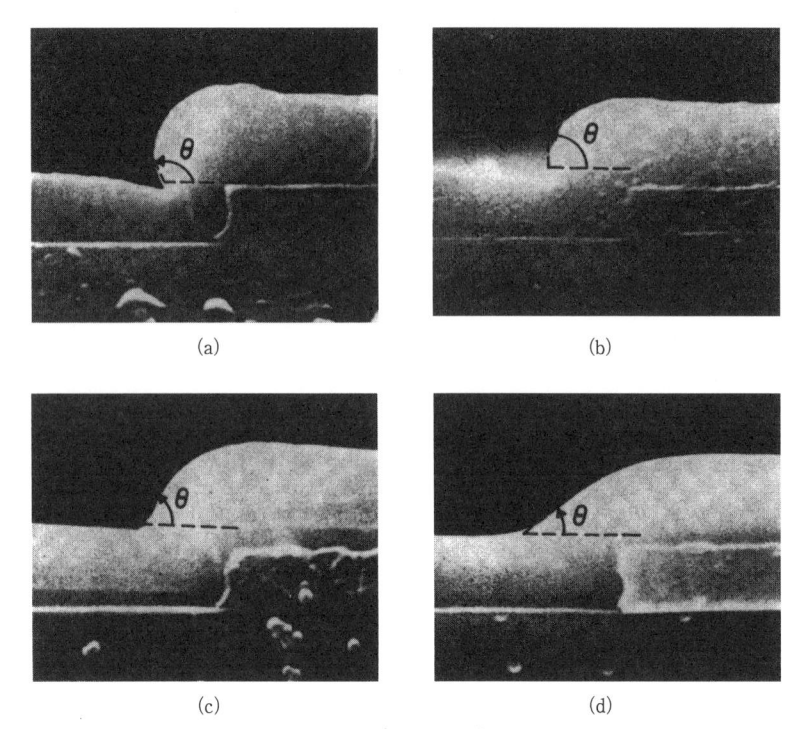

図 13 リン濃度の異なるサンプルを 1100°C, 20 分水蒸気中でアニールした場合の走査電子顕微鏡写真（10,000倍）[6]. (a) 0 wt%, (b) 2.2 wt%, (c) 4.6 wt%, (d) 7.2 wt%.

る．図 13(a) は P をほとんど含んでいないガラスのサンプルで，流れは見られない．酸化膜がくびれており，その角度 θ が約 120° であることに注意されたい．図 13(b), 13(c), 13(d) はリンの濃度を徐々に上げて，7.2 wt%（重量%）まで含んだリンガラスの例を示したものである．これらの試料でリンの濃度が増加するに従って，リンガラスの段差の角度が減少していることがわかる．リンガラスの流れは熱処理時間，温度，リンの濃度，および熱処理雰囲気に依存する[6]．

図 13 に示されている段差の角度 θ の P の重量%依存性は，次のように近似される．

$$\theta \cong 120° \left(\frac{10-重量\%}{10} \right) \tag{20}$$

角度を 45° 以下にしようとすれば，P の濃度は 6 重量% 以上必要であることがわかる．しかしながら P の濃度が 8 重量% 以上だと，酸化腹中の P と空気中の水蒸気との反応によってできる酸によって，金属膜（たとえば Al）が腐食される可能性がある．したがってリンガラスフローのプロセスにおいては 6〜8 重量% の P 濃度が使われる．

11.2.2 Si_3N_4（窒化シリコン）膜

Si_3N_4 膜を（アンモニア NH_3 などによる）熱窒化で作ることは，高温を必要とし成長速度も遅いので難しい．Si_2N_4 膜は中程度の温度（750°C）の LPCVD プロセス，あるいは低温（300°C）でのプラズマ CVD プロセスによって付けることができる[7,8]．LPCVD 膜は化学量論的組成（Si_3N_4）で密度も高い（2.9〜3.1 g/cm³）．これらの膜は水や Na（ナトリウム）の拡散を防ぐことができるので，デバイスの保護膜として使われる．Si_2N_4 膜は，Si の選択酸化のマスクとしても使われる．なぜなら，Si_2N_4 膜は非常に強固で，その下の Si が酸化されるのを防ぐからで

ある．プラズマCVDで付けられた窒化シリコン膜は化学量論的組成からずれており，密度も低い（2.4～2.8 g/cm³）．プラズマCDV膜は低い温度で成長できるので，完全にできあがったデバイスの上に堆積され，最終的な保護膜の役目をはたす．プラズマで付けられた窒化膜は，ひっかき傷に対しても強く，水蒸気を通さず，Naの拡散も防ぐことができる．

LPCVDプロセスによるSi_3N_4膜の成長においては，700℃～800℃の温度でジクロロシランとアンモニアの減圧下での反応が使われる．反応は次式のようになる．

$$3\,SiCl_2H_2 + 4\,NH_3 \xrightarrow{\sim 750℃} Si_3N_4 + 6\,HCl + 6\,H_2 \tag{21}$$

プロセスの利点は膜の均一性の良さと，高いウェーハ・スループット（1時間当りに処理できるウェーハの枚数）である．酸化膜の場合と同様に，Si_3N_4膜の成長も温度，圧力および反応物質の濃度によって支配される．成長の活性化エネルギーは約1.8 eVである．成長速度は全圧力の増加，あるいはジクロロシアンの分圧の増加とともに大きくなり，アンモニアとジクロロシランの比が増加すると減少する．

LPCVDによって成長される窒化シリコン膜は，水素を8原子%まで含んだアモルファスの絶縁物である．緩衝フッ酸でのエッチング速度は1 nm/分以下である．10^{10} dynes/cm²という高い窒化膜中の引張り応力は，TEOSで成長されたSiO_2の引張り応力の約10倍である．200 nmよりも厚い膜では，その非常に高い内部応力のためにクラックが入る可能性がある．室温での窒化膜の比抵抗は，約10^{16} Ω・cm，誘電率は6でその絶縁強度は10^7 V/cmである．

プラズマCVDプロセスによる窒化膜は，Arプラズマ中でSiH_4とNH_3を反応させることにより，あるいはN_2ガスを放電させながらSiH_4と反応させることにより作られる．反応は次のように表される．

$$SiH_4 + NH_3 \xrightarrow{300℃} SiNH + 3\,H_2 \tag{22 a}$$

$$2\,SiH_4 + N_2 \xrightarrow{300℃} 2\,SiNH + 3\,H_2 \tag{22 b}$$

できる膜は成長条件に強く依存する．平行平板でガスが径方向に流れる反応装置（図9(b)）が通常使われる．成長速度は通常温度が高くなるほど，高周波電力が大きくなるほど，そして反応ガスの圧力が高くなるほど速くなる．

プラズマCVD法で付けられた膜中には，高濃度のH（水素）が含まれている．半導体プロセスで使われるプラズマ窒化膜（SiNとも呼ばれる）は通常20-25原子%のHを含んでいる．プラズマで成長された窒化膜は，内部引張り応力が低い（約2×10^9 dynes/cm²）．膜の比抵抗はSi対Nの比に依存し，10^5～10^{21} Ω-cmである．絶縁強度は，1×10^6～6×10^6 V/cmである．

11.2.3 低誘電率（low-k）材料

デバイスがディープサブミクロン（0.25 μm以下）の領域まで縮小化されると，寄生抵抗（R），容量（C）による時間遅れを最少にするために，多層配線が必要になる．デバイス配線寸法が小さくなると，図14に示すように，ゲートでの時間遅れより，RC時定数による配線での遅れが大きくなる．たとえば，ゲート長が250 nmかそれより短くなると，長い配線によるRC遅れが全体の遅れの50%にも達する[9]．したがって，デバイス速度，クロストーク，消費電力と同様に，配線による遅れがULSI回路の特性を決める要素になる．

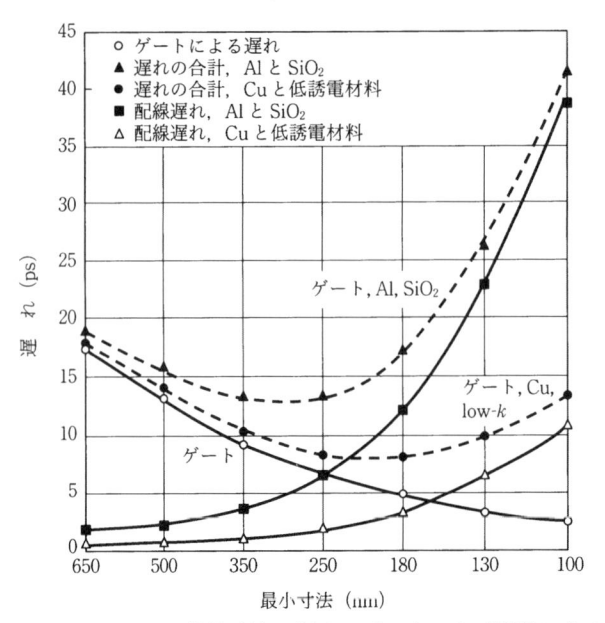

図14 デバイス配線寸法に対するゲートおよび配線による信号遅れの計算値. low-k 材料の誘電率は 2.0. Al および Cu 配線は厚さ $0.8\,\mu m$, 長さ $43\,\mu m$ である.

ULSI 回路の RC 時定数を減少させるためには，配線の抵抗を下げ，配線間容量を減少させることが必要である．容量（$C = \varepsilon_i A/d$, ε_i は誘電率, A は面積, d は誘電体膜の厚さ）に関しては，誘電体膜の厚さ d を厚くすれば，容易に減少できる．しかし，段差を埋めるのがそれだけ難しくなる．配線の高さと幅，すなわち容量の面積 A を小さくすれば良いが，配線抵抗が高くなる．したがって，層間絶縁膜として誘電率の小さな（low-k）材料を使うことが必要になる．ε_i は比誘電率 k と真空の誘電率 ε_0 の積である．

材料の選択

層間絶縁膜の特性とその堆積方法は次のような要求に応えなければならない；低誘電率, 低残留歪, 平らにし易さ, ギャップの埋めやすさ, 低堆積温度, プロセスおよび集積化のし易さ.

ULSI 回路用に多くの低誘電率材料が合成されて来た．有望なもののいくつかが表 2 に示されている．これらの材料は無機物も有機物もあり，堆積方法も CVD 法であったり，塗布法であったりいろいろである[9].

例題 2 断面積 $0.5 \times 0.5\,\mu m$, 長さ $1\,mm$ の 2 本の Al が，厚さ $0.5\,\mu m$ のポリイミド誘電層（$k \sim 2.7$）を挟んで配線されているとする．Al の抵抗率を $2.7\,\mu\Omega\cdot cm$ として, RC 時定数を計算せよ．

解答

$$RC = \left(\rho \frac{l}{t_m^2}\right) \times \left(\varepsilon_i \frac{t_m \times l}{\text{絶縁層厚}}\right) = \left(2.7 \times 10^{-6} \times \frac{1 \times 10^{-1}}{0.25 \times 10^{-8}}\right) \times \left(8.85 \times 10^{-14} \times 2.7 \times \frac{0.5 \times 10^{-4} \times 10^{-1}}{0.5 \times 10^{-4}}\right) = 2.57\,ps$$

表 2　低誘電率材料

決定要因	材料	比誘電率
気相堆積ポリマー	フッ化シリケートガラス (FSG)	3.5-4.0
	パリレン N	2.6
	パリレン F	F2.4-2.5
	黒ダイヤ (C-ドープ酸化膜)	2.7-3.0
	フッ化炭化水素	2.0-2.4
	テフロン AF	1.93
スピンオンポリマー	HSQ/MSQ	2.8-3.0
	ポリイミド	2.7-2.9
	SiLK (芳香族炭化水素ポリマー)	2.7
	PAE [ポリ(アリレン エーテル)]	2.6
	フッ化アモルファスカーボン	2.1
	ゼロゲル (ポーラスシリカ)	1.1-1.2

11.2.4　高誘電率 (high-k) 材料

ULSI 回路, 特に DRAM (dynamic random access memory) には, 高誘電率材料が必要である. DRAM の正常な動作のためには, ある程度の大きさ (40 fF 等) の蓄積容量が必要である. ある容量 ($\varepsilon_i A/d$) に対して, 最小の厚さ d は, 必要な耐圧と許容される最大のリーク電流で決められる. 面積はスタック構造あるいはトレンチ構造で大きくできる. これらの構造は第 14 章で議論される. しかしながら, プラナー構造では面積 A は DRAM の密度の増大と共に減少する. したがって, 膜の誘電率を高くする必要がある.

$BaSrTiO_3$(BST), $Pb(Zr_{0.47}Ti_{0.53})O_3$(PZT) などのいくつかの高誘電率材料が提案されている. それらが表 3 に示されている. さらに, アルカリ土類金属などのアクセプタ, 希土類などのドナーをドープしたチタン酸化物 (titanates) がある. 酸化タンタル (Ta_2O_5) は 20-30 の比誘電率を持つ. これに対して Si_3N_4 は 6-7, SiO_2 は 3.9 である. Ta_2O_5 は $TaCl_5$ と O_5 を用いて CVD で堆積できる.

表 3　高誘電率材料

	材料	比誘電率
二元系	Ta_2O_5	25
	TiO_2	40
	Y_2O_3	17
	Si_3N_4	7
常誘電ペロブスカイト	$SrTiO_3$(STO)	140
	$(Ba_{1-x}Sr_x)TiO_3$(BST)	300-500
	$Ba(Ti_{1-x}Zr_x)O_3$(BZT)	300
	$(Pb_{1-x}La_x)(Zr_{1-y}Ti_y)O_3$(PLZT)	800-1000
	$Pb(Mg_{1/3}Nb_{2/3})O_3$(PMN)	1000-2000
強誘電ペロブスカイト	$Pb(Zr_{0.47}Ti_{0.53})O_3$(PZT)	>1000

例題3 次のようなパラメータの DRAM がある：容量 $C=40$ fF，面積 $A=1.28\ \mu\text{m}^2$，SiO_2 の比誘電率 $k=3.9$．もし厚さを変えないで SiO_2 を Ta_2O_5（$k=25$）で置き換えたら，等価な容量の面積はいくらになるか？

解答

$$C=\frac{\varepsilon_i A}{d},\quad \frac{3.9\times 1.28}{d}=\frac{25\times A}{d}$$

等価なセルサイズは $A=\dfrac{3.9}{25}\times 1.28 = 0.2\ \mu\text{m}^2$

11.3 ポリ Si の堆積

MOS デバイスのゲート電極として，ポリ Si が使われるようになり，MOS 回路技術は大きく発展した．一つの重要な理由はポリ Si ゲートの方が Al ゲートよりもはるかに信頼性が高いためである．図 15 はポリ Si と Al を電極として用いた場合について，容量がこわれるまでの時間を示したものである[10]．ポリ Si の方が明らかに優れており，特に薄いゲート酸化膜の場合には顕著である．Al 電極が壊れやすいのは，電界が掛かっていると酸化膜中に Al が移動するからである．ポリ Si はまた浅い接合を作るための拡散源としても使われ，結晶 Si へのオーミック接触を確実なものにする．その他の用途としては導電性電極や高い値の抵抗などがある．

ポリ Si の成長には 600～650℃ で動作する減圧成長装置（図 9(a)）が使われ，SiH_4 が次の反応式によって熱分解する．

$$SiH_4 \xrightarrow{600℃} Si + 2\,H_2 \tag{23}$$

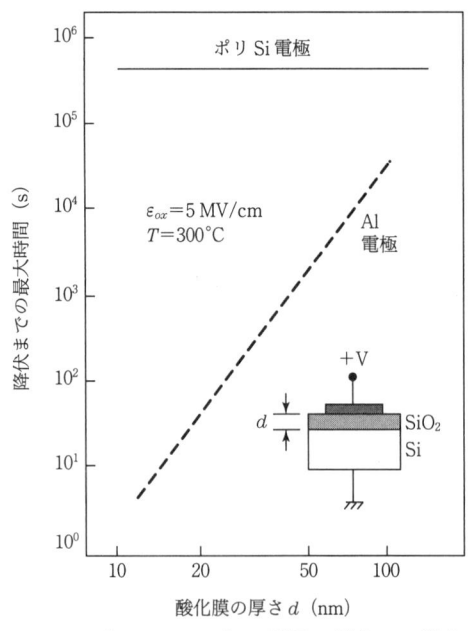

図 15 ポリ Si および Al 電極に対する，降伏までの最大時間の酸化膜厚依存性[10]．

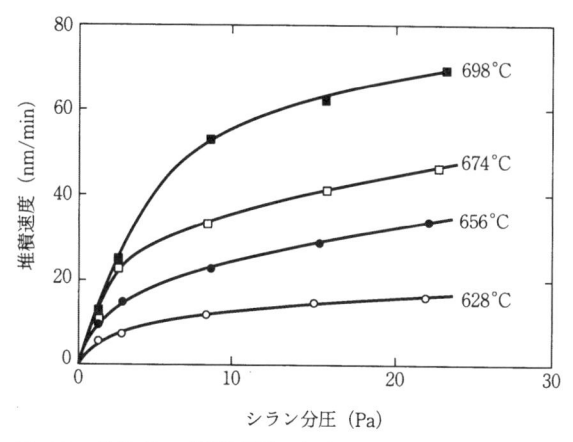

図 16 ポリSiの堆積速度に対するシラン分圧の影響[4].

よく使われる減圧プロセスには二つあって，一つは圧力が25-130 Paで100％のSiH$_4$を使う，もう一つの方法は圧力は同じであるが，窒素で20〜30％に薄められたSiH$_4$を用いる．いずれの方法でも一度に数百枚のウェーハにポリSiを成長させることができ，均一性も優れている（厚さのばらつきは5％以内である）．

図16は四つの成長温度における成長速度を示したものである．SiH$_4$の分圧が低いときには，成長速度はSiH$_4$の圧力に比例している[4]．SiH$_4$の濃度が高くなると成長速度は飽和する．減圧成長では，通常600〜650℃に制限される．この温度範囲では成長速度は$\exp(-E_a/kT)$のように変化する．ここで活性化エネルギーE_aは1.7 eVである．この値は反応系の全圧力には本質的に独立である．温度が高くなると成長膜表面が荒れ，密着性が悪くなる．そしてSiH$_4$が不足して均一性が低下する．600℃以下の温度では成長速度が低すぎて実用的ではない．

ポリSiの構造に影響するプロセスパラメータは，成長温度，ドーパントおよび成長後の温度サイクルである．600〜650℃で成長されたポリSiは，円柱状の構造をしている．この構造は径が0.03〜0.3 μmの多結晶柱からなっており（110）方向に配向している．Pが950℃で拡散されると，構造は結晶粒に成長し平均粒径は0.5〜1.0 μmになる．酸化中に温度が1050℃になると粒径は最終的に1-3 μmに達する．600℃以下で成長した場合には最初に堆積した膜はアモルファスであるがドーピングや熱処理を行うと多結晶粒状，柱状のような成長が見られる．

ポリSiは，拡散，イオン注入，あるいは"その場"ドーピング，つまり成長中にドーパントのガスを添加することにより，ドープすることができる．プロセス温度が低いためにイオン注入法が最も良く使われている．図17は，イオン注入によってPおよびSbをドープした単結晶Siおよび500 nmのポリSiのシート抵抗を示したものである[11]．イオン注入法については第13章で議論する．注入のドーズ量，アニール温度，アニール時間のすべてが，イオン注入されたポリSiのシート抵抗に影響する．結晶粒界でのキャリアのトラップのために，低ドーズイオン注入のポリSiの抵抗は非常に高くなる．図17に示されているようにキャリアトラップがドーパントで飽和されると，抵抗は急激に低下し，イオン注入された単結晶Siの抵抗値に近づく．

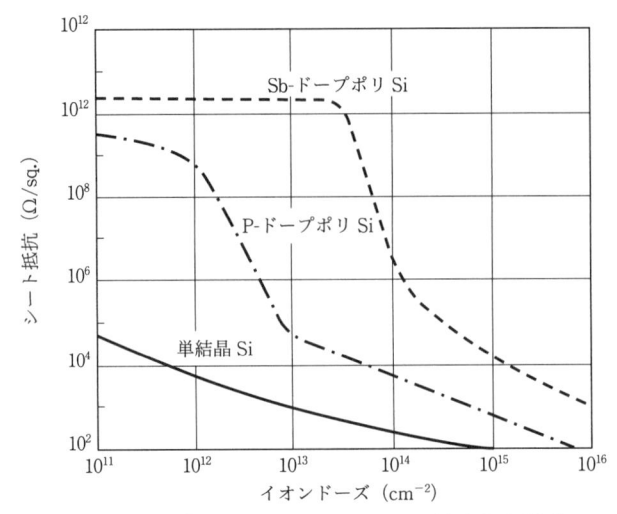

図 17 500 nm ポリ Si に 30 keV でイオン注入した場合のシート抵抗のドーズ量依存性[11].

11.4 メタライゼーション（金属電極の形成）

11.4.1 物理気相堆積法

　金属の最も一般的な物理気相堆積 (physical vapor deposition, PVD) 法は蒸着，電子ビーム蒸着，スパッタなどである．Ti, Al, Cu, TiN, TaN などの金属および金属化合物が PVD 法で堆積される．これらの材料が真空中で融点以上に加熱されると蒸発する．蒸発した原子は真空中を残留ガスと衝突することなく高速で飛ぶ．原料は抵抗加熱，電子ビーム加熱などで溶かされる．集積回路作製の初期の頃は真空蒸着が広く使われたが，最近の ULSI プロセスではスパッタによって置き換えられている．

　イオンビームスパッタでは，加速されたイオンがターゲットに衝突される．図 18(a) は標準的なスパッタ装置を示す．スパッタされた材料はターゲットに対向したウェーハ上に堆積する．イオン電流と加速電圧は独立に調整できる．ターゲットもウェーハも真空装置中に置かれているわけだから，汚染は少なく，ターゲット材料だけがウェーハ上に輸送される．

　イオン密度を増加させ，スパッタ堆積速度を増加させる一つの方法は，第三の電極を使ってイオン化のための電子を供給することである．もう一つの方法は電子サイクロトロン共鳴 (ECR) のように，磁界を用いて電子を捕獲旋回させ，スパッタ・ターゲット近傍でのイオン化

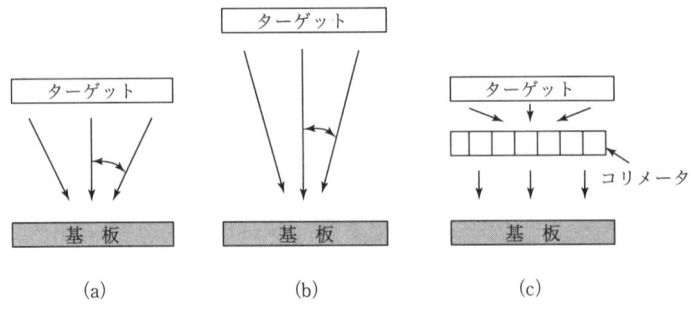

図 18 (a) 標準スパッタ，(b) 長距離スパッタ，(c) コリメータを用いたスパッタ.

率を高めることである．マグネトロン・スパッタリングと呼ばれるこの方法は Al およびその合金に広く応用され，$1\,\mu m$/分の堆積速度が得られている．

長距離スパッタは原料の入射角の分布を制御する技術である．図 18(b) にその装置を示す．通常のスパッタ装置では二つの原因で原料の入射角が大きく分布する．ターゲットと基板の間隔 d_{ts} が狭いことと，ガスによって散乱されることである．この二つの要素はお互いに関連していて，十分なガスの散乱があるときは，高いスループット，良好な均一性と膜質を得るために，d_{ts} を小さくすることが必要である．この問題の解決には，非常に低い圧力でもスパッタできるようにすることが必要で，そのような条件でもマグネトロン・プラズマを維持できるような，いろいろな装置が開発されている．これらの装置では $0.1\,Pa$ のガス圧でもスパッタできて，その場合にはガスによる散乱は問題なくなり，ターゲット・基板間隔をずっと広くできる．幾何学的に当然入射角分布は狭くなり，コンタクトホール（接続孔）の底のような，深いところにも十分堆積できる．

アスペクト比が大きなコンタクトホールの底を埋めるのは本質的に難しい．これは基板の直上にコリメータを置いて，スパッタされるイオンを $\pm 5°$ 以内に平行にすることによってのみ解決できる．この様子が図 18 c に示されている．弾道が垂直から $5°$ 以上ずれている原子はコリメータの側壁に堆積してしまい，基板には到達しない．

11.4.2 CVD（化学気相堆積法）

CVD は金属膜の魅力的な成長法である．なぜならこの方法では段差被覆性が良く，均質な膜を付けることができ，また同時に多数のウェーハに金属膜を付けることができる．基本的な CVD 装置は，絶縁膜およびポリ Si の成長装置と同じである（図 9(a) 参照）．減圧 CVD 法によれば，表面に多くの凹凸があっても理想的な段差被覆性を得ることができ，堆積膜の抵抗率も PVD 法のものに比べて低い．

CVD 法による金属膜の堆積の主な新しい応用は，IC の生産における耐熱性金属の堆積である．たとえば低抵抗で（$5.3\,\mu\Omega\cdot cm$）耐熱性の高い W（タングステン）は，IC の製造において理想的な金属である．

CVD-W

タングステン（W）はコンタクトプラグ（接続栓）と一番下の配線金属の両方に使われる．W は原料として WF_6 を用いて堆積できる．WF_6 は室温付近で液体であって十分な蒸気圧を持ち，Si，水素，シラン（SiH_4）で還元される．CVD-W の基本的化学反応は次のようである．

$$WF_6 + 3H_2 \longrightarrow W + 6HF\,(水素による還元) \tag{24}$$

$$2WF_6 + 3Si \longrightarrow 2W + 3SiF_4\,(Si による還元) \tag{25}$$

$$2WF_6 + 3SiH_4 \longrightarrow 2W + 3SiF_4 + 6H_2\,(シランによる還元) \tag{26}$$

Si へのコンタクトでは，Si による還元により選択成長が始まる．SiO_2 ではなく Si 上にのみ W の核形成が起こる．その後水素による還元で W が急速に堆積し，コンタクトプラグを形成する．水素による還元では，凹凸をきれいに覆うことができる．しかしながらこのプロセスは完全な選択性はなく，反応生成物である HF ガスによって酸化膜が侵食され，堆積した W 表面が荒れる．

シランによる還元は水素による還元より堆積速度が速くWの粒径が小さくなる．さらに副生成物としてHFができないので，酸化膜が侵触されることも，W表面が荒れることもなくなる．通常，厚いW層を堆積する最初の核形成としてシランによる還元を使い，接合へのダメージを軽減する．その後水素還元により厚いW層を堆積する．

CVD-TiN

TiNはメタライゼーションの拡散障壁用金属として広く使われ，化合物ターゲットからのスパッタまたはCVDによって堆積される．CVD-TiNはディープサブミクロン技術においてPVD法よりも段差被覆性が良い．CVD-TiNはTiCl$_4$とNH$_3$，N$_2$/H$_2$，あるいはNH$_3$/H$_2$を用いて堆積できる[12~14]：

$$6\,\mathrm{TiCl_4} + 8\,\mathrm{NH_3} \longrightarrow 6\,\mathrm{TiN} + 24\,\mathrm{HCl} + \mathrm{N_2} \tag{27}$$

$$2\,\mathrm{TiCl_4} + \mathrm{N_2} + 4\,\mathrm{H_2} \longrightarrow 2\,\mathrm{TiN} + 8\,\mathrm{HCl} \tag{28}$$

$$2\,\mathrm{TiCl_4} + 2\,\mathrm{NH_3} + \mathrm{H_2} \longrightarrow 2\,\mathrm{TiN} + 8\,\mathrm{HCl} \tag{29}$$

堆積温度はNH$_3$還元では400°-700℃，N$_2$/H$_2$還元では700℃以上である．堆積温度が高いほど，膜質は良くなりTiNに含まれるClが減る（約5％）．

11.4.3 Al電極形成

Alとその合金はICの金属電極として広く使われている．Al薄膜はPVD法あるいはCVD法で堆積できる．Alとその合金は，Alで$2.7\,\mu\Omega\cdot\mathrm{cm}$，合金で$3.5\,\mu\Omega\cdot\mathrm{cm}$と抵抗率が低く，配線の要求を満たしている．AlはまたSiO$_2$膜に非常に良く密着する．しかしながらAlをICの浅い接合の電極として用いる場合には，しばしばスパイキングやエレクトロマイグレーションのような問題を生ずる．この節ではAlの金属電極としての問題とそのいろいろな解決法について考えてみる．

接合のスパイキング

図19はAl-Si合金の1気圧での相図を示したものである[15]．相図は温度の関数として，これら二つの物質の関係を示したものである．Al-Siは共融特性を示す．すなわちいずれかの元素を加えることによって融点がその各々の金属の融点より低くなる．ここで共融温度と呼ばれる融点の最小値は577℃で，11.3％Si-88.7％Alの組成に相当する．純粋なAlおよびSiの融点はそれぞれ660および1412℃である．共融特性のためにAlをSi基板上に付けるときの温度を577℃以下にしなければならない．

図19の挿入図は，Al中へのSiの溶解度を示したものである．たとえばAl中でのSiの溶解度は400℃で0.25重量％，450℃で0.5重量％，そして500℃で0.8重量％である．したがってAlがSiと接している場合には，SiはアニールがAlに溶け込むことになる．溶け込むSiの量は，単にアニール温度での溶解度に依存するばかりでなく，Siで飽和するAlの体積にも依存する．図20に示されているように，厚さHのAl金属が面積ZLでSiと接触している場合を考えよう．アニール時間（熱処理時間）tのあと，SiはAlと接触している界面から約$\sqrt{Dt}$だけ拡散する．ここでDは拡散定数で，蒸着されたAl膜におけるSiの拡散については$4\times10^{-2}\exp(-0.92/kT)$で与えられる．これだけの長さのAl電極がすべてSiで飽和するとすれば，その

図 19 Al-Si の相図[15].

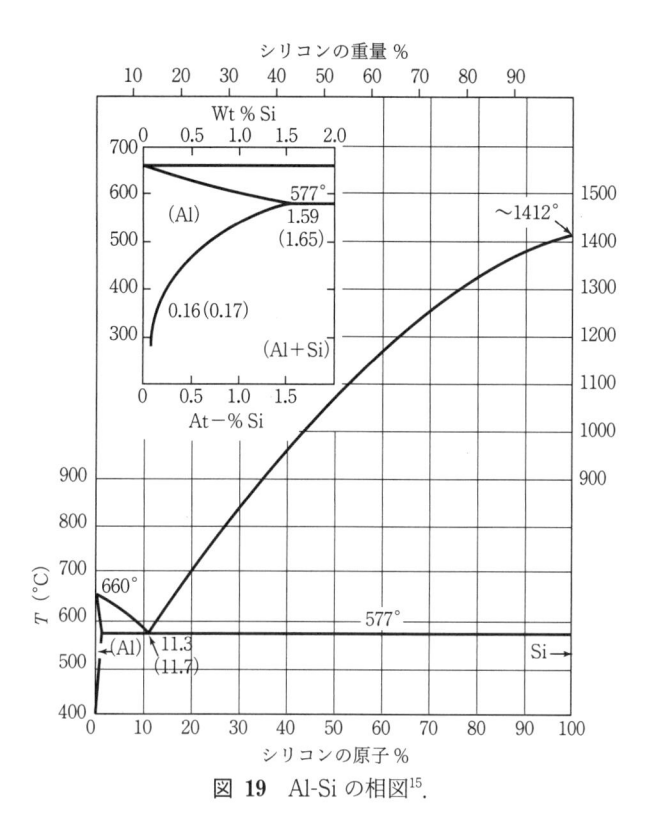

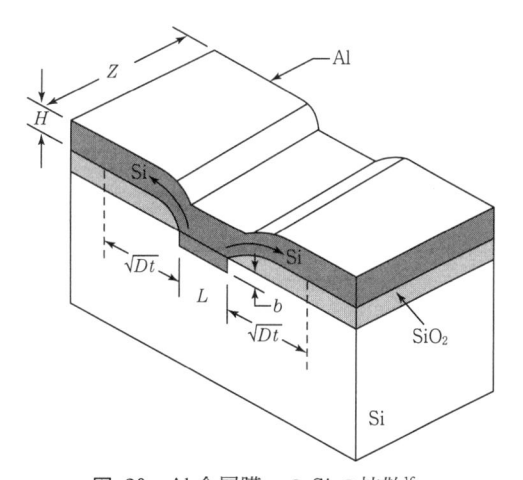

図 20 Al 金属膜への Si の拡散[16].

ために消費される Si の量は次のようになる.

$$\mathrm{Vol} \cong 2\sqrt{Dt}\,(HZ)\,S\left(\frac{\rho_{\mathrm{Al}}}{\rho_{\mathrm{Si}}}\right) \tag{30}$$

ここで ρ_{Al} および ρ_{Si} はそれぞれ Al および Si の密度で S はアニール温度における Al 中への Si の溶解度である[16]. もし接触面積 A すべてに一様に Si が消費されるとすれば（一様に溶解するとすれば $A=ZL$），消費される Si の深さ b は次のようになる.

$$b \cong 2\sqrt{Dt}\left(\frac{HZ}{A}\right)S\left(\frac{\rho_{Al}}{\rho_{Si}}\right) \tag{31}$$

例題4 $T=500°C$, $t=30$ min, $ZL=16$ μm^2, $Z=5$ μm, $H=1$ μm とする．SiがAl中に一様に溶解するものとして深さ b を求めよ．

解答 500°CにおけるAl中のSiの拡散係数は約 2×10^{-8} cm^2/s である．したがって，$\sqrt{Dt}$ は60 μm である．密度の比は $2.7/2.33=1.16$ である．

500°CにおいてSは0.8重量%である．式(31)から次のようになる．

$$b=2\times 60\left(\frac{1\times 5}{16}\right)0.8\%\times 1.16=0.35\ \mu m$$

AlはSiを消費することによって初めの位置から深さ $b=0.35$ μm の位置に達する．もし接触している所で接合の深さが b よりも小さい場合には，SiがAl中に拡散することにより接合は短絡してしまう．

実際上はSiの融解は一様には起こらず，ある限定された2，3の点で起こる．したがって式(31)における実効的な面積は実際の接合面積よりもずっと少なくなる．そのため b はずっと大きな値になる．図21は p-n 接合の実際の状況を示したもので，Alはほんの2，3の点でスパイク状にSi中に進入している．このようなAlのスパイクを最小にする一つの方法は，AlとSiを同時に蒸着し，Al中のSiの溶解度近くまでSiを加えることである．もう一つの方法はAlとSi基板の間に障壁となるような金属を挿入することである（図22）．この障壁となる金属は，次のような条件を満足しなければならない：Siと低抵抗の接触をすること，Alと反応しないこと，そしてその金属の堆積あるいは成長は他の全体のプロセスと整合が取れていること．TiN（窒化チタン）のような金属が調べられた結果，550°C，30分までの熱処理に対して安定である

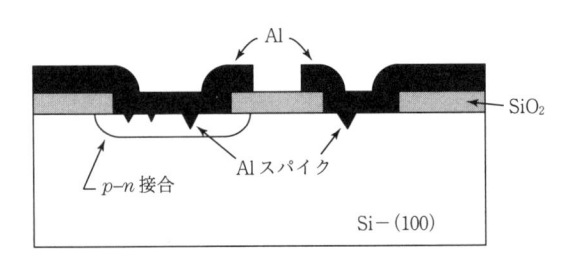

図21 Siに接するAl膜の模式図．Si中へのAlスパイクに注意．

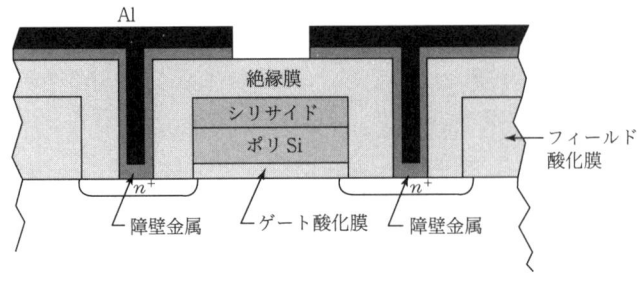

図22 AlとSiの間に障壁金属があり，ゲート電極ポリSiとシリサイドを有するMOSFETの断面図．

ことが見出されている．

エレクトロマイグレーション

第6章で我々はデバイス寸法の縮小化について議論した．デバイスが小さくなると流れる電流密度が大きくなる．電流密度が大きくなると，エレクトロマイグレーションによってデバイスが壊れる可能性がでてくる．エレクトロマイグレーションというのは，電流の影響によって質量（金属の原子）が動く現象である．これは電子の運動量が正の金属イオンに移ることによって起こる．ICの薄い金属導体に大電流が流れると，ある部分には金属イオンが盛り上がり，他の部分では金属のなくなった所ができる．盛り上がった所（pile up）は隣の導体と短絡するし，金属のなくなった所（void）は断線の原因になる．

エレクトロマイグレーションによって配線が断線するまでの平均時間（MTF）は電流密度 J および活性化エネルギー E_a に関係し，次のように表される．

$$\mathrm{MTF} \sim \frac{1}{J^2} \exp\left(\frac{E_a}{kT}\right) \tag{32}$$

実験的には蒸着されたAl膜での活性化エネルギーは，$E_a \cong 0.5\,\mathrm{eV}$ と求められている．このことは低温での結晶粒界の拡散が物質輸送の一義的な担い手になっていることを示しているように見える．なぜなら，単結晶Alの自己拡散の活性化エネルギーは $E_a \cong 1.4\,\mathrm{eV}$ であるからである．Al導電膜のエレクトロマイグレーションを起こしにくくするためにはいくつかの方法がある．これらの方法としては銅と合金化する（たとえばAlに0.5% Cuを混ぜる），導電体を絶縁膜で覆う，あるいは膜を成長している間に酸素を導入すること等である．

11.4.4 銅のメタライゼーション

配線における RC 時間の遅れを小さくするために，高伝導率の配線と低誘電率の絶縁層の両方が必要であることがよく知られている．Cuは，Alと比較して，高い伝導率と，エレクトロマイグレーションに対する高い抵抗力を有するため，新しい配線材料として最も有望である．さらに，Cuは，PVD，CVD，および，電気化学的方法によって堆積することができる．しかし，ULSI回路において，Alの替わりにCuを使用した場合，次のようないくつかの問題が生じる．まず，Cuは，通常のチップ製作条件において腐食する．また，適当なドライエッチングの方法が存在せず，Al上の Al_2O_3 のような安定な自己保護酸化膜もできない．さらに，SiO_2 や低誘電率ポリマーのような誘電材料に対する密着性も悪い．この節では，Cuメタライゼーションの技術について議論する．

Cu多層配線の作成法については，いくつかの異なる方法が報告されている[17,18]．第1の方法は，従来のように，金属配線をパターニングし，その後，誘電体層を堆積するものである．第2の方法は，誘電体層を最初にパターニングし，続いて，その溝をCu金属で埋めるものである．この方法では，さらに，後に11.4.5項で述べる化学機械研磨法により，誘電体膜の表面に突き出ている余分な金属を取り除き，コンタクトホール（接続孔）や溝の部分にCuを残す．この方法は，また，ダマシーン（象嵌）プロセスとして知られている．

ダマシーン（象嵌）技術

Cu-ポリイミド配線構造を作る方法は"ダマシーン（象嵌）"あるいは"二重ダマシーンプロ

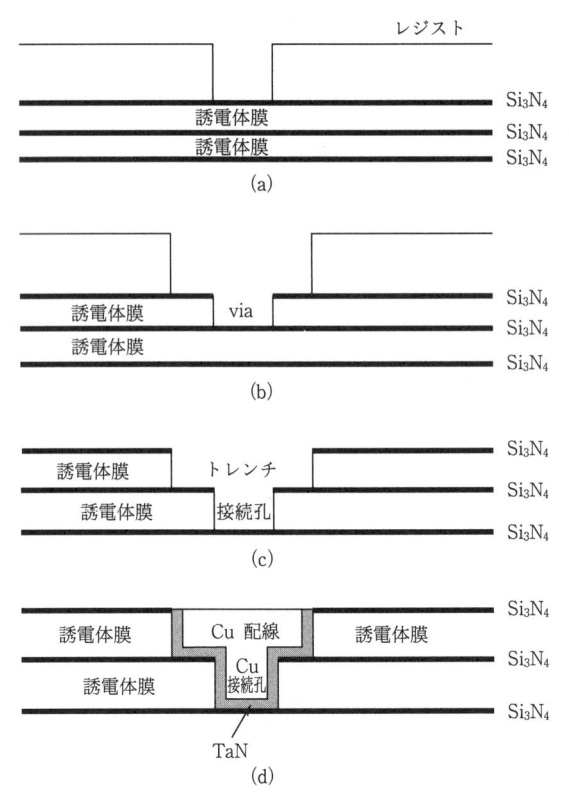

図 23 二重ダマシーン法により Cu 線-びょう構造を作るためのプロセス．(a) レジスト塗布，(b) 反応性イオンエッチングによる誘電体膜とレジストのパターニング，(c) 溝とコンタクトホールの作製，(d) Cu の堆積と化学機械研磨 (CMP)．

セス"と呼ばれている．図 23 は，最先端の Cu 配線構造に用いられている二重ダマシーン法を示している．代表的なダマシーン構造では，金属配線用の溝が決められ，中間誘電体層 (ILD) がエッチングされ，その後，TaN/Cu が堆積される．TaN 層は，Cu が低誘電率ポリイミドに進入するのを防ぐ拡散障壁層として働く．表面の余分な Cu は取り除かれ，金属が誘電体にはめ込まれた形（ダマシーン…象嵌技術）で平坦な表面が得られる．

二重ダマシーンプロセスでは，誘電体に作られる接続孔と溝は 2 回のリソグラフィと反応性イオンエッチング (RIE) によって作られ，その後，Cu 金属が堆積される（図 23(a)-(c)）．それから，表面の余分な Cu が化学機械研磨によって取り除かれ，絶縁体に埋め込まれたコンタクトプラグ（接続柱）と配線が，表面が平らな形で作られる[19]．二重ダマシーン法の特に優れた点の一つは，接続柱と配線が同じ材質であり，接続柱の部分でのエレクトロマイグレーションによる故障の危険が少なくなることである．

例題 5 Al のかわりに Cu 配線を使い，SiO_2 のかわりに低誘電率誘電体（$k=2.6$）を使うとすると，RC 時定数は何%減少するか．（Al と Cu の抵抗率はそれぞれ 2.7 および 1.7 $\mu\Omega\cdot cm$ とする．）

解答

$$\frac{1.7}{2.7} \times \frac{2.6}{3.9} \times 100\% = 42\%.$$

11.4.5 化学機械研磨（CMP）法

近年，化学機械研磨（chemical-mechanical polishing, CMP）法の発達が，多層配線にとって非常に重要になってきている．なぜなら，この方法が，包括的平坦性を得る（すなわち，ウェーハ全体を平らな表面にする）ほぼ唯一の技術であるからである．CMPは他の技術に比べて多くの利点がある．①大きい構造も小さい構造も包括的に平坦化できる．②欠陥密度を減少できる．③プラズマ損傷を避けることができる．三つのCMP技術が表4にまとめられている．

CMPプロセスは，試料表面とパットの間にスラリ（研磨材液）を挟んで，試料がパットに対して動く構造になっている．スラリ中の研磨材が，試料表面に機械的損傷を与え，材料を化学的にエッチングされやすくする．また，表面の突起物を破砕して，スラリ中に溶け込ませ運び去る．ほとんどの化学反応が一様に起こるため，表面の突起点から効率的に材料が除去され，平坦化に非常に効果的である．理論的には，機械的研磨だけでもこの様な平坦化は可能であるが，材料表面に多くの損傷を与えるため好ましくない．このプロセスは主に三つ要素に分けられる．すなわち，①滑らかにすべき表面，②パット——これは機械的動作を，滑らかにするべき表面に伝える鍵を握る媒体，③スラリ——これは化学的および機械的効果をもたらす研磨材液，の三つである．図24にCMPの仕組みを示す[20]．

例題6 酸化物の除去速度，および，酸化物の下の層（停止層と呼ばれる）の除去速度をそれぞれ$1r$および$0.1r$とする．$1\,\mu\text{m}$の酸化膜と$0.01\,\mu\text{m}$の停止層を除去するのに5.5分要した．酸化物の除去速度を求めよ．

解答

$$\frac{1}{1r} + \frac{0.01}{0.1r} = 5.5$$

$$\frac{1.1}{1r} = 5.5, \quad r = 0.2\,\mu\text{m/min}$$

表 4 三つの化学機械研磨法

方法	ウェーハ面	圧盤の動き	スラリ（研磨材液）の供給
回転CMP	下方	回転ウェーハ台に対して回転	パッド表面に滴下
軌道CMP	下方	回転ウェーハ台に対して軌道	パッド表面を通して
線状CMP	下方	回転ウェーハ台に対して線状	パッド表面に滴下

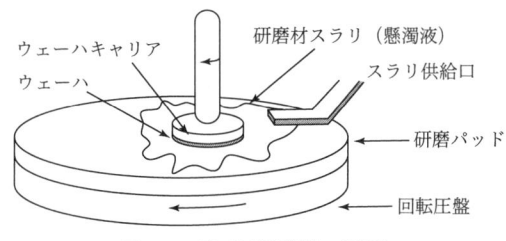

図 24 CMP研磨機の概要．

11.4.6 シリサイド

シリコンは，金属との間に多くの安定した金属的あるいは半導体的化合物を形成する．いくつかの金属シリサイドは比抵抗が低く，熱的に安定であるためULSIへの応用に適している．$TiSi_2$およびCoSi$_2$のようなシリサイドは，比抵抗が比較的低く，一般的な集積回路プロセスに適合する．シリサイドは，デバイスが小さくなるに従い，重要なメタライゼーション材料になっている．シリサイドの最も重要な応用の一つは，単独あるいはドープされたポリSiと一緒に（ポリサイド），MOSFETのゲート酸化膜上の電極として使うことである．表5はTiSi$_2$とCoSi$_2$の比較を示している．

金属シリサイドはソース，ドレイン，ゲート電極および配線の接触抵抗を減らすために使われている．自己整合（self aligned）による金属シリサイドの技術（サリサイド）は，サブミクロンデバイスおよび回路の特性向上にとって非常に魅力的な技術であることが広く認められている．自己整合プロセスでは，シリサイドゲート電極を，（第13章で議論するイオン注入を用いて），MOSFETのソースおよびドレイン電極を形成するためのマスクとして使う．このプロセスはこれらの電極の重なりを最小にし，したがって既成容量を低減することができる．

図25はポリサイド，およびサリサイドプロセスを示している．代表的なポリサイド作成工程は図25(a)に示されている．スパッタ堆積には，シリサイドの品質を十分なものにするために，高温および高純度の化合物ターゲットが使われる．ポリサイドプロセスに最もよく使われるシリサイドはWSi$_2$，TaSi$_2$，およびMoSi$_2$である．これらはすべて耐熱性で，熱的に安定であり，化学薬品にも強い．自己整合シリサイドプロセスが図25(b)に示されている．このプロセスでは，ポリSiゲートがシリサイド無しでパターニングされる．そして，側壁のスペーサ（シリコン酸化物あるいは窒化物）が，シリサイドを作る間にゲートがソースあるいはドレインと短絡することを防ぐために形成される．TiあるいはCoの金属層が全面にスパッタされ，その後シリサイドにするため焼結が行われる．シリサイドは原理的に金属とシリコンが接触している部分のみで形成される．シリサイドになっていない未反応の金属が，エッチング除去され，表面にシリサイドのみが残る．この技術では，混成ポリサイドゲート構造をパターニングする必要がなくなり，ソース-ドレイン領域にシリサイドができて，接触抵抗を低減することができる．

シリサイドは，その低抵抗率と良好な熱的安定性のためULSI回路にとって非常に有望な材料である．CoSi$_2$は，その最も低い抵抗率と高温での熱的安定性のため，最近広く研究されている．しかし，Coは酸素を含んだ雰囲気や自然酸化膜に非常に敏感で，シリサイド化の過程で消費するシリコンの量が多いという問題がある．

表5 TiSi$_2$とCoSi$_2$膜の比較

性質	TiSi$_2$	CoSi$_2$
抵抗率（$\mu\Omega\cdot cm$）	13-16	22-28
シリサイド／金属比	2.37	3.56
シリサイド／Si比	1.04	0.97
自然酸化膜の反応性	Yes	No
シリサイド化温度（℃）	800-850	550-900
膜中圧縮応力（dyne/cm^2）	1.5×10^{10}	1.2×10^{10}

第 11 章　薄膜の形成

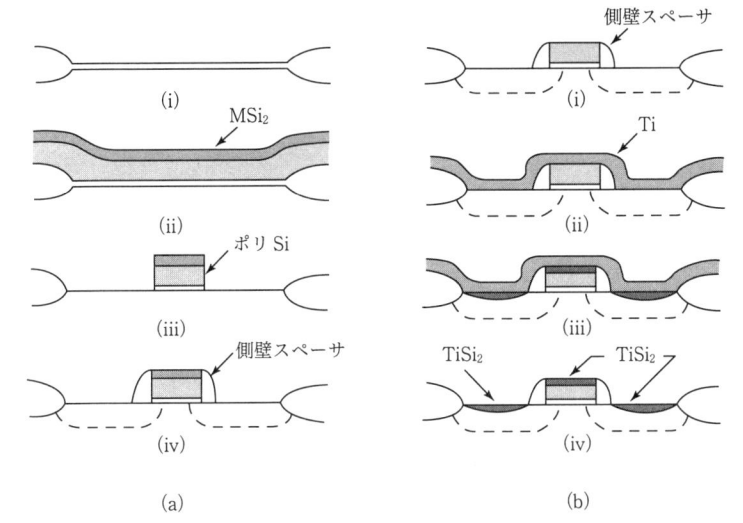

図 25 ポリサイド，およびサリサイドプロセス．(a) ポリサイド構造：(i) ゲート酸化膜，(ii) ポリ Si とシリサイドの堆積，(iii) ポリサイドのパターニング，(iv) 低ドープドレイン (LDD) 用イオン注入，側壁の形成と S/D のイオン注入．(b) サリサイド構造：(i) ゲートパターニング（ポリ Si のみ），LDD，側壁の形成と S/D のイオン注入，(ii) 金属 (Ti, Co) の堆積，(iii) シリサイド形成のためのアニール，(iv) 未反応金属を取り除くための選択エッチング（湿式）．

例題 7　シート抵抗を $0.6\,\Omega/\mathrm{sq}$ にしたい．$CoSi_2$ の厚さを計算せよ．ただし抵抗率は $18\,\mu\Omega\cdot\mathrm{cm}$

解答　抵抗率はシート抵抗と膜の厚さの積である．

$$\rho = R_s \times t$$

したがって，

$$t = \frac{\rho}{R_s} = \frac{18 \times 10^{-6}}{0.6} = 3 \times 10^{-5}\,\mathrm{cm} = 300\,\mathrm{nm}$$

まとめ

　最新の半導体デバイスの作成には，多くの薄膜を使う必要がある．現在 4 種類の重要な薄膜がある——熱酸化膜，誘電体層，ポリ Si，および金属薄膜である．薄膜形成に重要な主な項目は次のようである．低温プロセスであること，段差被覆性が良いこと，選択堆積ができること，均一性，膜質平坦化，スループットそして大きなウェーハに適応できることである．

　熱酸化は最も高品質な Si-SiO_2 界面を提供でき，界面トラップ密度も最も低い．したがって，熱酸化はゲート酸化膜およびフィールド酸化膜の形成に使われる．誘電体およびポリ Si の LPCVD は良好な段差被覆性を提供できる．これに対して PVD および常圧 CVD は通常段差被覆性が良くない．CMP により包括的な平坦化ができ，欠陥密度も減少できる．良好な段差被覆性と平坦性はディープサブミクロン・リソグラフィにおける精密パターン転写に非常に重要である．パターン転写技術は次の章で述べる．

　ULSI 回路の多層配線構造の要求に応えるためには，寄生抵抗および容量による RC 時間遅れを最小にすることが必要である．そのためオーミック接触にはシリサイドのプロセスが，配線に

はCuメタライゼーションが，層間絶縁物には低誘電率材料が広く使われている．さらにゲート絶縁物の特性を向上させ，DRAM用の単位面積当りの容量を増加させるために，高誘電率材料が研究されている．

参 考 文 献

1. E. H. Nicollian and J. R. Brews, *MOS Physics and Technology*, Wiley, New York, 1982.
2. B. E. Deal and A. S. Grove, "General Relationship for the Thermal Oxidation of Silicon," *J. Appl. Phys.*, **36**, 3770 (1965).
3. J. D. Meindl, et al., "Silicon Epitaxy and Oxidation," in F. Van de wiele, W. L. Engl, and P. O. Jespers, Eds., *Process and Device Modeling for Integrated Circuit Design*, Noorhoff, Leyden, 1977.
4. For a discussion on film deposition, see, for example, A.C. Adams, "Dielectric and Polysilicon Film Deposition," in S. M. Sze, Ed., *VLSI Technology*, McGraw-Hill, New York, 1983.
5. K. Eujino, et al., "Doped Silicon Oxide Deposition by Atmospheric Pressure and Low Temperature Chemical Vapor Deposition Using Tetraethoxysilane and Ozone," *J. Electrochem. Soc.*, **138**, 3019 (1991).
6. A. C. Adams and C. D. Capio, "Planarization of Phosphorus-Doped Silicon Dioxide," *J. Electrochem. Soc.*, **127**, 2222 (1980).
7. T. Yamamoto et al., "An Advanced 2.5nm Oxidized Nitride Gate Dielectric for Highly Reliable 0.25 µm MOSFETs," *Symp. on VLSI Technol. Dig. of Tech. Pap*, 1997, p. 45.
8. K. Kumar, et al., "Optimization of Some 3 nm Gate Dielectrics Grown by Rapid Thermal Oxidation in a Nitric Oxide Ambient," *Appl. Phys. Lett.*, **70**, 384 (1997).
9. T. Homma, "Low Dielectric Constant Materials and Methods for Interlayer Dielectric Films in Ultralarge-Scale Integrated Circuit Multilevel Interconnects," *Mater. Sci. Eng.*, **23**, 243 (1998).
10. H. N. Yu, et al., "1 µm MOSFET VLSI Technology. Part I—An Overview," *IEEE Trans. Electron Devices*, **ED-26**, 318 (1979).
11. J. M. Andrews, "Electrical Conduction in Implanted Polycrystalline Sillicon," *J. Electron. Mater.*, **8**, 3, 227 (1979).
12. M. J. Buiting, A. F. Otterloo, and A. H. Montree, "Kinetical Aspects of the LPCVD of Titanium Nitride from Titanium Tetrachloride and Ammonia," *J. Electrochem. Soc.*, **138**, 500 (1991).
13. R. Tobe, et al., "Plasma-Enhanced CVD of TiN and Ti Using Low-Pressure and High-Density Helicon Plasma," *Thin Solid Film*, **281–282**, 155 (1996).
14. J. Hu, et al., "Electrical Properties of Ti/TiN Films Prepared by Chemical Vapor Deposition and Their Applications in Submicron Structures as Contact and Barrier Materials," *Thin Solid Film*, **308**, 589 (1997).
15. M. Hansen and A. Anderko, *Constitution of Binary Alloys*, McGraw-Hill, New York, 1958.
16. D. Pramanik and A. N. Saxena, "VLSI Metallization Using Aluminum and Its Alloys," *Solid State Tech.*, **26**, No. 1, 127 (1983), **26**. No. 3, 131 (1983).
17. C. L. Hu, and J. M. E. Harper, "Copper Interconnections and Reliability," *Matter. Chem. Phys.*, **52**, 5 (1998)
18. P. C. Andricacos, et al., "Damascene Copper Electroplating for Chip Interconnects," 193rd *Meet. Electrochem. Soc.*, 1998, p. 3
19. J. M. Steigerwald, et al., "Chemical Mechanical Planarization of Microelectronic Materials," Wiley, New York, 1997.
20. L. M. Cook, et al.,*Theoretical and Practical Aspects of Dielectric and Metal CMP*, Semicond. Int., p. 141 (1995).

問題（＊印は高度な問題を示す）

11.1節 熱酸化に関する問題

1. 比抵抗 10 Ω·cm の p 形 (100) 面 Si ウェーハが 1050°C の湿式酸化装置にセットされて

第11章　薄膜の形成　　361

いる．0.45 μm のフィールド酸化膜を成長させるのに必要な時間を求めよ．
*2. 問題1の酸化の後，酸化膜に窓を開け，1000°C，20分の乾燥酸化でゲート酸化膜を成長した．ゲート酸化膜の厚さとフィールド酸化膜の全厚さを求めよ．
3. 式(11)が長時間に対しては $x^2=Bt$，短時間では $x=B/A(t+\tau)$ になることを示せ．
4. (100) 面 Si を 980°C，1気圧の乾燥酸化を行う場合の拡散係数 D を求めよ．

11.2節　誘電体膜の堆積に関する問題

5. (a) プラズマ CVD 窒化 Si 膜が 20 原子％の水素を含み，Si/N の比が1.2である．Si_xN_y と表した場合の x と y を求めよ．(b) $\gamma=Si/N$ による膜の抵抗率の変化が，$0.8<\gamma<2$ の場合，$5\times10^{28}\exp(-33.3\gamma)$ と表されるとする．(a) の膜の抵抗率を求めよ．
6. SiO_2，Si_3N_4，Ta_2O_3 の誘電率がそれぞれ 3.9，7.6，25 であるとする．Ta_2O_3 を用いた容量と，SiO_2 と Si_3N_4 の厚さが等しい $SiO_2/Si_3N_4/SiO_2$（全厚さは Ta_2O_3 の厚さと同じ）を用いた容量との比を求めよ．
7. 問題6で Ta_2O_3 の代わりに厚さが等しく，誘電率が 500 の BST を用いた場合，同一容量を得るための面積はどれだけ小さくなるか？
8. 問題6で同一容量の SiO_2 で表した Ta_2O_3 の等価的な厚さはいくらか．ただし，Ta_2O_3 の実際の厚さは $3t$ とする．
9. アンドープ SiO_2 膜をシランと酸素の反応で堆積する場合，堆積速度は 425°C で 15 nm/分であった．堆積速度を倍にするには堆積温度を何度にすれば良いか？
10. リンガラスフローでは 1000°C 以上の温度が必要である．ULSI ではデバイス寸法が小さくなり，温度を下げなければならない．金属配線間で絶縁物として使うことのできる SiO_2 膜により，900°C 以下で平坦な表面が得られる方法を挙げよ．

11.3節　ポリ Si の堆積に関する問題

11. ポリ Si の堆積には，塩化 Si よりシランが良く使われる理由は何か？
12. ポリ Si の堆積温度が，600°C～650°C と比較的低い理由を説明せよ．

11.4節　メタライゼーションに関する問題

13. MOS 容量を作製するための Al の堆積に，電子ビーム蒸着装置が使われる．フラットバンド電圧が，電子ビーム照射によって 0.5 V ずれたとすると，固定電荷（酸化膜の厚さは 50 nm とする）はいくらか？また，これらの電荷はどのようにすれば取り除かれるか？
14. 金属膜のシート抵抗が 5 Ω/sq であったとする．幅 $W=0.25$ μm，長さ $L=20$ μm の金属線の抵抗を計算せよ．
15. 最初の Ti，Co の厚さが 30 nm の場合の，$TiSi_2$ と $CoSi_2$ の厚さを求めよ．
16. シリサイドとして使う場合の，$TiSi_2$ と $CoSi_2$ の利点，欠点を比較せよ．
17. 誘電材料は二つの平行な金属配線の間に置かれる．長さ $L=1$ cm，幅 $W=0.28$ μm，厚さ $T=0.3$ μm，間隔 $S=0.36$ μm とする．(a) RC 時間遅れを計算せよ．ただし，

金属は Al で抵抗率は $2.67\,\mu\Omega\cdot\text{cm}$，誘電体は誘電率 3.9 の SiO_2 とする．(b) RC 時間遅れを計算せよ．ただし，金属は Cu で抵抗率は $1.7\,\mu\Omega\cdot\text{cm}$，誘電体は誘電率 2.8 の有機ポリマーとする．(c), (a) と (b) の結果を比較し，RC 時間遅れがいくら減少するかを示せ．

18. 容量の縁ファクタが 3 であるとして，問題 17 (a) (b) を計算し直せ．

19. エレクトロマイグレーションを防ぐためには，Al 配線に流せる最大の電流密度は $5\times 10^5\,\text{A/cm}^2$ である．配線長が 2 mm，幅 1 μm，名目上の厚さが 1 μm，配線長の 20% が段差のところに掛かっていて，そこでの厚さを 0.5 μm とすると，抵抗率を $3\times 10^{-6}\,\Omega\cdot\text{cm}$ とした場合の，配線の全抵抗を求めよ．また，配線に掛けられる最大電圧はいくらか？

20. Cu を配線材料として使う場合，SiO_2 膜を通しての Cu の拡散，Cu の SiO_2 膜への密着性，Cu の腐食，などのいくつかの問題を克服しなければならない．これらの問題を克服する一つの方法が，Cu 配線を保護するためクラッド/密着層（Ta や TiN）を使うことである．断面積 0.5 μm×0.5 μm のクラッド Cu を，同じ寸法の TiN/Al/TiN と比較せよ．ただし，上下の TiN の厚さはそれぞれ 40 nm，60 nm とする．クラッド Cu と TiN/Al/TiN の抵抗が等しくなる，クラッド層の最大値はいくらか？

第12章　リソグラフィとエッチング

12.1　光学的リソグラフィ
12.2　次世代のリソグラフィ
12.3　湿式化学エッチング
12.4　乾式エッチング
12.5　マイクロエレクトロメカニカルシステム（MEMS）
　ま　と　め

　リソグラフィとは，マスクの幾何学的模様（パターン）を，半導体ウェーハの上につけた感光性物質（フォトレジスト）に転写することである[1]．このパターンは，イオン注入領域，電極の窓，リード線接着部などの集積回路の部分域を定める．このリソグラフィで描かれたレジストは，デバイスに残されるものではなく，プロセス中の一時的なものである．固定的な回路を作るには，レジストのパターンを，デバイスの永久膜に移さなければならない．そのためにはレジストを一次的なマスクとして，永久的な膜をエッチングする[2]．その簡単な説明は，既に4.1節で行った．

　本章では，特に次の項目を取り上げる．
・リソグラフィでのクリーンルーム（無塵室）の重要性
・最も広く用いられている光学リソグラフィとその解像度の強化
・その他のリソグラフィの利点と限界
・半導体，絶縁膜，金属膜の湿式化学エッチングの機構
・高品質パターン転写のプラズマ（乾式）エッチング
・異方性エッチング，犠牲膜エッチング，LIGAを用いるマイクロエレクトロメカニカルシステム（MEMS）

12.1　光学的リソグラフィ

　現在の集積回路(IC)製造のリソグラフィ装置の大部分は，紫外線(波長が$0.2 \sim 0.4\,\mu m$)を用いている．ここでは，露光・マスク・レジストおよび解像度増強の手法について述べよう．他のリソグラフィにも共通する，パターンの転写プロセスも述べる．まずクリーンルームについて考えよう．リソグラフィのプロセスは，きわめて清浄な環境で行う必要があるからである．

12.1.1 クリーンルーム（無塵室）

IC製造のリソグラフィに無塵室は不可欠である．空気中のごみがウェーハやリソグラフィのマスクに付着すると，デバイスに欠陥が発生し，回路は駄目になる．たとえば，エピ成長時に表面にごみが付着すれば，単結晶成長は乱され，転位などが発生する．ゲート酸化膜にとり込まれたごみは，短絡路を作り，低い逆耐圧による動作不良を生じる．リソグラフィでは，事態はもっと深刻になる．マスクにごみが付けば，そこは不透明になり，図1に示すように[3]，そのままマスクのパターンの一部として転写される．ごみ1は，永久膜にピンホールを生じさせる．ごみ2

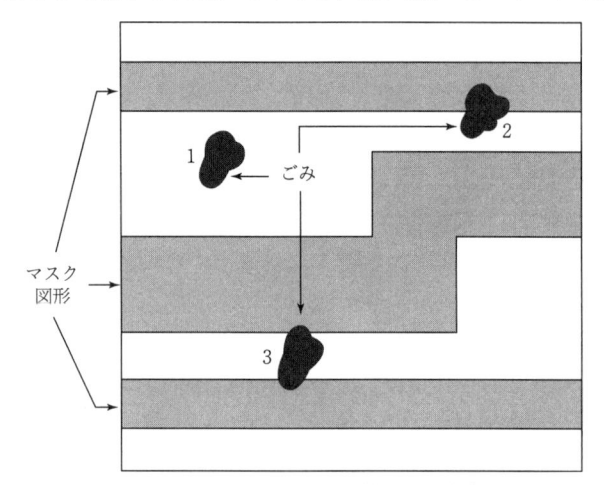

図1 パターン上のゴミ粒子の影響[3].

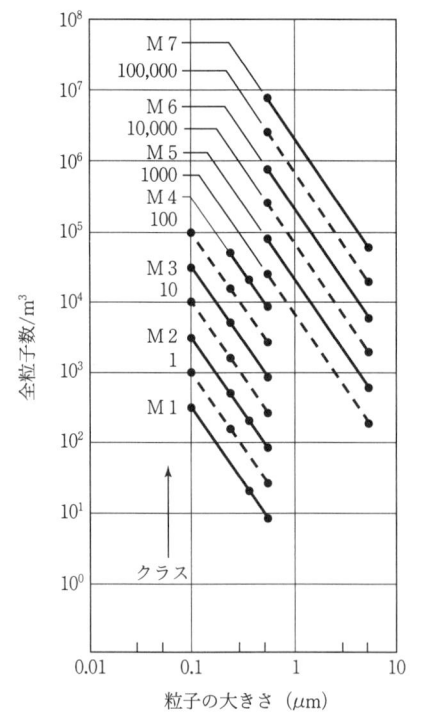

図2 無塵室の英式（点線）とメートル式（実線）のクラス分け[4].

は，パターンの端に位置し，金属の電流路をせばめることになる．ごみ3は，二つの回路を短絡してしまう．

無塵室では，ごみの数だけではなく，温度と湿度も制御しなければならない．図2は，無塵室の等級とそのごみ寸法分布関数を示す．等級の表示に，二つの方式がある[4]．英式表示では，1立方フィート当りの0.5 μm より大きな粒子の数で表す．メートル式では，1立方メートル当りに存在する，0.5 μm より大きな粒子数の対数（底数=10）で表示する．たとえば，クラス100（英式）のクリーンルームは，1立方フィート当り0.5 μm 以上の粒子を100個含んでおり，これは1立方メートルにすると約3500個になる．一方メートル式クラスM 3.5では1立方メートル当り3162個になる．したがって，およそ英式のクラス100はメートル式のクラスM 3.5に相当する．粒子径が小さくなるほど，粒子数は増えるから，ICの最小寸法が1 μm に縮められると，無塵室に対する要求は，それだけ厳しくなる．多くのICプロセスでは，クラス100が要求され，それは，普通の部屋の空気に含まれるごみより4桁も低い環境である．リソグラフィにはクラス10あるいは，それ以上の清浄度が要求される．

例題 1 30 m/min の層流中に，200 mm の直径のウェーハを1分間放置すると，何個のごみが付着するか．清浄度は，クラス10であるとする．

解答

クラス10の場合，0.5 μm より大きなごみは，1立方メートルに350個ある．ウェーハの上を1分間に通る空気の量は，

$$(30 \text{ m/min}) \times \pi (0.2 \text{ m}/2)^2 \times 1 \text{ min} = 0.942 \text{ m}^3.$$

空気の全体積中の粒子数は，

$$350 \times 0.942 = 330 \text{ 粒子}.$$

したがって，ウェーハにICチップが400ヶあれば，そのうちの82%に粒子が1ヶ乗ることもある．幸いにも付着する確率，さらにそれが回路に影響する確率は低い．しかし，無塵室の重要性は，十分認識できるだろう．

12.1.2 露 光 法

パターンの転写は，露光機を用いてなされる．露光機の性能を表す三つの値は，解像度，重ね合せ精度，スループットである．解像度は，正確に転写できる最小寸法，重ね合せ精度は，ウェーハにパターンをいくつか重ね合わせるときの精度のこと，スループットは，1時間当りに，処理されるウェーハの枚数のことである．

基本的に二つの露光法がある．等倍転写法と投影法である[5,6]．等倍転写には，マスクとウェーハを接触させる密着法と微かに離して露光する近接法がある．図3(a)は密着法の説明図で，ウェーハ上に塗布されたレジストと，マスクとを密着し，紫外の平行光線がマスクを通して一定時間照射する．密着法では，高解像度（〜1 μm）が得られる．しかしこの方法は，ごみの影響を受ける．ごみやシリコンのかけらは，マスク中に圧入される．これによりマスクは，完全にこわれるし，またウェーハに圧着するたびに，ウェーハには，きず（欠陥）が発生する．

この欠点を解決するのが，図3(b)に示す近接法である．密着法に類似であるが，マスクとウェーハは10〜50 μm 離れている．しかしこの距離のために，パターンの端で回折が生じ，結果

密着　　　　　　　　　　近接

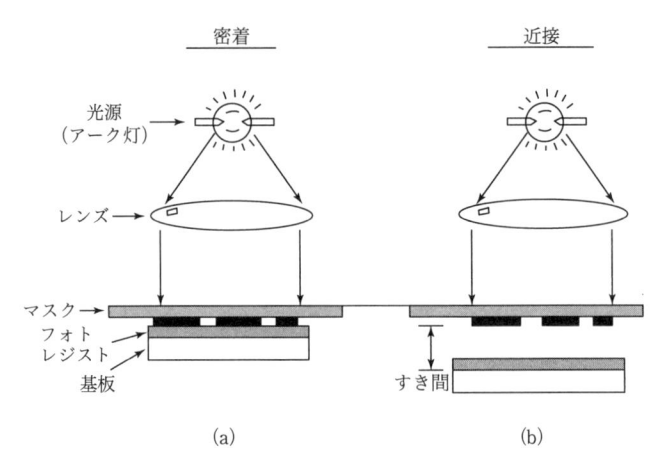

光源
(アーク灯)

レンズ

マスク
フォトレジスト
基板
すき間

(a)　　　　　　　　　　(b)

図 3　光学印写法の説明[1]．(a) 密着法と (b) 近接法．

として，解像度は 2〜5 μm と悪くなる．

近接法では，最小線幅（critical dimension, CD）は次式で表される．

$$CD \cong \sqrt{\lambda g} \tag{1}$$

ここで，λ は露出光の波長，g はマスク・ウェーハ間の距離とレジストの膜厚の和である．$\lambda = 0.4$ μm，$g = 50$ μm のとき，最少線幅 CD は 4.5 μm である．λ を遠紫外域の 0.25 μm とし，g を 15 μm まで下げると，CD は 2 μm となる．このように，λ と g は解像度を決める重要なパラメータである．しかし，g がごみ粒子の最大寸法より小さくなると，マスク損傷が始まる．

ごみによる，マスクのきずの発生を避けるために，マスクとウェーハを離した投影法が取り上げられた．解像度を高めるために，マスクの一部分ずつを露光する方法をとる．全ウェーハを露光するには，像を連続的あるいは断続的に掃引（スキャン）する．図 4(a) は，等倍ウェーハ・スキャン方式を示す[6,7]．凹面鏡を用い，鏡の中心から等距離にある弧形の幅 1 mm くらいの領域をスリットで限定し，その等倍像をウェーハに投影する．鏡とスリットを固定し，マスクとウェーハを，矢印方向に移動すれば，ウェーハ全面に像が転写される．

マスクは固定し，ウエーハのみを二次元方向にスキャンし，ラスターを描かせる方式が，図 4(b) の等倍ラスター・スキャン方式である．この方式では，入射角の小さな光線のみを用いるので，レンズの解像度は良くなる．これらの方式を，スキャン投影法と呼ぶ．ウェーハ面上の 1 箇所を露光した後，順に次の位置へとウェーハを移動し，プロセスを繰り返す．図 4(b) と (c) はこの**ステップアンドリピート投影法**で，等倍と縮小の場合の説明図である．縮小率は重要なファクターで，レンズとマスクのかね合いで決められる．等倍の光学システムは，1/10 や 1/5 の縮小システムよりも，装置の設計・製造が容易である反面，マスクが小さくなり欠陥の少ないマスクを作るのが難しくなる．

縮小投影法では，レンズの視野範囲が，1 ヶ以上の IC チップをカバーするなら，レンズをそのまま使って，より大面積のウエーハを処理することができる．チップ寸法が視野範囲よりも大きい場合は，レチクルの像をさらに分解する必要がある．図 4(d) では弧形の像を利用して，$1/M$ 倍の縮小をする場合を示した．

投影システムでの解像度は，次式で与えられる．

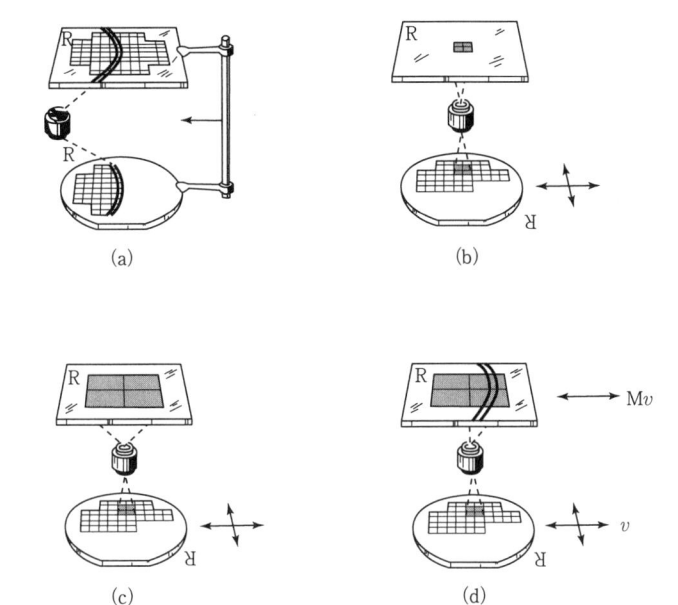

図 4 投影印写法の像分割法．(a) 等倍ウェーハ・スキャン，(b) 等倍ステップ・リピート，(c) 1/M 縮小ステップ・リピート，(d) 1/M 縮小ステップ・スキャン．

$$l_m = k_1 \frac{\lambda}{\text{NA}} \quad (2)$$

$$\text{NA} = \bar{n} \sin \theta \quad (3)$$

λ は光の波長，k_1 はプロセスに依存する係数，NA はレンズの開口比（明るさ）と呼ばれる値で，$\bar{n}$ は媒体の屈折率（空気では 1），θ は図 5[5] に示したレンズの入射角の 1/2 である．同図に示した焦点深度（depth of focus, DOF）は，

$$\boxed{\text{DOF} = \frac{\pm l_m/2}{\tan \theta} \approx \frac{\pm l_m/2}{\sin \theta} = k_2 \frac{\lambda}{(\text{NA})^2}} \quad (4)$$

k_2 もプロセスに依存する係数である．

式(2)から，解像度をあげるには，波長を短くするか，NA を大きくすれば良いことがわかる．しかし式(4)から，焦点深度は，波長を短くする方が NA を大きくするよりもより望ましいといえる．したがって大勢は，波長を短くする方に動いている．

高圧水銀灯が，高輝度と信頼性の点で広く用いられている．その発光スペクトルを図 6 に示

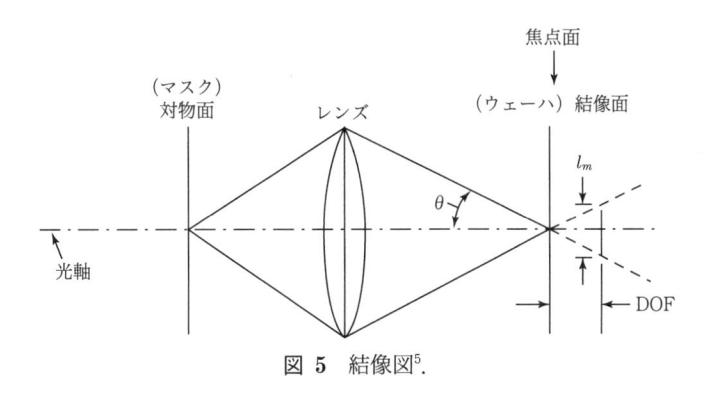

図 5 結像図[5]．

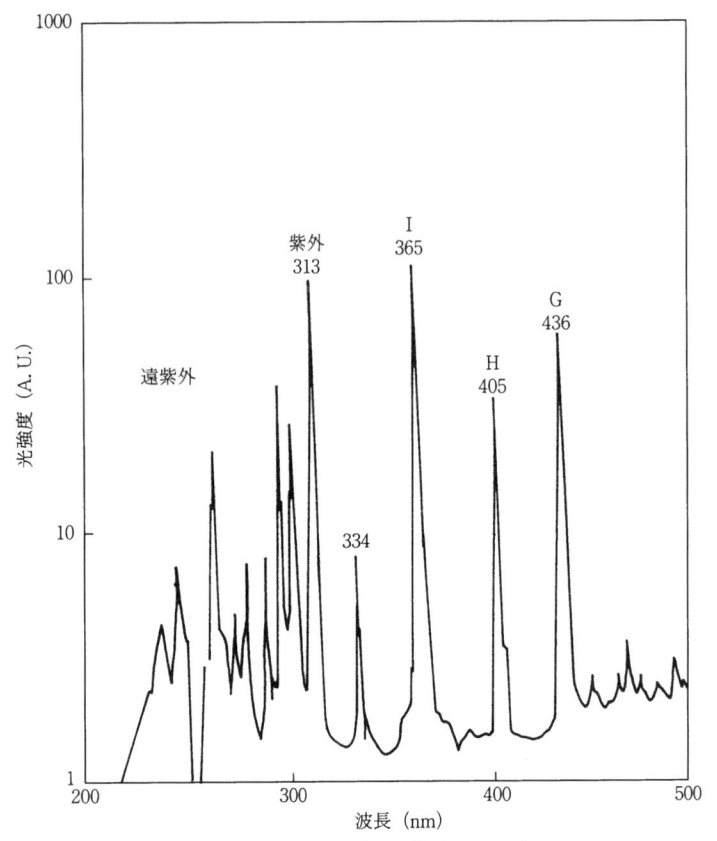

図 6 高圧水銀アーク灯の発光スペクトル．

す．436, 405, 365 nm の波長に対応して，G，H，I 線と呼ばれる．最強の I 線では，1/5 縮小で解像度増強法（12.1.6 項参照）を用いて，$0.3\,\mu m$ の解像度が得られる．KrF エクシマレーザの 248 nm あるいは ArF エクシマレーザの 193 nm を用いる 1/4 倍のシステムではそれぞれ 180 nm，100 nm の解像度が得られている．

スキャン投影法の解像度は約 $1.5\,\mu m$，ステップアンドリピート投影法では $1\,\mu m$ あるいはそれ以下である．

12.1.3 マ ス ク

IC で通常用いられるマスクは，レチクルと呼ばれる拡大マスクである．マスク作成は，コンピュータを用いる CAD によって，設計者が回路を図面に描く．CAD で作られたデジタルデータは，電子ビームリソシステム（12.2.1 項参照）の一種であるパターン発生機を駆動し，マスク原板を電子露光する．マスク原板は，溶融石英板に Cr 膜を蒸着した物を，電子レジストで覆ってある．パターンをマスクに転写することは，12.5.1 項で改めて述べる．

一つのマスクには，IC の一層のパターンがある．IC には通常 15-20 層のプロセス，たとえば絶縁層，ゲート域作成，電極形成などのプロセスが必要であり，それぞれに対するマスクが作られる．

マスク基板の標準は，$15 \times 15 \times 0.6\,cm^3$ の溶融石英板である．1/4 ないし 1/5 の縮尺に際し，

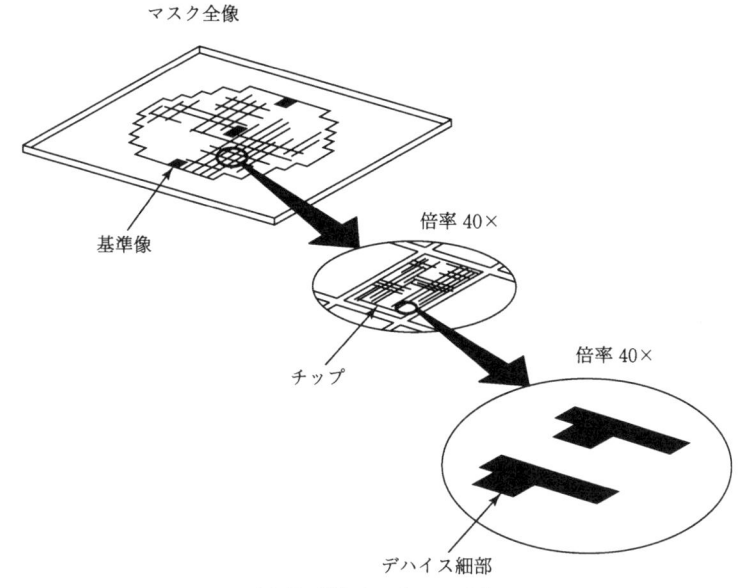

図 7 ICフォトマスク[1].

必要な視野像からこれだけの面積，また基板の変形による位置誤差を防ぐために，厚みが要求される．溶融石英は，低い熱膨張係数，短波長光に対する高い透過係数，また機械的強度の点で満足できる材料である．図7は幾何学図形の関連を示している．マスクには，プロセス評価のパターンも組み込まれる．

マスクに含まれる欠陥の密度は，大いに気になる．この欠陥は，マスク作製時や後の，リソグラフィ過程でも発生する．小さなきずでも，ICの良品率を大きく下げることもある．**良品率**（yield）とは，ウェーハ中の，良品のチップ数を全チップ数で割った値である．良品率γを大ざっぱに求めてみると，

$$Y \cong e^{-DA} \tag{5}$$

ここで，D は単位面積当りの致命的な欠陥の平均数，A はICチップの面積である．もしそれぞれのマスクで D が同じであるとして，マスク数を N とすれば，IC全工程後の良品率は，

$$Y \cong e^{-NDA} \tag{6}$$

図8は，マスク数10の場合の良品率と，チップの寸法，欠陥密度との関係を示す．$D=0.5$ 欠陥/cm^2，チップ寸法 30 mm^2 の場合の良品率は22%であり，チップ寸法が 90 mm^2 になると，良品率は1%に低下する．リソグラフィには，超クリーンルームが必要不可欠であるのが理解できよう．

12.1.4　フォトレジスト

フォトレジストは，照射光に感光する化合物であり，ポジ（ポジティブ）形とネガ（ネガティブ）形があり，ポジ形では，現像すると，光の当たった所がぬける．つまりマスク像と同じ陽画ができる．ネガ形では，光の照射した所が残り，マスク像を反転した陰画ができる．

ポジ形のフォトレジストは，感光性物質，ベース樹脂，有機溶剤の3成分からなっている．露光前は，感光性物質は現像液に溶けないが，光が当たると，変質して溶けるようになる．したがって現像後は，光の当たった部分が，溶け出してしまう．

ネガ形のレジストは，感光性物質と結合したポリマーである．光のエネルギーは，感光性物質に吸収され，それがポリマーに伝えられ，架橋反応を引き起こす．この架橋反応によってポリマーの分子量は大きくなり，現像液に溶けにくくなる．ネガ形レジストの欠点は，現像時にレジストが現像液を一部吸収し，ふくれ上がることである．このために，解像度の限界が決められる．

図9(a)は，ポジ形レジストの感光曲線の例を示す[1]．感光曲線は，入射エネルギーと，現像後の残留レジスト比の関係を示したものである．露光しなくとも，一部は溶け出してしまう．露光量が増えると，溶け出す量は少しずつ増して，しきい値 E_T で完全に溶け出してしまう．ポジ形レジストの感度は，E_T で表される．もう一つのパラメータ γ はコントラスト比と呼ばれ，式(7)で定義される．

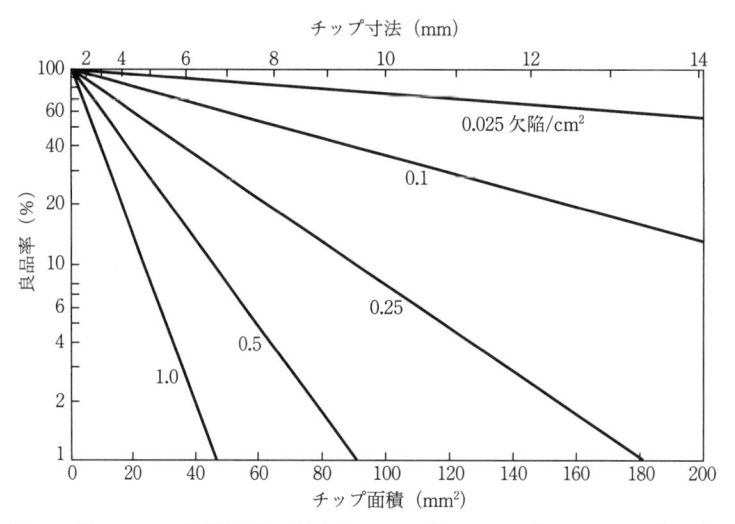

図 8 各マスクの欠陥密度に対応する，10枚マスクプロセスでの良品率．

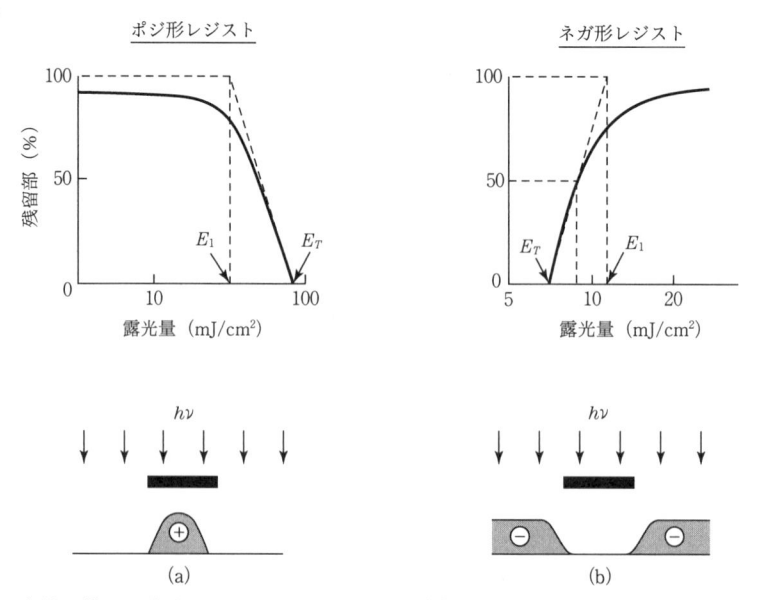

図 9 露出応答曲線と現像後のレジストの断面図[1]．(a) ポジ形レジスト，(b) ネガ形レジスト．

$$\gamma \equiv \left[\ln\left(\frac{E_T}{E_1}\right)\right]^{-1} \qquad (7)$$

E_1 は，E_T から勾配を延長し，レジスト残量100%になる露出量である．γ が大きければ，コントラストの良い，ぬけのよい，シャープな像が得られる．

図9(a)の下の図は，マスク露光・現像後のフォトレジストの断面図である．像の端での回折光のために，フォトレジストの端はだれてしまう．レジストの端は，露光量が E_T のところである．

図9(b)はネガ形レジストの場合を示す．この場合，露光量が E_T 以下であれば，レジストは全量が現像液に溶出する．露光量が増えるにしたがって，現像後のレジストの残留量は増加する．$2E_T$ でレジストは，ほぼ残留する．ネガ形レジストの感度は，残量が50%になる光量で表す．パラメータ γ は，E_T と E_1 を入れ替えて，式(7)で同様に定義される．像断面(図(9b))は，先と同様回折のためにだれる．

例題2 図9に示した二つのレジストの γ を求めよ．
解答 ポジ形レジストでは，$E_T = 90$ mJ/cm^2，$E_1 = 45$ mJ/cm^2 であるから
$$\gamma = [\ln(E_1/E_T)]^{-1} = [\ln(90/45)]^{-1} = 1.4.$$
ネガ形レジストでは，$E_T = 7$ mJ/cm^2，$E_1 = 12$ mJ/cm^2 で
$$\gamma = [\ln(E_T/E_1)]^{-1} = [\ln(12/7)]^{-1} = 1.9.$$

遠紫外 (248 および 193 nm) では，普通のレジストは感度が悪く，長時間の露光でレンズが劣化し，スループットも低すぎて使えない．そのために，化学増幅レジスト (chemical-amplified resist, CAR) が開発されている．CAR は，光学-酸発生基/ポリマー樹脂/溶媒から構成される．CAR は遠紫外によく感応し，感光部と非感光部の現像液による溶解度の差は大きい．

12.1.5 パターン転写

図10は，SiO$_2$ 膜で覆われた Si ウェーハに IC パターンを転写する手順を示している[8]．ウェーハは，レジストの感光しない黄色光で照明した，無塵室内で処理される．レジストの密着性を高めるために，ウェーハ表面は親水性から疎水性になるように処理される．この密着性を高める処理液として，6-メチル2-シロキサン (HMDS) が用いられる．この処理後，ウェーハは真空吸着回転板に乗せられ，ウェーハの中心に2-3 ccのレジストを垂らす．回転板はすぐに回転させ，30 s 程度の間 1000-10,000 rpm の回転速度を保ち，0.5-1 μm の均一な膜厚のレジスト膜をコートする (図10(a))．

続いて軽く加熱し (典形的には 90-120°C で 1-2 min)，レジスト中の溶媒を除去し，密着性を高める．ウェーハは露光装置に移され，位置を定めた後に露光される (図10(b))．
ポジ形の場合は，図10(c) 左のように，露光部は現像液に溶け去る．現像は，ただ現像液に浸すだけである．現像液から取り出した後，洗ってから乾かす．100-180°C で焼き固める必要のある場合もある．次に，レジストの除去された絶縁膜の露出部分をエッチする環境におく (図10(d))．最後にレジストを(溶媒で溶かし去るか，プラズマで酸化して)除去し，マスクの像と同じ絶縁膜の像を残す (図10(e))．

ネガ形の場合も手順は同じである．ただ非露光部の部分が残る．図10(e) の右に示すように，

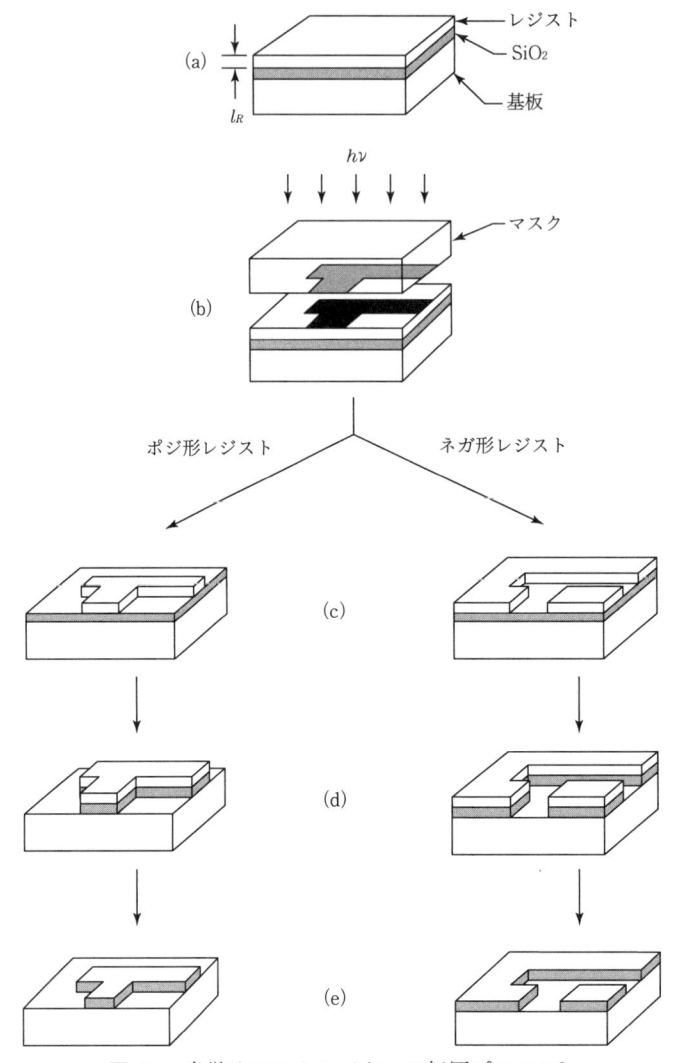

図 10 光学リソによるパターン転写プロセス[8].

マスクの陰画が形成される．

　絶縁膜のパターンは，以後のプロセスのマスクとして用いることができる．たとえば，露出部に不純物添加をイオン注入で行うと，マスクした部分は注入されない．ネガ形レジストでは，ドープ域の像はマスクと同じであるが，ポジ形レジストではその逆の陰画が形成される．全体の回路は，次々とマスクを使い，複雑なパターンを重ね合わせて作られる．

　関連した転写技術として，図 11 に示すリフトオフ法がある．ポジ形レジストを用い，露光する（図 11(a), (b)）．パターンの上に膜を付着させる（図 11(c)）．膜の厚さは，レジストよりも薄い必要がある．レジスト上の膜は，レジスト除去の際に半導体から分離する（図 11(d)）．このリフトオフ法では，高解像度が得られ，高出力の MESFET のような個別素子に使われる．しかし ULSI などにはあまり使われなく，ドライエッチの方が，より多用されている．

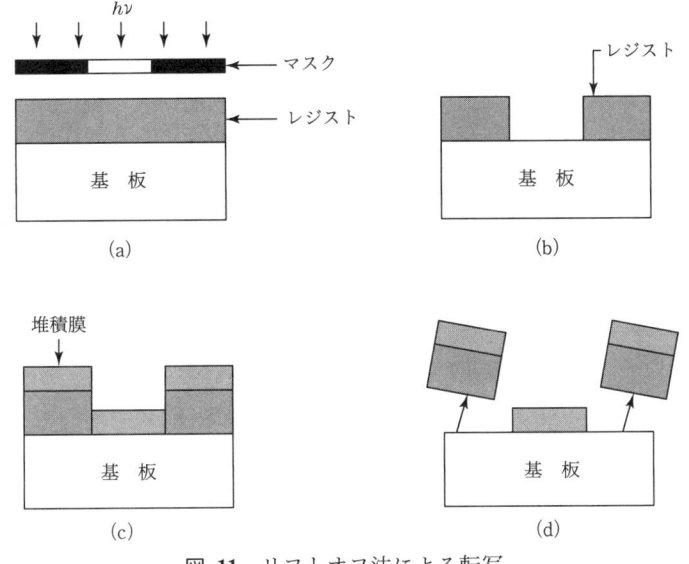

図 11 リフトオフ法による転写.

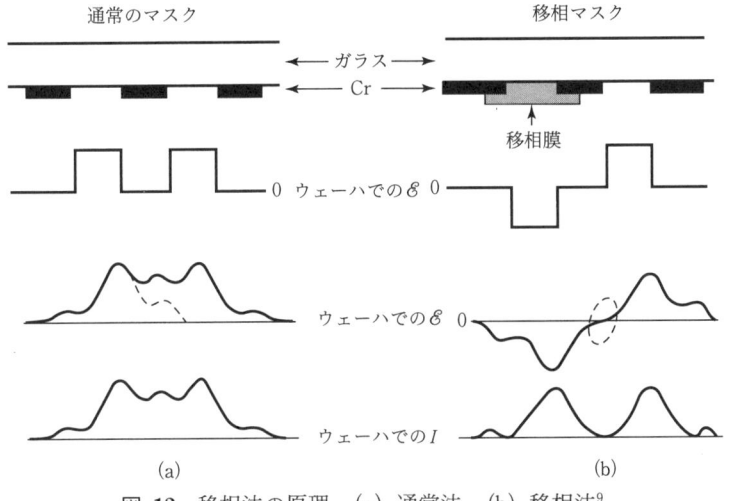

図 12 移相法の原理. (a) 通常法, (b) 移相法[9].

12.1.6 解像度増強手法

　光学的リソグラフィは，絶えずより高解像度，より深い焦点深度，IC プロセスでのより広い露出ラチチュード（許容範囲）を追求し続けてきた．その結果，使用波長の短縮と新しいレジストの開発が達成された．さらなる極限へ向けて，解像度増強手法が追求されている．

　重要な手法は，移相マスク（phase-shifting mask, PSM）である．基本思想を図 12 に示した[9]．通常のマスクでは電界分布は，すべての窓で同位相である（図 12(a)）．回折と解像度の限界から，一つの窓からの光分布は点線で示したようになり，隣り合った窓を通った光は，干渉を起こす．光の強度は電界の二乗であり，隣り合った窓の中間は，連続してしまう．PSM では，隣合った窓の片方は，電界の位相を逆転させる工夫をする（図 12(b)）．その結果として，二つの窓を通った光は完全に分離される．この逆位相シフトは，透明で厚み d が，$d = \lambda/2(\bar{n}-1)$ で

ある透明膜を用いて得られる．ここでλは波長，$\bar{n}$は屈折率である．

もう一つの手法は光学近接補正（optical proximity correction, OPC）法であり，隣り合った像の加工をする．例として，解像力極限の寸法の正方形の電極像は，円に近くなる．そこで角にさらに図形を加え最終の像が正方形に近くなるように工夫する．

12.2 次世代のリソグラフィ

光学リソグラフィがこれほど広く用いられるのはなぜか，そして何がその主因なのだろう．それは高いスループットであり，高解像度，低コスト，操作の簡易さである．

しかし，サブミクロン領域に対応するのに，光学リソは未解決の問題を抱えている．PSMとかOPCが，その解決として出現はしているが，マスクの製造法の複雑さや，検査法の難しさは解決されていない．さらにマスクのコストは非常に高い．サブミクロンさらにはナノメートル領域に向けて，次世代のリソグラフィを確立しなければならない．

次世代に向けての種々の手法をここで取り上げてみよう．電子ビームリソ，極紫外リソ，X線リソ，イオンビームリソを考えよう．これらの得失も取り上げよう．

12.2.1 電子線リソグラフィ

電子線リソは，最初は光学マスクを作るのに用いられた．レジストにマスクなしで，集束電子線を用いて直接露光する装置は，比較的少数が作られた．図13に，電子線リソグラフィ装置の概念図を示す[10]．電子銃は，必要な電流密度の電子線を放出する．Wフィラメントや，LaB_6の単結晶などが，カソードとして用いられる．コンデンサーレンズは，電子線を$10 \sim 25 \, nm\phi$に集束するためのものである．（電子線を出したり切ったりする）ビームしゃ断電極と，掃引コイルは，コンピュータで制御され，数MHz以上の高速で，ウェーハの望む場所に，瞬時に電子線を

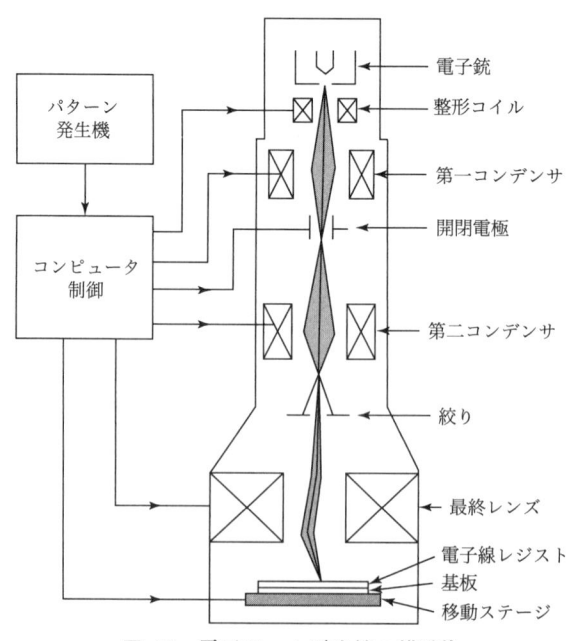

図 13 電子ビーム露光機の構造[10]．

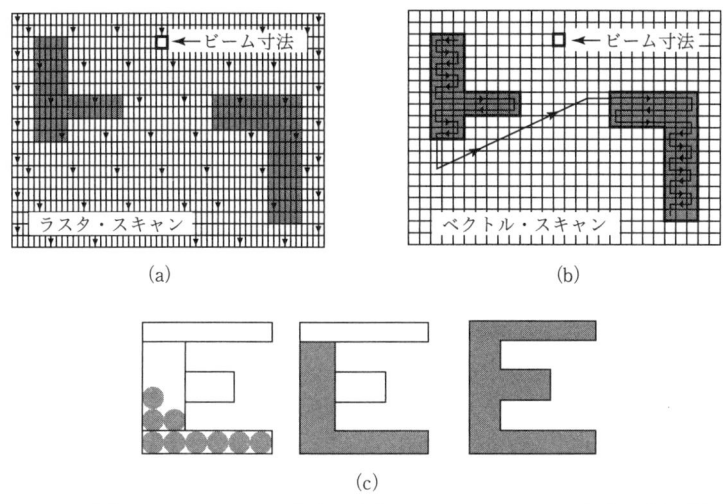

図 14 (a) ラスタスキャン走査，(b) ベクトルスキャン走査，(c) 電子ビーム形状；円形，可変，セル[12].

照射する．掃引幅（～1 cm）は通常ウェーハ寸法よりずっと小さいから，ウェーハを機械的に正確に移動することが必要である．

電子線露光の利点は，μm 以下のパターンの発生が，高度に自動化され精密に制御されること，光学式とは比較にならない深い焦点深度を持つこと，マスクなしでも，ウェーハ上に直接描画できることである．欠点は，$0.25\ \mu$m の解像度で，スループットが1時間当り10枚程度と低いことである．しかしこれは，マスク作りに向いている．特別注文や配線の変更が限られている場合には，電子線の直接描画は便利であり，スループットを上げるために，要求される寸法を満たす最大径の電子線を用いるなどの工夫をする．しかしマスクレスの直接描画のためには，装置は最大のスループットが要求され，したがって太いビーム径と，一方では高解像度のための最小到達ビーム径を，両立させなければならない．

集束電子線の掃引には，基本的にラスター・スキャンとベクトル・スキャンの2法がある[11]．図14(a) のラスター・スキャンでは，順時掃引され，露出しない所は，しゃ断電極に電圧を印加し，電子線を切る．つまりパターンは，絵素に分解されテレビのように描かれる．

ベクトル・スキャン（図 14(b)）では，必要な部分のみを照射し，次の位置へジャンプする．多くの場合，被照射部は全体の20%程度なので，この方法は，時間を節約できる．

図 14(c) に電子ビームの形状を示した．ガウスビーム（円形），可変形状ビーム，セル投影である．可変形状ビームは，断面の寸法と形状の変わる方形のビームであり，瞬時に複数の絵素を露光できる利点がある．ベクトル・スキャンと組み合わせると，スループットは格段に改善される．電子ビームでは，複雑な形状を一度に露光することもできる（図14(c) の最右図）．セル投影法[12] は，MOS メモリーのように，同形状のパターンの繰り返しがあるときに特に有効である．しかしこの方法も，光学法のスループットには及ばない．

スカルペルシステム

電子ビーム投影リソの新しい試みとして，スカルペルがある[13]．このアイディアは，電子ビーム法の持つ高解像度/深い焦点深度（KrF での 1 μm に対して 20-30 μm）/投影法による高いス

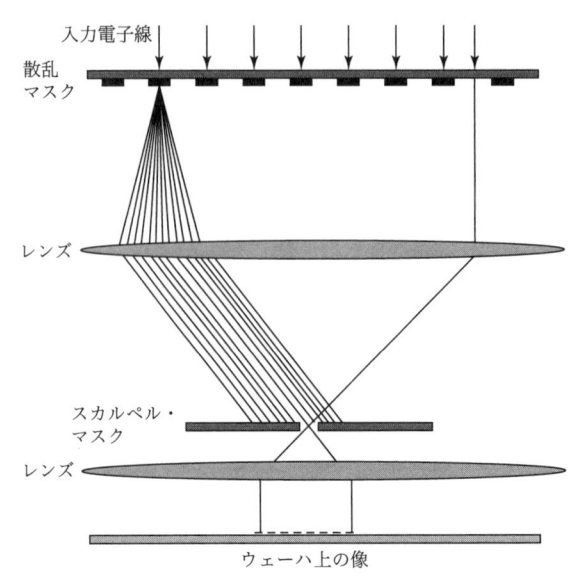

```
                入力電子線
               ↓ ↓ ↓ ↓ ↓ ↓ ↓ ↓
    散乱
    マスク    ▬▬▬▬▬▬▬▬▬▬▬▬▬▬▬

    レンズ

    スカルペル・
    マスク

    レンズ

              ウェーハ上の像
```

図 15　透過と散乱を受けた電子ビームとの差を示す SCALPEL の動作原理[13].

ループットの利点を有する．光学での近接効果の補正や，位相シフトなどの細工が不要で，1/4 の縮小投影を用いるので，スカルペルのマスクは，安価に供給できることが期待される．

このシステムでは，3 mm の大きさの処理をし，200 mm のウェーハを，1 時間に 30 枚処理できる．図 15 に示すように，散乱マスクを $1×1$ mm^2 の 100 keV 平行電子ビームが照射し，順次操作する．スカルペルの特徴はマスク設計にある．薄い（100-150 nm）低原子量の材料（SiN$_x$）の膜に，薄い（30-60 nm）高原子量の材料（Cr/W）のパターンを作っている．100 keV の電子線に対して，膜はほとんど透明であるが，金属部分での散乱（角）は大きい．焦点面にある絞りは，散乱されたビームを通さないので，高いコントラストが達成される．

電子線レジスト

電子線レジストは，ポリマーで，フォトレジストと同じように，被照射によって，化学的・物理的変化が起きる．ポジ形の電子線レジストは，図 16(a) に示すように[14]，電子線によってポリマーが切断され，平均分子量が小さくなり，現像液に溶けやすくなる．よく用いられる電子線レジストに PMMA(ポリメチル・メタアクリレート)，PBS(ポリブテン・1 サルフォン)がある．これらの分解能は 0.1 μm 以下である．

ネガ形の電子線レジストでは，図 16(b) に示すように，被照射により架橋反応が起こり，分子量の大きな三次元構造の分子を作る．現像では，照射された部分が残る．COP(ポリグリシディル・メタクリレート・コエチルアクリレート)が，ネガ形電子線レジストとして用いられる．フォトレジストと同様，膨潤があるので，解像度はあまり良くなく，1 μm どまりである．

近 接 効 果

光を用いると，解像度は光の回折で決まるが，電子線では回折ではなく（加速電圧数 keV の電子線の波長は 0.1 nm 以下であるため），電子の散乱が解像度を決定する．電子線が，レジスト

第12章　リソグラフィとエッチング

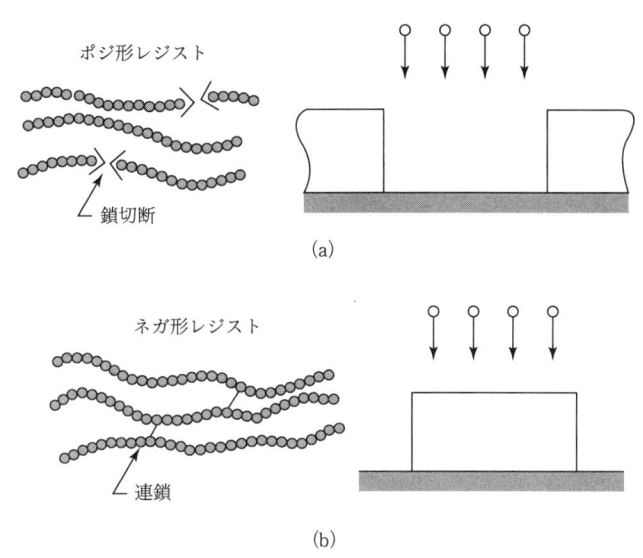

図 16　電子ビームリソで使われるポジ形とネガ形レジストの違い[14].

膜とその下の基板に侵入すると，原子との衝突が起きる．この衝突で電子は，運動エネルギーを失い，運動方向を変える．電子は，全運動エネルギーを失って，物体中に静止するか，あるいは途中で後方に散乱され，入射方向と逆方向に放出される．

図17(a)は，20 keVの100個の電子が，0.4 μm厚のPMMAとSiに入射した後の軌跡を，コンピュータで求めたものである[15]．電子線はz軸方向に入射し，軌跡はxz平面に投影されている．この図から，入射電子は侵入長(~3.5 μm)と同じくらいの直径の，細長い洋梨形に分布することがわかる．また，多くの電子が，Siから反射されPMMAに戻ったり，また空間に飛び出したりしているのもわかる．

図17(b)は，レジストとSiの界面で，前方へ散乱される電子と，後方に散乱される電子の強度分布を示している．図からわかるように，後方散乱された電子は，入射した所から数 μm 離れた所まで分布している．レジストの感光は，これら電子のすべての和であるから，近くのパターンの影響を受け，このことを近接効果と呼ぶ．近接効果は，パターン間の最小寸法を制限する．これを補正するには，パターンをより小さな部分に分割して，近接効果を考えた総和が，パターンに近くなるようにするしかない．このことは，コンピュータの演算時間を増やし，電子線プロセスのスループットをさらに低下させる．

12.2.2　極端紫外線リソグラフィ

極端紫外線（extreme-ultraviolet, EUV）リソグラフィは，30 nmの領域までスループットを低下させない，次世代リソの有望株である[16]．図18は，EUVリソ装置の概念を示す．レーザ励起プラズマ，あるいは放射光が，λ=10-14 nmのEUV光源として使える．EUV光は多層コートされたSi平板あるいはガラス基板に，吸収体でパターンをつけた反射マスクで反射される．パターンのない（つまり吸収体のない）場所で反射されたEUV光は，凹面鏡/凸面鏡などの組み合わせで作られた1/4倍の縮小カメラでウェーハ上のレジストを露光する．

EUV光束は細く，マスク全面をスキャンしなければならない．4ケの鏡（放物面鏡1，楕円面

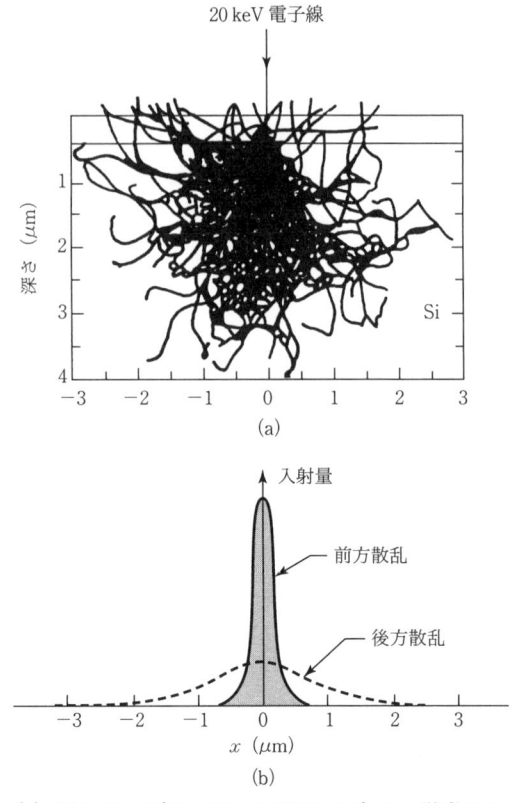

図 17 (a) 20 keV の電子 100ヶの PMMA 中での挙動[15] と (b) レジスト/基板界面における前方および後方散乱の分布.

鏡 2, 平面鏡 1) で構成される 1/4 倍縮小カメラに対して, マスク移動速度の 1/4 の速度で, 図 18 の矢印の方向に, ウェーハを移動させなければならない. プロセス中の, 精密な位置合わせ, マスク/ウェーハ移動制御, 露出制御が要求される.

EUV リソで PMMA と 13 nm の光を用い, 50 nm の解像度が達成される. しかし多くの難題が存在する. EUV 光は, すべての材料で強力に吸収されるから, プロセスは真空中で行われな

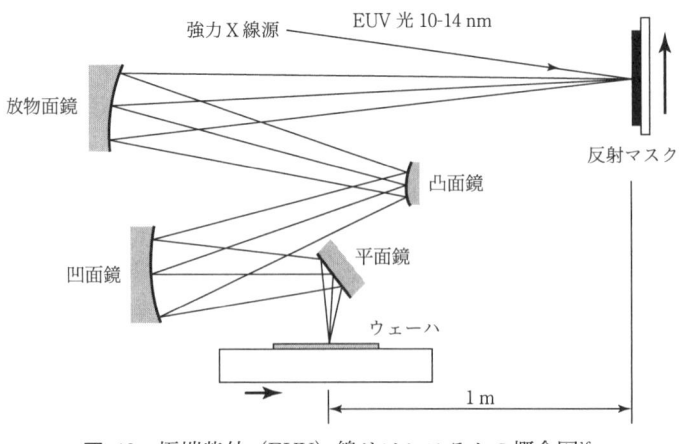

図 18 極端紫外 (EUV) 線リソシステムの概念図[16].

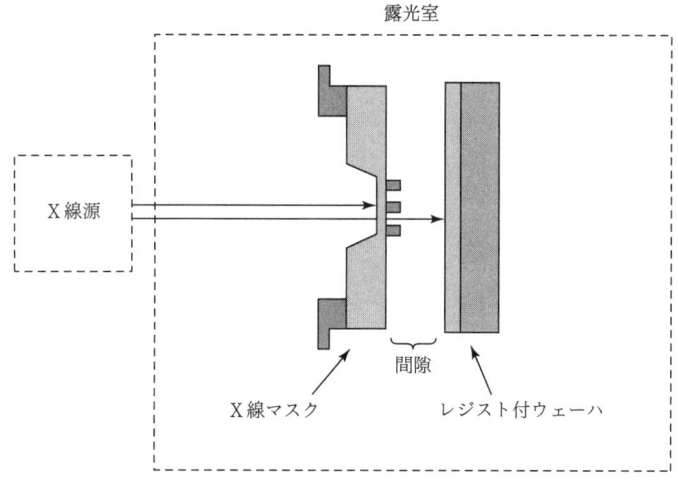

図 19 近接 X 線リソ装置の概念図[17].

ければならない．光学系は，1/4 波長の多層反射膜をつけた反射鏡で，構成しなければならない．反射マスク母体も，$\lambda=10\text{-}14\,\mathrm{nm}$ での反射率を高めるために，多層コーティングが必要である．

12.2.3　X 線リソグラフィ

X 線リソグラフィ[17]（XRL）は，100 nm での IC 製作で，光学リソの後継者候補である．放射光が，X 線源として用いられ，強力な平行 X 線を出し，10-20 の装置を同時に駆動できる．

XRL は光学近接印写と同様，シャドウマスクを用いる．図 19 が XRL 装置の概念を示す．X 線の波長は，1 nm 近辺を用い，等倍投射で間隙は $10\text{-}40\,\mu\mathrm{m}$ である．X 線の吸収は原子番号により，ほとんどの物体は吸収体であるから，なるべく原子番号の小さい SiC や Si の薄膜（$1\text{-}2\,\mu\mathrm{m}$）を用いる．パターンには，原子番号の大きい Ta，W，Au，あるいはそれらの合金を用いて，先のマスク母体上に形成する．

XRL 用のマスクは，一番大事で難しい問題であり，その製作は光学マスクとは比較にならないほど複雑である．線源からマスクまでの X 線の吸収を減らすために，ヘリウムが用いられる．X 線は真空中で発生し，ヘリウムとは薄い Be の膜で隔てられている．マスク母体は，X 線の 25-35% を吸収するから，冷却が必要である．1 $\mu\mathrm{m}$ 厚の X 線レジストは，入射 X 線の 10% を吸収する．基板から X 線の反射はないから，反射防止膜は必要ない．

X 線がレジストに吸収されると，励起された原子から電子が放出されるので，レジストは，電子ビームリソのものが，そのまま用いられる．励起原子が基底状態に戻るとき，入射 X 線より長い X 線を放出する．この X 線はまた吸収され，反応は続く．エネルギーの低い，多くの二次電子の発生があるが，その反応はレジストの性能に依存する．

12.2.4　イオンビームリソグラフィ

電子より重いイオンは，散乱されにくく，いままで挙げてきたリソグラフィ方式よりも解像度が高いことが期待される．最も重要な応用は，光学マスクの補修であり，現存装置で達成可能である．

図20は，60 keVのH$^+$イオン50ケが，PMMAなどの物質に注入されたときのシミュレーションである[18]．深さ0.4 μmでの横への広がりが，すべての場合で，0.1 μmしかないことを，電子の場合（図17(a)）と比較していただきたい．Si基板からの反跳は全然見られず，Auの場合でも非常に少ない．しかしイオンビームリソは，空間電荷による広がりが発生する場合がある．

イオンビームリソに，2種類ある．掃引収束イオンビーム方式とマスクビーム方式である．前者は電子ビーム装置（図13）と同様であり，電子の代わりにGa$^+$あるいはH$^+$を用いる．後者は光学の1/5縮小投影ステップ・リピート方式に類似で，H$_2^+$のような軽いイオンの100 keVビームを用いる．

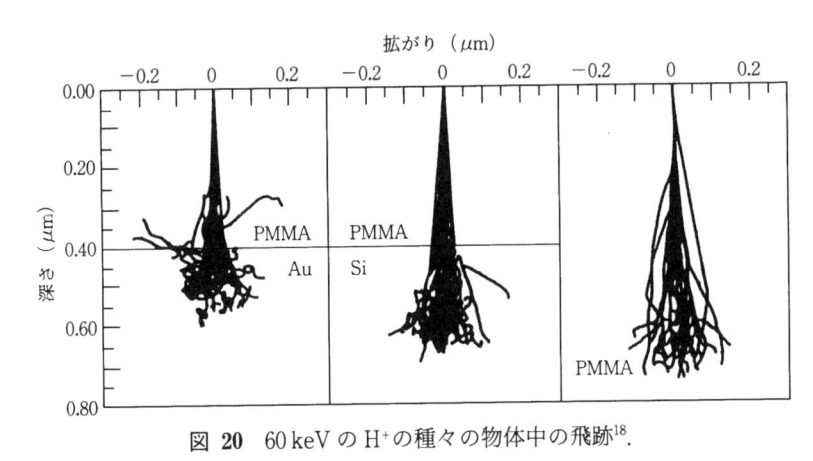

図20 60 keVのH$^+$の種々の物体中の飛跡[18]．

表1 種々のリソグラフィの比較

		紫外光 248/139 mm	SCALPEL[a]	EUV[a]	X-ray	イオンビーム
光源		レーザ	フイラメント	レーザプラズマ	シンクロトロン	多尖端
	散乱制限	有	無	有	有	無
	光学系	屈折	屈折	屈折	無光学系	全面屈折
	ステップ・スキャン	有	有	有	有	ステッパ
	スループット 200 mm ウェーハ	40	30-35	20-30	30	30
マスク	縮小	4X	4X	4X	1X	4X
	近接効果補正	必要	不必要	必要	必要	不必要
	光路	透過	透過	反射	透過	透過穴
レジスト	単層/多層	単	単	表面	単	単
	化学増幅	有	有	無	有	無

a SCALPEL, Scattering with angular limitation projection electron-beam lithoraph; EUV, 極端紫外線

12.2.5 種々のリソグラフィの比較

上に述べた種々のリソグラフィは皆100 nm以上の分解能を有する。これらの比較を表1にまとめた。それぞれに限界がある。X線リソではマスクの複雑な構造，EUVリソでの素通しマスクの困難さ，イオン投影リソでの空間電荷などがそれである。

IC製造で多層のマスクを用いる。しかし全行程を通して同じ手法を使う必要はない。いろいろな手法を組み合わせて，それぞれの特長を生かし，解像度を改善し，スループットをあげることもできよう。たとえば，1/4縮尺にスカルペルまたはEUVを最も重要な部分に用い，残りは光学リソを用いても良い。

米国半導体工業会，SIA（Semiconductor Industry Association）のロードマップによれば，IC製造技術は2010年ころには50 nmを達成する。今までにも，新技術の出現とともに，より小さな寸法と重ね合わせ精度の厳しい要求に応じて，リソグラフィ技術は牽引車となってきた。さらに，リソ装置は半導体製造設備の中でのより高価な成分になってきている。現時点では，次世代リソの開発は，多国間国家プロジェクトあるいは工業協同体で進んでいる。

12.3 湿式化学エッチング

半導体プロセスには，湿式の化学エッチングが多用されている。切り出された半導体ウェーハは，化学エッチング液により，研磨や鏡面仕上げをされ，加工により発生した欠陥を除去する。取扱いや保存中に生じた表面の汚れは，熱酸化やエピ成長の前に，化学的に処理し清浄にする。化学エッチングは，特にポリSi，酸化膜，窒化膜，金属膜，III-V族化合物半導体などの全面エッチングに適している。

化学エッチングの機構は，図21に示すように，3段階に分けられる。反応液がウェーハ表面に拡散で到達し，表面で化学反応が起こり，できた生成物は拡散で運び去られる。撹拌や液温は，エッチ速度を変える。ICプロセスでは，ウェーハをエッチ液に浸すか，吹きつけする。前者の場合，均一な反応と定まった反応速度を得るために，液を撹拌することが必要である。吹きつけエッチは，新しいエッチ液を供給でき，高いエッチ速度と均一性が得られるので，徐々に前者に取って代わってきている。

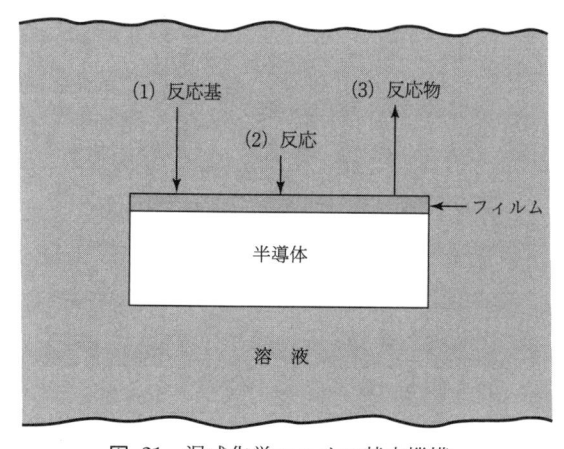

図21　湿式化学エッチの基本機構．

半導体製造ラインで，均一なエッチ速度は非常に重要である．エッチ速度は，ウェーハ全面で，またウェーハ毎に，作業時毎に，またパターンの寸法や密度によらず一定でなければならない．エッチ速度の均一度は次式で与えられる．

$$\text{エッチ速度均一度}(\%) = \frac{(\text{最大エッチ速度} - \text{最小エッチ速度})}{\text{最大エッチ速度} + \text{最小エッチ速度}} \times 100\% \qquad (8)$$

例題 3 200 mmϕ の Si ウェーハの中心，左，右，上部，下部での Al のエッチ速度が，それぞれ 750，812，765，743，798 nm/min だとして，Al の平均エッチ速度とエッチ速度均一度を求めよ．

解答
$$\text{平均エッチ速度} = (750 + 812 + 765 + 743 + 798) \div 5 = 773.6 \text{ nm/min}.$$
$$\text{エッチ速度均一度} = (812 - 743) \div (812 + 743) \times 100\% = 4.4\%.$$

12.3.1 Si エッチング

半導体の化学エッチングは，まず酸化物が生成し，それが溶け出すのが通常の形である．Si には，硝酸（HNO_3）とフッ酸（HF）の混合液を水か酢酸（CH_3COOH）で薄めたものが，一番よく用いられる．硝酸が Si を酸化し SiO_2 を形成する[19]．酸化反応は，次の通りである．

$$Si + 4 HNO_3 \longrightarrow SiO_2 + 2 H_2O + 4 NO_2 \qquad (9)$$

HF は SiO_2 を溶かす．

$$SiO_2 + 6 HF \longrightarrow H_2SiF_6 + 2 H_2O \qquad (10)$$

エッチ液を水で薄めることができるが，その場合は酢酸を使った方が硝酸の作用は保たれる．

エッチ液によっては，結晶面によってエッチ速度が異なる．これは異方性エッチ[20]である．Si

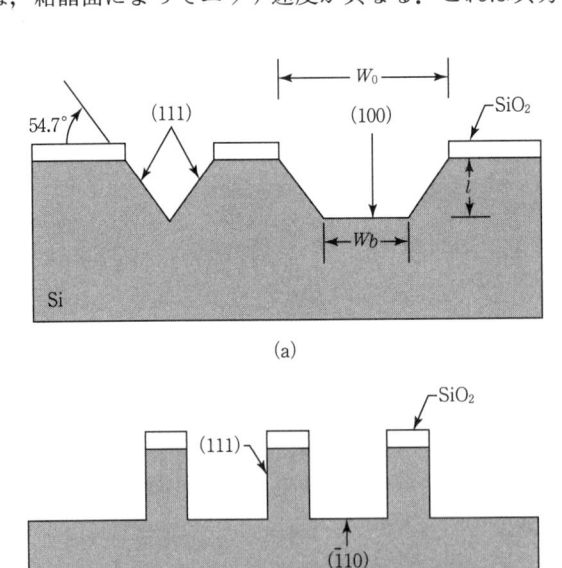

図 22 結晶面依存エッチ．(a) (100) 面と，(b) (110) 面のマスク窓下での，異方性エッチ[20]．

結晶で (111) 面は (110) あるいは (100) 面と比べて単位面積当りの結合手が多い．このことから (111) 面はエッチ速度が遅いことが理解できる．Si の異方性エッチでよく用いられるのは，KOH の水溶液と，イソプロピルアルコールの混合液である．たとえば，KOH を純水 (DI) に溶かした 19 wt% の溶液は，80°C で (100)，(110)，(111) 面でのエッチ速度の比は，100：16：1 である．

(100) 面の Si を，ある方向に作った窓を通してエッチすると，図 22(a) 左に示す V 溝ができる[10]．溝の側面は (111) で，(100) 表面と 54.7° の角度を持つ．窓の面積が大きいか，あるいはエッチ時間が短い場合は，同図右に示す U 字溝ができる．底面の幅は次式で与えられる，

$$W_b = W_0 - 2l \cot 54.7°$$

あるいは

$$\boxed{W_b = W_0 - \sqrt{2}\, l} \tag{11}$$

ここで W_0 は窓の開口，l はエッチ深さである．(110) 面の場合は，図 22(b) のように，(111) 面の垂直な壁面が得られる．この技術を用いて μm 以下の細工ができる．

12.3.2 SiO$_2$ エッチング

SiO$_2$ の化学エッチは HF 液，あるいはそれに NH$_4$F を加えたものが用いられる．NH$_4$F を加えたものは，バッファー液として呼ばれている．この添加により，pH の制御が行われ，エッチ液の性能がより長期に保たれる．総体的な反応は，式 (10) で表されている．SiO$_2$ のエッチ速度は，エッチング液組成／濃度／撹拌／温度に依存する．さらに，酸化膜中の密度／多孔性／ミクロ構造／膜中の不純物の存在などでも変化する．たとえば，膜中のリン濃度が高いとエッチ速度も高く，CVD やスパッタで作った粗な膜は，熱酸化の緻密な膜に比べ，早くエッチされる．SiO$_2$ は気相の HF でもエッチされ，プロセスの良好な制御性から，μm 以下の加工にも有用である．

12.3.3 窒化 Si とポリ Si のエッチング

窒化 Si 膜は，室温の濃縮 HF あるいはバッファー HF，また加熱した H$_3$PO$_4$ でエッチされる．酸化膜と窒化膜の選択エッチは，180°C に加熱した H$_3$PO$_4$ で，窒化膜だけを除去することができる．エッチ速度は，窒化膜に対して 10 nm/min で，酸化膜には 1 nm/min 以下である．

しかし，H$_3$PO$_4$ の沸騰液では，レジスト剥離の問題が持ち上がってくる．それは，窒化膜の上に薄く酸化膜を被せて，まず酸化膜にレジストのパターンを転写し，その酸化膜をマスクとして窒化膜をエッチすることによって解決される．ポリ Si のエッチは，単結晶 Si に準ずる．ただエッチ速度は，粒界のために前者でかなり大きくなる．エッチ液は，下層にあるゲート酸化膜をエッチしないような工夫を要する．不純物濃度と温度は，ポリ Si でエッチ速度を変えることがある．

12.3.4 Al のエッチング

Al やその合金は，通常リン酸，硝酸，酢酸と純水の加熱混合液でエッチされる．典型的な物は，リン酸 73%，硝酸 4%，酢酸 3.5%，純水 19.5% の混合液を，30-80°C に加熱する．Al の化学エッチは次のように進む．硝酸が Al を酸化して，リン酸が Al の酸化物を溶かし去る．エ

表 2 誘電体および金属のエッチ液

材料	エッチング液		エッチ速度 (nm/min)
SiO_2	28 ml HF 170 ml HF 113 g NH_4F	バッファーHF液	100
	15 ml HF 10 ml CH_3COOH 300 ml H_2O	P-エッチ	12
Si_3N_4	バッファーHF		0.5
Al	H_3PO_4		10
	4 ml HNO_3 3.5 ml CH_3COOH 73 ml H_3PO_4 19.5 ml H_2O		30
Au	4 g KI 1 g I_2 40 ml H_2O		1000
Mo	5 ml H_3PO_4 2 ml HNO_3 4 ml CH_3COOH 150 ml H_2O		500
Pt	1 ml HNO_3 7 ml HCl 8 ml H_2O		50
W	34 g KH_2PO_4 13.4 g KOH 33 g $K_3Fe(CN)_6$ H_2O を加えて 1 l		160

ッチ速度は，溶液の濃度，温度，撹拌，不純物や合金組成に依存する．

絶縁膜と金属膜の湿式エッチは，固体の場合と同じような薬品を用いる．一般に，膜の方が，固体の場合よりエッチ速度は速い．また，欠陥が多い場合，残留応力があるとき，あるいは化学量論が保たれていなかったり，放射線損傷を受けたときは，さらに速くなる．絶縁膜と金属膜の有用なエッチ液のいくつかを表2にまとめた．

12.3.5 GaAs のエッチング

GaAs のエッチ液は，広く調べられているが，そのほとんどは等方性ではない[21]．それは，(111)Ga 面と (111)As 面の活性度が，非常に異なるためである．多くのエッチ液は，滑らかな As 面をもたらし，Ga 面は結晶欠陥が出やすく，エッチ速度も遅い．よく用いられるエッチ液は，$H_2SO_4/H_2O_2/H_2O$ と，$H_2PO_4/H_2O_2/H_2O$ である．前者で，その体積組成比が 8：1：1 の時，エッチ速度は (111)Ga 面で 0.8 μm/min またその他の面で 1.5 μm/min である．後者の組成比が 3：1：50 の時，(111)Ga 面で 0.4 μm/min，その他の面で 0.8 μm/min である．

12.4 乾式エッチング

パターンの転写で，リソグラフィによりレジストに移されたパターンは，その下にある永久膜に転写するための，一時的なパターンに過ぎない（図23(a)）[22]．永久膜（SiO_2, Si_3N_4, 金属）は，アモルファスまたは多結晶の薄膜である．化学エッチでは，図23(b) に示すように，それらのエッチ速度は，一般的にいって等方的（つまり，厚み方向と横方向に差がない）である．h_f を膜厚，l をレジストの下で横方向にエッチされる距離とすると，異方度 A_f は次式で定義される．

$$A_f \equiv 1 - \frac{l}{h_f} = 1 - \frac{R_l t}{R_v t} = 1 - \frac{R_l}{R_v} \tag{12}$$

ここで t は時間，R_l と R_v は横および厚み方向のエッチ速度である．等方向エッチの場合は，$R_l = R_v$ で，$A_f = 0$ である．

上の転写での化学エッチの難点は，マスクの下のえぐれであり，解像度の劣化にもつながる．実際には，等方性エッチの場合，膜厚を解像度の1/3以下にしなければならない．もしも膜厚よりも小さな解像度が要求される場合は，異方性エッチ（$1 \geq A_f > 0$）が必要である．A_f としてなるべく1に近いことが望ましく，図23(c) はその場合を示している．

ULSIを目指して，レジストパターンの高品質転写のために，ドライエッチが開発された．ド

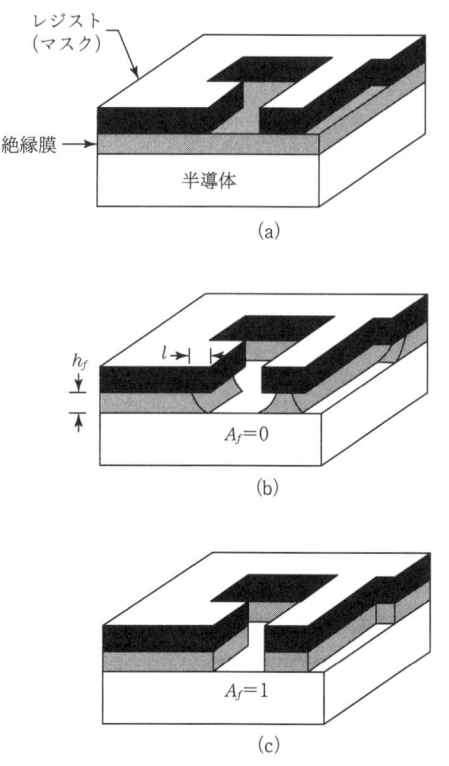

図 23 湿式化学エッチとドライエッチによるパターン形成[23]．

ライエッチは，プラズマエッチと同じで，低圧放電で発生させたプラズマを用いる．ドライエッチを細分類すると，プラズマエッチ/反応イオンエッチ（reactive ion etching, RIE）/スパッタエッチ/磁気強化 RIE（maganetically enhanced RIE, MERIE）/反応性イオンビームエッチ/高密度プラズマ（high-density plasma, HDP）エッチなどがある．

12.4.1 プラズマの基本

プラズマは，部分的または完全にイオン化したガスで，同数の正と負の電荷とそれとは異なる数の中性分子が存在する．ガスに十分高い電界を加えたときに放電し，イオン化されプラズマが発生する．プラズマは，陰極から電界放射されるなどの理由で存在する自由電子が引き金となる．電子は電界から運動エネルギーを与えられ，ガス中を運動する際に，ガス分子と衝突する．電子の運動エネルギーは，分子に与えられイオン化する（つまりもう一つの自由電子を作る）．電子は電界で加速され，この過程が繰り返される．ガスの放電電圧以上の電圧が印加されると，容器はプラズマで充満する．

ドライエッチのプラズマの電子密度は，比較的低く，10^9–10^{12} cm^{-3} 程度である．1 Torr の圧力で，ガスの分子密度は，電子密度の 10^4–10^7 倍くらい存在する．このときのガスの平均温度は 50–100°C の範囲であり，したがってプラズマエッチは低温プロセスである．

例題 4 RIE や HDP での電子密度は，それぞれ 10^9–10^{10} cm^{-3}，10^{11}–10^{12} cm^{-3} である．RIE での圧力を 200 mTorr，HDP の場合を 5 mTorr として，室温での RIE と HDP のイオン化効率を求めよ．イオン化効率とは，電子と分子の密度の比である．

解答
$$PV = nRT$$
で，P は圧力（atm），V は容積（ltr），n はモル数で，R は気体常数（$=0.082$ ltr·atm/mol·K），T は温度（K）である．

RIE では
$$n/V = P/RT = (200/760{,}000)/(0.082 \times 300) = 1.06 \times 10^{-5} \text{(mol/ltr)}$$
$$= 1.06 \times 10^{-5} \times 6.02 \times 10^{23} \div 1000 = 6.38 \times 10^{15} \text{(cm}^{-3}\text{)}.$$
イオン化率 $= (10^9 \sim 10^{10})/(6.38 \times 10^{15}) = 1.56 \times 10^{-7} \sim 1.56 \times 10^{-6}$．

HDP の場合は
$$n/V = P/RT = (5/760{,}000)/(0.82 \times 300) = 2.66 \times 10^{-7} \text{(mol/ltr)}$$
$$= 2.66 \times 10^{-7} \times 6.02 \times 10^{23} \div 1000 = 1.6 \times 10^{14} \text{(cm}^{-3}\text{)}.$$
イオン化率 $= (10^{11} \sim 10^{12})/(1.6 \times 10^{-14}) = 6.25 \times 10^{-4} \sim 6.25 \times 10^{-3}$．

以上から，HDP は RIE よりも，イオン化効率が格段に高いことがわかる．

12.4.2 エッチング機構・プラズマ診断・終止制御

プラズマエッチは，固体を中性の基底状態，または励起状態にある分子による化学エッチである．プラズマエッチでは，しばしば放電で発生する運動イオンによって，加速あるいは誘発される．ここでは基本的なエッチ機構・プラズマ診断・終止制御について述べよう．

エッチング機構

プラズマエッチの機構は，図24に示すように，5段階に分けられる．プラズマエッチ基が発生，気体のよどみ層（第10章参照）を拡散で移動し表面に到達，表面に吸着，化学反応（さらにイオン衝突による物理的効果も加え）による揮発性物質の生成，生成物質の脱着と拡散による離散，最終的には真空ポンプによる排出である[23]．

プラズマエッチは，低圧ガスに発生するプラズマを用い，また物理的および化学的エッチを併用している．前者は，スパッターを，後者は純粋な化学エッチを含んでいる．物理的エッチでは，陽イオンは表面に高速で衝突する．プラズマ中に少量含まれる陰イオンは，表面に到達することなくエッチには直接関与しない．プラズマで作られた中性の物質は，表面で蒸発しやすい物質を生成し，化学エッチを行う．化学的および物理的エッチはそれぞれ異なった特性を持つ．化学的エッチは，エッチ速度が高く，物質に対する選択性（つまり，物質によるエッチ速度の違い）が高く，イオン照射による表面損傷は少なく，等方的エッチが得られる．これに対して物理的エッチでは，異方性エッチが行え，物質の選択性は小さく，表面損傷は大きい．両者の利点を組み合わせれば，異方性を有し，程々の選択性，中庸の表面損傷が達成される．RIEがその例だといえる．

プラズマ診断

ほとんどのプラズマのプロセスで，赤外から紫外領域の発光がある．この発光分析を行うことによって，いろいろなことがわかる．発光のピークの位置を調べることによって，中性あるいはイオンの種類が同定できる．強度を，既存のデータで補正すれば，相対的な成分比も求められる．エッチ種や生成物の成分を調べれば，エッチ行程の進行も知ることができる．

終 止 制 御

材料選択性のある湿式化学エッチと異なり，ドライエッチではいつ作業を止めるかの正確な制御が不可欠であり，そのための検出が必要である．エッチング中に，レーザの反射光強度は，膜

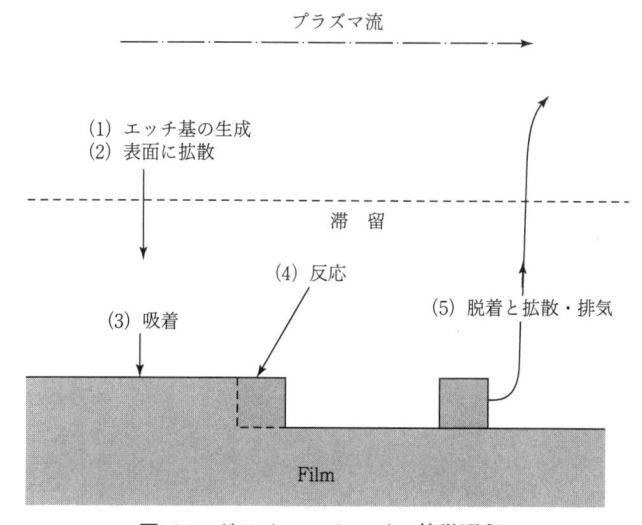

図 24　ドライエッチングの基礎過程．

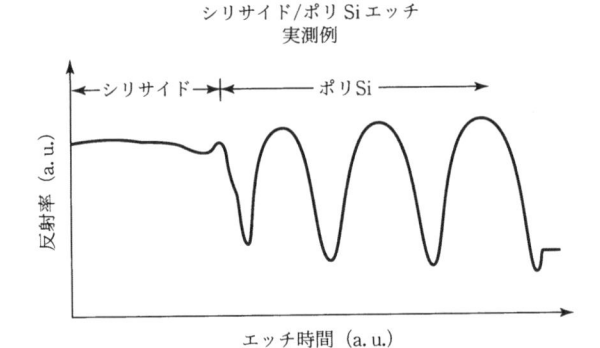

図 25 シリサイド/ポリ Si のエッチ時の単色光反射強度の変化. 反射強度の振動が終止するときにエッチを終了する.

の表面と界面の干渉により振動する. そのために, 膜は透明ないしは半透明である必要がある. 図 25 は, シリサイド/ポリ Si のゲートエッチの例である. 振動の周期は次式で表され,

$$\Delta d = \lambda / 2\bar{n} \tag{13}$$

Δd は 1 周期に対応する厚みの変化, λ はレーザ光の波長, $\bar{n}$ はエッチ膜の屈折率である. 因みに He-Ne レーザ ($\lambda = 632.8$ nm) では, 周期は 80 nm である.

12.4.3 反応性プラズマエッチ技術および装置

IC 産業で, フォトレジスト除去にプラズマを用いた初期から, 大きな進展があった. プラズマエッチの装置は, 真空室・真空ポンプ・電源部・圧力感知およびガス流量制御部・終止制御部で構成される. 表 3 に, 商業的に入手できる装置の類似点と相違点を示した. 操作圧力範囲とそれぞれのエネルギー範囲は図 26 に示す. それぞれは, 化学的と物理的エッチの組み合わせに合わせて, 圧力・電極の形状や形式・使用周波数などが経験的に設計されている. 製造現場では, 高いエッチ速度と自動操作性が求められている.

反応性イオンエッチ (RIE)

RIE はこの業界で広く使われている. 平行電極式では, 高周波の容量結合の下部電極が, 試

表 3 プラズマエッチ装置の機構と圧力範囲

エッチ装置	エッチ機構	圧力範囲 (Torr)
バレル装置	化学	0.1-10
下流プラズマ	〃	0.1-10
反応イオンエッチ (RIE)	化学/物理	0.01-1
磁気強化 RIE	〃	0.01-1
磁気閉じ込め三極 RIE	〃	0.001-0.1
電子共鳴プラズマ	〃	0.001-0.1
誘導結合またはトランス結合プラズマ	〃	0.001-0.1
表面波結合またはヘリヨンプラズマ	〃	0.001-0.1

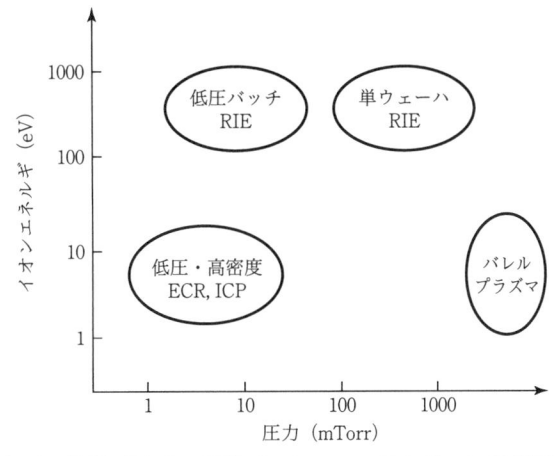

図 26　各種プラズマ反応プロセスのエネルギーと動作圧力.

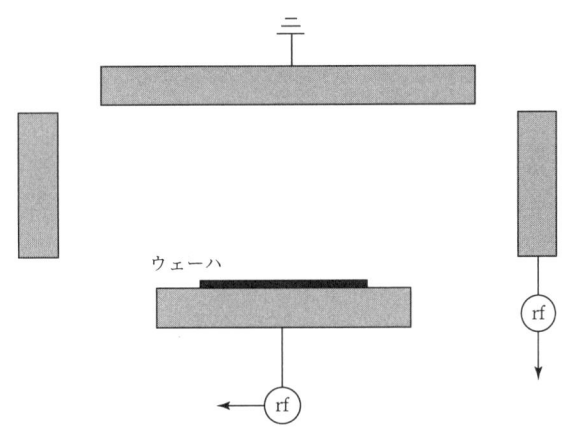

図 27　三極反応イオンエッチシステムの説明図．イオンエネルギーは，下部電極のバイアス電圧を制御することにより，独立に変化することができる．

料保持台になっている．チャンバーそのものがアースされており，これがもう一方の電極として働く．この面積が大きいことと低い圧力（<500 mTorr）のために試料保持台に大きな負の自己バイアスがかかり試料表面はプラズマ中の高エネルギーイオンの衝撃にさらされる．

この場合の材料選択性は，強い物理スパッタリングのために，従来の樽形と比べて劣る．しかしその選択性は，たとえばガスにフロロカーボンを用いて，SiO_2 と Si との選択性を化学的に補強することができる．あるいは，図 27 のような三極構成によってプラズマの発生と移動を分離できる．イオンの運動エネルギーは，ウェーハ電極にかける電圧を変化させることによって，独立に変えることができる．このように，選択性の喪失とイオン衝突損傷を減少させることができる．

電子サイクロトロン共鳴プラズマエッチ

三極 RIE を除き，平行電極プラズマエッチでは，電子温度・プラズマ密度・反応種密度などのパラメータを独立に制御できない．その結果，イオン衝突による損傷は頭の痛い問題である．

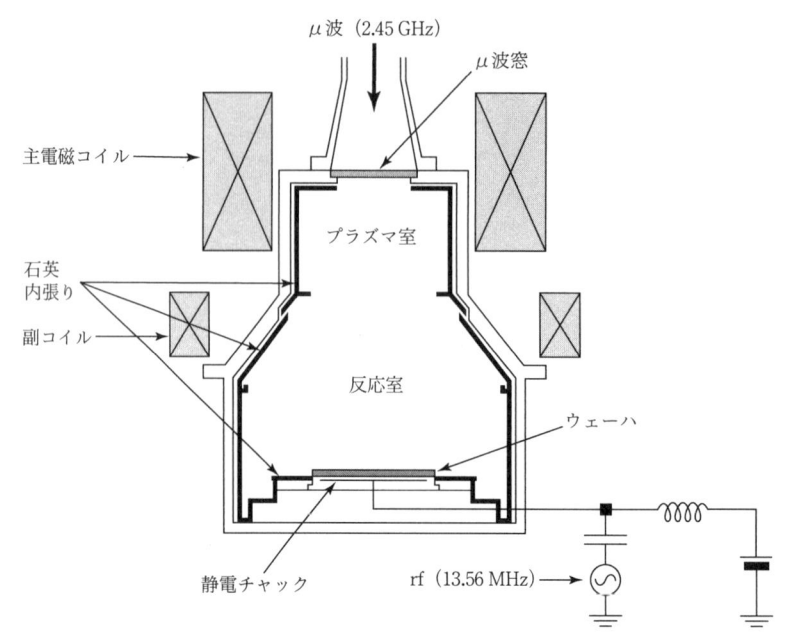

図 28 ECR プラズマエッチシステム[24].

電子サイクロトロン共鳴（electron cyclotron resonance, ECR）方式では，磁力線の周りを回転する電子とマイクロ波と組み合わせる．回転の周期とマイクロ波の周波数が一致すると，エネルギーが供給され，分解とイオン化（イオン化率は，ECR で 10^{-2}，RIE で 10^{-6}）が始まる．図 28 は ECR の構造を示す．マイクロ波は，窓から装置内に供給される．磁場は，電磁コイルで作られる．ECR 装置では，加熱が必要なく，室温で薄膜を堆積することができる．

他の高密度プラズマエッチ

ULSI の最小寸法が縮小を続けて，RIE の限界が見えて来つつある．ECR 装置に加え，誘導結合プラズマ源（inductively coupled plasma, ICP），変成器結合プラズマ源（transformer-coupled plasma, TCP），あるいは表面波結合プラズマ源（surface-wave coupled plasma, SWP）といった高密度プラズマ源（HDP）がいろいろ開発されている．これらのエッチ装置は，高プラズマ密度（10^{11}～10^{12} cm^{-3}）と低圧力（<20 mTorr）である．さらに，ウェーハ台は独立にバイアスでき，イオンエネルギーとプラズマ密度を独立に変化できる．HDP の最大の利点は，最小寸法（CD）の制御性，高いエッチ速度，高い選択性である．

また，HDP は，基板の低損傷（基板と側電極の独立バイアスによる）と高い異方性（低圧で高い活性基密度による）をもたらす．しかし装置の複雑さと高価格のため，スペーサエッチングや平滑化[24]など，要求の緩いところでは使われないだろう．図 29 は TCP 装置を示す．高密度の低圧プラズマが，プラズマから誘電体板に隔てられたスパイラルコイルで励起される．ウェーハはコイルから離れて定置され，コイルの電磁場の影響は避けられる．プラズマは，ウェーハ表面から平均自由行程の高々数倍しか離れていないから，プラズマ密度の損失は小さい．かくして，高密度プラズマと高いエッチ速度が，同時に達成される．

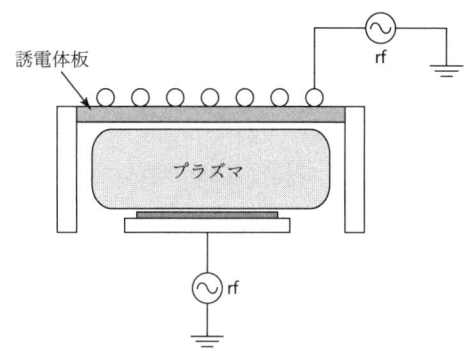

図 29 トランス結合プラズマシステム．

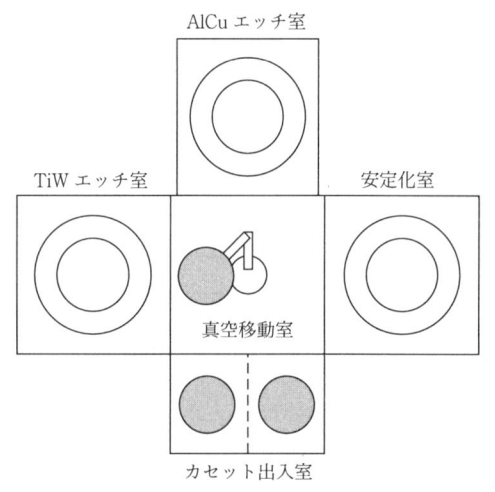

図 30 多層金属接続膜（TiW/AlCu/TiW）のエッチのための反応性イオンエッチ集積装置[2]．

集中プラズマプロセス

半導体ウェーハは，雰囲気中のゴミ粒子の汚染を避けるため，無塵室で扱われる．デバイスの寸法が縮小するにつれて，このことはより重要になる．ゴミ粒子の影響を避けるために，プラズマ処理を集中して，次のプラズマ処理に移すのに真空中で受け渡しができるようにする方がよい．集中プラズマ処理によって，スループットも高められる．図 30 は，3 層の金属接続（TiW/AlCu/TiW）のエッチプロセスの処理室（すなわち AlCu エッチ室，TiW エッチ室および表面保護処理室）を，真空保持室で繋いだ集中プラズマプロセス装置である．この装置によって，ウェーハは外気汚染にさらされる確率が減り，取り扱い行程も短縮され，より高い良品率が達成され，経済的利益が得られる．

12.4.4 反応性プラズマエッチの応用

プラズマエッチは，簡単なバッチ方式のレジスト除去から，大規模な単一ウェーハプロセスへと急速に発展してきた．エッチシステムも，普通の RIE からサブミクロン領域でのパターン印写のための高密度プラズマ装置へと，進展を続けている．エッチ装置だけではなく，エッチングの化学もその進歩の主役を担ってきた．表 4 は，異なるエッチプロセスへのエッチ液をまとめ

た．エッチプロセスの開発とは，多くの条件下でのエッチ速度・選択性・整形性・CD・発生欠陥等々の最適化を求めることを意味している．

Si溝エッチ

デバイス寸法が縮小するのに伴って，回路要素間の絶縁や，DRAMの蓄積キャパシタの寸法も，同様に縮小することが期待される．これらの寸法は，Si基盤に溝を掘り，それを適当な絶縁膜あるいは金属で埋め戻して，達成される．通常5 μm以上の深い溝が，キャパシタには必要である．1 μm以下の浅い溝は，絶縁に用いられる．

ClあるいはBrを含む薬品は，高いSiのエッチ速度とSi酸化物への高い選択性をもたらす．HBr/NF$_3$/SF$_6$/O$_2$の組み合わせは，~7 μmの溝を掘るのに用いられ，浅い溝にも有用である．アスペクト比が，エッチ速度で変化することは，サブミクロン加工の深さの溝でよく見られることである．これは狭い溝中を，イオンや中性分子が移動するのを妨げられるせいである．図31はアスペクト比とエッチ速度の関係である．大きなアスペクト比では，エッチ速度は低下する．

表4 各種エッチプロセスのエッチ手法

被エッチ材料	化学薬品
深い溝（Si）	HBr/NF$_3$/O$_2$/SF$_6$
浅い溝（Si）	HBr/Cl$_2$/O$_2$
ポリSi	HBr/Cl$_2$/O$_2$, HBr/O$_2$, BCl$_3$/Cl$_2$, SF$_6$
Al	BCl$_3$/Cl$_2$, SiCl$_4$/Cl$_2$, HBr/Cl$_2$
AlSiCu	BCl$_3$/Cl$_2$/N$_2$
W	SF$_6$, NF$_3$/Cl$_2$
TiW	SF$_6$
WSi$_2$, TiSi$_2$, CoSi$_2$	CCl$_2$F$_2$/NF$_3$, CF$_4$/Cl$_2$, Cl$_2$/N$_2$/C$_2$F$_6$
SiO$_2$	CF$_4$/CHF$_3$/Ar, C$_2$F$_6$, C$_3$F$_8$, C$_4$F$_8$/CO, C$_5$F$_8$, CH$_2$F$_2$
Si$_3$N$_4$	CHF$_3$/O$_2$, CH$_2$F$_2$, CH$_2$CHF$_2$

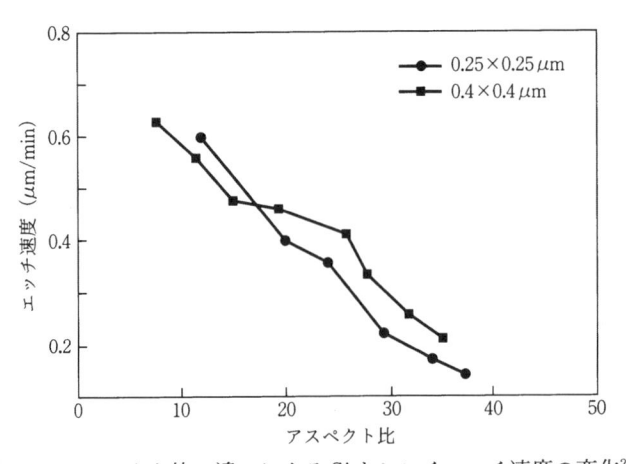

図31 アスペクト比の違いによるSiトレンチエッチ速度の変化[2].

ポリSiおよびポリサイドのゲートエッチ

ポリSiあるいはポリサイド（ポリSi上の低抵抗の金属シリサイド）が，MOSデバイスでゲート材料として用いられる．ゲートエッチには，方向性とゲート酸化膜での選択性が重要である．たとえば，1G DRAMに要求される選択性は150（つまりポリSiとゲート酸化膜のエッチ速度の比が150）以上である．高い選択性と方向性を持つエッチの，両方を満足させることは，難しい．そこで，手順をいくつかに分けて，それぞれで最適化を求める．一方で，方向性エッチと高い選択性は，低圧・高密度・低電力で追求されている．多くのClあるいはBr成分の薬品が，求める方向性と選択性を満足させる．

誘電体のエッチング

誘電体，特に酸化Siと窒化Siのパターン形成は，半導体デバイスにとって不可欠の技術である．高い結合エネルギーのため，誘電体のエッチには，強力なイオン効果とF基の薬品が必要である．切り立った断面は，プラズマにCとFを含んだ薬品（たとえばCF_4，CHF_3，C_4F_8）を使って，側壁保護によって可能となった．このポリマー層を，酸化膜から除去し，SiF_xを作るのに反応基を酸化膜に入れるには，高いエネルギーが必要である．

低圧・高密度プラズマは，アスペクト比とエッチング速度の関係に関して恵まれている．しかし，HDPは高温の電子を作り，イオンとラジカルの分解を促進する．RIEやMERIEでの活性ラジカルとイオンよりも，ずっと多く発生する．特に高濃度のFは，Siへの選択性を損なう．高密度プラズマで選択性を補強するために，多くのことが試された．高いC/Fを持つC_2F_6，C_4F_8，C_5F_8などの主成分ガスが試された．Fラジカルを捕集する他の方法も試された[25]．

配線金属のエッチ

金属層のエッチは，ICプロセスでは非常に重要である．Al，Cu，Wが，電極材料で最もよく使用される．これらの金属には，通常方向性エッチが求められる．AlはFと反応して，1240℃で，1 Torrしか蒸気圧のない非揮発性のAlF_3を作る．Cl系（Cl_2/BCl_3の混合）の薬品が，Alエッチには用いられる．この薬品は，エッチ速度が速く，アンダーカットが起きる．Cを含むガス（CHF_3）あるいはN_2を添加して，側壁保護膜を作り，方向性エッチを行っている．

Alエッチの場合は，大気への露出が問題である．Al側壁や，レジストの残留Clは，大気中の水と反応して，HClとなり，Alを腐食する．ウェーハのエッチ後，CF_4放電でClをFで置換し，さらにO放電でレジストを除去して，大気に取り出した直後，純水で洗浄することによって，Al腐食の問題は解決される．図32は，0.35μmのTiN/Al/Tiの線を，大気中で72時間放置した状態であるが，より長時間後でも腐食は見られない．

Cuは，Alあるいはその合金と比べて，低い抵抗率（〜1.7 μohm·cm）とエレクトロマイグレーションへの高い耐性があることから，ULSIの新しい配線材料として注目されている．しかしCuのハライドは，室温でのプラズマエッチがなかなかできない．Cu膜のプラズマエッチには，200℃以上が必要である．そこで，図33に示す象嵌手法が，ドライプロセスを避けるために，考案された．最初に絶縁膜に溝を作り，それをCuやAlの金属で充填する．次に，表面をCMP（chemical-mechanical processing）で平滑に仕上げる．象嵌手法は，金属エッチを不要とし，配線材料のAlからCuへの転換の展望を明るくした．

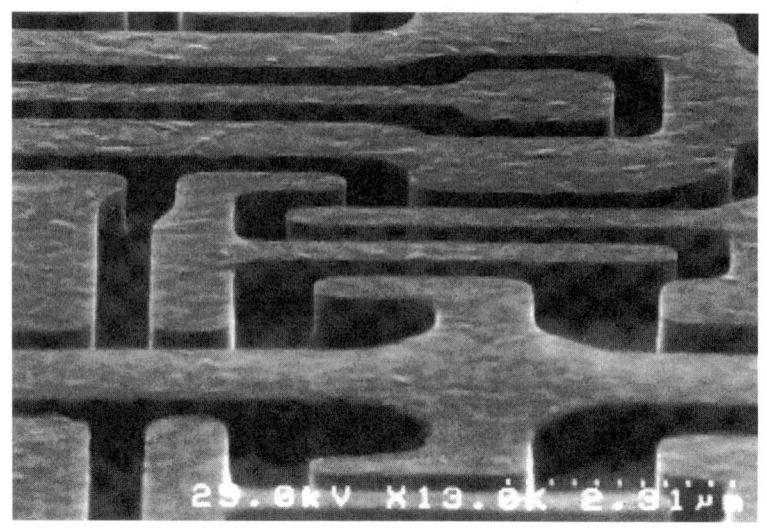

図 32　0.35 μm の TiN/Al/TiN は，加工後大気中に 72 時間放置されても腐食はない．

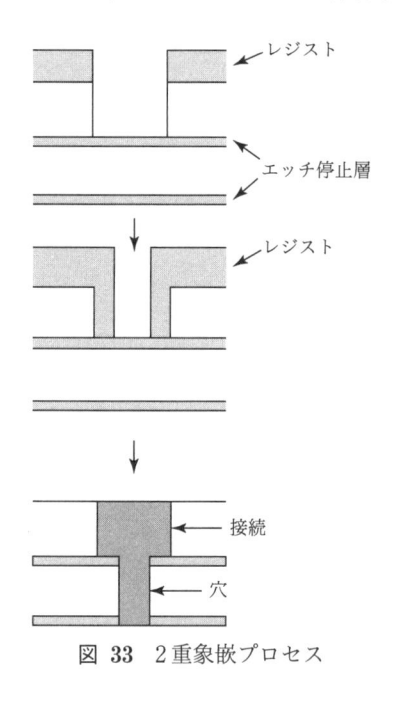

図 33　2 重象嵌プロセス

図 34　W を低圧 CVD の全面堆積により，電極孔に埋めた後，反応性イオンエッチによりエッチする．

低圧 CVD（LPCVD）による W は，良好な付着性のために，電極孔を埋めたり，一層金属膜として広く用いられる．F 系あるいは Cl 系ともに，W を良くエッチし残留物を残さない．重宝な技術として，全面付着が利用できる．図 34 のように，LPCVD で W が TiN 障壁層の上に，全面堆積される．二段加工が良く用いられる．まず高エッチ速度で，90% の W を除去する．次に，エッチ速度を下げて，W と TiN の選択性の高いエッチを行い，W を除去する．

12.5 マイクロエレクトロメカニカルシステム（MEMS）

Si チップ上に，ポリ Si で作ったマイクロモータが回転した 1980 年代後半から[26,27]，マイクロエレクトロメカニカルシステム（MEMS）への興味は，急速に立ち上がった．Si の MEMS の製作には，Si IC の高度に発展した製造技術が，多く取り入れられている．このために，IC でのバッチシステムを流用して，MEMS 製造は低コストが可能である．それに加えて，MEMS のための新手法も開発されている．ここで，三つの特殊エッチング法を取り上げよう．立体マイクロマシニング，表面マイクロマシニングと LIGA プロセスである．

12.5.1 立体マイクロマシニング

立体マイクロマシニングでは，デバイス（センサやアクチュエータ）が，大きな単結晶基板から作り出される．膜は基板の上に，絶縁やトランスジューサ機能のために，パターン化される．結晶方位依存の湿式エッチは，高解像度と厳密な精度出しが可能である．立体加工では，しばしば両面から加工される．一面は機械的や化学的な信号を受け，別面は清浄な容器に密閉される．両面構造は，マイクロエレクトロニックデバイスにとって，過酷な環境での確実な動作を保証する．簡単な機械的デバイス，たとえば膜の圧力センサ，膜あるいは片持ち梁のピエゾ抵抗加速度センサなどは，この方法で製品化されている．図 35 はシリコーンゴムの薄皮の製造工程を示している[28]．

12.5.2 表面マイクロマシニング

表面マイクロマシニングでは，薄膜だけで構成されたデバイスを作る．バルクからと薄膜だけ

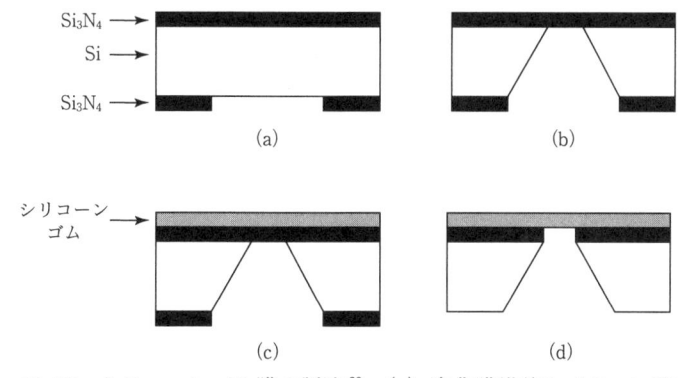

図 35 シリコーンゴム膜の製法[28]．(a) 窒化膜堆積とパターン形成，(b) KOH エッチ，(c) シリコーンゴムのスピンコート，(d) 窒化膜除去[28]．

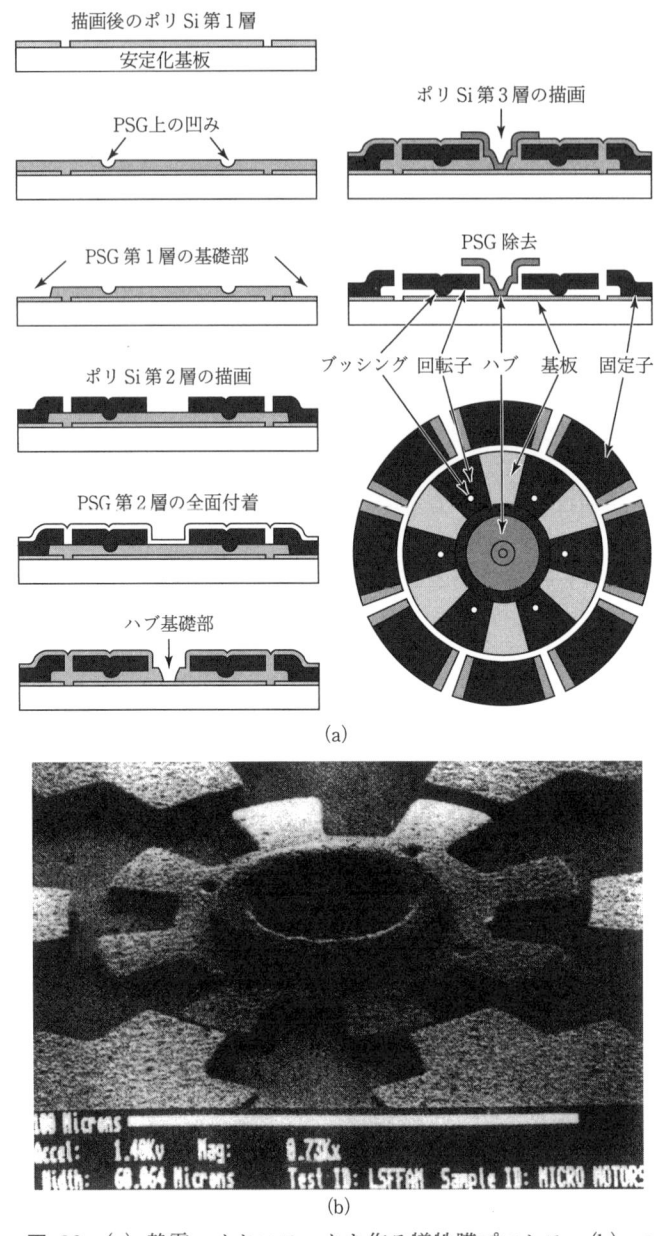

図 36 (a) 静電マイクロモータを作る犠牲膜プロセス，(b) マイクロモータの写真[27]．最初のポリSi層とパターン．

で作る場合には，それぞれの長所・短所の違いが存在する．バルクの場合はデバイスの寸法はmm程度であるが，表面マイクロマシニングでは，μmの範囲である．表面マイクロマシニングでは，層の積み重ねとパターニングで，複雑な構造を作ることができるが，バルクデバイスでは，製作が困難である．自立したあるいは可動部分は，犠牲膜を用いて作れる．図36は，回転子と中心軸の間隙が，μm以下に保たれた構造を作る犠牲膜の利用を説明する[27]．

12.5.3 LIGA プロセス

LIGA[29] とは，ドイツ語の Lithographik, Galvanoformung, Abformung に由来する略語で，リソグラフィ，電気メッキ，型抜きの三つの基本からなる．LIGA プロセスは，放射光の X 線を用いる．このプロセスでは面寸法が μm 程度で，厚みが数百 μm の構造をいろいろの材料で作ることができる．その応用は，マイクロエレクトロニクス，センサ，マイクロ光学，ミクロ機構，バイオ工学へと広い．

LIGA プロセスの一例を，図 37 に示す．電気伝導性を持つ表面の上に，300～500 μm 厚の X 線レジストを付ける．図 37(a) の X 線マスクで，よくコリメートされた放射光からの X 線を長時間露光する．花形の溝構造が，現像処理の後にできる（図 37(b)）．底部の導体を通して，電気メッキを行う．メッキは溝を埋めて，上面に達する（図 37(c)）．レジストを除去した後には，金属の型ができる（図 37(d)）．この型を射出成形に用いて，プラスチックのレプリカを作ることが出来る（図 37(e)）．メッキと射出成形を行い，図 37(f)，(g) のレプリカを生産できる．

LIGA の利点は，加工精度を保った三次元構造を作ることができることである．しかし，最初の放射光からの X 線利用は，高コストのプロセスであり，射出成形品の型からの分離で，型の劣化が懸念される．

まとめ

半導体ウェーハに，より精密な回路の転写を，絶え間なく追求した結果として，半導体産業は発展を継続した．その基幹技術は，リソグラフィとエッチングであった．

現在の大多数は，光学的リソ装置である．多数の光学的な露光装置，マスク，フォトレジスト，無塵室について述べた．光学的方式の限界は，回折に起因している．しかし，エクシマレーザ，レジストの化学，PSM や OPC などの解像度補強技術などのお陰で，光学方式は 130 nm までは，主流であり続けた．

電子ビームリソは，マスク作成とナノ技術で利用されている．その他の方式は，EUV，X 線，イオンビームリソグラフィである．これらはすべて 100 nm 以上の解像度を有しているが，それぞれに限界がある：電子ビームの近接効果，EUV でのマスクの抜けの悪さ，X 線でのマスクの複雑さ，イオンビームプロセスでの電荷などがそうである．

現時点で，光学方式の後継者を迷いなく選ぶことは不可能である．しかしそれぞれの方式の利点を活用して，スループットをあげる方式が現実的であろう．

湿式エッチが，半導体プロセスで広く使われている．全面処理には，特に適している．Si, GaAs, 絶縁物，配線金属のエッチを調べた．湿式エッチは，パターン転写に用いられるが，マスク端での彫り込みは，解像度の低下をもたらす．

ドライエッチは，高解像度の転写に用いられる．それはプラズマエッチと同義語である．プラズマ技術の基礎を扱い，さらに簡単な平行電極構造から，多周波数電源や複数処理室，プロセス制御センサなどの装置関連技術も学んだ．

将来のエッチ技術に望まれることは，材料選択制・解像度・エッチング速度のアスペクト比依存性・プラズマ損傷の点である．低圧高密度プラズマがそれらの解決であろう．200 mm から 300 mm あるいはそれ以上のウェーハへの移行に従って，絶え間ない改良，特にウェーハ内での均一性が，求められている．新しい，ガス反応体系の開発が必要である．

図 37 LIGA プロセス[29].

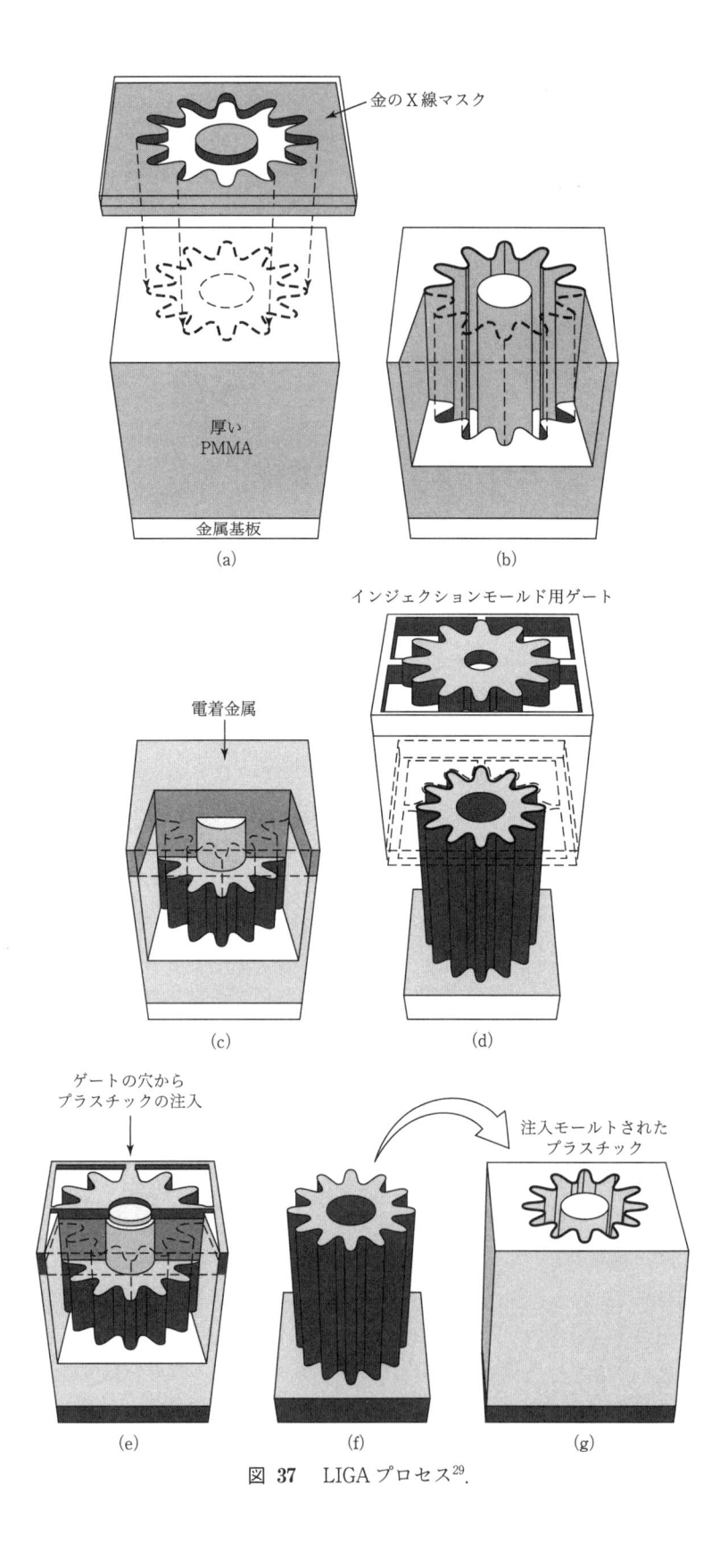

MEMS は，IC 製造のリソグラフィとエッチング技術を利用してきた新進の分野である．新しく開発されたエッチ技術もある．三次元加工技術や方向性エッチ，犠牲膜利用の表面マイクロマシニング，あるいは放射光の高度な平行 X 線を利用した LIGA 技術である．

参 考 文 献

1. より詳しいリソグラフィの文献は，(a) K. Nakamura, "Lithography," in C. Y. Chang and S. M. Sze, Eds., *ULSI Technology*, McGraw-Hill, New York, 1996. (b) P. Rai-Choudhurg, *Handbook of Microlithography, Micromachining, and Microfabrication*, Vol. 1, SPIE, Washington, DC, 1997. (c) D. A. McGillis, "Lithography," in S. M. Sze. Ed., *VLSI Technology*, McGraw-Hill, New York, 1983.

2. エッチングについてより詳しくは，Y. J. T. Liu, " Etching," in C. Y. Chang and S. M. Sze, Eds., *ULSI Technology*, McGraw-Hill, New York, 1996.

3. J.M. Duffalo and J. R. Monkowski, " Particulate Contamination and Device Performance," *Solid State Technol*. **27**, 3, 109 (1984).

4. H. P. Tseng and R. Jansen, "Cleanroom Technology," in C. Y. Chang and S. M. Sze, Eds., *ULSI Technology*, McGraw-Hill, New York, 1996.

5. M. C. King, " Principles of Optical Lithography," in N. G. Einspruch, Ed., *VLSI Electronics*, Vol. 1, Academic, New York, 1981.

6. J. H. Bruning, "A Tutorial on Optical Lithography," in D. A. Doane, et al., Eds., *Semiconductor Technology*, Electrochemical Soc., Pennington, 1982.

7. R. K. Watts and J. H. Bruning, "A Review of Fine-Line Lithographic Techniques: Present and Future," *Solid State Technol.*, **24**, 5,99 (1981).

8. W. C. Till and J. T. Luxon, *Integrated Circuits, Materials, Devices, and Fabrication*, Princeton-Hall, Englewood Cliffs, NJ, 1982.

9. M. D. Levenson, N. S. Viswanathan, and R. A. Simpson, "Improving Resolution in Photolithography with a Phase-Shift Mask," *IEEE Trans. Electron Devices*, **ED-29,** 18–28 (1982).

10. D. P. Kern, et al., "Practical Aspects of Microfabrication in the 100-nm Region," *Solid State Technol.*, **27**, 2, 127 (1984).

11. J. A. Reynolds, "An Overview of e-Beam Mask-Making," *Solid State Technol.*, **22**, 8, 87 (1979).

12. Y. Someda, et al. "Electron-Beam Cell Projection Lithography: Its Accuracy and Its Throughput," *J. Vac. Sci. Technol.*, **B12** (6), 3399 (1994).

13. J. A. Liddle, et al., "The Scattering with Angular Limitation in Projection Electron-Beam Lithography (SCALPEL) System," *Jpn. J. Appl. Phys.*, **34**, 6663 (1995).

14. W. L. Brown, T. Venkatesan, and A. Wagner, "Ion Beam Lithography," *Solid State Technol.*, **24**, 8, 60 (1981).

15. D. S. Kyser and N. W. Viswanathan, "Monte Carlo Simulation of Spacially Distributed Beams in Election-Beam Lithography", *J. Vac. Sci. Technol.*, **12**, 1305 (1975).

16. Charles Gwyn, et al., *Extreme Ultraviolet Lithography-White Paper*, Sematech, Next Generation Lithography Workshop, Colorado Springs, Dec. 7–10, 1998.

17. J. P. Silverman, *Proximity X-Ray Lithography-White Paper*, Sematech, Next Generation Lithography Workshop, Colorado Spring, Dec. 7-10. 1998.

18. L. Karapiperis, et al., "Ion Beam Exposure Profiles in PMMA-Computer Simulation," *J. Vac. Sci. Technol.*, **19**, 1259 (1981).

19. H. Robbins and B. Schwartz, "Chemical Etching of Silicon II, the System HF, HNO_3, H_2O and $HC_2H_3O_2$, " *J. Electrochem. Soc.*, **107**, 108 (1960).

20. K. E. Bean, "Anisotropic Etching in Silicon," *IEEE Trans. Electron Devices*, **ED-25**, 1185 (1978).

21. S. Iida and K. Ito, "Selective Etching of Gallium Arsenide Crystal in H_2SO_4-H_2O_2-H_2O System," *J. Electrochem. Soc.*, **118**, 768 (1971).

22. E. C. Douglas, "Advanced Process Technology for VLSI Circuits," *Solid State Technol.*, **24**, 5, 65 (1981).

23. J. A. Mucha and D. W. Hess, " Plasma Etching," in L. F. Thompson and C. G. Willson, Eds.,

Microcircuit Processing: Lithography and Dry Etching, American Chemical Society, Washington, D. C., 1984.

24. M. Armacost et. al., "Plasma-Etching Processes for ULSI Semiconductor Circuits," *IBM J. Res. Dev.*, **43**, 39 (1999).
25. C. O. Jung, et al., "Advanced Plasma Technology in Microelectronics," *Thin Solid Films*, **341**, 112, (1999).
26. C. H. Mastrangelo and W. C. Tang, " Semiconductor Sensor Technology," in S. M. Sze, Ed., *Semiconductor Sensors*, Wiley, New York, 1994.
27. L. S. Fan, Y. C. Tai, and R. S. Muller, "IC-Processed Electrostatic Micromotors," in *IEEE Int. Electron Devices Meeting* (IEDM), p. 666, 1988.
28. X. Yang, et al., "A MEMS Thermopenumatic Silicone Rubber Membrane Valve, " *Sens. Actuators*, **A64**, 101, (1998).
29. W. Ehrfeld, et al. "Fabrication of Microstructures Using the LIGA Process," *Proc. IEEE Micro Robots and Teleoperators Workshop*, Hyannis, MA, Nov. 1987.

問題（＊印は高度な問題を示す）

12.1節　光学リソグラフィに関する問題

1. クラス100のクリーンルームで，1立方メートル当りそれぞれの粒子数はいくらか．(a) $0.5～1\,\mu m$ の粒子，(b) $1～2\,\mu m$，(c) $2\,\mu m$ 以上．

2. マスクを9個用いるプロセスで，四つのマスクの平均欠陥密度が $0.1\,cm^{-2}$，他の四つで $0.25\,cm^{-2}$，一つが $1.0\,cm^{-2}$ であるときの最終良品率を求めよ．チップの大きさは $50\,mm^2$ とする．

3. 露光強度が $0.3\,mW/cm^2$ の光学リソグラフィシステムがある．ポジ形レジストの必要露光量が $140\,mJ/cm^2$，ネガ形レジストで $9\,mJ/cm^2$ であるとき，それぞれのスループットを比較せよ．ウェーハを出し入れする時間は無視するものとする．

4. (a) 193 nm の ArF エクシマレーザの装置で，$N_A=0.65$，$k_1=0.60$，$k_2=0.50$ として，理論的な解像度と焦点深度を求めよ．(b) 解像度を改善するために，N_A，k_1，k_2 をどのように変えればよいのか．(c) 解像度改善に，PSM では何を変えているのか．

5. 図9の曲線は，ミクロリソの応答曲線と呼ばれる．(a) この値が高いレジストの利点と短所を述べよ．(b) 通常のレジストが，248 あるいは 193 nm で使用できない理由を述べよ．

12.2節　次世代のリソグラフィに関する問題

6. (a) 電子ビーム露光装置で，ガウスビームよりも，整形ビームの方がスループットが高くなる理由を述べよ．(b) 電子ビームで，位置合わせををどのように行うか．また X 線で，それが難しいのは何故か．(c) X 線リソが，電子ビームリソよりも優れている点を挙げよ．

7. 光学リソで，密着から，等倍投影さらに 1/5 縮尺投影へと変わったのは何故か．(b) X 線リソで，ステップ・スキャン方式ができるかあるいはできないか．その理由を述べよ．

12.3節　湿式化学エッチングに関する問題

8. マスクと基板とエッチ液の組み合わせで，等方性エッチがなされるとして，膜厚 h_f の場合，(a) エッチ完了時，(b) 100% 過エッチの場合，(c) 200% 過エッチの場合のプロ

ファイルを描け．

9. (100) Si が，KOH 液を用いて，1.5 μm □ の SiO₂ の窓でエッチされたとき，(100) へのエッチ速度が 0.6 μm/min で，エッチ速度の面依存性が (100)：(110)：(111) で 100：16：1 だとして，20, 40, 60 sec 後のプロファイルを描け．

10. 前の問題で，(110) Si だとした場合の答えを求めよ．

11. 厚み 625 μm で直径 150 mm の (100) Si ウェーハに，1 mm □ の IC が作られ，その分離を異方性エッチで行う．その実行方法を二つ列挙せよ．またそのときに失われる面積の % を求めよ．

12.4 節　乾式エッチングに関する問題

*12. 粒子が衝突を繰り返す平均距離を，平均自由行程 λ という．P(Torr) を圧力とすると，$\lambda = 5 \times 10^{-3}/P$ (cm) である．プラズマの圧力範囲を 1-150 Pa として，ガス分子の濃度 (cm⁻³) と平均自由行程を求めよ．

13. F は，Si を $2.86 \times 10^{-13} n_F \times T^{1/2} e^{-E_a/RT}$ (nm/min) の速度でエッチする．ここで n_F は F 原子の濃度 (cm⁻³)，T は温度 (K)，E_a は活性化エネルギー (= 2.48 kcal/mol)，R は気体常数 (= 1.987 cal·K) である．n_F を 3×10^{15} だとして，室温でのエッチ速度を求めよ．

14. 前問で，SiO₂ の場合のエッチ速度は，$0.614 \times 10^{-13} n_F \cdot T^{1/2} \cdot e^{-E_a/RT}$ (nm/min) で，E_a は，3.76 (kcal/mol) となる．上と同じ条件での，エッチ速度と材料選択比を求めよ．

15. ポリ Si と薄いゲート膜の組み合わせのエッチで，多段エッチが必要である．マイクロマスキング無しで，方向性を持たせ，ゲート膜でエッチを止めるにはどうするか．

16. 下のゲート膜を 1 nm 以上エッチしないで，ポリ Si 層を，400 nm エッチするにはどうすればよいか．ポリ Si エッチ速度の面内の均一性は，10% であるとする．

17. 酸化膜の上に，1 μm 厚の Al が着けられ，レジストでパターンが描かれている．金属はヘリコン装置を用い，70°C の BCl₃/Cl₂ ガスでエッチする．レジスト上の Al の選択度は 3 である．30% の過エッチを仮定して，金属表面がやられないレジスト厚はいくらか．

18. ECR プラズマが，強度 B の静磁場で電子は次式の角速度 ω_e で回転する．
$\omega_e = qB/m_e,$
ここで q は電子電荷，m_e は電子の質量である．マイクロ波周波数が 2.45 GHz なら，B はいくらか．

19. 通常の反応性イオンエッチと，高密度プラズマエッチ（ECR, ICP など）との主な違いは何か．

20. Al 線を Cl 基のプラズマでエッチした後の腐食を防ぐにはどうすればよいか．

第13章　不純物ドーピング

13.1　基本拡散過程
13.2　外因性拡散
13.3　拡散関連過程
13.4　注入イオンの飛程
13.5　注入による損傷とアニール
13.6　イオン注入に関連したプロセス
　まとめ

　不純物ドーピングは半導体中に制御された量のドーパントを導入することである．不純物ドーピングは主に半導体の電気的特性を変化させるために使われる．拡散およびイオン注入は不純物ドーピングの鍵を握る二つの方法である．1970年代の初めまで，不純物ドーピングは図1(a)に示されるように高温での拡散であった．この方法では，ドーパント原子は気相から堆積するかあるいはドープされた酸化膜ソースを使って，半導体ウェーハ表面あるいはその近くに供給される．ドーピング濃度は表面から一様に減少し，ドーパントの分布は温度と拡散時間によって決められる．

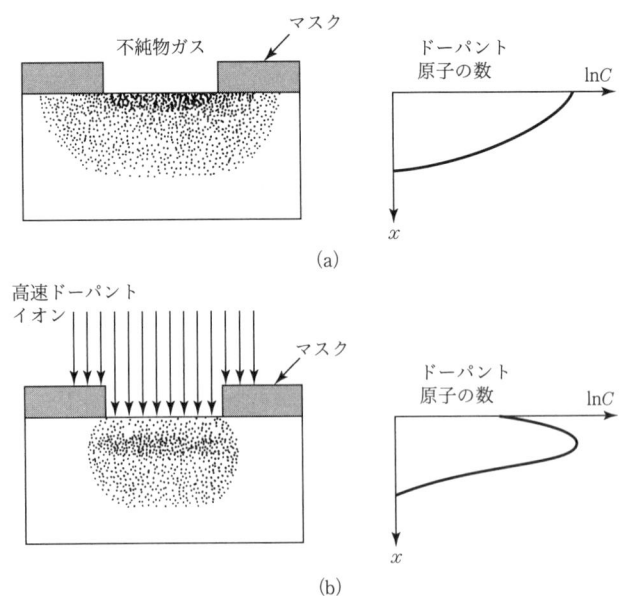

図 1　半導体基板中に選択的にドーパントを導入するための拡散とイオン注入技術の比較．

第 13 章 不純物ドーピング

1970 年代の初頭以降，図 1(b) に示されるようなイオン注入によって，多くのドーピングが行われるようになった．このプロセスでは，ドーパントのイオンが，高いエネルギーを持ったイオンビームとして半導体中に注入される．ドーピング濃度は，半導体中にそのピークを持ち，ドーパントの分布は主にイオンの質量と注入されるイオンのエネルギーによって決められる．拡散およびイオン注入は通常相補的な技術であり，個別デバイスおよび IC の製造にはその両者が使われる[1,2]．たとえば拡散は深い接合（たとえば CMOS のツインウェル）を作るために使われ，イオン注入は浅い接合（たとえば MOSFET のソース，ドレイン接合）を作るために使われる．

この章では，特に以下の項目を取り上げる．

- 高温で急峻な濃度勾配がある場合の結晶中での不純物原子の動き
- 一定拡散係数および不純物依存拡散係数における不純物分布
- 横方向拡散および不純物の再分布のデバイス特性に与える影響
- イオン注入の方法と利点
- 結晶格子中のイオン分布およびイオン注入によって導入された損傷の分布とその除去方法

13.1 基本拡散過程

不純物の拡散は，通常半導体ウェーハを注意深く温度制御された石英管炉の中に入れ，必要なドーパントを含んだ混合ガスを流して行われる．温度は通常 Si で 800～1200℃，GaAs で 600～1000℃ である．半導体中に拡散される不純物の量は，混合ガス中のドーパント不純物の分圧に依存する．

Si の拡散においては，B（ホウ素）が p 形不純物として最も良く使われる．一方 n 形不純物としては As（ヒ素）および P（リン）が広く使われている．これら三つの元素は Si 中に良く溶け込み，拡散の温度領域で溶解度は 5×10^{20} cm^{-3} 以上になる．これらのドーパントは固体ソース（たとえば B に対しては，BN，As に対しては As_2O_3，P に対しては P_2O_5 として），液体ソース（BBr_3，$AsCl_3$，および $POCl_3$）およびガスソース（B_2H_6，AsH_3 および PH_3）などから導入される．これらの中で液体ソースが最もよく使われる．液体ソースを使う場合のガス制御系と炉の概略を図 2 に示す．この構成は熱酸化を行う場合と似ている．P を拡散する場合の化学反応の例を次式に示す．

$$4\,POCl_3 + 3\,O_2 \longrightarrow 2\,P_2O_5 + 6\,Cl_2 \uparrow \tag{1}$$

P_2O_5 が Si ウェーハ上にガラス状に付き，Si により還元されて P になる．

$$2\,P_2O_5 + 5\,Si \longrightarrow 4\,P + 5\,SiO_2 \tag{2}$$

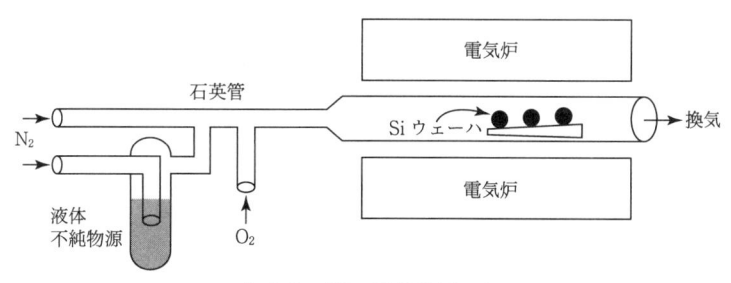

図 2 代表的な開口拡散装置の概略図．

PはSi中に拡散し，Cl_2が排気される．

　GaAsにおける拡散においては，Asの蒸気圧が高いために，GaAsの分解，あるいはAsの蒸発を防ぐための特別な注意が必要である[2]．たとえばAsの蒸気圧を含んだ封管に封入して拡散したり，開管法で拡散する場合にはドープした酸化膜をソースとして使ったりする．p形の拡散で試みられている物としては，封管法ではZn-Ga-Asの合金の形でZnを使うか，開管法の場合にはZnO-SiO_2という形でZnを使うのが大部分である．GaAsにおけるn形のドーパントとしてはS(イオウ)およびSe(セレン)がある．

13.1.1　拡散方程式

　半導体中の拡散は，拡散物質（ドーパント原子）が空格子点あるいは格子間位置を介して結晶格子中を動いていくと考えられる．図3は固体中での基本的な原子の拡散モデルを示したものである[1,3]．白丸は平衡状態の格子位置を占めているホスト原子を表している．黒丸は不純物原子である．高温では格子点原子は平衡状態の格子位置の周りを振動している．ホスト原子が十分なエネルギーを得て，その格子位置から離れ，格子間原子になって空格子点を作る確率がわずかながら存在する．図3(a)に示すように隣りの不純物原子がこの空格子点に動けば，この機構は空格子拡散と呼ばれる．もし格子間原子が格子位置を占めることなしに一つの場所から別の場所に移れば（図3(b)），この機構は格子間拡散である．ホスト原子よりも小さな原子の場合はしばしばこの格子間拡散で動く．

　不純物原子の基本的な拡散過程は，第3章で述べたキャリア（電子および正孔）の動きと似ている．したがって，流れFは単位面積を単位時間当りに通過するドーパント原子の数と定義し，Cは単位体積当りのドーパントの濃度とすると第3章の式(27)から次式を得る．

$$F = -D \frac{\partial C}{\partial x} \tag{3}$$

ここでキャリア濃度の代りにCを用いた．比例定数Dは**拡散係数**である．拡散過程の基本的な駆動力は濃度勾配dC/dxである．流れは濃度勾配に比例する．そしてドーパント原子は高い濃度の領域から低い濃度の領域に動く（拡散する）．

　式(3)を第3章で与えられた一次元の連続の方程式(56)に代入すると（半導体中では不純物原子ができたり消滅したりしないものとする，すなわち$G_n = R_n = 0$）次式を得る．

$$\frac{\partial C}{\partial t} = -\frac{\partial F}{\partial x} = \frac{\partial}{\partial x}\left(D \frac{\partial C}{\partial x}\right) \tag{4}$$

ドーパント原子の濃度が低い場合には拡散係数はドーピング濃度に独立と考えられ，式(4)は

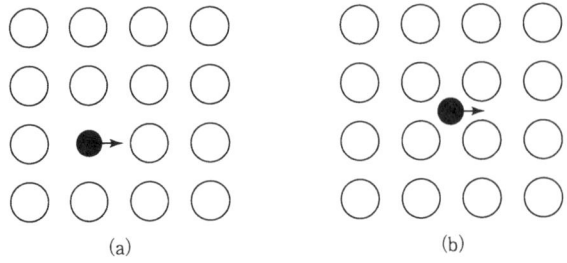

図3　二次元格子における拡散機構のモデル[1,3]．(a) 空格子点機構，(b) 格子間原子機構．

次のようになる．

$$\frac{\partial C}{\partial t} = D \frac{\partial^2 C}{\partial x^2}. \tag{5}$$

式（5）はフィック（Fick）の拡散方程式と呼ばれる．

図4はSiおよびGaAsにおけるいろいろな不純物の，低濃度における拡散係数の実験値を示したものである[4,5]．拡散係数を絶対温度の逆数に対してプロットすると多くの場合直線になる．このことは広い温度範囲にわたって拡散係数が次のように表されることを意味している．

$$D = D_0 \exp\left(\frac{-E_a}{kT}\right). \tag{6}$$

ここで D_0 は無限大の温度に外挿された拡散係数（単位は cm^2/s）であり，E_a は活性化エネルギー（eV）である．

格子間拡散モデルにおいては E_a はドーパント原子が一つの格子間位置から他の格子間位置に移るのに必要なエネルギーに関係している．E_a の値はSiでもGaAsでも $0.5\sim2\,eV$ である．空格子拡散モデルでは E_a は空格子点の形成に必要なエネルギーおよびその動きに必要なエネルギーに関係している．したがって空格子拡散に対する E_a は格子間拡散の場合よりも大きく，通常 $3\sim5\,eV$ である．

図4(a)および4(b)の上の部分に示されている，SiおよびGaAs中のCuのような速い拡散物質では，測定された活性化エネルギーは $2\,eV$ 以下である．この場合は，格子間拡散が支配的であると考えられる．図4(a)および4(b)の下の部分に示されているSiおよびGaAs中のAs

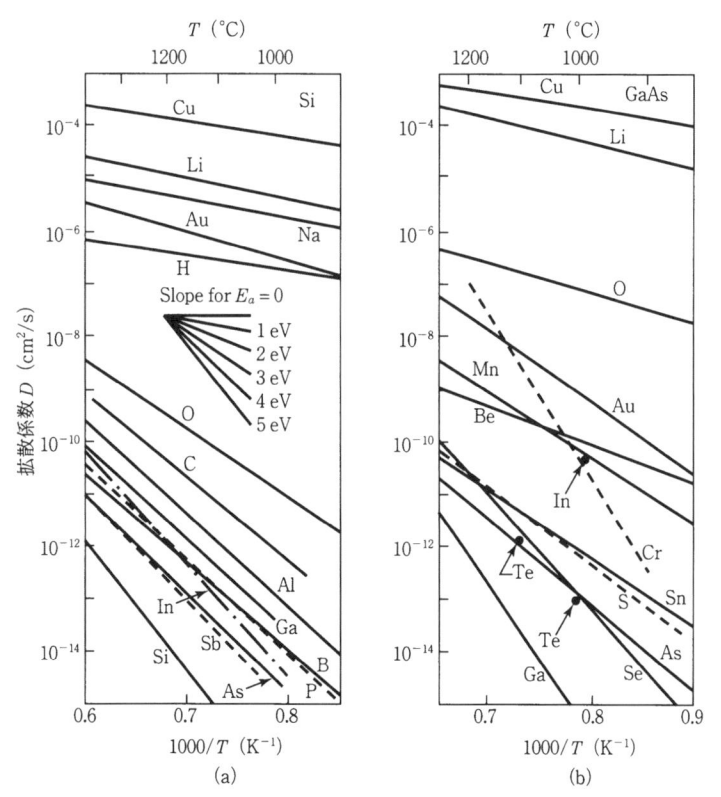

図 4 拡散係数の温度依存性．(a) Si，(b) GaAs[4,5]．

のような遅い拡散物質では E_a は 3 eV よりも大きく，空格子拡散が支配的である．

13.1.2 拡散分布

ドーパント原子の拡散分布は初期条件および境界条件に依存する．この節では二つの最も重要な拡散方法，すなわち表面濃度一定での拡散および不純物量一定での拡散について考える．前者では不純物原子は気相から半導体表面に供給されて半導体ウェーハ中に拡散する．気体の不純物ソースでは拡散期間中，表面の濃度が一定に保たれる．2番目の方法では，ある量のドーパントが半導体表面に析出し，その後ウェーハ中に拡散される．

表面濃度一定での拡散

$t=0$ での初期条件は

$$C(x, 0) = 0 \tag{7}$$

この式はホスト半導体におけるドーパントの濃度が最初ゼロであることを意味している．境界条件は

$$C(0, t) = C_s \tag{8a}$$

および

$$C(\infty, t) = 0 \tag{8b}$$

ここで C_s は表面（$x=0$）での濃度で，時間に依存しない．2番目の境界条件は，表面から十分深い所で不純物原子がないことを意味している．初期条件および境界条件を満足する拡散方程式（式 (5)）の解は次の式で与えられる[6]．

$$\boxed{C(x, t) = C_s \operatorname{erfc}\left(\frac{x}{2\sqrt{Dt}}\right)} \tag{9}$$

ここで erfc は **補誤差関数** であり，$\sqrt{Dt}$ は **拡散長** である．補誤差関数の定義と特性は表1にまと

表 1 誤差関数のまとめ

$$\operatorname{erf}(x) \equiv \frac{2}{\sqrt{\pi}} \int_0^x e^{-y^2} dy$$

$$\operatorname{erfc}(x) \equiv 1 - \operatorname{erf}(x)$$

$$\operatorname{erf}(0) = 0$$

$$\operatorname{erf}(\infty) = 1$$

$$\operatorname{erf}(x) \equiv \frac{2}{\sqrt{\pi}} x \quad \text{for } x \ll 1$$

$$\operatorname{erfc}(x) \cong \frac{2}{\sqrt{\pi}} \frac{e^{-x^2}}{x} \quad \text{for } x \gg 1$$

$$\frac{d}{dx}\operatorname{erf}(x) = \frac{2}{\sqrt{\pi}} e^{-x^2}$$

$$\frac{d^2}{dx^2}\operatorname{erf}(x) = -\frac{4}{\sqrt{\pi}} x e^{-x^2}$$

$$\int_0^x \operatorname{erfc}(y') dy' = x \operatorname{erfc}(x) + \frac{1}{\sqrt{\pi}}(1 - e^{-x^2})$$

$$\int_0^\infty \operatorname{erfc}(x) dx = \frac{1}{\sqrt{\pi}}$$

められている．表面濃度一定の条件での拡散分布は図 5(a) に示されている．ここでは三つの連続した拡散時間および，ある温度における一定の D に対応する三つの拡散長 $\sqrt{Dt}$ に対して，規格化された濃度を深さの関数として，直線（上）および対数（下）目盛りで示してある．時間がたてばドーパントが半導体中により深く侵入することがわかる．

半導体中の単位面積当りの全不純物原子量は次のように与えられる．

$$Q(t) = \int_0^\infty C(x,t)\,dx \tag{10}$$

式（9）を式（10）に入れると次のようになる．

$$Q(t) = \frac{2}{\sqrt{\pi}} C_s \sqrt{Dt} \cong 1.13 C_s \sqrt{Dt} \tag{11}$$

この式は以下のように説明することができる．量 $Q(t)$ は図 5(a) において直線目盛りでプロットされている拡散分布の下の部分の面積を表している．この分布は三角形で近似でき，高さが C_s，底辺が $2\sqrt{Dt}$ である．これは $Q(t) \cong C_s\sqrt{Dt}$ となり式（11）から求められた正確な結果に近い．

これに関連する量としては拡散分布の勾配 dC/dx がある．勾配は式（9）を微分することによって求められる．

$$\left.\frac{dC}{dx}\right|_{x,t} = -\frac{C_s}{\sqrt{\pi Dt}} e^{-x^2/4Dt} \tag{12}$$

例題 1 1000℃ で Si 中に B を拡散する場合，表面濃度は $10^{19}\,\text{cm}^{-3}$ に保たれ，拡散時間は 1

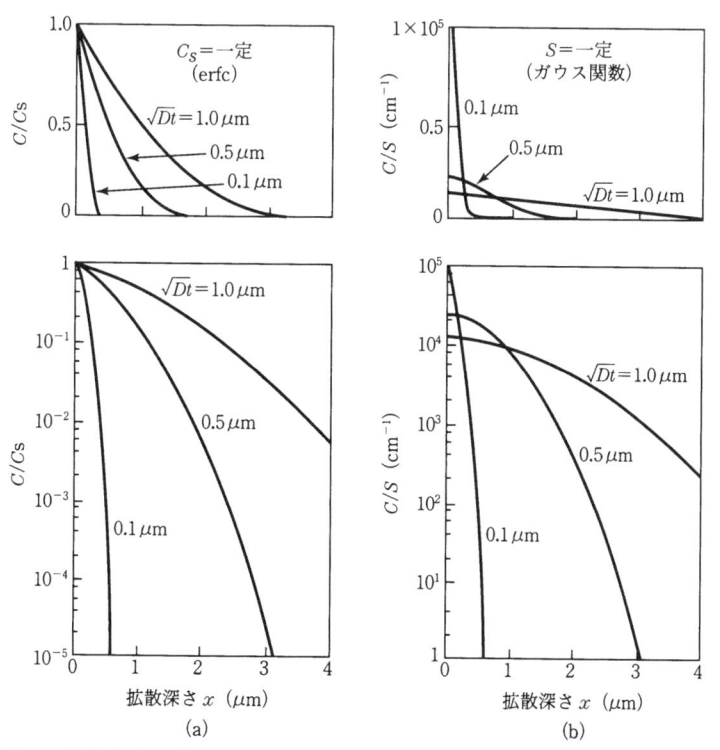

図 5 拡散分布．(a) 異なった拡散時間に対する規格化補誤差関数 (erfc)，(b) 規格化ガウス関数．

時間とする．$Q(t)$ および，$x=0$ の点とドーパントの濃度が $10^{15}\,\text{cm}^{-3}$ になる点での濃度勾配を求めよ．

解答 図4から求められるように1000°CにおけるBの拡散係数は，約 $2\times10^{-14}\,\text{cm}^2/\text{s}$ である．したがって拡散長は

$$\sqrt{Dt}=\sqrt{2\times10^{-14}\times3600}=8.48\times10^{-6}\,\text{cm}$$

$$Q(t)=1.13C_s\sqrt{Dt}=1.13\times10^{19}\times8.48\times10^{-6}=9.5\times10^{13}\,\text{原子}/\text{cm}^2$$

$$\left.\frac{dC}{dx}\right|_{x=0}=-\frac{C_s}{\sqrt{\pi Dt}}=\frac{-10^{19}}{\sqrt{\pi}\times8.48\times10^{-6}}=-6.7\times10^{23}\,\text{cm}^{-4}$$

$C=10^{15}\,\text{cm}^{-3}$ のとき，これに相当する接合深さ x_j は式 (9) によって与えられる．

$$x_j=2\sqrt{Dt}\,\text{erfc}^{-1}\left(\frac{10^{15}}{10^{19}}\right)=2\sqrt{Dt}\,(2.75)=4.66\times10^{-5}\,\text{cm}=0.466\,\mu\text{m}$$

$$\left.\frac{dC}{dx}\right|_{x=0.466\mu\text{m}}=-\frac{C_s}{\sqrt{\pi Dt}}e^{-x_j^2/4Dt}=-3.5\times10^{20}\,\text{cm}^{-4}$$

不純物量が一定の場合の拡散

この場合，一定量のドーパントが薄膜状に半導体表面に堆積され，それに続いてドーパントが半導体中に拡散される．初期条件は式 (7) の場合と同じである．境界条件は次のようになる．

$$\int_0^\infty C(x,t)\,dx=S \tag{13 a}$$

および

$$C(\infty,t)=0 \tag{13 b}$$

ここでSは単位面積当りのドーパントの全量である．

上の条件を満足する拡散方程式，式 (5) の解は次のようになる．

$$\boxed{C(x,t)=\frac{S}{\sqrt{\pi Dt}}\exp\left(-\frac{x^2}{4Dt}\right)} \tag{14}$$

この式は**ガウス分布**を表している．ドーパントは時間とともに半導体中を動くが，ドーパントの全体の量Sは一定であるから，表面濃度は下がらなければならない．このことは，式 (14) で $x=0$ と置くことにより，表面濃度 C_s が次式のように求まることからもわかる．

$$C_s(t)=\frac{S}{\sqrt{\pi Dt}} \tag{15}$$

図5(b)はガウス分布をした不純物分布を示したもので，拡散長の異なった三つの場合について，規格化された濃度 (C/S) を距離に対して示してある．拡散時間が増加すると表面濃度が減少していることに注意されたい．拡散分布勾配は，式 (14) を微分することによって求められ次のように与えられる．

$$\left.\frac{dC}{dx}\right|_{x,t}=-\frac{xS}{2\sqrt{\pi}(Dt)^{3/2}}e^{-x^2/4Dt}=-\frac{x}{2Dt}C(x,t) \tag{16}$$

勾配は $x=0$ および $x=\infty$ でゼロであり，勾配が最大になるのは $x=\sqrt{2Dt}$ の時である．

ICプロセスにおいては二段階の拡散が良く使われる．すなわち**プレデポジション**（predeposition）といって，最初に表面濃度一定の条件で拡散を行う．それから**押し込み**（drive-in）といってドーパント量一定の条件で拡散する．実際の場合プレデポジションの拡散長 $\sqrt{Dt}$ は，押込み拡散の拡散長よりずっと小さい．したがってプレデポジションによる不純物の分布は，表面で

デルタ関数的になっていると考えてよく，その拡散深さは押込み拡散の後の最終的な不純物分布に比べて無視できるほど小さい．

例題2 アルシンガスによりヒ素（As）が表面に堆積され（プレデポジション），単位面積当りのドーパントの量は1×10^{14}原子/cm^{2}であった．$1\,\mu$mの深さに接合を作るためのAsの押し込み時間を求めよ．ただし，基板のドーピング濃度は1×10^{15}原子/cm^{3}で押し込みは1200℃で行われるものとする．ヒ素の拡散係数は$D_0=24$ cm^2/s, $E_a=4.08$ eVより求めよ．

解答

$$D = D_0 \exp\left(\frac{-E_a}{kT}\right) = 24\exp\left(\frac{-4.08}{8.614\times10^{-5}\times1473}\right) = 2.602\times10^{-13}\text{ cm}^2/\text{s}$$

$$x_j^2 = 10^{-8} = 4Dt\ln\left(\frac{S}{C_B\sqrt{\pi Dt}}\right) = 1.04\times10^{-12}\,t\ln\left(\frac{1.106\times10^5}{\sqrt{t}}\right)$$

$$t\cdot\log t - 10.09t + 8350 = 0$$

上式の解は$y=t\cdot\log t$と$y=10.09t-8350$の曲線の交点から得られる．

したがって，$t=1190$秒$\cong 20$分である．

13.1.3 拡散層の評価

拡散プロセスの結果は，三つの方法によって評価される．すなわち接合深さ，シート抵抗，および拡散層の不純物分布である．接合の深さは，半導体に溝を掘って溶液（たとえばSiの場合100 cm^{3}のHFに2, 3滴のHNO$_3$を垂らした溶液）で表面をエッチングすることにより境界を明確にすることができる．図6(a)に示すようにn形領域よりもp形領域の方が暗く色づけされる．溝を作る治具の半径をR_0とすれば，接合の深さx_jは次式で与えられる．

$$x_j = \sqrt{R_0^2-b^2}-\sqrt{R_0^2-a^2} \tag{17}$$

ここでaおよびbは図に示されているような値である．R_0がaおよびbも大きい場合にはx_jは次のように与えられる．

$$x_j \cong \frac{a^2-b^2}{2R_0} \tag{18}$$

接合深さx_jは図6(b)に示されているようにドーパントの濃度が基板のキャリア濃度C_Bに等しくなる点である．

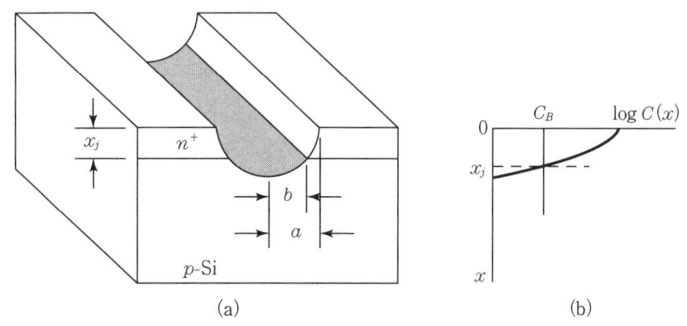

図6 接合深さの測定．(a) 溝掘りと色付け，(b) 拡散不純物と基板不純物濃度が一致する位置．

$$C(x_j) = C_B \qquad (19)$$

したがって，もし接合深さと C_B がわかれば，拡散分布が 13.1.2 項で導かれたいずれかの式に従うとして，表面濃度 C_s と不純物の分布を計算で求めることができる．

拡散層の抵抗は，第3章で述べた4点法により測定することができる．シート抵抗 R は接合の深さ x_j，キャリアの移動度 μ（これは全不純物濃度の関数である）および不純物の分布 $C(x)$ に関係しており，次のように表される[7]．

$$R = \frac{1}{q \int_0^{x_j} \mu C(x)\, dx} \qquad (20)$$

ある拡散条件に対してその分布を仮定すれば，その平均の抵抗率 $\bar{\rho} = R x_j$ は，表面濃度 C_s と基板のドーピング濃度によって一義的に決まる．C_s および $\bar{\rho}$ に関係する設計曲線は補誤差関数あるいはガウス分布のような簡単な拡散分布に対して計算されている[8]．このような曲線を使う場合には，拡散分布が仮定した分布と一致していることを確かめなければならない．濃度が低く，拡散が深い場合には拡散分布は一般に上に述べたような簡単な関数で表される．しかしながら次節で述べるように，濃度が高く拡散が浅い場合には，拡散分布はこのような簡単な関数で表すことはできない．

拡散分布は第7章で述べた容量-電圧法によって測定することができる．多数キャリアの分布は，不純物がすべてイオン化しているとすれば，不純物分布と等しく，p-n 接合，あるいはショットキー障壁ダイオードの逆方向バイアスの容量を，印加電圧の関数として測ることにより決定することができる．もう少し手の込んだ方法としては，二次イオン質量分析法（secondary ion mass spectroscopy, SIMS）がある．これは全不純物の分布を測ることができる．SIMS 法においては一次イオンビームが半導体表面の物質をスパッタし，その二次イオン成分が検出され，質量が分析される．この方法は B や As など多くの元素に対して感度が高く，高濃度で浅い接合の拡散の不純物密度分布を正確に測定するのに理想的な技術である[9]．

13.2 外因性拡散

13.1 節で述べられた拡散分布は，拡散係数が一定の場合である．このような分布は不純物の濃度が拡散温度における真性キャリア濃度 $n_i(T)$ よりも低い場合に起こる．たとえば 1000°C においては，Si に対して $n_i = 5 \times 10^{18}$ cm^{-2}，GaAs に対しては 5×10^{17} cm^{-3}，である．低濃度における拡散係数は，しばしば**真性拡散係数**と呼ばれる．$n_i(T)$ よりも低い濃度を有するドーピングの分布は，図7の左側に示されているように真性拡散領域に属する．この領域においては n および p 形不純物が連続して，あるいは同時に拡散された場合にも，ドーパントの分布は重ね合せによって決められる．すなわち拡散は独立に扱うことができる．しかしながらドーパントの濃度が $n_i(T)$ 以上の場合には，半導体は外因性（extrinsic）になり，拡散も外因性と考えなければならない．外因性拡散領域では，拡散係数は濃度依存性を持つようになる[10]．外因性拡散領域では，拡散分布はもっと複雑になり，複数の不純物を同時に，あるいは連続して拡散した場合，お互いに干渉し合い影響し合うようになる．

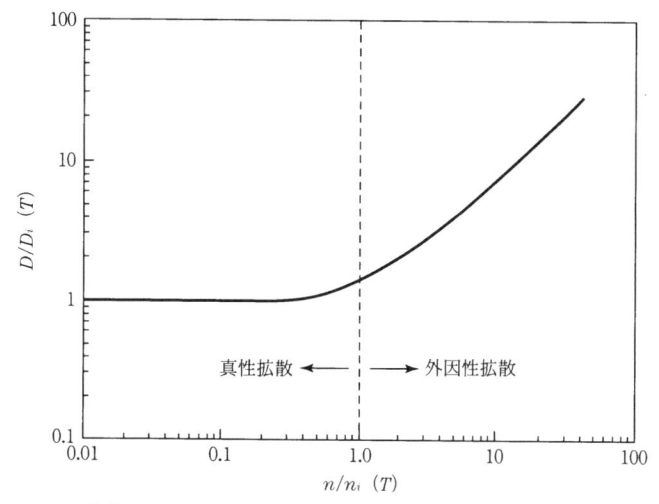

図 7 真性および外因性拡散の領域を示すドナー不純物の拡散係数対電子濃度 [10].

13.2.1 拡散係数の濃度依存性

前に述べたように，ホスト原子が格子の振動から十分なエネルギーを得て，その格子位置から離れると空格子点ができる．空格子点にはその電荷によって，中性空格子点 V^0，アクセプタ型空格子点 V^-，2価にイオン化したアクセプタ型空格子点 V^{2-}，ドナー型空格子点 V^+ などがある．ある荷電状態の空格子点の密度（すなわち単位体積当りの空格子点の数 C_V）はキャリア密度と同じように温度依存性を有するものと考えられる（第2章の式(28) 参照）．すなわち次式

$$C_V = C_i \exp\left(\frac{E_F - E_i}{kT}\right) \tag{21}$$

ここで C_i は真性空格子点密度，E_F はフェルミ準位，E_i は真性フェルミ準位である．

もしドーパントの拡散が空格子点によって支配されているとすれば，拡散係数は空格子点の密度に比例することが期待される．ドーピング濃度が低い場合（$n < n_i$），フェルミ準位は真性フェルミ準位と一致する（$E_F = E_i$）．空格子点密度は C_i に等しく，ドーピング濃度に独立である．C_i に比例する拡散係数もまた，ドーピング濃度に独立である．濃度が高い場合（$n > n_i$），フェルミ準位は伝導帯の端の方に移動する（ドナー型の空格子点の場合），そして [$\exp(E_F - E_i)/kT$] の項は1より大きくなる．このことは C_V を増加させ，そのため図7の右側に示されているように拡散係数を増加させる．

拡散係数がドーパントの濃度によって変わる場合，拡散方程式としては D が C に独立である式 (5) の代りに，式 (4) が使われなければならない．拡散係数が次のように書き表される場合について考えてみよう．

$$D = D_s \left(\frac{C}{C_s}\right)^\gamma \tag{22}$$

ここで C_s は表面濃度，D_s は表面での拡散係数，そして γ は濃度依存性を表すパラメータである．そのような場合，拡散方程式，式 (4) は通常の微分方程式として書くことができ，数値解析により解くことができる．

図8には，いろいろな γ の値で，表面濃度一定の場合の拡散に対する解が示されている[11].

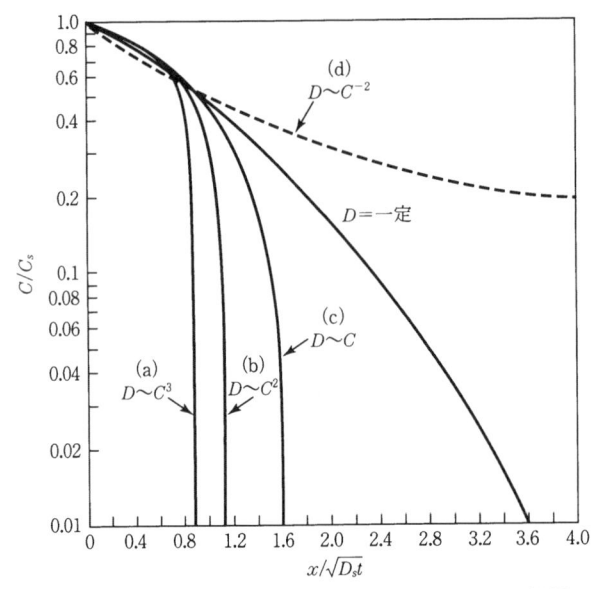

図 8 拡散係数が濃度依存性を有する場合の外因性拡散の規格化拡散分布[10,11].

$\gamma=0$ の場合，拡散係数は一定で分布は図5(a) の場合と同じである．$\gamma>0$ の場合，拡散係数は濃度の減少と共に減少し，γ が大きくなるほど，分布は急峻にそして箱型になる．したがって，拡散が伝導形の異なる不純物を有する基板に行われた場合，非常に急峻な接合ができる．ドーピングの分布が急峻になるため，接合の深さは実質的に基板のキャリア濃度に独立になる．接合の深さ（図8を見よ）は次のように与えられる．

$$\begin{aligned} x_j &= 1.6\sqrt{D_s t} & [D \sim C(\gamma=1)] \\ x_j &= 1.1\sqrt{D_s t} & [D \sim C^2(\gamma=2)] \\ x_j &= 0.87\sqrt{D_s t} & [D \sim C^3(\gamma=3)] \end{aligned} \tag{23}$$

$\gamma=-2$ の場合，拡散係数は濃度の減少と共に増大し，不純物分布は他の場合と反対に，下に凸の形になる．

13.2.2 拡散分布

シリコンにおける拡散

Si 中の As(ヒ素) および P(リン) の拡散係数の測定値は $\gamma=1$ の濃度依存性を持つ．その濃度分布は，図8の曲線 (c) で表されるように急峻である．Si 中の Au および Pt の拡散は，γ が-2に近く，その濃度分布は図8の曲線 (d) で示されるように，下に凸である．

Si 中の P の拡散は2価に価電したアクセプタ型の空格子点 V^{2-} に関係している．そして高濃度での拡散定数は C^2 に従って変化する．P(リン) の拡散分布は，図8の曲線 (b) に似たものになると期待される．しかしながら解離効果のために拡散分布は異常な振舞いをする．図9は1000℃1時間 Si 中に P を拡散させた場合のいくつかの表面濃度に対する拡散分布を示したものである[12]．真性拡散領域に相当する表面濃度の低い場合には，拡散分布は補誤差関数によって与えられる（曲線 (a)）．濃度が増加するとともに分布は簡単な表現式からずれ始める（曲線

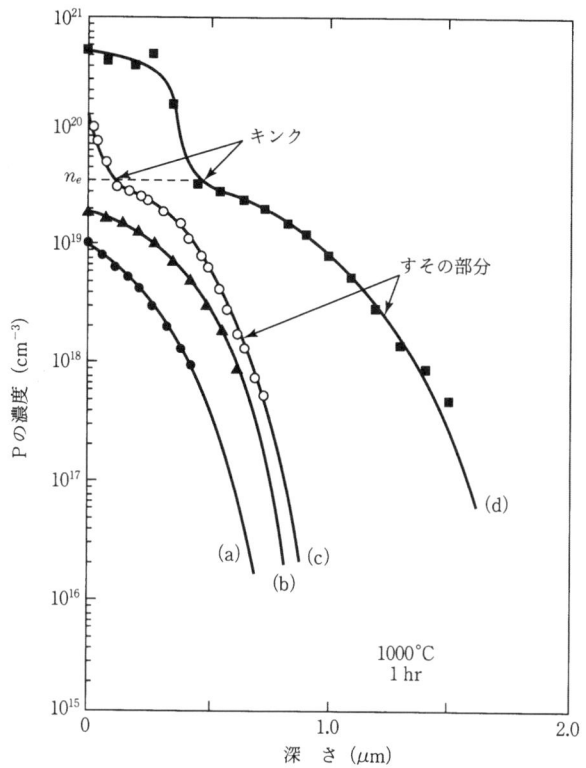

図 9 Si 中に P を 1000°C，1 時間拡散させた場合の，いろいろな表面濃度に対する拡散分布[12].

(b) および (c)）．濃度が非常に高い場合には（曲線 (d)）表面付近での分布は，図 8 の曲線 (b) に示されている物と非常に良く似ている．しかしながら濃度 n_e の点で折れ曲りが生じ，それ以下の濃度の領域で速い拡散が見られる．濃度 n_e はフェルミ準位が伝導帯の下 0.11 eV にある場合に相当する．このエネルギー準位で不純物空格子点複合体 (P^+V^{2-}) が P^+，V^-，および電子に解離する．したがってこの解離が 1 価のアクセプタ型空格子点 V^- をたくさん作り出し，これが分布の先端部分の拡散を促進する．先端部分の拡散係数は 10^{-12} cm^2/s 以上になる．この値は 1000°C での真性拡散係数より約 2 桁も大きな値である．この高い拡散係数のため，P は通常の CMOS の n 形埋め込み領域のような深い接合を作るために使われる．

GaAs における Zn（亜鉛）の拡散

GaAs における不純物の拡散は，不純物原子が Ga および As の両方の格子点を介して動くであろうから，Si におけるよりずっと複雑なものになると考えられる．空格子点は，GaAs における拡散プロセスにおいて支配的な役割を果たすであろう．なぜなら，p 形の不純物でも n 形の不純物でも，最終的には格子位置を占めなければならないからである．しかしながら，GaAs 中の空格子点の荷電状態はまだよくわかっていない．

Zn は GaAs への拡散不純物として最も広く研究されている．拡散係数は C^2 に従って変化することが分かっている．したがって拡散分布は図 10 に示すように急峻になり[13]，図 8 の曲線 (b) に似ている．最も低い表面濃度の場合でさえ，拡散は外因性拡散領域にある．なぜなら

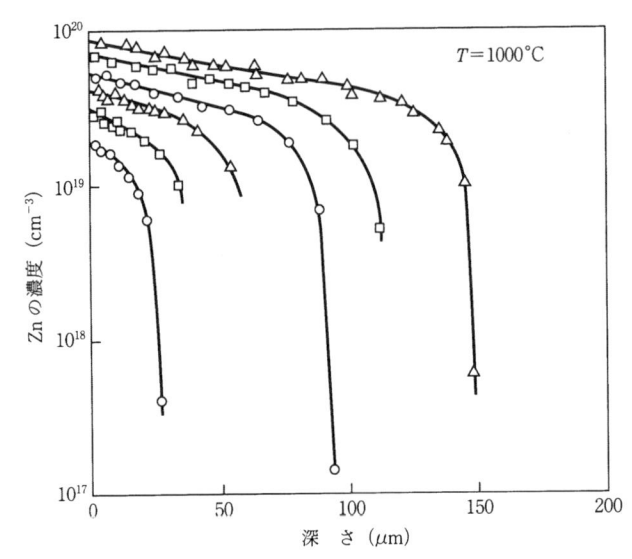

図10 1000℃, 2.7時間拡散後の, GaAs中のZn（亜鉛）の拡散分布[13]. 表面濃度はZnソース温度を600〜800℃まで変えることにより変化させた.

1000℃におけるGaAsのn_iは$10^{18}\,\mathrm{cm}^{-3}$より低いからである. 図10にみられるように，表面濃度は接合の深さに大きく影響する. 拡散係数はZnの分圧に対して直線的に変化し，表面濃度は分圧のルートに比例している. したがって式（23）から接合深さは表面濃度に比例する.

13.3 拡散関連過程

この節では，拡散に密接に関連した二つのプロセスと，これらのプロセスがデバイスの特性に与えるインパクトについて簡単に考察する.

13.3.1 横方向の拡散

以上述べた一次元の拡散方程式は，マスクの窓の縁の点を除けば，拡散のプロセスを十分に記述することができる. この縁の部分では不純物は，深さ方向および横方向に拡散する. この場合，二次元の拡散方程式を考え，異なった初期条件，および境界条件下での拡散分布を求めるために，数値解析の方法を使わなければならない.

図11は拡散係数が濃度に独立であると仮定し，表面濃度一定として，ドーピング濃度の等高線を示したものである[14]. 図の一番右側では，式（9）で与えられる補誤差関数の分布に従って，ドーパントの濃度は，$0.5C_s$から$10^{-4}C_s$まで変化している. ここでC_sは表面濃度である. たとえば$C/C_s=10^{-4}$（すなわち基板のドーピング濃度が表面濃度の10^4分の1以下）の場合，この等高線から縦方向の侵入深さは約$28\,\mu\mathrm{m}$であるのに対して，横方向（すなわち拡散マスク-半導体界面に沿って）の侵入深さは約$2.3\,\mu\mathrm{m}$であることがわかる. したがって濃度が表面濃度の3〜4桁低くなる点で表される横方向の侵入深さは，縦方向の侵入深さの約80％である. 同様な結果は，ドーパント量が一定の場合の拡散条件でも得られている. この場合の，横方向対縦方向の侵入深さの比は，約75％である. 拡散係数が濃度に依存する場合，この比は多少減少し，約

第 13 章 不純物ドーピング

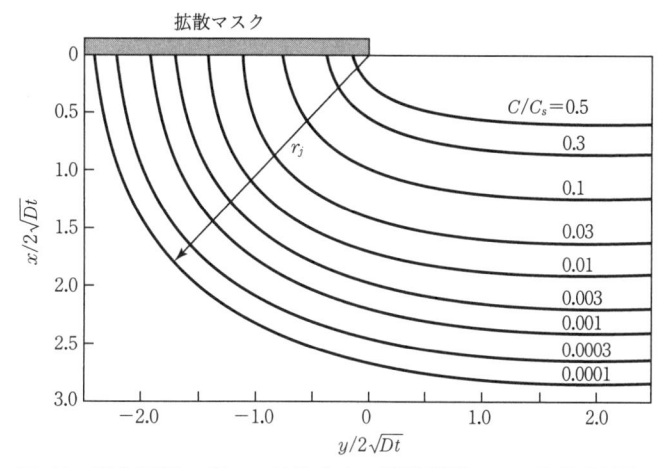

図 11 酸化膜窓の縁での拡散分布の等濃度線. r_j は曲率半径 [14].

65～70％になることがわかっている.

　横方向の拡散の効果のために，接合は中央の平らな部分と，図 11 に示されているような半径 r_j の曲率を持った円筒状の縁の部分からなっている．さらに拡散マスクが鋭い角を持っている場合には，この角の部分での接合の形は横方向への拡散のために球面状になる．電界の強さは，円筒状，あるいは球面状の接合の領域で大きくなるから，このような領域でなだれ降伏の起こる電圧は，同じドーピング濃度を持っている平らな接合部分での降伏電圧よりも実質的に低くなる．この接合の"曲率効果"は第 4 章で議論された．

13.3.2　酸化膜形成中の不純物の再分布

　Si 表面近くのドーパント不純物は，熱酸化の間に再分布する．この再分布はいくつかの要素に依存する．二つの固体が一緒にされたときに一つの固体中の不純物は，平衡に達するまで二つの固体内に再分布する．この現象は前に議論した融液からの結晶成長における不純物の再分布と似ている．シリコン中の不純物と，SiO_2 中の不純物の平衡状態における濃度比は**偏析係数**と呼ばれ次のように定義される．

$$k = \frac{\text{Si 中の平衡状態での不純物濃度}}{SiO_2 \text{ 中の平衡状態での不純物濃度}} \tag{24}$$

不純物の分布に影響する二つ目の因子は SiO_2 膜を通して不純物が速く拡散し，雰囲気ガス中に逃げる可能性があるということである．もし SiO_2 膜中の不純物の拡散係数が大きいと，この因子は重要なものになる．再分布のプロセスに影響する第三の因子は酸化膜が成長し，したがって時間とともに Si および酸化膜の境界が Si 中に進むことである．この境界が進む速さと，酸化膜中の不純物の拡散速度との相対的な比が，再分布の程度を決める重要な因子になる．たとえ不純物の偏析係数が 1 に等しい場合でも，Si 中の不純物のある程度の再分布というのは起こりうるということに注意されたい．第 11 章の図 3 で示されたように酸化膜層はもとの Si の厚さの 2 倍ほどになる．したがって一定量の不純物がこの大きくなった体積に分布すれば，Si 中の不純物が欠乏することになる．

　四つの起こりうる再分布の過程が図 12 に示されている[6]．これらの過程は二つのグループに分

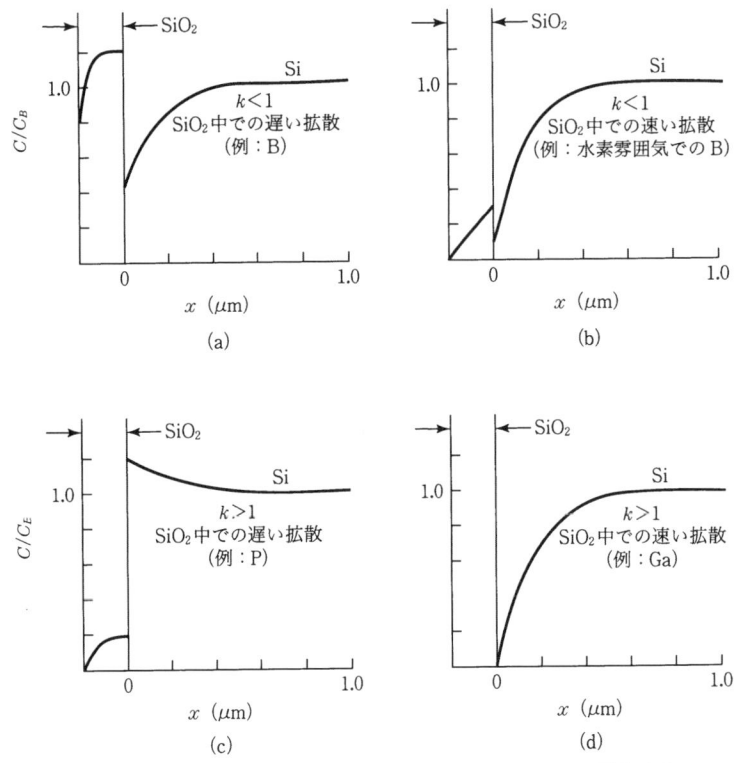

図 12 熱酸化による Si 中の不純物の, 異なる四つの再分布[6].

類することができる. 一つのグループにおいては酸化膜が不純物を取り込み ($k<1$ の場合で図 12(a) および (b)), 他は酸化膜が不純物をしりぞける場合である ($k>1$ の場合で図 12(c) および (d)). おのおのの場合で何が起こるかは, 酸化膜中を不純物がいかに速く拡散するかに依存している. 第1のグループでは Si の表面から不純物が欠乏する. B がその例で k は約 0.3 である. SiO_2 膜中を不純物が速く拡散する場合, 欠乏の程度は増大する. たとえば B をドープされた Si が水素雰囲気中で熱処理された場合, SiO_2 膜中の水素が B の拡散を促進するので, このようなことが起こる. 第2のグループでは k が1より大きいので酸化膜は不純物をしりぞける. もし SiO_2 膜中の不純物の拡散が比較的遅いと, 不純物が Si 表面に析出する. P がその例で k は約 10 に等しい. SiO_2 膜中の拡散が速いと固体から多くの不純物がガス雰囲気中に逃げるので, 結局不純物は欠乏することになる. Ga がその例で k の値は約 20 である.

SiO_2 膜中に再分布したドーパント不純物は, ほとんど電気的に不活性である. しかしながら Si 中での再分布は, プロセスおよびデバイスの特性に重大な影響を与える. たとえば, 不均一なドーパント分布は, 界面トラップの性質の測定結果に影響を与え (第6章参照), 表面濃度の変化は, デバイスのしきい値電圧と接触抵抗を変化させる (第7章参照).

13.4 注入イオンの飛程

イオン注入とはシリコンのような基板中に高速のイオンを導入することである. 注入イオンのエネルギーは 1 keV から 1 MeV で, 注入されたイオンの分布の, 平均の深さは 10 nm から 10

μm である．ドーズ量は，しきい値電圧の制御に使われる $10^{12}/cm^2$ から，埋め込み絶縁層を作るための $10^{18}/cm^2$ まで変えられる．**ドーズ量**というのは，半導体表面の $1\,cm^2$ 当りに注入されるイオンの数で表される．イオン注入の主な利点は拡散プロセスに比べて，不純物のドーピングを正確にかつ再現性良く制御することができ，必要とされるプロセス温度が拡散に比べて低いことである．

図 13 は中程度のエネルギーのイオン注入装置の説明図である[15]．イオン源にはフィラメントがあって，BF_3 あるいは AsH_3 などを分解し（B^+ あるいは As^+ などの）イオンにする．約 40 kV で，イオン源室からイオンを質量分析室に引き出す．質量分析室では磁界によって必要な質量/電荷比のイオンだけが選択され通過する．選択されたイオンのみが加速用のチューブに入り，電界によって注入エネルギーに加速される．イオンは小さな穴（aperture）を通ることで平行に揃えられる．注入装置の真空度はイオンが残留ガスによって散乱されるのを最少にするため，$10^{-4}\,Pa$ 以下に保たれる．イオンビームはその後電界によって，縦および横方向に走査されて，半導体基板中に注入される．

加速された高エネルギーのイオンは基板中の電子および原子核と衝突することにより，エネルギーを失い，最終的にどこかに落ち着く．平均の深さは加速電圧によって調整できる．ドーズ量は注入電流によって制御できる．原理的な問題はイオンが格子に衝突することによる損傷である．したがって，注入後は熱処理によってこれらの損傷を除去することが必要である．

13.4.1 イオンの分布

侵入したあるイオンが落ち着くまでに通過する全旅程を**飛程** R と呼び，図 14(a) に示す[16]．入射軸に沿ったこの距離の投影長を**射影飛程** R_p と呼ぶ．単位距離当りの衝突の数および衝突当りに失われるエネルギーは不規則に変化するので，同じ質量および同じ初期エネルギーを持ったイオンも空間的に分布することになる．射影飛程の統計的ゆらぎは**射影分散** σ_p と呼ばれる．入射軸に対して垂直方向にも統計的な分布が生じ，これは横方向の分散 $\sigma_\perp$ と呼ばれる．

図 14(b) はイオンの分布を示している．入射軸に沿った注入イオンの分布は，ガウス分布関数によって近似することができる．

$$n(x) = \frac{S}{\sqrt{2\pi}\,\sigma_p} \exp\left[-\frac{(x-R_p)^2}{2\sigma_p^2}\right] \tag{25}$$

ここで S は単位面積当りのイオンのドーズ量である．この式は $4Dt$ が $2\sigma_p^2$ で置き代わってお

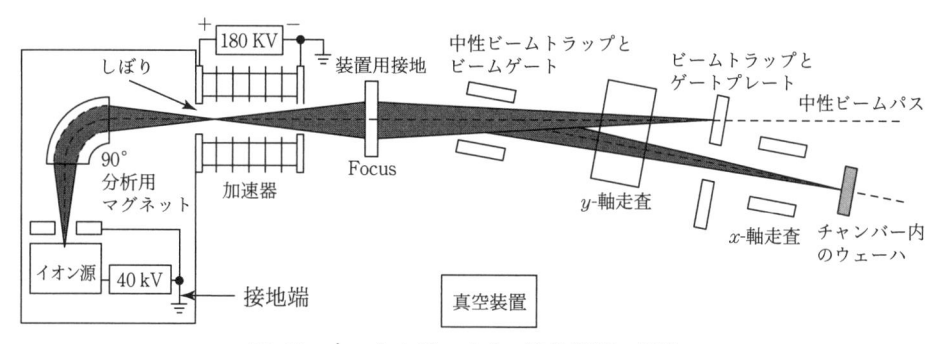

図 13 中エネルギーイオン注入装置の概略．

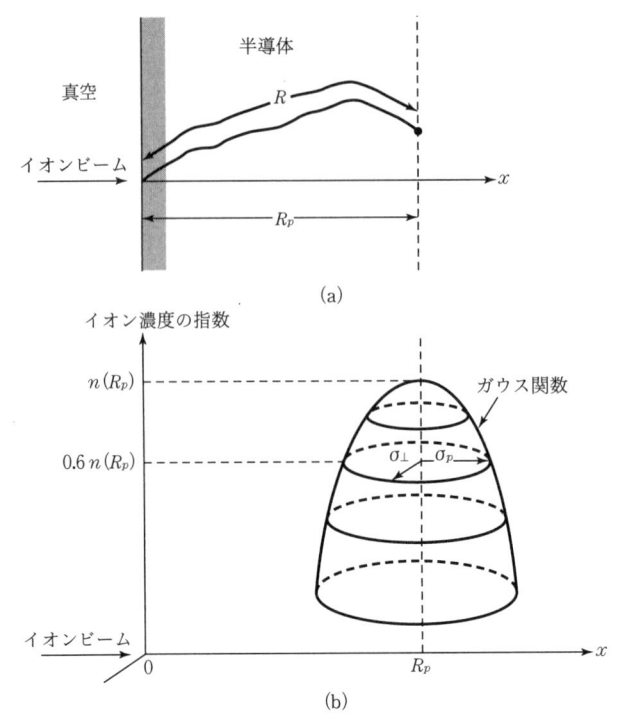

図 14 (a) イオン飛程 R および射影飛程 R_p の概念図，(b) 注入イオンの二次元分布 [16].

り，分布が x 軸に沿って R_P だけシフトしている点を除けば，不純物量一定の拡散の式(14) と同じである．拡散の場合には最大濃度が $x=0$ のところで起きるが，イオン注入の場合には最大濃度は射影飛程 R_P の点で起こる．イオン濃度は，$(x-R_P)=\pm\sigma_p$ の点で，ピークの値の 40% に減少し，$\pm 2\sigma_p$ の点で 1 桁，$\pm 3\sigma_p$ の点で 2 桁，そして $\pm 4.8\sigma_p$ の点で 5 桁減少する．

入射軸に垂直な方向においても，分布は $\exp(-y^2/2\sigma_\perp^2)$ という形のガウス関数になる．この分布のために横方向の分布が生じる[17]．しかしながらマスクの端からの横方向の進入（$\sigma_\perp$ のオーダ）は 13.3 節で述べた熱拡散プロセスにおける横方向の拡散に比べるとはるかに小さい．

13.4.2 イオンの減速過程

半導体基板（ターゲットと呼ばれる）に入って来る高速のイオンは，二つの機構によって減速され，ある点に止まる．その一つは，イオンの持つエネルギーをターゲットの原子核に与えることによる．このため注入されたイオンは方向を曲げられ，ターゲットの原子核の多くは，格子位置からはじき飛ばされる．ある点 x でのイオンのエネルギーを E とするとこの過程を特徴づけるために，**核阻止能** $S_n(E) \equiv (dE/dx)_n$ を定義することができる．二つ目の注入イオン減速の機構は，注入イオンとターゲット原子の周りの電子雲との相互作用である．イオンはクーロン力による相互作用を通して電子と衝突し，エネルギーを失う．電子は高いエネルギー準位に励起されるか（励起），または原子から引き離される（イオン化）．この過程を特徴づける**電子阻止能**は $S_e(E) \equiv (dE/dx)_e$ で定義される．

距離とともにエネルギーを失う平均的な割合は，上に述べた二つの阻止能を重ね合わせること

によって与えられる．

$$\frac{dE}{dx} = S_n(E) + S_e(E) \tag{26}$$

イオンがある点に落ち着くまでの全飛程は次のように与えられる．

$$R = \int_0^R dx = \int_0^{E_0} \frac{dE}{S_n(E) + S_e(E)} \tag{27}$$

ここで E_0 は初期イオンエネルギーである．R は飛程として前に定義された量である．

原子核による阻止過程は図15に示されているように，入射してくる堅い球（エネルギー E_0 で質量 M_1）とターゲットの堅い球（初期エネルギーはゼロで質量は M_2）の弾性衝突と考えることができる．硬球が衝突すると，運動量は球の中心に沿って伝達される．偏向角 θ と速度 v_1 および v_2 は運動量とエネルギーの保存則を満足するように求められる．エネルギー損失が最も大きいのは，正面衝突をする場合である．この場合には入射粒子 M_1 のエネルギーの損失，あるいは M_2 へのエネルギーへの伝達は次のように表される．

$$\frac{1}{2} M_2 v_2^2 = \left[\frac{4M_1 M_2}{(M_1 + M_2)^2}\right] E_0 \tag{28}$$

M_2 は通常 M_1 と同程度の大きさであるから，非常に大きなエネルギーが原子核による阻止過程で伝達される．

詳しい計算によれば，原子核による阻止能はエネルギーの低い所では，エネルギーに比例して直線的に増加する（式(28)と同様）．そして $S_n(E)$ はある中間のエネルギーで最大になる．さらにエネルギーが高くなると高速の粒子は，ターゲット原子と十分な相互作用をする時間がなくなるため，効果的なエネルギーの伝達が行われず，$S_n(E)$ の値は小さくなる．Si 中の As，P，および B に対するいろいろなエネルギーでの $S_n(E)$ の計算値が図16に実線で示されている（肩の所に示されている数字は，原子の重さを表している[18]）．As のような重い原子はより大きな核阻止能を持っている．すなわち単位距離当りのエネルギーの損失が大きい．

電子阻止能は入射イオンの速度に比例することがわかっている．

$$S_e(E) = k_e \sqrt{E} \tag{29}$$

ここで係数 k_e は原子の質量および原子番号の比較的弱い関数である．k_e の値は Si に対して約 $10^7 (\mathrm{eV})^{1/2}/\mathrm{cm}$，GaAs に対して $3 \times 10^7 (\mathrm{eV})^{1/2}/\mathrm{cm}$，である．Si における電子阻止能は図16に点線で示されている．ターゲットである Si 原子に比べて比較的低い質量を持つ B の場合，交叉す

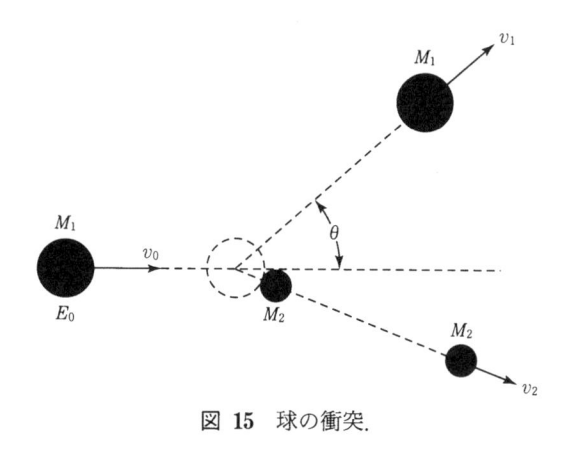

図 15 球の衝突．

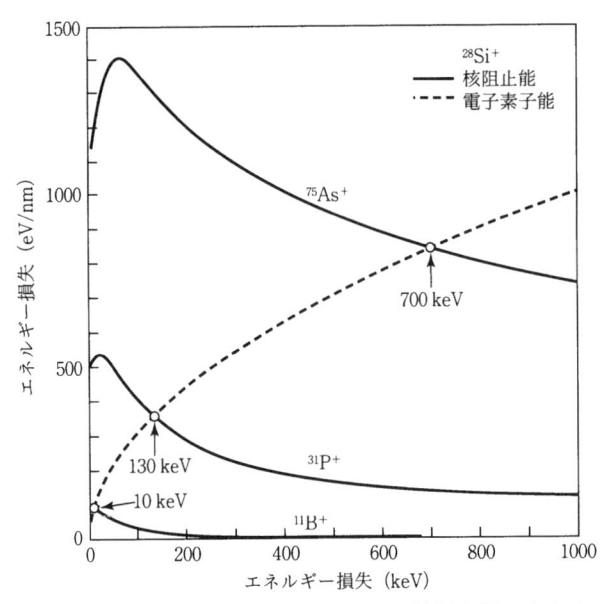

図 16 Si 中の As, P, および B に対する核阻止能 $S_n(E)$ および電子阻止能 $S_e(E)$. 各曲線の交叉点は核阻止能と電子阻止能が等しくなる点に相当する[18].

るエネルギーは約 10 keV である. このことは使われる注入エネルギー領域 1 keV～1 MeV のほとんどにおいては, エネルギー損失の主な機構が, 電子阻止能によるものであることがわかる. 他方, 比較的高いイオン質量を有する As の場合, 交叉点のエネルギーは 700 keV である. したがって, ほとんどのエネルギー範囲で核阻止能が支配的である. P (リン) に対しては交叉するエネルギーは 130 keV である. E_0 が 130 keV より小さい場合には核阻止能が支配的であるが, これより高いエネルギーに対しては電子阻止能が支配的になる.

$S_n(E)$ および $S_e(E)$ がわかると式 (27) から飛程が計算できる. これから射影飛程および射影分散が次のような近似式によって求まる[15].

$$R_p \cong \frac{R}{1+(M_2/3M_1)} \tag{30}$$

$$\sigma_p \cong \frac{2}{3}\left[\frac{\sqrt{M_1 M_2}}{M_1+M_2}\right]R_p \tag{31}$$

Si 中での As, B, および P の射影飛程 (R_P), 射影分散 (σ_P) および横方向の分散 ($\sigma_\perp$) が図 17(a) に示されている[19]. 予想されるようにエネルギー損失が大きければ飛程は小さくなる. また射影飛程, 射影分散はイオンエネルギーと共に大きくなる. ある入射エネルギーの原子に対しては, σ_P と $\sigma_\perp$ は同程度になり, 通常違いは ±20% 以内である. 図 17(b) は GaAs 中の H, Zn, Te について同様な値を示したものである. 図 17(a) および図 17(b) を比較すると, 良く使われるドーパントのほとんど (水素を除いて) は, GaAs における射影飛程より Si における射影飛程の方が大きいことがわかる.

例題 3 直径 200 mm の Si のウェーハにドーズ量 5×10^{14} イオン/cm² の B を, 加速電圧 100 keV でイオン注入されるものとする. ピーク濃度と, 1 分間で注入する場合に必要なイオンビーム電流はいくらか.

第13章 不純物ドーピング

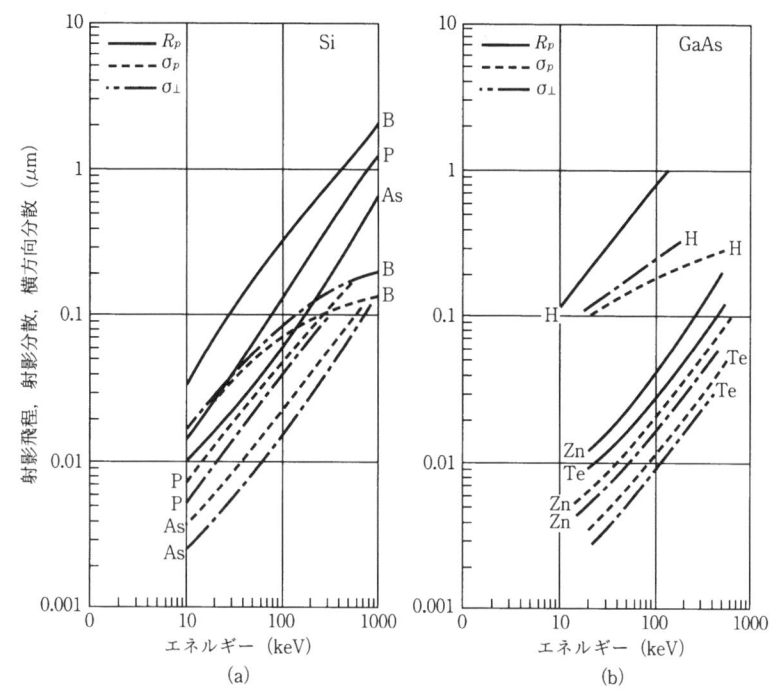

図17 (a) Si中のB, P, As, (b) GaAs中のH, Zn, Teについての射影飛程 (R_P), 射影分散 (σ_p) および横方向の分散 ($\sigma_\perp$)[17,19].

解答 図17(a)から射影飛程および射影分散はそれぞれ$0.31\,\mu m$および$0.07\,\mu m$と求まる. 式(25)から

$$n(x) = \frac{S}{\sqrt{2\pi}\,\sigma_p} \exp\left[\frac{-(x-R_p)^2}{2\sigma_p^2}\right]$$

$$\frac{dn}{dx} = -\frac{S}{\sqrt{2\pi}\,\sigma_p} \frac{2(x-R_p)}{2\sigma_p^2} \exp\left[\frac{-(x-R_p)^2}{2\sigma_p^2}\right] = 0$$

ピーク濃度は$x = R_P$で$n(x) = 2.85 \times 10^{19}$イオン/cm^3

注入されたイオンの全数 $= Q = 5 \times 10^{14} \times \pi \times \left(\frac{20}{2}\right)^2 = 1.57 \times 10^{17}$ イオン

必要なイオン電流 $= I = \dfrac{qQ}{t} = \dfrac{1.6 \times 10^{-19} \times 1.57 \times 10^{17}}{60} = 4.19 \times 10^{-4}\,\text{A} = 0.42\,\text{mA}$

13.4.3 チャンネリング効果

前の項で述べたガウス分布の射影飛程および射影分散はアモルファスあるいは, 粒径の小さな多結晶Si基板へ注入されたイオンについては, 非常に良く合う. SiもGaAsも, 低指数の結晶軸方向 (たとえば〈111〉方向) からずれた方向にイオンビームが注入された場合には, アモルファス半導体のように振る舞う. この様な場合には, 不純物濃度がピーク濃度から1桁あるいは2桁低くなる部分までのドーピングの分布は式(25)によって良く表される. これは図18に示されている[16]. しかしながら, 〈111〉方向から7°ずれている場合においてさえ, 裾部分 (濃度の低い部分) では不純物分布は$\exp(-x/\lambda)$のように距離に対して指数関数的に変化する. ここでλは$0.1\,\mu m$のオーダである.

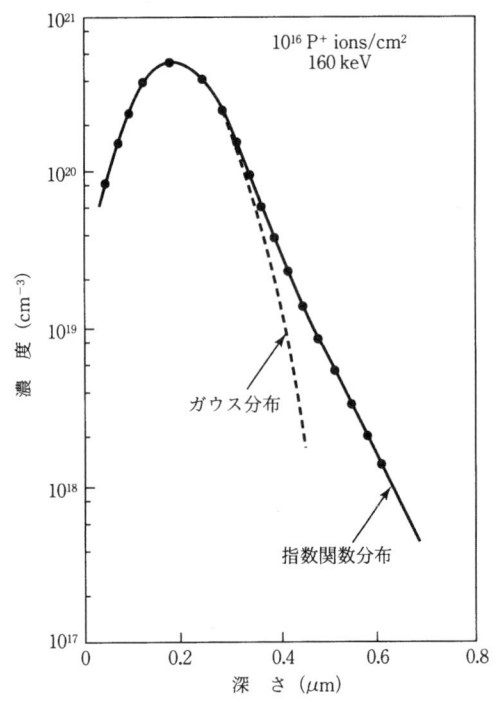

図 18 故意に結晶方位をずらせたターゲットで得られる不純物の分布．イオンビームは<111>軸から7°ずらせて注入されている[16]．

指数関数的に変化する裾の部分は，イオンチャンネリングの効果によるものである．チャンネリングは注入イオンが主な結晶軸方向と一致している場合に起こり，結晶中の原子の列によってガイドされる．図19はダイアモンド結晶を〈110〉方向から見た所を示したものである[20]．〈110〉方向に注入されたイオンの軌跡はターゲット原子の方向に沿っているため，原子核との衝突によってエネルギーを失うことはほとんどない．したがって，このようなチャンネリングイオンの場合には，エネルギー損失の機構はほとんど電子的な阻止であり，チャンネリングイオンの飛程はアモルファス・ターゲットにおける値よりもはるかに大きなものになる．イオンチャンネリングは低エネルギーで重いイオンを打ち込んだ時に特に問題になる．

チャンネリングを最小にするには，アモルファス表面阻止層，ウェーハを傾ける，ウェーハ表面に損傷層を作る，などのいくつかの方法がある．良く使われるアモルファス表面阻止層は薄いSiO_2である（図20(a)）．この層はビームの方向をランダムにし，イオンが結晶にいろいろな方向から入り，チャンネリングが起こらないようにする．ウェーハの主な結晶面を5°から10°傾けることも，イオンがチャンネルに入ることを防ぐ（図20(b)）．この方法については，多くの装置がウェーハを7°傾け，22°ねじることにより，チャンネリングを防ぐようにしている．予めSiやGeなどの重いイオンを表面に注入し，表面をアモルファス化して置く方法もある（図20(c)）．しかしこの方法は高価なイオン注入装置を長時間使うことになる．

第 13 章 不純物ドーピング

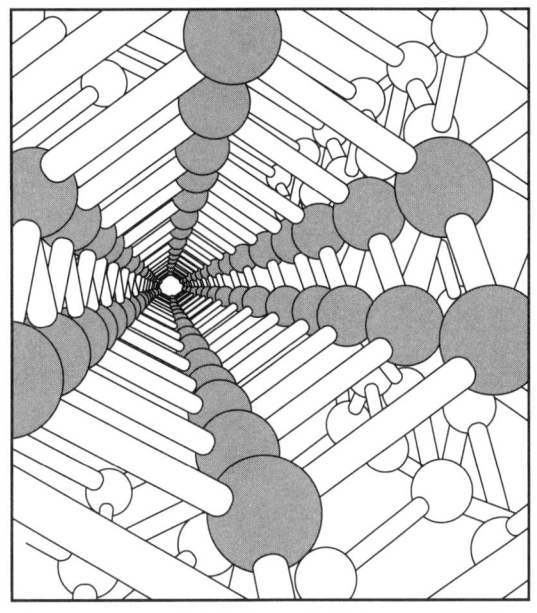

図 19 ＜110＞軸方向からみたダイアモンド構造のモデル[20].

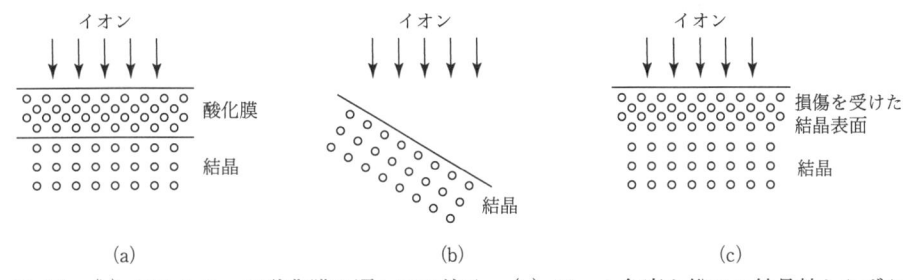

図 20 (a) アモルファス酸化膜を通しての注入, (b) ビーム角度を総ての結晶軸からずらす方法, (c) 表面に予め損傷を入れて置く方法.

13.5 注入による損傷とアニール

13.5.1 注入による損傷

半導体基板中に加速されたイオンが入ると原子, あるいは電子雲と衝突を繰り返しながら, そのエネルギーを失い最後にどこかに落ち着く. 電子エネルギーの損失はより高いエネルギー準位への電子の励起あるいは電子-正孔対の生成によって説明される. しかしながら電子的な衝突では, 半導体の原子をその格子点位置からずらすことはない. 原子核との衝突だけが格子に十分なエネルギーを伝達し, ホスト原子が移動して注入損傷（ディスオーダとも呼ばれる）が起こる[21]. これらの変位された原子は注入エネルギーの多くの部分を保存していて, そのために周りの原子を二次的に変位させ, イオンの進路に沿ってディスオーダの木を作る. 単位体積当りに変位される原子の数が半導体中の原子の密度に近くなると物質はアモルファスになる.

軽いイオンでできるディスオーダの木は, 重いイオンでできるものと非常に異なる. 軽いイオ

ン（たとえば Si 中の ^{11}B$^+$）に対するエネルギー損失の大部分は電子的な衝突（図 16 参照）であるために，ほとんど格子に損傷を与えない．イオンは基板の奥深くへ侵入するほど，そのエネルギーを失う．ついにはイオンエネルギーが交叉エネルギー（B に対しては約 10 keV）以下になり，原子核による阻止が支配的となる．したがって格子のディスオーダの大部分はイオンが最後に止まる点の近くで起こる．このことは図 21(a) に示されている．

100 keV の B$^+$ イオンを考えて損傷を推定してみよう．その射影飛程は $0.31\,\mu$m（図 17(a)），そして最初の核阻止能によるエネルギー損失はたった 30 eV/nm（図 16）である．Si の格子面間隔は約 0.25 nm であるから，このことは，原子核による阻止によって B が各格子面で失うエネルギーは，約 7.5 eV になることを意味する．格子位置から Si 原子を変位させるのに必要なエネルギーは約 15 eV である．したがって注入された B$^+$ イオンが Si 基板に最初に入ったときには，原子核による阻止で Si 原子を移動させるのに十分なほどのエネルギーを放出することはない．イオンエネルギーが約 50 keV に減少すると（これは 150 nm の深さに相当する），原子核による阻止のためのエネルギー損失は格子面当り 15 eV に増大する（すなわち 60 eV/nm）．この値は格子のディスオーダを起こすのに十分である．残っているイオン飛程の間に，一つの格子面当り一つの原子が動かされると仮定すると，格子の原子が 600 個動かされることになる（すなわち 150 nm/0.25 nm）．もし動かされた原子がそのもとの位置から 2.5 nm 動くとすると損傷の起こる体積は $V_D \cong \pi(2.5\,\text{nm})^2(150\,\text{nm}) = 3\times 10^{-18}\,\text{cm}^3$ で与えられる．損傷の密度は $600/V_D = 2\times 10^{20}\,\text{cm}^{-3}$ である．これは原子のたった 0.4% である．したがって軽いイオンでアモルファス層を作るためには，非常に高いドーズ量が必要である．

重いイオンの場合，エネルギーの損失は主に原子核の衝突による．したがって実質的な損傷が起こるものと考えられる．射影飛程が $0.06\,\mu$m つまり 60 nm である 100 keV の As の場合を考えよう．すべてのエネルギー領域にわたって平均的な原子核による損失は約 1320 eV/nm である

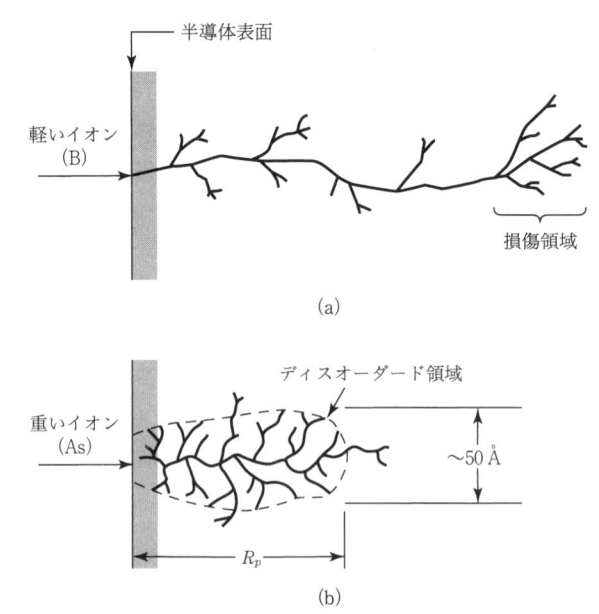

図 21 (a) 軽いイオン，(b) 重いイオンの注入によるディスオーダ[2,15].

(図16). このことは As イオンが平均として各格子面当り約 330 eV のエネルギーを失うことを意味している. このエネルギーの大部分は最初の1個の Si 原子に与えられる. おのおのの一次原子は次に 20 個のターゲット原子を動かす(すなわち 330 eV/15 eV). 移動させられる原子の数は 5280 に達する. 移動される原子がそれぞれ 2.5 nm ずつ動くとすれば, 損傷の体積は $V_D \cong \pi(2.5\,\text{nm})^2(60\,\text{nm}) = 10^{-18}\,\text{cm}^3$ となる. 損傷の密度はしたがって $5280/V_D \cong 5\times 10^{21}\,\text{cm}^{-3}$ となる. これは V_D 中の全原子の数の 10% である. 重いイオンの注入の結果, 物質は本質的にアモルファスになる. 図21(b)は射影飛程の全体にわたって損傷がディスオーダの塊を作っている状況を示している.

結晶物質をアモルファスの形に変換するのに必要なドーズ量を推定するためには, 物質を溶かすのに必要なエネルギー密度(すなわち $10^{21}\,\text{keV/cm}^3$)と同程度のものであるとする考えを使うことができる. 100 keV の As イオンの場合, アモルファス Si を作るために必要なドーズ量は次のようになる.

$$S = \frac{(10^{21}\,\text{keV/cm}^3)R_P}{E_0} = 6\times 10^{13}\,\text{イオン/cm}^2 \tag{32}$$

100 keV の B イオンの場合, 必要なドーズ量は 3×10^{14} イオン/cm^2 である. なぜなら B の R_P は As のそれの 5 倍ほど大きいからである. しかしながら実際にはイオン軌跡に沿っての損傷の分布は一様でないために, 室温でターゲットに注入されるべき B のドーズ量はずっと高くなる ($>10^{16}$ イオン/cm^2).

13.5.2 アニール

イオン注入により損傷を受けた領域や, ディスオーダの固まりのために, 移動度や少数キャリアの寿命等の半導体パラメータは著しく劣化する. その上イオン注入されたイオンの多くは格子位置には位置していない. 注入されたイオンを活性化し, 移動度や他の物質パラメータを回復させるために, 適当な温度で適当な時間, 半導体をアニール(熱処理)しなければならない.

通常のアニールには, 熱酸化の時と同様な, 開口管バッチ処理炉が使われる. この方法では注入損傷を取り除くのに, 高温, 長時間の処理が必要である. これはドーパントの拡散を起こすことになりかねず, 浅い接合, 狭いドーピング分布の要求には合致しない. 瞬時熱アニール(rapid thermal annealing, RTA)は, 100 秒からナノ秒というような, 通常のアニールに比べるとずっと短い時間と, いろいろなエネルギー源を用いたアニール方法である. RTA は再分布を最少にして, ドーパントを十分活性化できる方法である.

B および P の通常のアニール

アニール特性は, ドーパントとドーズ量に依存する. 図22は Si 基板中に注入された B および P のアニール特性を示している[19]. 基板はイオン注入している間, 室温(T_s)に保たれる. あるイオンのドーズ量に対して, 通常のアニール炉でのアニール温度というのは, 30 分間のアニールで注入されたイオンの 90% が活性化される温度で定義される. B を注入した場合, ドーズ量が高くなると, より高いアニール温度が必要である. P の場合ドーズ量が低い所ではアニール特性は B の場合と似ている. しかしながらドーズ量が $10^{15}\,\text{cm}^{-2}$ 以上となると, アニール温度は約 600°C に下がる. この減少は固相エピタキシィ過程に関係している. P のドーズ量が 6×10^{14}

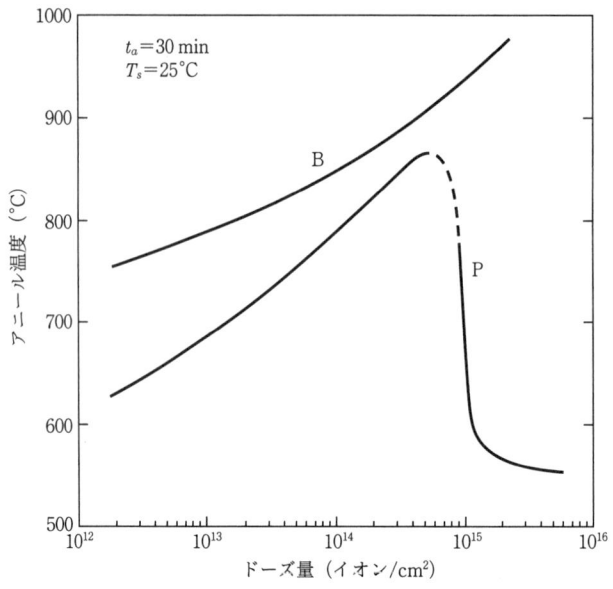

図 22 BおよびPが90%活性化するためのアニール温度とドーズ量[1,19].

cm^{-2} 以上においては Si の表面はアモルファスになる．アモルファス相の下の単結晶半導体がアモルファス相の再結晶のための基板として動く．⟨100⟩方向に沿っての固相エピタキシャル成長の速度は 550℃ で 10 nm/分，600℃ で 50 nm/分であり，活性化エネルギーは 2.4 eV である．したがって 100 から 500 nm のアモルファス相は，2～3 分の内に再結晶化される．固相エピタキシィの過程では，不純物ドーパント原子がホスト原子と一緒に格子位置に入る．したがって比較的低い温度で，ドーパントは完全に活性化される．

RTA (rapid thermal annealing)

瞬時ランプ加熱による RTA 装置を図 23 に示す．加熱されたウェーハ上で測られた温度[22] は通常 600°-1000℃ である．ウェーハは常圧か減圧下で急激に過熱される．RTA 装置の代表的な

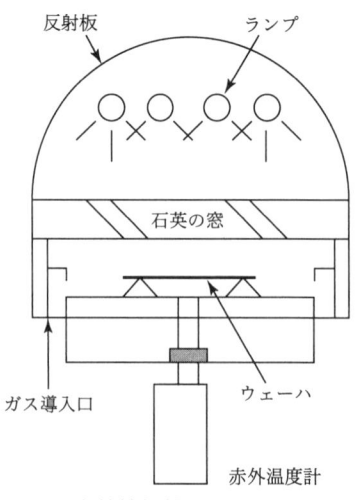

図 23 赤外線加熱による RTA 装置．

第13章　不純物ドーピング

表 2 アニール技術の比較

要素	通常炉	RTA
プロセス	バッチ	1枚ウェーハ
炉	ホットウォール	コールドウォール
昇温速度	低	高
サイクル時間	長	短
温度モニター	炉	ウェーハ
熱経費	高	低
パーティクル問題	有	少
均一性と再現性	高	低
スループット	高	低

　ランプはタングステン・フィラメントかアークランプである．プロセス室は石英，SiC，ステンレスあるいはアルミでできていて，ウェーハを赤外線で加熱するための石英の窓が付いている．ウェーハの支持具はしばしば石英でできていて，ウェーハとの接触箇所を最少にしている．測定系はウェーハ温度を設定できるよう，制御ループに入れられている．RTA装置はガス制御系とシステム全体を制御するコンピュータとがつながっている．RTA装置のウェーハ温度は，だいたい赤外放射からウェーハの温度を非接触で測る，光学パイロメータで測られる．

　通常炉とRTAによるアニールの比較を表2に示す．RTAを用いたプロセス時間を短くするには，温度と均一性，温度測定と制御，ウェーハストレスとスループットなどの間で，トレードオフの関係にある．さらに，非常に速い（100°-300℃/s）熱変化により電気的に活性な欠陥が導入されることを心配しなければならない．急激な加熱はウェーハ内に熱傾斜をもたらし，熱歪によりウェーハ内にスリップ転位などの欠陥を導入する可能性がある．他方通常炉によるアニールは，管壁からの微粒子，開口管であることによる雰囲気の制限，熱容量が大きいことによる長時間温度制御の難しさ，などの問題がある．実際，汚染，プロセス制御，製造床面積などの問題により，アニールはRTAにパラダイムシフトをしている．

13.6　イオン注入に関連したプロセス

　この節では多重イオン注入，マスキング，微傾斜注入，高エネルギー注入，高電流注入等のイオン注入に関連したプロセスについて考えてみる．

13.6.1　多重注入とマスキング

　多くの応用においては，単純なガウス分布以外のドーピング分布が必要とされる．それに答える一つの方法として多重イオン注入がある．最初に不活性なイオンを注入して，Siの表面領域をアモルファス化する．チャンネリング効果をなくすことによってドーピングの分布を正確に制御でき，低温でほぼ100%の，ドーパントの活性化が可能である．またある場合には深いアモルファスの領域が必要とされることがある．このような領域を得るためには，イオンエネルギーとドーズ量を変えて何回かのイオン注入を連続して行わなければならない．

多重注入は図24に示されるような平らなドーピング分布を形成するためにも使われる．この図の例では合成されたドーピングの分布を作るために，4回のBのイオン注入をSiに行っている[23]．測定されたキャリア濃度と理論的に予測された値が図に示されている．拡散技術では得ることができないようなドーピングの分布も不純物のドーズ量と注入エネルギーをいろいろ組み合わせることによって得ることができる．多重注入はGaAsへのイオン注入とアニール時に，ストイキオメトリを保つためにも使われる．Gaとn形ドーパント（Asとp形ドーパント）をアニール前に注入するというこの方法は，GaAsで高い活性化率をもたらしている．

半導体基板上のある領域にp-n接合を作るためには，適当なイオン注入用のマスクを使わなければならない．イオン注入は低温プロセスであるので，いろいろな種類のマスク材料を使うことができる．注入イオンをある程度以上を阻止するのに必要なマスク材料の厚さは，イオンの飛程距離から推定することができる．図25の挿入図は，マスク材料中の注入イオンの分布を示している．dより深い部分（ハッチを施してある部分）に注入されたドーズ量は，式（25）を積分することによって次のように求められる．

$$S_d = \frac{S}{\sqrt{2\pi}\sigma_p} \int_d^\infty \exp\left[-\left(\frac{x-R_p}{\sqrt{2}\sigma_p}\right)^2\right] dx \tag{33}$$

表1から次のような表現を導くことができる．

$$\int_x^\infty e^{-y^2} dy = \frac{\sqrt{\pi}}{2}\text{erfc}(x) \tag{34}$$

したがって深さdより奥の部分に，"透過"するドーズ量の割合は，次の透過係数Tで与えられる．

$$\boxed{T \equiv \frac{S_d}{S} = \frac{1}{2}\text{erfc}\left(\frac{d-R_p}{\sqrt{2}\sigma_p}\right)} \tag{35}$$

Tが与えられれば，あるR_Pとσ_Pに対して，式(35)からマスクの厚さdを求めることができる．

注入イオンを99.99%（$T=10^{-4}$）阻止するdの値が，SiO_2，Si_3N_4，フォトレジストに対し

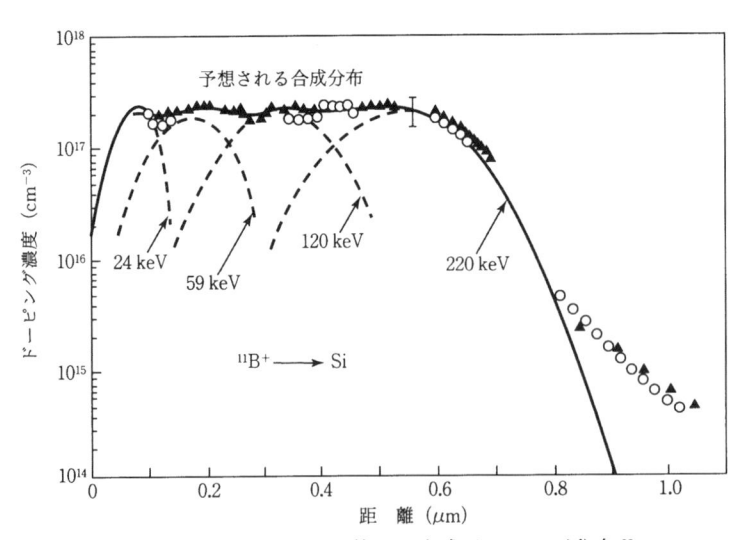

図 24 多重イオン注入を使った合成ドーピング分布[23]．

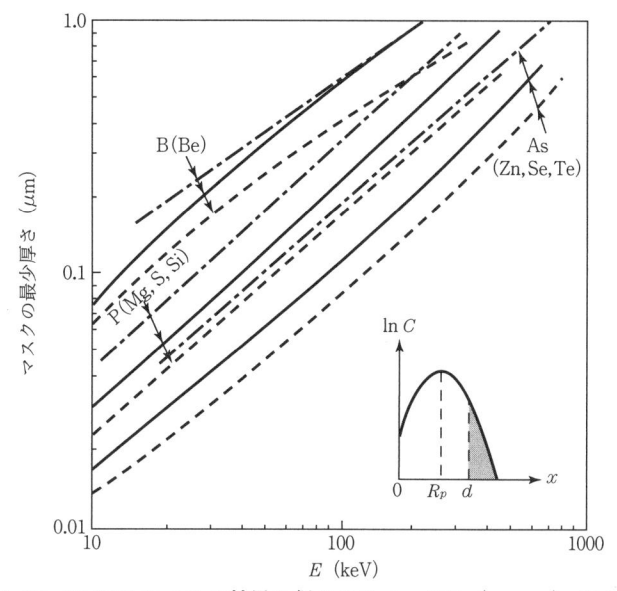

図 25 99.99%のマスク効果を得るための，SiO₂（———），Si₃N₄（----），フォトレジスト（—·—·）の最少の厚さ[24]．

て図 25 に示されている[19,24]．この図に示されているマスクの厚さは，Si に注入される場合の B，P，および As に対するものである．これらのマスクの厚さはまた GaAs における不純物のマスキングの目安としても使うことができる．GaAs の場合の不純物は括弧内に示されている．R_P も σ_P もともに，注入エネルギーに対してほぼ直線的に変化するので，マスク材料の最小の厚さもエネルギーとともに直線的に増加する．ある種の応用においては，イオンビームを完全に阻止する代りに，マスクがチャンネリング効果を最少にし，エネルギーを減衰するための，表面アモルファス層として使われることがある．

例題 4 B を 200 keV で注入する時，注入イオンを 99.996% マスクするためにはいくらの厚さの SiO₂ が必要か？ ただし，$R_P=0.53\ \mu m$，$\sigma_P=0.093\ \mu m$ である．

解答 式（35）の補誤差関数は変数が大きければ（表 1 参照）次のようになる．

$$T \cong \frac{1}{\sqrt{\pi}} \frac{e^{-u^2}}{u}$$

ここでパラメータ u は $(d-R_P)/\sqrt{2}\ \sigma_P$ で与えられる．$T=10^{-4}$ に対して上式が解けて，$u=2.8$ となる．したがって

$$d = R_P + 3.96\sigma_P = 0.53 + 3.96 \times 0.093 = 0.898\ \mu m$$

13.6.2 傾斜イオン注入

デバイスをサブミクロンの寸法に縮小化したとき，縦方向のドーパント分布も縮小化することが重要である．接合深さは，活性化のアニールおよびその後のプロセスでの拡散を含めて，100 nm 以下にすることが必要である．低ドープドレイン（LDD）のような最新のデバイス構造では，縦方向，横方向のドーパントの分布の精密な制御が要求される．

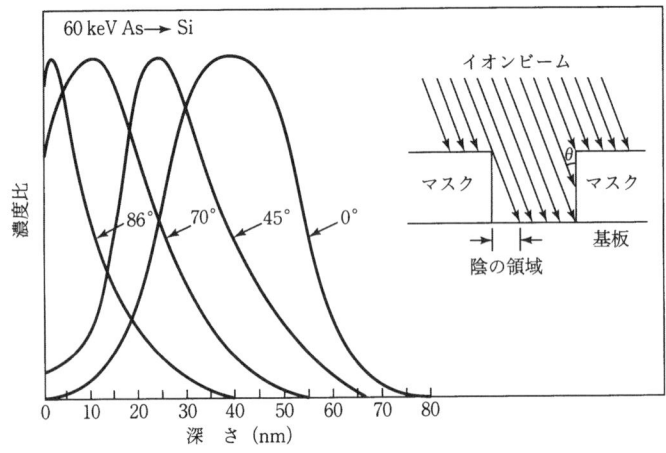

図 26　60 keV で As を Si 中に注入する場合の傾斜角依存性．挿入図は傾斜イオン注入における影の部分を示している．

注入イオン分布の射影飛程を決めるのは，表面に垂直なイオン速度である．ウェーハがイオンビームに対して大きな角度で傾斜していると，実効的なイオンエネルギーは大幅に減少する．図26は 60 keV で As を注入する場合の傾斜角依存性を示したものであるが，大きな角度（86°）で注入することにより，非常に浅い分布を達成できることがわかる．パターン付きウェーハへの傾斜注入では，影ができること（図26の挿入図）に注意する必要がある．傾斜が小さければ影も小さくなる．たとえば，マスクの厚さが $0.5\,\mu m$ で側面が垂直とし，入射ビームが 7°傾いているとすると，影は 61 nm になる．この影はデバイスに思わぬ直列抵抗をもたらす可能性がある．

13.6.3　高エネルギー，高電流注入

1.5-5 MeV という高エネルギー注入装置が可能になり，いろいろな新しい応用に用いられている．応用の多くは，高温での長時間拡散なしに，半導体中数 μm 以上の深さにドープできるということに基づいている．高エネルギー注入はまた低抵抗埋め込み層の作成にも使われる．たとえば，高エネルギー注入によって $1.5\text{-}3\,\mu m$ の深さに，CMOS 用の埋め込み層を作ることができる．

25-30 keV での高電流（10-20 mA）注入は，不純物量が正確に制御できるので，拡散用のプレデポジションに定常的に使われている．プレデポの後，高温拡散を行ってドーパント不純物が押し込まれる．同時に表面領域の注入による損傷がアニールされる．もう一つの応用は，MOSデバイスにおけるしきい値電圧の制御である．正確に制御されたドーパント（この場合には B イオン）が，ゲート酸化膜を通してチャンネル領域にイオン注入される[25]（図 27(a)）．Si 中および SiO_2 中の B の射影飛程は同程度であるので，加速エネルギーを適当に選べば，注入イオンは薄いゲート酸化膜は透過するが，厚いフィールド酸化膜は透過しないようにすることができる．しきい値電圧は，ほぼ注入されたドーズ量に比例して変化する．B を注入した後，ポリSiが堆積され，MOSFET のゲート電極が作られる．ゲート電極の周りの薄い酸化膜が取り除かれ，高ドーズの As を注入することにより，図 27(b) に示されているようにソースおよびドレイン領域が形成される．

現在，150-200 keV の高電流注入が可能になっている．主な用途は基板に酸素をイオン注入し

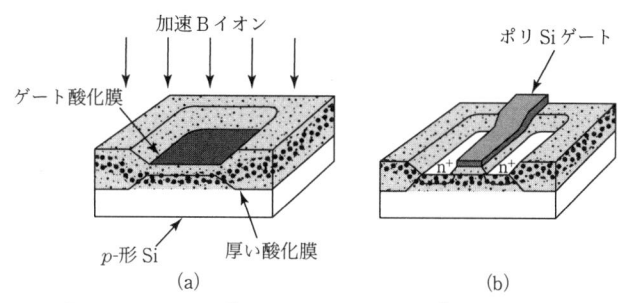

図 27 Bイオン注入によるしきい値電圧の制御[25].

てSiO₂層を挿入し，絶縁された高品質Si層を作ることである．この酸素イオン注入による分離（SIMOX）は，SOI（silicon on insulator）の鍵を握る技術である．

SIMOXは射影飛程が100-200 nmになるよう150-200 keVの高エネルギーO^+を注入する．さらに，100-500 nmのSiO₂絶縁層を作るように，1-2×10^{18}イオン/cm²の高ドーズを行う．SIMOXを使うことでMOSデバイスのソース・ドレイン容量を大幅に減らすことができる．さらに，デバイス間の干渉が少なくなるので，ラッチアップの問題なしに密にデバイスを詰め込める．結果として，最新の高速CMOS回路に広く使われつつある．

まとめ

拡散とイオン注入は不純物ドーピングの二つの主要手段である．最初に拡散係数が一定の場合の基本的拡散方程式について考えた．表面濃度一定の場合は補誤差関数（erfc），不純物量が一定の場合はガウス関数で表されることを示した．拡散の結果は接合深さ，シート抵抗，ドーピング分布で表される．

ドーピングの濃度が拡散温度での真性キャリア濃度n_iより高い場合，拡散係数は温度依存性を持つ．この依存性はドーピング分布に重大は影響を与える．たとえば，Si中のAsやBの拡散係数は不純物濃度に比例して変化する．これらのドーピング分布はerfc分布よりはるかに急峻になる．Si中のPの拡散係数は濃度の二乗に比例する．このためPの拡散係数は真性拡散係数の100倍にもなる．

マスク端での横方向拡散と酸化過程での不純物の最分布はデバイス特性に重大な影響を与える．前者は接合の降伏電圧を下げるし，後者は接触抵抗を高くし，しきい値電圧を変化させる．

イオン注入の主要パラメータは射影飛程R_Pと射影分散と呼ばれる標準偏差σ_Pである．注入分布はガウス関数で表され，表面からのピークの位置がR_Pに相当する．拡散に比べてイオン注入の利点は，その正確な不純物制御，分布の再現性，そして低いプロセス温度である．

SiとGaAs中の種々の不純物のR_Pとσ_Pについて考え，チャンネリングの効果とそれを最少にする方法について議論した．しかしながら，イオン注入は結晶に多くの欠陥を導入する．注入欠陥を除去し移動度他のデバイス・パラメータを回復するため，適当な温度，時間のアニールをする必要がある．現状ではRTA法がドーピング分布を崩さないで損傷を回復できるという点で，従来の炉によるアニールより優れている．

イオン注入は先端半導体デバイスにいろいろな形で応用されている：(a) 独特な不純物分布を形成するための多重注入，(b) マスクの材料と厚さを選んで，注入不純物の一部だけ基板に注入

する，(c) 傾斜注入による極浅接合の形成，(d) 高エネルギー注入による埋め込み層の形成，(e) プレデポジション用の高電流注入と SOI の絶縁層を形成するための高電圧，高電流注入，などである．

参 考 文 献

1. S. M. Sze, Ed., *VLSI Technology*, 2nd Ed., McGraw-Hill, New York, 1988, Ch. 7, 8.
2. S. K. Ghandhi, *VLSI Fabrication Principles*, 2nd Ed., Wiley, New York, 1994, Ch. 4, 6.
3. W. R. Runyan and K. E. Bean, *Semiconductor Integrated Circuit Processing Technology*, Addison-Wesley, Massachusetts, 1990, Ch. 8.
4. H. C. Casey, and G. L. Pearson, "Diffusion in Semiconductors," in J. H. Crawford, and L. M. Slifkin, Eds., *Point Defects in Solids*, Vol. 2, Plenum, New York, 1975.
5. J. P. Joly, "Metallic Contamination of Silicon Wafers," *Microelectron. Eng.*, **40**, 285 (1998).
6. A. S. Grove, *Physics and Technology of Semiconductor Devices*, Wiley, New York, 1967.
7. ASTM Method F374-88, "Test Method for Sheet Resistance of Silicon Epitaxial, Diffused, and Ion-implanted Layers Using a Collinear Four-Probe Array," **V10**, 249 (1993).
8. J. C. Irvin, "Evaluation of Diffused Layers in Silicon," *Bell Syst. Tech. J.*, **41**, 2 (1962).
9. ASTM Method E1438-91, "Standard Guide for Measuring Width of Interfaces in Sputter Depth Profiling Using SIMS," **V10**, 578 (1993).
10. R. B. Fair, "Concentration Profiles of Diffused Dopants," in F. F. Y. Wang, Ed., *Impurity Doping Processes in Silicon*, North-Holland, Amsterdam, 1981.
11. L. R. Weisberg and J. Blanc, "Diffusion with Interstitial-Substitutional Equilibrium, Zinc in GaAs," *Phys. Rev.*, **131**, 1548 (1963).
12. A. F. W. Willoughby, "Double-Diffusion Processes in Silicon," in F. F. Y. Wang, Ed., *Impurity Doping Processes in Silicon*, North-Holland, Amsterdam, 1981.
13. F. A. Cunnell and C. H. Gooch, "Diffusion of Zinc in Gallium Arsenide", *J. Phys. Chem. Solid*, **15**, 127 (1960).
14. D. P. Kennedy and R. R. O'Brien, "Analysis of the Impurity Atom Distribution Near the Diffusion Mask for a Planar *p-n* Junction, " *IBM J. Res. Dev.*, **9**, 179 (1965).
15. I. Brodie and J. J. Muray, *The Physics of Microfabrication*, Plenum, New York, 1982.
16. J. F. Gibbons, "Ion Implantation," in S. P. Keller, Ed., *Handbook on Semiconductors*, Vol. 3, North-Holland , Amsterdam, 1980.
17. S. Furukawa, H. Matsumura, and H. Ishiwara, "Theoretical Consideration on Lateral Spread of Implanted Ions," *Jpn. J. Appl. Phys.*, **11**, 134 (1972).
18. B. Smith, *Ion Implantation Range Data for Silicon and Germanium Device Technologies*, Research Studies, Forest Grove, OR., 1977.
19. K. A. Pickar, "Ion Implantation in Silicon," in R. Wolfe, Ed., *Applied Solid State Science*, Vol. 5, Academic, New York, 1975.
20. L. Pauling and R. Hayward, *The Architecture of Molecules*, Freeman, San Francisco, 1964.
21. D. K. Brice, "Recoil Contribution to Ion Implantation Energy Deposition Distribution," *J. Appl. Phys.*, **46**, 3385 (1975).
22. C. Y. Chang and S. M. Sze, Eds., *ULSI Technology*, McGraw-Hill, New York, 1996, Ch. 4.
23. D. H. Lee and J. W. Mayer, "Ion-Implanted Semiconductor Devices," *Proc. IEEE*, **62**, 1241 (1974).
24. G. Dearnaley, et al., *Ion Implantation*, North-Holland, Amsterdam, 1973.
25. W. G. Oldham, "The Fabrication of Microelectronic Circuit," in *Microelectronics*, Freeman, San Francisco, 1977.

問題 （＊印は高度な問題を示す）

13.1節　基本拡散過程に関する問題

1. 中性雰囲気で950℃，30分のBプレデポジションをした場合の拡散深さと導入不純物量を計算せよ．ただし，基板はn形で$N_D=1.8\times10^{16}\,\mathrm{cm^{-3}}$，Bの表面濃度は$C_s=1.8\times10^{20}\,\mathrm{cm^{-3}}$とする．

2. 問題1の試料に，1050℃，30分の押し込みをした場合の，拡散分布と接合深さを計算せよ．

3. 測定されたPの分布がガウス関数で表され，拡散係数が$D=2.3\times10^{-13}\,\mathrm{cm^2/s}$であるとする．測定された表面濃度が$1\times10^{18}$原子$/\mathrm{cm^3}$，濃度が$1\times10^{15}\,\mathrm{cm^{-3}}$の$p$形基板での接合深さが$1\,\mu\mathrm{m}$であったとする．拡散時間と拡散層の全不純物量を求めよ．

＊4. 急激な温度低下によるウェーハの反りを回避するため，拡散炉の温度は1000℃から500℃まで20分かけて直線的に下げられる．Si中にPを拡散する場合，最初の拡散温度での実効拡散時間はいくらか？

＊5. 1000℃で低濃度のPをSi中に押し込みをした場合，拡散時間と温度が1％変化した場合，表面濃度は何％変わるか？

6. Bが10^{15}原子$/\mathrm{cm^3}$ドープされている厚いSiスライスに，Asを1000℃，3時間拡散したとする．表面濃度を10^{18}原子$/\mathrm{cm^3}$に固定した場合の最終的なAsの分布はどうなるか？拡散長と接合深さは？

13.2節　外因性拡散に関する問題

7. Bが10^{15}原子$/\mathrm{cm^3}$ドープされている厚いSiスライスに，Asを900℃，3時間拡散した場合，表面濃度を4×10^{18}原子$/\mathrm{cm^3}$に固定した場合の最終的なAsの分布はどうなるか？接合の深さは？ ただし，下のような定数を仮定せよ．

$$D=D_0 e^{\frac{-E_a}{kT}}\times\frac{n}{n_i},\ D_0=45.8\,\mathrm{cm^2/s},\ E_a=4.05\,\mathrm{eV},\ x_j=1.6\sqrt{Dt}$$

8. 真性拡散および外因性拡散の意味を説明せよ．

13.3節　拡散関連過程に関する問題

9. 偏析係数の定義を述べよ．

10. CVD後SiO_2中のCuの濃度を原子吸光で測ったところ5×10^{13}原子$/\mathrm{cm^3}$であった．Si中のCuの濃度をHF/H_2O_2で溶かして測ったところ，3×10^{11}原子$/\mathrm{cm^3}$であった．SiO_2/Si界面でのCuの偏析係数を求めよ．

13.4節　注入イオンの飛程に関する問題

11. $200\,\mathrm{mm}\phi$のウェーハにBをイオン注入する装置において，ビーム電流を$10\,\mu\mathrm{A}$とする．p-チャンネルMOSFETでしきい値電圧を$-1.1\,\mathrm{V}$から$-0.5\,\mathrm{V}$に下げるのに必要な注入時間を計算せよ．酸化膜の厚さは$10\,\mathrm{nm}$，注入されたアクセプタは界面下に負電荷の薄層を形成するものとする．

12. 100 mmϕ の GaAs ウェーハに Zn を 100 keV で 5 分間，ビーム電流 10 μA で一様に打ち込むものとする．平方センチ当たりのドーズ量およびピークイオン濃度を求めよ．

13. 酸化膜の窓を通して B を 80 keV でイオン注入し Si に p-n 接合を作った．B のドーズ量を 2×10^{15}/cm^2，n 形基板の濃度を 10^{15}/cm^3 とする．金属学的な接合の位置を求めよ．

14. 厚さ 25 nm の酸化膜を通してしきい値電圧制御のイオン注入をした．基板は〈100〉方位の p 形 Si で，抵抗率は 10 Ω·cm である．40 keV の B 注入によるしきい値電圧の増加が 1 V であったとすると，単位面積当たりの全注入ドーズ量はいくらか？ B 濃度のピーク位置も求めよ．

*15. 問題 14 の基板において，全ドーズ量の内何% が Si 中に注入されているか？

13.5 節　注入による損傷とアニールに関する問題

16. Si 基板に B を 50 KeV でイオン注入した場合の損傷密度を計算せよ．ただし，Si の原子密度を 5.02×10^{22}/cm^3，Si 原子が格子位置からずれるのに必要なエネルギーを 15 eV，Si 原子のずれる距離を 2.5 nm，Si の格子面間隔を 0.25 nm とする．

17. 欠陥のない浅い接合を作るのに，低い温度の RTA より高い温度の RTA の方が優れている理由を述べよ．

18. ゲート酸化膜の膜厚が 4 nm の p-チャンネル MOSFET のしきい値電圧を 1 V にするための注入ドーズ量を見積もれ．ただし，注入不純物の分布のピークが，酸化膜-Si 界面に来るように，加速電圧を調整するものとする．すなわち，注入イオンの半分が Si に注入するようにする．さらに，Si に注入されたイオンの 90% が電気的に活性になり，それらの電荷は酸化膜-Si 界面に集中するものとする．すなわち，注入イオンの 45% がしきい値電圧の制御に使われる．

13.6 節　イオン注入に関連したプロセスに関する問題

19. サブミクロン MOSFET のソース，ドレイン領域に，深さ 0.1 μm の十分ドープされた接合を作りたい．不純物を導入する二つの方法を比較し，どちらの方法が何故優れているかを述べよ．

20. ヒ素 (As) を 100 KeV でイオン注入するとする．400 nm の厚さのフォトレジストのマスキング効果（注入イオンの何% の透過が防がれるか）を求めよ．ただし，$R_p=0.6$ μm，$\sigma_p=0.2$ μm とする．また，レジストの厚さを 1 μm とした場合のマスキング効果はどうなるか？

21. 例題 4 において，注入イオンの 99.999% をマスクするためには，SiO$_2$ の厚さはいくらにすれば良いか？

第14章　集積デバイス

14.1　受動素子
14.2　バイポーラ技術
14.3　MOSFET 技術
14.4　MESFET 技術
14.5　マイクロエレクトロニクスへの挑戦
ま と め

　マイクロ波，フォトニクス，電力などの応用には通常，個別素子が用いられる．たとえば，マイクロ波源にはインパットダイオード，光源には半導体レーザ，電力スイッチにはサイリスタがある．しかし，多くの電子回路は，単結晶半導体基板中または基板上に作られた能動素子（たとえばトランジスタ）と受動素子（抵抗，キャパシタとインダクタ）およびそれらを導体でつないだ集積回路（integrated circuit, IC）で作られる[1]．IC は，配線で繋いだ個別素子と比べ，以下の理由から格段に優れた長所を持つ．a) IC での多層配線は総結線長を短くするから，回路の寄生成分が減る，b) IC チップ中で各素子を密着して配置でき，面積を有効に利用できる，c) ワイアボンディングは手間がかかる上に間違いやすいので，集積化することにより大幅なプロセスコストの削減ができる．
　本章では，これまで述べてきた基本プロセスの集大成としての集積回路の話をする．IC の主役は，トランジスタであり，その最適化の線に沿って話を進める．三つの IC 技術，つまりバイポーラトランジスタ，MOSFET，MESFET について述べよう．
　本章では，特に次の項目を取り上げる．
・抵抗，キャパシタ，インダクタの設計と製作
・標準的バイポーラ・トランジスタと特殊バイポーラデバイスのプロセス手順
・MOSFET，特に CMOS とメモリーデバイスのプロセス手順
・高性能 MESFET とモノリシックマイクロ波 IC のプロセス手順
・将来のマイクロエレクトロニクスへの展望，特に極薄接合・極薄酸化膜・新配線材料・低電力消費・絶縁

　図 1 に，IC プロセスの主な流れを示す．指定の抵抗値と結晶面の，鏡面に仕上げたウェーハが出発点である．膜生成には，熱酸化膜，ポリ Si・絶縁膜・金属膜の堆積膜（第 11 章）などがある．膜生成は，リソグラフィ（第 12 章）や不純物添加（第 13 章）と組み合わせられる．リソグラフィ後は，エッチングが続き，その後はさらに不純物添加や，膜生成が行われる．半導体ウェーハ

の表面で，マスクのパターンによるプロセスを何回か行うことによって，ICが作り上げられる．

仕上がったウェーハは，図2(a) に示すように，1〜20 mmの寸法の数百個のチップに，ダイアモンド鋸やレーザを使って切り離される．図2(b) は，その1個のICチップを示す．チップは，また図2(c) に示したMOSFETやバイポーラ・トランジスタなどの集合であり，それぞれの寸法関係がわかるだろう．チップを切り離す前に，チップの良否を判定し，不良品にマークをつける．良品のチップは，ケースに入れ，熱放散，電気的接続を得やすくする[2]．

ICチップは，構成素子（トランジスタ，ダイオード，抵抗，キャパシタなど）数個のものから，10億個以上のものまである．1959年のモノリシックICの発明以来，ICチップ中の素子数は，指数関数的に増えてきた．チップ中に100個以下の素子のあるとき，それを小規模集積回路 (small scale integrated circuit, SSI)，1000個までを中規模集積回路 (medium scale integrated circuit, MSI) 100,000個くらいまでを大規模集積回路 (large scale integrated circuit, LSI)，10^7 個以上を超LSI (very large scale integrated circuit, VLSI)，さらに上をULSI (ultra large scale IC) と便宜上呼んでいる．14.3節で示すULSIは，4200万の素子の32ビットマイクロプロセッサと，20億以上の素子からなる1GビットのDRAMである．

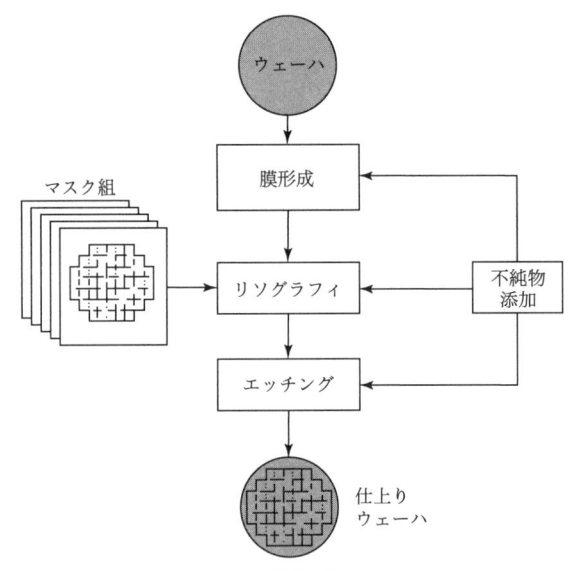

図 1 IC製作プロセス．

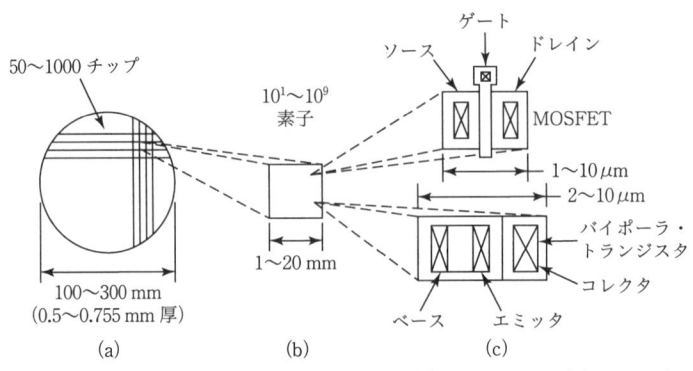

図 2 ウェーハと個別部品の寸法比較；(a) ウェーハ，(b) チップ，(c) MOSFETとバイポーラ・トランジスタ．

14.1 受動素子

14.1.1 IC用抵抗

　集積回路用の抵抗は，Si基板表面に抵抗層を設け，その層をリソグラフィとエッチングで，パターンを作る．あるいは熱酸化膜に窓をあけ，その窓から基板とは別の伝導形の不純物をイオン注入（または拡散）で添加する．図3に，あとの方法による抵抗の平面図と断面図を示す．一つは，折れ曲がった形で，他は直線形である．

　直線形をまず取り上げてみよう．p形域の深さxでの厚みが，dxだけ増したときの，伝導度の増分dGは，

$$dG = q\mu_p p(x) \frac{W}{L} dx \tag{1}$$

ここでWとLは，それぞれ幅と長さであり，端部の接触部のことは考えないことにする．μ_pはホールの移動度，$p(x)$は不純物濃度である．コンダクタンスは，すべての厚みについての和であるから，

$$\boxed{G = \int_0^{x_j} dG = q\frac{W}{L} \int_0^{x_j} \mu_p p(x) \, dx} \tag{2}$$

となる．x_jは接合深さである．μ_p（ホール濃度の関数）と，$p(x)$がわかれば，式（2）を書き直して，

$$G \equiv g \frac{W}{L} \tag{3}$$

$g\left(\equiv q \int_0^{x_j} \mu_p p(x) \, dx\right)$は，面伝導度と呼ばれ，正方形の抵抗の伝導度，つまり$L=W$の時，$G=g$である．

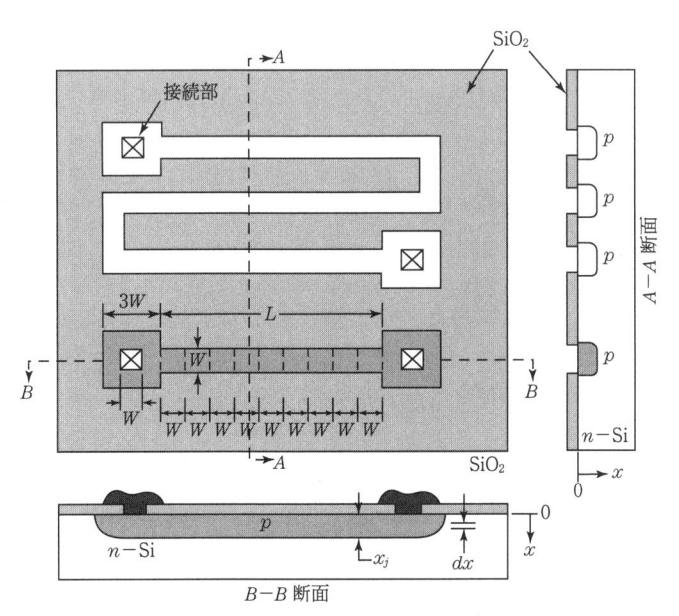

図3 IC用抵抗．各部の寸法はWで，電極も同寸法．

したがって抵抗値は,

$$R \equiv \frac{1}{G} = \frac{L}{W}\left(\frac{1}{g}\right) \tag{4}$$

$1/g$ は $R_\square$ とも表され，シート抵抗と呼ばれる．単位は Ω であるが，便宜上 $\Omega/\square$ と表される．

多くの抵抗は図3に示すように，一つのマスク中に，いろいろな寸法や形を持って一度に作られる．抵抗値は，添加・プロセスで決まる $R_\square$ と，パターンで決まる L/W の両者で決定される．ここで L が W の整数倍だとすると，一辺 W の正方形を何個並べるかで決まる．端の電極部は，抵抗値をさらに増加させる．図3に示す場合の電極抵抗は，1個当り $0.65R_\square$ である．折れ曲りの場合も，角の所で電流は一様に流れず，やはり $0.65R_\square$ となる．

例題1 図3の直線形抵抗で，幅が $10\ \mu\text{m}$，長さが $90\ \mu\text{m}$ でシート抵抗が $1\ \text{k}\Omega/\square$ の時の抵抗値を求めよ．

解答 9の正方形があり両端の二つの電極部の抵抗値は $1.3\ \square$ であり，

$$(9 + 0.65 \times 2) \times 1\ \text{k}\Omega/\square = 10.3\ \text{k}\Omega$$

14.1.2 集積回路キャパシタ

キャパシタには，MOSキャパシタと p-n 接合の2種類が用いられる．MOSでは，高濃度の領域（たとえばエミッタ領域）を一つの電極，他の電極は金属膜を用い，その間に酸化膜をはさんだ構造である．平面図と断面図を図4(a)に示す．MOSキャパシタを作るには，シリコン基板に，厚い熱酸化膜を形成する．次にこれにリソグラフィでパターンを作り，エッチングで窓をあけ，そこから拡散やイオン注入で高濃度の p 形不純物を添加する．その際に，残部の酸化膜はマスクとなる．さらに薄い熱酸化膜を形成し，メタライゼーションを行う．単位面積当りの容量は，

$$C = \frac{\varepsilon_{\text{ox}}}{d}\ \text{F/cm}^2 \tag{5}$$

となる．ここで ε_{ox} は SiO_2 の誘電率で（$\varepsilon_{\text{ox}}/\varepsilon_0 = 3.9$），$d$ は薄い酸化膜の厚さである．容量を大きくするために，高い誘電率を持つ絶縁膜（たとえば Si_3N_4 や Ta_2O_5，比誘電率はそれぞれ7と25）が用いられる．MOS構造では，下部電極は高濃度半導体なので，容量は電圧で変化せずに

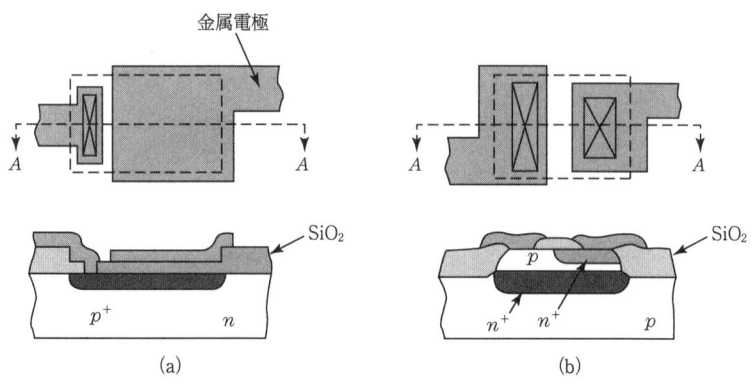

図4 (a) MOSキャパシタ，(b) p-n 接合キャパシタ．

一定で，また直列抵抗も低い．

p-n 接合は，時にはキャパシタとして用いられる．n^+-p 接合の上面および断面図を図4(b)に示す．その製造工程は，バイポーラ・トランジスタの一部なので，14.2節で述べる．接合は，普通逆バイアスで用いる．すなわちp域に負の，n域に正の電圧を印加する．容量は一定ではなく，$(V_R+V_{bi})^{-1/2}$ の形で変化する．V_R は印加電圧，V_{bi} は内蔵電位である．直列抵抗はMOSの場合より，かなり高くなる．というのは，p領域の比抵抗が p^+ 域より高いからである．

例題2 $4\,\mu m^2$ の面積のMOSキャパシタに，5V印加したときに蓄えられる電荷と電子の数を，(a) 10 nm の SiO_2 膜の場合，(b) 5 nm の Ta_2O_5 膜の場合について求めよ．

解答

(a) $Q=\varepsilon_{ox}\times A\times V_s/d=3.9\times 8.85\times 10^{-14}\,F/cm\times 4\times 10^{-8}\,cm^2\times 5\,V/(1\times 10^{-6})\,cm=6.9\times 10^{-14}\,C$ また $Q_s=6.9\times 10^{-14}\,C/q=4.3\times 10^5$ 電子.

(b) 比誘電率を3.9から25に，また厚みを10 nmから5 nmに変えて，$Q=8.85\times 10^{-13}\,C$, $Q_s=8.85\times 10^{-13}\,C/q=5.53\times 10^6$ 電子となる．

14.1.3 IC インダクタ

IC インダクタは，III-V族化合物半導体のモノリシックマイクロ波IC(MMIC)[3]で広く用いられてきた．Siデバイスの動作速度の増加と，多層集積技術の進歩に伴って，ICインダクタは，Siの高周波応用での利用が注目された．多種のインダクタが，ICプロセスによって作ることができる．もっともよく使われるのは，薄膜スパイラル法である．図5(a)および(b)に2層式インダクタの上面及び断面図を示す．スパイラルを作る前に，厚手のSi膜を酸化または堆積で作る．最初の金属膜1を堆積し，インダクタの一端の導線とする．次に誘電体膜をその上に堆積する．この膜にリソグラフィで導通孔を開ける．次に金属2を堆積し，金属1と導通孔で接続する．インダクタの性能は，Qで表される．$Q=L\omega/R$で，L, R, ω はそれぞれ，インダクタンス，抵抗，角周波数である．Qが高いほど，抵抗による損失が低く性能は高い．図5(c)に等価回路を示す．R_1は金属の抵抗，C_{p1}とC_{p2}はそれぞれ金属線と基板間の容量，R_{sub1}, R_{sub2}はその損失分を表す．Qは周波数と共に直線的に増大するが，高周波では寄生抵抗と寄生容量のために低下する．Q値を高めるためには，1) C_pを小さくするために低誘電係数（<3.9）の誘電膜を用いる．2) R_1を下げるために，低抵抗の金属（AlよりはCuやAu）を用い，膜厚を厚くする．3) R_{sub}を下げるために，絶縁基板（サファイアやガラス上のシリコン，石英）を用いるなどの工夫をする．

インダクタの値や最適化を得るために，高度なシミュレーションCADが有用である．先の等価回路に，さらに線間の相互インダクタンスや容量も考慮する必要も生じ，先の抵抗やキャパシタと比べ，計算は容易ではないが，正方形のインダクタは次式で近似される[3]．

$$\boxed{L\approx \mu_0 n^2 r \approx 1.2\times 10^{-6} n^2 r} \tag{6}$$

ここで，μ_0 は，真空の透磁率（$4\pi\times 10^{-7}\,H/m$），Lはインダクタンス（H），nは巻数，rは半径（m）である．

例題3 巻数20回のコイルで，10 nHを得るためには，半径をどれほどにすればよいか．

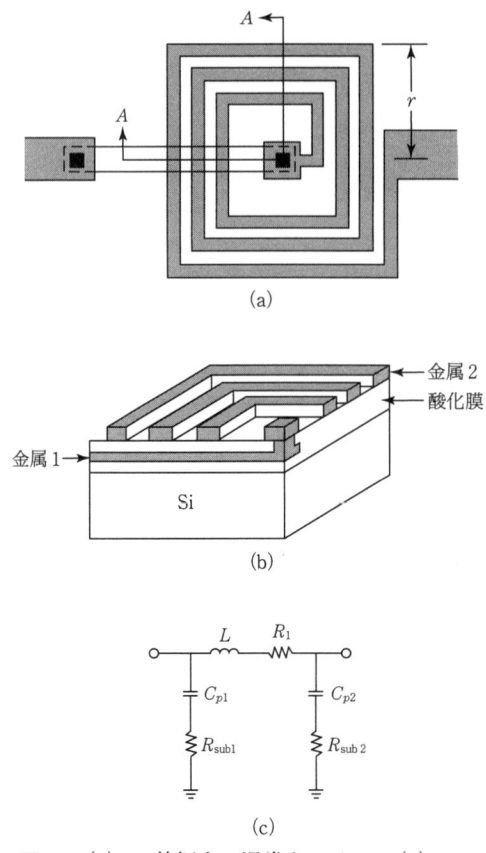

図 5 (a) Si 基板上の渦巻きコイル, (b) A-A 断面の立体図, (c) 等価回路.

解答 式6から

$$r = 10 \times 10^{-9}/(1.2 \times 10^{-6} \times 20^2) = 2.08 \times 10^{-5} \text{(m)} = 20.8 \ \mu\text{m}.$$

14.2 バイポーラ技術

IC, 特に VLSI や ULSI に用いるには, バイポーラ・トランジスタの寸法を小さくして, 集積度を上げなければならない. 図6は, ここ数年来の寸法縮小を示す[4].

個別素子と IC 中のトランジスタの違いは, IC では, 全電極が表面にあることであり, またそれぞれのトランジスタ間の相互作用をさけるため, 電気的に他のトランジスタと分離されていることである. 1970 年以前は, 横方向と深さ方向の分離に, p-n 接合を利用し, まわりの p 域は, n 形コレクタに対して, 常に逆方向にバイアスされていた (図6(a)). 1971 年に, 熱酸化膜が, 横分離に用いられ, デバイス寸法は格段に縮小された (図6(b)). つまりベースおよびコレクタ電極部は, 分離帯に接している. 1970 年代半ばに, エミッタ電極部も酸化膜に接し, さらに寸法は小さくなった (図6(c)). 現在では, 横方向・深さ方向ともに寸法は縮められ, 幅は μm 以下になっている (図6(d)).

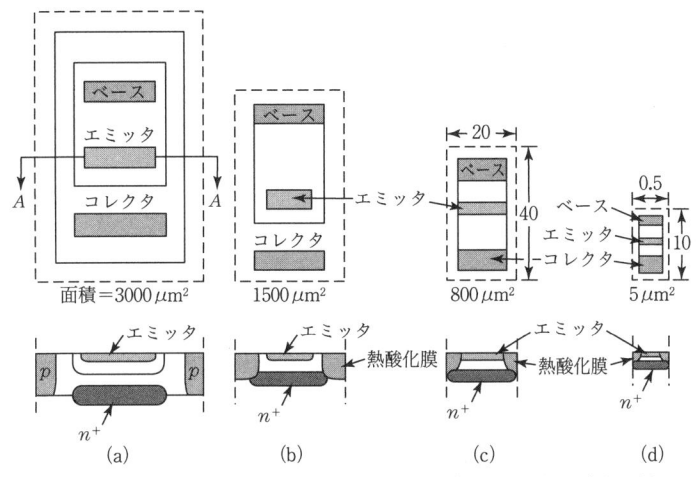

図 6 IC 用バイポーラ・トランジスタの，平面積および断面積の縮小．
(a) 接合分離，(b) 酸化膜分離，(c および d) 酸化膜分離の縮小[4]．

14.2.1 基本的な製造プロセス

IC に用いられるバイポーラ・トランジスタは，ほとんど n-p-n 形である．その理由は，ベース領域を通過する少数キャリアの移動度は，電子の方が高いから，p-n-p 形と比べてより高速動作が期待されるためである．図 7 に，横方向は酸化膜で，また深さ方向は n^+-p 接合で分離した n-p-n 形トランジスタを示す．酸化膜分離は，寸法を小さくするだけでなく，低い比誘電率（SiO_2 で 3.9，一方 Si では 11.9）のために寄生容量を小さくできる．図 7 に示した n-p-n バイポーラ構造を作るためのプロセスを考えてみよう．

まず p 形（$\sim 10^{15}$ cm^{-3}）の (111) または (100) 面の，鏡面仕上げの Si 基板を用いる．接合を結晶内に作るから，結晶方位は MOS トランジスタの場合ほど重要ではない．最初のプロセスで，埋め込み層を作る．これはコレクタの直列抵抗を下げるためである．厚い（0.5～1 μm）SiO_2 膜を熱酸化で生成し，窓をあける．正確に制御された量の As イオン（~ 30 keV，$\sim 10^{15}$ cm^{-2}）を，注入する（図 8(a)）．次に高温（$\sim 1100°C$）で熱処理することにより，層抵抗約 20 Ω/□ の n^+ 域が作られる．

次に n 形エピ層を成長させるが，それに先立って成長部の酸化膜を除去する．エピ炉で，結

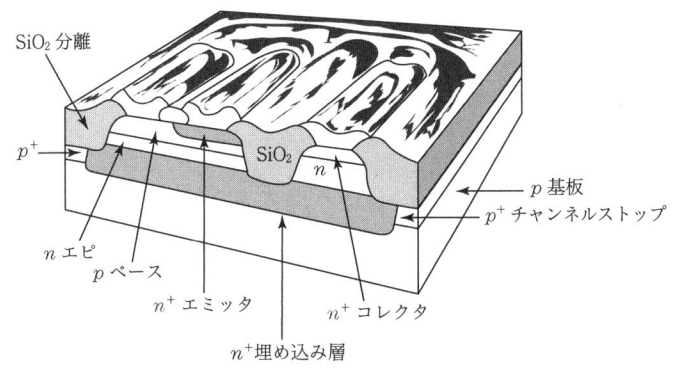

図 7 酸化膜分離バイポーラ・トランジスタの斜視断面図．

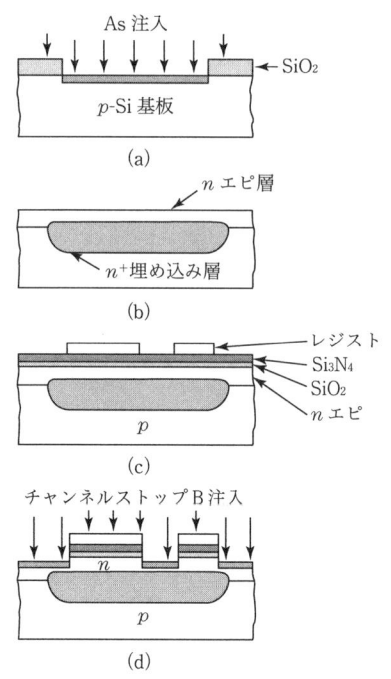

図 8 バイポーラ・トランジスタ製造過程（断面図）．(a) 埋め込み層のイオン注入，(b) エピ層，(c) フォトレジストマスク，(d) チャンネルストップのイオン注入．

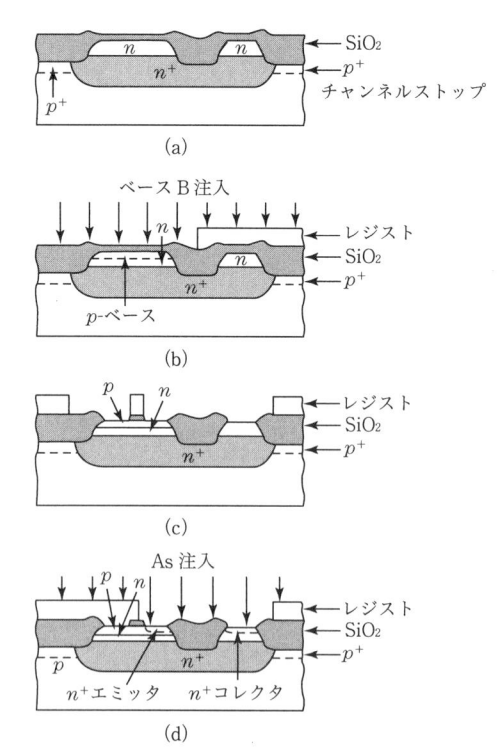

図 9 バイポーラ・トランジスタ製造過程（断面図）．(a) 酸化膜分離，(b) ベース注入，(c) 酸化薄膜の除去，(d) エミッタおよびコレクタの注入．

晶層を成長させるが，その厚さと不純物濃度は，目的に応じて決められる．アナログ用（増幅のために高耐圧用）なら，厚く（～10 μm）低濃度（～5×10^{15} cm^{-3}），デジタル用なら薄く（～3 μm）高濃度（～2×10^{16} cm^{-3}）が用いられる．図8(b)は，エピタキシャル成長後の断面を示す．埋め込み層からエピ層への不純物の拡散が起きる．このアウトディフュージョンを抑えるためには，エピ成長をなるべく低い温度で行うべきであり，またn形不純物として，拡散係数の低いもの（たとえばAs）が選ばれる．

次のステップは，酸化膜分離である．エピ層の表面を薄く（～50 nm）熱酸化した後，窒化Si膜を付着（～100 nm）させる．窒化膜を薄い酸化物の緩衝膜なしに，Siに直接付けると，後の熱処理時にSi表面に欠陥が多く発生する．フォトレジスト膜を用いて，部分的にエッチし，窒化膜，酸化膜とエピ層の半分を除去する（図8(c)および8(d)）．露出したSi層の部分に，Bイオンを注入する（図8(d)）．

フォトレジストを除去した後，再び熱酸化を行う．窒化膜の下は薄い酸化膜が，露出域には厚い酸化膜が形成される．表面の凹凸を小さくするために，厚い酸化膜の表面が，ほぼ同じ高さになるまで酸化する．この分離方式は，LOCOS（local oxidation of silicon）と呼ばれる．図9(a)は，窒化膜を除去した後の断面を示す．偏析のために，イオン注入されたBは，酸化膜の下に押しやられ，p^+域が作られる．この部分をpチャンネル（チャン）ストップという．高濃度のp形不純物により，表面反転層の発生が抑制され，隣接したn域間の導通路の発生を完全に阻止する．

4番目の工程は，ベース域の形成である．フォトレジストで右半分をマスクし，Bイオンの注入（～10^{12} cm^{-2}）によりベース域を作る（図9(b)）．もう一度リソグラフィによって，ベース域中央付近以外の薄い酸化膜を除去する（図9(c)）．

次の工程は，エミッタ形成である．図9(d)に示すように，ベース接続部をフォトレジストで保護し，高濃度（～10^{16} cm^{-2}）のAsイオン注入を行い，n^+エミッタ域と，n^+コレクタ接続部を作る．次にフォトレジストを除去し，エミッタ，ベース，コレクタそれぞれへのメタライゼーションを行い，図7のトランジスタが作られる．

以上述べたバイポーラの基本のプロセスでは，酸化膜生成が6回，リソグラフィが6回，イオン注入が4回，エッチングが4回行われる．すべての工程は，精密に制御され，チェックされなければならない．どれか一つでも工程がうまくいかなければ，ウェーハ全体が不良品になる．

図10に，できあがったトランジスタの表面から，内部に向かってのエミッタ・ベース・コレクタの不純物分布を示す．エミッタの不純物分布は，Asの拡散係数が濃度に依存するために急峻な形をしている．ベースの不純物が，エミッタより深い領域で，ガウス分布で近似される．コレクタの不純物は，エピタキシャル成長時にドープされる（～2×10^{16} cm^{-3}）．しかし深い所では，埋込み層からの不純物拡散のために，濃度は高くなる．

14.2.2 絶縁体分離

上に挙げた例では，バイポーラ・トランジスタは，隣と酸化膜で，基板とはn^+-p接合（埋込み層）で分離した．高電圧用では，別の方法，すなわち絶縁体分離法と呼ばれる手法をとる．デバイスを作るSi単結晶は，絶縁体膜によって，基板からも隣の構成部品からも完全に分離される．図11で，その製造過程を説明しよう．(100)面のn形Siウェーハを熱酸化した後，図

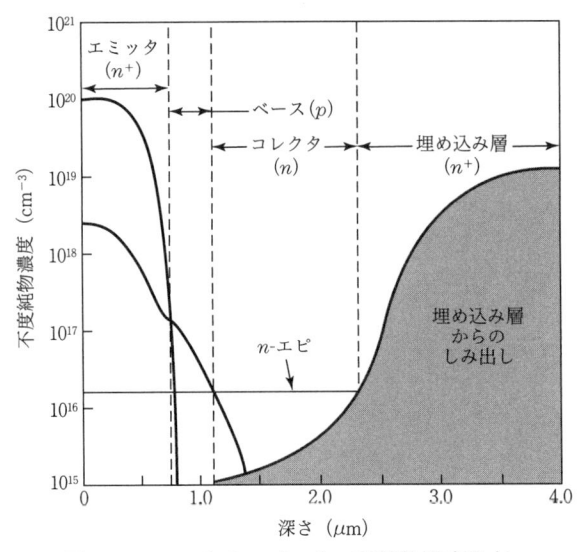

図 10 n-p-n トランジスタの不純物濃度分布.

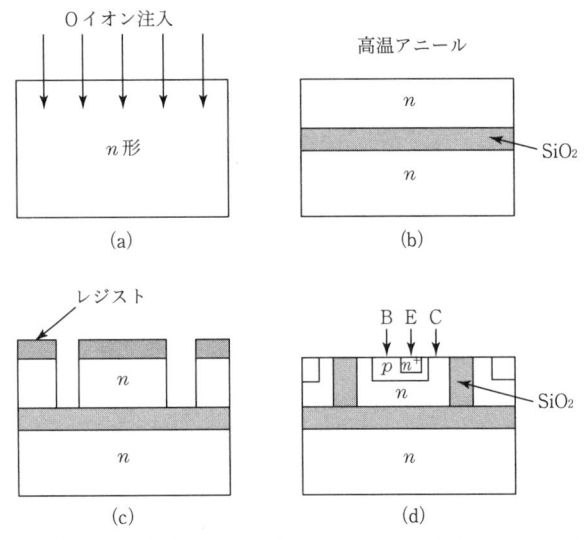

図 11 高電圧用の SOI 技術を用いた酸化膜分離のバイポーラ・デバイスの作製手順. (a) イオン注入, (b) 酸化層形成の熱処理, (c) ドライエッチによる溝作製, (d) ベース, エミッタ, コレクタの作製.

11(a)に示すように窓をあけ, 高エネルギーの酸素イオン注入を行う. 次に, 高温での熱処理を行うと, 注入された酸素は Si と反応して SiO_2 となる. イオン注入時に発生する欠陥も, この熱処理で消滅する (図 11(b)). このように, 酸化膜の上に, n 形 Si (SOI, silicon on insulator) が得られ, この手法を SIMOX (separation by implantated oxygen) と呼ぶ. 上部 Si 膜は厚みが薄いから, 図 8(c) に示した LOCOS プロセスや図 11(c) のトレンチ法, あるいは図 11(d) の酸化膜埋め戻し法で簡単に分離ができる. p 形ベース, n^+ エミッタおよびコレクタの場合も, 本質的に同様のプロセスである.

本技術の特長は, 数百 V 以上の耐圧が得られることである. またこの手法は, CMOS 集積に

第 14 章 集積デバイス

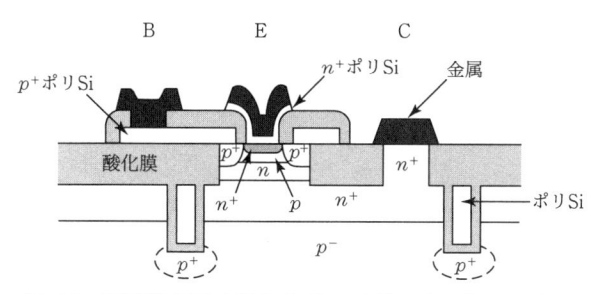

図 12 自己整合形二重ポリ Si バイポーラ・トランジスタの溝分離構造[5].

も応用でき，高耐圧および高密度 IC に有用である．

14.2.3 自己整合二重ポリ Si バイポーラ構造

図 9(c) に示したプロセスでは，エミッタとベースを区切るリソプロセスが必要である．これは分離帯の中に不活性の部分を大きくし，そのために寄生容量を増やし，また抵抗成分が増加するため，トランジスタ特性の劣化を引き起こす．この影響を避けるためには，自己整合構造が不可欠である．

もっともよく使われる自己整合構造は，図 12 の二重ポリ Si 構造で，素子分離はトレンチをポリ Si で埋め戻している[5]．図 13 に，この方法による n-p-n バイポーラ構造を示す[6]．

p^- 形基板に n^+-n 形のエピ結晶を成長したウェーハに，反応性イオンエッチで，5 μm 深さの溝を切る．深さは，n^+ コレクタ域を過ぎて，p^- 基板まで切る．薄い酸化膜を生成し，B のイオン注入で溝の底にチャンストップを形成する．溝を無添加のポリ Si で埋めてから，全面に厚い酸化膜を形成する．

続いて高濃度の B を添加したポリ Si (ポリ 1) を堆積し，さらにその上に酸化膜と窒化膜を，CVD で堆積する（図 13(a)）．エミッタマスクでその領域を設定し，ドライエッチプロセスで，穴をあける（図 13(b)）．ポリ 1 の露出した横壁に熱酸化で，比較的厚い（0.1～0.4 μm）酸化膜を作る．この厚みが，ベースとエミッタの接続の間隔を決定する．ベース外周部の p^+ 域は，熱酸化時にポリ 1 の B が拡散して形成される（図 13(c)）．拡散は横方向にも拡がるから，次行程で作られるベースと良い接続が得られる．

次に，B のイオン注入によってベース域が作られる（図 13(d)）．このように，ベース接続の自己整列が得られる．酸化膜除去の作業の後，ポリ Si が再び堆積され，As か P がイオン注入される（ポリ 2）．このポリ 2 の n 形不純物は，薄い厚みのエミッタとその電極を形成する不純物源となる．急速熱アニールによって，望む不純物分布を得る．最後に Pt 膜を付着し，熱処理して PtSi を形成し，素子への電気接続を完成する（図 13(e)）．

自己整合構造では，リソグラフィによるよりも，領域構造を小さくすることができる．横壁酸化膜形成時に，0.2 μm の酸化膜を作ると，容積膨張のために，最初 0.8 μm の穴は，0.4 μm に縮小される．

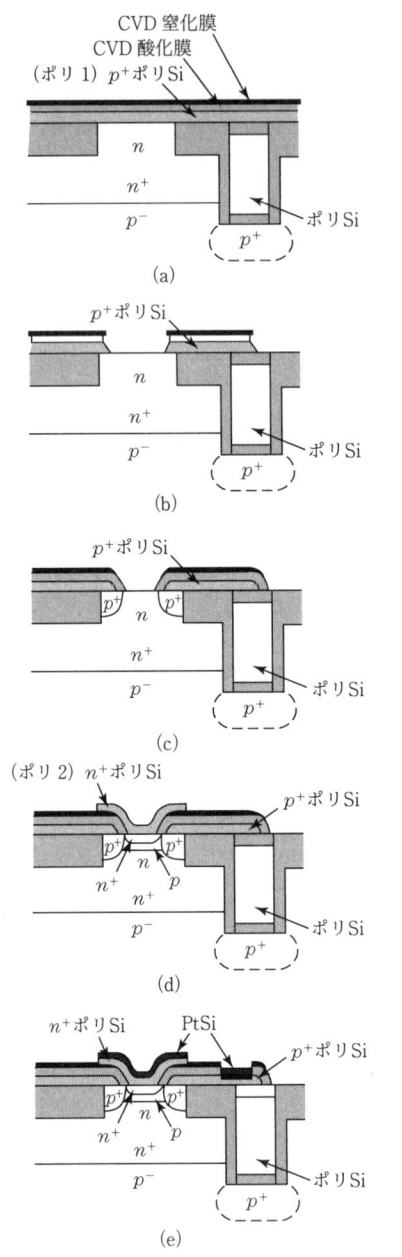

図 13 二重ポリSi自己整合形 n-p-n トランジスタの製造工程[6].

14.3 MOSFET 技術

現在では，MOSFET は，ULSI 回路の主流である．というのは，他のデバイスよりも小型に，しかも簡単にできるからである．主流の MOSFET 技術は，CMOS 技術である．CMOS とは，同一基板上に NMOS と PMOS を共存させたものである．CMOS 技術は，他の IC 技術に

第 14 章　集積デバイス

比べて，最少の電力で動作する強みがある．

図 14 は，MOSFET の寸法が，年とともに縮小してきた様子を示す．1970 年代の初めには，ゲート長は 7.5 μm で，面積は 6000 μm² であった．ゲート長が短縮されると，面積は急激に減少した．ゲート長 0.5 μm では，デバイス面積は初期時の 1% 以下であり，21 世紀の初頭には，ゲート長は 0.1 μm となるだろう．将来の展望を，14.5 節で述べよう．

14.3.1 製作の基本プロセス

図 15 は最終メタライゼーション直前の NMOS トランジスタの構造図である[7]．最上層は，P を添加した SiO_2（P ガラス）で，ポリ Si ゲートとメタライゼーションの絶縁を行うと共に，移動イオンのゲッタリングをする．図 15 を図 7（バイポーラ・トランジスタ）と比べると，MOS-

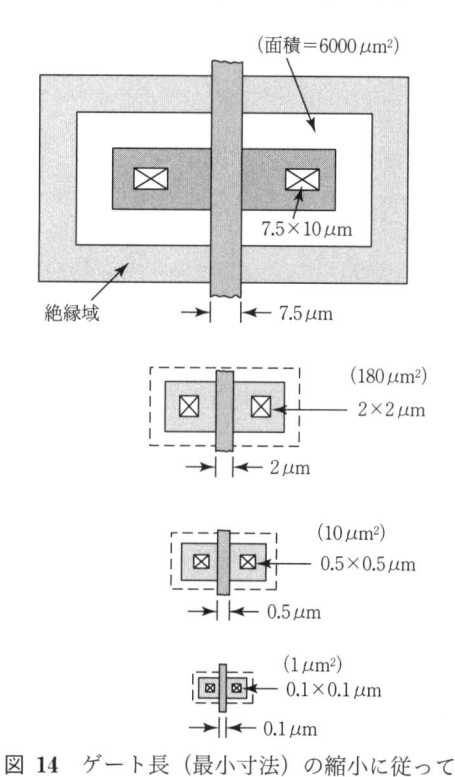

図 14　ゲート長（最小寸法）の縮小に従って微少化した MOSFET．

図 15　n-チャンネル MOSFET[7]．

FETが簡単な構造であることがわかるであろう．両者とも，横分離は必要であるが，MOSFETでは，バイポーラで必要だった埋め込みの n^+-p 接合の縦分離は必要ない．MOSFETの不純物分布は，単純であるし，その制御精度もずっと低くてよい．図15の製造工程を考えてみよう．

NMOSでは，p形（$\sim 10^{15}$ cm^{-3}）(100) の Si 基板を用いる．(100) を用いるのは，(111) 基板を用いた場合と比べて，界面トラップ密度が 1/10 になるからである．最初の工程は，LOCOS 法による酸化膜分離層の形成である．この作業工程は，バイポーラのときに似ている．薄い（~ 35 nm）熱酸化膜を作った後に，Si_3N_4 膜（~ 150 nm）を付着する（図16(a)）[7]．FETを作る場所をフォトレジストで保護した後に，チャンネルストップ層として，SiO_2/Si_3N_4 を通して，B イオン注入を行う（図16(b)）．フォトレジストで保護されていない部分の Si_3N_4 を，エッチングで除去する．フォトレジストを取り去ってから，酸化炉中で熱酸化する．Si_3N_4 のない所では，酸化膜が成長し（$0.5 \sim 1$ μm），また注入された B は拡散する．フィールド酸化膜の厚みは，$0.5 \sim 1$ μm 程度である．

次に，慎重にゲート酸化膜を成長し，しきい値電圧（6.2.3項参照）を調整する，つまり，SiO_2/Si_3N_4 膜を除去してから熱酸化し，薄い（10 nm以下）ゲート酸化膜を形成する．エンハンスメント（e-）形の場合，チャンネル部分に，B イオンを注入し，しきい値電圧を望む値（たとえば 0.5 V）に調整する．ディプレッション（d-）形ならば，As イオンを注入してしきい値電

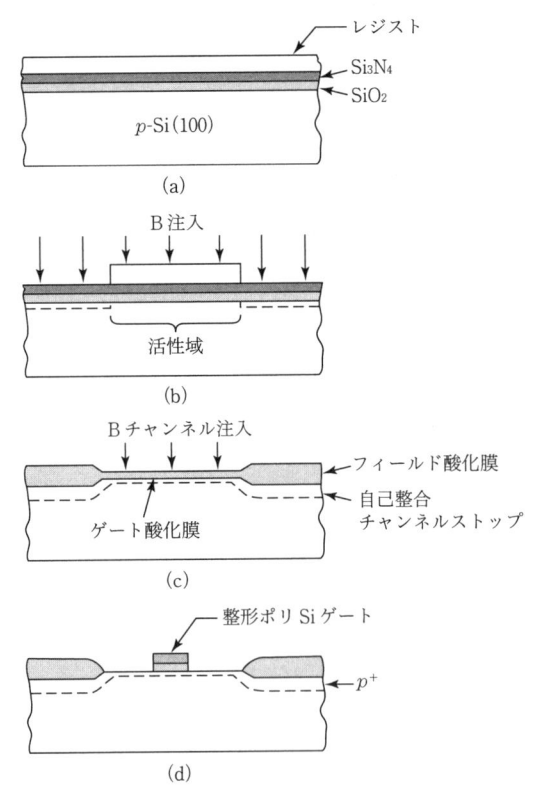

図16 NMOS 製造工程（断面図）[7]．(a) SiO_2, Si_3N_4 およびフォトレジスト層の形成，(b) B イオン注入，(c) フィールド酸化膜，(d) ゲート．

第14章 集積デバイス　　　449

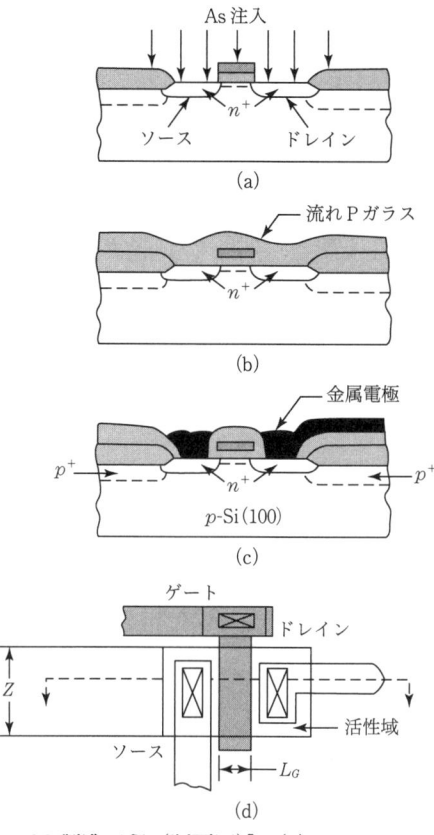

図17 NMOS製造工程（断面図）[7]．(a) ソースおよびドレイン，(b) Pガラス堆積，(c) 電極着け，(d) 上面図．

圧を低く（たとえば $-0.5\,\mathrm{V}$ に）する．

　次は，ゲートの形成である．ポリSi膜を付着し，拡散またはイオン注入でPを多量に添加し，シート抵抗を $20\sim30\,\Omega/\square$ にする．このくらいの抵抗値は，ゲート長が $3\,\mu\mathrm{m}$ 以上の場合に適当である．さらに短い場合は，シート抵抗が $1\,\Omega/\square$ の金属シリサイドとポリSiの複合層，たとえばW／ポリサイドが用いられる．

　4番目の工程は，ソースとドレインの形成である．パターン形成後のゲート（図16(d)）をマスクとして，Asイオン注入（$\sim 30\,\mathrm{keV}$，$\sim 10^{16}\,\mathrm{cm}^{-2}$）を行い，ソースとドレイン部を作る（図17(a)）．これは，自己整合性を持ち，ゲートとソース・ドレインの相互位置は正確に保たれる[7]（図17(a)）．ゲートのはみ出しは，注入イオンの横方向の侵入で決まる（$30\,\mathrm{keV}$ の場合，Asの $\sigma_\perp$ は $5\,\mathrm{nm}$）．もし，以後低温処理だけを用いれば，横方向の拡散も抑えられ，ゲート・ドレインあるいはゲート・ソース間の寄生容量は，ゲート・チャンネル間容量と比べて無視できる．

　最後の仕上げは，メタライゼーションである．全面にPガラスを付着させ，加熱して平滑な表面を得る（図17(b)）．電極を取るための窓開けをした後に，アルミニウムなどの金属膜をつけ，必要部分を残してエッチングする．仕上り断面図を図17(c)に，その上面図は図17(d)に示す．ゲートへの電極付けは，薄いゲート酸化膜を傷つけないように，活性域の外で行われる．

例題4　厚みが $5\,\mathrm{nm}$ のゲート酸化膜のMOSFETのゲート・ソース間の最大耐圧はいくら

か．基板は 0 V，酸化膜の耐圧は 8 MV/cm とする．

解答
$$V = \mathcal{E} \times d = 8 \times 10^6 \times 5 \times 10^{-7} = 4 \text{ V}.$$

14.3.2 メモリデバイス

メモリはデジタル情報を，ビットの形で記憶する．NMOS を使った多種のメモリチップが設計され作られている．一番大容量な物は，ランダムアクセスメモリ(random access memory, RAM)である．RAM は，マトリックス構造で，データへのアクセス(書き込み，読み出し，消去など)が，任意に行える．スタチック RAM (SRAM) では，電源が働いている限り，何時までも情報を保持できる．基本的に SRAM は，フリップフロップ 1 回路で，1 ビットの情報を保持する．SRAM は，エンハンスメント型 MOSFET を 4 ケ，ディプレッション型 MOSFET を 2 ケからなる．ディプレッション型 MOSFET は，無添加のポリ Si で代用することもできる[8]．

セル面積と消費電力を小さくするために，ダイナミック RAM(DRAM)が開発された．図 18(a)はその回路を表す．トランジスタはスイッチとなり，1 ビットの情報は，キャパシタに蓄

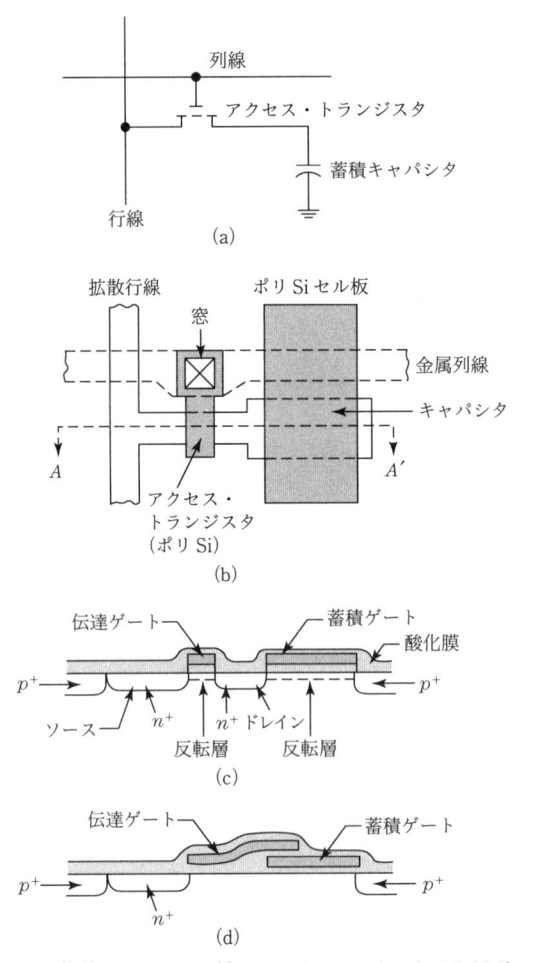

図 18 蓄積キャパシタ付の，1 トランジスタ DRAM[8]．(a) 回路図，(b) 配置図，(c) A-A' 断面図，(d) 二重ポリ Si．

えられる．たとえばこの電圧が +1.5 V ならば "1" の状態，0 V ならば "0" の状態である．この蓄えられた電荷は，漏洩電流のために，数 ms で放電するので，ダイナミックメモリでは繰り返し書き込みを繰り返さなければならない．

図 18(b) は，DRAM セルの平面図，図 18(c) は，AA' 断面図である．蓄積キャパシタの一つの電極はチャンネル域，他の電極はポリ Si ゲートで，ゲート酸化膜が誘電体である．"行" は，寄生抵抗 R と寄生容量 C による RC 遅延を下げるために金属を用いる．"列" は n^+ 拡散で作られる．内部のドレイン域は，蓄積ゲート下の反転層と，制御ゲートを結びつけている．このドレイン域は，図 18(d) に示す二重ポリ Si 技術を用いれば，必要なくなる．2 番目のポリ Si 電極は，第 1 のポリ Si 電極と熱酸化膜で絶縁されている．この熱酸化膜は第 1 のポリ Si に，あらかじめ形成される．列の線からの電荷は，制御および蓄積ゲート下の反転層を通じて，蓄積ゲートの部分に移動する．

高密度への要求から，DRAM はスタック（積み重ね）あるいはトレンチキャパシタの三次元構造を，取るようになった．図 19(a) は，簡単なトレンチセル構造[9]を示す．トレンチ形の利点は，セルの容量を，占有面積を増やすことなく，トレンチの深さを深くすることで増加できることである．トレンチ形の難点は，なだらかな角を持つ深いトレンチを掘ることと，その表面に均一な誘電体膜を作ることである．図 19(b) は，スタック（積み重ね）セル構造である．大きな蓄積容量は，アクセストランジスタの上に乗せることによって得られる．誘電体は，二つのポリ Si の間に，熱酸化膜あるいは CVD 窒化膜を作る．トレンチ法は，積み重ね法よりも製造が難しい．

図 20 は，1 Gb の DRAM チップである．このメモリチップの最小寸法は 0.18 μm である．トレンチキャパシタと周辺回路は，14.3.3 項で述べる CMOS の中にある．チップの大きさは，390 mm^2 (14.3 mm×27.3 mm) あり，20 億ケの素子から成り，2.5 V で動作する．88 ピンのセラミック容器に封止され，十分に放熱される．SRAM も DRAM も共に，電源が切られるとデータが消える揮発性メモリである．これに対して，不揮発性メモリでは，データは保持される．図 21(a) の浮遊ゲート不揮発性メモリは，基本的には MOSFET で，ゲート電極に工夫がある．普通の制御ゲートの他に，絶縁物で囲まれた浮遊ゲートがある．制御ゲートに高い正電圧が印加されると，チャンネル域から電荷が，ゲート酸化膜を通って浮遊ゲートに注入される．印加電圧を除去すると，注入された電荷は，長時間浮遊ゲートに蓄積される．この電荷を消去するには，制御ゲートに高い負電圧を印加すると，電荷はチャンネル域に逆注入されて消える．

別の不揮発性メモリは，図 21(b) の金属/窒化物/酸化物/半導体（MNOS）構造である．大きな正のゲート電圧がかけられると，電子は薄い（～2 nm）酸化膜をトンネルして，酸化膜/

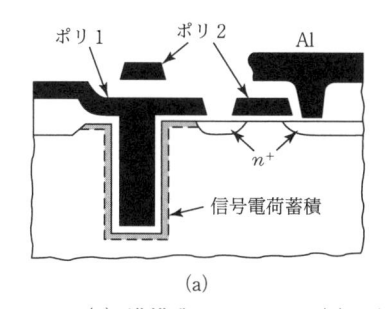

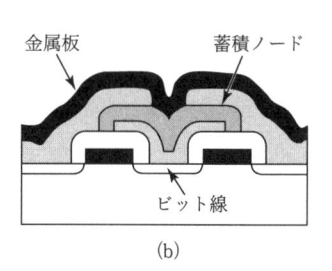

図 19 (a) 溝構造の DRAM[9]．(b) 1 層スタック（積み重ね）構造の DRAM．

窒化膜の界面欠陥にトラップされて,保持される.上に述べた両者とも,ゲートの等価回路は,2ケの直列のキャパシタで表される(図21(c)).キャパシタ C_1 に蓄えられた電荷はしきい値電圧をシフトさせ,デバイスは高しきい値状態"1"となる.よく設計された(そして良く作られた)デバイスでは,記憶保持期間は100年以上である.記憶(電荷)を消去して"0"とするには,ゲート電圧や他の手段(たとえば紫外光照射)が用いられる.

不揮発性半導体メモリ(non-volatile semiconductor memory, NVSM)は,携帯電話やデ

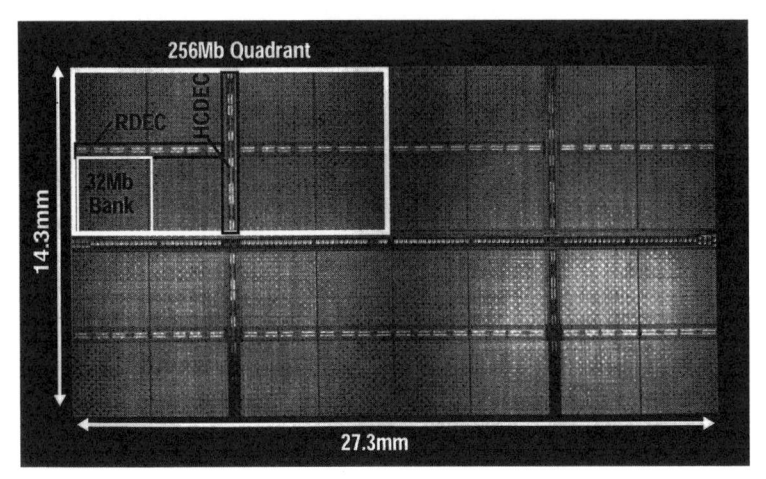

図 20 20億ケの素子を持つ1Gbit DRAM.(IBM/Siemens の好意による,1999, ISSCC).

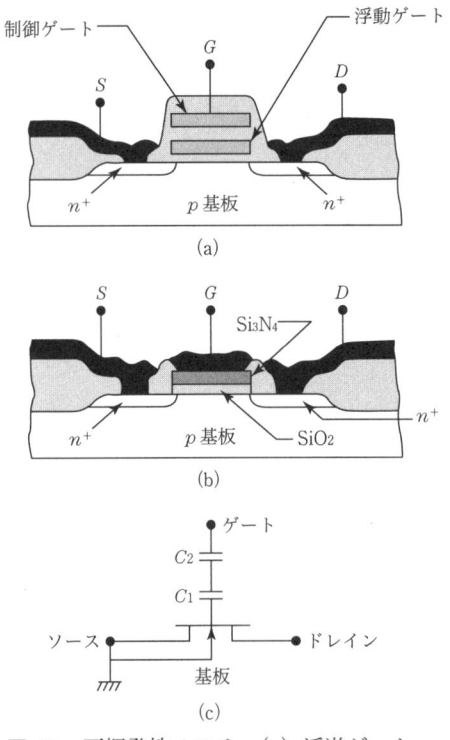

図 21 不揮発性メモリ.(a) 浮遊ゲート,(b) MNOS,(c) 両者の等価回路.

第 14 章 集積デバイス 453

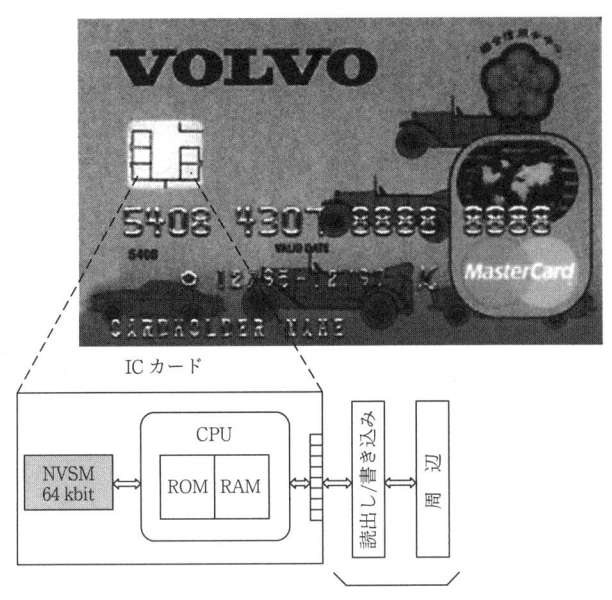

図 22 IC カード．不揮発性メモリのデータは，CPU を通じてアクセスできる．読みとり・書き込み用の電極がある．(Retone Information System Co., の好意による)．

ジタルカメラのような可搬性電子システムで広く使われている．他の興味深い応用は，IC カードである．

図 22 の上の写真は，IC カードであり，下の説明図は NVSM と CPU のやりとりを示す．磁気カードの容量（1 k バイト）に対して，不揮発性メモリなら 16 k，あるいは 64 k バイト，また必要に応じて（個人の写真や指紋）さらに大きな容量を持たせることもできる．IC カードの読み取り/書き込み装置を用いることにより，IC カードのデータは多くの用途に使うことができる．たとえば，通信（カード電話，移動ラジオ），支払い（電子財布，クレジットカード），有料テレビ，交通（電子切符，公共交通），健康福祉（患者データカード），安全管理等々．IC カードは将来の世界的な情報やサービス社会で中心的な役割を担うだろう[10]．

14.3.3 CMOS 技術

図 23(a) に CMOS インバータ回路を示す．上部の PMOS のゲートと，下部の NMOS のゲートは，共通に接続する．二つの FET はともに e-形で，しきい値電圧は PMOSFET で V_{Tp} (< 0)，NMOSFET では V_{Tn} (> 0) である（それらの絶対値は典型的に $V_{DD}/4$ である）．入力電圧 V_i が 0 V か僅かに正の時，PMOS は通電状態，NMOS は開放状態となる．出力電圧 V_o は，ほぼ V_{DD} と等しくなる（"1"）．入力電圧が V_{DD} に近ければ，逆に PMOS は開放，NMOS は通電状態となるから，V_o は 0 ("0") となる．CMOS インバータは，特異な動作をする．V_{DD} とアース間に直列につながれたどちらか一方の FET は，開放状態にある．どちらの状態にあっても，僅かな漏洩電流があるだけで，スイッチング動作時に，二つの FET が一時的に通電状態になるとき以外は，流れる電流は無視できる．したがって平均消費電力は低く，nW(10^{-9}W) 程度である．1 チップ当りの素子数が増すにつれ，消費電力は大きな問題になる．CMOS 回路の低消費電力は，その点から最も望ましいことである．

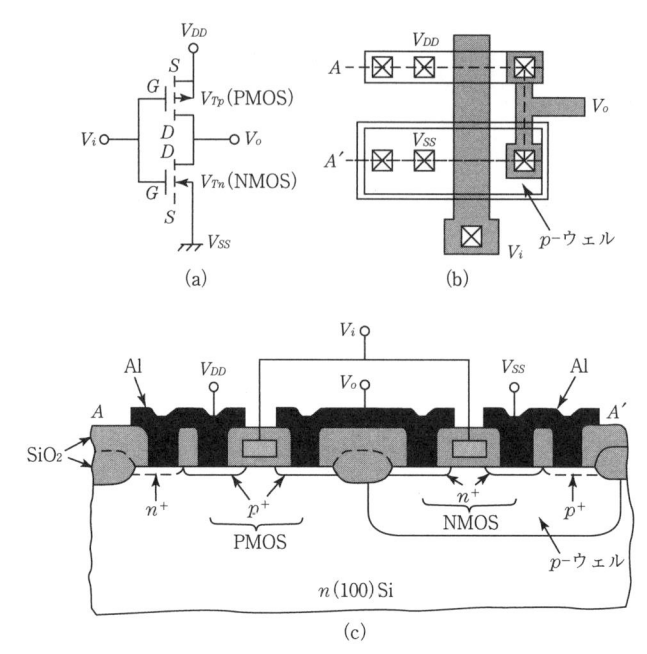

図 23 CMOS インバータ．(a) 回路図，(b) 配置図，(c) 前図中 A-A' 断面図．

図23(b)に，CMOSインバータの配置を，図23(c)に，A-A'折線での断面を示す．p槽（またはp-ウェル）は，n形基板に最初にイオン注入し，それを拡散することにより作られる．いうまでもないが，p形不純物の濃度は，N形基板と比べて十分高くなければならない．p-ウェル中のNMOSの作り方は，普通のNMOSと同様である．PMOSは，^{11}B$^+$ または，^{49}(BF$_2$)$^+$ イオンをn基板に注入し，ソースおよびドレイン部を作る．しきい値電圧を調整するために，^{75}As$^+$イオンを注入し，また，p-チャンネルFETのまわりの絶縁膜下のn^+チャンネルストップを作る．p-ウェルと，PMOSを作るための余分な製造工程のため，NMOSと比べると，CMOSの工程数は，2倍になる．工程の複雑さと，低い消費電力のどちらかを選ぶこととなる．

上に述べたp-ウェルの代わりに，p基板とn-ウェルを使うこともできる（図24(a)）．この場合のn形不純物濃度は，基板のp形不純物より高くなければならない（$N_D > N_A$）．p-ウェル，n-ウェルともに，ウェル内のMOSFETのチャンネル移動度は低くなる．つまり移動度は，不純物の総和（$N_A + N_D$）に依存するからである．新しい試みとして，基板濃度を低くしておき，p-ウェル・n-ウェルの双方を用いることがある（図24(b)）．この方法を双子槽（ツインウェル）構造[1]と呼ぶ．ウェル内の総不純物濃度は低く保たれ，それほど低くないチャンネル移動度が保証される．

CMOS回路には，ラッチアップと呼ばれる疑バイポーラ・トランジスタ動作に悩まされる可能性がある．（これがなぜ起きるかは，第5章参照）．このラッチアップを防ぐ有効な手段は，図24(c)に示す深いトレンチを用いることである[11]．ウェルよりも深くトレンチを掘るには，異方性を持つ反応性スパッタエッチングを利用する．トレンチの側壁と底面を熱酸化した後，ポリSiまたは酸化物で埋め戻し，物理的にp-チャンとn-チャンの素子を分離すれば，ラッチアップは解決される．次に詳しく述べよう．

第14章 集積デバイス

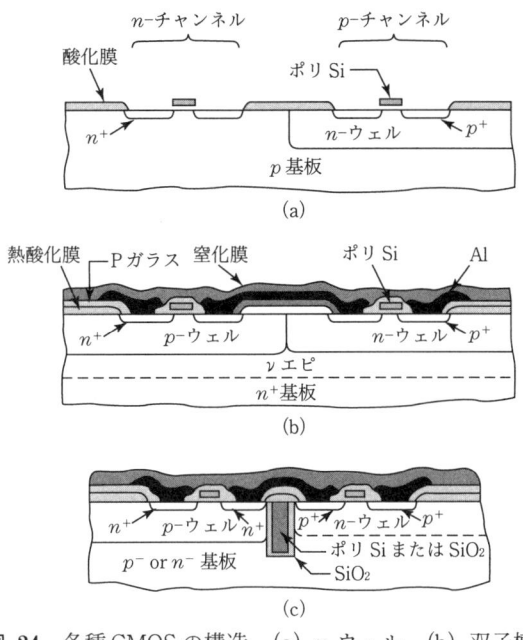

図 24 各種 CMOS の構造. (a) n-ウェル, (b) 双子槽, (c) 埋め戻し溝 [11].

ウェル作成技術

CMOS のウェルは，単独・双子（ツイン）・後退（レトログレード）の別がある．双子槽には難点がある．つまり，2-3 μm の深さを得るために，高温（>1050°C）で長時間（>8 h）のプロセスが必要である．この方法では，表面で添加不純物濃度が一番高く，内部で次第に低くなる．処理の温度と時間を下げるには，拡散ではなく高エネルギーのイオン注入を用いて，望む深さに必要な濃度の不純物を添加する．深さは，エネルギーに依存するから，設計するウェルの深さは，加速電圧を変えて作ることができる．このウェルの不純物濃度は，表面から内部に入ったところで最大となる．これを，後退ウェルと呼ぶ．図25に，熱拡散ウェルと後退ウェルでの不純物分布を比較した[12]．ここで n 形および p 形後退ウェルへのエネルギーは，それぞれ 700 keV と 400 keV である．前述した通り，この方法は低温で短時間に済むので，横方向の拡散も抑えられ，高密度の集積に向いている．さらに優れた点として，(a) 底面付近で不純物が高濃度なので，より低抵抗でラッチアップの抑制に有効である，(b) 後退ウェルの注入と同時に，チャンネルストップもできるので，プロセス数と時間が節約できる．(c) 底部でのより高濃度の添加により，ドレインからソースへのパンチスルーが抑えられる．

高度な分離技術

通常の分離技術（14.3.1項）は，（0.25 μm 以下の）サブミクロンプロセスで困ることがある．高温で長時間の酸化プロセスで，チャンネルストップの添加物（通常 NMOSFET では B）が活性域に浸みだして，V_T が変化してしまう．また横方向の拡散のために，活性域の面積が縮小する．さらに，サブミクロンでのフィールド酸化膜の厚みは，かなり薄い．トレンチ分離法は，これらの問題を解決し，今日の分離技術の主流となっている．

図26は，深さ 3 μm 以上で幅 2 μm 以下の，狭いトレンチ分離構造作りの手順を示す．4段階

ある:パターン形成,トレンチのエッチングと酸化膜形成,酸化物あるいは無添加ポリSiでの埋め戻しと,平滑化である.深いトレンチ分離技術は,高度CMOS・バイポーラデバイスとDRAMに用いられる.分離物質をCVDで堆積するので,高温・長時間プロセスは避けられ,横方向の酸化とBの浸みだしの問題は解決される.

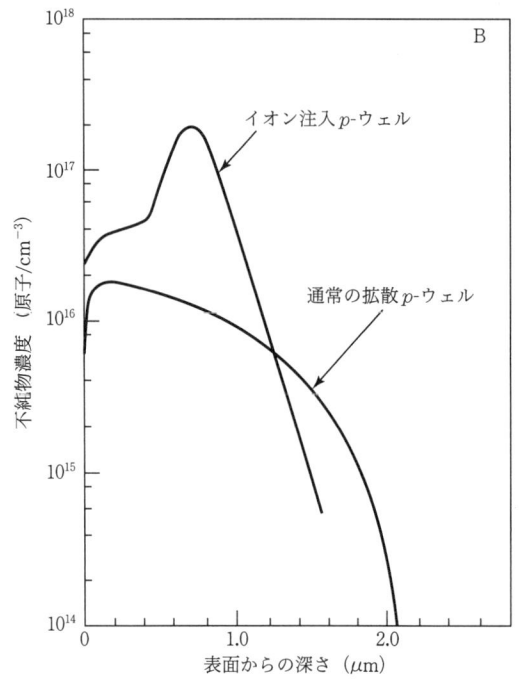

図25 後退p-ウェルのイオン注入された不純物分布.通常の物との比較[12].

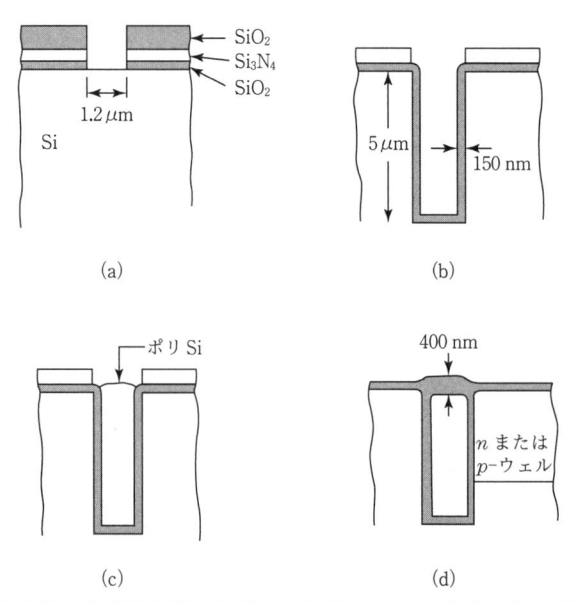

図26 深く狭い分離溝作製の行程.(a)溝パターン作成,(b)溝エッチと酸化膜作成,(c)ポリSi堆積による溝埋め,(d)酸化による平滑化.

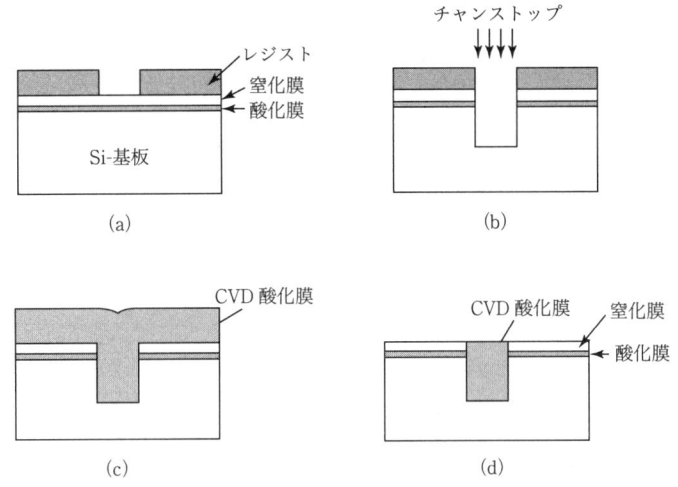

図 27 CMOSの浅い溝による分離．(a) 溝パターン作成，(b) 溝エッチとチャンネルストップ作成，(c) CVDによる酸化物堆積，(d) CMPによる表面の平滑化．

図27に深さ1μm以下の浅いトレンチによる，CMOS用の分離法を示す．パターン形成後（図27(a)），トレンチが掘られ（図27(b)），必要ならチャンネルストップのためイオン注入をした後，酸化物で埋め戻す（図27(c)）．窒化膜の上に堆積した酸化物は除去する．

化学機械的研磨（chemical-mechanical polishing, CMP）により平滑面を得る（図27d）．高い耐研磨性のため，窒化膜がCMP停止面となる．研磨後，窒化膜と酸化膜は，それぞれH_3PO_4とHFでエッチできる．最初の平滑処理は，後のポリSiパターン化や，多層配線プロセスの平滑処理に影響を及ぼす．

ゲート作成技術

もしn^+ポリSiゲートをPMOSとNMOSの両方に使うと，PMOSのしきい値電圧（$V_{TP} \simeq -0.5 \sim -1.0$ V）は，Bのイオン注入で調整する必要がある．そうするとPMOSは，図28(a)に示すように埋め込みチャンネル形になる．埋め込みチャンネル形のPMOSは，デバイス寸法が0.25μm以下になると，深刻な短チャンネル効果が現れる．最も顕著な現象は，ドレイン誘起障壁低下（DIBL；p180参照）によるしきい値の変化であり，ゲート電圧がゼロでも，ソース・ドレイン間に大きな漏洩電流が流れてしまう．これを緩和するには，PMOSのゲートに，p^+ポリSiを用いる．仕事関数の違いにより（n^+とp^+ポリSiで，1 eVの差がある）イオン注入なしで，PMOSが動作する．寸法が0.25μm以下では，PMOSにはp^+ポリSi，NMOSにはn^+ポリSiが必要である（図28(b)）．表面チャンネルと埋め込みチャンネルで，V_Tの比較を図29に示した．埋め込みチャンネルでは，V_Tは急速に低下する．極小領域では，p^+ポリSiが適している．

p^+ポリSiを作るにはBF_2^+のイオン注入が用いられる．しかしBは，高温では酸化膜を通り抜けて，基板に拡散してV_Tを変化させる．この拡散は，Fの存在によって加速される．これを避けるために，高温での時間短縮する急速熱アニールをし，究極的には窒酸化膜を用いることである．BはNと結合し，移動し難くなる．また多層のポリSi層を使うことも，その界面でB

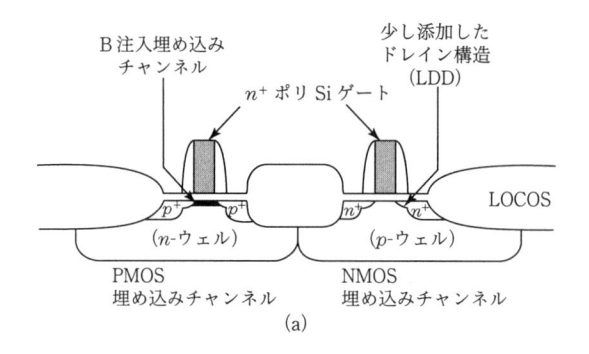

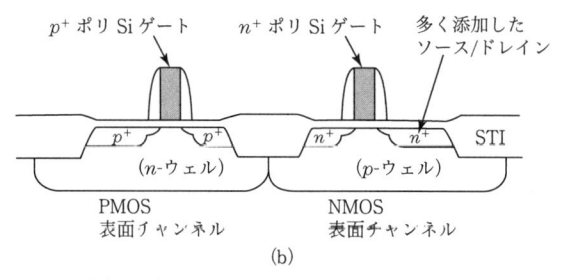

図 28 (a) 通常の長チャンネル CMOS 構造（1層 n^+ ポリ Si ゲート），(b) 改良二重ポリ Si ゲート構造.

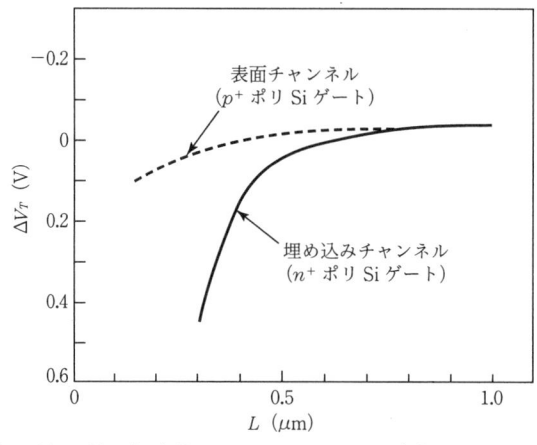

図 29 埋め込み形と表面形チャンネルでの V_T の変化．埋め込み形では，チャンネル長が 0.5 μm 以下になると，V_T は急激に下がる．

を引き留めるのに有効である．

図 30 に，マイクロプロセッサチップ Pentium 4，を示す．面積は約 200 mm² で，4200 万ケの素子から成る．この ULSI チップは 0.18 μm CMOS 技術で作られていて，Al 配線は 6 層ある．

14.3.4 BiCMOS 技術

一つの IC にバイポーラと CMOS を組み込んだのが，BiCMOS である．二つの技術を組み合わせることによって，両者の利点を共に生かすことができる．CMOS は，消費電力・雑音レベル・集積密度の点で優れており，一方バイポーラはスイッチ速度・電流駆動・アナログ動作で優

第 14 章 集積デバイス

図 30 32 bit マイクロプロセッサチップ，Pentium 4 の顕微鏡写真．（インテル社の好意による）．

れている．つまり，BiCMOS は，より高速な動作とアナログ動作で CMOS より，また低電力動作と集積密度の点でバイポーラよりも優れている．図 31 は，論理ゲートの，MOS と BiCMOS との比較である．(a) CMOS のインバータで，次段の負荷 C_L を充電する電流は，ドレイン電流 I_{DS} であるが，(b) BiCMOS ではその電流はバイポーラ・トランジスタの電流増幅率 h_{fe} で増幅された値であり，スイッチングは格段に増速される．

BiCMOS は，広く応用される．以前には，SRAM でよく用いられた．現在では無線通信のトランシーバ，増幅器，発信器に用いられている．BiCMOS は，CMOS 技術を基本に，バイポーラ用の技術を加えて作られる．図 32 は，二槽 CMOS 技術に基づいた BiCMOS の例である[13]．

p 形基板に，コレクタ抵抗を減らすための n^+ 埋め込み層を作る．パンチスルー抑制のため，イオン注入で濃度を高めた p 形埋め込み層を作る．低濃度の n 形エピ層を成長して，双子槽（ツインウェル）を形成する．高性能のバイポーラ・トランジスタのために，余分なマスクが必

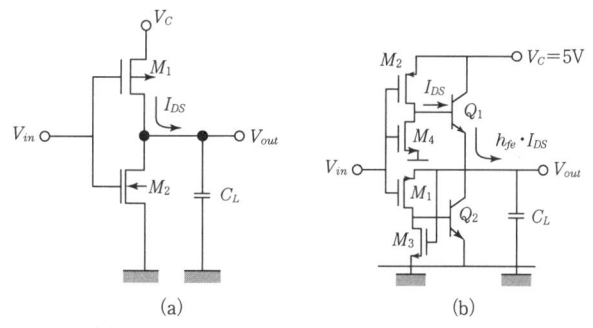

図 31 (a) CMOS 論理ゲート，(b) BiCMOS 論理ゲート．

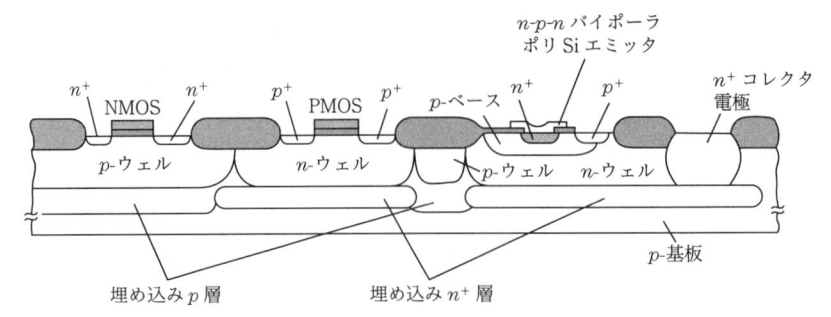

図 32 最適化された BiCMOS 構造．集積密度向上のための自己整合 p および n^+ 埋め込み層，エピ層に設けられた最適化のための n および p-ウェル（ツインウェル CMOS）と，特性向上のためのポリ Si エミッタなどがある[13]．

要である．埋め込み n^+ 用，コレクタ深部 n^+ 用．ベース p 用とポリエミッタ用の 4 枚のマスクである．ベース接続用の p^+ 域は，PMOS でのソースとドレインの p^+ 域形成時に，エミッタの n^+ 域は，NMOS でのソースとドレインの n^+ 域形成時に作られる．余分なマスクと，より長時間の作業時間が難点ではあるが，性能上の優越性は見逃せない．

14.4 MESFET 技術

新しい製造方法や回路の考えを取り込んだ GaAs 技術の進歩によって，Si に比肩する GaAs IC 技術が開発されてきた．GaAs は Si と比べて，次の三つの点で優れている．高い電子移動度，したがって同寸法なら低い直列抵抗を意味する．同様に速いドリフト速度はデバイスの速い応答速度をもたらす．さらに半絶縁性，つまり，格子定数の合った絶縁性基板を用いることができる．しかし，GaAs にも欠点がある．少数キャリアの寿命が短いこと，安定な酸化膜の保護膜ができないこと，結晶欠陥が，Si と比較できないくらい多いことの 3 点である．少数キャリア寿命が短いことと，良質の絶縁性保護膜ができないために，バイポーラ・トランジスタや，MOSFET が開発されなかった．代りに GaAs IC では，MESFET を用い，多数キャリア伝導と，金属-半導体界面に開発の力点がおかれた．

図 33 に，構成の MESFET の製造工程[14] を示す．半絶縁性 GaAs の基板上に，n 形の GaAs 活性域，続けて接続用 n^+GaAs をエピ成長する（図 33(a)）．分離のためにメサエッチを行い（図 33(b)），ソース・ドレイン電極の金属を蒸着する（図 33(c)）．チャネル凹みエッチに続き，ゲート凹みを作り，ゲートを蒸着する（図 33(d) と (e)）．リフトオフの後フォトレジストを除去し，MESFET が完成する（図 33(f)）．

n^+ 接続層は，ソースとドレインの抵抗を減少させる．ゲートが，ソース抵抗を減らすために，ゲートよりに位置していることに注意して欲しい．エピタキシャル層は表面欠乏によるソース・ドレイン抵抗の影響がないよう十分の厚みが必要である．ゲート電極は，最少のゲート抵抗と最短のゲート長を得るために，最大の断面積と最少の接触面積が望まれる．さらに，L_{GD} はブレーク電圧の欠乏長以上に設定する．

MESFET IC の代表的工程を図 34 に示す[15]．n^+ のソース・ドレイン域は，ゲートに対して自己整合的である．比較的軽めのチャンネル注入が e-形に，逆にやや強めの注入が d-形に用いられる．ある深さでの不均一さは，しきい値電圧がばらついてしまうので，ゲートの凹みは，デジ

第 14 章 集積デバイス

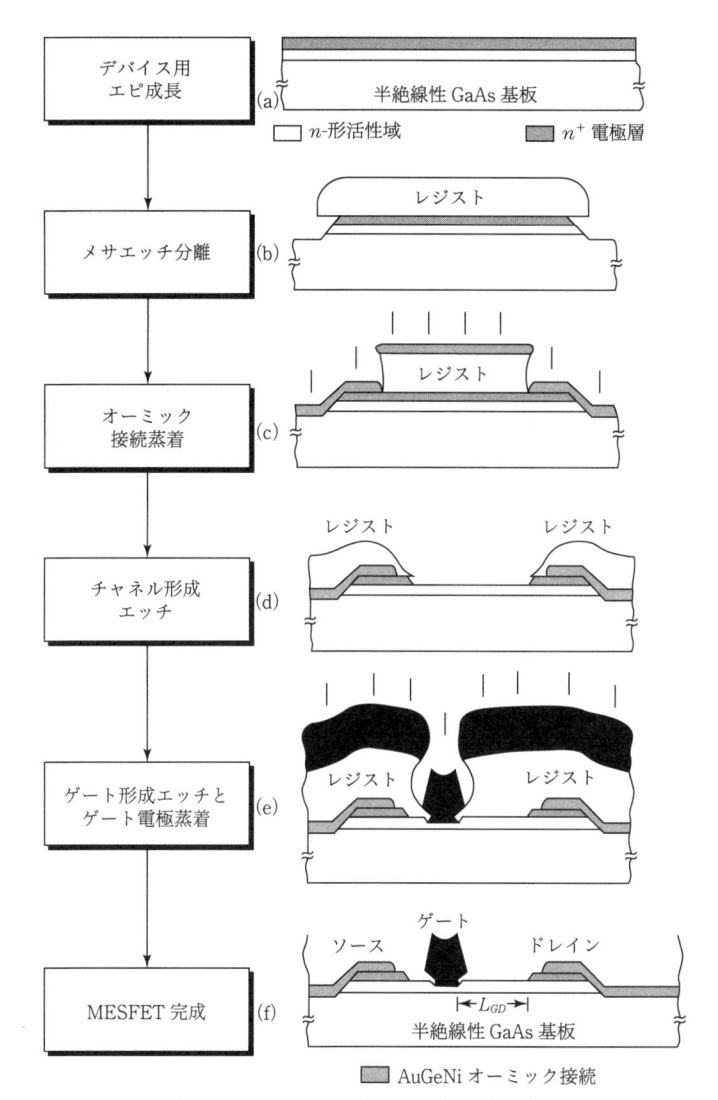

図 33 GaAs MESFET の製造手順[14].

タル IC には用いない．この製造工程は，モノリシックマイクロ波 IC でも用いられる．

GaAs IC でも，素子数が 10,000 程度までの LSI が作られている．高い（〜20%）ドリフト速度のため，GaAs IC は，同寸法の Si IC よりも 20% 速い動作をする．しかし突出した Si の ULSI の牙城を揺るがすには，GaAs の結晶の品質とプロセス技術の格段の進歩が必要である．

14.5 マイクロエレクトロニクスへの挑戦

1959 年に IC 時代が幕を開けて以来，デバイスの最小寸法は年率 13%（3 年間で 30%）の割合で縮小してきた．表 1 に示す ITRC の予想によれば[16]，最小寸法は 2002 年の 130 nm から，2014 年に 35 nm が期待される．DRAM の容量は，3 年間に 4 倍大きくなってきたが，2011 年には，設計寸法 50 nm で 64 Gbit が予想される．2014 年には，ウェーハの直径は 45 cm（18″）になるだろう．寸法だけではなく，デバイス・材料・システムからの極限への挑戦を眺望してみよう．

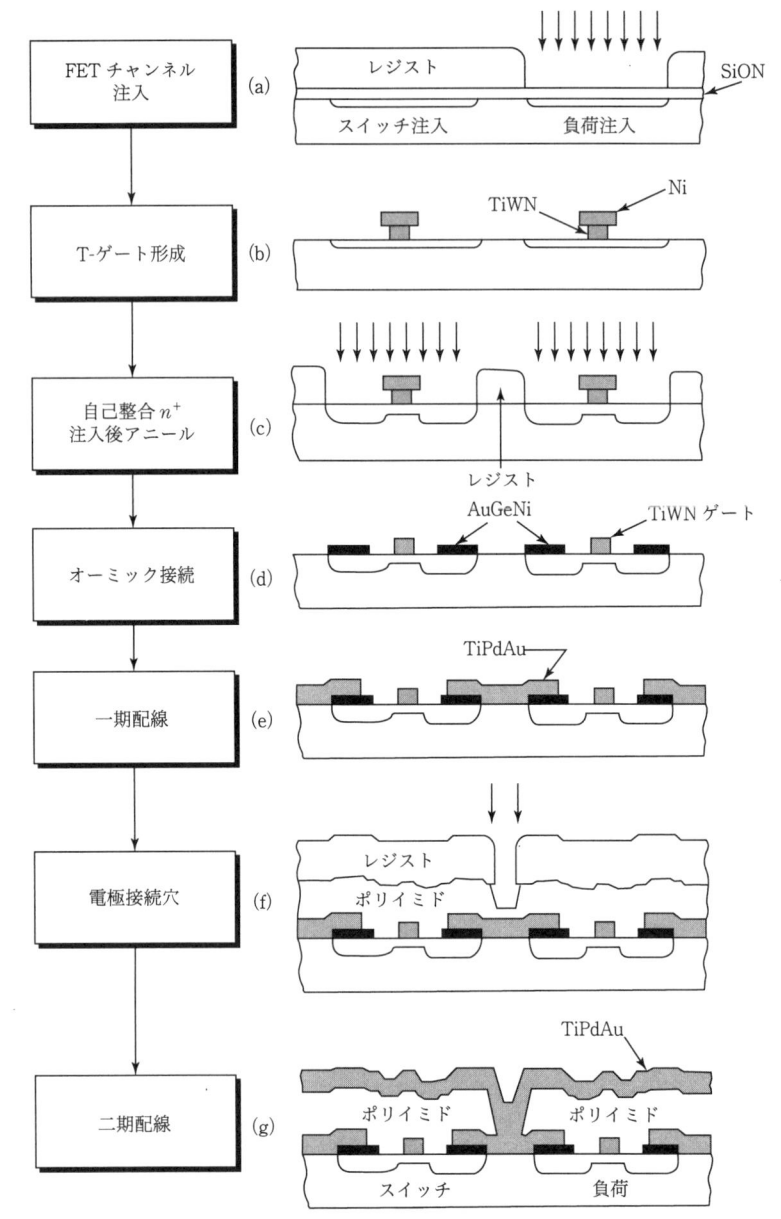

図 34 能動負荷付き MESFET 直接結合 FET ロジック（direct-coupled FET logic, DCFL）の作成手順．n^+ ソースとドレインはゲートと自己整合性である[15]．

表 1 1997-2014 での技術世代[16] の予想

最初の製造出荷年	1997	1999	2002	2005	2008	2011	2014
最小寸法 (nm)	250	180	130	100	70	50	35
規模[a] (bit)	256 M	1 G	—	8 G	—	64 G	—
ウェーハ寸法 (mm)	200	300	300	300	300	300	450
ゲート酸化膜 (nm)	3-4	1.9-2.5	1.3-1.7	0.9-1.1	>1.0	—	—
接合深さ (nm)	50-100	42-70	25-43	20-33	15-30	—	—

a DRAM, dynamic random access memory.

14.5.1 集積への挑戦

図35は，CMOSロジック技術のチャネル長に対する電源電圧 V_{DD}，しきい値電圧 V_T，ゲート酸化膜厚み d の変化傾向を示した[17]．図から，ゲート酸化膜厚みは，トンネル電流限界の2 nm に，間もなく達する．V_{DD} は縮小則に従わない V_T のため，縮小の度合いは鈍っている．180 nm あるいはそれ以下の技術への挑戦の幾つかは[18]，図36に示されている．もっとも厳しい条件を以下に記す．

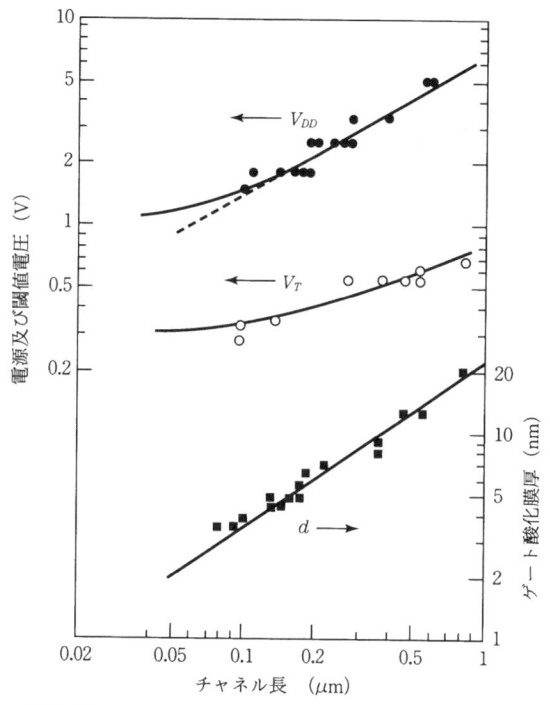

図35 電源電圧 V_{DD}，しきい値 V_T およびゲート酸化膜厚 d のチャンネル長との関係．長年の発表データの集積である[17]．

極薄接合形成

第6章で述べたように，短チャンネル効果がある．寸法が100 nm以下ではこの効果は見逃せない．低シート抵抗の極薄接合を得るには，（1 keV 以下の）低エネルギー・高ドーズのイオン注入技術が必要である．表1は，各ステージで要求される接合厚みを示す．100 nm に対して，接合厚みは 20-33 nm で，添加濃度は $1\times10^{20}/cm^3$ である．

極薄酸化膜

ゲート長が130 nmになると，ゲート誘電膜の厚みは2 nmでないと，特性が保てない．ここで SiO_2（比誘電率3.9）しか使えないとすると，トンネル現象によって，漏洩電流は非常に高くなる．このため，比誘電率の大きいより厚い膜が必要となる．候補として，窒化Si（比誘電率＝7），Ta_2O_5(25)，TiO_2(60-100) が考えられる．

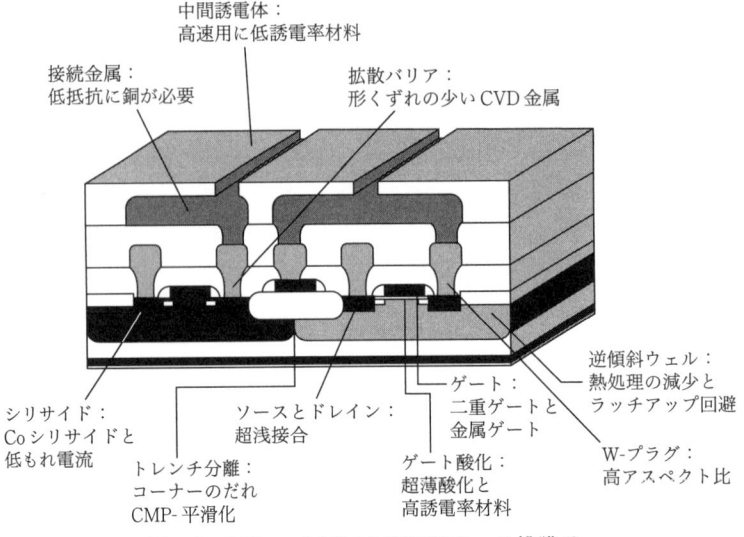

図 36　180 nm 以下の MOSFET への挑戦[18].

シリサイド作製

シリサイド関連技術は，寄生抵抗を減らす物としてサブミクロン領域で取り上げられている．従来から，350-250 nm 領域では，$TiSi_2$ は多用されてきたが，線幅が狭くなると，シート抵抗が高くなる．100 nm あるいはそれ以下では，$TiSi_2$ に代わって $CoSi_2$ あるいは $NiSi$ が有望である．

新配線材料

高速動作の確保のために，配線の RC 遅延を低減させねばならない．第 11 章の図 14 に，最小寸法と遅延の関係を示した[19]．ゲート遅延は，ゲート長と共に小さくなるのは明らかであるが，配線遅延は逆に大きくなる．このことから，250 nm 以下では，総遅延時間は増加してくる．したがって，Cu のような良導体，誘電常数の低い有機物（ポリイミド）や無機物（F 添加酸化物）の使用は，有効である．銅は，低抵抗（$1.7\ \mu\Omega/cm$，一方 Al は $2.7\ \mu\Omega/cm$）であり，エレクトロマイグレーションについても，10-100 倍有利である．Cu と低誘電率の組み合わせは，Al と SiO_2 のそれに比べて絶対優れている．

電力限界

IC 中のデバイスの充放電をするだけでも，必要な電力は，ゲート数とスイッチする周波数（クロック周波数）に比例する．電力 P は次式で表される．$P=(1/2)\cdot CV^2 nf$，ここで C はデバイス当りの容量，n はチップ当りのデバイス数，f はクロック周波数である．この消費電力によるケースの温度上昇は，気体または液体による強制冷却がない限りパッケージ材料の熱伝導度で制限される．デバイスに許される最高温度は，半導体のバンドギャップで決まる（バンドギャップ 1.1 eV の Si では，約 100℃）．その程度の温度上昇には，パッケージ当り 10 W 程度の放熱が必要である．当然，クロック周波数か，ゲート数の上限が決められる．たとえば，100 nm の MOS デバイスで容量が 5×10^{-2} fF の IC で，クロック周波数が 20 GHz ならば，デューティサ

イクルを 1/10 として，最大ゲート数は 10^7 となる．この値は，材料の持つ限界である．

SOI 集　積

14.2.2 項で述べた分離は，SOI での分離であった．近年，SOI は注意を集めている．最小寸法が，100 nm に近づくに従って，SOI 集積の利点が浮かび上がる．プロセスの点からいえば，複雑なウェル構造およびその絶縁の必要がない．SOI 膜が薄いため，接合は必然的に薄くなる．接合の底部の酸化膜のため，Si と Al の不均一な相互拡散の恐れもない．したがって，Al 電極と Si の拡散を防ぐための障壁も必要ない．デバイスの観点から言えば，最新のバルク Si 技術では，短チャネル効果とパンチスルーをさけるため，ドレインと基板の不純物濃度を高くしなければならない．そのため接合容量は必然的に大きくなる．一方 SOI では接合と基板間の最大容量は，Si に比べて誘電率の低い（11.9 に対して 3.9）埋め込み絶縁層の容量である．リング発信器の特性で比較すると，130 nm SOI CMOS 技術は，同程度のバルク Si 技術に比べ，25% 高速で消費電力は 50% 少ない[20]．SRAM，DRAM，CPU，rf-CMOS などすべて SOI 技術で作られた．将来のチップ上のシステムの見込みある技術として SOI が挙げられるが，次の節で，これについて述べる．

例題 5　1.5 nm の酸化膜（比誘電率 =3.9）に相当する，窒化膜 (7)，Ta_2O_5(25)，TiO_2 (80)，それぞれの膜厚はいくらになるか．

解答　窒化膜については，
$$\varepsilon_{ox}/1.5 = \varepsilon_{窒化膜}/d_{窒化膜}. \quad d_{窒化膜} = 1.5 \times (7/3.9) = 2.69 \text{ nm}$$
同様に，Ta_2O_5 では 9.62 nm，TiO_2 では 10.77 nm となる．

14.5.2　1 チップシステム (system-on-a chip, SOC)

構成素子密度の増大と製造技術の進歩によって，チップ上のシステムが可能となった．設計者は，一つのチップの上に，完全なシステム，たとえばカメラ・ラジオ・テレビジョン・パソコン (PC) の全回路を作ることができる．図 37 に，PC の母体となる SOC を示す．以前プリント基板に取り付けられた 11 ケの IC が，仮想の SOC にまとめられる[21]．

SOC の実現には，二つの障害がある．一つは，とてつもない設計の複雑さである．今のプリ

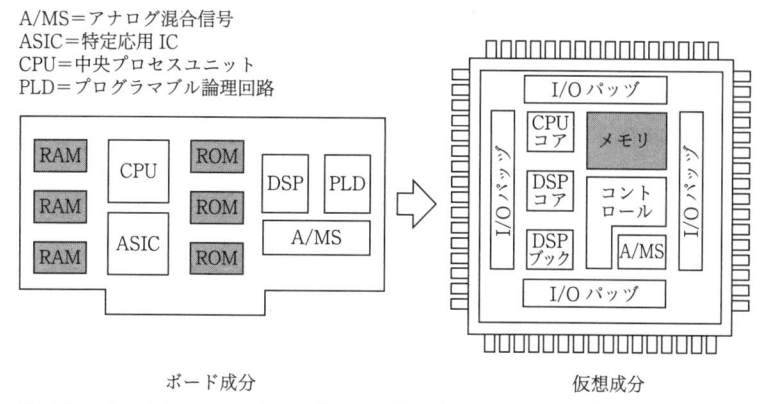

図 37　パーソナルコンピュータ・マザーボードの 1 チップシステム[21]．

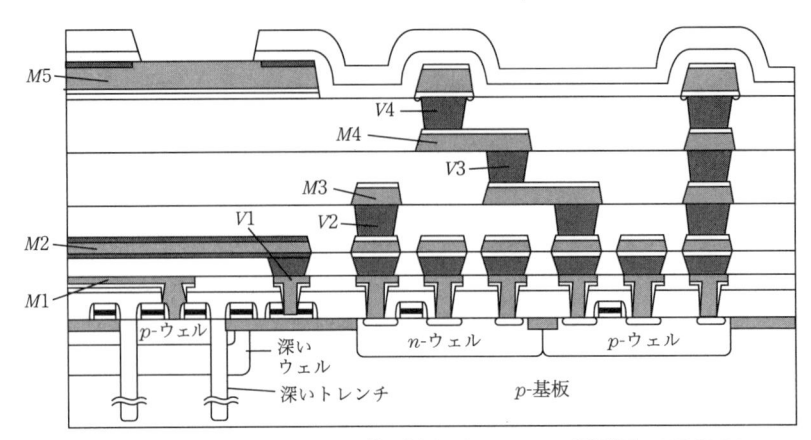

図38 DRAMセルとMOSFETを詰め込んだDRAMの断面図．DRAMセルの構造から，溝キャパシタに段差はない．M1-M5は各層での配線，V1-V4は層間接続栓である[22]．

ント基板は，それぞれ異なった会社が，異なった道具を使って作って居り，それを一つにまとめるのは至難の業である．もう一つは，製作の困難さである．一般にいって，DRAMと論理IC（たとえばCPU）の作り方は全く異なる．論理回路では，速度が最重要であるのに対し，メモリでは電荷の保持が問題である．つまり，論理回路では速度改善のため，5ないし6層の配線が必要である．しかしメモリでは2ないし3層で十分である．また速度向上のためには，抵抗を減らすための窒化プロセス，あるいは駆動電流を増やすために，極薄ゲート酸化膜が必要である．しかしメモリでは，それらは重要でない．

　SOCの達成に，埋め込みDRAM技術が導入された．つまり，論理回路とメモリを共通のプロセスで作らなければならない．図38に，埋め込みDRAMと，論理CMOSの断面を示す[22]．プロセスの一部は両立させるため改変してある．DRAM構造に，高さの違いが出ないように，積み重ね形の代わりにトレンチ形のキャパシタが用いられている．また，多様な電源電圧に対応するよう，ゲート酸化膜厚も多様化している．

まとめ

　この章で，受動要素，能動要素，集積回路のプロセス技術を学んだ．バイポーラ・トランジスタ，MOSFET，MESFETの3種類の基本的な集積技術を説明した．2014年までは，MOSFETのバイポーラに対する優位性は保たれるであろう．100 nmのCMOS技術は，SOI基板，Cuと低い比誘電率材料による配線がその主流となるであろう．

　最小寸法の急激な縮小により，チャンネル長が20 nmに達すると，技術は限界に達するであろう．CMOSの次に使われる物は何だろうとの疑問は，研究者によって問われ続けている．というのは，横方向が100 nm以下になると，材料・動作温度によって古典的な動作が期待できなくなる．そこでは，単一電子の動作がデバイスを支配する．このことは単電子メモリで確認されている．CMOSの次の挑戦は，兆を超えた集積度のシステム実現である[23]．

参 考 文 献

1. For a detailed discussion on IC process integration, see C. Y. Liu and W. Y. Lee, "Process Integration," in C. Y. Chang and S. M. Sze, Eds., *ULSI Technology*, McGraw-Hill, New York, 1996.
2. T. Tachikawa, "Assembly and Packaging," in C. Y. Chang and S. M. Sze, Eds., *ULSI Technology*, McGraw-Hill, New York, 1996.
3. T. H. Lee, *The Design of CMOS Radio-Frequency Integrated Circuits*, Cambridge Univ. Press, Cambridge, U.K., 1998, Ch. 2.
4. D. Rise, "Isoplanar-S Scales Down for New Heights in Performance," *Electronics*, **53**, 137 (1979).
5. T. C. Chen, et. al., "A submicrometer High-Performance Bipolar Technology," *IEEE Electron. Device Lett.*, **10**(8), 364, (1989).
6. G. P. Li et. al., "An Advanced High-Performance Trench-Isolated Self-Aligned Bipolar Technology," *IEEE Trans. Electron Devices*, **34**(10), 2246 (1987).
7. W. E. Beasle, J. C. C. Tsai, and R. D. Plummer, Eds., *Quick Reference Manual for Semiconductor Engineering*, Wiley, New York, 1985.
8. R. W. Hunt, "Memory Design and Technology," in M. J. Howes and D. V. Morgan, Eds., *Large Scale Integration*, Wiley, New York, 1981.
9. A. K. Sharma, *Semiconductor Memories—Technology, Testing, and Reliability*, IEEE, New York, 1997.
10. U. Hamann, "Chip Cards—The Application Revolution," *IEEE Tech. Dig. Int. Electron Devices Meet.*, p. 15, 1997.
11. R. D. Rung, H. Momose, and Y. Nagakubo, "Deep Trench Isolation CMOS Devices," *IEEE Tech. Dig. Int. Electron. Devices Meet.*, p. 237, 1982.
12. D. M. Bron, M. Ghezzo, and J. M. Primbley, "Trends in Advanced CMOS Process Technology," *Proc. IEEE*, p. 1646, (1986).
13. H. Higuchi, et al., "Performance and Structure of Scaled-Down Bipolar Devices Merge with CMOSFETs," *IEEE Tech.Dig. Int. Electron. Devices Meet.*, 694, 1984.
14. M. A. Hollis and R. A. Murphy, "Homogeneous Field-Effect Transistors," in S. M. Sze, Ed., *High-Speed Semiconductor Devices*, Wiley, New York, 1990.
15. H. P. Singh, et al., "GaAs Low Power Integrated Circuits for a High Speed Digital Signal Processor," *IEEE Trans. Electron Devices*, **36**, 240 (1989).
16. *International Technology Roadmap for Semiconductor (ITRS)*, Semiconductor Ind. Assoc., San Jose, 1999.
17. Y. Taur and E. J. Nowak, "CMOS Devices below 0.1 μm: How High Will Performance Go?" *IEEE Tech. Dig. Int. Electron Devices Meet.*, 215, 1997.
18. L. Peters, "Is the 0.18 μm Node Just a Roadside Attraction," *Semicond. Int.*, **22**, 46 (1999).
19. M. T. Bohr, "Interconnect Scaling—The Real Limiter to High Performance ULSI," *IEEE Tech. Dig. Int. Electron Devices Meet.*, p. 241, 1995.
20. E. Leobandung, et al.,"Scalability of SOI Technology into 0.13 μm 1.2 V CMOS Generation," *IEEE Int. Electron Devices Meet.*, p. 403, 1998.
21. B. Martin, "Electronic Design Automation," *IEEE Spectr.*, **36**, 61 (1999).
22. H. Ishiuchi, et al., " Embedded DRAM Technologies," *IEEE Tech. Dig. Int. Electron Devices Meet.*, p. 33, 1997.
23. S. Luryi, J. Xu, and A. Zaslavsky, Eds, *Future Trends in Microelectronics*, Wiley, New York, 1999.

問題（＊印は高度な問題を示す）

14.1節 受動素子に関する問題

1. $1\,\mathrm{k\Omega}/\square$の抵抗体を，$2.5\times2.5\,\mathrm{mm}^2$のチップ上に，$2\,\mu\mathrm{m}$の線幅，$4\,\mu\mathrm{m}$のピッチで作りうる抵抗の最大値はいくらか．
2. $5\,\mathrm{pF}$のキャパシタ用マスクを設計せよ．酸化膜厚は$30\,\mathrm{nm}$，最少の窓寸法は$2\times10\,\mu\mathrm{m}^2$

で最大合わせ誤差は 2 μm とする.
3. 基板上に 3 回巻きのインダクタを作るためのマスクを,順に描け.
4. 全線長 350 μm で,10 nH の正方インダクタを作るためのマスクセットを描け.

14.2節 バイポーラ技術に関する問題

5. クランプしたトランジスタの回路図とデバイス断面を描け.
6. 自己配置二重ポリ Si バイポーラ構造での,次の意義を説明せよ. (a) 図 13(a) のトレンチ内の不純物無添加ポリ Si,(b) 図 13(b) のポリ 1,(c) 図 (13(d)) のポリ 2.

14.3節 MOSFET 技術に関する問題

*7. NMOS の製造で,基板は p 形 10 Ωcm (100) Si ウェーハとする.ソース・ドレインは,25 nm のゲート酸化膜を透して,30 keV の As^+ を $10^{16}/cm^2$ 打ち込む. (a) デバイスのしきい値変化を求めよ. (b) 添加不純物分布を,チャネル域とソース域で描け.

8. (a) NMOS で,(100) 面が望まれる理由は ? (b) フィールド酸化膜が薄くなりすぎたときの問題は何か. (c) 3 μm 以上のゲート長で,ポリ Si を使うときに起きる問題は何か. (d) 自己整合ゲートをどのように実現するか.またその利点は何か. (e) P ガラスの目的は何か.

*9. 浮遊ゲートの非破壊メモリで,下部の誘電体の比誘電係数は 4 で,厚みは 10 nm で,ゲートより上部の係数は 10 で,厚みは 100 nm とする.下部誘電体中の電流密度 J は σE (ここで $\sigma = 10^{-7}$ S/cm) で,上部誘電体中の電流が無視できるとき,制御電極に 10 V 印加した後,(a) 0.25 μs 後,(b) 十分時間が経ち,J がほぼゼロになったときのしきい値の変化を求む.

10. 図 23 の CMOS インバータを作るための,マスク一式を示せ.図 23(c) の示す断面図を参考に,寸法を決めよ.

*11. 0.5 μm 寸法のデジタル CMOS で,幅 5 μm のトランジスタの時,最小線幅 1 μm で Al 電極の厚みは 1 μm,$\mu_n = 400$ cm^2/V·s,$d = 10$ nm,$V_{DD} = 3.3$ V,しきい値は 0.6 V,最大許容電圧降下が 0.1 V,1 μm^2 断面の Al が,NMOS の供給する最大電流を流すとき,最大線長はいくらまで取りうるか.簡単な二乗則の長チャンネルモデルを用いて考えよ (Al の比抵抗は 2.7×10^{-8} Ω·cm である).

12. 双子槽 CMOS 構造の,以下のプロセス後の断面図を描け. (a) n-ウェル注入,(b) p-ウェル注入,(c) 双子ウェルドライブイン,(d) 非選択性 p^+ ソース/ドレイン注入,(e) フォトレジストマスク利用の選択性 n^+ ソース/ドレイン注入,(f) P ガラス堆積.

13. PMOS で p^+ ポリ Si を用いる理由?

14. PMOS の p^+ ポリ Si からの B の滲みだしの問題は何か.

15. 良質な界面を得るために,基板と高い比誘電係数の絶縁膜の間に緩衝膜を設ける.積み重ねゲート誘電構造で,(a) 0.5 nm の窒化膜,(b) 10 nm の Ta_2O_5 の時の,酸化膜換算膜厚を求めよ.

16. LOCOS 技術の不利な点を述べよ.また,浅いトレンチ分離技術の優れた点を述べよ.

14.4節 MESFET 技術に関する問題

17. 図34(f)のポリイミドの目的は何か．
18. GaAs でバイポーラ・トランジスタと MOSFET が作りにくい理由を述べよ．

14.5節 マイクロエレクトロニクスの挑戦に関する問題

19. (a) $0.5\,\mu m$ の熱酸化 SiO_2 上の $0.5\,\mu m$ 厚の Al 配線の RC 時定数を計算せよ．配線は長さ 1 cm，幅 $1\,\mu m$ で伝導率は $10^{-5}\,\Omega \cdot cm$ である．(b) 同じ寸法でポリ Si の場合はどうなるか（$R\square = 50\,\Omega/\square$）．
20. SOC で多様な酸化膜厚が用いられる理由は何か．
21. 通常高い比誘電率の Ta_2O_5 と Si 基板の間に緩衝層をおく．積み重ねゲート誘電体が，7.5 nm の Ta_2O_5 (k=25) と 1 nm の窒化緩衝膜 (k=7) の時の酸化膜換算膜厚を求めよ．また緩衝膜が，0.5 nm の酸化膜の場合はどうか．

付　録

A　記号表

記号	定義/説明	単位
a	格子定数	Å
B	磁束密度	Wb/m²
c	真空中の光速	cm/s
C	電気容量	F
D	電束密度	C/cm²
D	拡散係数	cm²/s
E	エネルギー	eV
E_c	伝導帯下端のエネルギー	eV
E_F	フェルミ準位	eV
E_g	バンドギャップエネルギー	eV
E_v	価電子帯上端のエネルギー	eV
$\mathscr{E}$	電界	V/cm
$\mathscr{E}_c$	臨界電界	V/cm
$\mathscr{E}_m$	最大電界	V/cm
f	周波数	Hz(cps)
$F(E)$	フェルミ・ディラック分布関数	
h	プランク定数	J·s
$h\nu$	フォトンエネルギー	eV
I	電流	A
I_c	コレクタ電流	A
J	電流密度	A/cm²
J_{th}	閾値電流密度	A/cm²
k	ボルツマン定数	J/K
kT	熱エネルギー	eV
L	長さ	cm または μm
m_0	静止電子の質量	kg
m_n	電子の有効質量	kg
m_p	正孔の有効質量	kg
$\bar{n}$	屈折率	
n	自由電子密度	cm^{-3}
n_i	真性キャリア密度	cm^{-3}
N	ドーピング濃度	cm^{-3}

記号	定義/説明	単位
N_A	アクセプタ濃度	cm^{-3}
N_C	伝導帯の有効状態密度	cm^{-3}
N_D	ドナー濃度	cm^{-3}
N_V	価電子帯の有効状態密度	cm^{-3}
p	自由正孔密度	cm^{-3}
P	圧力	Pa
q	電子の電荷（素電荷）	C
Q_{it}	界面捕捉電荷	C/cm^2
R	電気抵抗	Ω
t	時間	s
T	絶対温度	K
v	キャリア速度	cm/s
v_s	飽和速度	cm/s
v_{th}	熱速度	cm/s
V	電圧	V
V_{bi}	内蔵電位	V
V_{EB}	エミッターベース間電圧	V
V_B	降伏電圧	V
W	厚さ	cm または μm
W_B	ベースの厚さ	cm または μm
ε_0	真空の誘電率	F/cm
ε_s	半導体の誘電率	F/cm
ε_{ox}	絶縁体の誘電率	F/cm
$\varepsilon_s/\varepsilon_0$ または $\varepsilon_{ox}/\varepsilon_0$	比誘電率	
τ	寿命または減衰時間	s
θ	角度	rad
λ	波長	μm または nm
ν	光の周波数	Hz
μ_0	真空中の透磁率	H/cm
μ_n	電子移動度	$cm^2/V \cdot s$
μ_p	正孔移動度	$cm^2/V \cdot s$
ρ	比抵抗	$\Omega \cdot cm$
ϕ_{Bn}	n形半導体のショットキー障壁高さ	V
ϕ_{Bp}	p形半導体のショットキー障壁高さ	V
$q\phi_m$	金属の仕事関数	eV
ω	角速度	Hz
Ω	オーム	Ω

B 国際単位系(SI 単位系)

量	単位	記号	次元
長さ*	meter (メーター)	m	
質量	kilogram (キログラム)	kg	
時間	second (秒)	s	
温度	kelvin (ケルビン)	K	
電流	ampere (アンペア)	A	
光度	candela (カンデラ)	cd	
角度	radian (ラジアン)	rad	
周波数	hertz (ヘルツ)	Hz	1/s
力	newton (ニュートン)	N	kg·m/s²
圧力	pascal (パスカル)	Pa	N/m²
エネルギー*	joule (ジュール)	J	N·m
仕事率	watt (ワット)	W	J/s
電荷・電気量	coulomb (クーロン)	C	A·s
電位	volt (ボルト)	V	J/C
伝導率	siemens (ジーメンス)	S	A/V
電気抵抗	ohm (オーム)	Ω	V/A
静電容量	farad (ファラッド)	F	C/V
磁束	weber (ウエーバー)	Wb	V·s
磁束密度	tesla (テスラ)	T	Wb/m²
インダクタンス	henry (ヘンリ)	H	Wb/A
光束	lumen (ルーメン)	Lm	cd·rad

*半導体分野では長さの単位としては cm を, エネルギーの単位としては eV を使用するのが一般的である.
($1\,\mathrm{cm} = 10^{-2}\,\mathrm{m}$, $1\,\mathrm{eV} = 1.6 \times 10^{-19}\,\mathrm{J}$)

C 単位の接頭辞*

倍数	接頭辞	記号	倍数	接頭辞	記号
10^{18}	exa (エクサ)	E	10^{-1}	deci (デシ)	d
10^{15}	peta (ペタ)	P	10^{-2}	centi (センチ)	c
10^{12}	tera (テラ)	T	10^{-3}	milli (ミリ)	m
10^{9}	giga (ギガ)	G	10^{-6}	micro (マイクロ)	μ
10^{6}	mega (メガ)	M	10^{-9}	nano (ナノ)	n
10^{3}	kilo (キロ)	k	10^{-12}	pico (ピコ)	p
10^{2}	hecto (ヘクト)	h	10^{-15}	femto (フェムト)	f
10	deka (デカ)	da	10^{-18}	atto (アト)	a

*国際度量衡委員会が採用. ($\mu\mu$ のように重ねては使えない. この場合は p とする)

D ギリシャ語アルファベット

文字	小文字	大文字	文字	小文字	大文字
Alpha（アルファ）	α	A	Nu（ニュー）	ν	N
Beta（ベータ）	β	B	Xi（クシー）	ξ	Ξ
Gamma（ガンマ）	γ	Γ	Omicron（オミクロン）	o	O
Delta（デルタ）	δ	Δ	Pi（パイ）	π	Π
Epsilon（エプシロン）	ε	E	Rho（ロー）	ρ	P
Zeta（ジータ）	ζ	Z	Sigma（シグマ）	σ	Σ
Eta（イータ）	η	H	Tau（タウ）	τ	T
Theta（セータ）	θ	Θ	Upsilon（ユプシロン）	υ	Υ
Iota（イオータ）	ι	I	Phi（ファイ）	ϕ	Φ
Kappa（カッパ）	κ	K	Chi（カイ）	χ	X
Lambda（ラムダ）	λ	Λ	Psi（プサイ）	ψ	Ψ
Mu（ミュー）	μ	M	Omega（オメガ）	ω	Ω

E 物理定数

量	記号	値
オングストローム	Å	10 Å = 1 nm = 10^{-3} μm = 10^{-7} cm = 10^{-9} m
アボガドロ数	N_{av}	6.02214×10^{23}
ボーア半径	a_B	0.52917 Å
ボルツマン定数	k	1.38066×10^{-23} J/K (R/N_{av})
素電荷	q	1.60218×10^{-19} C
静止電子質量	m_0	0.91094×10^{-30} kg
エレクトロンボルト	eV	1 eV = 1.60218×10^{-19} J = 23.053 kcal/mol
気体定数	R	1.98719 cal/mol·K
真空の透磁率	μ_0	1.25664×10^{-8} H/cm ($4\pi \times 10^{-9}$)
真空の誘電率	ε_0	8.85418×10^{-14} F/cm ($1/\mu_0 c^2$)
プランク定数	h	6.62607×10^{-34} J·s
還元プランク定数	$\hbar$	1.05457×10^{-34} J·s ($h/2\pi$)
静止陽子質量	M_p	1.67262×10^{-27} kg
真空中の光速度	c	2.99792×10^{10} cm/s
標準大気圧	atm	1.01325×10^5 Pa
300 K の熱電圧	kT/q	0.025852 V
1 eV 光子の波長	λ	1.23984 μm

F 主要元素半導体および化合物半導体の300Kにおける特性

半導体		格子定数 (Å)	バンドギャップ (eV)	バンド[a]	移動度[b] ($cm^2/V \cdot s$)		比誘電率
					μ_n	μ_p	
元素半導体	Ge	5.65	0.66	I	3900	1800	16.2
	Si	5.43	1.12	I	1450	505	11.9
IV-IV	SiC	3.08	2.86	I	300	40	9.66
III-V	AlSb	6.13	1.61	I	200	400	12.0
	GaAs	5.65	1.42	D	9200	320	12.4
	GaP	5.45	2.27	I	160	135	11.1
	GaSb	6.09	0.75	D	3750	680	15.7
	InAs	6.05	0.35	D	33000	450	15.1
	InP	5.86	1.34	D	5900	150	12.6
	InSb	6.47	0.17	D	77000	850	16.8
II-VI	CdS	5.83	2.42	D	340	50	5.4
	CdTe	6.48	1.56	D	1050	100	10.2
	ZuO	4.58	3.35	D	200	180	9.0
	ZnS	5.42	3.68	D	180	10	8.9
IV-VI	PbS	5.93	0.41	I	800	1000	17.0
	PbTe	6.46	0.31	I	6000	4000	30.0

a I：間接遷移型半導体，D：直接遷移型半導体
b ドリフト移動度，現在得られるものの最高値

G 300KにおけるSiおよびGaAsの特性

特性	Si	GaAs
原子密度 (Atoms/cm^3)	5.02×10^{22}	4.42×10^{22}
原子量	28.09	144.63
降伏電界 (V/cm)	$\sim 3 \times 10^5$	$\sim 4 \times 10^5$
結晶構造	ダイアモンド	閃亜鉛鉱
密度 (g/cm^3)	2.329	5.317
誘電率	11.9	12.4
伝導帯の有効状態密度 N_c(cm^{-3})	2.86×10^{19}	4.7×10^{17}
価電子帯の有効状態密度 N_v(cm^{-3})	2.66×10^{19}	7.0×10^{18}
有効質量		
電子 (m_n/m_0)	0.26	0.063
正孔 (m_p/m_0)	0.69	0.57
電子親和力 χ(V)	4.05	4.07
エネルギーギャップ (eV)	1.12	1.42
屈折率	3.42	3.3
真性キャリア密度 (cm^{-3})	9.65×10^9	2.25×10^6
比抵抗 ($\Omega \cdot$cm)	3.3×10^5	2.9×10^8
格子定数 (Å)	5.43102	5.65325
線膨張係数 $\Delta L/L \times T$ (℃$^{-1}$)	2.59×10^{-6}	5.75×10^{-6}
融点 (℃)	1412	1240
少数キャリア寿命 (s)	3×10^{-2}	$\sim 10^{-8}$
移動度 (cm^2/V$\cdot$s)		
μ_n (電子)	1450	9200
μ_h (正孔)	505	320
比熱 (J/g$\cdot$℃)	0.7	0.35
熱伝導率 (W/cm$\cdot$K)	1.31	0.46
蒸気圧 (Pa)	1 (1650℃)	100 (1050℃)
	10^{-6} (900℃)	1 (900℃)

H 半導体中の状態密度の導出

伝導帯および価電子帯における電子,正孔密度を計算するには,状態密度,すなわち,あるエネルギーにおける単位体積,単位エネルギーあたりの許容準位の数が必要である(単位は,状態数/eV/cm³).

電子が半導体中を x 軸方向に移動しているとき,その運動は,定在波振動で記述される.定在波の波長を λ,半導体の長さを L,n_x を整数とすると

$$\frac{L}{\lambda} = n_x \tag{1}$$

となる.波長は,ドブロイ波長で表され,

$$\lambda = \frac{h}{p_x} \tag{2}$$

で表される.h はプランク定数,p_x は x 方向の運動量である.式(2)を式(1)に入れると

$$L p_x = h n_x \tag{3}$$

となる.n_x を1だけ増加させるための運動量変化 dp_x は

$$L dp_x = h \tag{4}$$

となり,一辺の長さ L の立方体では,

$$L^3 dp_x dp_y dp_z = h^3 \tag{5}$$

となる.運動量空間における体積 $dp_x dp_y dp_z$ は $L=1$ の場合 h^3 に等しい.n を1ずつ変化させることによって (n_x, n_y, n_z) の組合せがいくつもでき,それぞれが,許容エネルギー状態に対応する.したがって,一つのエネルギー状態に対する運動量空間の体積は h^3 である.図は球面座標で表した運動量空間を示す.

2個の球面で狭まれた空間(p と $p+dp$ の間)の体積は $4\pi p^2 dp$ である.この中にあるエネルギー状態数は $2(4\pi p^2 dp)/h^3$ となる.ここで係数2は電子のスピンによる.

電子のエネルギー E(ここでは運動のエネルギーだけを考える)は

$$E = \frac{p^2}{2m_n} \tag{6}$$

となり

$$p = \sqrt{2m_n E} \tag{7}$$

となる.ここで,p は全運動量(直交座標で p_x,p_y,p_z の成分を持つ),m_n は有効質量である.式(7)を使って p を E で置き換えると次式が得られる.

$$N(E) dE = \frac{8\pi p^2 dp}{h^3} = 4\pi \left(\frac{2m_n}{h^2}\right)^{\frac{3}{2}} E^{\frac{1}{2}} dE \tag{8}$$

$$N(E) = 4\pi \left(\frac{2m_n}{h^2}\right)^{\frac{3}{2}} E^{\frac{1}{2}}. \tag{9}$$

$N(E)$ は状態密度と呼ばれ,単位体積当りに許容されるエネルギー状態数を表す.

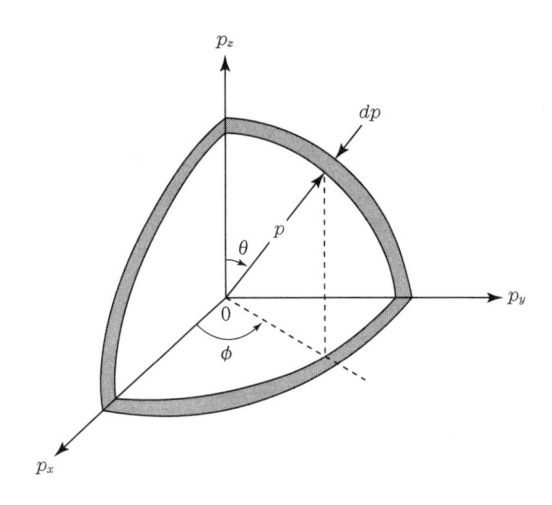

I　間接再結合における再結合速度の導出

再結合中心を介する各種の遷移過程を第3章・図12に示す．再結合中心の濃度を N_t とすれば，電子に占有されていない中心の濃度は $N_t(1-F)$ である．ただし，F は再結合中心が電子で占められている確率を示すフェルミ分布関数である．熱平衡状態では，

$$F = \frac{1}{1+e^{(E_t-E_F)/kT}} \tag{1}$$

ただし，E_t は中心のエネルギー準位，E_F はフェルミ準位である．

したがって，第3章・図12(a)に示す再結合中心による電子の捕獲割合は，

$$R_a \approx nN_t(1-F) \tag{2}$$

となる．比例係数を $v_{th}\sigma_n$ と定義すると，

$$R_a = v_{th}\sigma_n n N_t(1-F) \tag{3}$$

となる．ただし，積 $v_{th}\sigma_n$ は，視覚的には，単位時間に断面積 σ_n を持った電子が通過する体積と考えることができる．もしこの中に再結合中心があれば電子は捕獲される．

図12(b)の過程，すなわち中心からの電子の放出は捕獲の逆過程である．その割合は電子で占有されている中心の濃度 $N_t F$ に比例し，

$$R_b = e_n N_t F \tag{4}$$

となる．比例係数 e_n は放出確率と呼ばれる．熱平衡状態では，捕獲と放出の割合は等しくなければならない（$R_a = R_b$）．したがって，放出確率は式(3)で定義した量で表され，

$$e_n = \frac{v_{th}\sigma_n n(1-F)}{F} \tag{5}$$

となる．熱平衡下での電子密度は，

$$n = n_i e^{(E_F-E_i)/kT} \tag{6}$$

であるので，

$$e_n = v_{th}\sigma_n n_i e^{(E_t-E_i)/kT} \tag{7}$$

となる.

再結合中心と価電子帯間の遷移は前述の過程と同様に扱える. 図12の過程(c)に示す, 電子で占有された中心による正孔の捕獲割合は,

$$R_c = v_{th}\sigma_p p N_t F \tag{8}$$

となる.

図12(d)の正孔の放出, すなわち価電子帯から空の中心への電子の励起は, 電子放出の場合と同様にその割合は,

$$R_d = e_p N_t (1-F) \tag{9}$$

となる.

正孔の放出確率 e_p は, 熱平衡下での条件, $R_c = R_d$ から v_{th} と σ_p を用いて次のように表される.

$$e_p = v_{th}\sigma_p n_i e^{(E_t - E_t)/kT}. \tag{10}$$

次に, 非熱平衡の場合, すなわち, n 形半導体に均一光照射によって G_L の割合で電子-正孔を生成した場を考えよう. 図12の各過程に, 光照射による電子-正孔対の生成が加えられることになる. 定常状態では伝導帯で発生, 消滅する電子の数は等しくなければならない. これは, **詳細平衡則**と呼ばれ, これから

$$\frac{dn_n}{dt} = G_L - (R_a - R_b) = 0 \tag{11}$$

が得られる. 同様に価電子帯の正孔については,

$$\frac{dp_n}{dt} = G_L - (R_c - R_d) = 0. \tag{12}$$

熱平衡状態では, $G_L = 0$, $R_a = R_b$, $R_c = R_d$ であるが, 非熱平衡定常状態では, $R_a \neq R_b$, $R_c \neq R_d$ である. 式(11)および式(12)より,

$$G_L = R_a - R_b = R_c - R_d \equiv U. \tag{13}$$

再結合速度 U は式 (3), (4), (8), および (9) から,

$$U \equiv R_a - R_b = \frac{v_{th}\sigma_n\sigma_p N_t (p_n n_n - n_i^2)}{\sigma_p [p_n + n_i e^{(E_t - E_i)/kT}] + \sigma_n [n_n + n_i e^{(E_t - E_i)/kT}]}. \tag{14}$$

J 対称共鳴トンネルダイオードにおける透過係数の計算

トンネルダイオードの透過係数を計算するために, 第8章・図13(a)に示す5領域 (x_1, x_2, x_3, x_4 で特定される I, II, III, IV, V) を考えよう. それぞれの領域における電子のシュレーディンガー方程式は,

$$-\frac{\hbar^2}{2m_i^*}\left(\frac{d^2\Psi_i}{dx^2}\right) + V_i\Psi_i = E\Psi_i \qquad i = 1, 2, 3, 4, 5. \tag{1}$$

と書ける. ここで $\hbar$ はプランクの定数を 2π で除した値, m_i^* は I 領域における有効質量, E は入射電子の運動エネルギー, V_i および Ψ_i は, それぞれ, i 領域におけるポテンシャルエネルギーおよび波動関数である. 波動関数 Ψ_i は次のようになる.

$$\Psi_i(x) = A_i \exp(jk_i x) + B_i \exp(-jk_i x), \tag{2}$$

ここで，A_i および B_i は，境界条件によって決まる定数であり，$k_i = \sqrt{2m_i^*(E-V_i)}/\hbar$ である．波動関数およびその1階微分は，ポテンシャルの不連続点において連続でなければならないので（すなわち $\Psi_i/m_i^* = \Psi_{i+1}/m_{i+1}^*$）透過係数として次式が得られる（有効質量が5領域に渡って等しい場合）．

$$T_t = \frac{1}{1 + E_0^2 (\sinh^2 \beta L_B) H^2 / [4E^2(E_0-E)^2]}, \tag{3}$$

ここで，$H \equiv 2[E(E_0-E)]^{1/2} \cosh \beta L_B \cos kL_W - (2E-E_0) \sinh \beta L_B \sin kL_W$，
および $\beta \equiv \sqrt{2m^*(E_0-E)}/\hbar$, $k = \sqrt{2m^*E}/\hbar$.
共鳴条件は，$H=0$ のときであり，$T_t=1$ となる．共鳴トンネルエネルギー E_n は次の超越関数を解くことによって得られる．

$$\frac{2[E(E_0-E)]^{1/2}}{(2E-E_0)} = \tan kL_W \tanh \beta L_B \tag{4}$$

エネルギー準位の第一次近似として，無限大の障壁高さを有する量子井戸の結果を利用できる．

$$E_n \approx \left(\frac{\pi^2 \hbar^2}{2m^* L_W^2}\right) n^2. \tag{5}$$

有限の障壁高さと幅を持った二重障壁構造にすると，おなじ n の場合，エネルギー準位は下がるが，有効質量および井戸幅に対しては依存性は同じである．すなわち，m^* および L_W の減少に対して E_n は増加する．

K 気体運動論の基礎

理想気体では，次式が成立する．

$$PV = RT = N_{av} kT. \tag{1}$$

ここで P は気体の圧力，V は1モルの体積，R は気体定数（1.98 cal/mol・K または 82 atm・cm^3/mol・K），T は絶対温度，N_{av} はアボガドロ数（6.02×10^{23} 分子/mol），k はボルツマン定数（1.38×10^{-23} J/K あるいは 1.37×10^{-22} atm・cm^2/K）である．実際の気体は，圧力が低くなるほど理想気体に近づくので，式(1)は真空中プロセスでは，ほぼ成立する．式(1)から，分子濃度 n（単位体積当りの分子数）を求めれば，

$$n = \frac{N_{av}}{V} = \frac{P}{kT} \tag{2}$$

$$= 7.25 \times 10^{16} \frac{P}{T} \quad \text{分子/cm}^3, \tag{2a}$$

ここで P の単位は Pa である．気体の密度 ρ_d は分子の質量と濃度の積であるから，

$$\rho_d = \text{分子の質量} \times \left(\frac{P}{kT}\right). \tag{3}$$

気体分子は常に運動し，その速度は温度に依存する．速度の分布は，次のマックスウェル・ボルツマンの法則に従う．

$$\frac{1}{n}\frac{dn}{dv} \equiv f_v = \frac{4}{\sqrt{\pi}}\left(\frac{m}{2kT}\right)^{3/2} v^2 \exp\left(-\frac{mv^2}{2kT}\right), \tag{4}$$

v は速度，m は分子の質量である．この式は，単位体積中に n 個の分子があるとき，v と $v+dv$ の間の速度を持つ分子数が dn であることを意味する．平均速度は，式(4)から，

$$v_{av} = \frac{\int_0^\infty v f_v dv}{\int_0^\infty f_v dv} = \frac{2}{\sqrt{\pi}}\sqrt{\frac{2kT}{m}}. \tag{5}$$

真空の解析で重要なパラメータは，分子入射回数である．すなわち，単位時間当たり，単位面積に何個の分子が入射するかである．この値を求めるのに，まず x 方向の分子速度の分布関数 f_{v_x} を考えよう．この関数は，式(4)にならって，

$$\frac{1}{n}\frac{dn_x}{dv_x} \equiv f_{v_x} = \left(\frac{m}{2\pi kT}\right)^{1/2} v_x^2 \exp\left(\frac{-mv_x^2}{2kT}\right). \tag{6}$$

単位時間当りの分子入射回数 ϕ は

$$\phi = \int_0^\infty v_x dn_x \tag{7}$$

で与えられる．ここで，dn_x を式(6)から代入し，積分すれば

$$\phi = n\sqrt{\frac{kT}{2\pi m}} \tag{8}$$

となり，入射頻度と圧力の関係は，式(2)から

$$\phi = P(2\pi mkT)^{-1/2} \tag{9}$$

$$= 2.64 \times 10^{20}\left(\frac{P}{\sqrt{MT}}\right), \tag{9a}$$

ここで，P の単位は Pa，M は分子量である．

L 数値解を有する問題（奇数番号）の解答

第2章

1. (a) 2.35 Å；(b) 6.78×10^{14} (100)，9.6×10^{14} (110)，7.83×10^{14} (111) atoms/cm².
3. 52% (simple cubic)，74% (fcc)，34% (diamond)．
5. (643) 面
11. 0.583 eV (77 K)，0.569 eV (300 K)，0.557 eV (373 K)．
13. 72.7 Å，1154 Å．
15. 2.26×10^{16} cm^{-3}．
17. (a) 9.3×10^4 cm^{-3}，0.26 eV，(b) 10^{15} cm^{-3}，0.26 eV．
19. $n=10^{15}$ cm^{-3} ($N_D=10^{15}$ cm^{-3})，0.93×10^{17} (10^{17})，0.27×10^{19} (10^{19})．

第3章

1. 3.31×10^5 Ω·cm (Si)，2.92×10^8 Ω·cm (GaAs)．
3. 167 cm²/V·s．
5. 3.5×10^{17} cm^{-3}，400 cm²/V·s．
7. 0.226 Ω·cm．
9. $N_A=50N_D$．
11. (b) 259 V/cm．
13. (a) $\Delta n=10^{11}$ cm^{-3}，$n=10^{15}$ cm^{-3}，$p=10^{11}$ cm^{-3}．

19. $p(x) = 10^{14}(1 - 0.9e^{-x/L_p})$, $L_p = 31.6\ \mu\text{m}$.
23. 0.403, 7.8×10^{-9}.
25. $1.35 \times 10^{15}\ \text{cm/s} < 9.5 \times 10^6\ \text{cm/s}\ (100\ \text{V/cm})$,
    $1.35 \times 10^7\ \text{cm/s} \approx 9.5 \times 10^6\ \text{cm/s}\ (10^4\ \text{V/cm})$.

第4章

1. $1.867\ \mu\text{m}$, $V_{bi} = 0.52\ \text{V}$, $\mathscr{E}_m = 4.86 \times 10^3\ \text{V/cm}$.
3. 300 K, $V_{bi} = 0.714\ \text{V}$, $W = 0.97\ \mu\text{m}$, $\mathscr{E}_m = 1.47 \times 10^4\ V/\text{cm}$.
5. $N_D = 10^{15}\ \text{cm}^{-3}$ に対して, $1/C_j^2 = 1.187 \times 10^{16}(0.834 - V)$.
7. $N_D = 3.43 \times 10^{15}\ \text{cm}^{-3}$.
8. $2.5 \times 10^{17}\ \text{cm}^{-3}$.
11. $N_A = 2.2 \times 10^{15}\ cm^{-3}$, $N_D = 5.4 \times 10^{15}\ \text{cm}^{-3}$.
13. $0.79\ \text{V}$.
15. $8.78 \times 10^{-3}\ \text{C/cm}^2$.
17. 断面積は $8.6 \times 10^{-5}\ \text{cm}^2$.
19. (a) 587 V, (b) 42.8 V.
21. $V = +0.5\ \text{V}$ に対して, $V_{bi} = 1.1$ および $3.4 \times 10^{-4}\ \text{V}$,
    空乏層幅は, 3.82×10^{-5} および $1.27 \times 10^{-8}\ \text{cm}$.

第5章

1. (a) 0.995, 199, (b) $2 \times 10^{-6}\ \text{A}$.
2. (a) $0.904\ \mu\text{m}$, (b) $2.54 \times 10^{11}\ \text{cm}^{-3}$.
5. (a) $I_E = 1.606 \times 10^{-5}\ \text{A}$, $I_C = 1.596 \times 10^{-5}\ \text{A}$, $I_B = 1.041 \times 10^{-7}\ \text{A}$, (b) $\beta_0 = 160$.
13. $L_E = 19.5\ \mu\text{m}$, $L_B = 33.6\ \mu\text{m}$, $L_C = 58\ \mu\text{m}$.
15. $\beta_0 = 50{,}000$.
17. 131.6.
21. $I_E = 1.715 \times 10^{-4}\ \text{A}$, $I_C = 1.715 \times 10^{-4}\ \text{A}$.
23. $f_T = 1.27\ \text{GHz}$, $f_a = 1.275\ \text{GHz}$, $f_\beta = 2.55\ \text{MHz}$.
25. 0.29.
27. $3.96 \times 10^{-3}\ \text{cm}$, $44.4\ \text{cm}^2$.

第6章

5. $0.15\ \mu\text{m}$.
7. $0.59\ \text{V}$, $1.11 \times 10^5\ \text{V/cm}$.
9. $2.32 \times 10^{-2}\ \text{V}$.
11. $7.74 \times 10^{-2}\ \text{V}$.
15. $3.42\ \text{V}$, $2.55 \times 10^{-2}\ \text{A}$.
17. $3.45 \times 10^{-4}\ \text{S}$.
19. $8 \times 10^{11}\ \text{cm}^{-2}$.
21. $1.7 \times 10^{12}\ \text{cm}^{-2}$.
23. $0.457\ \mu\text{m}$.
25. $0.83\ \text{V}$.
29. 49 nm.
31. $0.134 \sim 0.226\ \text{V}$.
33. $3.1 \times 10^{-11}\ \text{A}$.
35. 4.34 V

第7章

1. $0.54\ \text{eV}$, $V_{bi} = 0.352\ \text{V}$.
3. $\phi_{Bn} = 0.64\ \text{V}$, $V_{bi} = 0.463\ \text{V}$, $W = 0.142\ \mu\text{m}$, $\mathscr{E}_m = 6.54 \times 10^4\ \text{V/cm}$.
5. $V_{bi} = 0.605\ \text{V}$, $\phi_m = 4.81\ \text{V}$.
7. $0.108\ \mu\text{m}$.
9. (b) $-2.06\ \text{V}$.
11. $0.152\ \mu\text{m}$, $0.0496\ \mu\text{m}$.
13. 5.8 nm.
15. 44.5 nm, $-0.93\ \text{V}$.

第8章

1. 11.25 nH.
3. 18.9 nm. $6.13 \times 10^{-7}\ \text{F/cm}^2$.
5. (a) 137 Ω; (b) 318.5 V.
7. (a) 74.8 V; (b) $2.2 \times 10^5\ \text{V/cm}$: (c) 19 GHz.
9. (a) $10^{16}\ \text{cm}^{-3}$: (b) 10 ps; (c) 2.02 W.

11. 3 meV, 11 meV.

第9章
1. 1.57 mW.
3. (a) 40.58 cm^{-1}; (b) 36.6%.
7. 3.83 nA.
9. 0.0091 (°C)$^{-1}$.
7. 9.
13. 138 V, 90 ps.
15. $V_m = 0.64$ V, $P_m = 52$ mW.
17. 35.6 mW ($R_s = 0$), 9 mW ($R_s = 5\,\Omega$).

第10章
1. $x = 0$ で, $C_s = 3 \times 10^{16}$ cm^{-3}; $x = 0.9$ で, $C_s = 1.5 \times 10^{17}$ cm^{-3}.
3. 0.75 g.
5. 6.56 m.
9. 24 cm.
11. ±30%, ±1%.
15. 900°C で, 2.14×10^{14} cm^{-3}.
17. 4.68×10^4 cm/s.
19. 5.27×10^{14} 原子/cm².

第11章
1. 44 min.
5. (a) $x = 0.83$, $y = 0.46$; (b) 2×10^{11} $\Omega \cdot$cm.
7. 0.0093.
9. 757°C.
13. 2.1×10^{11} cm^{-2}.
15. 71.1 nm, TiSi$_2$.
17. (a) 0.93 ns; (b) 0.42 ns; (c) 0.45.
19. 72 Ω, 0.18 V.

第12章
1. (a) 2765, (b) 578, (c) 157.
3. ポジに対して1時間にウェーハ7枚, ネガに対して1時間120枚.
9. (a) $W_b = 1.22\,\mu$m, (b) $0.93\,\mu$m, (c) $0.65\,\mu$m.
11. 上からの場合, 基板損失面積は127 cm², 下からの場合, 基板損失面積はわずか.
13. 224.7 nm/min.
17. 433.3 nm.

第13章
1. $0.15\,\mu$m, 5.54×10^{14} 原子/cm².
3. 25 min, 3.4×10^{13} 原子/cm².
5. 16.9%.
7. $x_j = 32.3$ nm.
11. 6.7 s.
13. $0.53\,\mu$m.
15. 99.6%.
21. $0.927\,\mu$m.

第14章
1. 781 MΩ.
2. 13 回.
7. (a) 0.91 V; (b) 最大濃度 2.2×10^{21} cm^{-3}.
9. (a) 0.565 V; (b) 9.98 V.
11. 740 μm.
15. 1.84 nm.
19. 1.38 ns, 207 ns.
21. 17.3 Å, 16.7 Å.

訳者あとがき

　1985 年に Wiley 社から出版された S. M. Sze 著 "*Semiconductor Devices, Physics and Technology*" は，1987 年に和訳本として初版が発行された．その発行にいたるいきさつについては，先に訳者あとがきに記したとおりであるが，版の大きさや形式については，発行者であった江面竹彦氏の示唆によった．氏は，「この本はロングセラーになります」と予言した．その彼の言葉どおり同書は 2002 年までに 15 刷を重ねた．

　Sze 博士が，「この本はコンピュータを駆使し，ミスプリントを駆逐した」と訳者に語ったとおり，確かに誤りは少ないと思われた．しかし刷を重ねるにつけ，熱心な多くの読者から，誤りの指摘を受け，訳者たちも見逃した間違いの多さに驚き，改めて "to err is human, … (誤るは人の常，——) の言葉の真理に気づかされた．これらの誤りは訳書だけではなく，原著でも訂正されている．この場をかりて多くのご指摘に感謝したい．

　Sze 博士から，2001 年末に今回の新版 (2002) を送っていただいたが，上記の理由によって改版翻訳の作業はいささか遅れをとった．台湾では中国語訳の作業が進んでいるとの連絡もあり，2003 年に入ってやっと，改版の具体的な打ち合わせが始まった．そこで，発行時期を早め，判を大型にして見やすくするなどの積極策を，江面氏は受け入れてくれた．まもなく彼が急逝されたとの知らせに，我々は驚かされた．

　このたび著者，訳者，出版社など関係者一同の心をこめて本書を送るにあたって，初版同様にあたたかく育てていただけるよう心からお願いいたしたい．

2004 年 1 月

雪の立山連峰を目にして
訳者を代表して　　南日康夫

索　　引

あ　行

アインシュタインの関係式　52
アクセプタ　34
アクセプタ型空格子点　411
アスペクト比　392
圧力センサ　395
アナログ用　443
アニール　423, 425
アバランシ　285
アバランシ・フォトダイオード　285
アモルファス　333
アモルファスSi　292
アーリー効果　130

イオン化エネルギー　70
イオン化過程　70
イオン化不純物　45
イオン化率　71
イオン注入　80
イオン注入法　8
イオンビームスパッタ　350
イオンビームリソグラフィ　380
移相マスク　373
イソプロピルアルコール　383
一次酸化係数　336
1チップシステム　465
一定電界縮小則　183
移動度　45
異方性反応性スパッタエッチング　454
異方性エッチング　292, 363
異方度　385
陰画　372
インバータ　184, 459

ウェット酸化　78
ウェーハ　436
　──厚み　313
　──反り　313
　──テーパ　313
ウェル　177, 186
埋め込み層　441

埋め込みDRAM　466
運動量　28

エアマス　287
液晶ディスプレイ　188
液相線　310
液体閉じこめ法　311
エッチ液　381
エッチング機構　387
エネルギー　28
エネルギー等配則　52
エネルギーバンド　26
エピタキシィ　7, 301
エピタキシャル結晶成長　318
エミッタ　118
　──遅れ時間　133
　──効率　121
　──接地　128
　──接地回路　129
　──接地しゃ断周波数　132
　──接地電流利得　129, 132
エミッタ-ベース接合　119
エレクトロマイグレーション　10, 355
遠紫外　371
エンハンスメント型　174

応答速度　283
オージェ再結合　58
押し込み　408
オフ状態　133, 139
オーミック電極（オーミック接触）　80, 204, 212
重いホール　280
オン状態　133, 139
温度効果　277

か　行

外因性　34
外因性拡散　410
外因性拡散領域　410, 413
外因性遷移　259
開口比　367
回折　371

解像度　365
階段接合　84
開放電圧　289
界面トラップ　163
ガウスビーム　375
ガウス分布　408, 417, 443
化学エッチング　381
化学機械研磨　357
化学気相堆積法　339, 351
化学蒸気堆積法　318
化学増幅レジスト　371
化学的エッチ　387
化学量論的組成　344
拡散　80, 381
拡散係数　51, 306, 404
拡散接合　108
拡散長　61, 406
拡散電流　51, 100
拡散法　8
拡散容量　103
角周波数　270
核阻止能　418
化合物半導体　19, 262
加湿酸化　336
過剰キャリア　53
片側階段接合　86, 237
片持ち梁のピエゾ抵抗加速度センサ　395
活性化エネルギー　102, 337, 340
活性モード　118, 127
価電子帯　28
価電子帯端のバンド不連続量　112, 136
可動イオン　164
過渡応答　104
過渡特性　102, 135
加熱セル　323
可変形状ビーム　375
ガリウムヒ素　19
軽いホール　280
感光曲線　370
緩衝フッ酸　80
間接再結合　54
間接遷移型半導体　30, 56, 263
完全イオン化　36
完全空乏型　191
乾燥酸化　336
ガンダイオード　5

記号表　470
寄生 n-p-n-n^+ デバイス　198
寄生 p-n-p-n ダイオード　186

犠牲膜　396
気相エピタキシィ　318
基底状態　258, 259
揮発性物質　387
揮発性メモリ　192
逆スタッグ構造　189
逆動作モード　127
逆方向降伏領域　141
逆方向阻止状態　141
逆方向電流の温度依存性　102
逆方向バイアス　80, 87
キャパシタ　438
キャリアの生成　53
キャリア分布　123
キャリア流束密度　112
吸収係数　260, 261
急速熱アニール　445
共振器　259
共振キャビティ　233
共振周波数　233
共鳴トンネルダイオード　245
鏡面仕上げ　381
共有結合　25
局部発信機　234, 240
曲率効果　110, 415
キンク　191
禁制帯　28
近赤外域　283
近接効果　376
金属　30
　——シリコン　302
　——シリサイド　358
　——接続　391
　——配線　80
金属-酸化物-半導体電界効果トランジスタ　153
金属-半導体接触　204, 214
金属-半導体電界効果トランジスタ　214

空間電荷　83, 380
空間電荷分布　82
空間電荷領域　83
空格子　314
空格子拡散　406
空格子点　404
空乏　156
空乏層容量　90, 160, 208
空乏領域　83
屈折率　270
グラジュアルチャンネル近似　170, 179, 224
グラファイト　311

索引

グラファイト支持台　317
クリーンルーム（無塵室）　363, 364
クレジットカード　453
グレーデッドインデックス形　269
グレーン（粒）　189

傾斜イオン注入　429
傾斜接合　88
傾斜層　138
傾斜ベース　133
傾斜ベースヘテロ接合　138
携帯電話　452
欠陥　302
欠陥除去（デヌーデッド）領域　317
結合電子　26
結晶欠陥　314
結晶構造　20
結晶成長速度　306
結晶方位　313
ゲッタリング　317
ゲート　167
ゲート酸化膜　168, 337, 448, 463
ゲートターンオフサイリスタ　146
ゲート長　214
ゲート幅　214
ケミカル―メカニカル研磨　10
減圧化学気相堆積法　339
減圧CVD　351
原子量　376
減衰　269, 287
現像液　369
元素半導体　18
研磨材液　357

溝　313
高圧水銀灯　367
高圧直流デバイス　147
光学近接補正　374
光学-酸発生基　371
光学的リソグラフィ　363
格子　20
　――間位置　404
　――間拡散　404, 406
　――間原子　314
　――散乱　45
　――振動　45
　――整合　302, 324
高周波　388
高周波電力変換機　147
高周波等価回路　131

高純度石英　269
後退ウェル　455
高注入効果　98
高電界効果　66
高電子移動度トランジスタ　222
光電流利得　282
降伏電圧　81
降伏領域　218
後方散乱　377
高誘電率材料　347
国際単位系　472
極薄酸化膜　463
極薄接合　463
固相エピタキシィ　425
固相線　310
固定電荷　163
コプラナ導波路　232
個別素子　435
固溶度　316
コールドウォール　339
コレクタ　118
　――走行時間　133
　――抵抗　132
　――電流　122, 125
コレクタ-ベース接合　119
コレクタ飽和電流　123
混晶半導体　20
混成回路　8
コンタクトプラグ　351
コントラスト比　370

さ　行

再結合過程　53
再結合中心　56
再結合電流　100, 291
最小寸法　466
最小線幅　365
最大出力　288
サイラトロン　117
サイリスタ　139, 141
　――のエネルギーバンド図　141
　――のゲート電極　141
　――のゲート電流　144
　――のゲート電流パルス　144
　――の構成　144
　――の不純物分布　141
　――の模式図　140
材料選択性　389
酢酸　383
雑音指数　286

サテライト谷　67
サブスレッショールドスイング　184
サブスレッショールドスイング S　174
サブスレッショールド電流　173, 181
サブスレッショールド特性　189
サブスレッショールド領域　173
サブミリ波帯　231
サリサイド　358
三塩化ガリウム　320
酸化　78
酸化硼素　311
酸化膜分離　441
三元系　262
3端子サイリスタ　145
散乱機構　45, 263

ジエチル化亜鉛　321
ジエチル化カドミウム　321
磁界　303
視感度曲線　262
しきい値電圧　160, 171, 172, 174, 175, 448
しきい値電流密度　274
軸方向　274
ジクロロシラン　341
自己整合　190, 358, 445
仕事関数　63, 111, 154, 162, 204
自然放出　258
実空間遷移　250
実効再結合割合　55
実効リチャードソン定数　211
質量作用則　37
質量分析室　417
シートキャリア密度　224
シート抵抗　438
射影飛程　417, 420
射影分散　417, 420
しゃ断周波数　132, 220, 221, 225, 248, 252
しゃ断モード　127
集積回路　8, 78, 435
集中プラズマプロセス　391
自由電子　26
周波数帯　231
縮小則　179, 182
縮小率　183
縮退　234, 271
縮退半導体　39
種結晶　302, 307
出力コンダクタンス　131
出力ノード　184
主フラット　313

シュレーディンガー方程式　65
瞬時熱アニール　425
純水　383
順方向電流　101
順方向電流の温度依存性　102
順方向導通状態　141
順方向バイアス　80, 87
順方向ブレークオーバー　141
常圧CVD　318
詳細平衡則　478
硝酸　383
小信号電圧　131
少数キャリア　38
　――の寿命　55
　――の蓄積　103
状態密度　210, 280
蒸着　350
焦点深度　367
衝突電離過程　70
障壁の高さ　208
ショットキー障壁　204, 214
ショットキー接合　282
ショットキー・ダイオード　209
シリカ　333
シリサイド　167, 358, 464
真空準位　111
親水性　371
真性拡散係数　410
真性拡散領域　410, 412
真性キャリア密度　31, 33
真性遷移　259
真性半導体　31
真性フェルミ準位　33
真値表　252
新配線材料　464

水晶　333
水素化アモルファスシリコン　188
水素原子模型　34
スイッチング過渡特性　133
スイッチング機構　140
スイッチング時間　104
スイッチング電源　147
スカルペル　375
スタティック　193
ステップインデックス　268
　――形　269
ストライプレーザ　278
スネルの法則　265
スパッタ　350

——装置　350
スピナー　79
スペクトル分離　290
スラリ　357
スループット　345, 365

正孔　26
　——移動度　45
　——電流　125
　——の拡散長　123
生成-再結合　57, 98
生成電流　99
静電ポテンシャル　47, 82
性能指数　212, 220
正の積層欠陥　315
整流器　2
整流性　80
石英　311
赤外 LED　268
絶縁強度　342
絶縁体　17, 31
　——分離　443
接合深さ　437
接合容量　90
接続栓　351
せん亜鉛鉱格子　21
遷移領域　83
遷移領域容量　90
線欠陥　314
選択ウェットエッチング　197
選択ドープヘテロ構造トランジスタ　222
全反射角　265

双安定性　117
双安定デバイス　141
象嵌　355
　——手法　393
層間絶縁膜　346
走行時間　283
相互コンダクタンス　131
相互作用 p-n 接合　120
双晶　314
増倍係数　106
増幅器　240
双方向サイリスタ　145
素子間配線　80
ソース　167
疎水性　371

た　行

ダイアック　145
ダイアモンド構造　21
体心立方結晶　20
体積欠陥　316
ダイナミック　193
　——ランダムアクセスメモリ　9
ダイポール　243
太陽電池　287
多結晶　307
　——Si　163, 188
多孔質　342
多重注入　427
多数キャリア　38
縦分離　448
ダマシーン　355
単一波長レーザ　278
単位の接頭辞　472
単位胞　20
ターンオフ時間　105, 135
ターンオン時間　135
単結晶成長技術　301
単結晶引上機　302
段差被覆性　340, 342, 351
単純立方晶　20
炭素　302
短チャンネル効果　179
単電子メモリ　196
単電子メモリセル　6
弾道電子　249
短絡電流　288

小さい角度の粒界　327
蓄積　156
　——時間遅れ　135
　——少数キャリア　103
　——セル　192
　——容量　193, 347
窒化シリコン　189, 344
窒化膜　345
チャンネルストップ層　448
チャンネリング効果　421
チャンネル　168
　——コンダクタンス　171
　——長　168
　——幅　168
中央処理ユニット　9
中性空格子点　411
中性子照射法　309

中性領域　82
注入イオン　416
注入損傷　423
超音波発振器　147
超階段接合　93
長距離スパッタ　351
超格子　324
長波長のしきい値　281
直接再結合　54
直接遷移型　262
　——半導体　30
直接露光　374
直線領域　169, 171, 218
チョクラルスキ法　6, 24
直列抵抗　291

ツインウェル　186
通常形サイリスタ　146
積み重ね太陽電池　293
強い反転　156

低圧CVD　190, 318
抵抗　437
ディスオーダ　423
低注入　55, 94
ディープ・サブミクロン　178
ディプレッション型　174
低誘電率材料　345
デジタル回路　133
デジタルカメラ　453
デジタル用　443
テトラエチルオルソシリケイト　340
電圧増幅　148
転位　314
電荷結合デバイス　6, 166
電荷の蓄積　102
電気双極子　243
点欠陥　314
電子移動度　44
電子切符　453
電子サイクロトロン共鳴　350, 390
電子財布　453
電子産業　1
電子銃　374
電子親和力　63, 111, 154, 204
電子線リソ　374
電子線レジスト　376
電子阻止能　418
電子対　25
電子電流　125

電子ビーム蒸着　350
電子ビームリソシステム　368
転写　371
電子レジスト　368
点接触トランジスタ　3
伝送線路　232
伝達コンダクタンス　172, 173, 184, 218, 220, 221, 225, 252
伝導帯　28
　——端　112
　——の不連続　138
伝導チャンネル　223
伝導度　48, 281
電流増幅　148
電流利得　120
電力限界　464
電力増幅　148
電力用デバイス　140
電力用MOSFET　196

投影法　365
等価回路　439
透過係数　65, 245
動作モード　126
導体　17
導電率　48
銅配線　10
等倍転写法　365
特性インピーダンス　233
閉込め係数　272
ドーズ量　417
トップゲート構造　190
ドナー　34
ドナー型空格子点　411
ドブロイ波長　279
ドメイン　243
トライアック　145
ドライエッチ　386, 397
ドライ酸化　78
トランジスタ　117
　——作用　118
ドリフト速度　44
ドリフト電流　48
ドリフト領域　197
ドレイン　167
トレンチ素子分離　10
トンネル　194
　——過程　64
　——係数　65
　——効果　105

――ダイオード 234
――電流 234

な 行

内蔵電位 83, 204, 208
内部応力 345
なだれ過程 69
なだれ降伏 236
なだれ降伏電圧 107
なだれ増倍 106, 236

二酸化シリコン 78
二次イオン質量分析法 410
二次元電子ガス 224
二次元電子ガス電界効果トランジスタ 222
二次酸化係数 336
二重ヘテロ接合 (DH) レーザ 274
二谷モデル 67
入射頻度 322
入力コンダクタンス 131
入力ノード 184

熱酸化 332
熱処理 425
熱速度 51
熱中性子 309
熱電子放射 63, 209
熱平衡 53, 259
――状態 31, 54, 80, 163, 258
――フェルミ準位 81
熱励起電流 234

ノーマリ・オフ 174, 219, 224
ノーマリ・オン 174, 219, 224

は 行

排気部 302
配線 393
配線間容量 346
排他的 NOR 論理 249
排他的 OR 252
バイポーラ技術 440
バイポーラデバイス 117
バイポーラ・トランジスタ 117, 435
――のオン状態 133, 140
――の周波数応答 131
――の静特性 123
薄膜スパイラル法 439
薄膜トランジスタ 188
刃状転位 314

波長 366
発光スペクトル 266
発光遷移 257, 258
発信器 459
バッファー液 383
バラクター 93
バリスティックコレクタトランジスタ 139
バルク効果 240
バルク効果デバイス 69, 240
バルク CMOS 191
パワーデバイス 196
パワー MOSFET 196
反射損 265
反射防止膜 283
反射率 273
半絶縁性の GaAs 312
パンチスルー 109
パンチスルー効果 137
反転 156
――層 168, 224
――分布 259
バンド 231
半導体 17, 31
半導体用 Si 302
バンド間再結合 53
バンド間遷移 259
バンドギャップエネルギー 28
バンド狭化現象 39
バンド図 81
反応性イオンエッチング 197

光アイソレータ 262
光吸収 257, 258
光検出器 281
光サイリスタ 147
光抵抗 281
光制御器 147
引き上げ速度 302
非縮退半導体 35
比接触抵抗 212
非対称サイリスタ 146
ビット 450
――ライン 193
飛程 417, 420
比抵抗 47
非熱平衡状態 53
非輻射再結合 53
微分抵抗 235
(111) 面 383
(110) 面 383

(100) 面　383
表面再結合　57
　　──速度　58
　　──電流　61
表面準位　57, 163, 207
表面少数キャリア　61
表面反転層　168
表面放出赤外 LED（InGa）（AsP）　269
ピラミッド　292
ピンチオフ　215
　　──状態　225
　　──点　169, 215
　　──電圧　218

フィック（Fick）の拡散方程式　405
フィールド酸化膜　177, 337
フィールドトランジスタ　177
フィルファクタ　290
フェルミ準位　31, 81, 82, 111
フェルミ分布関数　31, 477
フォトニックデバイス　318
フォトレジスト　79, 369
フォトンのエネルギー　257
フォトンの吸収　257
負荷線　131
不活性化　188
吹きつけ　381
不揮発性半導体メモリ　6
不揮発性メモリ　192, 194
輻射再結合　53
副フラット　313
不純物散乱　45
不純物分布　92, 304
負性抵抗　235, 239
負性抵抗領域　141
負性微分移動度　241, 242
負性微分抵抗　240, 250
不対電子　188
双子槽　455
物理気相堆積法　350
物理定数　473
物理的エッチ　387
負の積層欠陥　315
部分空乏型　191
浮遊ゲート　6, 194
浮遊ゾーン法　306
プラズマエッチ　385, 386
プラズマ援用化学気相堆積　188
プラズマ化学気相堆積法　339
プラズマ CVD　344

プラズマ診断　387
プラズマ堆積法　339
ブラッグ波長　278
フラッシュメモリ　196
フラット　313
フラットバンド　155
　　──状態　163
　　──電圧　163, 165
ブリッジマン法　6, 311
フリップフロップ　193
プレデポジション　408, 430
プレーナ技術　78, 113
フレンケル欠陥対　314
分子線エピタキシィ　9, 322
分布定数　232
分布ブラッグ反射型　278

平均緩和時間　44
平均自由行程　44, 323
平衡状態　53
　　──濃度　334
平衡偏析係数　304
平面形 LED　264
ヘインズ-ショックレイの実験　62
劈開面　273
ベクトル・スキャン　375
ベース　118
　　──接地回路　128
　　──接地型　119
　　──接地しゃ断周波数　132
　　──接地電流利得　121, 126
　　──走行時間　133
　　──抵抗　132
　　──電流　120, 125
　　──到達率　122
　　──幅変調　130
ヘテロ（hetero）エピタキシィ　302
ヘテロ界面　112
ヘテロ接合　111, 269
　　──電界効果トランジスタ　222
　　──バイポーラ・トランジスタ　135
変換　309
偏析係数　305, 415
変調ドープ層　222
変調ドープ電界効果トランジスタ　222
変調バンド幅　270

ポアソンの方程式　60, 82, 157
芳香ジアミン　267
放射光　377

放射線損傷　191
飽和速度　66
飽和電圧　225
飽和電流密度　97, 211
飽和モード　127
飽和領域　169, 171, 218
捕獲断面積　57
捕獲電荷　163
補誤差関数　406
保護膜　339
保持電圧　141
保持電流　141
補正係数　48
ホットウォール　339
ホットエレクトロン　194, 249
ホットエレクトロン HBT　250
ホットキャリア　194
ホモエピ　302
ポリ Si　163, 167, 188, 343
ポリ Si ゲート　340
ポリサイド　358, 393
　──プロセス　358
ホール係数　50
ホール効果　49
ホール電圧　50
ホール電界　50

ま　行

マイクロ光学　397
マイクロストリップ　232
マイクロ波周波数　231
マイクロプロセッサ　9, 436
マイクロモータ　395
膜　395
　──厚　371
　──生成　435
マスク　368, 397

密着法　365
ミラー指数　22
ミリ波帯　231

メモリー　435
　──デバイス　450
面欠陥　314
面心立方結晶　20

モータ駆動　148
モノリシック IC　8
モル濃度　319

漏れ電流　142

や　行

有機 LED　267
有機金属熱分解法　9
有機溶剤　369
有効質量　28
有効状態密度　33
有効偏析係数　305
融点　310
誘電緩和時間　244
誘電膜　339
誘導結合プラズマ源　390
誘導放出　258
歪み　324
　──エピ成長　302
ユニポーラ共鳴トンネルトランジスタ　248
ユニポーラ・デバイス　211

溶解度　403
溶融石英　368
横分離　448
横方向の拡散　449
横方向の分散　417, 420
弱い反転　156
4 探針法　48

ら　行

ラスター・スキャン　375
らせん転位　314
ラッチアップ　186, 454
　──現象　191

理想気体　479
理想係数　100
理想ダイオードの式　97
理想的電流-電圧特性　96
理想特性　94
理想 p-n-p トランジスタ　120
リソグラフィ　6, 79, 363
立体マイクロマシニング　395
立方晶　18, 305
リードオンリーメモリ　194
利得係数　276
リフトオフ法　372
リフレッシュ　193
粒界　190
　──面　314
粒子　365
流量制御部　302

量子効果デバイス　244
量子効率　263
量子トンネル現象　234
良品率　369
臨界周波数　132
臨界電界　107
臨界膜厚　325
リンガラスフロー　343
リン酸　383

ルビーレーザ　270
ループ転位　327

励起状態　258, 259
レーザモード　274
レーザ励起プラズマ　377
レトログレイド（後退）ウェル　187
連続の式　59

漏洩電流　453
露光装置　371
ローレンツ力　50
論理ゲート　459

わ　行

ワイドバンドギャップ　136

欧文索引

A

Alを腐食 393
AlCuエッチ室 391
AlF$_3$ 393
Al$_x$Ga$_{1-x}$As 270, 274
Al$_x$Ga$_{1-x}$As$_y$Sb$_{1-y}$ 270
AlQ$_3$tris (8-hydroxy-quinolinato) aluminum 267
As 301, 310
AsH$_3$ 320
a-Si：H 188
Au 379

B

bcc 20
BCT 139
Be 324
B$_2$H$_6$ガス（ジボラン） 319
BiCMOS 148, 188, 458
BJT 117
B$_2$O$_3$ 311

C

CAD 368
CAR 371
CCD 166
CD 365
CMOS 8, 435, 453
CMP 357, 393
CPU 9
Cu 393
　　——のハライド 393
CVD 318, 339, 351
CZ法 311

D

DBR (distributed Bragg reflector) 278
DFBレーザ 279
D-MOSFET 197, 450
DRAM (dynamic random access memory) 9, 192, 194, 347, 436, 450
drive-in 408

E

ECR 350, 390
EEPROM (electrically erasable-programmable read-only memory) 194
EPROM (erasable-programmable read-only memory) 194
EUVリソ 377

F

fcc 20
FD 191
FD-SOI 192
fully depleted 191
FWHM 266
FZ法 306

G

G線 367
Ga 301
GaAs 19, 270
　　——イオン化率 71
　　——移動度 45
　　——エッチング 384
　　——エネルギーバンド構造 29, 67
　　——MESFET 214
　　——MOCVD法 320
　　——結晶構造 20
　　——降伏臨界電界 107
　　——CVD法 320
　　——障壁高さ 205
　　——真性キャリア密度 33
　　——相図 214
　　——ドリフト速度 67
　　——に対する降伏電圧 108
　　——不純物準位 35
　　——不純物の拡散係数 405
　　——なだれ降伏電圧 108
　　——有効状態密度 33
GaCl$_3$ 320
Ga$_x$In$_{1-x}$As$_y$P$_{1-y}$ 268, 270
Ga$_x$In$_{1-x}$As$_y$Sb$_{1-y}$ 270

GaN 265
GaP 264
Ge_xSi_{1-x} 325
grain boundary 190
GRIN-SCH 281
GTO 146

H

H線 367
HBT 135
　――の電流利得 135
HDP 386, 390
HEMT (high electron mobility transistor) 222
He-Neガスレーザ 270
HFET (heterojunction field-effect transistor) 222

I

I線 367
IC 78, 436
ICインダクタ 439
ICP 390
IGFET 167
IMPATT 5, 236
InP 270
ITO 267

K

KOH 383
KrF 367

L

LaB_6 374
LCD (liquid crystal display) 188
LEC 311
LIGA 397
LOCOS 443, 444
low-k 345
LPCVD 190, 339
LSI 436

M

MBE 322
MEMS 395
MERIE 386
MESFET 214, 435, 460
MISFET 167
MMIC 439
MNOS 451
MOCVD 9, 320, 324

MODFET (modulation-doped field-effect transistor) 222
MOSダイオード 153
MOSFET 167, 435
　――技術 446
MOST 167
MQW 280
MSI 436

N

n-ウェル 454
n-チャンネル 174
NDR (negative differential resistance) 240
NH_4F 383
NMOS 8

O

OLED 267

P

p-ウェル 186, 454
p-チャンネル 174
$pAl_xGa_{1-x}N$ 265
partially depleted 191
passivate 188
PCVD 339
PD 191
PD-SOI 191
PECVD (plasma-enhanced chemical vapor deposition) 188
PERL電池 292
PMOS 8
p-n接合 2, 77
polycrystalline silicon 188
PSM 373
PVD 350

Q

Q値 439
QED (quantum-effect device) 244

R

RAM (random access memory) 450
RC時定数 346
real-space-transfer 250
RIE 388
RST 250
RTA (rapid thermal annealing) 425, 426

S

SCR 141
SDHT (selectively doped hetero structure transistor) 222
self-aligned 190, 358
Si
　——イオン化率 71
　——移動度 45
　——エッチング 382
　——エネルギーバンド構造 29
　——結晶構造 20
　——降伏臨界電界 107
　——障壁高さ 205
　——真性キャリア密度 33
　——ドリフト速度 67
　——に対する降伏電圧 108
　——不純物準位 35
　——不純物の拡散係数 405
　——なだれ降伏電圧 108
　——有効状態密度 33
SiC 302
$SiCl_4$ (四塩化ケイ素) 319
SiH_4 (シラン) 319
SiH_2Cl_2 (二塩化シラン) 319
$SiHCl_3$ (三塩化シラン) 319
Silicon-on-nitride 191
Silicon-on-oxide 191
SIMOX 431, 444
SIMS 410
Si_3N_4 344
single electron memory cell 196
SiO_2 78, 302
SMPS 147
SOI (Silicon-on-Insulator) 191, 431, 444, 465
SOS (Silicon-on-sapphire), (silicon-on-spinel) 191
SRAM (static random access memories) 192, 193, 450
SSI 436
SWP 390

T

Ta 379
TED (transferred electron device) 240
TEGFET (two-dimensional electron gas field-effect transistor) 222
TEOS 340
TFT (thin film transistor) 188
transferred electron effect 240

U

ULSI 436
U-MOSFET 197

V

VLSI 436
V-MOSFET 196
VPE 318, 319, 320

W

W 379

X

X線リソグラフィ 379

Z

zincblende lattice 21
ZnS 285

〈訳者略歴〉

南　日　康　夫（なんにち・やすお）
- 1956 年　東京大学工学部応用物理学科卒業
  日本電気株式会社中央研究所入社
- 1960 年　スタンフォード大学研究員
- 1966 年　工学博士（東京大学）
- 1979 年　筑波大学物質工学系教授
- 1997 年　筑波大学名誉教授

川　辺　光　央（かわべ・みつお）
- 1961 年　大阪大学工学部電気工学科卒業
- 1967 年　大阪大学基礎工学部助手
- 1969 年　工学博士（大阪大学）
- 1975 年　グラスゴー大学研究員
- 1978 年　筑波大学物質工学系助教授
- 1984 年　筑波大学物質工学系教授
- 2002 年　筑波大学名誉教授

長谷川　文　夫（はせがわ・ふみお）
- 1963 年　東北大学工学部電子工学科卒業
- 1965 年　日本電気株式会社中央研究所入社
- 1973 年　工学博士（東北大学）
  シェフィールド大学研究員
- 1981 年　筑波大学物質工学系助教授
- 1988 年　筑波大学物質工学系教授
- 2004 年　筑波大学名誉教授
  工学院大学電子工学科教授
- 2008 年　工学院大学非常勤講師
- 2011 年　退職

半導体デバイス（第 2 版）
―基礎理論とプロセス技術―

1987 年 5 月 25 日　　初　版
2004 年 3 月 30 日　　第 2 版第 1 刷
2017 年 3 月 30 日　　第 2 版第 12 刷

著　者　S. M. ジィー
訳　者　南　日　康　夫
　　　　川　辺　光　央
　　　　長谷川　文　夫
発行者　飯　塚　尚　彦
発行所　産業図書株式会社
　　　　〒102-0072 東京都千代田区飯田橋 2-11-3
　　　　電話 03(3261)7821(代)
　　　　FAX 03(3239)2178
　　　　http://www.san-to.co.jp
装　幀　遠　藤　修　司

印刷・製本 平河工業社

Yasuo Nannichi
© Mitsuo Kawabe　2004
Fumio Hasegawa

ISBN 978-4-7828-5550-8 C 3055